Le Guide de l'auto 2000

Conception graphique et infographie: Pierre Durocher
Révision et correction: Nicole Raymond et Sylvie Tremblay
Traitement des images: Mélanie Sabourin

Photos: Jacques Duval, Denis Duquet, Alain Florent, Alain Raymond, Michel Desroches et Colette Vincent
Couverture: La couverture du *Guide de l'auto 2000* a été réalisée selon un concept original de Mark Conforzi du bureau de design de la Ford Motor Company. La Ford Model T, choisie la voiture la plus marquante du premier siècle automobile par un panel d'experts, y côtoie le dessin d'un prototype illustrant ce à quoi pourrait ressembler la voiture d'après-demain.

La quasi-totalité des photos d'auteurs du *Guide de l'auto 2000* ont été réalisées avec du film AGFA Agfachrome. Nos remerciements à M. Denis Desbois.

Le Guide de l'auto tient à remercier les personnes et les organismes dont les noms suivent et qui, chacun à leur façon, ont collaboré à l'élaboration de la présente édition.

Francine Tremblay pour son indéfectible soutien
Brigitte Duval pour sa complicité
Marie Mercier pour son humour
François Duval pour sa relève
Olivier Adam pour ses fiers services
Richard Petit pour sa passion
Richard Léger pour ses bons tuyaux
Monique Ruhlmann Duval pour son inspiration
Claude Carrière pour sa disponibilité

Pierre Martel pour nos rendez-vous à Sanair
Robin Choinière pour ses cascades
L'Autodrome St-Eustache pour son accueil
La compagnie Honda pour sa BMW Z3 *(sic)*
Peter White pour le bonjour à la montagne
Pierre Marchand pour son dépannage
Patrick Morin pour le Salon de Francfort
René Gilbert pour *Le Guide de l'auto TV*

et les participants à nos matchs comparatif: Manon Babin-Babeux, Amyot Bachand, Éric Beaumont, Josée Bélanger, Charles-André Bilodeau, Claude Carrière, Alexandre Doré, Carole Dugré, Daniel Duquet, Alain Florent, Yvan Fournier, Éric Gariépy, Philippe Adam, Robert Gariépy, Antoine Joubert, Sophie Noiseux, Richard Petit et Pauline Proulx-Pratte.

DISTRIBUTEURS EXCLUSIFS:

• Pour le Canada et
les États-Unis:
MESSAGERIES ADP*
955, rue Amherst,
Montréal, Québec
H2L 3K4
Tél.: (514) 523-1182
Télécopieur: (514) 939-0406
* Filiale de Sogides ltée

• Pour la France et
les autres pays:
INTER FORUM
Immeuble Paryseine, 3, Allée de la Seine
94854 Ivry Cedex
Tél.: 01 49 59 11 89/91
Télécopieur: 01 49 59 11 96
Commandes: Tél.: 02 38 32 71 00
Télécopieur: 02 38 32 71 28

• Pour la Suisse:
DIFFUSION: HAVAS SERVICES SUISSE
Case postale 69 - 1701 Fribourg - Suisse
Tél.: (41-26) 460-80-60
Télécopieur: (41-26) 460-80-68
Internet: www.havas.ch
Email: office@havas.ch
DISTRIBUTION: OLF SA
Z.I. 3, Corminbœuf
Case postale 1061
CH-1701 FRIBOURG
Commandes: Tél.: (41-26) 467-53-33
Télécopieur: (41-26) 467-54-66

• Pour la Belgique et le Luxembourg:
PRESSES DE BELGIQUE S.A.
Boulevard de l'Europe 117
B-1301 Wavre
Tél.: (010) 42-03-20
Télécopieur: (010) 41-20-24

Pour en savoir davantage sur nos publications,
visitez notre site: **www.edhomme.com**
Autres sites à visiter: www.edjour.com
• www.edtypo.com • www.edvlb.com
• www.edhexagone.com • www.edutilis.com

L'Éditeur bénéficie du soutien de la Société de développement des entreprises culturelles du Québec pour son programme d'édition.

Nous reconnaissons l'aide financière du gouvernement du Canada par l'entremise du Programme d'aide au développement de l'industrie de l'édition (PADIÉ) pour nos activités d'édition.

Jacques **Duval** et Denis Duquet

Le Guide de l'auto 2000

LES ÉDITIONS DE
L'HOMME

ELLE VOUS INCITE À TESTER SES LIMITES

IL VOUS EN DONNE LA PERMISSION

Michelin n'approuve pas l'utilisation d'un véhicule de façon non sécuritaire ou illégale. 1999 Michelin Amérique du Nord,
Copyright 1999 Mazda Amérique du Nord. Utilisation permise.

La Mazda Miata vous défie de maximiser son potentiel. Le nouveau Pilot® XGT H4 multiplie les moments pendant
lesquels vous le pouvez en toute confiance. Le secret? Des lamelles renforcées assez profondes pour mordre dans la
neige fondante, assurant ainsi une traction exceptionnelle sur la chaussée mouillée, tout en étant assez rigides pour
pratiquement se fusionner à la route dans des conditions sèches. Ainsi, quel que soit le virage, quelle que soit la
saison, le Pilot XGT H4 vous autorise à tirer profit de
chaque goutte d'adrénaline qui sommeille dans votre
voiture sport. Pour plus d'informations, voyez un
détaillant Michelin autorisé près de chez vous.

MICHELIN

Parce que les pneus, c'est important.

Table des matières

PROFITEZ DE L'OCCASION

MATCHS COMPARATIFS

ESSAIS SPÉCIAUX

LES PROTOTYPES

LES CAMIONNETTES

LES GRANDES SPORTIVES

ESSAIS ET ANALYSES

ACURA

•1,6EL	20 000 $
•1,6EL Sport	21 600 $
•1,6EL Premium	23 000 $
•3,2CL Premium	30 900 $*
•3,2TL	36 000 $
•Integra SE	22 000 $
•Integra GS	26 000 $
•Integra GS-R	28 000 $
•Type R	31 000 $
•3,5 RL	52 000 $*
•NSX-T	140 000 $*

ASTON MARTIN

•DB7	195 000 $
•DB7 Volante	199 000 $

AUDI

•A4 1,8 Turbo	32 900 $
•A4 1,8 Turbo Auto	33 930 $
•A4 2,8	39 370 $
•S4	56 550 $
•A6 2,8	49 170 $
•A6 Avant	53 795 $
•A6 2,7 T	57 000 $
•A8 Quattro	86 250 $
•TT	49 500 $

BMW

•323i	36 900 $
•323Ci	38 900 $
•328i	44 900 $
•328Ci	46 900 $
•Z3 2,3	45 900 $
•Z3 2,8	54 900 $
•528i	58 500 $
•540i	74 200 $
•528i Touring	60 500 $
•540i Touring	76 200 $
•740i	89 900 $
•750iL	137 900 $
•M Roadster	62 900 $
•M Coupe	62 900 $
•M5	102 650 $
•X5	76 500 $ (prix estimé)

BUICK

•Century Custom	25 440 $
•Century Limited	28 120 $
•Le Sabre Custom	30 465 $
•Le Sabre Limited	35 725 $
•Park Avenue	41 850 $
•Park Avenue Ultra	48 310 $
•Regal LS	28 675 $
•Regal GS	32 160 $

CADILLAC

•Catera	42 310 $
•De Ville	51 995 $
•DeVille DHS	59 795 $
•De Ville DTS	59 795 $
•Eldorado Sport Coupe	53 230 $
•Eldorado Touring Coupe	56 925 $
•Escalade	63 805 $
•Seville SLS	59 970 $
•Seville STS	63 775 $

CHEVROLET

•Astro	24 265 $
•Astro AWD	26 790 $
•Blazer 2 portières 4X2	29 285 $
•Blazer 4 portières 4X2	34 395 $
•Blazer 2 portières 4X4	31 985 $
•Blazer 4 portières 4X4	37 165 $
•Silverado 4X2	22 100 $
•Silverado 4X4	25 600 $
•Camaro	25 890 $
•Camaro cabriolet	32 915 $
•Camaro Z28	31 455 $
•Camaro Z28 cabriolet	38 095 $
•Cavalier coupé	15 765 $
•Cavalier Z24 cabriolet	27 200 $
•Cavalier Z24 coupé	20 515 $
•Cavalier LS berline	21 115 $
•Corvette coupé	59 950 $
•Corvette cabriolet	66 865 $
•Corvette hardtop	56 485 $
•Malibu	21 920 $
•Malibu LS	24 740 $
•Metro	10 795 $
•Metro berline	11 785 $
•Monte Carlo LS	25 895 $
•Monte Carlo SS	28 595 $
•S-10 régulier/boîte courte	16 495 $
•S-10 régulier/boîte longue	16 895 $
•Suburban 4X2	34 620 $*
•Suburban 4X4	37 620 $*
•Tahoe 2 portes	31 555 $*
•Tahoe 2 portes 4X4	34 555 $*
•Tahoe 4 portes 4X2	38 915 $*
•Tahoe 4 portes 4X4	41 915 $*
•Tracker décapotable 4RM	18 630 $
•Tracker 4 portes 4RM	19 495 $
•Venture SW ValueVan	24 895 $
•Venture LW	27 225 $

CHRYSLER

•300M	39 675 $
•Cirrus LX	22 365 $
•Cirrus LXi	25 050 $
•Concorde LX	28 115 $
•Concorde LXi	32 860 $
•Intrepid	25 520 $
•Intrepid ES	26 615 $
•LHS	41 370 $
•Neon	17 995 $
•Sebring Cabriolet JX	32 585 $
•Sebring Cabriolet JXi	35 230 $
•Sebring LX	26 810 $
•Sebring JX	32 335 $
•Sebring JXi	34 960 $
•Town & Country LXi	41 730 $
•Town & Country LTD	44 030 $
•Town & Country Ti	47 275 $

DAEWOO

•Lanos S 3 portes	12 495 $
•Lanos SX 3 portes	15 295 $
•Lanos S 4 portes	12 995 $
•Lanos SX 4 portes	15 795 $
•Nubira SX berline	16 295 $
•Nubira CDX berline	17 995 $
•Nubira SX familiale	16 995 $
•Nubira CDX familiale	18 995 $
•Leganza SX	20 295 $
•Leganza CDX	23 995 $

DODGE

•Caravan	24 885 $
•Caravan SE	28 515 $
•Caravan LE	32 730 $
•Grand Caravan	26 580 $
•Grand Caravan SE	29 330 $
•Grand Caravan LE	34 160 $
•Grand Caravan ES	36 550 $
•Grand Caravan Sport AWD	37 540 $
•Dakota	18 380 $
•Dakota 4X4	22 375 $
•Durango SLT	37 750 $
•Durango SLT+ 5,9 litres	38 345 $
•Ram 1500	20 630 $
•Viper RT/10	92 610 $
•Viper coupé	96 380 $

FERRARI

•Ferrari F360 Modena	192 525 $
•Ferrari 456 GT	345 000 $
•Ferrari F550 Maranello	302 000 $

FORD

•Econoline Club Wagon XLT	37 295 $
•Focus ZX3	16 595 $
•Focus LX	14 895 $
•Focus SE	16 595 $
•Focus SE familiale	18 095 $
•Focus ZTS	19 695 $
•ZX2	17 895 $
•Excursion XLT 4X4	47 895 $
•Excursion LTD	54 195 $
•Expedition Eddie Bauer	51 295 $
•Explorer XLS	23 695 $
•Explorer XLT	38 895 $
•Explorer Eddie Bauer	43 595 $
•Explorer Limited	44 895 $
•F-150	20 995 $
•Mustang	22 595 $
•Mustang cabriolet	24 995 $
•Mustang GT	27 995 $
•Mustang GT cabriolet	31 595 $
•Ranger XL	16 395 $
•Ranger XLT Supercab	21 395 $
•Taurus LX	24 495 $
•Taurus SE	25 595 $
•Taurus SE familiale	26 495 $
•Windstar LX	25 995 $
•Windstar SEL	31 595 $

GMC

•Jimmy SLS 2 portes	29 285 $
•Jimmy SLS 4 portes	34 395 $
•Jimmy SLS 2 portes 4X4	29 285 $
•Jimmy SLS 4 portes 4X4	33 465 $
•Safari SLX	24 265 $
•Safari SLX AWD	27 450 $
•Sierra boîte courte	22 260 $
•Sierra boîte longue	22 560 $
•Sonoma SL boîte courte	16 495 $
•Sonoma SL 4X4	23 945 $
•Yukon 4 portes	40 910 $*
•Yukon 4X4 4 portes	41 915 $*
•Yukon Denali	55 800 $*

•Yukon XL	36 620 $
•Yukon XL	38 620 $

HONDA

•Accord Coupé LX	23 800 $
•Accord Coupé EX LTH	27 800 $
•Accord Coupé EX-V6	31 300 $
•Accord Berline DX	22 000 $
•Accord Berline LX	24 300 $
•Accord Berline EX LTH	27 800 $
•Accord Berline EX-V6	31 300 $
•Civic Hatchback CX	14 300 $
•Civic Hatchback DX	15 300 $
•Civic Coupé DX	16 300 $
•Civic Coupé Si	18 900 $
•Civic Coupé. SiR	23 400 $
•Civic Berline LX	16 100 $
•Civic Berline SE	16 900 $
•Civic Berline EX	17 400 $
•Civic Berline EX-G	18 900 $
•CR-V LX	26 000 $*
•CR-V EX	27 800 $*
•Odyssey LX	30 800 $
•Odyssey EX	33 800 $
•Prelude Coupé	27 900 $
•Prelude Type SH	31 900 $
•S2000	48 500 $

HYUNDAI

•Accent L	11 565 $*
•Accent GSi	13 495 $*
•Accent GSi automatique	14 195 $*
•Accent berline GL	12 995 $*
•Elantra GL	14 875 $
•Elantra VE	16 975 $
•Elantra GL familiale	15 875 $
•Elantra VE familiale	17 975 $
•Sonata GL	19 495 $*
•Sonata GLS	23 595 $*
•Tiburon	18 895 $
•Tiburon SE	21 295 $

INFINITI

•G20	32 950 $
•G20t	34 050 $
•I30	39 700 $
•I30t	41 500 $
•Q45t	71 000 $
•QX4	45 500 $

ISUZU

•Hombre S	14 614 $
•Hombre XS	16 995 $
•Hombre XS 4X4	22 961 $
•Rodeo S	29 998 $
•Rodeo LS	33 300 $
•Trooper S	35 300 $
•Trooper LS	39 250 $
•Trooper Limited	46 990 $

JAGUAR

•S-type V6	59 850 $
•S-type V8	69 850 $
•XJ8	79 590 $
•Vanden Plas	90 500 $
•XJR	94 300 $
•XK8 coupé	91 800 $
•XK8 cabriolet	99 800 $

JEEP

•Cherokee Sport 4X2 4 portes	26 875 $
•Cherokee SE 4X4 4 portes	28 195 $
•Cherokee Sport 4X4	29 885 $
•Grand Cherokee Laredo 4X4	38 860 $
•Grand Cherokee Limited 4X4	42 215 $
•TJ SE cabriolet 4X4	19 445 $
•TJ Sport 4X4 cabriolet	23 045 $
•TJ Sahara	26 020 $

KIA

•Sephia	12 995 $
•Sephia L	14 995 $
•Sportage	20 995 $
•Sportage EX	23 995 $

LAMBORGHINI

•Diablo VT	356 000 $
•Diablo Roadster	398 000 $
•Diabblo GT	500 000 $

LAND ROVER

•Discovery LE	46 900 $
•Range Rover 4.0 SE	84 950 $
•Range Rover 4,6 HSE	96 950 $

LEXUS

•ES300	44 236 $*
•GS300	59 420 $
•GS400	67 360 $*
•LS400	78 300 $*
•LX470	83 265 $*
•RX300	46 000 $*

LINCOLN

•Continental	52 895 $
•LS V6 manuelle	40 595 $
•LS V6 automatique	41 095 $
•LS V8 automatique	46 995 $
•LS V8 groupe Sport	48 895 $
•Navigator 4X4	68 195 $
•Town Car Executive	51 195 $
•Town Car Signature	52 595 $
•Town Car Cartier	54 495 $

MAZDA

•B3000 SX	16 050 $
•B4000 SX Cab Plus	24 550 $
•B4000 SE Cab Plus 4X4	24 095 $
•626 LX	23 175 $
•626 LX V6	25 580 $
•626 ES	30 280 $
•Millenium SE	42 310 $
•Millenia DX	24 655 $
•MPV LX	28 455 $
•MPV ES	33 060 $
•MX-5 Miata	26 995 $
•Protegé DX	14 995 $
•Protegé SE	15 715 $
•Protegé LX	17 390 $

MERCEDEZ-BENZ

•C230 Classic	38 450 $
•C230 E	44 350 $
•C280 Sport	46 250 $
•CLK 320	51 750 $
•CLK 430	69 500 $
•CLK 320A cabriolet	68 500 $
•CLK 430A cabriolet	76 900 $
•E320	67 150 $
•E320 4Matic	70 950 $
•E320 S familiale	67 950 $
•E320 S 4Matic familiale	71 950 $
•E430	74 750 $
•E430 4Matic	78 550 $
•E55	98 900 $
•ML320 Classic	47 990 $
•ML320 Élégance	54 150 $
•ML430	60 550 $
•ML55	90 500 $
•S430	92 500 $
•S500	112 850 $
•CL500C	122 900 $
•SLK230	57 900 $
•SLK230 manuelle	57 900 $
•SL500R	116 500 $
•SL600R	169 000 $

MERCURY

•Cougar 4 cylindres	20 595 $
•Cougar V6	22 495 $
•Grand Marquis GS	31 995 $
•Grand Marquis LS	35 195 $

NISSAN

•Altima XE	19 998 $
•Altima GXE	22 698 $
•Altima SE	25 598 $
•Altima GLE	28 598 $
•Frontier KC	19 698 $
•Maxima GXE	28 590 $
•Maxima SE	34 000 $
•Maxima GLE	34 900 $
•Pathfinder XE	33 800 $
•Pathfinder SE	36 800 $
•Pathfinder LE	42 000 $
•Quest GXE	31 298 $
•Xterra	30 995 $

OLDSMOBILE

•Alero GX berline/coupé	20 315 $
•Alero GL berline/coupé	22 630 $
•Alero GLS berline/coupé	27 300 $
•Aurora	47 250 $*
•Intrigue GX	28 365 $
•Intrigue GL	29 945 $
•Intrigue GLS	32 595 $
•Silhouette GS	29 855 $
•Silhouette GL	30 630 $
•Silhouette GLS	35 215 $
•Silhouette Premiere	39 390 $

PLYMOUTH

•Prowler	58 500 $

PONTIAC

•Bonneville SE	30 740 $
•Bonneville SLE	35 685 $
•Bonneville SSEi	41 995 $
•Firebird	27 430 $
•Trans Am coupé	35 330 $
•Trans Am «Ram Air» coupé	39 580 $
•Firebird cabriolet	33 615 $

- Trans Am cabriolet — 40 900 $
- Trans Am «Ram Air» cabriolet — 45 150 $
- Firefly coupé — 10 795 $
- Firefly berline — 11 785 $
- Grand Am SE — 20 495 $
- Grand Am SE coupé — 20 495 $
- Grand Am GT — 26 415 $
- Grand Am GT coupé — 26 415 $
- Grand Prix SE — 25 775 $
- Grand Prix GT — 28 050 $
- Grand Prix GT coupé — 28 050 $
- Sunfire SE — 16 165 $
- Sunfire SE coupé — 16 165 $
- Sunfire GT coupé — 21 420 $
- Sunfire GT cabriolet — 28 215 $
- Montana SW — 26 625 $
- Trans Sport LW — 29 640 $

PORSCHE

- Boxster — 59 100 $
- Boxster S — 71 110 $
- 911 Carrera coupé — 96 020 $
- 911 Carrera cabriolet — 109 750 $
- 911 Carrera 4 coupé — 103 990 $
- 911 Carrera 4 cabriolet — 117 700 $

SAAB

- 93 Hatchback 3 portes — 34 100 $
- 93 Hatchback 5 portes — 33 500 $
- 93 SE Hatchback HO 5 portes — 39 650 $
- 93 cabriolet — 49 900 $
- 93 SE cabriolet HO — 57 750 $
- 93 Viggen 3 portes — 49 900 $
- 93 Viggen 5 portes — 49 900 $
- 93 Viggen cabriolet — 63 500 $
- 95 berline — 40 200 $
- 95 SE — 50 850 $
- 95 Aero berline — 53 300 $
- 95 familiale — 42 300 $

SATURN

- SC1 — 16 743 $
- SC2 — 21 023 $
- SL — 13 588 $
- SL1 — 14 523 $
- SL2 — 17 352 $
- SW2 — 18 783 $
- LS — 19 255 $
- LS1 — 21 620 $
- LS2 — 26 120 $
- LW1 — 24 440 $
- LW2 — 27 810 $

SUBARU

- Forester L — 26 995 $
- Forester S — 30 995 $
- Forester Édition Dynastar — 27 995 $
- Forester S Limited — 33 395 $
- Impreza TS berline — 21 995 $
- Impreza RS berline — 26 995 $
- Impreza Brighton Wagon — 17 795 $
- Impreza 2,5RS Coupe — 26 695 $
- Impreza Outback Sport — 26 195 $
- Legacy Brighton familiale — 23 595 $
- Legacy L familiale — 26 695 $
- Legacy GT familiale — 32 195 $
- Legacy L — 26 995 $
- Legacy GT — 29 995 $
- Legacy GT Limited — 33 995 $
- Legacy Outback berline — 34 695 $
- Outback — 31 395 $
- Outback Limited — 36 295 $

SUZUKI

- Esteem GL — 15 495 $
- Esteem GLX — 18 495 $
- Esteem familiale GL — 15 995 $
- Esteem familiale GLX — 19 495 $
- Grand Vitara JX — 23 995 $
- Grand Vitara JLX — 26 995 $
- Vitara cabriolet JA — 18 495 $
- Vitara cabriolet JX — 19 895 $
- Vitara 4 portes JX — 20 795 $
- Swift — 11 595 $

TOYOTA

- Avalon XL — 36 595 $
- Avalon XLS — 43 800 $
- Camry CE — 24 070 $
- Camry LE — 27 225 $
- Camry CE V6 — 28 860 $
- Camry XLE V6 — 31 715 $
- Corolla CE — 18 175 $
- Corolla VE — 16 225 $
- Corolla LE — 20 540 $
- Celica GT — 24 980 $
- Celica GT-S — 32 545 $
- Echo 2 portes — 14 835 $
- Echo 4 portes — 15 175 $
- 4Runner SR5 V6 4X4 — 37 510 $
- 4Runner Limited — 47 500 $
- RAV4 2 portes 4X4 — 23 910 $
- RAV4 4 portes 4X4 — 25 555 $
- Sienna CE 3 portes — 26 590 $
- Sienna CE 4 portes — 28 200 $

- Sienna LE 4 portes — 30 705 $
- Solara SE — 26 655 $
- Solara V6 — 31 270 $
- Tacoma cabine régulière — 17 565 $
- Tacoma 4X2 XTRACAB — 21 470 $
- Prerunner — 22 655 $
- Tundra Access V8 — 34 495 $
- Tundra 4X4 V6 — 28 380 $

VOLKSWAGEN

- EuroVan GLS — 43 940 $
- EuroVan MV — 46 200 $
- Eurovan Camper — 49 815 $
- Golf GL — 18 950 $
- Golf GL TDI — 20 800 $
- Golf GLS — 21 800 $
- Golf GLS TDI — 23 300 $
- Golf GTi — 20 525 $
- Golf GTi GLX — 30 225 $
- Golf Cabrio — 25 300 $
- Golf Cabrio GLS — 30 070 $
- Jetta GL — 20 990 $
- Jetta GLS VR6 — 25 990 $
- New Beetle — 19 940 $
- New Beetle TDI — 21 685 $
- Passat GLS — 29 100 $
- Passat GLS V6 — 32 750 $
- Passat GLX — 41 050 $
- Passat GLS familiale — 29 900 $
- Passat GLS V6 familiale — 33 550 $
- Passat GLX familiale — 41 805 $

VOLVO

- C70 — 50 595 $
- C70 cabriolet — 59 595 $
- S70 — 35 995 $
- S70 GLT — 40 995 $
- S70 T5 — 43 995 $
- V70 — 37 295 $
- V70 GLI — 42 295 $
- V70 AWD XC — 48 995 $
- V70 AWD R — 56 595 $
- S80 — 50 995 $
- S80 T — 55 995 $

*prix des modèles 1999

Les prix son fournis à titre indicatif seulement et sont ceux des modèles désignés sans autre équipement optionnel. Ces prix sont ceux en vigueur le 1er octobre 1999 et sont sujets à changements sans préavis au cours de l'année.

Une allemande recommandée par Jacques Duval.

Les téléviseurs Loewe sont arrivés chez **KÉBEC·SON**

Un tiers de siècle ensemble

Mon rêve le plus cher était de «piloter» *Le Guide de l'auto* jusqu'au tournant du siècle. C'est presque chose faite au moment où j'écris ces lignes et j'en suis redevable, en grande partie, à ces dizaines de milliers de lecteurs qui ont fait de ce livre annuel le best-seller qu'il est devenu. La force qui m'a permis de passer plus d'un tiers de siècle à fignoler cet ouvrage m'a été fournie par vous tous et en particulier par ces lecteurs de la première heure qui, à la question de notre sondage de l'an dernier, «Depuis combien de temps lisez-vous *Le Guide de l'auto*?», ont répondu: «Depuis que je sais lire.»

Je dois vous avouer que rien ne m'a fait plus chaud au cœur que cette petite phrase, en apparence bien anodine. Une telle réponse vaut pour moi des centaines de lettres de félicitations et a pour effet de me faire oublier les côtés moins roses de ce métier. Malgré les nuits blanches, les voyages éclair au bout du monde, l'embrouillamini des gens de relations publiques qui ne savent pas faire la différence entre professionnels et pique-assiettes et l'ambiance quelquefois crasseuse de notre milieu journalistique, sachez que je continuerai à consacrer toutes mes énergies à la réalisation et à l'amélioration du *Guide de l'auto*.

Je profite aussi de l'occasion pour remercier les centaines de lecteurs qui ont pris le temps de répondre à notre sondage. Grâce à vos suggestions et à vos commentaires, *Le Guide de l'auto* a subi cette année certaines petites modifications dont vous êtes directement les auteurs. Votre appréciation unanime de la qualité des textes et du style humoristique que nous y mettons à l'occasion est aussi un immense stimulant, tout comme nos ventes de l'an dernier qui ont atteint un nombre record. Cette année, *Le Guide* vise d'autres records avec un tirage initial de 72 000 exemplaires, le plus fort de son histoire.

Certaines personnes se sont offusquées que nous ayons inclus de la publicité dans les deux dernières éditions du *Guide*. Je pense qu'il est temps de faire entendre un autre son de cloche que celui du mercantilisme. C'est en effet grâce à cette publicité que nous sommes en mesure de maintenir ce livre à un prix aussi bas alors qu'un petit roman de 300 pages, sans photos, papier glacé ou couverture rigide se vend 30 $. Sans cette publicité qui, de toute manière, ne gêne en rien notre impartialité, *Le Guide* coûterait beaucoup plus cher.

Un millésime spécial

Cela dit, venons-en à cette 34e édition du *Guide de l'auto*, une édition que j'ai voulue très spéciale, compte tenu du passage à l'an 2000. Dès le départ, j'ai pensé que nous avions le mandat de faire le point sur ce que l'automobile a été depuis un siècle, sur ce qu'elle est aujourd'hui et sur ce qu'elle sera peut-être demain.

Compte tenu que la Ford Model T du début du siècle constitue le choix quasi unanime des spécialistes de l'automobile au titre de «voiture du siècle», j'ai cru qu'il serait intéressant de demander à Ford de faire la conception de la couverture du *Guide de l'auto 2000* en plaçant en parallèle son Model T et ce qui pourrait être sa remplaçante au cours des années 2000. C'est donc à partir du concept de Ford qu'a été réalisée la couverture du *Guide de l'auto 2000*. Je tiens à remercier M. Mark Conforzi, un Canadien d'origine qui a dessiné le prototype de la future Ford Thunderbird, pour son étroite collaboration.

Avec votre aide et celle des téléspectateurs du *Guide de l'auto* présenté à l'écran du canal Vox chaque semaine, nous avons ensuite dressé le portrait des voitures les plus marquantes du siècle. *Le Guide de l'auto* a aussi le privilège de compter parmi ses amis et collaborateurs occasionnels le journaliste automobile Paul Frère, que plusieurs considèrent comme le plus grand spécialiste de l'automobile au monde. Paul a tout de suite aimé notre idée et a pris un plaisir avoué à écrire un petit historique du premier siècle de l'automobile.

Finalement, pour lever le voile sur ce que l'avenir nous réserve, nous avons fait appel à cinq personnalités du milieu automobile afin de connaître leur vision de la voiture des années 2020. Leurs pronostics ne sont pas spectaculaires, mais ils convergent tous vers la concrétisation de ce que l'on pourrait appeler les «voitures à vivre», c'est-à-dire une sorte de véhicule pouvant servir autant de moyen de transport que de bureau et de lieu d'amusement en certaines occasions. Notre ami Paul Deutschman, le brillant styliste auquel on doit notamment la Callaway C12, a d'ailleurs gentiment accepté de nous en brosser le tableau.

Pas de remerciements… la suite

Finalement, je vous devine curieux de savoir ce qu'il est advenu de ma violente sortie de l'an dernier contre les constructeurs automobiles qui nous compliquent la vie par leur manque de coopération dans la compilation des renseignements nécessaires à la réalisation de cet ouvrage annuel.

Les gens visés par mon avant-propos de l'an dernier (Mercedes-Benz et Jaguar) ont fait amende honorable et je crois utile de le préciser. Cela ne blanchit pas pour autant de nombreux constructeurs automobiles, dont le groupe Volkswagen-Audi et BMW, qui font tout pour s'aliéner le marché du Québec en dépit du respect que leur voue la clientèle. À leur décharge, il faut dire qu'ils se font souvent dicter leur conduite par les quelques fumistes qui hantent le milieu de l'information automobile au Québec.

Traditionnellement, je termine cet avant-propos en vous souhaitant bonne route et en vous donnant rendez-vous pour l'an prochain. Cette année, je déroge à cette habitude en vous invitant à regarder la version télévisée du *Guide de l'auto* chaque semaine sur le canal Vox. Toute notre équipe de rédaction vous promet que vous ne vous ennuierez pas. À tout de suite…

Jacques Duval

P.-S. Mes remerciements à Alain Raymond qui a assumé la fastidieuse tâche de comptabiliser les réponses au sondage et d'en dresser un résumé précis. Avec 300 questionnaires à passer à la loupe, ce n'était pas du bonbon.

sous-compactes

grandes compactes

intermédiaires

grosses berlines

fourgonnettes

familiales hybrides

berlines sport

berlines de luxe

berlines grand luxe

cabriolets sport

coupés sport de moins de 30 000 $

coupés sport de luxe

utilitaires sport 4X4 de moins de 45 000 $

utilitaires sport de plus de 45 000 $

sous-compactes

grandes compactes

intermédiaires

grosses berlines

fourgonnettes

familiales hybrides

berlines sport

berlines de luxe

berlines grand luxe

cabriolets sport

coupés sport de moins de 30 000 $

coupés sport de luxe

utilitaires sport 4X4 de moins de 45 000 $

utilitaires sport de plus de 45 000 $

sous-compactes

grandes compactes

intermédiaires

grosses berlines

fourgonnettes

familiales hybrides

berlines sport

berlines de luxe

berlines grand luxe

cabriolets sport

coupés sport de moins de 30 000 $

coupés sport de luxe

utilitaires sport 4X4 de moins de 45 000 $

utilitaires sport de plus de 45 000 $

sous-compactes

grandes compactes

intermédiaires

grosses berlines

fourgonnettes

familiales hybrides

berlines sport

berlines de luxe

berlines grand luxe

cabriolets sport

coupés sport de moins de 30 000 $

coupés sport de luxe

utilitaires sport 4X4 de moins de 45 000 $

les grands prix
du guide de l'auto
2000

La question la plus fréquemment posée aux auteurs du *Guide de l'auto,* au hasard des rencontres, se résume à peu près comme suit: quelle est la meilleure voiture à acheter cette année? Même si la réponse se trouve habituellement dans les pages de ce livre, de nombreux lecteurs restent souvent indécis face aux comptes rendus d'essais rédigés par l'équipe du *Guide de l'auto.* Pour leur simplifier la tâche, nous avons préparé pour cette édition spéciale de l'an 2000 un palmarès clair et net sous la forme d'un podium de grand prix automobile. On y trouvera le nom de la gagnante du grand prix dans chaque catégorie de voitures, les deux autres modèles méritant une place sur le podium, ceux qui terminent «dans les points» et, finalement, les retardataires qui sont l'équivalent des voitures non recommandées.

Ces choix ont été faits par l'ensemble des essayeurs du *Guide de l'auto* en tenant compte de tous les facteurs qui doivent être considérés dans l'évaluation globale d'une automobile: rapport qualité/prix, fiabilité, valeur de revente, comportement routier, performances, consommation et, selon nos critères habituels, agrément de conduite. Bon magasinage.

Sous-compactes

1re PLACE Mazda Protegé

2e PLACE Ford Focus

3^e PLACE Volkswagen Golf

Mention honorable

4 New Beetle
5 Subaru Impreza
6 Toyota Corolla

Retardataires

7 Chevrolet Cavalier
8 Chrysler Neon
9 Daewoo Nubira
10 Hyundai Elantra
11 Kia Sephia
12 Nissan Sentra
13 Saturn SL1
14 Suzuki Esteem

Grandes compactes

1re PLACE Volkswagen Passat

2^e PLACE Toyota Camry

3e PLACE Honda Accord

Mention honorable

4 Subaru Legacy
5 Oldsmobile Alero
6 Chevrolet Malibu

Retardataires

7 Chrysler Cirrus
8 Daewoo Leganza
9 Hyundai Sonata
10 Mazda 626
11 Nissan Altima
12 Pontiac Grand Am

Intermédiaires

1re PLACE Nissan Maxima

2e PLACE Acura 3,2TL

3e PLACE Toyota Avalon

Mention honorable

4 Volvo S70
5 Oldsmobile Intrigue
6 Buick Regal

Retardataires

7 Buick Century
8 Chevrolet Lumina
9 Ford Taurus
10 Pontiac Grand Prix
11 Saturn LS

Grosses berlines

1re PLACE Chevrolet Impala

2e PLACE Chrysler Intrepid

3e PLACE Pontiac Bonneville

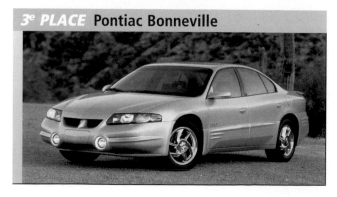

Mention honorable

4 Buick LeSabre
5 Mercury Grand Marquis

Fourgonnettes

1ʳᵉ PLACE Honda Odyssey

2ᵉ PLACE Chrysler Town & Country

Mention honorable

4 Toyota Sienna
5 Ford Windstar
6 Toyota Corolla
7 Chevrolet Venture/
Pontiac Montana/
Oldsmobile Silhouette

Retardataires

8 Chevrolet Astro
9 Pontiac Safari
10 Nissan Quest
11 Mercury Villager
12 Volkswagen Eurovan

3ᵉ PLACE Mazda MPV

Familiales hybrides

1ʳᵉ PLACE Subaru Outback

2ᵉ PLACE Lexus RX300

Mention honorable

4 Volvo V70 X-Country
5 Mercedes-Benz E420 4-Matic

3ᵉ PLACE Audi A6 Avant

Berlines sport

1re PLACE Audi S4

2^e PLACE BMW 328i

3^e PLACE Lexus GS300

Mention honorable	Retardataires
4 Jaguar Type S	7 Cadillac Catera
5 Lincoln LS	8 Chrysler 300M
6 Mercedes-Benz C280 Sport	9 Infiniti G20
	10 Oldsmobile Aurora
	11 Saab 9³ Viggen

Berlines de luxe

1re PLACE BMW 528i/540i

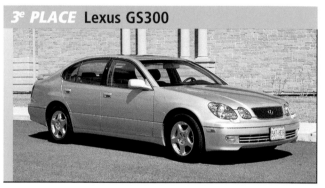

2^e PLACE Audi A6 2,7T

3^e PLACE Mercedes-Benz E430

Mention honorable	Retardataires
4 Volvo S80	7 Acura RL
5 Lexus GS400	8 Infiniti Q45
6 Cadillac Seville	9 Lincoln Town Car

Berlines grand luxe

1re PLACE Mercedes-Benz classe S

2^e PLACE Audi A8

Mention honorable

4 Lexus LS400

5 Jaguar XJ8

3^e PLACE BMW 750 iS

Cabriolets sport

1re PLACE Porsche Boxster

2^e PLACE Honda S2000

Mention honorable

4 BMW M Roadster

5 Mazda Miata

6 Mercedes-Benz SLK

3e PLACE Audi TT

Coupés sport de moins de 30 000 $

1re PLACE Toyota Celica

2e PLACE Honda Prelude

Mention honorable

4 Ford Focus
5 Acura Integra
6 Honda Civic

Retardataires

7 Chevrolet Cavalier Z24
8 Hyundai Tiburon
9 Saturn SC

3e PLACE Mercury Cougar

Coupés sport de luxe

1re PLACE Mercedes-Benz CLK

2e PLACE BMW 328iC

Mention honorable

4 Volvo C70
5 Saab 9^3 Turbo

3e PLACE Porsche 911

Utilitaires sport 4X4 de moins de 45 000 $

1ʳᵉ PLACE Jeep Grand Cherokee

2ᵉ PLACE Dodge Durango

Mention honorable
4 Nissan Pathfinder
5 Toyota 4Runner
6 Chevrolet Blazer/ GMC Jimmy

Retardataires
7 Isuzu Rodeo
8 Jeep Cherokee

3ᵉ PLACE Ford Explorer V6

Utilitaires sport de plus de 45 000 $

1ʳᵉ PLACE Mercedes-Benz ML55

2ᵉ PLACE Lexus LX470

Mention honorable
4 Ranger Rover SE
5 Chevrolet Tahoe/ GMC Yukon
6 Cadillac Escalade

3ᵉ PLACE Infiniti QX4

nissan quest
mercury villager
toyota sienna
ford ranger
ford f-150
nissan costaud
toyota T100
porsche 944
mazda RX-7
toyota MR2
ford escort
honda civic
toyota corolla
toyota tercel
mazda protegé
nissan 300ZX
fiat spider
alfa romeo spider
honda odyssey
nissan quest
mercury villager
toyota sienna
ford ranger
ford f-150
nissan costaud
toyota T100
porsche 944
mazda RX-7
toyota MR2
ford escort
honda civic
toyota corolla
toyota tercel
mazda protegé
nissan 300ZX
fiat spider
alfa romeo spider
honda odyssey
nissan quest
mercury villager
toyota sienna
ford ranger
ford f-150
nissan costaud
toyota T100
porsche 944
mazda RX-7
toyota MR2

toyota corolla
toyota tercel
mazda protegé
nissan 300ZX
fiat spider
alfa romeo spider
honda odyssey
nissan quest
mercury villager
toyota sienna
ford ranger
ford f-150
nissan costaud
toyota T100
porsche 944
mazda RX-7
toyota MR2
ford escort
honda civic
toyota corolla
toyota tercel
mazda protegé
nissan 300ZX
fiat spider
alfa romeo spider
honda odyssey
nissan quest
mercury villager
toyota sienna
ford ranger
ford f-150
nissan costaud
toyota T100
porsche 944
mazda RX-7
toyota MR2
ford escort
honda civic
toyota corolla
toyota tercel
mazda protegé
nissan 300ZX
fiat spider
alfa romeo spider
honda odyssey
nissan quest
mercury villager
toyota sienna

profitez de l'occasion

par Alain Raymond

Profitez de l'occasion

par Alain Raymond

Le marché de l'automobile d'occasion est florissant tant pour les acheteurs que pour les vendeurs. Les raisons: la popularité de la location et la durabilité croissante des voitures. Selon un sondage de l'Association canadienne des automobilistes (CAA), 54,7 p. 100 des propriétaires d'un modèle 1998 sont en fait des locataires. À un moment donné (entre 12 et 48 mois plus tard), tous ces véhicules seront rendus aux concessionnaires et viendront grossir le marché de l'occasion. Au point où la vente de véhicules neufs commence à baisser au profit de la voiture d'occasion.

Le marché de l'occasion donne la possibilité de rouler dans une voiture plus haut de gamme pour le prix d'une voiture neuve d'une catégorie inférieure. C'est cet aspect de l'occasion que nous vous avons présenté dans *Le Guide* de l'an dernier. Cette année, nous avons choisi d'autres catégories, soit la fourgonnette, la camionnette, la voiture sport d'hier et la voiture économique. Précisons que notre souci premier consiste à vous proposer des modèles fiables qui nécessitent des réparations moins souvent que la moyenne.

La fourgonnette, pour mieux voyager en famille

Véhicule familial par excellence, la fourgonnette est devenue de plus en plus populaire parce qu'elle répondait aux besoins des baby-boomers. Cependant, avec le temps, les besoins des boomers grisonnants évoluent et l'attrait de la fourgonnette ira en diminuant, d'où un meilleur choix sur le marché de l'occasion dans les années à venir.

Si les fourgonnettes semblent toutes se ressembler, il existe néanmoins des différences sur le plan du volume utilisable et des dimensions. En règle générale, les modèles à empattement long sont plus logeables que les versions à empattement court, mais ils occupent une plus grande surface au sol (et dans votre garage). La consommation augmente aussi en fonction des dimensions et du poids; avant de fixer votre choix, il est donc bon de savoir si vous allez être deux ou sept à voyager à bord.

Honda Odyssey

Née en 1995, la première génération de fourgonnettes Honda fait bande à part. Plus compacte que ses concurrentes et dotée de 4 portes classiques plutôt que de portes coulissantes, la première Odyssey est montée sur une plate-forme d'Accord. Agile, économique, d'une fiabilité redoutable et polyvalente à souhait grâce aux nombreuses possibilités d'aménagement des sièges,

l'Odyssey n'a cependant pas remporté le succès escompté auprès du public qui s'attendait à voir chez Honda une fourgonnette «comme les autres». Avouons que le 4 cylindres de 140 chevaux (1995) puis de 150 chevaux (1998) a de la peine à traîner une Odyssey pleinement chargée et que le système de climatisation est insuffisant pour un si grand volume.

On pourrait penser que l'insuccès relatif de la première génération de l'Odyssey se traduirait par des prix plus alléchants sur le marché de l'occasion, mais certains signes précurseurs laissent croire que la grande fourgonnette «classique» risque d'être bientôt supplantée par des versions plus compactes.

• Prix approximatif sur le marché de l'occasion

ODYSSEY 6 PLACES 1996:	16 000 $

Nissan Quest et Mercury Villager

Deux marques, un même véhicule. Ces sœurs jumelles sont en effet construites dans la même usine Ford en Ohio. Plus compact que la fourgonnette typique, ce duo présente un excellent choix pour qui apprécie l'aspect pratique de la fourgonnette sans nécessairement chercher ce qu'il y a de plus grand. Utilisant les éléments mécaniques de la Nissan Maxima (y compris l'excellent moteur V6), la Quest et la Villager s'offrent aussi le luxe d'accorder au conducteur un certain agrément de conduite. Boîte de vitesses automatique souple, consommation d'essence raisonnable, finition soignée et habitacle confortable ajoutent à l'attrait du duo américano-nippon. La Quest comporte un équipement plus complet que la Villager, ce qui explique la différence de prix à l'achat et à la revente.

Évitez si possible le millésime 1995, en raison d'une faiblesse dans le moteur. Pour le reste, surveillez les freins, les systèmes électriques et l'étanchéité.

• Prix approximatif sur le marché de l'occasion

QUEST GXE 1994:	12 500 $
VILLAGER LS 1996:	15 000 $

Toyota Sienna

La Sienna est venue remplacer la mal-aimée Previa dans la gamme Toyota en 1998, ce qui en fait pour l'instant un modèle relativement rare sur le marché de l'occasion. Mais la qualité de cette Toyota nous incite à vous la proposer. Construite sur la plateforme allongée de la Camry, la Sienna emprunte aussi les éléments mécaniques éprouvés de cette berline dont la fiabilité est devenue quasiment légendaire.

Le comportement prévisible, la finition soignée, la fiabilité de la mécanique et la polyvalence de l'habitacle constituent les points forts de la Toyota. Comme pour la plupart des modèles de la marque, le prix s'avère plus corsé que celui des concurrentes aux qualités égales ou supérieures mais de moindre fiabilité. En outre, l'agrément de conduite ne figure pas parmi les qualités de cette fourgonnette qui se contente de transporter son petit monde sans prétendre jouer les sportives.

> • *Prix approximatif sur le marché de l'occasion*
> **SIENNA LE 5 PORTES 1998:** **25 000 $**

Les camionnettes

Dans certaines régions du Canada et des États-Unis, les camionnettes dépassent en nombre les voitures. D'ailleurs, de nos jours, la camionnette offre bien plus de confort et d'équipement que le bon vieux pick-up d'antan à la vocation strictement utilitaire. Il n'en demeure pas moins qu'il est trompeur et même dangereux de croire qu'on peut obtenir d'une camionnette un comportement routier équivalent à celui d'une voiture. Certes, il arrive que la puissance soit au rendez-vous, mais la maniabilité et la tenue de route ne le sont pas — et ne le seront jamais.

Ford Ranger et Mazda série B

Ces camionnettes compactes sont construites dans la même usine Ford. Propulsées par un 4 cylindres ou un V6, elles dominent leur catégorie. Évidemment, le V6 (3,0 litres ou 4,0 litres) convient bien mieux au transport de lourdes charges et présente une plus grande souplesse ainsi, on s'en doute, qu'une plus forte consommation d'essence. Par contre, le 4 cylindres brille par son économie et sa robustesse, et représente un choix intéressant si votre budget est limité et que vous avez l'intention de vous servir de votre camionnette pour le seul transport de passagers et de charges légères.

Si la tenue de route souffre de la présence d'un essieu arrière particulièrement sautillant sur mauvais revêtement, ces deux camionnettes compactes bénéficient d'une grande qualité sur le marché de l'occasion: leur excellente fiabilité. Moteurs, boîtes de vitesses et châssis affichent une belle durabilité. Seuls les freins et le système d'échappement sont à surveiller.

Ford F-150

Best-seller mondial, les camionnettes de la série F font les beaux jours de Ford depuis des lunes. En Amérique du Nord, elles se vendent même mieux que la plus populaire des voitures! Remaniée en 1996, la F-150 a reçu une nouvelle suspension avant, un châssis plus rigide et un habitacle plus convivial.

Ford propose pour la F-150 un excellent choix de moteurs, allant du V6 au gros V8 à essence, et même un turbodiesel de 7,3 litres. Animal de trait et de labour, ce camion convient moins bien aux manœuvres en ville. C'est gros, c'est puissant, c'est gourmand. Un vrai camion. Et en prime, une fiabilité respectable. Faites quand même attention aux freins, à la boîte automatique, au système d'échappement et à l'intégrité de la caisse (bruits, craquements, vibrations).

Nissan «Costaud»

Surnommée «Costaud» au Québec, la camionnette compacte de Nissan a été la première à proposer une ligne plus recherchée et un certain agrément de conduite dès 1987. Propulsée par le vénérable 4 cylindres de 2,4 litres, la Nissan allie robustesse et économie. Jusqu'au millésime 1995, Nissan proposait aussi l'excellent V6 de 3,0 litres de la berline Maxima qui ne figurait cependant pas au catalogue des millésimes 1996 et 1997.

En 1998, le Costaud/Hardbody rebaptisé Frontier inaugure une nouvelle génération de camionnettes compactes Nissan et accueille de nouveau un V6, d'une cylindrée de 3,3 litres cette fois-ci. Habitacle confortable, comportement routier sans surprise, finition soignée, versions à 3 portes, cabine allongée et fiabilité éprouvée sont autant de qualités qui militent en faveur des camionnettes Nissan. Pour certains millésimes, l'habitabilité et le silence de fonctionnement laissent à désirer. N'oubliez pas que le 4 cylindres se prête mal aux gros travaux et que les versions 4X4 présentent quelques faiblesses du côté des suspensions.

Toyota Pick-up et T100

Que ce soit la camionnette compacte (baptisée Tacoma dès 1996) ou l'intermédiaire T100, ces produits se distinguent par la fiabilité exemplaire que seule Toyota est capable d'assurer.

Confortables, raffinées et dotées d'une belle finition, les camionnettes Toyota offrent aussi un bon choix de moteurs. Que ce soit le 4 cylindres de 2,4 litres ou de 2,7 litres ou encore le V6 de

3,0 litres ou de 3,4 litres, ils sont tous synonymes de fiabilité, mais force est d'admettre que les 4 cylindres conviennent plus à la «promenade» qu'à la grosse besogne. Et contrairement à la plupart de leurs concurrentes, les versions 4X4 des camionnettes Toyota héritent de la même fiabilité que les modèles à 2 roues motrices.

À noter que pour l'intermédiaire T100, le V6 est passé de 163 à 190 chevaux en 1996, corrigeant ainsi une «anémie» flagrante pour un véhicule d'un tel gabarit.

Et les autres?

Chevrolet et GMC - Malgré leur popularité, les camionnettes GM ne figurent pas sur notre liste en raison de leur manque de fiabilité. Certes, les millésimes plus récents marquent des progrès à ce chapitre, mais les concurrentes citées précédemment affichent encore une certaine avance.

Dodge - Même rengaine chez Chrysler... fiabilité perfectible. C'est dommage, car les camionnettes Dodge montrent une sacrée belle allure. Mais là aussi, les derniers millésimes laissent entrevoir des progrès louables sur le plan de la fiabilité.

La voiture sport d'hier, pour le pur plaisir de conduire

Que penser de la voiture sport d'occasion, notamment d'une voiture sport pure et dure à la mode ancienne (mais pas trop quand même)? Comme pour les camionnettes, la prudence est de rigueur, pour les mêmes raisons d'ailleurs: l'usage antérieur et les besoins. Les risques qu'une voiture sport ait été utilisée de façon abusive sont plus élevés que pour une paisible berline familiale. Donc attention aux voitures accidentées et aux mécaniques torturées ou négligées. Une inspection technique plus approfondie s'impose (taux de compression du moteur, intégrité du châssis, etc.). Et s'il s'agit d'un roadster, l'état et l'étanchéité de la capote sont à ajouter à la liste de vérification.

Porsche 944

Une Porsche pour moins de 10 000 $? Vous voulez rire... Non, je suis sérieux, très sérieux même. Depuis plus de 30 ans, lorsqu'on dit Porsche, on pense 911, mais la prestigieuse marque allemande compte d'autres modèles à son palmarès, dont certains très valables, même s'ils n'ont pas pu concurrencer l'aura de «l'immortelle».

Née 924 avec une modeste mécanique Audi et des prestations banales, la Porsche 944, lancée en 1983 avec un «vrai» moteur Porsche, a réussi à corriger les lacunes de sa devancière. Précisons pour ceux qui ne s'en souviennent pas que cette Porsche est propulsée par un 4 cylindres de 2,5 litres. La boîte de vitesses accolée à l'essieu arrière (formule adoptée récemment par la Corvette) procure à la 944 un équilibre presque parfait des masses entre l'avant et l'arrière, d'où une tenue de route exceptionnelle et une facilité de conduite qui la distingue de l'illustre mais délicate 911.

Mais malgré ses qualités, la 944 n'a pas attiré le public. Pourquoi? Tout simplement à cause de la 911. Porschistes et grand public réunis ont dédaigné la 944 parce qu'elle ne ressemblait pas à la 911. Certes, à 32 000 $ en 1984, elle n'était pas donnée, mais pour le plaisir de conduire, la robustesse, les performances et un look qui a résisté à l'épreuve du temps, on peut difficilement faire mieux.

D'où notre premier choix pour une voiture sport pure et dure, car cette «mal-aimée» constitue une aubaine sur le marché de l'occasion où l'on peut se procurer une 944 1986 à moins de 10 000 $. Si vous êtes amateur de sensations fortes et que vous avez 25 000 $ à dépenser, optez pour la plus désirable des 944, la Turbo S 1989 développant 300 chevaux! Sachez aussi que les pièces de rechange sont abordables et faciles à trouver, mais ne manquez surtout pas de faire vérifier votre trouvaille par un spécialiste Porsche.

• Prix approximatif sur le marché de l'occasion	
944 1986:	**9 000 $**
944 S 2 1989:	**16 000 $**

Mazda RX-7

La RX-7, celle de première génération, construite entre 1978 et 1986. Une ligne pure, fine, élégante, sans fioritures ni préten-

tion. Un classique d'une fiabilité remarquable et offrant des prestations tout aussi remarquables pour l'époque et le prix (0-100 km/h en 9 secondes, 11 000 $ en 1981). «Bien équipée, confortable, performante et agréable à conduire, la Mazda RX-7 reste encore en 1981 l'une des voitures les plus intéressantes sur le marché...», peut-on lire dans *Le Guide de l'auto 81*.

À la voir aujourd'hui, on constate que son charme est resté presque intact. Les amateurs confirment qu'elle est dotée d'une fiabilité enviable. Il n'est pas surprenant de voir des moteurs ayant plus de 200 000 km au compteur qui roulent encore sans problèmes. Le remplacement périodique de l'huile à moteur et du liquide de refroidissement influe sur la longévité. Dès 1983, la RX-7 a été dotée d'un radiateur d'huile à moteur refroidi à l'eau et les spécialistes de la marque semblent avoir une préférence pour ce millésime. Quant à la rouille, examinez les bas des portes et les deux compartiments cachés derrière les sièges ainsi que la partie du châssis qui se trouve près de la boîte de direction.

• **Prix approximatif sur le marché de l'occasion**

RX-7 1983:	*3000 $*

Toyota MR2

En regardant la Toyota MR2, on pense tout de suite à une «Ferrari». Malheureusement, cette «Ferrari» à moteur central est affublée d'une tenue de route délicate. Tantôt sous-vireuse, tantôt survireuse, la MR2 de deuxième génération nécessite doigté et patience de même que des bras musclés pour les manœuvres de stationnement quand la direction n'est pas assistée. Mais la ligne est belle, très belle. La mécanique s'avère fiable (c'est une Toyota après tout), la caisse est rigide, les sièges confortables et l'habitacle convenable.

La version à moteur atmosphérique (135 chevaux) semble mieux adaptée à la conduite de tous les jours, alors que la version turbo (200 chevaux) promet des prestations musclées. Mais attention à l'usure du turbo (fuites d'huile autour des roulements), car ça risque de vous coûter cher de le remplacer chez Toyota.

La MR2 de deuxième génération a été vendue chez nous entre 1991 et 1995, mais en très petit nombre à cause de son prix (30 000 $ en 1995) et de son comportement routier capricieux qui en fait une voiture trois saisons. Mais le malheur des uns fait le bonheur des autres, et ce manque de succès transforme la MR2 d'occasion en aubaine (quand on la trouve).

• **Prix approximatif sur le marché de l'occasion**

MR2 1993:	*10 000 $*
MR2 TURBO 1992:	*11 000 $*

Autre candidate de choix

Nissan 300ZX 1990 - Descendante de la Datsun 240Z (1969-1974), voiture sport par excellence des années 70, la Nissan 300ZX (1990-1996) mérite qu'on s'y attarde. À éviter, la version à panneaux de toit amovibles qui affaiblissent la caisse.

Pour les courageux et les nostalgiques...

Fiat Spider 2000 - Mieux vaut être en très bons termes avec un mécanicien compétent. Et tant mieux s'il est d'origine italienne! Tout comme sa cousine l'Alfa Spider, la Fiat Spider 2000 nous ramène à l'époque des roadsters à la mode anglaise: beaucoup de charisme, un charme inépuisable, des lignes intemporelles, mais potentiellement «un paquet de troubles». Pour initiés seulement.

Alfa Romeo Spider - La seule survivante des roadsters sport des années 60 (*The Graduate,* ça vous dit quelque chose?), la Spider a tenu le coup jusqu'en 1993. La belle Alfa fait encore tourner les têtes, mais si sa mécanique est noble (et fragile), sachez que le comportement routier date d'une autre époque.

Les économiques, pour bien soigner le porte-feuille

Le moyen de transport par excellence. Pour aller du point A au point B au moindre coût, c'est une économique qu'il vous faut. Le marché abonde. Les valeurs sûres aussi. Dans cette catégorie, consommation, fiabilité et coût d'entretien sont les qualités essentielles. Une économique bien conçue peut aussi être raisonnablement confortable pour 4 personnes, briller en ville et bien rouler sur l'autoroute. Certaines se payent même le luxe d'être agréables à conduire.

Ford Escort

Un avertissement! Nous parlons ici des Ford Escort de la dernière génération, c'est-à-dire à compter du millésime 1991. Avant, oubliez ça, c'est nul!

Construites en proche collaboration avec Mazda (plate-forme et motorisation Mazda), les récentes Ford Escort ont réussi à faire oublier leurs lamentables devancières des années 80. Équilibrée, agréable à l'œil, bien motorisée (surtout en version 1,8 litre), spacieuse et plus abordable que ses concurrentes japonaises et allemandes, l'Escort constitue un bon achat sur le marché de l'occasion. Rappelons qu'elle existe aussi en version familiale (phénomène rare dans cette catégorie), dont la polyvalence conviendra aux petites familles. Parmi les points à surveiller, la boîte automatique, fiable et efficace, mais coûteuse à réparer, les freins (grippage), les systèmes à commande électrique et la présence de cliquetis et de vibrations. La version GT affiche une meilleure tenue de route. Quant aux millésimes, les modèles 1997, 1998 et 1999 sont les plus attrayants.

• **Prix approximatif sur le marché de l'occasion**

BERLINE ESCORT GT 3 PORTES 1996	*10 000 $*
FAMILIALE ESCORT LX 5 PORTES 1997	*10 500 $*

Honda Civic

L'incontournable Civic. Économique, sûre, agréable à conduire, fiable à souhait. Devenue presque une institution au Québec, la 6e génération de la Honda Civic lancée en 1996 est parvenue à se hisser au sommet lors des «Olympiades de la voiture économique» présentées dans *Le Guide de l'auto 97*. Outre ses nombreuses qualités, la Civic se décline en plusieurs versions allant de la superéconomique 3 portes CX, à la sportive 2 places Del Sol de 160 chevaux, en passant par la berline et le charmant coupé. De quoi plaire à un public très vaste, notamment chez les jeunes qui affectionnent particulièrement la Civic depuis ses débuts dans les années 70.

Mais comme il fallait s'y attendre, éloges et qualités ont un prix! En effet, la valeur de revente de la Civic se situe au haut du plateau et il faut donc s'attendre à payer assez cher. Faites donc attention si on vous propose une Civic à un prix trop alléchant: elle peut être accidentée ou même volée (notamment les Si). Attention aussi à la rouille sur les millésimes d'avant 1996, aux freins, aux jambes de suspension, à la pompe à eau et à la crémaillère de direction.

• Prix approximatif sur le marché de l'occasion

CIVIC CX 3 PORTES 1996:	**9500 $**
CIVIC Si 2 PORTES 1997:	**14 000 $**
BERLINE CIVIC EX 4 PORTES 1997:	**14 500 $**

Toyota Corolla

La championne du Québec! La voiture la plus vendue chez nous, l'une des plus fiables aussi. Si vous cherchez un moyen de transport simple, économique, d'un confort correct et d'une fiabilité imbattable, c'est une Corolla qu'il vous faut. Par contre, pour le plaisir de conduire, il faut voir ailleurs, tout comme pour un prix d'achat avantageux. En effet, la fiabilité légendaire de la Corolla lui procure une excellente valeur de revente, d'où son prix élevé (parfois trop, disent certains) sur le marché de l'occasion.

La refonte réalisée en 1993 a été suivie en 1997 d'une série d'améliorations sur les plans esthétique et mécanique. Il existe aussi une version familiale (jusqu'en 1996), très prisée et relativement rare. Et puisque rien n'est parfait en ce bas monde, pas même une Corolla, attention au système d'échappement (rouille prématurée) et aux freins.

• Prix approximatif sur le marché de l'occasion

BERLINE COROLLA DX 4 PORTES 1996:	**10 500 $**
BERLINE COROLLA CE 4 PORTES 1998:	**14 000 $**

Autres économiques recommandées

Mazda 323/Protegé

Spacieuse, meilleure tenue de route de la catégorie, fiable, plus abordable que les Honda et Toyota. Mais les pièces de rechange sont coûteuses chez Mazda. Voiture facile à voler.

• Prix approximatif sur le marché de l'occasion

323 GS 3 PORTES 1995:	**7500 $**
PROTEGÉ SE 4 PORTES 1997:	**12 000 $**

Toyota Tercel

Très fiable et très économique (essence et entretien). Attention à la rouille sur le système d'échappement et au grippage du levier de la boîte manuelle.

• Prix approximatif sur le marché de l'occasion

TERCEL DX 4 PORTES 1996:	**9000 $**
TERCEL CE 2 PORTES 1997:	**9000 $**

match extrême 4X4
des aubaines à la douzaine
le match des frères siamois
l'affrontement des roadsters
match extrême 4X4
des aubaines à la douzaine
le match des frères siamois
l'affrontement des roadsters
match extrême 4X4
des aubaines à la douzaine
le match des frères siamois
l'affrontement des roadsters
match extrême 4X4
des aubaines à la douzaine
le match des frères siamois
l'affrontement des roadsters

le match des frères siamois
l'affrontement des roadsters
match extrême 4X4
des aubaines à la douzaine
le match des frères siamois
l'affrontement des roadsters
match extrême 4X4
des aubaines à la douzaine
le match des frères siamois
l'affrontement des roadsters
match extrême 4X4
des aubaines à la douzaine
le match des frères siamois
l'affrontement des roadsters
match extrême 4X4
des aubaines à la douzaine

les matchs comparatifs

DENIS DUQUET

La Honda S2000 affronte les BMW Z3, Mercedes-Benz SLK et Porsche Boxster

Un trio allemand face à une soliste japonaise

L'ébauche de ce match comparatif remonte à 1997, année où le *Guide de l'auto* consacrait sa page couverture à «la fièvre des roadsters». Tels des rayons de soleil, la BMW Z3, la Mercedes-Benz SLK et la Porsche Boxster faisaient alors une entrée remarquée dans le marché quelquefois trop morose de l'automobile. Ces modèles étaient faits sur mesure pour l'un de nos matchs comparatifs, une formule d'évaluation dont le *Guide de l'auto* a été le pionnier au début des années 70. Trois marques concurrentes, trois géants de prestige allaient s'affronter dans l'arène du plaisir de conduire.

Et voilà qu'un quatrième larron entre en scène, venu tout droit du pays des trouble-fête, ce Japon mythique, incompris, qui met autant de soin à fignoler ses voitures qu'à préparer ses sushi. Par ailleurs, ce nouveau venu porte le label d'un constructeur reconnu comme l'un des meilleurs motoristes au monde, Honda.

Compte tenu de ses origines, on pouvait s'attendre à un produit édulcoré, politiquement correct, de qualité impeccable mais aussi porteur d'un certain ennui.

Pour une fois, c'est tout le contraire, à tel point qu'au beau milieu de nos essais, Denis Duquet et moi nous demandions si la Honda S2000 était bien à sa place dans un tel match comparatif. Elle emprunte la même configuration que les autres cabriolets 2 places, mais sa personnalité est si distincte qu'on se demande si l'acheteur en quête d'un petit roadster agile, rapide et confortable y trouvera son compte. De là à dire que cette voiture est incomparable, il n'y a qu'un pas que vous pourrez franchir dans un sens ou dans l'autre après avoir consulté les lignes qui suivent.

Jacques Duval

Confrontation de rêve

Ce match comparatif a été favorisé par le destin. Alors que nous étions en train d'en planifier la réalisation, un constructeur est venu nous faciliter la tâche. Dans le cadre du lancement de la S2000 à Brazelton, en Géorgie, Honda a regroupé les trois roadsters concurrents, les mêmes qui devaient faire partie de notre match. De plus, la région qui entoure la célèbre piste de Road Atlanta, avec ses routes secondaires au tracé sinueux, est idéale pour une confrontation de la sorte. Et il ne faut pas oublier que la piste de Road Atlanta est un terrain d'essai très relevé. C'est sous un soleil de plomb que l'équipe du *Guide de l'auto* s'est affairée à la réalisation de ce match très relevé.

Dès les premiers tours de roues au volant de ces roadsters, il était évident que ce quartette comprenait deux types de voitures: deux sportives et deux grandes routières. Les résultats finaux du match confirment que cette catégorie s'est scindée en deux tendances. Ce clivage permet donc aux acheteurs de trouver le type de voiture de leur choix.

Encore une fois, le sort en est jeté. Les résultats ont été compilés, vérifiés et analysés à la loupe. J'espère que vous aurez autant de plaisir à lire le compte rendu de ce match comparatif que nous en avons eu à le réaliser à votre intention.

Porsche Boxster: la championne de la polyvalence

C'est une allemande qui remporte ce match, mais par quelques poussières seulement. En effet, c'est par la marge d'un seul point que la Boxster devance la Honda S2000. Malgré le verdict comptable très serré, la victoire de la Porsche est certainement plus importante dans notre esprit. C'est sans conteste le roadster à la fois le plus sportif et le plus homogène du lot. Il est presque aussi rapide que la S2000, son moteur se révèle tout aussi tonitruant à haut régime et leur comportement routier est difficile à départager. Malheureusement pour la Honda, celle-ci affiche une conception et un comportement nettement trop radicaux pour passer en tête.

En fait, si un seul élément devait les démarquer l'une de l'autre, ce serait sans doute la qualité du toit souple de la Porsche. Les ingénieurs de Honda ont beau vanter la rapidité d'ouverture et de fermeture de leur toit souple, on s'érafle les avant-bras et on se casse les ongles pour ajuster la housse de protection. Il faut certes 6 secondes pour que le toit se replie, mais il faut environ 2 minutes pour installer la housse. Sur la Porsche, tout s'effectue automatiquement en une seule opération de 12 secondes.

La Boxster doit concéder quelques fractions de seconde en accélération et au quart de mille. Malgré tout, cette allemande à moteur arrière a été la plus appréciée des essayeurs lorsque le temps est venu de remplir la case «choix personnel». À noter que notre essai comparait des modèles 1999 et 2000. La Boxster 2000 sera plus puissante et encore plus performante que celle que nous avons testée. Elle possède un caractère qui lui permet

d'être à la hauteur dans toutes les situations. Pour rouler à fond de train sur un circuit de course, elle se révèle très performante et se contrôle au doigt et à l'œil. Sa direction pourrait être plus précise. La voiture fournit toutefois un feed-back plus agréable que celui de la Honda dont l'assistance électrique est un peu trop artificielle. Celle de la BMW donne l'impression de conduire une berline tandis que celle de la SLK fait constamment louvoyer même sur les routes les plus uniformes.

Il est vrai que le 4 cylindres de la S2000 est très bruyant à haut régime, mais celui de la Boxster n'est pas muet pour autant. Dès que le système de calage variable des soupapes entre en action, le niveau sonore de ce 6 cylindres à plat fait grimper l'aiguille du sonomètre. Cette sonorité n'est pas désagréable, étant plus gutturale que celle des 4 cylindres inscrits à cette confrontation. Il faut également souligner que le guidage du levier de vitesses ainsi que la prise en main du pommeau du même levier ont été bien notés par les essayeurs. Les personnes qui aiment soulever le capot pour faire admirer le moteur de leur voiture seront déçus par notre lauréate. Le 6 cylindres à plat est caché derrière les sièges et les mécaniciens ne peuvent y accéder que par une trappe placée sous le véhicule. Par contre, il est facile de vérifier le niveau des fluides essentiels par l'entremise de jauges placées dans la partie supérieure du coffre à bagages.

Le seul point faible de la Porsche est son tableau de bord dont la présentation est supposée rappeler le design d'un système audio. Cet objectif est raté et la plupart des gens sont surtout déçus par l'impression de plastique bon marché qui s'en dégage. Comme sur toutes les Porsche, les règles et les lois de l'ergonomie sont bafouées. Non seulement il faut trouver la bonne commande, mais également le moyen de la faire fonctionner. Heureusement, les places avant sont confortables, les sièges offrent un bon support latéral tandis que la position de conduite est bonne pour les gens de toutes les statures.

La Boxster devance les trois autres roadsters inscrits à cette confrontation, car elle combine les éléments de performances, d'agrément de conduite et de confort supérieurs aux autres. C'est la plus homogène du groupe.

Honda S2000: le hurlement de la technologie

Si vous écoutez la retransmission des Grand Prix de Formule 1 à la télévision et que la sonorité des moteurs vous donne des frissons, sachez que la S2000 est toute désignée pour des gens comme vous. Le moteur peut tourner jusqu'à 9000 tr/min et il ne se fait pas prier pour le faire. D'ailleurs, si vous voulez pousser la machine et obtenir des performances de ce moteur 2,0 litres, il faut toujours rouler à un régime élevé. Il faut donc dépasser la barre des 6000 tr/min pour que le système VTEC fasse sentir sa présence et que les événements se précipitent. Comme la boîte de vitesses à 6 rapports est alors en 3e ou en 4e, la sonorité dans l'habitacle est élevée. Pour ceux qui aiment jouer du levier de vitesses et faire hurler la mécanique, c'est la voiture idéale.

C'est ce côté sans compromis qui relègue cette voiture au second rang. Elle ne fait aucune concession au sens pratique ou au confort. La performance, la tenue de route et l'agrément de conduite ont été mis en tête des priorités. Les ingénieurs ont même poussé le raffinement jusqu'à laisser le vent venir nous lécher le visage, du moins juste un peu, pour que la sensation de conduite sportive soit encore plus relevée lorsqu'on roule la capote baissée. Dans la même veine, on lance le moteur en appuyant sur un bouton et l'instrumentation numérique est inspirée de celle des tableaux de bord des voitures de course. Pour la même raison, toutes les commandes ont été placées en périphérie du volant.

Les ingénieurs sont fiers d'avoir concocté un cabriolet dont la capote se monte ou s'abaisse en moins de 6 secondes. En revanche, celle-ci n'est pas isolée. De plus, la housse de protection est très difficile à installer en plus d'occuper une bonne partie du coffre, déjà le plus petit du groupe. Les ingénieurs semblent avoir bénéficié d'un budget illimité pour développer le moteur, mais ceux qui avaient pour tâche de concevoir le toit souple ont certainement obtenu des ressources financières beaucoup plus limitées.

Si la silhouette de la Porsche Boxster fait l'unanimité grâce à l'élégance de ses formes, l'appréciation de celles de la S2000 s'avère beaucoup plus mitigée. On dirait que deux stylistes ont conçu ce roadster. Un premier, plus audacieux, a dessiné la partie avant avec ses passages de roues très larges et sa calandre verticale. Le second a conçu l'arrière, tout en rondeurs, qui ressemble à celui d'une Mazda Miata. Les parois latérales sculptées tentent de faire le lien entre les deux extrémités aux lignes si contradictoires. C'est le genre de voiture qu'on adore ou qu'on déteste. Les lignes sont plus tendues et se terminent abruptement avant de partir dans une autre direction.

L'habitacle est certainement le moins spacieux des quatre. Un peu comme dans une voiture de course, on s'y glisse comme une main le ferait dans un gant. Une fois qu'on est installé, le siège baquet qui nous tient fermement en place s'avère confortable malgré ses formes plutôt incertaines. Pour les personnes de grande taille, les espaces réservés aux jambes sont relativement longs mais étroits et assez peu élevés en leur partie terminale. Le pilote peut déposer son pied gauche sur un repose-pied aux dimensions généreuses. Les pédales perforées de type course sont en harmonie avec la personnalité de cette nippone au moteur inspiré de la Formule 1.

Petite, agile, légère et animée par un moteur très pointu, cette japonaise surprend par une absence de roulis en virage et par une suspension confortable pour une voiture de cette catégorie. Cette civilité n'entrave pas la tenue de route, d'une rare efficacité. Son prix inférieur à celui des autres participantes à ce match et la réputation de la marque côté fiabilité sont autant d'éléments positifs. Enfin, si vous participez à des épreuves d'autocross, c'est la voiture qu'il vous faut.

3 TROISIÈME PLACE

Mercedes-Benz SLK: le roadster BCBG

La voiture qui a participé à notre match affichait un intérieur bigarré rouge et noir dont l'inspiration semblait venir tout droit d'un tableau de velours peint trouvé dans un marché aux puces. Et ces cadrans de type rétro font tiquer plusieurs personnes. Mais la palme du mauvais goût revient à ces appliques en similifibres de carbone dont on voit très bien qu'elles sont fabriquées d'une simple feuille de papier plastifié.

En analysant le pour et le contre de cette voiture, on ne peut s'empêcher de conclure qu'il s'agit d'un projet qui a été complété en partie seulement. On a pris une berline de la classe C pour la charcuter de plusieurs centimètres avant de l'habiller d'une élégante carrosserie. Malheureusement, le groupe propulseur n'est pas à la hauteur. Ce moteur 2,3 litres développe une puissance intéressante avec ses 191 chevaux. Toutefois, il faut utiliser un compresseur pour muscler ce 4 cylindres et la sonorité est exécrable. On croit être au volant d'une petite sous-compacte de vocation très économique. Impression qui est accentuée par la présence d'une boîte manuelle à 5 rapports dont la course du levier de vitesses est imprécise et le passage des rapports hésitant.

L a SLK termine troisième devant la BMW Z3 tout simplement parce que son toit rigide escamotable en fait la plus confortable et la mieux insonorisée du lot. Cette astuce technique convient bien à la personnalité de cette voiture à la suspension souple et au moteur à caractère étriqué. Si vous aimez profiter du prestige de l'étoile d'argent et d'une silhouette dont l'élégance est sans pareille dans la catégorie, si vous adorez vous balader cheveux au vent au volant d'une voiture privilégiant le confort, la SLK est pour vous.

Cette Mercedes BCBG possède un toit rigide qui est génial dans un sens et exécrable dans l'autre. En effet, au simple toucher d'un bouton, cette calotte métallique se soulève et se replie automatiquement

dans le coffre. De plus, sa rigidité constitue un facteur d'insonorisation et d'étanchéité sans pareil. Ce tour de force technologique possède cependant un côté négatif à ne pas négliger: une fois remisé dans le coffre, il en réduit la capacité de tout près de la moitié. De plus, pour que le toit se déploie, il faut que la toile escamotable qui recouvre les bagages soit bien en place, sans quoi il refuse de bouger. Cette toile est reliée à un commutateur de sécurité. Son rôle est de protéger le contenu du coffre contre les souillures ou l'humidité lorsque le toit est abaissé.

La SLK est une voiture courte et relativement large, ce qui contribue à lui donner un impact visuel relevé. Malheureusement, cette élégance n'a pas été transposée dans la cabine.

Comme si cela n'était pas assez pour dégoûter les amateurs de conduite sportive, la suspension est trop souple et la direction inutilement sensible. Il est donc difficile de rouler en ligne droite sans louvoyer de temps à autre. Et lorsqu'on veut corriger, cette correction est souvent exagérée et la voiture continue à tanguer.

La SLK n'est pas dépourvue de qualités. C'est un roadster bien adapté aux longs trajets avec son habitacle confortable et étanche. Son comportement plutôt bourgeois se prête bien à ces randonnées. Il faut déplorer en terminant que Mercedes se soit contentée de concentrer ses efforts sur le marketing plutôt que de nous livrer une voiture plus homogène. À Stuttgart, on n'avait pas l'habitude de bâcler le travail. Maintenant, les profits et les chiffres de ventes ont préséance sur la qualité de jadis.

4 QUATRIÈME PLACE

BMW Z3: elle a mal vieilli

S i la Z3 est devancée de peu par la SLK, c'est tout simplement parce que son toit n'a pas le raffinement de celui de la Mercedes. Pour le reste, les deux se valent, mais pour des raisons différentes. La BMW Z3 semble carrément inspirée des anciens roadsters, autant par sa silhouette que par son comportement. Les stylistes ont adopté de façon presque caricaturale la carrosserie au capot très long et à l'arrière écourté. De plus, des orifices d'aération sur les ailes avant tentent de faire revivre une certaine époque. Cette présentation en séduit plusieurs, mais autant de gens semblent réfractaires à cette approche.

Mais là n'est pas le problème de cette BMW. Pas plus que son toit assez facile à relever ou à abaisser. Soulignons au passage que sa housse de protection est tout aussi irritante à installer que celle de la Honda S2000. En fait, la similitude entre ces deux éléments est telle qu'on se demande si Honda n'a pas copié la marque allemande. Si tel est le cas, c'est une grave erreur puisque les deux housses sont difficiles à installer et peu pratiques.

Le principal problème de ce roadster est le fait qu'il ait évolué de façon négative depuis son entrée en scène. Lors de son lancement en octobre 1995, on avait conçu la Z3 comme une réplique un peu plus puissante et un peu plus luxueuse à la Mazda Miata. Avec son moteur 4 cylindres de 1,9 litre, cette voiture tentait de nous gagner à sa cause par un pilotage tout en finesse et par la sollicitation constante de la boîte de vitesses afin de tirer tout le potentiel de ce moteur. Il était intéressant de pousser la voiture dans les courbes et de tester ses limites.

Malheureusement, l'arrivée de roadsters plus luxueux et plus puissants dans cette catégorie a incité BMW à équiper la Z3 de moteurs plus musclés. Le 4 cylindres a pris le chemin des oubliettes et le 6 cylindres en ligne de 2,8 litres est apparu. Mais ce moteur n'a pas le tempérament sportif voulu. Il s'agit d'un groupe propulseur de berline installé sous le capot d'une voiture sportive. Il offre des performances non négligeables, mais le délicat équilibre du début est absent. De plus, ce 6 cylindres en ligne conserve son régime assez longtemps, ce qui rend la conduite sportive plus difficile. Et lorsqu'on pousse à fond, les origines plutôt modestes de la Z3 se révèlent. Il ne faut pas oublier que ce roadster est en partie dérivé de la 318Ti qui est elle-même une version revue et corrigée de l'ancienne série 3 d'il y a trois générations.

Cette lente évolution vers un comportement engourdi et des sensations de conduite estompées explique donc cette quatrième position. Et comme si cela n'était pas suffisant, les stylistes ont eu la mauvaise idée de parsemer le tableau de bord de quelques touches de chrome qui plaisent sans doute aux Américains, mais qui n'ont pas leur place dans une voiture de cette catégorie.

Il est tout de même curieux que la Z3 ait pris un coup de vieux en si peu de temps. On a même apporté des modifications à l'esthétique de la partie arrière en 1999, mais ces améliorations n'auraient pas dû se limiter à quelques changements dans la présentation des tôles. Il faudrait que le moteur possède un peu plus de caractère et soit plus nerveux. Son couple généreux est apprécié dans la conduite de tous les jours, mais le charme est vite rompu lorsqu'on tente d'adopter un style de pilotage plus sportif.

Une option alternative serait le MRoadster dont les 240 chevaux insufflent un caractère nettement plus excitant à cette petite bavaroise fabriquée aux États-Unis. Et ce serait encore mieux avec la version européenne du MRoadster dont le moteur de 321 chevaux assure des émotions fortes. Enfin, la solution serait peut-être le modèle équipé du moteur 2,5 litres, un compromis plus économique. Mais avec des si.

Justement, en parlant de si, que serait-il arrivé si l'Audi TT roadster avait pu participer à notre match comparatif?

Les plaisirs défendus

Et si on parlait des plaisirs défendus que ces roadsters peuvent nous procurer? Car c'est bel et bien de cela qu'on parle, à mots couverts, quand il est question de plaisir de conduire.

Ces petites voitures agiles comme des karts et performantes comme des cyclistes dopés ne peuvent vraiment afficher leur agrément de conduite que lorsqu'on les pousse dans leurs derniers retranchements, comme on disait dans les essais routiers il y a 20 ans. Or, un tel exercice équivaut chez nous à enfreindre la loi, donc à pratiquer des plaisirs défendus.

À ce jeu infiniment plaisant et dont il n'est pas nécessaire de se confesser, la Honda S2000 fait une bouchée de la concurrence. On vous explique ailleurs dans ce livre tout ce qui, techniquement, a permis d'en arriver là. Je me contenterai d'évaluer les résultats obtenus.

Jacques Duval

Porsche Boxster

Honda S2000

Mercedes-Benz SLK

BMW Z3

Parlons sport

Dans le cas du moteur Honda, il y a de quoi se régaler, mais on peut aussi se poser un tas de questions. La puissance, par exemple, niche si haut que l'on n'a pas l'impression qu'elle y est. Seuls les chiffres confirment la bonne forme de ce moteur. Mais Dieu qu'il faut travailler fort pour boucler le 0-100 km/h en 6 secondes et des poussières! Le hic, ici, c'est le couple maximal qui loge à 7500 tr/min, un régime où les moteurs des autres roadsters en présence sont prêts à vomir leurs entrailles. C'est vachement amusant de dépasser son réflexe normal qui est de changer de rapport à 7000 tours et de laisser la petite barrette orange du compte-tours se hisser jusqu'à 9000 tr/min. Mais combien de temps peut-on se prêter à un tel défoulement si l'on n'a pas 20 ans et une casquette sens devant derrière?

La Honda S2000 a très certainement un côté délinquant qui finit par tomber sur les rognons. Passionné d'automobile, j'aime m'éclater pendant 30 minutes sur une petite route de campagne en accélérant *pedal to the metal* et en mangeant du caoutchouc dans les virages. Et la S2000 se prête à ce jeu mieux que n'importe laquelle de ses rivales, avec un châssis furieusement efficace. Toutefois, à un moment donné, j'ai ma dose et j'aime bien admirer le paysage un peu. Or, en conduite dite normale — certains la qualifieront de légale —, le moteur Honda n'a rien à offrir. Il est mort, absent et jamais secouru par sa boîte de vitesses dont les 6 rapports sont trop longs.

Pour la balade, il vaut mieux conduire la SLK, c'est sûr. Le moteur distrait par sa sonorité de mobylette, mais il accepte la flânerie sans jamais rechigner. Sur piste ou sur une route tortillée, le coupé-cabriolet Mercedes est le moins sportif du lot. La boîte s'avère d'une imprécision exécrable. Sans être mauvaise, la tenue de route est assombrie par le genre de roulis qui montre bien que le confort a eu préséance dans les réglages. Il y a aussi cette direction que l'autocentrage rend un peu nerveuse. Pour un long parcours à deux, j'opterais pour la SLK. Pour la griserie, j'irais vers la Boxster. «Les gens de chez Porsche savent encore construire des voitures», soulignait mon collègue, et il avait bien raison.

Entre la Honda trop pointue, la SLK trop bourgeoise, une BMW quasi dépassée et une Audi trop New Beetle, la Boxster constitue la gagnante des plaisirs défendus.

Et l'Audi TT Roadster?

Une autre candidate à ce match aurait été l'Audi TT Roadster. En effet, la version coupé vient à peine de s'installer dans les salles de montre de l'Amérique qu'une version cabriolet s'apprête à venir la rejoindre. Comme on connaît la compagnie Audi, il faudra être patient: les premiers modèles seront acheminés au compte-gouttes, et encore. Si bien que cette TT échevelée ne sera pas disponible avant plusieurs mois. Alors, nous avons dû nous résigner à son absence.

Il est certain que l'Audi TT Roadster aurait fait belle figure dans ce match. Sa silhouette unique et son habitacle au design très relevé lui auraient permis de gagner bien des points au classement. Quant à ses performances, elles promettent d'être très relevées. Après tout, elle est livrée avec un moteur 1,8 litre turbo de 225 chevaux couplé à une traction intégrale, de quoi lui permettre d'inquiéter toutes ses concurrentes dans la catégorie. Son tempérament plus sportif lui aurait permis de devancer les BMW Z3 et Mercedes SLK. Il est impossible par contre de déterminer si elle aurait été capable de surpasser en caractère sportif et en homogénéité nos deux autres concurrentes. L'essai de ce roadster a permis de constater que sa suspension très ferme ne fait pas nécessairement bon ménage avec les routes en mauvaise condition.

Faisant contre mauvaise fortune bon cœur, il faudra donc attendre à l'an prochain pour obtenir un verdict définitif. Ce sera peut-être l'occasion de la confronter avec la lauréate de ce match.

Conclusion

Naguère une catégorie non seulement ignorée, mais pratiquement inexistante, les roadsters ont recommencé à attirer l'attention des fabricants de voitures à l'arrivée de la Mazda Miata il y a un peu plus de 10 ans. Les premières répliques ont été les BMW Z3 et Mercedes-Benz SLK, deux voitures qu'on avait conçues comme des options alternatives plus luxueuses que la japonaise. Les Porsche Boxster et Honda S2000 sont venues changer la donne. C'est maintenant la course vers des voitures plus puissantes et plus sportives. D'ailleurs, le résultat de ce match témoigne de l'évolution de ce marché. Les deux modèles plus anciens se retrouvent aux deux dernières places tandis que les nouveaux venus bataillent pour le premier rang.

Malgré ce classement qui permet de départager ce quatuor, il faut souligner que chaque modèle possède une personnalité propre, ce qui permettra à bien des gens de choisir un modèle en fonction de leurs besoins et de leurs goûts. La Boxster remporte la palme en raison de son homogénéité et de sa polyvalence. Tout en ayant un caractère civilisé, elle est la voiture sport typique. La S2000 est très pointue et rassemblera rapidement une foule d'inconditionnels. Avis aux amateurs de slaloms et de gymkhana, elle sera imbattable. La SLK de Mercedes est idéale pour rouler paisiblement sur les boulevards et se laisser admirer à son volant. Son toit très étanche sera apprécié par les personnes qui ne veulent pas lésiner sur leur confort. Enfin, avec son air rétro et son moteur au couple généreux, la BMW attire sa part d'inconditionnels.

Mais si on les évalue surtout en tant que sportives, la Boxster et la S2000 les devancent avec facilité.

Évaluation

		BMW Z3	Honda S2000	Mercedes SLK	Porsche Boxster
Esthétique					
• Extérieur	10	7,0	7,0	9,0	8,0
• Intérieur	10	7,0	6,5	7,0	6,5
• Finition extérieure	10	6,0	6,5	6,5	6,5
• Finition intérieure	10	6,5	7,0	7,0	7,0
Total	**40 pts**	**26,5**	**27,0**	**29,5**	**28,0**
Accessoires					
• Nombre et commodité	10	7,0	6,5	7,5	7,0
• Espaces de rangement	10	7,0	6,5	7,0	7,5
• Instruments: commandes	10	7,0	7,5	6,0	6,5
• Ventilation: chauffage	10	8,0	8,0	7,0	7,0
Total	**40 pts**	**29,0**	**28,5**	**27,5**	**28,0**
Carrosserie					
• Accès: espace avant	15	12,0	11,0	14,0	13,0
• Toit rétractable	15	12,0	12,5	13,5	14,0
• Coffre: accès et volume	5	3,0	2,0	4,0	5,0
• Accès mécanique	5	4,0	4,0	4,0	2,0
Total	**40 pts**	**31,0**	**29,5**	**35,5**	**34,0**
Confort					
• Suspension	10	7,5	8,0	8,5	7,0
• Niveau sonore / sonorité	10	6,0	6,5	5,5	6,5
• Sièges	10	7,0	7,5	6,0	8,0
• Position de conduite	10	7,0	7,5	6,5	8,0
Total	**40 pts**	**27,5**	**29,5**	**26,5**	**29,5**
Moteur / Transmission					
• Rendement	15	12,0	13,0	10,0	14,0
• Performances	15	12,0	14,0	11,0	14,5
• Sélecteur de vitesses	5	3,5	4,0	3,0	3,5
• Passage des vitesses	5	3,5	4,5	3,0	4,0
Total	**40 pts**	**31,0**	**35,5**	**27,0**	**36,0**
Comportement routier					
• Tenue de route	20	16,0	18,0	15,0	17,0
• Direction	15	11,0	13,0	10,0	12,5
• Freins	15	12,5	13,5	12,5	13,0
Total	**50 pts**	**39,5**	**44,5**	**37,5**	**42,5**
Sécurité / audio					
• Coussins de sécurité	5	5,0	5,0	5,0	5,0
• Système audio	10	6,0	8,0	6,5	7,0
• Visibilité	10	7,0	6,0	8,0	6,0
• Rétroviseurs	5	3,5	4,0	4,0	4,0
Total	**30 pts**	**21,5**	**23,0**	**23,5**	**22,0**
Performances mesurées					
• ¼ mille	10	7,0	10,0	6,0	8,0
• Accélération	20	18,0	20,0	16,0	17,0
• Freinage	20	17,0	20,0	16,0	18,0
Total	**50 pts**	**42,0**	**50,0**	**38,0**	**43,0**
Autres classements					
• Espace pour bagages	10	7,0	6,0	8,0	10,0
• Choix des essayeurs	50	37,5	44,5	40,0	50,0
• Prix	10	7,0	10,0	8,0	6,0
Total	**70 pts**	**51,5**	**60,5**	**56,0**	**66,0**
GRAND TOTAL	**400 pts**	**299,5**	**328,0**	**301,0**	**329,0**
CLASSEMENT		**4**	**2**	**3**	**1**

Fiche technique

	BMW Z3	Honda S2000	Mercedes SLK	Porsche Boxster
• Empattement	246 cm	240 cm	240 cm	242 cm
• Longueur	402 cm	412 cm	399 cm	434 cm
• Hauteur	127 cm	128 cm	126 cm	129 cm
• Largeur	174 cm	175 cm	171,5 cm	178 cm
• Poids	1600 kg	1275 kg	1325 kg	1250 kg
• Transmission	manuelle	manuelle	manuelle	manuelle
• Nombre de rapports	5	6	5	5
• Moteur	V6	4L	4L	6H
• Cylindrée	2,8 litres	2,0 litres	2,3 litres	2,5 litres
• Puissance	190 ch	240 ch	191 ch	201 ch
• Suspension avant	indépendante	indépendante	indépendante	indépendante
• Suspension arrière	indépendante	indépendante	indépendante	indépendante
• Freins avant	disque	disque	disque	disque
• Freins arrière	disque	disque	disque	disque
• ABS	oui	oui	oui	oui
• Pneus avant	P225/50R16	P205/55VR16	P205/55R16	P205/50ZR17
• Pneus arrière	P225/50R16	P225/50VR16	P225/50R16	P255/40ZR17
• Direction	à crémaillère	à crémaillère	à crémaillère	à crémaillère
• Diamètre de braquage	10,4 mètres	11,4 mètres	10,6 mètres	10,9 mètres
• Coussin de sécurité	frontaux	frontaux	frontaux/latéraux	frontaux
• Réservoir de carburant	51 litres	50 litres	53 litres	57 litres
• Capacité du coffre	165 litres	141,5 litres	348/145 litres	260 litres
• Accélération 0-100 km/h	6,6 secondes	6,4 secondes	7,4 secondes	6,7 secondes
• Vitesse de pointe	240 km/h	240 km/h	228 km/h	240 km/h
• Consommation (100 km)	12,0 litres	13,8 litres	8,5 litres	8,0 litres
Prix	54 900 $	48 500 $	57 900 $	59 000 $

Match extrême 4X4

Six 4X4 affrontent le «Passage de l'enfer»

C e fut un match comparatif pas comme les autres, un match disputé dans des conditions extrêmes qui ont fait dire à ses participants qu'ils n'avaient jamais vécu une expérience aussi palpitante. Certains ont eu peur, d'autres ont été estomaqués par les performances hors route des utilitaires sport compacts mais surtout, tout le monde s'est amusé. «C'était mieux que la Ronde!» a commenté l'un de nos essayeurs invités.

Pour bien vous situer, précisons que la dernière étape de ce match comparatif s'est déroulée sur les pentes du parc du mont Glen et que son directeur Robin Choinière, un mordu des 4X4 et ancien cascadeur, s'est assuré de nous en donner pour notre argent. Le «passage de l'enfer», une section particulièrement escarpée de la montagne, illustre bien le niveau de difficultés que nos 4X4 ont eu à affronter. Je laisse le soin à Denis Duquet de vous raconter cette aventure en 4X4 et de dresser le bilan de cette mémorable journée.

Jacques Duval

La popularité des utilitaires sport aidant, le nombre de véhicules dans cette catégorie ne cesse d'augmenter, tout comme les ventes, d'ailleurs. Heureusement, le Québec fait un peu bande à part dans cette folie du 4X4. Ces véhicules y sont populaires, mais pas autant qu'ailleurs en Amérique. Et les Québécois ont au moins la sagesse de concentrer leurs choix sur des modèles compacts, plus économiques et plus agréables à conduire que les gros calibres des catégories supérieures. *Le Guide de l'auto* n'a rien contre les utilitaires sport; il se dresse cependant contre les excès. À quoi sert d'acheter un gros mastodonte peu habile sur la route, consommant beaucoup de carburant et cher à l'achat si c'est uniquement pour se rendre à son travail et jamais pour aller en forêt!

Compte tenu du contexte, notre choix s'est à nouveau porté sur les modèles compacts, dont le prix flirte avec la barre psychologique et économique des 30 000 $. Deux nouveaux venus étaient de la partie: l'Xterra de Nissan et le Grand Vitara de Suzuki. Il faut déplorer l'absence du nouveau Kia Sportage de notre match. Il est impossible de prédire quel aurait été le classement obtenu par ce Kia, mais il est certain que le Sportage n'aurait pas remporté l'épreuve. Un essai sur les mêmes routes ou presque réalisé une semaine plus tôt avait permis de découvrir un utilitaire sport plus utilitaire que sport, doté d'un moteur grognon et d'une boîte de vitesses assez fruste.

Le processus d'essai a permis à l'équipe d'une douzaine d'essayeurs de rouler sur l'autoroute et ensuite sur une route secondaire dont le revêtement affichait une qualité très variable. Pour compléter le tout, la caravane de six véhicules a grimpé les pentes du mont Glen, en Estrie. Cette diversité de trajets nous a permis de mieux évaluer les qualités intrinsèques de chacun des participants. Lors de notre dernier match de tout-terrains, l'escalade du mont Saint-Bruno avait permis de soumettre les véhicules à un test valable. Cette fois, la randonnée au sommet du mont Glen a été plus corsée, sans toutefois mettre l'intégrité physique des 4X4 en danger. La chose la plus surprenante dans cet exercice est le fait que tous les utilitaires ont réussi à négocier le «passage de l'enfer», un sentier escarpé et accidenté menant au haut de la montagne. Il faut également remercier Robin Choinière, le directeur de ce centre, qui nous a servi de guide et de conseiller dans notre excursion hors route.

Bref, les résultats ont été compilés et le temps est venu de présenter notre verdict. Le Forester conserve son titre haut la main tandis que les nouveaux venus viennent brouiller les cartes en obligeant quelques vétérans à rétrograder.

Subaru Forester: le vainqueur sans discussion

Il suffit de consulter le tableau de pointage pour constater que le résultat accorde une victoire nette et sans bavure au Subaru Forester. Comme on le dit dans le jargon des commentateurs sportifs, ce japonais a dominé les autres avec une telle facilité qu'il aurait pu faire de même avec une main dans le dos ou peut-être une roue dans le coffre.

Quoi qu'il en soit, la domination du Forester s'explique très simplement. Il offre un confort assuré et un certain luxe, son comportement routier n'est pas vilain du tout et son rouage d'entraînement intégral lui a permis de franchir les passages les plus difficiles avec aplomb, à la grande surprise de plusieurs.

Curieusement, lorsque nous étions stationnés au mont Orford qui nous servait de point de rencontre pour la portion des essais sur les routes secondaires, le Forester ne semblait pas intéresser nos essayeurs. Il était plus souvent disponible tandis que plusieurs autres utilitaires étaient toujours partis.

C'est pourtant le Forester qui termine en tête de liste. Lors de l'évaluation, tous les autres véhicules étaient affectés par une faiblesse majeure. Par exemple, le CR-V manque toujours de puissance, la suspension de l'Xterra a été jugée trop ferme par la majorité tandis que le Cherokee est devenu vétuste sur certains points. Quant au Subaru, son équilibre est presque parfait. Il est spacieux, on prend place à bord aisément et il se comporte sur la route comme la familiale Outback dont il est dérivé. C'est l'amalgame de ses qualités qui lui a valu autant de votes.

Efficace sur la route, il tire également son épingle du jeu lorsqu'on prend la clé des champs. Il est vrai que sa garde au sol inférieure à celle des authentiques 4X4 l'empêchera de s'élancer sur un terrain très accidenté. Mais il s'agit là du domaine des spécialistes et des vrais mordus. Pour le commun des mortels, il suffit de savoir que ce Subaru est capable de négocier des routes et des ter-

rains que la plupart des gens n'oseront jamais attaquer. Il peut donc circuler sans ennui sur la presque totalité des voies forestières et même sur plusieurs routes très secondaires qui n'ont pas été entretenues depuis longtemps. En plus d'être très efficace, le système de traction intégrale s'adapte très bien au moteur de 2,5 litres dont les 165 chevaux se sont révélés très utiles lorsque venait le temps de négocier des passages difficiles. Son couple généreux à bas régime est bien adapté à la conduite hors route. Cela permet de donner l'élan initial pour partir en bas d'une côte ou rouler sur un sol meuble. Par contre, il est certain que le Forester traversera les champs boueux avec difficulté puisque ce genre d'exercice exige un moteur plus puissant et une garde au sol plus importante.

Compte tenu que la quasi-totalité des acheteurs de Forester envisagent de l'utiliser exclusivement sur la route, ou alors quelque peu sur des voies non entretenues, cette restriction ne devrait pas venir ternir un tableau très positif. Cet utilitaire sport est d'un équilibre relevé. D'ailleurs, il a remporté sept des neuf catégories notées et s'est avéré le premier choix de notre guide Robin Choinière, un irréductible des 4X4 purs et durs. C'est tout dire.

Subaru Forester

Ils ont dit:

POUR

Le meilleur équilibre route/tout-terrain. Sa tenue de route est supérieure à celle des autres et son confort aussi. C'est celui qui se rapproche le plus d'une berline.

Alain Raymond

CONTRE

Malgré ses qualités, il faut mentionner une déception: le bruit élevé transmis dans la cabine par les pneus quand on roule à plus de 100 km/h. Subaru gagnerait à mieux isoler l'habitacle, surtout compte tenu du prix.

Amyot Bachand

Nissan Xterra: trahi par son inconfort

La dernière fois, le Cherokee avait fini deuxième. Par contre, il est normal qu'un modèle plus moderne vienne lui ravir sa place. Le style de carrosserie du Nissan dévoile la nature de ses intentions. Ses lignes agressives et parfois tourmentées, sa hauteur et ses angles passablement aigus nous font immédiatement songer

au caractère utilitaire et pas nécessairement sportif de sa personnalité. Le support de toit en aluminium avec son bac de rangement amovible confirment que la fonction a défini la forme de l'Xterra. On trouve même un espace de rangement pour une trousse de premiers soins dans le hayon arrière, ce qui se traduit par une excroissance sur la surface extérieure de la porte.

Contrairement au Forester dont les organes mécaniques et la plate-forme sont ceux d'une automobile, l'Xterra est directement dérivé de la camionnette Frontier. De cette dernière, il conserve la suspension arrière à ressorts elliptiques et à essieu rigide de même que le moteur V6 de 3,3 litres. Ce sont les deux éléments les plus controversés de ce véhicule. Tous les essayeurs ont unanimement condamné la suspension «camion» de ce Nissan. Et il est vrai que «ça portait dur» sur les sections bosselées de notre parcours d'essai. De plus, le V6 de 3,3 litres n'était pas particulièrement en verve. Son niveau sonore était élevé et ses performances relativement modestes par rapport à sa puissance de 170 chevaux. Même si cela n'a pas influencé notre jury, l'essai d'un autre exemplaire du Xterra par la suite a démontré que la rigidité de la suspension et le fait que le moteur soit un peu juste s'expliquent en partie par la jeunesse de l'Xterra inscrite au match, qui n'avait pas encore 1000 km au cadran. Un véhicule ayant roulé davantage se serait peut-être montré plus performant et plus confortable. Mais cela n'aurait pas amélioré le levier du frein d'urgence, des plus désagréables. Cette tirette est non seulement difficile à utiliser, mais également peu pratique, surtout en conduite hors route.

Somme toute, l'Xterra se révèle le véhicule 4X4 le plus intéressant pour ceux qui veulent vraiment conduire hors route de façon régulière. L'habitacle est pourvu de tissus faciles à laver et les portières larges facilitent l'accès à bord. Et il en est de même du hayon arrière qui donne sur une soute à bagages truffée d'espaces de rangement et de points d'ancrage. En revanche, le mécanisme servant à rabattre la banquette et le dossier arrière est quasiment primitif et les petits éléments d'insertion des pointes de rétention en nylon ne sont pas en harmonie avec la robustesse générale de ce véhicule.

À défaut d'offrir le raffinement et l'agrément de conduite du Forester, ce Nissan est capable d'en prendre. De plus, la fiabilité des organes mécaniques a été prouvée au fil des années. D'ailleurs, la camionnette Frontier dont l'Xterra est dérivée a remporté plusieurs accessits pour la qualité de sa fabrication et sa fiabilité.

Conçu pour la génération X qui entend bien utiliser les véhicules 4X4 qu'elle achète, le Nissan Xterra s'adresse à une clientèle qui n'est pas attirée uniquement par le côté «cool» de rouler en 4X4. Ceux qui le choisiront seront sans doute des gens d'action qui n'auront pas peur de prendre la clé des champs à son volant.

Nissan Xterra

Ils ont dit:

POUR

L'allure «Sport Extrême» me plaît. Cela fait hors normes et nouveau. Moteur et transmission ne causeront aucun problème. Très performant hors route.

Claude Carrière

CONTRE

L'intérieur fait vraiment Fisher-Price. En plus, les pneus sont bruyants et le moteur pourrait offrir des accélérations plus incisives.

Éric Gariépy

Suzuki Grand Vitara: un podium grâce au V6

La compagnie Suzuki a mis le paquet lors du lancement du Grand Vitara. Même si son nom fait sourire, il n'en demeure pas moins qu'il a offert la meilleure prestation d'un tout-terrain Suzuki à un match du *Guide de l'auto*. Par le passé, les modèles Sidekick se sont fait drôlement varloper par notre panel d'essayeurs. Un moteur manquant de puissance, un châssis très primitif et de la difficulté à suivre la circulation étaient autant d'indices confirmant le caractère essentiellement utilitaire de ces véhicules. Ce nouveau venu conserve son châssis autonome de type à échelle, mais les ingénieurs ont réussi à le raffiner beaucoup. Il est vrai que son empattement très court ne fait pas bon ménage avec les trous et les bosses, mais l'utilisation de pneus très larges permet de compenser la plupart du temps.

Malgré la sécheresse de la suspension, le Grand Vitara s'en est mieux tiré à ce chapitre que les deux autres authentiques 4X4 du match, à savoir le Nissan Xterra et le Cherokee. L'autre grande amélioration apportée à ce véhicule est l'utilisation d'un moteur V6 de 155 chevaux qui permet de rouler à la même vitesse que le flot de la circulation sans avoir l'impression que tout va sauter sous le capot. S'il se montre à l'aise en ville et sur la grand-route, ce V6 n'a pas le punch voulu à bas régime pour donner une impulsion initiale suffisamment vigoureuse pour franchir les obstacles. D'ailleurs, lors de l'ascension du mont Glen, les pilotes devaient adopter une technique de conduite plutôt inusitée puisque ce moteur était assez timide au départ pour ensuite donner son plein rendement en fin de parcours alors qu'on aurait apprécié le contraire en certaines circonstances. Les moteurs du Subaru Forester et du Jeep Cherokee démontrent de meilleures qualités à ce chapitre. Le fait que le Grand Vitara soit équipé de pneus surtout destinés à rouler sur l'asphalte rend les choses encore plus délicates.

Étant le deuxième plus petit véhicule du match, ce Suzuki est naturellement pénalisé lorsqu'on évalue la facilité d'accès aux places arrière et l'espace réservé aux bagages. Toutefois, les stylistes ont eu le coup de crayon heureux puisque ce tout-terrain semble gonfler ses muscles en raison de ses flancs bombés et de ses rondeurs placées aux bons endroits. En revanche, le tableau de bord relativement dépouillé comporte certaines commandes pas plus élégantes qu'efficaces. Incidemment, plusieurs essayeurs ont souligné dans leurs notes que la qualité des éléments fabriqués en plastique ne leur inspirait pas confiance et qu'ils s'interrogeaient quant à la fiabilité des organes mécaniques.

Malgré ces quelques restrictions, le Suzuki Grand Vitara a devancé plusieurs concurrents surtout en raison de son moteur V6 et de sa silhouette progressive. Et malgré une courbe de puissance plus ou moins bien adaptée à nos conditions d'essai hors route, le Grand Vitara a négocié avec aisance le «Passage de l'enfer» du mont Glen.

Suzuki Grand Vitara

Ils ont dit:

POUR

L'esthétique intérieure et extérieure est très agréable. Quant au tandem moteur/transmission, il est bien adapté à ce véhicule. De plus, il est impressionnant en conduite hors route.

Robert Gariépy

CONTRE

L'insonorisation est nettement insuffisante. Les freins ne semblent pas toujours à la hauteur et le nez plonge au freinage. Les places arrière sont parmi les plus petites du groupe.

Philippe Adam

4 QUATRIÈME PLACE

Honda CR-V: impotent en tout-terrain

Un moteur dont la puissance a été augmentée a permis au Honda CR-V de devancer le Jeep Cherokee qui avait obtenu le deuxième rang en 1998. Un segment de l'essai effectué sur autoroute, une route secondaire plus bosselée que la moyenne et un moteur plus puissant, voilà les facteurs qui ont permis à ce Honda de remonter dans le classement par rapport au match précédent. Le caractère «automobile» de cet utilitaire sport ainsi que son étonnante habitabilité ont impressionné nos essayeurs. S'il est vrai que les 21 chevaux supplémentaires ne font pas nécessairement une grosse différence, c'est tout de même assez important pour relever fortement l'agrément de conduite sur la route. Les accélérations sont plus senties et le niveau sonore du moteur moins agaçant qu'auparavant. Malgré tout, le résultat est loin d'être parfait. Ce 4 cylindres peine souvent à la tâche, surtout en terrain montagneux, et il est certain qu'un modèle à transmission manuelle aurait mieux paru. Le manque d'énergie du moteur est criant dans la conduite hors route. Il aura fallu un pilotage très habile pour que ce Honda puisse atteindre le sommet du mont Glen. En fait, pour franchir un raidillon, le passager a été obligé de marcher afin d'alléger le CR-V.

Malgré tout, les essayeurs l'ont placé au deuxième rang dans la catégorie «choix personnel». Ils ont certainement bien noté la suspension arrière indépendante, surtout en comparaison avec les essieux rigides de plusieurs des véhicules participants. Le comportement d'ensemble s'apparentant beaucoup à celui d'une voiture a influencé nos essayeurs de façon positive. Cependant, ce véhicule est affligé d'un centre de gravité élevé qui se manifeste par un roulis en virage. De plus, la direction est lente, ce qui n'est pas toujours apprécié dans certaines circonstances. Il faut prendre le temps de souligner que lorsqu'on pilote le CR-V, la direction paraît sensible puisque les roues avant changent rapidement d'axe vertical malgré une faible sollicitation du volant. Mais au fur et à mesure

que l'on tourne le volant de façon prononcée, le tout se complique. Par exemple, dans un slalom, il est facile de battre de vitesse la servodirection. Quant à la boîte automatique, elle se débrouille de façon honnête, et ce même dans les côtes grâce à sa boîte automatique à 4 rapports équipée du système de contrôle de logique de pente.

Curieusement, le CR-V a été critiqué pour sa position de conduite fatigante, surtout en raison de l'angle du volant. Par contre, l'habitabilité de la cabine est généreuse et il est facile de prendre place à bord. D'ailleurs, le CR-V a terminé deuxième sur cet aspect. Il en est de même pour la qualité de la finition. Seul le Forester a réussi à devancer le CR-V, et de peu. En revanche, si le hayon en deux pièces est une bonne idée, l'exécution en est boiteuse. La partie supérieure en verre est fragile et il faut s'assurer de refermer le panneau inférieur avant d'abaisser le hayon. Faites l'opération inverse et vous devrez convaincre votre assureur que le bris est un accident...

Malgré quelques lacunes, la polyvalence du CR-V et la réputation de Honda expliquent sans doute pourquoi ce véhicule est l'un des plus vendus de la catégorie, même si son comportement hors route n'est pas terrible.

Honda CR-V

Ils ont dit:

POUR

L'esthétique et la présentation sont dans le ton de la catégorie. Il en ressort un petit côté macho qui lui sied bien. La tenue de route, la visibilité, les places avant spacieuses, les commandes de climatisation très pratiques, voilà autant d'éléments positifs.

Carole Dugré

CONTRE

En conduite tout-terrain, le moteur est vraiment trop juste. Il faut un pilote expérimenté pour négocier des sentiers escarpés et parsemés d'embûches.

Yvan Fournier

5 CINQUIÈME PLACE

Jeep Jeep Cherokee: il grimpe et dégringole

Plusieurs vont crier au meurtre en constatant que le Cherokee a dégringolé de la deuxième à la cinquième place en moins de deux ans. Par contre, les adversaires des 4X4 purs et durs vont se réjouir. Cette descente vers la partie inférieure du tableau des résultats est facile à expliquer. Cette fois, notre circuit d'essais comprenait une section d'autoroute et une route régionale dont le revêtement était bosselé. Ces conditions d'essai ont mis en évidence certaines lacunes du Jeep. Avec des essieux rigides aux deux extrémités et une silhouette taillée à la hache, les kilomètres parcourus sur l'autoroute n'ont pas été à son avantage. Des bruits de vent prononcés et une stabilité directionnelle moyenne ont agacé plusieurs essayeurs. Sur mauvais revêtement, il est certain que les essieux rigides à l'avant comme à l'arrière ont secoué les occupants qui se sont empressés d'accorder les notes qui convenaient.

De plus, les gens se sont montrés beaucoup plus impitoyables pour la présentation esthétique. Au fur et à mesure que les années passent, la silhouette rétro du Cherokee devient de plus en plus anachronique. L'habitacle est de la même cuvée et certains éléments de présentation ne peuvent que trahir les origines anciennes de ce tout-terrain. Difficile de ne pas déplorer l'étroitesse des portes arrière qui rend l'accès à la cabine difficile, et ce même pour de jeunes enfants. Des critiques ont également été formulées quant à la présence de cette encombrante roue de secours qui vient gruger plusieurs litres d'espace de rangement dans le coffre.

Voilà pour les commentaires négatifs. En revanche, si vous recherchez avant tout des performances relevées en conduite tout-terrain, le Cherokee devrait être le premier en tête de liste. Son moteur 6 cylindres en ligne de 4,0 litres développe 190 chevaux et la répartition de la puissance est idéale pour rouler dans les sentiers. Lors du match, un conducteur sans expérience s'est payé une frayeur en tentant de négocier une

table de pierre située à flanc de montagne. Malgré cet incident de parcours, le Cherokee est capable de surmonter les obstacles les plus intimidants avec aisance. Il fallait voir un de nos essayeurs, un habitué des véhicules 4X4, se taper un petit galop d'essai sur une route à peine carrossable. Pourtant, le Cherokee semblait se moquer des obstacles. Et il faut ajouter que son moteur de 6 cylindres a démontré sa valeur au fil des années pour tracter des remorques assez lourdes.

Comme sur la plupart des modèles Jeep, il est possible de commander le système Select Track à temps partiel ou le Command Track à traction intégrale. Le Cherokee est le seul véhicule de la catégorie à offrir un tel choix. Et si les essieux rigides sont un handicap sur mauvaise route, ils se démarquent de belle façon dans les champs et les prés. Leur robustesse de même que l'ampleur de leur débattement sont des qualités fort appréciées des vrais amateurs de 4X4.

Malgré certains éléments de moins en moins contemporains, le Cherokee démontre que les ingénieurs de Jeep possèdent toujours la recette des prestations rassurantes lorsque la route est remplacée par des sentiers impraticables, ou presque.

Jeep Cherokee

Ils ont dit:

POUR

C'est celui qui mérite le plus de porter le nom d'utilitaire sport. Il n'est pas si désagréable à conduire et j'ai adoré son moteur. Un vrai de vrai qui ne fait pas de concessions.

Philippe Laguë

CONTRE

La tenue de route est aléatoire en partie à cause de sa suspension qui rebondit et de la direction floue. Au freinage, l'absence de freins ABS oblige le conducteur à être attentif pour ne pas bloquer les roues tandis que l'avant plonge.

Éric Beaumont

Toyota RAV4: rien de mal, rien de bien

Il est ironique de retrouver en dernière position le véhicule qui s'était vu attribuer la lanterne rouge lors de l'exercice précédent. Pourtant, ce Toyota tout-terrain n'est pas dénué de qualités. Sa silhouette est plaisante, sa soute à bagages facile d'accès, et la solidité de la caisse ne devrait pas faire de doute. En plus, l'incroyable réputation de la marque assure le propriétaire de RAV4 de profiter d'une mécanique sans faille. Malgré tous ces honneurs, le RAV4 a été distancé par les cinq autres participants.

Ce n'est pas qu'il fait quelque chose de mal. C'est tout simplement qu'il ne fait rien de très bien non plus. C'est le véhicule moyen dont la somme des attributs ne peut surclasser celle obtenue par des modèles plus brillants en certains domaines. Son principal handicap demeure quand même son moteur 4 cylindres 2,0 litres de 120 chevaux. Cette puissance est beaucoup trop juste à tous les points de vue. Il faut toujours prévoir ses dépassements avec beaucoup de prudence. Toute randonnée hors piste sur un terrain accidenté nécessite de rouler le pied au plancher en permanence pour réussir à grimper raidillons et bosses de peine et de misère. Et pour arranger les choses, on a placé une barre de protection sur le pare-chocs arrière. Cet élément agit comme une lame de chasse-neige, ramassant branches et débris sur son passage. Quand on a un moteur qui doit concéder 27 chevaux au Honda CR-V, le deuxième moteur le plus faible, cette friction supplémentaire n'est pas la bienvenue. Ajoutez la perte de quelques chevaux en raison de la transmission automatique et du rouage d'entraînement intégral et vous comprenez pourquoi le RAV4 n'émerveille pas par ses accélérations foudroyantes.

Un moteur plus puissant permettrait de tirer meilleur parti d'une plate-forme et d'une direction assez performantes. D'ailleurs, ce Toyota des routes et des champs s'était illustré dans le cadre d'un slalom de contrôle réalisé lors de la confrontation

de 1998 et il n'a rien perdu de ses qualités. Incidemment, plusieurs essayeurs ont apprécié la précision de sa direction tout en déplorant les performances anémiques du moteur.

On peut toujours justifier la présence de ce moteur par sa fiabilité et sa consommation plutôt modeste. Toutefois, on s'interroge encore quant à la qualité plus ou moins impressionnante du plastique qui habille l'habitacle. Voilà une chose à laquelle Toyota ne nous a pas habitués. C'est pourtant une situation de fait depuis plusieurs années sur le RAV4. La présentation générale du tableau de bord est également assez peu relevée. Et si les places avant sont acceptables, celles à l'arrière se révèlent plutôt justes.

Sans vouloir tenter de justifier son achat, disons que ce Toyota intéressera surtout les gens aguichés par sa silhouette et rassurés par la réputation de fiabilité et de durabilité des produits Toyota. Et à observer le nombre de RAV4 sur la route, il semble que cette catégorie de gens soit plus nombreuse qu'on ne le pense.

Toyota RAV4

Ils ont dit:

POUR

Sans doute le meilleur de la catégorie pour la précision de sa direction et sa tenue de route. On a vraiment l'impression d'être cloué à la route... et ses aptitudes routières le rendent quand même agréable à conduire.

Éric Beaumont

CONTRE

Ses 120 chevaux sont largement insuffisants pour convenir à ce type de véhicule. Ses accélérations sont décevantes. C'est à se demander pourquoi Toyota n'a pas placé un calendrier au lieu d'un indicateur de vitesse. La voiture est bruyante lorsque le moteur est sollicité.

Éric Beaumont

Conclusion

Voilà, le sort en est jeté. Une fois de plus, le Subaru Forester a terminé en tête. Il a même défendu son titre avec succès. Comme il fallait s'y attendre, les deux nouveaux modèles ont bien figuré au classement et ont relégué les autres vers le bas. À défaut d'être aussi raffiné et confortable que le Forester, le Nissan Xterra possède ce côté macho dont les caractéristiques sont dictées par la fonction. Une suspension un peu plus souple et un moteur V6 plus en verve lui auraient permis de venir inquiéter le Forester. Il est certain que des acheteurs plus jeunes seront tentés par ses qualités éminemment pratiques.

Le Suzuki Grand Vitara aurait facilement pu se retrouver à un classement inférieur n'eût été ses qualités en conduite hors route. Si son moteur V6 lui permet de se démarquer sur la route, son habitacle restreint, une direction pas toujours précise et des pneus mal adaptés lui font perdre des points par rapport au Honda. Ce dernier est toujours handicapé par un moteur essoufflé et un centre de gravité élevé qui l'empêchent d'aspirer à un classement supérieur.

Le Cherokee n'est pas sans qualités, surtout en conduite tout-terrain. Mais sa suspension un peu fruste et sa caisse de moins en moins contemporaine l'ont fait dégringoler au classement, même s'il demeure le roi de la montagne lorsque vient le temps d'affronter des conditions difficiles. Enfin, le moteur modeste du RAV4, son habitacle plutôt triste et une conduite à la limite en hors route l'ont relégué en fin de classement. Par contre, ceux qui privilégient une fiabilité à tout crin le placeront en premier sur leur liste.

Ces six véhicules ont tous une personnalité bien différente. Et il est certain que si vous n'envisagez pas de rouler dans les ornières et les champs de boue, un hybride dérivé d'une automobile fera l'affaire. Quant aux trois costauds à châssis plus robuste, ils s'acquittent de leur tâche avec diligence tout en faisant appel à des solutions différentes.

Ce match a permis de conclure que tous les véhicules inscrits sont en mesure de passer à travers des conditions très difficiles, ce qui devrait vous inspirer lorsque vous croyez qu'il faut un véhicule utilitaire sport de gros format pour rouler hors piste. Ce match de la modération prouve le contraire.

Robin Choinière, notre guide dans le «Passage de l'enfer».

Si vous êtes un adepte du tout-terrain

Ce match compare en quelque sorte des pommes et des bananes, soit des véhicules hybrides dérivés en grande partie de voitures de tourisme et d'authentiques tout-terrains dont les éléments sont plus ou moins identiques à ceux des camions. Comme c'est le cas sur le marché où les deux types cohabitent, nous les avons évalués en fonction d'une utilisation portant surtout sur la route et occasionnellement hors route. Par contre, si vos besoins sont inverses et que vous devez rouler très, très souvent dans des conditions difficiles, voire extrêmes, ce palmarès ne se lit pas de la même façon.

Ces critères de sélection excluent d'office les Forester, CR-V et RAV4. Leur garde au sol est trop faible, leur structure pas assez robuste et la boîte de transfert ne comporte pas un rapport «Lo»

essentiel pour descendre des pentes abruptes et négocier des passages très difficiles. Le moteur doit être capable de donner le coup d'envoi initial ou de fournir suffisamment de puissance pour rouler dans un sol meuble. Cela exclut tous les 4 cylindres inscrits à ce match.

Le champion incontesté du tout-terrain, du moins dans le cadre de cet essai comparatif, est le Cherokee. Son moteur et son rouage intégral font des merveilles. Sa suspension à essieux rigides aux deux extrémités permet de négocier des obstacles intimidants.

Le Nissan Xterra devance le Jeep en termes de présentation, de glamour et d'habitabilité. Il possède aussi un habitacle plus pratique. Malgré tout, à la limite, c'est le Cherokee qui jouit des meilleurs éléments pour aller s'épivarder dans la nature. Par exemple, les marche-pieds du Nissan donnent du caractère au véhicule, mais constituent un encombrement. En revanche, l'étroitesse du Cherokee s'avère un atout.

Le Suzuki Grand Vitara est pourvu d'un moteur en harmonie avec son gabarit et d'un châssis à échelle rigide. Cependant, un mauvais choix de pneumatiques, un couple parfois mal adapté à la conduite 4X4 et des éléments de direction un peu fragiles lui font perdre des points.

Malgré toutes ces considérations, il ne faut pas faire l'erreur de choisir un tout-terrain en fonction des critères des autres. Si vous roulez souvent hors route et dans des conditions difficiles, vous demeurez la seule personne capable de choisir le bon véhicule et les bons accessoires pour votre utilisation.

Denis Duquet

Évaluation

		Honda CR-V	Jeep Cherokee	Nissan Xterra	Subaru Forester	Suzuki Grand Vitara	Toyota RAV4
Esthétique							
• Extérieur	10	7,3	6,8	8,2	8,1	7,8	8,1
• Intérieur	10	7,4	7,0	6,6	8,2	7,5	7,2
• Finition extérieure	10	8,2	7,1	7,3	8,3	7,7	7,4
• Finition intérieure	10	8,0	7,2	7,4	8,4	7,4	7,3
Total	**40 pts**	**30,9**	**28,1**	**29,5**	**33,0**	**30,4**	**30,0**
Accessoires							
• Nombre et commodité	10	8,3	7,7	7,9	8,2	7,9	7,5
• Espaces de rangement	10	7,6	6,8	8,1	8,3	7,5	7,1
• Instruments: commandes	10	8,0	7,8	7,9	8,3	8,4	7,6
• Ventilation: chauffage	10	7,8	8,3	7,6	8,0	7,8	8,5
Total	**40 pts**	**31,7**	**30,6**	**31,5**	**32,8**	**31,6**	**30,7**
Carrosserie							
• Accès: espace avant	15	13,3	12,4	12,7	14,0	12,1	11,5
• Accès: espace arrière	15	11,8	9,2	12,1	11,9	9,8	10,0
• Coffre: accès et volume	5	3,4	3,8	4,5	4,5	3,5	3,5
• Accès mécanique	5	3,0	4,0	2,0	4,0	3,5	4,0
Total	**40 pts**	**31,5**	**29,4**	**31,3**	**34,4**	**28,9**	**29,0**
Confort							
• Suspension	10	7,9	6,7	6,9	8,7	7,0	7,8
• Niveau sonore	10	7,4	7,1	6,9	8,5	6,9	6,8
• Sièges	10	7,1	7,3	7,7	8,1	7,8	7,7
• Position de conduite	10	7,2	8,0	8,2	8,9	8,1	7,8
Total	**40 pts**	**29,6**	**29,1**	**29,7**	**34,2**	**29,8**	**30,1**
Moteur/Transmission							
• Rendement	15	11,5	13,5	12,3	12,9	12,5	11,0
• Performances	15	10,7	13,2	11,8	12,1	12,4	9,8
• Sélecteur de vitesses	5	2,3	2,0	3,2	3,0	4,2	3,1
• Passage des vitesses	5	3,5	3,5	3,0	4,0	3,0	3,0
Total	**40 pts**	**28,0**	**32,2**	**30,3**	**32,0**	**32,1**	**26,9**
Comportement routier							
• Tenue de route	20	16,7	14,0	13,7	17,5	14,0	15,8
• Direction	15	12,6	11,4	11,9	13,5	12,2	12,9
• Freins	15	12,5	11,0	12,1	12,4	11,6	12,0
Total	**50 pts**	**41,8**	**36,4**	**37,7**	**43,4**	**37,8**	**40,7**
Sécurité							
• Coussins de sécurité	15	10,0	10,0	10,0	10,0	10,0	10,0
• Visibilité	10	7,5	8,5	7,8	7,5	7,3	8,8
• Rétroviseurs	5	4,2	3,6	4,5	4,2	4,5	2,8
Total	**30 pts**	**21,7**	**22,1**	**22,3**	**21,7**	**21,8**	**21,6**
Performances							
• Hors route	20	16,0	20,0	19,0	18,0	17,0	16,0
• Accélération	20	16,0	18,0	17,0	19,0	20,0	15,0
• Freinage	10	9,0	6,0	6,0	10,0	7,0	8,0
Total	**50 pts**	**41,0**	**44,0**	**42,0**	**47,0**	**44,0**	**39,0**
Autres classements							
• Espace pour bagages	10	5,0	8,0	10,0	9,0	7,0	6,0
• Choix des essayeurs	50	45,0	41,0	48,0	50,0	43,0	42,0
• Prix	10	6,0	8,0	6,0	7,0	9,0	10,0
Total	**70 pts**	**56,0**	**57,0**	**64,0**	**66,0**	**59,0**	**58,0**
GRAND TOTAL	**400 pts**	**312,2**	**308,9**	**318,4**	**344,5**	**315,4**	**306,0**
CLASSEMENT		**4**	**5**	**2**	**1**	**3**	**6**

Fiche technique

	Honda CR-V	Jeep Cherokee	Nissan Xterra	Subaru Forester	Suzuki Grand Vitara	Toyota RAV4
Empattement	262 cm	258 cm	265 cm	252 cm	248 cm	241 cm
Longueur	451 cm	425 cm	452 cm	445 cm	418 cm	415 cm
Hauteur	175 cm	176 cm	179 cm	173 cm	178 cm	166 cm
Largeur	174 cm	175 cm	176 cm	159 cm	174 cm	176 cm
Poids	1398 kg	1519 kg	1785 kg	1425 kg	1450 cm	1360 cm
Transmission	automatique	automatique	automatique	automatique	automatique	automatique
Nombre de rapports	4	4	4	4	4	4
Moteur	4 cylindres	6 cylindres	V6	4 cylindres	V6	4 cylindres
Cylindrée	2,0 litres	4,0 litres	3,3 litres	2,5 litres	2,5 litres	2,0 litres
Puissance	147 ch	190 ch	170 ch	165 ch	155 ch	120 ch
Suspension avant	indépendante	essieu rigide	indépendante	indépendante	indépendante	indépendante
Suspension arrière	indépendante	essieu rigide	essieu rigide	indépendante	essieu rigide	indépendante
Freins avant	disque	disque	disque	disque	disque	disque
Freins arrière	tambour	tambour	tambour	tambour	tambour	tambour
ABS	oui	oui	oui	oui	oui	oui
Pneus	P205/70R15	P225/75R15	P265/70R15	P215/60R16	P235/60R16	P215/70R16
Direction	à crémaillère	à billes	à billes	à crémaillère	à billes	à crémaillère
Diamètre de braquage	10,6 mètres	10,9 mètres	10,3 mètres	11,7 mètres	10,4 mètres	10,6 mètres
Coussin de sécurité	frontaux	frontaux	frontaux	frontaux	frontaux	frontaux
Réservoir de carburant	59 litres	76 litres	73 litres	60 litres	66 litres	58 litres
Capacité du coffre	375 litres	932 litres	n.d.	940 litres	637 litres	460 litres
Accélération 0-100 km/h	11,4 s	9,7 s	10,1 s	9,5 s	9,2 s	12,8 s
Vitesse de pointe	160 km/h	180 km/h	175 km/h	185 km/h	175 km/h	160 km/h
Consommation (100 km)	11,7 litres	15,6 litres	13,8 litres	12,0 litres	12,3 litres	11,5 litres
Prix:	31 250 $	28 995 $	31 495 $	29 995 $	28 995 $	27 595 $

DENIS DUQUET

Des aubaines à la douzaine

La Focus affronte ses rivales

Le marché des voitures sous-compactes est de loin le plus important au Québec. En effet, plus de la moitié de toutes les automobiles vendues ici appartiennent à cette catégorie. N'allez pas conclure que les Québécois ont des ressources financières tellement faibles qu'ils ne peuvent se payer autre chose! Selon les études de marketing réalisées à ce sujet, l'automobiliste québécois est un passionné de voitures, mais ne veut pas déséquilibrer son budget pour se procurer un modèle trop coûteux. Il opte souvent pour une sous-compacte dans le but de profiter de la vie tout en ayant une voiture à sa disposition quand bon lui semble.

Compte tenu de l'importance de la catégorie sur notre marché, l'arrivée de la Ford Focus en 2000 ainsi que l'entrée en scène des nouvelles Volkswagen Golf et Jetta nous ont placés devant la nécessité de tenir un match comparatif mettant aux prises toutes les sous-compactes. Il fallait également évaluer les nouvelles marques Daewoo et Kia, des inconnues pour plusieurs de nos lecteurs. En outre, la Chrysler Neon a été l'objet d'une refonte complète au début de 1999 tandis que la Mazda Protegé avait été revue de fond en comble à l'automne 1998. Bref, la meilleure solution était de regrouper toutes ces voitures pour les évaluer.

Toutes les automobiles de la catégorie étaient présentes, à deux exceptions près. La Sentra brillait par son absence tout simplement parce que le modèle 1999 sera remplacé par une toute nouvelle voiture au début de l'automne. Puisque la compagnie était incapable de nous trouver un modèle 2000, nous avons jugé plus sage de ne pas inscrire au match une Sentra 1999. Certains vont avancer que l'Acura 1,6EL aurait pu y participer. À tort ou à raison, nous avons estimé que cette voiture, dont la place sur le marché se situe entre les économiques visées par notre match et les berlines de luxe, ne faisait pas partie du groupe. Nous avons donc préféré con-

fier à la Honda Civic le soin de défendre les couleurs de la compagnie.

GM fait pitié

Inutile de préciser que recruter une douzaine de voitures et une quinzaine d'essayeurs en même temps n'est pas une tâche facile. Surtout en une période de l'année où les nouveaux modèles ne sont pas nécessairement disponibles. Ce qui explique pourquoi Robert Pagé, de General Motors, a sué sang et eau pour nous accommoder. Malgré ses efforts, il n'a pu nous dénicher qu'une modeste Saturn chez un concessionnaire. Quant à la Chevrolet Cavalier, il a fallu la louer auprès d'une compagnie de location. Comme vous allez le découvrir, son équipement était modeste, c'est le moins qu'on puisse dire. À Oshawa, il faudrait qu'on se réveille et qu'on accorde un support plus étoffé au responsable des relations de presse du Québec.

Ces 12 sous-compactes ont été réunies à la piste de Sanair, endroit facilitant l'examen comparatif statique et les échanges de voiture. Un essai sur les routes environnantes a également permis à nos essayeurs d'évaluer les candidates en présence. Enfin, quelques tours de piste à vitesse contrôlée ont mis en lumière le comportement routier de chacune.

Malgré la complexité du choix, les résultats ont été pratiquement unanimes. Un groupe de tête de quatre voitures s'est démarqué sur toutes les feuilles d'évaluation tandis que les moins douées du groupe ont rapidement été ciblées. Au centre, un groupe de voitures honnêtes qui se signalent surtout par leur qualité d'assemblage et l'agrément de conduite qu'elles assurent.

Voici donc le fruit de cette évaluation que nous avons tenté de rendre la plus complète possible. La qualité s'est resserrée depuis notre dernier match comparatif et le choix est meilleur que jamais.

Mazda Protegé

Un renversement spectaculaire

Dans l'édition 1997 du *Guide de l'auto,* la Protegé SE qui s'était pointée sur la ligne de départ pour défendre les couleurs de Mazda s'était fait carrément massacrer. En fait, elle avait terminé avant-dernière, ne réussissant qu'à devancer une Nissan Sentra complètement à la dérive. Cette fois, elle remporte les grands honneurs devant une brochette de modèles pourtant plus impressionnante que celle de 1997.

Ce revirement spectaculaire n'est pas le fruit du hasard. Premièrement, la Protegé a été complètement renouvelée l'an dernier. Au premier coup d'œil, on a l'impression que sa silhouette est demeurée plus ou moins la même, mais autant la plate-forme que la caisse sont tout nouveaux depuis septembre 1999. Les moteurs ont été revus de même que toutes les composantes majeures. Ces modifications ont ainsi porté fruit. Il faut toutefois préciser que la version précédente n'était pas aussi mauvaise que son classement de l'époque pouvait l'indiquer. La version SE avait été concoctée pour offrir un prix irrésistible aux acheteurs d'aubaines. Trop dépouillée et propulsée par un moteur trop juste, elle ne s'était pas montrée à la hauteur.

Cette fois, c'est une Touring qui a été évaluée, à notre avis le meilleur modèle de la gamme. Ce n'est pas le plus luxueux ni le moins cher, mais celui qui offre le meilleur rapport qualité/prix. Soulignons en passant que la Protegé a toujours été reconnue pour sa fiabilité et sa qualité d'assemblage. De plus, sa garantie est l'une des plus complètes de l'industrie. Et, bonne nouvelle, Mazda Canada vient d'annoncer une réduction substantielle du prix de ses pièces de rechange, un autre élément qui inquiétait bien des acheteurs potentiels.

Les essayeurs n'ont pas été avares de commentaires élogieux lorsque est venu le temps de décrire la Protegé. Plusieurs l'ont qualifiée de «très belle surprise». Son agilité, la rigidité de sa plate-forme et la nervosité des reprises ont été mentionnées à de nombreuses reprises. Et tous ont louangé sa tenue de route, jugée la meilleure du lot par plusieurs. Avec toutes ces qualités, il n'est pas surprenant de constater qu'elle a été jugée la plus agréable à conduire. Elle se laisse devancer au chapitre du confort et il y avait des voitures plus silencieuses, mais elle l'emporte en raison de son équilibre et surtout de son agrément de conduite.

La Protegé est l'exemple presque parfait de la petite voiture peu encombrante, mais en mesure d'accommoder 4 adultes tout en ne se laissant pas intimider par les courbes raides d'un chemin secondaire serpentant dans l'arrière-pays. Son moteur est certainement bruyant, sa silhouette plutôt timide et réservée, mais il est difficile de trouver un équilibre qui lui soit supérieur.

La Ford Focus a été dotée d'un châssis plus rigide et d'une suspension arrière mieux étudiée que ceux de la Protegé, mais ses réglages et son choix de pneumatiques ont été uniquement orientés vers le confort sur la grand-route. Cela vient gommer une partie de son énorme potentiel.

La Protegé est donc la plus futée du lot et celle dont l'agrément de conduite est le plus relevé, un élément primordial à nos yeux. Alors!

Mazda Protegé

Ils ont dit:

POUR

Agile, rigide, nerveuse, la meilleure tenue de route et un agrément de conduite remarquable.

Jacques Duval

CONTRE

Les grands gabarits vont trouver à redire aux places arrière. Pour une auto visant les jeunes acheteurs, sa présentation fait trop vieux jeu.

Daniel Duquet

Ford Focus

À quelques détails près

Ce match comparatif a été en grande partie organisé en raison de l'arrivée de la Ford Focus sur le marché. Cette nouvelle venue ne vient pas uniquement remplacer l'Escort, elle aura pour mission au Canada de remplir le créneau qui était également occupé par les Ford Contour et Mercury Mystique. D'ailleurs, il faut remercier Ford du Canada, qui a importé une voiture de préproduction des États-Unis pour permettre la tenue de ce match avant la date de tombée.

Louangée un peu partout, déjà détentrice du titre de Voiture européenne de l'année, la Focus était l'une des candidates les plus en mesure de remporter cet affrontement. De l'avis de plusieurs, il s'agissait de la voiture la plus homogène du groupe. Sa silhouette intrigante et innovatrice permet une habitabilité surprenante pour une voiture de cette catégorie. Et même si son tableau de bord semble hors normes et hors catégorie, il s'est révélé un exemple en matière d'ergonomie et de facilité d'utilisation. Les commandes tombent bien sous la main et s'avèrent simples à utiliser. Il y a bien la radio qui se montre quelque peu ésotérique avec certains réglages à la fois numériques et énigmatiques, mais ce n'est rien de très grave. En fait, la Focus offre une habitabilité aux places arrière qui fait défaut à la Jetta. Parlant de Jetta, même si au départ les deux voitures semblent diamétralement opposées, elles adoptent toutes les deux cette configuration de plus en plus à la mode: un pavillon élevé qui augmente l'espace disponible à l'intérieur.

La Focus sera appréciée au cours de longs trajets en raison du confort qu'assure sa suspension, du bon support lombaire qu'offrent ses sièges et de son système de ventilation efficace. Quant à sa silhouette, compte tenu des réactions du public lorsque nous nous sommes déplacés avec cette voiture, le pari est gagné, du moins au Québec. Il est certain que le *hatchback* va faire la vie dure aux Honda Civic et Volkswagen Golf.

Malgré un châssis d'une rigidité exemplaire et une suspension arrière très moderne, la Focus ne s'est classée que cinquième dans le slalom. La raison en est simple: son moteur Duratec n'a jamais été un foudre de guerre. Ses 130 chevaux ne font pas toujours sentir leur présence. Les performances se situent dans la bonne moyenne, mais sans plus. Et une suspension trop souple n'a pas aidé non plus. Cependant, pour plusieurs acheteurs éventuels, il est plus important de savoir que ce 4 cylindres d'une conception très moderne a fait ses preuves sous le capot de la Ford Contour et de la Mercury Mystique. Sa fiabilité et sa durabilité ne font pas de doute.

Le problème, c'est que les planificateurs, cherchant à plaire à tout le monde, ont voulu faire de la Focus une voiture à tout faire. Il a fallu sacrifier un peu d'agrément de conduite. Sa direction est la meilleure du groupe et sa boîte automatique permet d'égaler les temps d'accélération de la boîte manuelle. Malheureusement, sa suspension est trop orientée vers le confort, ce qui explique que les amortisseurs talonnent lorsqu'on roule à haute vitesse sur une mauvaise route.

Malgré ces quelques éléments discordants, la Focus est une voiture drôlement impressionnante assurée de devenir un best-seller.

Ford Focus

Ils ont dit:

POUR

Spacieuse, agréable à conduire, bien assemblée et conçue avec rigueur, cette Ford n'aura aucune difficulté à faire oublier ses devancières.

Jacques Duval

CONTRE

La suspension est d'une mollesse déconcertante. C'est la seule qui décollait sur les bosses de la partie routière. Elle talonne à l'occasion et sa tenue de cap n'est pas à tout casser.

Jacques Duval

3 TROISIÈME PLACE

🔵 Volkswagen Jetta

Quasiment géniale…

La nouvelle Jetta a impressionné, et avec raison. Si vous aimez conduire, vous ne pourrez pas rester indifférent à cette nouvelle Jetta ou encore à la Golf. Si nous avons opté pour la Jetta dans le cadre de ce match, c'est tout simplement que tous les autres modèles en lice étaient de type 3 espaces et nous avons harmonisé. La Golf est moins onéreuse et sans doute un tantinet plus agile que la Jetta, mais on compare des pommes avec des pommes.

La nouvelle silhouette de la Jetta remporte un succès. Tous ou presque ont apprécié cette allure de mini Passat. Il en résulte un cachet de voiture de qualité supérieure. C'est fou ce qu'on peut faire en jouant avec les rondeurs et les angles. L'habitacle est de la même cuvée avec une présentation équilibrée, toutes les commandes à la portée de la main et une qualité de finition impeccable. Notre exemplaire d'essai a d'ailleurs obtenu les meilleures notes pour sa finition. Notre essai s'est déroulé en plein jour, mais tous les participants avaient déjà conduit une Volkswagen équipée de l'éclairage de couleur bleue des cadrans et tous apprécient cette présentation aussi esthétique que pratique. En fait, il semble qu'il n'y ait que les chroniqueurs automobiles américains qui n'approuvent pas cet éclairage nouveau.

Comment se fait-il alors que cette Volkswagen n'a pas terminé en tête? C'est simple, il n'y a qu'à rouler avec ce moteur 4 cylindres 2,0 litres de 115 chevaux pour en avoir plein ses baskets. Son mugissement constant est un irritant de première. On a toujours l'impression que tout va sauter sous le capot. Ses prestations ne sont pas vilaines, mais il n'en demeure pas moins qu'il s'agit du moteur développant la puissance la plus timide après celui de la Honda Civic. Malgré tout, les temps d'accélération se révèlent plus rapides que la moyenne et la Jetta a terminé au deuxième rang dans l'épreuve du slalom, un témoignage éloquent de son comportement routier homogène. La Volks aurait sans doute remporté aisément ce match si elle avait été propulsée par le moteur 1,8 litre Turbo de la New Beetle Turbo. Ses 150 chevaux et sa grande souplesse auraient corrigé la lacune la plus criante de cette berline. Bien entendu, on peut opter pour le modèle GLX avec le moteur VR6, mais la facture dépasse nettement la moyenne de la catégorie.

Aussi étrange que cela puisse paraître, la Jetta a perdu sa légendaire habitabilité. Les places arrière sont plus exiguës que la moyenne. D'ailleurs, un essayeur de grand taille a dû demander à un autre membre du jury comment noter la banquette arrière parce qu'il ne pouvait y prendre place une fois les sièges avant complètement reculés!

Parmi les autres éléments négatifs qui sont venus ralentir cette Jetta dans la course vers le premier rang, il faut mentionner une boîte automatique dont le passage des rapports était parfois saccadé. Par ailleurs, les pneus roulaient sur leur flanc lorsque la voiture était conduite avec trop d'enthousiasme.

La nouvelle Jetta a presque tout pour remporter la confrontation. En fait, elle est à un moteur et des broutilles près de le faire.

Volkswagen Jetta

Ils ont dit:

POUR

Une superbe voiture qui domine outrageusement à l'exception du groupe propulseur. Dommage que la version VR6 soit hors de prix pour ce match!

Robert Gariépy

CONTRE

Un excellent châssis à la recherche d'un moteur.

Claude Carrière

4 QUATRIÈME PLACE

Subaru Impreza

La surprise!

Lors du dernier match comparatif des sous-compactes, en 1997, la Subaru Impreza brillait par son absence. Le prix de cette berline aux chiffres de ventes très bas était si élevé que la compagnie nous avait tout simplement répondu que cette voiture était hors de prix par rapport au reste de la catégorie et qu'elle préférait s'abstenir de participer. Les choses ont beaucoup changé depuis ce temps et Subaru s'est empressée cette fois de prendre part à la confrontation. L'Impreza TS qui a participé à ce match n'était certainement pas la moins onéreuse avec un prix de vente suggéré de 22 995 $, mais c'est beaucoup mieux que ce qui était demandé il y a quatre ans. Pour ce prix, on se retrouve au volant d'une berline dont l'élégance est relevée par un déflecteur arrière de série, une traction intégrale et de fabrication de première qualité.

Cette Impreza a fourni l'agréable surprise du match. Elle a aisément terminé au premier rang dans la catégorie «choix personnel» en plus de devancer toutes ses concurrentes au slalom. Tous ont été étonnés par le comportement routier en général de cette petite japonaise. Et comme plusieurs l'ont mentionné, compte tenu des conditions routières hivernales au Québec, elle semble avoir été conçue en fonction de nos besoins.

Le moteur 4 cylindres horizontal à plat de l'Impreza ne fait cependant pas l'unanimité. Certains trouvent qu'il convient, d'autres ont mentionné qu'il fallait absolument lui trouver des chevaux supplémentaires. En fait, ce moteur brille ou déçoit selon les conditions d'utilisation. Son couple à bas régime est généreux. Par exemple, en slalom, alors que les vitesses demeurent tout de même modestes, le couple est suffisant pour permettre à cette voiture de devancer toutes ses concurrentes en réussissant un heureux mariage avec la traction intégrale. En revanche, à des vitesses intermédiaires, ce 4 cylindres de 137 chevaux n'affiche plus le même brio et les dépassements se révèlent toujours plus délicats qu'avec une autre voiture. Il faut également ajouter que ce moteur de type boxer convient bien à la transmission automatique qui, à son tour, travaille davantage en harmonie avec le rouage intégral. La boîte manuelle à 5 rapports a été améliorée au fil des années.

Détail intéressant, l'Impreza était l'un des modèles les plus anciens à participer à notre match et c'est celui qui a fait meilleure figure parmi ce groupe de vétérans.

Malgré son brio à bien des égards, certains comportements de l'Impreza mettent ses rides en évidence. Une direction imprécise, un châssis moins rigide que ceux des meilleures du groupe et un accélérateur trop sensible lui font perdre des points. Cette plate-forme un peu trop souple est compensée par une suspension plus ferme et c'est le confort qui en subit les conséquences. Il faut également ajouter que certaines commandes pas trop commodes témoignent d'une conception d'ensemble remontant à 1992.

Malgré ces quelques bémols, l'Impreza a impressionné et sa traction intégrale risque de la faire passer au premier rang dans l'esprit de plusieurs.

Subaru Impreza

Ils ont dit:

POUR

Robuste et sportive, c'est le genre de voiture que j'aime. De plus, sa traction intégrale assure une tenue de route sécurisante toute l'année durant.

Sophie Noiseux

CONTRE

La banquette arrière ne peut être rabattue, ce qui est inconcevable sur une telle voiture. De plus, où sont les freins?

Philippe Laguë

5 CINQUIÈME PLACE

Toyota Corolla

La sagesse personnifiée

Depuis des temps immémoriaux, la Corolla est l'archétype de la voiture sobre, fiable, capable de durer des années et des années sans connaître de bris mécanique tout en endormant son conducteur tant elle est d'une conduite peu inspirée. D'ailleurs, chez Toyota, on ne s'en cache pas. Cette voiture est destinée aux familles et aux personnes à la recherche d'un moyen de transport efficace et sans surprise. Elle se montre compétente sur la route, sa mécanique est loin d'être désuète, mais les sensations de conduite ne sont certainement pas en tête de liste des priorités de ses concepteurs.

Match comparatif après match comparatif, la Corolla obtient des points supérieurs à la moyenne pour la qualité de ses éléments, de sa finition et de son assemblage. Et il faut donner crédit à Toyota de ne pas avoir succombé à la tentation d'altérer la qualité de sa Corolla pour lui permettre d'être vendue à des prix plus bas. Souvent, les ingénieurs de cette compagnie font appel à des détails de finition et d'assemblage presque invisibles à l'œil du néophyte, mais qui expliquent pourquoi une Corolla demeure solide comme le roc pendant des années et des années.

Cette attention accordée au détail vise également la mécanique. Même si le moteur est destiné à propulser une berline sans relief, ce 4 cylindres est doté d'un collecteur d'admission à conduits individuels comme ceux qui sont utilisés sur les meilleures sportives. Et cette année, on a poussé le raffinement jusqu'à doter le moteur 1,8 litre d'un système de calage des soupapes continuellement variable comme celui qu'on installe depuis quelques années sur les modèles Lexus les plus onéreux. La Corolla bénéficie donc d'un gain de 5 chevaux, d'un moteur plus propre et d'une plus grande économie de carburant. Mais, ne croyez pas, après avoir parcouru la fiche technique, que vous allez vous retrouver au volant d'une berline sport. En fait, le modèle LE, le plus cossu de la gamme, se comporte sur la grand-route comme une mini berline de luxe. Il faut également déplorer que le système de freins ABS ne soit offert en option qu'avec le groupe d'accessoires B présenté exclusivement sur la LE. On obtient en revanche une bonne idée des priorités de la clientèle en apprenant que la radio AM/FM CD est dorénavant installée en équipement de série sur tous les modèles.

Il faut également souligner que la compagnie Toyota n'a jamais été celle qui a fait le plus d'efforts pour installer un système ABS en priorité sur ses voitures. On affirme chez Toyota qu'il est préférable de ne pas avoir d'ABS que d'en offrir un dont l'efficacité viendrait diminuer la qualité du freinage.

La Corolla fait bonne figure parmi les voitures classées dans le groupe médian, celui représentant les modèles adéquats et offrant de belles qualités intrinsèques. L'absence de caractéristiques particulières sur le plan visuel ou d'un agrément de conduite plus relevé que la moyenne relèguent cette Toyota en cinquième place. Mais si vous privilégiez avant tout la fiabilité, la fabrication solide et une bonne valeur de revente, elle a les éléments pour vous plaire.

Toyota Corolla

Ils ont dit:

POUR

Confortable sur route bosselée, elle tient le cap malgré un roulis assez prononcé. Son châssis est solide et son freinage bien dosé.

Amyot Bachand

CONTRE

Une voiture de petit gabarit qui nous donne l'impression d'être au volant d'une grosse américaine.

Alain Florent

6 SIXIÈME PLACE

Honda Civic

En perte de vitesse

Comme le démontre le classement de ce match, la situation évolue rapidement dans la catégorie des sous-compactes. Lors de la dernière confrontation, la Civic avait terminé dans le groupe de tête dans presque toutes les catégories et même remporté les grands honneurs. Cette fois, avec sa sixième place, elle réussit à peine à se maintenir dans la première moitié.

N'allez pas conclure que la qualité légendaire des Civic est à la baisse, que cette berline est moins bien assemblée que précédemment ou encore que le modèle *hatchback* est un meilleur choix. Non! Rien de tout cela! C'est tout simplement que la concurrence a progressé et que la Civic n'est plus en mesure de figurer aux avant-postes. Prenez son moteur de 106 chevaux: il a beau se révéler brillant et performant, il affiche tout de même un sérieux déficit par rapport à la moyenne des concurrentes, qui est de 126 chevaux. De plus, la Civic doit concéder 9 chevaux à la Jetta, la seule autre voiture ne disposant pas d'une puissance de 120 chevaux et plus. Et elle enregistre un déficit de 44 chevaux par rapport à une Chevrolet Cavalier équipée du 2,4 litres de 150 chevaux! En fait, il faut que les qualités d'ensemble de cette voiture soient très relevées pour lui permettre de terminer en cinquième place. D'ailleurs, une Civic coupé avait également fait très belle figure dans un match des coupés sport il y a quelques années, même si c'était la voiture la moins puissante du groupe.

L'un des éléments qui ont handicapé cette Honda est son habitacle très dépouillé. Lors de la révision de cette voiture en 1996, stylistes et concepteurs avaient adopté une présentation très sobre, que ce soit pour l'extérieur ou pour l'habitacle. La silhouette de la carrosserie est toujours dans le coup sur le plan visuel. Elle a d'ailleurs fait l'objet de quelques retouches en 1999, notamment à l'avant. En revanche, l'habitacle, qui est demeuré sensiblement le même au cours des quatre dernières années, fait vraiment trop dénudé. Cette impression se trouve accentuée par le fait que le tableau de bord est en retrait par rapport aux sièges. Cette astuce qui a pour but de donner une sensation d'espace aux occupants malgré un habitacle assez petit a toutefois un côté négatif: l'habitacle et le tableau de bord semblent encore plus dépouillés quand on dispose d'autant d'espace pour les observer. La qualité de l'assemblage et de la finition se montre toutefois à la hauteur de la réputation de Honda.

Malheureusement, l'agrément de conduite n'est plus celui des Civic d'autrefois, celles qui ont tant contribué à bâtir la réputation de la compagnie. Il est vrai qu'une boîte automatique ne convient peut-être pas à un moteur 1,6 litre de 106 chevaux, mais les autres participantes au match étaient toutes équipées d'une boîte automatique, à une exception près. En fait, si la Civic a glissé au classement général, c'est qu'elle n'offre plus le petit extra que sa tenue de route et son agrément de conduite comportaient auparavant. Cette berline est la plus bourgeoise des Civic essayées par le *Guide de l'auto* et elle en paie le prix. Elle conserve cependant toutes les qualités de fiabilité, de solidité et d'intégrité de caisse propres à tous les modèles fabriqués par Honda.

Honda Civic

Ils ont dit:

POUR

La finition et la qualité d'assemblage demeurent au-dessus de la moyenne.

Philippe Laguë

CONTRE

L'instrumentation réduite à sa plus simple expression, les sièges médiocres et l'espace arrière moyen donnent à la Civic un air de parent pauvre.

Alain Raymond

Chrysler Neon

Des progrès, mais…

La Neon de la première génération n'a pas rendu la vie facile à celle qui a été appelée à lui succéder. Lancée à grand fracas, la première du nom avait été conçue trop rapidement et a souffert de défauts de conception pendant toute sa carrière. Chez Chrysler, on affirme avoir mis le paquet pour corriger ces erreurs de jeunesse. Il est trop tôt pour en avoir la preuve, mais on nous assure que la fiabilité précaire de la première génération est maintenant chose du passé, ce qui est probablement vrai. L'essai d'une Neon de la nouvelle génération pendant quelques mois nous permet de le croire.

La nouvelle Neon conserve les mêmes paramètres que sa devancière. C'est donc une voiture conçue pour répondre essentiellement aux acheteurs traditionnels nord-américains. Elle n'est pas la plus volumineuse du lot, mais on a l'impression qu'elle l'est. D'ailleurs son habitabilité est bonne, du moins aux places avant. La qualité des éléments de l'habitacle se révèle également meilleure qu'auparavant. Et il est évident que la finition extérieure s'est grandement améliorée. Le design du volant a pour sa part soulevé bien des controverses. Quant à la partie arrière redessinée, elle a sa part de détracteurs et de partisans. Si on discute toujours sur les qualités esthétiques de cette Neon, une vaste majorité du jury a fortement critiqué la mauvaise visibilité arrière que procure ce type de design au cours des manœuvres de stationnement.

Un autre élément qui fait l'unanimité, de façon positive cette fois, c'est l'utilisation de cadres de fenêtres. La version précédente était affligée de vitres de type *hard-top* se gonflant sous la pression de l'air à haute vitesse. Les bruits de vent et les infiltrations d'air devenaient parfois insupportables. Cette nouvelle venue s'avère beaucoup plus silencieuse à cet égard. Ses cadres de portes plus rigides contribuent sans doute à améliorer l'intégrité de la caisse.

L'élément le plus controversé de cette voiture est sans contredit la décision des ingénieurs de conserver la boîte automatique à 3 rapports. Feuille de commentaires après feuille de commentaires, la même remarque est revenue: «La boîte a besoin d'un quatrième rapport.» Selon Chrysler, des études effectuées auprès des acheteurs de la première version et du public ciblé en général leur permettent de croire que la boîte à 3 rapports les satisfait. On ne peut douter des résultats de ces études. Cependant, il serait au moins intéressant de pouvoir obtenir une boîte à 4 rapports en option comme c'est le cas avec les Chevrolet Cavalier et Pontiac Sunfire.

Chrysler se prive d'une bonne clientèle avec cette décision. Et qu'on n'essaie pas de nous faire croire que le puissant consortium Daimler-Chrysler n'est pas capable de concocter une boîte à 4 rapports économique et efficace. Le refus d'obtempérer condamne la Neon à être perçue par un certain public comme une petite voiture *cheap* pour les gens qui n'ont pas d'argent. Compte tenu des raffinements déjà apportés à cette voiture, on pourrait compléter la tâche en la dotant d'une boîte respectable, d'autant plus que cela atténuerait le niveau sonore du moteur qui demeure toujours bruyant.

La Neon possède maintenant plus de qualités que de défauts. Mais il faudra corriger les irritants qui l'affligent pour qu'elle puisse accéder au groupe de tête.

Chrysler Neon

Ils ont dit:

POUR

Le nouveau modèle est séduisant et semble d'une finition beaucoup plus soignée. Sa tenue de route est acceptable comparativement à d'autres.

Antoine Joubert

CONTRE

Elle a besoin d'une boîte automatique à 4 rapports. On a tout amélioré, il reste cela.

Amyot Bachand

8 HUITIÈME PLACE

Hyundai Elantra

La plus musclée du groupe

Jusqu'à l'arrivée de la nouvelle Sonata, la Hyundai Elantra était le modèle le plus sophistiqué chez Hyundai. Certains vont avancer le nom de la Tiburon, mais ce coupé sport est affligé d'une direction indigne d'être offerte sur une voiture moderne. Depuis 1999, l'Elantra est équipée d'une version similaire du moteur 2,0 litres de la Tiburon. Modifié pour être utilisé sur cette berline, il permet à cette dernière de se montrer la plus rapide de tout le groupe. D'ailleurs, avec ses 140 chevaux, cette Hyundai est la plus puissante de toutes les voitures participant à ce match. En compétition, ce 2,0 litres a démontré à plus d'une reprise sa grande fiabilité. Il constitue l'élément le plus impressionnant de cette voiture. Il s'avère sans conteste l'égal des moteurs de toutes les japonaises participant à cette confrontation. Malheureusement, l'Elantra participant à notre match n'a pu être livrée avec une boîte automatique comme toutes les autres voitures. Nous en avons tenu compte dans l'évaluation des donnes mesurées en se basant sur des chiffres enregistrés lors de l'essai d'une Elantra à boîte automatique. Nous avons également tenu compte du fait que l'automatique connaissait parfois des temps d'hésitation avant de changer de rapport, en plus de rétrograder trop facilement. Malgré tout, cette Hyundai n'a été ni avantagée ni pénalisée par cet élément.

Ce qui lui a fait perdre des points, c'est son aménagement intérieur quelconque et des sièges avant dont le support latéral s'avère nul ou presque. D'ailleurs, l'un des essayeurs a souligné qu'il avait l'impression d'être assis dans un vieux La-z-Boy tout déglingué lorsqu'il tentait de négocier certains virages. La piètre qualité de la finition intérieure a été soulignée à maintes reprises. Parmi les qualificatifs utilisés pour décrire la qualité des plastiques, il faut mentionner «déplorable», «indécent» et «vulgaire camelote». Je suis certain que vous avez saisi. En plus, notre modèle d'essai, qui n'est même pas le plus dépouillé, possédait des sièges recouverts d'un tissu dont la laideur a fait l'unanimité.

Quoi qu'il en soit, il semble qu'une Elantra de milieu de gamme dont les pneumatiques auraient été remplacés par des pneus de meilleure qualité serait un achat intéressant compte tenu de son moteur costaud et d'un certain agrément de conduite. De plus, si vous êtes un inconditionnel des produits coréens, sachez que Hyundai est le manufacturier automobile de ce pays dont le réseau de concessionnaires est le plus répandu et le mieux établi. Ce facteur devrait influencer plusieurs personnes.

En conduite rapide, le roulis de la caisse, une suspension molle et des freins relativement spongieux ont été rapportés. Malgré ce comportement plus ou moins intéressant, l'Elantra s'est classée troisième au slalom. Il est vrai que sa boîte manuelle a aidé, mais elle s'est toujours bien débrouillée par le passé dans ce genre d'exercice, boîte automatique ou pas.

Cette Hyundai se serait certainement classée à un rang plus élevé si son habitacle avait été à la hauteur. Mais elle aurait alors coûté plus cher. Elle s'adresse donc toujours à des gens davantage préoccupés par le prix.

Hyundai Elantra

Ils ont dit:

POUR

Elle m'a surpris. Son moteur semble intarissable et sa tenue de route se révèle éloquente pour une voiture de ce prix.

Alexandre Doré

CONTRE

La suspension molle provoque beaucoup de roulis. La pédale de freins est molle et le freinage manque de mordant.

Alain Raymond

Daewoo Nubira

Le milieu du milieu de gamme

Arrivées sur le marché au milieu de l'été 1999 après plusieurs mois d'attente, les voitures Daewoo sont de plus en plus visibles sur nos routes. Les ennuis financiers de la compagnie en Corée ont défrayé les manchettes plus que les ventes de ses voitures au Canada. Ce géant industriel est en voie de corriger un endettement trop élevé et la production d'automobiles devrait être son principal créneau dans le but d'assurer sa survie, ce qui est rassurant pour les propriétaires de voitures et les concessionnaires qui ont joint les rangs de Daewoo.

Dans la gamme de ce manufacturier, la Nubira est le modèle de milieu de gamme. Cette compacte offre plus d'espace et de luxe que la Lanos — quel nom! —, une sympathique sous-compacte. Par contre, la Nubira est moins imposante et plus sobre que la Leganza, une intermédiaire. En fait, cette position de voiture du juste milieu s'est reflétée dans notre classement puisque la Nubira s'est classée au centre du groupe ou presque. Nettement plus impressionnante que la Kia Sephia, elle fait match égal ou presque avec la Hyundai Elantra. Cette dernière a l'avantage d'avoir une histoire sur notre marché puisqu'elle est commercialisée au Canada depuis un certain temps.

La Nubira ne fait rien de mal, mais elle ne fait pas non plus quoi que ce soit de plus éblouissant que la majorité des autres participantes à ce match. Ses performances tout comme sa tenue de route la placent en milieu de peloton. Quant à sa présentation extérieure, sa calandre unique et fort distinctive a été appréciée par la majorité tandis que ses curieux feux arrière ont été aimés par la moitié et détestés par les autres. Comme on peut le constater, cette Daewoo est vraiment une voiture du milieu de tout et de rien.

Il ne faut pas non plus croire qu'elle se confond dans un douteux anonymat comme la Sephia dont la seule lumière dans la grisaille est la lueur vacillante d'un prix alléchant. Tel que mentionné précédemment, sa silhouette n'est pas géniale, mais a tout au moins le mérite d'être un peu plus originale que plusieurs autres. Son habitacle est sans doute ce qu'il y a de plus conventionnel. Les commentaires sur son confort et sa qualité générale ont été positifs. Il en a été de même sur son moteur souple qui s'accommode tout de même assez bien de la boîte automatique. D'ailleurs, la plupart des gens ont été agréablement surpris par la qualité générale de la voiture et par son comportement.

En fait, elle aurait été certainement mieux appréciée si les pneus qui l'équipaient avaient été à la hauteur. Ils sont bruyants, glissants et ne contribuent nullement à augmenter la qualité de la conduite. Détail intéressant, toutes les personnes participant à l'essai ont mentionné que les pneus de la Nubira étaient nuls. Ils devaient vraiment être moches pour faire ainsi l'unanimité.

La Nubira se tient dans le milieu du peloton tout simplement parce qu'elle ne possède aucun élément qui lui permettrait se hisser dans le groupe de tête. Elle ne peut cependant être avec les cancres de la catégorie en raison de son exécution sérieuse et de son comportement d'ensemble intéressant. En fait, c'est la familiale qui est le modèle Nubira le plus intéressant. Mais comme on testait des berlines…

Daewoo Nubira

Ils ont dit:

POUR

Cette voiture m'a agréablement surpris en raison de sa tenue de route et de son équipement complet. Sa finition est surprenante.

Robert Gariépy

CONTRE

Sa silhouette est vraiment trop banale. La qualité des plastiques me fait penser à celui de certaines japonaises bon marché.

Antoine Joubert

10 DIXIÈME PLACE

KIA Kia Sephia

Faut-il se méfier des apparences?

Il est intéressant de comparer la Sephia à ses concurrentes dès ses débuts en sol canadien. Cette élégante coréenne a été propulsée à l'avant-plan de l'actualité automobile par une importante campagne publicitaire mettant l'accent sur le prix et l'équipement de cette voiture. On cible les personnes intéressées à en obtenir beaucoup pour leur argent et même plus encore! En fait, n'est-ce pas le désir de chacun de nous?

Cette coréenne n'est d'ailleurs pas dépourvue de qualités. Sa présentation extérieure ne fera pas tourner les têtes, mais elle a au moins l'avantage d'être en harmonie avec les canons esthétiques du jour. Un peu trop anonyme aux goûts de plusieurs, sa silhouette est quand même équilibrée et dans la bonne moyenne. Elle fait partie de ce groupe de voitures passe-partout qui sont élégantes sans pour autant nous faire craquer par leurs lignes. Bref, le résultat est politiquement correct, et mieux encore, pour une voiture dont le prix de vente est avancé comme étant son meilleur atout.

L'habitacle est de la même cuvée: bien disposé, aéré et sans surprise. On a certainement confié aux stylistes le mandat de concevoir quelque chose qui serait apprécié par la majorité et ne serait dénigré par personne ou presque. Comme on dit en bon québécois, «on a joué *safe* avec le dessin du *dash*». Il faut également souligner que l'habitabilité se situe dans la bonne moyenne. Les places arrière sont même plus généreuses que celles de voitures beaucoup mieux cotées et vendues plus cher.

La mécanique est de même inspiration. En fait, elle fait mieux, car son moteur 1,8 litre de 125 chevaux permet d'obtenir de bonnes performances. La suspension indépendante aux 4 roues, la boîte de vitesses automatique à contrôle électronique et des freins ABS en option sont autant d'éléments jouant en sa faveur. Sur papier et quand on la regarde, la Sephia semble être une aubaine incroyable.

Malheureusement, lorsqu'on la compare aux autres, elle perd quelques plumes. En premier lieu, si la présentation est intéressante, la qualité de la finition se révèle inférieure à la moyenne et la qualité des matériaux utilisés dans l'habitacle laisse à désirer. Même si le prix de la Sephia défie toute concurrence, certains éléments en plastique semblent appartenir à une voiture se vendant plusieurs milliers de dollars de moins.

Le résultat pourrait toujours se défendre si ce n'était du groupe propulseur. Ses performances sont adéquates, c'est indéniable. Mais c'est la façon dont il s'exécute qui est répréhensible. Le moteur est rugueux et d'une sonorité quasiment agricole. Quant à la boîte de vitesses à 4 rapports, la puce électronique qui la contrôle doit avoir été couplée avec une sauterelle, car les rapports s'enclenchent de façon très saccadée. De plus, le feed-back de la direction est tellement étrange qu'on se demande de quelle façon elle est reliée aux roues.

La Sephia est une voiture nous offrant la silhouette d'un modèle des années 2000, mais propulsée par une mécanique qui nous rappelle les années 70 tant elle manque de raffinement.

Kia Sephia

Ils ont dit:

POUR

Belle présentation intérieure et extérieure. Elle ressemble aux japonaises à leurs débuts au Canada. Pour les petits budgets.

Claude Carrière

CONTRE

On dirait que la direction est contrôlée par des bandes de caoutchouc. Elle a tellement de rappel qu'on se demande si elle est assistée. Suspension sèche, moteur grognon à haut régime et transmission brutale.

Jacques Duval

11 ONZIÈME PLACE

Chevrolet Cavalier

La mal-aimée

Dire que la Chevrolet Cavalier a été assez peu appréciée par nos essayeurs serait un euphémisme. La majorité l'ont notée avec sévérité et il aura fallu la présence de la Saturn pour que cette Chevrolet ne termine pas loin derrière tout le monde. Il faut avant tout souligner que le véhicule utilisé était tout ce qu'il y avait de plus élémentaire. En fait, c'était une voiture de location d'un dépouillement total. Mais c'était cela ou rien puisque GM n'a pas été en mesure de nous fournir une voiture. À Oshawa, on semble parfois oublier que le Québec est l'un des plus gros marchés de cette compagnie, qui aurait eu tout intérêt à nous envoyer quelque chose de représentatif.

C'est donc une Cavalier sous son plus mauvais jour qui a été essayée. Il est certain qu'un modèle LS équipé du moteur 2,4 litres et d'une boîte automatique à 4 rapports aurait permis à cette Chevy de devancer quelques concurrentes. Sous sa forme la plus triste, le 4 cylindres de 2,2 litres et la boîte automatique à 3 rapports ne renversent rien.

Soyons honnêtes, ce tandem est adéquat pour rouler paisiblement en ville, pour se déplacer du point A au point B. Si vous aimez conduire, si les routes sinueuses vous inspirent ou si vous appréciez les accélérations qui montrent un peu de mordant, la Cavalier de base est à éviter. Le moteur devient grognon lorsqu'il est trop sollicité tandis que la boîte automatique à 3 rapports a pour seule qualité la fiabilité. L'insonorisation de ce modèle est réduite à sa plus simple expression et on dénote une foule de détails qui sont autant de preuves que GM a voulu épargner sur la qualité et le contenu. Encore une fois, une version LS coûte plus cher, c'est vrai, mais elle en offre beaucoup plus en comparaison. Elle nous permet entre autres de découvrir une plate-forme rigide et équilibrée, mal servie par des pneumatiques essentiellement choisis en fonction de leur faible résistance de roulement. Dès qu'on pousse dans un virage, ils deviennent glissants et bruyants. Mieux vaut ne pas se montrer trop fanfaron lorsque la chaussée est humide.

La division Chevrolet a d'ailleurs effectué de multiples modifications à son modèle 2000. Tout comme la Pontiac Sunfire, elle a fait l'objet d'une révision esthétique de la carrosserie et du tableau de bord. La différence s'avère plutôt subtile et il faut vraiment savoir où regarder pour l'apprécier. Ces modifications seront également accompagnées d'une meilleure qualité des matériaux, d'une fini-

tion plus soignée et d'une insonorisation plus relevée, nous dit-on. Reste à voir si ces promesses seront tenues. En ce qui concerne la mécanique, on a installé une nouvelle boîte manuelle à 5 rapports et amélioré le système de freins ABS.

Même si cette version avait été présente à notre match, il est évident que les modifications ne sont tout de même pas assez importantes pour permettre à cette Chevrolet de s'immiscer dans le quatuor de tête, des voitures possédant des qualités routières supérieures, une présentation plus inspirée et un comportement routier plus relevé. Au mieux, une LS avec moteur 2,4 litres et boîte automatique à 4 rapports aurait été classée en milieu de grille. Pas surprenant que notre triste voiture de location ait fait si piètre figure.

Chevrolet Cavalier

Ils ont dit:

POUR

Une voiture pour un utilisateur non sportif qui recherche une auto fiable et économique, logeable et pas trop désagréable sur l'autoroute.

Claude Carrière

CONTRE

Un véhicule primitif et dépassé à tous les points de vue. On m'en donnerait une que je préférerais les transports en commun.

Philippe Laguë

12

Saturn SL

Le dépouillement total

Comme le soulignait un essayeur après s'être glissé derrière le volant de la Saturn, «il est difficile de croire qu'une voiture puisse être plus dépouillée que cela»! En effet, le modèle qui nous a été confié était la plus humble des Saturn. Ses pare-chocs de couleur noire, son moteur à simple arbre à cames en tête, sa liste d'équipement réduite à sa plus simple expression, un habitacle drabe à faire peur aux enfants, tout était réuni pour que cette voiture subisse toute une raclée dans ce match. C'est comme si on avait fait exprès pour bien faire paraître toutes les Kia Sephia de ce monde.

L'un des secrets des succès des voitures Saturn est leur réseau de concessionnaires qui se mettent en quatre et parfois plus pour s'occuper de leurs clients et les dorloter comme pas une autre marque ne peut le faire. Ils réussissent également à développer un sentiment d'appartenance à un club de propriétaires, ce qui fait oublier bien des défauts. D'ailleurs, la première Coccinelle de Volkswagen, l'une des pires voitures sur la route en son temps, comptait plus que sa part d'inconditionnels. À un degré moindre, on retrouve le même phénomène avec la Saturn. Cette année, des milliers de propriétaires se sont dirigés vers Spring Hills, dans le Tennessee, pour assister à la célébration du 10e anniversaire de la marque.

Pour leur part, nos essayeurs n'avaient pas le cœur à la fête au sortir de cette voiture. En fait, ils ont été unanimes pour décrier le manque de personnalité, la tenue de route étriquée et l'absence totale d'agrément de conduite de la Saturn. L'un d'entre eux a même recommandé de toujours rouler avec la radio à fond pour ne pas s'endormir au volant.

Match après match, la présentation de l'habitacle est vilipendée par les participants. La disposition des commandes, leur forme, le tissu des sièges, tout est noté avec sévérité. Si au moins le moteur et la boîte automatique pouvaient racheter les choses, ce serait déjà cela d'acquis. Mais là encore, les critiques fusent de toutes parts. Le moteur est jugé trop bruyant, la boîte automatique mal étagée et la direction est tout au plus dans la bonne moyenne. Un participant a rédigé le commentaire suivant qui décrit l'impression de la majorité: «J'ai écrit nulle dans mes notes, et c'est là le commentaire le plus positif que je suis en mesure de faire sur cette voiture. La carrosserie est en plastique, mais il faut qu'il y ait plus que cela.» Et pour ajouter l'outrage à l'insulte,

cette SL n'est pas tellement à l'aise en piste alors que son arrière sautille à tout venant.

Le problème de la Saturn est que GM a trop tardé à apporter les modifications qui s'imposaient. Elle était déjà à la limite lors de son lancement il y a 10 ans et depuis ce temps, la plupart des concurrentes ont été modifiées à deux reprises, tout au moins.

Comme la Cavalier, la Saturn est une voiture qui paraît mal devant ses concurrentes, mais qui se fait apprécier par son propriétaire au fil des jours, des mois et des années. Ce sont des véhicules de transport de base en mesure de satisfaire des besoins élémentaires.

Saturn SL

Ils ont dit:

POUR

Pour ceux qui apprécient le dévouement des concessionnaires Saturn et les panneaux de caisse en polymère.

Claude Carrière

CONTRE

La tenue de route est quasiment dangereuse, l'intérieur donne des maux de cœur. On a l'impression que les sièges vont déchirer et que le moteur va exploser! Au moins la carrosserie est en polymère. Si je lance des roches dessus, ça ne paraîtra pas!

Sophie Noiseux

Conclusion

Voilà, c'est fait! Certains d'entre vous vont manifester un profond désaccord avec nos commentaires, d'autres partageront notre opinion. Cette confrontation n'a pas pour objectif de fixer un choix parmi les voitures en lice. Il existe trop de paramètres différents pour régler la question en une seule journée. Nos résultats nous permettent toutefois de départager la catégorie en trois groupes distincts. Le groupe de queue est composé de la Kia Sephia, de la Chevrolet Cavalier et de la Saturn SL. Ces trois modèles sont aisément largués.

Le quatuor de tête n'a eu aucune difficulté à se détacher du gros du peloton. Les Focus, Protegé et Jetta figurent dans une catégorie privilégiée tandis que l'Impreza n'est pas loin derrière. Des quatre, la Jetta est la plus désirable avec son look européen et sa qualité de pilotage germanique. Un habitacle trop petit et un moteur poussif l'ont reléguée au troisième rang. Entre la Ford Focus et la Mazda Protegé, c'est virtuellement un match nul. La Focus est une voiture plus sage tandis que la Protegé s'avère plus en mesure de combler ceux qui aiment conduire. Fidèles à notre philosophie, nous avons penché en faveur de la plus agréable à conduire et de la plus agile. La Subaru Impreza est presque l'égale des trois premières au classement, mais son châssis plus ancien et une direction à revoir l'ont empêchée de figurer à leurs côtés.

Quant aux cinq autres voitures, elles forment un groupe plus ou moins homogène. Les mieux classées ont une qualité supérieure, mais il leur manque l'étincelle, la caractéristique spéciale qui leur aurait permis de se placer plus haut. La Civic doit être révisée et son moteur manque de puissance tandis que la Corolla privilégie la qualité au détriment de tout agrément de conduite. La Neon est énormément pénalisée par sa boîte automatique à 3 rapports. L'Elantra n'est pas encore assez raffinée pour aspirer à un classement plus élevé. Le caractère terne et la silhouette trop effacée de la Daewoo Nubira lui ont fait perdre des points.

En guise de mot de la fin, à vous de soupeser le pour et le contre en fonction des résultats et de la compilation des données. Il faut également se souvenir que la meilleure voiture demeure toujours celle qui convient le mieux à vos besoins.

Évaluation

		Chevrolet Cavalier	Chry Ne
Esthétique			
• Extérieur	10	7,0	8,
• Intérieur	10	6,7	8,
• Finition extérieure	10	8,0	8,
• Finition intérieure	10	6,5	7,
Total	**40 pts**	**28,2**	**32**
Accessoires			
• Nombre et commodité	10	6,8	7,
• Espaces de rangement	10	7,0	7,
• Instruments: commandes	10	7,3	8,
• Ventilation: chauffage	10	7,9	9,
Total	**40 pts**	**29,0**	**32**
Carrosserie			
• Accès: espace avant	15	13,5	14,
• Accès: espace arrière	15	10,3	12,
• Coffre: accès et volume	5	4,5	4,
• Accès mécanique	5	3,0	2,
Total	**40 pts**	**31,3**	**33,**
Confort			
• Suspension	10	6,6	7,
• Niveau sonore	10	7,0	6,
• Sièges	10	7,1	7,
• Position de conduite	10	6,8	8,
Total	**40 pts**	**27,5**	**30,**
Moteur et Transmission			
• Rendement	15	10,5	11,
• Performances	15	10,0	12,
• Sélecteur de vitesses	5	3,0	4,
• Passage des vitesses	5	3,5	3,
Total	**40 pts**	**27,0**	**31,**
Comportement routier			
• Tenue de route	20	12,7	16,
• Direction	15	10,2	13,
• Freins	15	10,1	13,
Total	**50 pts**	**33,0**	**42,**
Sécurité			
• Coussins de sécurité	15	10,0	10,
• Visibilité	10	8,1	7,
• Rétroviseurs	5	2,5	3,
Total	**30 pts**	**20,6**	**20,**
Performances mesurées			
• ¼ mille	10	7,0	7,
• Accélération	20	16,0	16,
• Freinage	20	14,0	15,
Total	**50 pts**	**37,0**	**38,**
Autres classements			
• Espace pour bagages	10	8,0	7,
• Choix des essayeurs	50	39,0	41,
• Prix	10	8,0	7,
Total	**70 pts**	**55,0**	**55,**
GRAND TOTAL	**400 pts**	**288,6**	**315**
CLASSEMENT		**11**	**7**

...ewoo bira	Ford Focus	Honda Civic	Hyundai Elantra	Kia Sephia	Mazda Protegé	Saturn SL	Subaru Impreza	Toyota Corolla	Volkswagen Jetta
7,0	8,2	7,5	7,0	6,8	8,3	6,7	8,2	7,2	9,4
8,0	8,9	8,0	6,9	6,7	9,2	6,3	9,0	8,3	7,5
7,5	9,0	8,5	8,5	8,0	9,0	7,5	9,0	9,0	9,5
8,0	9,5	8,0	8,0	6,5	9,0	7,0	9,5	9,0	10,0
0,5	**35,6**	**32,0**	**30,4**	**28,0**	**35,5**	**27,5**	**35,7**	**33,5**	**36,4**
8,6	9,0	7,2	6,6	8,5	9,2	7,2	8,5	9,1	9,3
8,0	8,0	7,0	8,0	7,0	8,0	6,5	8,5	7,5	7,0
8,6	9,0	8,4	7,7	7,8	8,8	7,5	8,6	9,3	9,0
9,4	9,1	8,5	8,5	7,3	8,3	8,0	9,1	9,1	8,9
4,6	**35,1**	**31,1**	**30,8**	**30,6**	**34,3**	**29,2**	**34,7**	**35,0**	**34,2**
4,3	14,0	14,0	13,9	13,6	14,6	13,8	14,1	13,5	13,8
0,3	11,8	10,7	11,6	11,6	12,4	10,1	10,2	10,3	8,6
4,0	4,0	4,1	3,9	4,6	4,5	4,0	3,5	4,5	5,0
2,5	2,5	4,5	3,5	3,0	3,5	4,5	4,0	4,5	4,0
1,1	**32,3**	**33,3**	**32,9**	**32,8**	**35,0**	**32,4**	**31,8**	**32,8**	**31,4**
7,4	8,0	8,3	7,5	6,4	8,4	6,2	9,5	8,0	9,0
7,5	8,0	6,8	7,3	6,8	8,6	6,6	8,0	9,0	7,8
7,0	8,2	7,7	7,2	7,2	8,9	6,8	8,0	7,6	8,8
7,2	8,0	8,1	7,0	7,3	9,3	7,0	9,0	8,4	9,0
9,1	**32,2**	**30,9**	**29,0**	**27,7**	**35,2**	**26,6**	**34,5**	**33,0**	**34,6**
1,5	12,5	12,3	13,0	12,2	12,4	11,0	12,0	12,1	11,4
1,7	12,4	11,5	13,2	11,4	12,6	10,3	12,5	11,2	11,0
4,1	4,5	4,0	3,5	3,5	4,5	4,0	4,0	4,5	4,0
3,3	4,5	4,0	4,0	2,5	4,5	3,6	4,0	4,5	4,5
0,6	**33,9**	**31,8**	**33,7**	**29,6**	**34,0**	**28,9**	**32,5**	**32,3**	**30,9**
4,7	18,2	15,7	15,0	11,4	18,2	12,3	18,0	16,0	18,8
2,4	14,0	12,5	12,0	9,0	14,1	13,0	14,2	13,0	14,0
2,2	14,2	12,1	10,2	11,6	13,7	13,3	10,1	13,5	13,8
9,3	**46,4**	**40,3**	**37,2**	**32,0**	**46,0**	**38,6**	**42,3**	**42,5**	**46,6**
0,0	15,0	10,0	10,0	10,0	10,0	10,0	10,0	10,0	15,0
3,3	7,0	7,5	8,0	8,0	8,5	5,4	7,4	6,5	6,7
3,0	3,5	3,0	3,5	3,0	3,0	3,0	3,5	3,0	3,0
1,3	**25,5**	**20,5**	**21,5**	**21,0**	**21,5**	**18,4**	**20,9**	**19,5**	**24,7**
6,0	6,0	8,0	7,0	6,5	7,0	6,0	6,0	7,0	10,0
5,0	15,0	15,0	20,0	11,0	16,0	14,0	15,0	18,0	16,0
5,0	18,0	16,0	16,0	14,0	16,0	14,0	20,0	16,0	15,0
6,0	**39,0**	**39,0**	**43,0**	**31,5**	**39,0**	**34,0**	**41,0**	**41,0**	**41,0**
8,0	10,0	7,0	5,0	8,0	8,0	6,0	7,0	7,0	9,0
2,0	46,0	45,0	43,0	40,0	47,0	39,0	50,0	44,0	48,0
8,0	7,0	8,0	8,0	10,0	8,0	7,0	6,0	7,0	6,0
8,0	**63,0**	**60,0**	**56,0**	**58,0**	**63,0**	**52,0**	**63,0**	**58,0**	**63,0**
0,5	**343,0**	**318,9**	**314,5**	**291,2**	**343,5**	**287,6**	**336,4**	**327,6**	**342,8**
9	2	6	8	10	1	12	4	5	3

Fiche technique

	Chevrolet Cavalier	Chrysler Neon	Daewoo Nubira	Ford Focus	Honda Civic
• Longueur	458 cm	443 cm	447 cm	444 cm	418 cm
• Empattement	264 cm	266 cm	257 cm	261 cm	262 cm
• Poids	1194 kg	1161 kg	1080 kg	1163 kg	1037 kg
• Transmission	automatique	automatique	automatique	automatique	automatique
• Nombre de rapports	3	4	4	4	4
• Moteur	4L	4L	4L	4L	4L
• Cylindrée	2,2 litres	2,0 litres	2,0 litres	2,0 litres	1,6 litre
• Puissance	122 chevaux	132 chevaux	129 chevaux	130 chevaux	106 chevaux
• Suspension avant	indépendante	indépendante	indépendante	indépendante	indépendante
• Suspension arrière	semi-indépendante	indépendante	indépendante	indépendante	indépendante
• Freins avant	disque	disque	disque	disque	disque
• Freins arrière	tambour	tambour	disque	tambour	tambour
• ABS	oui	optionnel	optionnel	optionnel	optionnel
• Pneus	P195/70R14	P185/65R14	P195/55R15	P195/60R15	P185/65R14
• Direction	à crémaillère	à crémaillère	à crémaillère	à crémaillère	à crémaillère
• Coussin de sécurité	oui	oui	oui	oui	oui
• Réservoir de carburant	58 litres	47 litres	62 litres	50 litres	45 litres
• Capacité coffre	374 litres	371 litres	370 litres	365 litres	363 litres
• Accélération 0-100 km/h	12,4 secondes	10,4 secondes	11,2 secondes	11,0 secondes	10,3 secondes
• Freinage 100-0 km/h	43,5 mètres	42,5 mètres	42,8 mètres	44,1 mètres	42,4 mètres
• Accélération ¼ mille	18,2 secondes	17,6 secondes	17,9 secondes	17,7 secondes	17,1 secondes
• Vitesse de pointe	180 km/h	195 km/h	180 km/h	180 km/h	185 km/h
• Consommation (100 km)	9,9 litres	9,1 litres	10,4 litres	8,8 litres	8,4 litres
Prix	18 795 $	18 595 $	17 895 $	19 695 $	17 895 $

RÉSULTATS DU SLALOM

1	Subaru Impreza	21,70
2	Volkswagen Jetta	21,93
3	Hyundai Elantra	21,93 *boîte manuelle
4	Chrysler Neon	22,03
5	Mazda Protegé	22,16
6	Ford Focus	22,17
7	Honda Civic	22,62
8	Daewoo Nubira	22,80
9	Chevrolet Cavalier	22,92
10	Toyota Corolla	23,05
11	Kia Sephia	23,28
12	Saturn SL	23,32

LA CONSOMMATION, ÇA COMPTE!

1	Honda Civic	8,4 litres/100 km
2	Mazda Protegé	8,6 litres/100 km
3	Ford Focus	8,8 litres/100 km
4	Chrysler Neon	9,1 litres/100 km
5	Kia Sephia	9,6 litres/100 km
6	Saturn SL	9,8 litres/100 km
7	Chevrolet Cavalier	9,9 litres/100 km
8	Volkswagen Jetta	10,1 litres/100 km
9	Hyundai Elantra	10,2 litres/100 km
10	Daewoo Nubira	10,4 litres/100 km
11	Toyota Corolla	10,4 litres/100 km
12	Subaru Impreza	10,5 litres/100 km

Hyundai Elantra	Kia Sephia	Mazda Protegé	Saturn SL	Subaru Impreza	Toyota Corolla	Volkswagen Jetta
442 cm	247 cm	442 cm	449 cm	435 cm	442 cm	438 cm
255 cm	256 cm	261 cm	260 cm	252 cm	246,5 cm	251 cm
1200 kg	1040 kg	1142 kg	1100 kg	1170 kg	1095 kg	1280 kg
automatique	automatique	automatique	automatique	automatique	automatique	automatique
4	4	4	4	4	4	3
4L	4L	4L	4L	4L	4L	4L
2,0 litres	1,8 litre	1,8 litre	1,9 litre	2,2 litres	1,8 litre	2,0 litres
40 chevaux	125 chevaux	122 chevaux	124 chevaux	137 chevaux	120 chevaux	115 chevaux
dépendante	indépendante	indépendante	indépendante	indépendante	indépendante	indépendante
-indépendante	indépendante	indépendante	indépendante	indépendante	indépendante	semi-indépendante
disque	disque	disque	disque	disque	disque	disque
tambour	tambour	tambour	tambour	tambour	tambour	disque
optionnel	optionnel	oui	oui	optionnel	optionnel	oui
195/60R14	P185/65R14	P185/65R14	P185/65R15	P195/60R15	P175/65R14	P195/65R15
crémaillère	à crémaillère	à crémaillère	à crémaillère	à crémaillère	à crémaillère	à crémaillère
oui	oui	oui	oui	oui	oui	oui
52 litres	50 litres	50 litres	48 litres	60 litres	50 litres	55 litres
324 litres	370 litres	376 litres	337 litres	365 litres	360 litres	455 litres
,3 secondes	10,9 secondes	12,3 secondes	10,1 secondes	11,8 secondes	9,8 secondes	10,4 secondes
2,1 mètres	49,2 mètres	43,8 mètres	42,7 mètres	42,5 mètres	42,0 mètres	44,5 mètres
,6 secondes	17,5 secondes	17,5 secondes	17,8 secondes	18,3 secondes	17,4 secondes	16,6 secondes
192 km/h	180 km/h	175 km/h	185 km/h	185 km/h	192 km/h	195 km/h
10,6 litres	9,6 litres	8,6 litres	9,8 litres	10,5 litres	10,4 litres	10,1 litres
17 395 $	14 995 $	17 995 $	15 995 $	22 995 $	19 778 $	21 325 $

Le match des frères siamois

L'Audi TT affronte la VW New Beetle 1,8T

Pour 50 000 $, vous avez le choix: deux Beetle ou une TT!

Sacrilège, diront certains... On ne compare pas un modèle de prestige et de pure beauté comme l'Audi TT à une petite berline, certes excentrique, mais de grande série, comme la Volkswagen New Beetle 1,8T. Pourtant, sous des fringues bien différentes, la première voiture sport moderne à porter les couleurs d'Audi et la Coccinelle réinventée présentent de nombreuses similarités. Elles émanent d'abord du même constructeur (Volkswagen est propriétaire d'Audi) et, à ce titre, sont fidèles à la philosophie du partage des plates-formes.

En clair, cela signifie qu'une fois dépouillées de leur carrosserie, l'Audi TT et la New Beetle 1,8T sont aussi difficiles à différencier que des frères siamois. Leur châssis est le même ainsi que plusieurs de leurs éléments mécaniques, à commencer par le petit moteur 4 cylindres 5 soupapes de 1,8 litre à turbocompresseur. Dans le coupé TT, il affiche 180 chevaux alors qu'il doit se contenter de 150 chevaux dans la VW. Noblesse oblige, mais ces chiffres n'ont plus une très grande signification quand on constate que la sympathique petite Volks vient bien près de montrer son cul à la prestigieuse TT sur une piste d'accélération d'un quart de mille. Mais n'anticipons pas puisque ce match ne se limite pas à une course d'accélération.

Une partie de plaisir

En plus de nous amuser (et de vous amuser en même temps), nous voulions répondre à la question suivante: Si vous avez environ 50 000 $ comme budget automobile, vaut-il mieux acheter une Audi TT ou **deux** VW New Beetle 1,8T?

*Avec la participation enthousiaste de Denis Duquet, Claude Carrière et Richard Petit.

⌀⌀⌀⌀ Audi TT

Bien sûr, vous aimeriez savoir, avant de prendre une décision, à quoi vous pouvez vous attendre de l'une et de l'autre et c'est précisément l'objectif de cette confrontation entre nos deux allemandes de souche. Je précise ce détail pour la simple raison que l'une est construite en Hongrie (TT) et l'autre au Mexique (New Beetle).

Pour nous aider à évaluer les forces en présence, nous avons fait appel à deux passionnés d'automobile qui répondent parfaitement au type de conducteur susceptible de craquer pour l'une ou l'autre des voitures. Claude Carrière et Richard Petit sont donc venus se joindre à Denis Duquet et à moi-même, un beau matin du mois d'août, au circuit de Sanair où nous allions pousser à fond nos deux protagonistes dans une série d'exercices destinés à mettre en relief leurs performances respectives en matière de freinage, d'accélération, de maniabilité et de comportement routier. En plus, chacun allait conduire le duo TT-New Beetle sur la route afin de préciser ses impressions et de remplir le bulletin d'évaluation coutumier.

Disons-le tout de suite, le match a été beaucoup plus chaudement disputé que tout le monde ne le croyait à l'origine. Bref, l'Audi TT ne s'est pas envolée avec la victoire comme lorsque les Yankees de New York affrontent les pauvres Expos de Montréal. La partie a été serrée pour la simple raison que les forces de l'une constituaient quelquefois les faiblesses de l'autre et vice-versa.

L'Audi TT par un nez

Le tableau rendant compte du pointage total donne la victoire au suave coupé TT, mais c'est un résultat qu'il faut absolument nuancer pour bien montrer les forces et les faiblesses de chacune des voitures.

Par exemple, des quatre membres du jury, deux ont opté pour la TT alors que les deux autres achèteraient deux New Beetle 1,8T au lieu d'une TT. Pourquoi? Voilà la question...

Au point de vue esthétique, la TT domine nettement, car malgré l'originalité de la New Beetle, la présentation intérieure du coupé Audi est si belle qu'aucune autre voiture ne peut même s'en approcher. Cette médaille d'or a cependant un revers; le joli pédalier en métal devient glissant lorsqu'il pleut et que vos semelles sont mouillées. La TT gagne encore au poste des accessoires, ne serait-ce que par le côté ultrafonctionnel de ses aérateurs dont le débit d'air se règle en faisant tourner la petite bague en métal brossé qui les entoure.

Comme on pouvait s'y attendre, la carrosserie de la New Beetle lui donne l'avance en raison d'une meilleure habitabilité. Côté confort cependant, l'Audi réussit à compenser la sécheresse de sa suspension par des sièges infiniment mieux galbés que ceux de la Coccinelle.

Moteur et transmission: avantage New Beetle

La grande surprise de ce match se trouvait sous le capot. Avec un avantage de 30 chevaux, on imaginait la TT loin devant la New Beetle Turbo, mais ce ne fut pas du tout le cas. Compte tenu que les deux voitures accusent pratiquement le même poids, on peut se demander où se cachent les chevaux additionnels de la TT. Chose certaine, le moteur est plus difficile à mettre en train dans l'Audi. Dans la New Beetle, on appuie sur l'accélérateur et la voiture bondit en avant sans chichi. Dans la TT, la motricité est telle qu'il est difficile de lancer la voiture à partir d'un départ arrêté. En plus, le levier de vitesses de notre voiture d'essai souffrait d'une maladie commune à toutes les TT, c'est-à-dire la faiblesse du synchro de 2e qui rend difficile l'enclenchement de ce rapport. Tout cela pour vous dire que chaque fois qu'un conducteur s'installait au volant de la TT sur la ligne de départ de la piste d'accélération de Sanair, il en était quitte pour une petite leçon d'humilité. La sacrée New Beetle 1,8T lui tenait tête férocement, et c'est ce qui explique le match nul dans le pointage au poste des performances mesurées. La TT s'est épargné l'humiliation en freinant un tout petit peu plus «court» que sa rivale à l'épreuve du 100-0 km/h.

La TT réhabilitée par la piste

Plus souvent qu'autrement, une voiture affichant un comportement très honnête sur la route devient une ordure sur une piste de course. Le vernis s'effrite et la belle sportive se transforme en une espèce de picouille qui s'effraie au moindre virage et qui est incapable de composer avec les rigueurs de la conduite 10-10 (à la limite,

New Beetle 1,8T

en langage ordinaire). Or, l'Audi TT, que la plupart des essayeurs ont trouvée plus bourgeoise que sportive depuis son lancement l'an dernier, s'est magnifiquement réhabilitée sur le circuit de Sanair. À mes yeux et aux yeux de tous ceux qui ont participé à ce match, ce coupé mérite d'être considéré comme une vraie voiture sport. Et pas n'importe laquelle... Elle est nettement plus saine dans ses réactions qu'une BMW Z3 ou une Mercedes-Benz SLK.

Cette voiture offre un équilibre remarquable qui lui permet d'affronter la conduite rapide avec beaucoup d'aplomb. J'irai encore plus loin en disant que je n'avais jamais conduit une voiture aussi rassurante sur le circuit de Sanair, rendu inquiétant par l'omniprésence des murs de béton et de nombreux traquenards. La TT est bien sûr sous-vireuse de nature, mais sa grande maniabilité permet de corriger le tir et de s'engouffrer dans les virages à des allures qui font dresser les cheveux sur la tête. Notre ami Claude Carrière, à qui nous confions les épreuves de slalom dans tous les matchs du *Guide de l'auto*, a été particulièrement impressionné par l'agilité du coupé TT et son style de gros go-kart. Ses commentaires sont éloquents: «Voici une voiture qui fera d'un conducteur moyen un champion grâce à sa sécurité active. La suspension est un peu dure sur mauvaise route, mais quel bonheur dans les grandes courbes, où elle se place au millimètre près.» Et Richard Petit d'enchaîner: «Elle est moins vite que son allure le laisse supposer mais très agréable à piloter.»

Bref, l'Audi TT brille par sa direction hyperprécise, son freinage sûr, sa tenue de cap exceptionnelle et sa facilité de conduite à haute vitesse.

Une New Beetle qui étonne

Outre le fait qu'elle soit construite sur le même châssis, la New Beetle 1,8T affiche un comportement bien différent. Elle est lourde du bonnet lorsqu'on la lance dans un virage à vive allure et on sent très bien que l'on a affaire à une berline et non à un coupé sport malgré de solides performances en ligne droite. Le moteur explose littéralement sous le pied droit, mais la caisse a du mal à suivre en raison de réglages beaucoup plus souples que ceux de la TT qui privilégient le confort. Cela ne veut pas dire pour autant que la New Beetle 1,8T est inepte en virage. Si la piste ne la sert pas bien, elle se défend très honorablement sur la route et saura certainement satisfaire la grande majorité de ses utilisateurs. Au freinage, par exemple, elle s'immobilise sur des distances très courtes grâce à ses pneus de forte taille.

Mon collègue Denis Duquet a bien résumé la New Beetle 1,8T en écrivant: «C'est la Beetle à acheter. Le moteur est tout juste ce qu'il fallait à cette voiture.»

Malgré un score final donnant l'Audi TT gagnante, nous sommes beaucoup plus près d'un match nul qu'on ne pourrait l'imaginer. Les deux voitures ont beaucoup de points en commun, ne serait-ce que par cette ligne qui déroge du moule traditionnel et qui prouvera sans doute à d'autres constructeurs qu'on peut avoir du succès en sortant des sentiers battus.

Une question sans réponse

Quant à la question à 50 000 $ sur ce qu'il faut choisir entre deux Coccinelle Turbo et une Audi TT, elle reste sans réponse précise. Il appartiendra au lecteur de juger, à la lumière des informations ci-haut, quelle voiture correspond davantage à son budget. Une chose est certaine toutefois, c'est que quel que soit le modèle choisi, vous ferez tourner des têtes, car ces deux voitures figurent indubitablement parmi les plus pointées du doigt actuellement sur nos routes. Roulez heureux.

Ce qu'ils ont dit

Denis Duquet

VW NEW BEETLE 1,8T

Une bouille sympathique et beaucoup de personnalité. C'est la New Beetle à acheter.

AUDI TT

C'est une voiture coup de cœur qui soulève les passions. Toutefois, sa suspension n'est visiblement pas faite pour le Québec.

Claude Carrière

VW NEW BEETLE 1,8T

La Beetle vient de passer son bac. Avec son 1,8T, elle entre dans le monde des grands.

AUDI TT

Impossible pour moi de résister au look de cette auto. Un beau jouet qu'on se lassera peut-être un jour de regarder mais pas de conduire.

Richard Petit

VW NEW BEETLE 1,8T

Elle est plus rapide que son allure ne le laisse supposer. J'ai aimé son changement de vitesse et son comportement sur mauvaise route.

AUDI TT

Le son de son moteur m'emballe. Assis au volant, on a cette impression de bunker qu'on retrouvait dans l'ancienne Porsche 356. Elle est moins rapide que son allure ne le laisse croire.

Denis Duquet est le seul capable de prendre des photos tout en utilisant son cellulaire.

Quand la Coccinelle joue les Ferrari

Stupéfiant! Il n'y a pas d'autre mot pour décrire les performances de l'Audi TT et de la VW New Beetle Turbo sur le circuit routier de Sanair et du même coup les progrès considérables réalisés en 15 ans au chapitre des suspensions et des pneumatiques.

Reportons-nous en 1984 lors d'un match comparatif réalisé au circuit de Sanair pour les besoins du *Guide de l'auto 85*. Ce match des étoiles réunissait trois des voitures sport les plus performantes du moment: la Ferrari 308GTS Quattrovalvole, la DeTomaso Pantera GT5 et la Porsche 911 Turbo 3,3. Le meilleur tour de piste réalisé à l'époque par un conducteur qui avait 15 ans de moins avait été de 1 min 4 s par une Porsche Turbo forte de ses 300 chevaux. La DeTomaso suivait avec un 1'06 tandis que la Ferrari devait se contenter d'un 1'06"5, soit à peine mieux que la New Beetle Turbo de cette année. Pourtant, la Ferrari 308 de 1985 pouvait compter sur 230 chevaux, soit 80 de plus que la New Beetle Turbo, et les deux voitures avaient un poids quasi identique.

La seule explication à de tels chiffres se trouve du côté des suspensions et surtout des pneumatiques. On constate les améliorations considérables que les fabricants de pneus ont apportées à leurs produits en 15 ans.

L'autre grande surprise au tableau des performances du comparatif TT/New Beetle Turbo est le meilleur chrono du nouveau coupé Audi. Son 1 min 5 s et des poussières le place devant la Ferrari, la DeTomaso et pas très loin derrière la Porsche Turbo.

On a beau aimer les voitures anciennes, il faut bien admettre que celles d'aujourd'hui ne donnent pas leur place non plus au rayon de la performance. **J. D.**

Fiche technique

	Audi TT	VW New Beetle 1,8T
• Prix	55 000 $	28 050 $
• Empattement	243 cm	251 cm
• Longueur	404 cm	409 cm
• Poids	1320 kg	1312 kg
• Volume du coffre	220 litres	200 litres
• Volume du réservoir	62 litres	55 litres
• Moteur	4L 1,8 Turbo	4L 1,8 Turbo
• Puissance (ch) / tr/min	180/5500	150/5800
• Couple (lb-pi/tr/min)	173/1950-4700	156/2200-4200
• Transmission	manuelle 5 rapports	manuelle 5 rapports
• Suspension avant	jambes de force MacPherson	jambes de force MacPherson
• Suspension arrière	multibras, indépendante	semi-indépendante à poutre déformante
• Freins	disque ABS	disque ABS
• Direction	à crémaillère	à crémaillère
• Diamètre de braquage	10,5 mètres	10,0 mètres
• Pneus	P205/55R16	P205/55R16

Performances

• 0-100 km/h	8,25 secondes	8,06 secondes
• Quart de mille	16,2 s/142 km/h	16,07 s/140 km/h
• Vitesse maximale	220 km/h	200 km/h
• Freinage 100-0 km/h	31,3 mètres	32,4 mètres
• Slalom	19,93 secondes	20,06 secondes
• Meilleur tour de piste	1'05"8	1'07"3

les essais spéciaux

Les voitu

res du siècle

JACQUES DUVAL ET ALAIN RAYMOND

Avant de plonger dans le XXIe siècle, un regard dans le rétroviseur du premier siècle automobile fait partie du rôle d'un ouvrage comme *Le Guide de l'auto*. Si nous estimons avoir voix au chapitre dans le couronnement de la «voiture du siècle», c'est que ce guide annuel a été le témoin privilégié de 34 années de la merveilleuse histoire de la machine à rouler.

Un tiers de siècle, ce n'est pas rien et nous ne pensons pas jouer les intrus en dressant notre humble palmarès des voitures les plus marquantes d'un siècle d'automobile.

Plutôt que de sélectionner les voitures par ordre d'importance, nous avons pensé qu'il serait plus intéressant d'établir six catégories distinctes reflétant chacune un modèle particulièrement significatif dans l'histoire de l'automobile.

Il se trouve que quatre des voitures retenues s'inscrivent dans la période couverte par *Le Guide de l'auto* depuis sa création. Elles font partie des quelque 3000 voitures recensées par cet ouvrage entre 1967 et l'an 2000. Des passages des textes publiés sur ces modèles accompagnent d'ailleurs la présentation de nos sélections.

Vox populi

Les lecteurs du *Guide de l'auto* ont été appelés à mettre leur grain de sel dans nos choix, d'abord par le sondage publié l'an dernier dans nos pages et ensuite dans le cadre de la version télévisée du *Guide de l'auto* présentée en 1999 à la TCV de Vidéotron. Vous avez voté majoritairement pour la Volkswagen Coccinelle et la Porsche 911, ce qui nous prouve que notre passion pour l'automobile est partagée.

Un autre aspect réjouissant de cette rétrospective est qu'il nous a été possible de regrouper ici même au Québec les six voitures que nous jugeons les plus marquantes du siècle. C'est ce qui nous a permis de réaliser les très belles photos accompagnant cet article. Nous en profitons pour remercier les propriétaires de ces pièces de collection pour leur collaboration. Leur présence sur le site d'Expo 67 pour la «photo de famille» démontre que le Québec regorge de voitures d'exception et de gens d'exception qui vouent un amour sans bornes à l'automobile sous toutes ses formes ainsi qu'à sa restauration et à sa préservation.

Et là-dessus, place aux lauréates des six catégories établies par l'équipe de rédaction du *Guide de l'auto*.

Jacques Duval

LA VOITURE LA PLUS MARQUANTE DU SIÈCLE

Ford Model T

Ce choix est pratiquement universel, du moins chez les spécialistes de l'automobile. Ne serait-ce que pour le rôle que la Model T de Ford a joué dans l'établissement de notre mode de vie actuel, elle mérite le titre de voiture du siècle. Il faut être familier avec l'histoire de l'automobile pour connaître les répercussions que la création de la Model T a eues dans une foule de domaines. Elle est rien de moins que la voiture qui a façonné l'Amérique telle que nous la connaissons aujourd'hui avec son réseau routier, ses banlieues, ses centres commerciaux, ses motels, ses restaurants et sa production en série.

De Henry Ford à Bill Gates

Les plus jeunes ignorent ce qu'a été la Ford Model T et ont tendance à choisir des modèles plus près de leur réalité parmi les candidates au titre de voiture du siècle. Profitons-en pour leur rappeler que l'automobile représente de nos jours un objet tellement courant, tellement varié, qu'il est difficile d'imaginer l'influence qu'a pu exercer un seul modèle, un seul créateur sur l'épanouissement de ce secteur. Pour donner une mesure de l'importance de la Model T sur l'histoire de l'automobile et sur celle du XXᵉ siècle, il suffirait de comparer le Henry Ford de 1920 au Bill Gates (Microsoft) de 1990: domination impressionnante du marché, diffusion mondiale, influence marquante sur la vie de millions d'individus, remarquable puissance industrielle, empire fabuleux; tout cela grâce à la vision d'un seul homme.

Construite entre 1909 et 1927 à 16 561 850 exemplaires, c'est à la Ford Model T, plus que n'importe quelle autre automobile produite depuis lors, qui a entraîné la motorisation de la planète. D'abord aux États-Unis, première puissance automobile mondiale depuis des lustres, la Ford Model T a été, bien avant la Coccinelle de Ferdinand Porsche, la première «voiture du peuple». Vendue 850 $ à ses débuts en 1908, la Model T ne coûte que 260 $ en 1925, 17 ans plus tard! Un parallèle frappant avec l'évolution du prix des outils informatiques!

À l'instar de toutes les «voitures du peuple» qui ont suivi, que ce soit la Coccinelle, la Citroën 2 CV, la Fiat 500 ou l'Austin Mini, la Model T est légère, simple et robuste. Son moteur 4 cylindres de 2,9 litres à culasse amovible développe 20 chevaux; elle ne consomme que 10 litres aux 100 km et atteint 70 km/h en vitesse de pointe.

Le travail à la chaîne

Visionnaire de la première heure, Henry Ford voulait que chacun de ses travailleurs puisse s'acheter une Model T. Grâce à la chaîne de montage, son rêve et celui de milliers de travailleurs s'est réalisé. Car si la Model T est célèbre en soi, c'est l'invention de la chaîne de montage qui a permis à Henry Ford d'entrer dans la légende. Plutôt que de demander aux travailleurs de se déplacer constamment pendant l'assemblage de la voiture, Ford crée la chaîne de montage mobile qui diminue les coûts de fabrication de façon remarquable.

Après l'Amérique du Nord, Ford transporte sa petite merveille en Europe et construit des usines en Angleterre, en France et en Allemagne, jetant ainsi les bases de l'une des premières entreprises multinationales.

C'est à Raymond McElligott, résident de Saint-Athanase, près d'Iberville, que nous devons ces images de la Ford Model T 1915. Collectionneur patient et passionné, M. McElligott possède aussi d'autres Model T, dont une superbe décapotable 1921. Un vigoureux coup de manivelle permet d'entendre tourner l'increvable 4 cylindres allié à la boîte épicycloïdale à 2 rapports. Perché haut sur les magnifiques fauteuils tendus de cuir, on se trouve infailliblement ému à bord de cet exemplaire reluisant de notre patrimoine automobile. Merci Henry. Merci Raymond. Et bravo!

Volkswagen Beetle

Si les lecteurs du *Guide de l'auto* et les téléspectateurs de l'émission du même nom ont choisi la Volkswagen Beetle comme voiture du siècle, c'est que ce modèle a sans doute marqué davantage leur jeunesse. Il ne faut pas perdre de vue qu'elle a été la voiture la plus vendue du siècle, un exploit qui mérite déjà une bonne place au soleil.

Un succès énigmatique

Mais pourquoi ce succès? Pourquoi la Volks, malgré son moteur peu puissant, bruyant et désuet depuis des lunes, malgré sa tenue de route précaire, son confort spartiate et son look franchement peu élégant? À mon avis, deux raisons: qualité et culture.

D'abord la qualité. Conçue en 1938 par Ferdinand Porsche pour une Allemagne souhaitant «motoriser les masses», la Volkswagen a été sans cesse perfectionnée. Certes, le concept de base était simple, mais il y en a eu d'autres, que ce soit la Citroën 2 CV ou la Fiat 500. Mais aucun autre constructeur n'a eu la vision ni l'endurance de Volkswagen qui a consciemment décidé, d'une part, de perfectionner le concept initial afin d'en garantir la fiabilité et, d'autre part, de s'attaquer au plus grand marché du monde, l'Amérique. Cette fiabilité a permis à VW de conquérir le marché allemand, puis de se lancer en Amérique à une époque où les mots fiabilité, économie et durabilité n'existaient que dans le dictionnaire. Une stratégie publicitaire géniale et la crise du pétrole des années 70 ont sans doute apporté une aide inestimable à cette voiture laide, simple, abordable et surtout capable d'aller du point A au point B sans rendre l'âme.

> «Cette automobile est laide, ses performances sont ridicules, sa tenue de route n'est pas de tout repos et ses freins laissent à désirer. À quoi tient donc le succès de cette voiture dont le dessin n'a pas changé depuis 1946?»
>
> *Essai de la Volkswagen 1500,* **Le Guide de l'auto,** *premier numéro, 1967*

Grâce à l'Amérique

L'autre motif du succès de la Coccinelle: la culture. Celle des baby-boomers contestataires pour qui, dans les années 60 et 70, la Coccinelle a servi d'arme anti-establishment devant l'arrogance paralysante des trois grands constructeurs américains qui servaient aux parents hypnotisés des boomers une innommable camelote. C'est d'ailleurs en Amérique que la Volkswagen a acquis son surnom de «Beetle» à cause de sa ressemblance avec le repoussant coléoptère qu'est le scarabée. Heureusement qu'en français on lui a donné le nom d'un insecte plus sympathique!

La Coccinelle a le mérite d'être arrivée à temps pour cette révolution dans les mœurs et les comportements nord-américains. D'où son succès colossal et son ascension au statut d'objet de culte. En 1975, la Coccinelle est remplacée par la Golf (la Rabbit chez nous), mais la production se poursuit au Brésil puis au Mexique pour approvisionner les marchés où la Coccinelle réclame encore droit de cité.

Il est peu probable qu'une autre voiture puisse un jour dépasser le succès commercial de la Coccinelle ou marquer à tel point toute une génération. Et puisqu'il est question de génération, précisons que les *boomers* ne sont pas les seuls à s'intéresser à la Coccinelle comme en témoigne le succès de la «New Beetle» et l'affection que porte notre jeune et sympathique Charles-André Bilodeau à SA voiture du siècle, cette belle Coccinelle 1973 qui porte allègrement ses 26 ans. Gardez la foi, M. Bilodeau, les plus vieux comptent sur vous!

Ferrari GTB/4 Daytona

J'aurai toute ma vie dans les oreilles le son indescriptible du V12 Ferrari se répercutant dans les montagnes entourant le circuit du Mont-Tremblant lors d'un essai de la GTB/4 Daytona un petit matin d'automne, il y a 27 ans. C'était en 1972, pour les besoins de mon émission *Prenez le volant* et pour *Le Guide de l'auto 1973*. C'était aussi à une époque où ce joujou coûtait la bagatelle de 25 000 $. D'autres Ferrari avant la Daytona m'ont séduit, mais comme voiture de rêve du siècle, il est difficile de trouver mieux.

C'est certainement l'une des plus célèbres machines sorties de Maranello depuis plus de 50 ans. Ce superbe coupé commande aujourd'hui un prix d'or sur le marché des voitures de collection. Il a été suivi du spider, la 365 GTS/4, une version encore plus rare et plus convoitée. Construite à 1408 exemplaires, la Daytona lancée en 1968 est habillée par Pininfarina. Si vous êtes observateur de la scène automobile, vous aurez remarqué que sa ligne aussi gracieuse que virile a inspiré depuis lors plusieurs designers tant européens et américains que japonais. Aujourd'hui, 30 ans plus tard, la Daytona inspire encore ses créateurs, ceux-là mêmes qui nous livrent depuis peu les superbes Ferrari 456 et 550 Maranello.

> «... nous comprenons très bien que le propriétaire de notre Ferrari n'ait même jamais utilisé son appareil de radio. Qui est-ce qui veut entendre les élucubrations de madame Tartempion quand la symphonie de Modène est en plein allegro?»
>
> *Essai de la Ferrari Daytona GTB/4,*
> **Le Guide de l'auto 73**

Il motore!

Comme le disait si bien le *Commandatore*, une voiture, c'est d'abord un moteur. Dans le cas de la Daytona, il s'agit d'un classique Ferrari: 12 cylindres en V, cylindrée de 4,4 litres, 4 arbres à cames en tête (ce qui explique le /4 dans GTB/4) et 6 carburateurs double corps. Avec 350 chevaux à 7500 tr/min, le 0 à 100 km/h est bouclé en 5,9 secondes et la vitesse de pointe atteint 280 km/h. Pour une voiture née il y a plus de 30 ans, avouez qu'il y a de quoi s'extasier!

Le splendide cabriolet que vous voyez sur nos images et qui porte le millésime 1973 est sorti des usines de Maranello sous la forme du coupé 365 GTB/4, puis a été converti en spider chez un carrossier italien. La musique de son V12, avec sa cascade de pignons entraînant les 4 arbres à cames en tête, gavé par les 6 Weber double corps, fera frissonner les amateurs de belle mécanique!

Che bella macchina! Grazie mille, Signore Enzo!

Porsche 911

Même si l'on pourrait m'accuser de favoritisme (NDLR: Jacques Duval a gagné près de 30 courses au volant d'une Porsche 911), je ne pense pas que le titre de voiture sport du siècle soit usurpé pour la légendaire Porsche 911. Sa carrière de 34 ans suffirait d'ailleurs à lui permettre d'obtenir un tel honneur. Si l'on ajoute à cela son palmarès en course, ses performances hors du commun, son architecture quasi unique, sa fiabilité et l'admiration qu'elle suscite partout où elle passe, la Porsche 911 se doit de faire partie des voitures les plus marquantes du dernier siècle. Pourtant, ses origines sont bien

«Même s'il faut débourser 8000 $ pour une Porsche 911 et que ce prix peut paraître élevé, on doit convenir qu'il s'agit d'un outil de haute précision qui est le fruit de longues années d'étude sur les pistes de course du monde entier.»

Essai de la Porsche 911,
Le Guide de l'auto 68

modestes. Son ancêtre est la Coccinelle, née en 1938 de l'imagination de Ferdinand Porsche pour répondre aux impératifs des dirigeants de l'Allemagne qui souhaitaient une *volkswagen*, une voiture du peuple. Puis, en 1948, arrive la première voiture portant le nom de Porsche, la Type 356, et enfin, en 1963, la 911, remplaçante de la 356.

Une Coccinelle aux stéroïdes

La formule retenue par le Professeur a résisté aux assauts du temps, autant pour la Coccinelle qui sort encore sous sa forme originale des usines de VW à Puebla, au Mexique, que pour la 911 maintes fois améliorée. Cette formule bien simple, techniquement dépassée depuis des lunes, fait appel au moteur à cylindres opposés à plat (type boxer) refroidi à l'air, logé à l'arrière.

Depuis lors, les voitures à moteur arrière ont totalement disparu de la scène mondiale au profit des tractions, des propulsions à moteur avant et des voitures sport à moteur central... sauf pour la Coccinelle mexicaine et pour la 911. Même Porsche avait reconnu les limites du concept du «tout à l'arrière» et s'est efforcé de remplacer la 911 par des voitures plus équilibrées et certainement plus faciles à maîtriser! Mais le mythe de la 911 était bien ancré et rien d'autre qu'une 911 à moteur arrière ne saurait satisfaire un «vrai» Porschiste. Résignée à son sort, Porsche décida donc de poursuivre le développement de son increvable 911 par le biais du laboratoire roulant qu'elle maîtrisait si bien: le sport automobile.

Une redoutable machine à rouler

Moteurs, boîtes de vitesses, châssis, suspensions, freins; tout y passe au fil des ans et la 911 devient de plus en plus efficace, de plus en plus rapide, de plus en plus redoutable en compétition. Aucun circuit, aucun rallye, aucune épreuve d'endurance ne résiste à l'efficacité inégalée de la technologie Porsche, technologie née du désir constant de perfectionner le produit, de le rendre plus fiable, plus sécuritaire, plus performant. Il suffit d'opposer les 130 chevaux du 2,0 litres de 1968 aux monstrueux 420 chevaux du 3,4 litres de la Carrera Turbo qui sortira l'an prochain pour se rendre compte du chemin parcouru par le concept du professeur Porsche.

Certes, pour la nouvelle 911 née en 1999, il a fallu sacrifier le boxer refroidi à l'air et le remplacer par un boxer refroidi à l'eau, mais l'âme de la 911 reste quand même assez intacte même si LA Porsche est devenue plus maîtrisable, donc moins exclusive.

La Porsche 911 1968 blanche que l'on voit sur nos photos appartenait à Peter Gibbons, de Knowlton. Cette 911 est maintenant la propriété de Roger Laroche, de Bromont, qui se propose de lui donner longue vie. Bonne route, M. Laroche, et merci encore, mon cher Peter.

LA VOITURE LA PLUS RÉVOLUTIONNAIRE DU SIÈCLE

NSU RO 80

> «La NSU RO 80 est considérée par les experts comme une innovation tout aussi importante dans le monde de l'automobile que l'avènement du moteur à turbine dans l'aviation.»
>
> *Essai de la NSU RO 80,*
> **Le Guide de l'auto 70**

Si la NSU RO 80 était lancée sur le marché aujourd'hui, elle ne ferait sûrement pas figure d'antiquité. Vers la fin des années 60, elle était à ce point moderne qu'elle serait encore dans le coup à l'aube du XXIe siècle. Voilà qui en dit long sur la valeur de cette voiture qui trône aujourd'hui dans le musée Audi à Neckarsulm en Allemagne.

Depuis les débuts de l'automobile, c'est le moteur à combustion interne qui règne en dictateur absolu. Lorsqu'on dit combustion interne, on pense presque toujours au moteur à pistons alternatifs qui a atteint un stade de développement très avancé. Mais il n'en demeure pas moins qu'il s'agit d'une mécanique complexe, avec des pistons, des bielles, un vilebrequin, des soupapes, etc., le tout animé par un mouvement de va-et-vient qui engendre des vibrations inévitables.

Voiture de l'année

Depuis les débuts de l'automobile, de nombreux inventeurs se sont penchés sur des mécanismes moins complexes, mais ce n'est qu'en 1951 qu'un ingénieur allemand, le Dr Felix Wankel, a imaginé et créé un moteur sans aucune pièce à mouvement alternatif. Wankel s'associe immédiatement à NSU, un constructeur allemand de motos et de petites voitures, et en 1957, ils installent le moteur à piston rotatif dans la petite NSU Prinz, puis en 1960 dans un petit coupé Sport Prinz carrossé par Bertone.

Du coup, tout le monde s'intéresse au moteur Wankel. GM, Mercedes, Citroën, Rolls-Royce, Curtiss-Wright et Toyo Kogyo (Mazda) achètent tous une licence Wankel. Mais c'est en 1967 que le moteur Wankel se fait véritablement remarquer avec le lancement de la belle NSU RO 80 dont la ligne aérodynamique, la traction et les qualités routières en font la voiture de l'année en Europe.

Le rotatif: promesse et déception

La RO 80 est véritablement en avance sur son temps tant sur le plan mécanique que sur le plan du style qui a inspiré de nombreux designers depuis lors.

Quant au moteur à piston rotatif, il comporte un piston triangulaire qui tourne dans une chambre de forme presque ovale. Deux ouvertures assurent l'admission et l'échappement et il n'existe aucune pièce mobile à part le piston triangulaire. C'est donc l'extrême simplicité de ce moteur qui en constitue l'attrait principal, simplicité doublée de dimensions très compactes, d'une absence presque totale de vibrations et d'un rendement supérieur compte tenu de son poids.

La NSU RO 80 n'a été construite qu'à 37 398 exemplaires, car la fragilité initiale du Wankel a miné toute chance de succès commercial pour cette voiture avant-gardiste. Elle méritait pourtant tellement mieux. C'est le groupe VW qui rachète NSU en 1971 et l'intègre à Audi, d'où l'influence de la RO 80 sur le style des Audi des années 70.

Le nom de NSU restera gravé dans l'histoire centenaire de l'automobile comme celui du constructeur qui aura osé questionner la suprématie du moteur à pistons alternatifs. Les nombreux fervents du moteur rotatif restent d'ailleurs persuadés que l'élégante invention de Felix Wankel retrouvera un jour une place d'honneur parmi la faune automobile. La splendide victoire de Mazda à l'édition 1991 des 24 Heures du Mans avec un moteur Wankel à 4 pistons rotatifs leur donne l'ultime argument sur la fiabilité aujourd'hui remarquable de ce moteur.

Claude Marcil compte parmi les rares propriétaires québécois d'une NSU RO 80 en parfait état de marche. Grâce à ses bons soins et à ses compétences de mécanicien professionnel ainsi qu'à celles de son fils Claude, la belle NSU fera encore longtemps tourner les têtes dans la région de Joliette. «Rotativement» vôtre, MM. Marcil!

Cadillac Fleetwood V16

Le choix d'une Cadillac parmi nos six voitures du siècle est un hommage à cette marque autrefois prestigieuse. Malgré les déboires des dernières décennies provoqués par le manque de vision de ses dirigeants, malgré la navrante médiocrité de ses modèles plus ou moins récents, Cadillac constitue l'une des rares grandes marques de voitures de luxe ayant survécu jusqu'à nos jours.

En effet, disparues sont les Packard, les Pierce-Arrow, les Auburn, les Bugatti, les Talbot-Lago, les Duesenberg, les Delahaye et autres voitures de rêve du début du siècle qui véhiculaient les magnats, les vedettes et les têtes couronnées de ce monde. Certes, il nous reste la production marginale de Rolls-Royce et de Bentley et quelques nouveaux venus dans le créneau de la voiture de luxe. Mais rien ne vaut une Cadillac pour couronner la catégorie des voitures de luxe de notre rétrospective.

Un passé glorieux

Membre du groupe General Motors depuis 1909, Cadillac a connu un passé glorieux. Aucune création n'illustre mieux le perfectionnement technique et le raffinement passé de cette marque que la lignée des berlines de luxe à moteur V16.

C'est en 1929 que Cadillac surprend le monde automobile avec le lancement d'un moteur à 16 cylindres disposés en V. Créatrice du démarreur électrique en 1912, Cadillac avait déjà établi sa réputation en matière d'excellence technique. Le majestueux V16 de 7,0 litres développant 185 chevaux se distingue entre autres par la présence de poussoirs hydrauliques, technique mise au point par les laboratoires Cadillac et que l'on retrouve encore aujourd'hui dans une multitude de moteurs.

Boulons et tuyaux visibles chromés, cache-culbuteurs en aluminium, collecteurs d'échappement recouverts de peinture céramique noire, câblage dissimulé, matériaux nobles, sellerie de première qualité, finition impeccable, souplesse et silence de fonctionnement remarquables, tels étaient certains des attributs de cette merveille confectionnée à grands frais à moins de 4000 exemplaires entre 1930 et 1937. Quand on sait que la V16 la plus élaborée valait 9200 $ en 1930, par opposition à 600 $ pour une Chevrolet neuve, on se rend compte de l'exclusivité de cette œuvre d'art automobile.

Un exemplaire unique

Et quoi de plus exclusif pour la rétrospective du *Guide de l'auto 2000* que ce coupé Cadillac Fleetwood V16 construit sur commande spéciale pour le président de GM de l'époque? C'est en effet en 1940, trois ans après la fin de la production officielle, que sort des ateliers Fleetwood cette V16 on ne peut plus spéciale destinée à M. William Knudsen. Cet exemplaire unique au monde est la propriété de Victor Tremblay. Ce majestueux et imposant coupé illustre éloquemment la splendeur que fut la marque Cadillac. Face au rugissement des furieux 12 cylindres de la Ferrari Daytona, le son feutré du V16 Cadillac témoigne d'une autre conception de la passion automobile.

Unique, votre V16, M. Tremblay. Merci de l'avoir partagé avec nous. Nous souhaitons qu'il continue longtemps de vous faire sourire!

DE PRÉCIEUX COLLABORATEURS

Réunir six voitures aussi marquantes et aussi diverses les unes que les autres n'est pas une tâche facile. Nous devons le succès de cette opération à Guy Lecompte, président d'Auto-Contact, à Bob Robitaille, président de Voitures Anciennes de Granby et à tous les amis du *Guide de l'auto*. À tous, un grand merci, sans oublier Michel Desroches, notre photographe, et notre infatigable Denis Duquet.

1 9 0 0 - 1 9 9 9

PAUL FRÈRE

Le siècle
de l'automobile

Paul Frère, 82 ans, est sans aucun doute le journaliste automobile le plus éminent au monde. Il a été le témoin de toutes les grandes étapes du «siècle de l'automobile». Ingénieur, ex-pilote de course et collaborateur à *Road and Track* ainsi qu'à de nombreuses publications européennes, il a aussi participé à plusieurs éditions du *Guide de l'auto*. Il était la personne toute désignée pour nous faire vivre le premier siècle de l'automobile.

I l n'y avait que quelques milliers d'automobiles dans le monde au début de notre siècle, 16 ans seulement après que Carl Benz eut démontré publiquement que son tricycle à moteur pourrait un jour remplacer les voitures à chevaux, comme le démontra si brillamment, 2 ans plus tard, son épouse Bertha.

Accompagnée de ses deux fils, elle effectua sans autre aide le trajet Cannstadt-Pforzheim (environ 90 km) en une seule journée. Aujourd'hui, plus de 450 millions d'automobiles sillonnent notre planète, en dépit du faible taux de motorisation de nombreux pays asiatiques.

En l'an 1900, l'automobile bénéficiait de trois atouts importants: 1. le moteur à 4 temps dont la paternité essentielle revenait à Gottlieb Daimler et à Wilhelm Maybach (inventeur du carburateur à niveau constant); 2. les bandages pneumatiques des frères Michelin et 3. la boîte de vitesses à pignons baladeurs (l'ancêtre de toutes les boîtes actuelles) imaginée par René Panhard. Dès le début, il était établi que le m o t e u r devait être à l ' a v a n t, monté longitudinalement et qu'il devait entraîner les roues arrière par l'intermédiaire d'un embrayage, d'une boîte de vitesses et d'un différentiel.

Pneu Michelin

Tricycle à moteur de Carl Benz

Ford Model T de Henry Ford

Fabriquée de façon artisanale, l'automobile demeurait l'apanage des classes aisées. Aux États-Unis cependant, R. E. Olds, fondateur de la marque Oldsmobile, avait compris l'intérêt de la fabrication en série. Dès 1901, il lança une petite voiture populaire à moteur sous le plancher qui eut beaucoup de succès mais ne convenait guère que pour de petits trajets.

Tin Lizzie à l'assaut de la planète

L'homme qui motorisa d'abord l'Amérique, puis le monde entier, fut Henry Ford avec sa Model T, surnommée «Tin Lizzie» et équipée d'une boîte de vitesses à trains épicycloïdaux à 2 rapports plus la marche arrière, commandée par une pédale et intégrant l'embrayage. Les grandes roues et l'imposante garde au sol de la Model T lui permettaient de rouler sur les plus mauvaises routes et même dans les champs. Chez Ford, on avait pensé à tout: si on remplaçait les jantes portant les pneus par des jantes spéciales, la Tin Lizzie pouvait même emprunter les voies ferrées! Ce modèle fut construit à 16 millions d'exemplaires de 1908 à 1927, sans interruption et avec très peu de modifications.

Cadillac 1912

D'autres inventions importantes nous vinrent des États-Unis. À partir de 1912, les Cadillac furent équipées d'un démarreur et de phares électriques. Une vraie merveille, car jusque alors c'était à la manivelle que les moteurs devaient être mis en marche, une opération parfois pénible qui n'était pas sans risques (un «retour» de manivelle pouvant entraîner une fracture du poignet) et déplaisait particulièrement aux femmes.

C'est encore Cadillac qui lança en 1929 les premières boîtes de vitesses synchronisées qui permettaient de rétrograder sans s'astreindre au «double débrayage». L'invention du démarreur électrique et des boîtes synchronisées contribua fortement à inciter les femmes à prendre le volant. Une autre contribution importante à la réduction de l'effort physique fut le servofrein à dépression, une invention simple, efficace et peu coûteuse de l'ingénieur liégeois Albert Dewandre et dont le principe est encore à la base de tous les servofreins actuels.

Mais avant les servofreins, il y eut les freins aux 4 roues adoptés par la marque écossaise Argyll, par Isotta-Fraschini en Italie et par Peugeot sur ses voitures de course de 1914. Dès 1925, le freinage intégral était pratiquement généralisé.

L'étape suivante fut la commande hydraulique qui, elle aussi, nous vint d'Amérique (Lockheed) et que Chrysler fut le premier joueur important à adopter, en 1925. Le freinage à disque ne remplaça les tambours qu'au cours des années 50 et 60. Après en avoir démontré la supériorité aux 24 Heures du Mans de 1953, Jaguar fut, deux ans plus tard, le premier grand constructeur à les monter en série.

Carrosseries tout acier

Mais revenons un peu en arrière. À l'issue de la guerre 1914-1918, André Citroën, qui avait converti sa petite usine d'engrenages à denture en chevrons pour la fabrication d'obus, revint à ses premières amours, l'automobile. Fervent admirateur de Henry Ford, Citroën avait commencé sa carrière d'ingénieur à la Société des Automobiles Mors. En 1919, il lança son premier modèle A, la «10 CH», «la première voiture française construite en grande série», qui était aussi la première voiture européenne à conduite à gauche.

Lors d'un voyage aux États-Unis, il visita les usines Budd, spécialisées dans l'emboutissage de tôles d'acier. Là, il prit connaissance d'une

Citroën Traction

étude de carrosserie tout acier, une révolution à une époque où les carrosseries étaient constituées d'une charpente en bois sur laquelle les tôles étaient clouées. Séduit par cette technique, Citroën présenta au Salon de Paris de 1924 la berline B10, première voiture au monde à carrosserie tout acier.

Dix ans plus tard, Citroën sortit — toujours en collaboration avec Budd — sa Traction, la première voiture réellement

Citroën 10 chevaux

monocoque, dans laquelle la carrosserie portait tous les ensembles mécaniques, comme dans toutes les voitures d'aujourd'hui. Il convient toutefois de noter que la voie de la carrosserie porteuse avait été ouverte par Lancia avec la Lambda de 1922 et l'Augusta de 1932.

Cord L 29 de 1929

Si Citroën avait exploré le principe de la transmission automatique, c'est aux Américains, et plus particulièrement à General Motors, que revient le mérite d'avoir mis sur le marché, dès 1939, la première transmission automatique fiable. La Hydramatic comportait un coupleur hydrodynamique entraînant une boîte à trains épicycloïdaux à 3 rapports et marche arrière. Vinrent ensuite l'augmentation du nombre de rapports et le remplacement de la gestion hydraulique par une gestion électronique dont le pionnier fut Renault.

Vive l'indépendance!

Jusqu'au début des années 30, l'utilisation de suspensions par ressorts à lames et essieux avant et arrière rigides était la règle. Quelques pionniers seulement proposèrent des suspensions à roues indépendantes, notamment les frères Sizaire, puis Lancia avec sa Lambda à roues avant indépendantes.

C'est juste avant le Krach boursier de 1929 que l'utilisation de roues indépendantes se généralisa, surtout à l'avant.

Peugeot 201 Confort

Peugeot 201 Confort

Peugeot et Mercedes jouèrent le rôle de pionniers, le premier avec la 201 Confort en 1930, le second avec la type 170 à 4 roues indépendantes en 1932. Aux États-Unis, avec une synchronisation touchante, GM et Chrysler adoptèrent les roues avant indépendantes (*knee action*) sur les modèles 1935 de toutes les marques.

La traction

Avant 1925, peu de constructeurs s'étaient intéressés à la traction. Une telle solution ne devint réaliste qu'après l'invention de joints homocinétiques permettant la transmission souple du couple moteur aux roues braquées. Sur les pistes ovales américaines où les voitures de course Miller à traction avant apparurent vers 1926, on pouvait s'en passer grâce au faible braquage nécessaire. Utilisant les brevets Miller, la voiture américaine Cord L 29 (1929) fut la première traction construite en séries importantes.

À cette époque le vrai avantage de la traction résidait dans l'absence d'arbre de transmission qui permettait d'abaisser le plancher et, avec lui, toute la voiture, favorisant ainsi la tenue de route. Mais le groupe motopropulseur avec moteur, boîte de vitesses et différentiel placés dans le même axe, constituait un ensemble long et encombrant qui nuisait à l'habitabilité et à l'adhérence des roues motrices.

En 1934, la Citroën Traction (toujours elle) y apporta un premier correctif en adoptant une boîte de vitesses à deux arbres, sans prise directe, montée en porte-à-faux devant le différentiel. Puis, peu après la fin de la Deuxième Guerre mondiale, on trouva sur la 3 cylindres DKW le même type de groupe, mais avec le moteur en

Jaguar Type D

porte-à-faux avant, ce qui résolvait les deux problèmes de l'encombrement et de la motricité. C'est la solution qu'on trouve aujourd'hui sur les Audi, la marque héritière de DKW.

Mais c'est réellement le Britannique Sir Alec Issigonis qui, pour l'immortelle Austin Mini, trouva l'œuf de Colomb: le moteur avant transversal. La presque totalité des tractions actuelles utilisent d'ailleurs cette disposition qui permet de réduire au minimum la place occupée par le groupe motopropulseur.

L'évolution des moteurs

En 100 ans, on n'a encore rien trouvé de mieux pour la propulsion automobile que le moteur à 4 temps dont le principe de base n'a pas changé... sauf qu'en 1900 les moteurs de course développaient 4 ch/litre à 1000 tr/min et qu'en 1999 ils font 270 ch/litre à 18 000 tr/min! De tels progrès découlent essentiellement de la meilleure compréhension des phénomènes de combustion, des progrès énormes de la métallurgie et, au cours des 25 dernières années, de l'application de l'électronique non seulement pour la gestion des moteurs, mais aussi dans les moyens d'investigation et de recherche.

L'intérêt des chambres de combustion hémisphériques avec bougie centrale était déjà connu en 1912 lorsque Ernest Henry dessina son premier moteur à 2 arbres à cames en tête et 4 soupapes par cylindre pour les Peugeot du Grand Prix de l'ACF

Voiture de course Peugeot de 1912

Austin 850

de 1912, mais il fallut attendre quelque 65 ans pour que cette architecture devienne monnaie courante.

Jusqu'à la Deuxième Guerre mondiale, la plupart des voitures de grande série utilisaient des moteurs à soupapes latérales, la solution la moins chère. À mesure que les carburants s'améliorèrent, ces moteurs, dont le rapport volumétrique plafonne à 7:1, disparurent au profit de moteurs à soupapes en tête commandées par tiges et culbuteurs. Ceux-ci furent chassés à leur tour par une invention qui peut paraître banale: la courroie crantée. Elle permet d'entraîner un ou deux arbres à cames en tête à bon compte, en silence et sans nécessiter de tendeur.

L'avenir est au diesel

La phase moderne de l'évolution des moteurs coïncide avec l'adoption, au début des années 70, de lois antipollution dont la sévérité n'a cessé d'augmenter et qu'il serait impossible de respecter sans l'aide de l'électronique. Appliquée initialement à l'allumage pour remplacer le rupteur, elle est devenue un élément essentiel du fonctionnement

du moteur qu'elle contrôle avec une précision, une rapidité et une fiabilité inimaginables il y a à peine 20 ans. C'est essentiellement grâce à l'électronique que les moteurs d'aujourd'hui émettent 96 p. 100 moins de gaz nuisibles que ceux de 1975. Les moteurs diesel ont connu des progrès encore plus exceptionnels grâce à l'électronique. Non seulement les plus récents diesels à injection directe sont aussi silencieux que leurs homologues à essence, mais grâce à son meilleur rendement thermique dont découle une plus faible consommation de carburant, le diesel se pose en véritable moteur de l'avenir.

La sécurité à l'honneur

Ce rappel ne serait pas complet sans quelques mots sur la sécurité active et passive. La sécurité active s'est améliorée parallèlement aux progrès réalisés en matière de suspension, de freinage, de rigidité structurelle et d'aides à la conduite.

Premier pneu radial de Michelin

Les caractéristiques des pneumatiques jouent un très grand rôle dans cette évolution, leurs progrès ayant été déterminants dans l'amélioration du comportement des voitures. Un pas décisif fut franchi au moment de l'arrivée du pneu à carcasse radiale, le Michelin X.

Les progrès spectaculaires réalisés en matière de sécurité découlent aussi de l'électronique. Tout commença avec l'ABS, qui empêche le blocage des roues lors d'un freinage d'urgence et préserve ainsi la possibilité de diriger la voiture dans des circonstances difficiles. Bientôt se sont ajoutés les dispositifs antipatinage de tous genres alors qu'aujourd'hui apparaissent sur les modèles haut de gamme les systèmes de stabilité dynamique. Ces dispositifs antidérapage interviennent ponctuellement en réduisant l'admission des gaz et en agissant sur le frein de l'une ou l'autre des roues afin de corriger une dérobade du train arrière ou, au contraire, de favoriser le retour sur la trajectoire désirée en cas de sous-virage excessif.

L'électronique est aussi omniprésente dans la sécurité passive; c'est elle qui déclenche les coussins de sécurité et qui assure la mise en marche automatique des essuie-glaces dès qu'il commence à pleuvoir. C'est elle aussi qui règle l'amortissement des suspensions en fonction de la vitesse et de l'état de la route, qui assure le verrouillage des portes à distance, contrôle le fonctionnement des systèmes d'alarme et d'antidémarrage, la mémorisation du réglage des sièges, les systèmes de navigation et tant d'autres choses. L'électronique a permis à l'automobile de connaître en 25 ans des progrès prodigieux... et cette évolution est loin d'être terminée!

La vision du futur

Cinq sommités se prononcent sur la voiture de 2020

Après ce regard en arrière sur les principales étapes de l'évolution de l'automobile, *Le Guide de l'auto* a voulu tenter de lever le voile sur ce que sera l'automobile 20 ans après le début du nouveau millénaire.

Pour tracer ce portrait avec le plus de justesse possible, nous avons fait appel à cinq personnes dont quelques-unes auront sûrement un rôle déterminant à jouer dans l'élaboration de la voiture du futur. Ce groupe de choix comprend d'abord le grand patron de l'empire Volkswagen, le Dʳ Ferdinand Piëch. En plus d'avoir remis la marque allemande sur les rails, il a été l'âme de nombreuses réalisations, dont l'Audi Quattro, la Porsche 917, etc. Petit-neveu de Ferdinand Porsche, il a vécu ce siècle de l'automobile aux premières loges.

Compte tenu du fait que le Japon a joué un rôle considérable dans la seconde moitié du dernier siècle automobile, le point de vue de Fujio Cho, président de Toyota Motor Corporation, nous apparaît aussi d'une importance capitale.

Pour les États-Unis, nous avons jugé opportun de faire appel à la compagnie Ford, récipiendaire du trophée de la voiture du siècle. De plus, Ford a gentiment accepté de faire la conception de la couverture du *Guide de l'auto 2000*. Le magnifique prototype qui y figure est l'œuvre du designer Mark Conforzi, de Ford, à qui nous avons demandé de nous décrire la voiture de 2020.

Si le passé est garant de l'avenir, Paul Frère, à qui nous devons la rétrospective qui précède, est aussi un interlocuteur de choix dans ce regard sur l'automobile du futur.

Finalement, le volet québécois de ces «prédictions» appartient à notre ami Paul Deutschman, un designer au talent exceptionnel que nous avons découvert dans *Le Guide de l'auto 1985* par le biais de la petite Spex Elf. On connaît le reste: Paul est notamment l'auteur de la magnifique Callaway C12 dont on trouvera un essai plus loin dans ce guide.

Dr Ferdinand Piëch — Volkswagen

C'est lors d'une rencontre au centre d'essais de VW, à Ehra Lessien en Allemagne, alors qu'il était au volant du prototype de la New Beetle RSI de 250 chevaux, que le Dr Ferdinand Piëch nous a présenté sa vision de l'auto du futur. L'homme est pondéré, rigoureux, et il pèse suffisamment ses mots pour ne pas se lancer dans de longues envolées qui pourraient entacher sa crédibilité.

«Vous savez, le progrès va très lentement dans notre industrie. Nous avons mis neuf ans, par exemple, à développer la technologie qui nous a permis de réaliser une voiture comme la nouvelle Lupo 3 litres qui est la voiture la plus économique au monde. On pourrait certes avancer plus rapidement en ayant recours à des matériaux qui existent déjà, en aéronautique notamment, mais à quel coût?

«Je crois aux piles à combustible, mais cette source d'énergie ne se manifestera pas avant une autre vingtaine d'années. La voiture courante de 2020 utilisera probablement ce type de moteur et profitera d'une sérieuse diminution de la résistance au roulement grâce à une meilleure aérodynamique.

«L'habitacle deviendra de plus en plus un lieu de travail et regroupera tout ce que l'on trouve normalement dans un bureau. Le temps perdu au volant sera récupéré par la possibilité de travailler dans son auto, surtout lors de congestions routières.

«Pour le reste, j'espère seulement que toutes ces voitures de l'an 2020 porteront un emblème faisant partie du groupe Volkswagen.»

Fujio Cho — Toyota

«Il y a un siècle, l'un des principaux défis qui se posaient aux pionniers de l'industrie automobile naissante consistait à faire le choix entre les moteurs à vapeur, à l'électricité et à combustion interne. L'abondance du pétrole ainsi que la simplicité et la fiabilité du principe de la combustion interne se sont traduites par la domination de ce type de moteur.

«Cependant, la décision d'avoir recours aux combustibles fossiles pose à présent le problème épineux de la pollution qui risque d'étouffer le globe. Malgré les récents progrès en matière de contrôle de la pollution, la combustion des dérivés du pétrole pose encore un problème. L'avènement de véhicules comme la Toyota Prius, première voiture de grande série à propulsion hybride essence-électricité, permettra de réduire notre dépendance envers le pétrole. Cette indépendance ne sera cependant complète qu'avec la mise au point définitive de la pile à combustible.

«Toyota se propose d'occuper le premier plan dans la mise au point de technologies relatives à la pile à combustible et prévoit lancer sur le marché, dès l'an 2003, un véhicule ainsi propulsé. La généralisation de ce type de véhicule dépendra cependant de la rapidité avec laquelle on bâtira l'infrastructure nécessaire et on établira les normes régissant la construction de tels véhicules. Entre-temps, nous sommes persuadés que la Prius, lancée en 1997, et d'autres véhicules hybrides occuperont une place importante sur le marché.

«La prépondérance de l'automobile en milieu urbain favorise la production de voitures compactes et efficaces qui se distinguent par un design innovateur qui vise à maximiser l'espace occupé. C'est ainsi que Toyota a créé au Japon le Système de transport intelligent (ITS) doté de voitures-navettes conçues pour parcourir de courtes distances. Baptisées Crayon, ces petites voitures légères à louer couvrent un rayon de 25 km desservi par huit stations pratiques. Ce projet permet non seulement de démontrer ce que sera l'automobile de l'avenir, mais aussi d'illustrer comment les secteurs public et privé peuvent collaborer à l'élaboration de solutions aux problèmes du transport en commun en milieu urbain.

«Pour assurer la survie de l'humanité durant le nouveau millénaire, nous devons tous veiller à ce que l'automobile de l'avenir sache respecter l'environnement et assurer le confort et le bien-être des êtres humains qui habiteront notre planète.»

Mark Conforzi — Ford Motor Corporation

«Pour prédire ce que sera la voiture de l'an 2020, il faut prévoir ce que sera l'économie de cette époque et comment l'économie mondiale influera sur les moyens de transport.

«On peut cependant supposer qu'avec la croissance de la population, nous devrons mieux utiliser l'espace disponible et veiller à mieux protéger l'environnement. D'ailleurs, la réduction de la dimension et du poids des éléments qui entrent dans la composition d'une voiture contribuera à l'éclosion d'un design plus approprié.»

Paul Frère — Ingénieur, journaliste

«Il est toujours difficile d'établir des prévisions à long terme dans des domaines où une découverte scientifique peut entraîner une révolution. Aussi, d'un commun accord avec Jacques Duval, je limiterai mes prévisions aux 20 prochaines années. D'ici là, je pense que de nombreux systèmes d'aide à la conduite existant déjà au stade expérimental se seront largement généralisés, notamment les systèmes basés sur l'usage de radars embarqués qui préservent une certaine distance entre deux voitures qui se suivent en agissant sur l'accélérateur ou les freins. Je crois aussi à la disparition de la roue de secours grâce à des pneus conçus pour rouler à plat à vitesse réduite et sur une distance limitée.

«Mis à part les variations dues à la mode, je ne crois guère à une révolution dans la forme de nos voitures. Je pense que le marché des voitures familiales de type fourgonnette de toutes dimensions, pouvant être aménagées de plusieurs manières, des «voitures à vivre» suivant la formule de Renault, continuera à se développer. On verra des dossiers de sièges se transformant en tablettes permettant à des enfants de jouer, ainsi que de nombreux réceptacles volumineux et accessibles.

«En l'an 2020, les techniques actuelles auront évolué, mais je pense que les moteurs à piston travaillant, suivant les cycles Otto ou Diesel, dépollués à 99,9 p. 100, équiperont encore la grande majorité des automobiles. On devrait voir un pourcentage plus élevé de diesels qu'aujourd'hui en raison de leur meilleur rendement thermique qui permet une plus grande économie de carburant. Ce type de moteur montre encore un grand potentiel de développement.

«La technique des batteries a certes fait des progrès, mais leur poids, leur encombrement par rapport à l'énergie électrique qu'elles peuvent emmagasiner et la durée des recharges en font une option réservée aux véhicules à rayon d'action limité.

«L'utilisation de piles à combustible alimentées en hydrogène et actionnant un moteur électrique semble l'option alternative la plus réaliste, car l'ensemble de l'installation est non polluante et le ravitaillement peut s'effectuer à la pompe, comme dans le cas de l'essence.

«Je crois aussi en l'avenir de l'hydrogène comme carburant des moteurs à essence classiques pour des voitures utilisées régulièrement. L'hydrogène à l'état liquide, la seule forme sous laquelle il peut assurer une autonomie suffisante, doit en effet être stocké à des températures de l'ordre de - 260 ºC et les meilleurs calorifuges ne peuvent empêcher son évaporation progressive. Mais il conviendrait, par exemple, pour des taxis et autres voitures en usage journalier.

«Permettez-moi pour finir de vous faire part d'une dernière réflexion. C'est dans les années 70 que, dans la plupart des pays d'Europe — plus tôt encore aux États-Unis —, on a fixé des limites de vitesse sur les routes et les autoroutes, la seule heureuse exception étant les autoroutes allemandes. Depuis cette époque, la sécurité active et passive des automobiles a fait des progrès prodigieux. Les distances d'arrêt ont diminué de 25 p. 100; le *fading* des freins n'existe pratiquement plus; l'accélération transversale dont une voiture moyenne est capable est passée de 0,65 g à 0,85 g grâce à des suspensions plus sophistiquées et à la généralisation des pneus radiaux; l'ABS est généralisé et les systèmes dynamiques de stabilité qui équipent dès aujourd'hui des voitures de série se généraliseront rapidement. Enfin, la protection physique que les voitures d'aujourd'hui assurent à leurs occupants n'a aucune commune mesure avec celle dont les occupants bénéficiaient il y a 30 ans. La preuve en est que malgré l'augmentation incessante du trafic automobile, le nombre des victimes de la route diminue dans tous les pays développés.

«Les limitations de vitesse qui pouvaient sembler raisonnables à certains il y a 30 ans sont donc devenues complètement irréalistes dans le contexte de la technologie automobile actuelle. Il y a moins de décès sur les routes et les autoroutes en Allemagne qu'en France, deux pays comparables par leurs infrastructures et par le nombre de voitures en circulation, mais dont le premier a maintenu la liberté de vitesse sur une énorme partie de son réseau autoroutier.

«À l'aube du XXIe siècle, n'est-il pas temps de reconnaître les progrès gigantesques réalisés en matière de sécurité active et passive et d'en tirer les conclusions?»

Paul Deutschman — Deutschman Design

«Je vois deux scénarios possibles: nous maintenons notre appétit insatiable pour des monstres énergivores et nous attendons que nos gouvernements légifèrent pour nous ramener à la raison.

«Dans l'autre scénario, ce sont les constructeurs automobiles qui prennent les devants et favorisent la création de véhicules bien adaptés aux différents styles de vie. On bénéficierait ainsi d'une plus grande variété de et on verrait des croisements insolites; imaginez un instant une Audi TT en format fourgonnette! L'automobile deviendrait plus typée et on verrait naître des configurations nouvelles, comme par exemple le «supertricycle», un véhicule haute performance à 3 roues et 2 places, à mi-chemin entre la moto et la voiture sport.

«Ce second scénario est évidemment plus réjouissant, mais il suppose le recours à de nouveaux matériaux, au recyclage intensif et à des moteurs à haut rendement. En somme, rien ne nous empêche de nous amuser tout en respectant les règles en vigueur.»

AUDI A4+2

L'avenir selon Paul Deutschman, une intéressante fusion d'une fourgonnette et d'une berline sport.

Sans se consulter, trois des personnalités appelées à nous décrire la voiture d'après-demain ont parlé d'automobiles plus polyvalentes s'inscrivant dans une nouvelle catégorie de «voitures à vivre». En évoquant la voiture-bureau ou la voiture-loisir, Ferdinand Piëch et Paul Frère partagent l'opinion du designer québécois Paul Deutschman qui a mis son talent à profit en dessinant cette voiture mythique.

Jacques Duval

Ma voiture de l'avenir est une fourgonnette mais d'un concept bien différent de ce que nous connaissons.

Dans le passé, certains constructeurs ont eu beaucoup de succès en ajoutant l'élément plaisir à des voitures somme toute ordinaires. Par exemple, l'origine du terme «berline sport» est sans doute attribuable à BMW.

Ma vision du futur s'appelle «Audi A4+2» et peut être décrite comme une fourgonnette sport. Telle une voiture sport 2+2 qui possède deux vrais sièges et deux sièges occasionnels, ma 4+2 est dotée de quatre sièges complets et de deux sièges occasionnels.

Ses principales caractéristiques sont les suivantes:
• Des passages de roues proéminents aux extrémités de la voiture. Ce sont des roues de 20 pouces qui pourraient utiliser un alliage de fibre de carbone et de plastique.

• Un moteur de 250 chevaux avec 4 roues motrices.
• À l'intérieur, on trouve deux sièges d'adultes ou trois sièges d'enfants dans le sens de la largeur afin de garder la voiture étroite et, par conséquent, aérodynamique.
• La troisième rangée de sièges arrière est destinée exclusivement aux enfants. Elle s'escamote dans le plancher, comme dans la Honda Odyssey, lorsqu'elle n'est pas utilisée.
• Le design répond aux besoins des consommateurs désirant des sièges additionnels et un vaste espace de chargement dans un véhicule sportif et amusant à conduire.
• Le véhicule combine les meilleurs éléments d'une familiale, d'une fourgonnette et d'une voiture sport.

Paul Deutschman

JACQUES DUVA

W3-Triposto: la voiture de rêve du prochain millénaire

Une beauté québécoise

Tous ceux qui l'ont vue sont unanimes. La W3-Triposto conçue au Québec par le tandem père-fils Clyde et Hugh Kwok figure parmi les plus belles voitures au monde. Après une gestation de quatre ans, cette magnifique étude de style a vu le jour il y a quelques mois sous les oh! et les ah! d'admiration de spectateurs en extase.

La famille Kwok n'en est pas à sa première réalisation dans le domaine des voitures hors série puisqu'elle fut à l'origine de la Spexter de 1988 qui révéla le talent du designer québécois Paul Deutschman, ainsi que de la 928 Spyder dévoilée en 1993. La nouvelle venue éclipse toutefois ses devancières; c'est rien de moins qu'un petit chef-d'œuvre en matière de design. Encore une fois, c'est la marque Porsche, à laquelle les Kwok vouent une grande admiration, qui a constitué la source d'inspiration de la W3-Triposto. «Il s'agit d'un hommage stylistique à la RSK 1958, une barquette de compétition qui a valu de nombreuses victoires à la marque allemande», d'affirmer le jeune directeur de l'entreprise Wingho Auto Classique Inc.

Pour le cinquantenaire de Porsche

Selon l'angle où on la regarde, la Triposto évoque à la fois l'ancienne Jaguar D Type et l'actuelle Porsche Boxster. La ligne générale est cependant d'une très grande pureté avec un arceau central qui sert aussi de prise d'air pour le moteur.

Le Dr Clyde Kwok, responsable du dessin de la voiture, a voulu contribuer à sa façon à la célébration du 50e anniversaire de Porsche. Il ne faut donc pas s'étonner que la voiture soit munie du châssis et du groupe propulseur de la 911, c'est-à-dire un moteur 6 cylindres à plat doublé d'une boîte de vitesses manuelle à 5 rapports. L'utilisation d'aluminium, de fibre de carbone et de kevlar a permis de réaliser une économie de poids considérable, évaluée à environ 500 kg.

La voiture étant au stade expérimental, je n'ai pas pu exploiter pleinement son potentiel, mais on estime que la W3-Triposto pourra atteindre 276 km/h et boucler le 0-100 km/h en moins de 5 secondes. Compte tenu de son rapport poids/puissance (280 chevaux pour 1000 kg), de tels chiffres sont parfaitement réalistes.

Double vocation

Appelé à définir le rôle exact de la voiture, Hugh Kwok précise qu'il s'agit avant tout d'un véhicule de rêve qu'un acheteur éventuel pourra adapter à la course ou à la promenade, selon l'utilisation qu'il souhaitera en faire. Ce prototype pourrait aussi servir de placard publicitaire pour des produits de haute technologie. Un commandi-

taire sérieux permettrait de parfaire le développement de la voiture en l'inscrivant dans diverses compétitions. Selon ses concepteurs, il serait assez facile d'adapter la carrosserie de la Triposto au châssis d'une Porsche 964 ou même de la récente 996. Plutôt que de faire réparer à un coût exorbitant une voiture accidentée, son propriétaire pourrait éventuellement utiliser le châssis pour se faire construire une Triposto.

Dans sa forme actuelle, la W3 (3e modèle issu de la firme Wingho) comporte déjà plusieurs des caractéristiques d'une voiture de course, voire d'une Formule 1. On trouve notamment un aileron incorporé au design de la partie avant qui peut être réglé par le conducteur à l'aide d'un mécanisme de liaison à 4 barres. Il génère un appui supplémentaire d'environ 450 kg qui contribue à stabiliser le train avant à haute vitesse. La suspension réglée pour la course fait appel à des amortisseurs Bilstein et à des ressorts hélicoïdaux.

Comme sur une monoplace de F1, le pédalier est réglable et le volant amovible. Le tableau de bord, de la même inspiration, affiche une instrumentation entièrement numérique.

Un cockpit à la McLaren

L'une des particularités les plus intéressantes de ce véhicule concept, ce sont ses 3 places avant, comme sur la McLaren F1 de route *(Guide de l'auto 95)* ou l'ancienne Talbot Matra Muréna *(Guide de l'auto 83)*, d'où son nom de «Triposto». Le poste de pilotage central se compose d'un siège moulé encadré par les sièges des passagers, sculptés pour faire partie intégrante de la carrosserie afin d'assurer une meilleure rigidité.

L'impact visuel est aussi assuré par de gigantesques roues de 20 pouces sur lesquelles sont montés des pneus Michelin Pilot 245/40 à l'avant et 275/35 à l'arrière. De petites portes papillon conçues pour être facilement refermées par le conducteur donnent aussi à la W3-Triposto une allure unique.

Après avoir vu et conduit cette voiture concept, il faut bien admettre que si le Québec est un tout petit pion sur l'échiquier mondial de l'automobile, il occupe une place de choix dans l'élaboration de voitures hors série. Les Deutschman, Kwok et cie peuvent en témoigner.

CARACTÉRISTIQUES

Modèle:	W3-Triposto
Carrosserie:	3 places, aluminium et kevlar
Moteur:	6 cylindres à plat, 3,2 litres, 280 chevaux
Transmission:	manuelle 5 rapports
Freins:	à disque, 13 po de diamètre, étrier double 4 pistons
Suspension:	indépendante et réglable
Direction:	à crémaillère
Roues:	Momo Extreme 20 po
Pneus:	Michelin Pilot 245/40ZR20 (avant) et 275/35ZR20 (arrière)
Poids:	1000 kg
Vitesse:	276 km/h (estimée)
Concept et aérodynamique:	Dr Clyde Kwok
Design et stylisme:	Stephen Lee
Carrosserie:	Francis Cardolle
Modification du châssis:	Wolfgang Kater
Systèmes et assemblage:	Hugues Thériault
Mécanique:	Ed Canzi
Travail de métal:	Daniel Lauzon
Usinage:	Sylvano Bozzini
Rembourrage:	Raymond Meloche

Fabricants de rêve

Mais qui sont-ils donc, ces deux singuliers Orientaux qui investissent temps et argent dans la fabrication de voitures de rêve?

On pourrait aisément les qualifier de rêveurs et tourner la page, mais ce serait ignorer la passion et l'engagement d'un homme pour un métier qu'il tente d'inculquer à des jeunes ayant comme lui le souci de la perfection.

Aujourd'hui âgé de 62 ans et retraité, le Dr Kwok est d'abord et avant tout un ingénieur en mécanique venu de Hong Kong en 1957 pour apprendre ce métier à l'université McGill. Son diplôme en poche, il devient par la suite professeur à l'université Concordia où il mènera toute sa carrière. Pour lui, la théorie c'est bien, mais il n'y a rien comme la pratique pour apprendre vraiment le travail

La première réalisation de la famille Kwok, la Spexter. À l'arrière-plan, un design de Paul Deutschman.

d'ingénieur. Il transmet sa passion à de jeunes élèves à qui il propose de construire des voitures imaginatives et futuristes. La première, née au début des années 70, s'appelait «Project Recycle» à une époque où personne ne se souciait vraiment de recyclage. Basé sur une plate-forme de Volkswagen Coccinelle, cet engin étrange fut suivi d'un deuxième projet qui a valu aux étudiants en génie mécanique de l'université Concordia l'attention du monde entier.

Vedette de cinéma

Baptisé «Concordia II», ce concept avec son immense surface vitrée était si spectaculaire (voir photo) qu'il a fait la une de tous les grands magazines en plus de «jouer» le rôle pricipal dans le film américain *Black Moon Rising* mettant en vedette Tommy Lee Jones. Cette voiture unique fait d'ailleurs partie aujourd'hui de la collection d'un musée hollywoodien.

Fanatique des produits Porsche et propriétaire de plusieurs modèles de collection, le Dr Kwok s'est ensuite tourné vers des voitures à caractère sportif qui résumaient bien sa passion pour l'automobile. La première fut la Spexter, née au milieu des années 80 et créée avec la collaboration de Paul Deutschman. Cette création fut une telle réussite qu'elle marqua le coup d'envoi pour le designer québécois, qui a travaillé à maintes reprises pour Bombardier. Il est aujourd'hui à l'emploi de Callaway, la petite firme américaine qui fabrique des voitures grand sport au Québec. Alors que la Spexter était une version moderne des anciennes Porsche Speedster, le modèle suivant, la 928 Spyder, apparu en 1993 *(Guide de l'auto 95)* était précurseur de la Boxster. Trois exemplaires de la 928 Spyder

La Concordia II qui fit une apparition dans le film *Black Moon Rising*.

ont été construits à ce jour, deux en fibre de verre et un en métal. Plusieurs autres pourraient voir le jour sous peu puisqu'une compagnie américaine a acquis les droits de fabrication de la voiture réalisée à partir d'une plate-forme de Porsche 928. La version originale est parfaitement au point et le fils Kwok, Hugh, participe régulièrement à des courses d'endurance au volant de la voiture. Il a même gagné trois épreuves à ce jour, ce qui contribue à promouvoir sa compagnie et l'aide à recruter des commanditaires afin d'alléger le fardeau financier de son père qui a investi plus d'un quart de million de dollars dans la nouvelle Triposto.

Ancien joueur de tennis professionnel, Hugh Kwok est, à l'image de son père, un passionné d'automobiles, de Porsche et surtout, un fabricant de rêves.

La deuxième création de la famille Kwok: la 928 Spyder.

JACQUES DUVAL

La Callaway C12

Une supervoiture doublement québécoise

Claude Huot et Paul Deutschman posent fièrement avec la Callaway C12.

Claude Huot était allé chez Callaway Cars au Connecticut pour s'acheter une C12 cabriolet dessinée par le Montréalais Paul Deutschman. Il en est revenu avec le contrat d'assemblage de toutes les C12, coupé, cabriolet et *speedster* inclus. Cette voiture spectaculaire dévoilée il y a deux ans au Salon de Genève est désormais un doublé québécois.

À deux pas du musée Gilles-Villeneuve, boulevard Gilles-Villeneuve à Berthierville, un petit garage ressemblant à tant d'autres abrite les installations de Claude Huot, un passionné de voitures qui a touché à peu près à tout ce qui s'appelle haute performance. Il a concocté des Corvette très spéciales aussi bien mécaniquement qu'esthétiquement. Quand il a su que la Callaway était construite sur une base de Corvette, il a voulu en acheter une pour ajouter à une collection qui comprend entre autres une Dodge Viper Henessy de 650 chevaux avec laquelle Mario Andretti a roulé à 215 milles à l'heure dans le cadre d'essais réalisés pour le magazine américain *Road and Track*.

Lorsque Reeves Callaway lui a annoncé que le cabriolet était au stade de la préproduction et qu'il n'existait pas vraiment encore, Claude lui a fait part de son expertise dans l'assemblage des voitures. Et de fil en aiguille, Callaway lui a confié le mandat d'assembler le cabriolet et, plus tard, tous les modèles de la gamme C12, qui jusque-là étaient construits en Allemagne.

De Corvette C5 en Callaway C12

Lors de mon passage à l'atelier de Berthierville, trois Callaway C12, deux coupés et un cabriolet, étaient en cours de production. Ils étaient arrivés quelques semaines plus tôt sous la forme de Corvette C5 flambant neuves avec tout leur équipement d'origine.

La première opération consiste à dépouiller ces voitures de série de la majeure partie de leurs panneaux de carrosserie, de leurs jantes et de leurs pneus ainsi que de certains éléments de la présentation intérieure. La question qui nous vient tout de suite à l'esprit est pourquoi General Motors ne livre-t-elle pas des Corvette à demi assemblées plutôt que des voitures complètes qu'il faut charcuter afin de les transformer en C12? Ce serait plus économique, non?

Or, il appert qu'il est beaucoup plus coûteux et complexe de stopper une chaîne de montage pour procéder de cette façon que de mettre au rancart les pièces non nécessaires. C'est comme ça que ça se passe aussi bien pour la Corvette-Callaway que pour la Camaro SS que la firme SLP de Lasalle construit pour GM à partir d'une Z28 normale.

Après avoir pris la forme de la Callaway C12, la voiture quitte l'atelier de Claude Huot pour être acheminée au Connecticut où la mécanique est parfois remplacée, parfois modifiée.

De 345 à 440 chevaux

Le V8 5,7 litres de 345 chevaux voit sa puissance passer à 440 chevaux tandis que le couple passe de 475 Nm à 520 Nm à 5200 tr/min. Le renflement central du capot avant a pour origine la présence d'un immense boîtier d'admission d'air. L'ensemble repose sur un châssis en profilés d'acier dont la suspension à 4 roues indépendantes a été revue afin d'offrir l'équilibre idéal entre confort et tenue de route. Des bras transversaux doubles à

l'avant comme à l'arrière ainsi que des amortisseurs réglables assurent une stabilité maximale à grande vitesse.

Des étriers de frein haute performance à 4 pistons et des disques à ventilation interne dont le diamètre est passé de 325 à 355 cm permettent d'obtenir des décélérations à la hauteur des performances hors du commun de la C12. Et finalement, des pneus Pirelli P Zéro de 19 pouces viennent compléter la fiche technique de cette Callaway C12 née Corvette C5.

Il résulte de toutes ces transformations une voiture à l'allure impressionnante qui ressemble assez peu au modèle dont elle est inspirée. Les performances aussi bien que le comportement routier de la Callaway lui permettent de se frotter aux voitures sport les plus cotées de la planète.

Malgré tout, on n'oublie pas que l'on roule dans une Corvette lorsqu'on est au volant, une Corvette améliorée c'est sûr, mais une Corvette tout de même. C'est ce dont j'ai eu l'occasion de me rendre compte en faisant l'essai de cette voiture pratiquement «made in Québec». Remarquez que ce n'est pas une critique négative puisque la C5 est une voiture qui commande le respect.

Passager Deutschman

Un bref galop d'essai sous la pluie autour de l'usine de Berthierville ne m'avait pas permis d'en apprendre beaucoup sur ce monstre de puissance. Un second essai par beau temps, sur le circuit routier de Sanair, à l'abri des collecteurs de taxes, a été davantage fructueux. J'ai même eu le privilège d'avoir comme passager celui-là même qui a dessiné la C12, le Québécois Paul Deutschman dont c'était, curieusement, la première randonnée dans «sa» voiture.

Je ne m'attarderai pas sur l'aménagement intérieur qui, aux dires de Claude Huot, est constamment sujet à révision. Mentionnons simplement que l'aluminium, le cuir et la fibre de carbone sont utilisés dans la finition afin de créer dans la C12 une ambiance différente de celle de la Corvette. La carrosserie elle-même a deux particularités dignes de mention: la lunette arrière quasi triangulaire ne donne pas une très bonne visibilité tandis que la largeur de la caisse (près de 2 m) rend la voiture difficile à inscrire en virage en conduite sportive. Avec un peu d'habitude toutefois, on arrive à contourner le problème et à tirer profit de la rapidité de la direction.

La Callaway C12 mise à ma disposition était dotée d'une boîte de vitesses manuelle dont les 6 rapports extrêmement longs paraissaient mieux adaptés à une conduite sur les *autobahnen* d'Allemagne que sur les autoroutes nord-américaines. La voiture pouvait frôler les 100 km/h en première et pas moins de 140 en deuxième à 6500 tr/min. Les accélérations s'en trouvaient un peu handicapées par rapport au chrono de 4,8 secondes promis par le constructeur entre 0 et 100 km/h. Par contre, il n'y avait aucune raison de douter de la vitesse maximale annoncée à 310 km/h.

Un comportement européen

Ce qui m'a surtout étonné de la C12, c'est sa grande facilité de conduite. Pas besoin d'être un crack du volant pour profiter des performances offertes. Le levier de vitesses est agréable à manipuler et le moteur livre sa puissance de façon progressive sur toute la plage d'utilisation. À ce chapitre, cette Callaway possède un comportement plus européen que la Corvette, qui réagit toujours avec une certaine brutalité. Les immenses pneus de 19 pouces contribuent dans une large mesure à la tenue de route en virage qui est tout bonnement phénoménale. C'est dans les courbes raides comme l'enfilade gauche-droite du circuit de Sanair que la Callaway C12 est la plus impressionnante. Elle y passe à des vitesses ahurissantes sur un mouvement à peine perceptible du volant. Et que dire du freinage qui n'a jamais perdu de sa troublante efficacité tout au long des nombreux tours de piste réalisés au cours d'un bel avant-midi de juillet 1999? Mon célèbre passager n'a jamais eu le moindrement

CARACTÉRISTIQUES	
Modèle:	Callaway C12
Carrosserie:	coupé 2 places, fibre de verre et kevlar
Prix:	200 000 $
Moteur:	V8 (90 degrés) 5,7 litres, 440 chevaux à 6300 tr/min
Couple:	440 Nm à 5200 tr/min
Transmission:	manuelle 6 rapports
Freins:	à disque ventilé avec étrier 4 pistons
Suspension:	indépendante, leviers triangulaires transversaux et amortisseurs télescopiques à réglage électronique
Direction:	à crémaillère, assistée
Diamètre de braquage:	12,6 mètres
Pneus:	Pirelli P Zéro P295/30ZR19 (avant) et P335/25ZR19 (arrière)
Empattement:	266 cm
Longueur:	485 cm
Poids:	1480 kg
Accélération 0-100 km/h:	4,8 secondes
Vitesse maximale:	310 km/h
Consommation:	14,5 litres/100 km
Concept:	Reeves Callaway
Design et stylisme:	Paul Deutschman
Systèmes et assemblage:	Claude Huot

peur, même si rouler à haute vitesse sur une piste de course est souvent une expérience très traumatisante pour les non-initiés. Il avait sans doute la plus grande confiance dans «sa voiture» et il n'avait pas tort. Son seul point faible aura été un petit détail de finition qui a fait ressortir la mauvaise qualité de la colle servant à retenir les huit lettres de l'emblème Callaway apposé à l'arrière de la voiture. Sous l'effet de l'énorme chaleur causée par le pot d'échappement, l'une des lettres s'est détachée. Claude Huot a bien noté cette lacune qui ne devrait pas se reproduire. Cela montre bien que la construction d'une voiture de qualité n'est pas une sinécure.

Par son freinage et sa tenue de route, la C12 dégage une impression de grande sécurité tout en s'avérant beaucoup plus civilisée que sa rivale naturelle, la Dodge Viper GTS. Que pourrait-on reprocher à cette création américano-québécoise? Son prix de 200 000 $ fait très certainement partie de ce que l'on aime le moins au sujet de cette supervoiture. Même Paul Deutschman ne peut qu'en rêver...

les prototypes

Bentley

L a Bentley Hunaudière est le premier prototype dévoilé par la compagnie depuis qu'elle se trouve sous la tutelle de Audi-Volkswagen. Le message lancé par Ferdinand Piëch est clair. La marque anglaise délaisse les grosses limousines pour retourner à ses origines carrément sportives. Plusieurs reprochent à la Hunaudière de trop ressembler au coupé Volkswagen.

Cette Bentley en habit de course ne se contente pas d'éblouir par sa silhouette. Son rouage d'entraînement est tout aussi exceptionnel. Elle est propulsée par un moteur V16 de 8,0 litres de 600 chevaux relié à une traction intégrale. D'ailleurs, il suffit de lire la plaque minéralogique pour comprendre le message.

Bertone

Le célèbre carrossier turinois utilise les organes mécaniques de la très belle Alfa Romeo 166 pour réaliser la Bella, un coupé aux formes très originales même si plusieurs y voient l'influence de l'Audi TT. Cette belle italienne est propulsée par un moteur Alfa Romeo 6 cylindres de 3,0 litres.

Les concepteurs du coupé Bella ont tenté de régler le problème des modèles 2+2, qui sont souvent peu logeables et inconfortables pour les occupants des places arrière. Un astucieux coussin se replie à la verticale, en parallèle avec le dossier. La visibilité trois quarts arrière n'est pas le point fort de cette voiture.

BMW

L a nouvelle Z8 n'est pas encore commercialisée que la compagnie bavaroise dévoile la Z9. Si la Z8 a joué la carte rétro, ce coupé est définitivement inspiré par l'arrivée du nouveau millénaire. Elle nous prouve que les stylistes de la compagnie peuvent jouer avec élégance la carte futuriste.

L'arrière de la Z9 est très réussi. Les concepteurs ont créé une impression visuelle dynamique tout en respectant les traits de caractère visuels propres à BMW, du moins sur les récents cabriolets et coupés. Ce prototype devrait révolutionner les futures voitures de la marque. D'autant plus qu'il est propulsé par un moteur V8 diesel de 3,9 litres.

BMW

Une autre caractéristique fort inédite de la Z9 est l'utilisation de portes de type aile de mouette qui se transforment aisément en portières conventionnelles. La coque en fibre de carbone est déposée sur un treillis en aluminium.

Comme le veut la tendance du moment, le tableau de bord est très dépouillé. Les commandes sont dissimulées derrière des portes escamotables ou regroupées sur un écran à cristaux luminescents. L'horloge analogique faisant face au passager est une touche de nostalgie dans un environnement carrément futuriste.

Bugatti

Cette Bugatti «Chiron» est la toute dernière-née de cette prestigieuse marque qui fait dorénavant partie de l'empire Volkswagen. Ce coupé ultrasportif peut ressembler au premier coup d'œil à la Bentley Hunaudière, mais un examen plus attentif permet de déceler d'importantes différences, notamment un arrière plus relevé et des passages de roues plus proéminents. Comme il se doit, elle arbore la légendaire couleur bleue de la marque.

Cette Bugatti est propulsée par un moteur central 18 cylindres développant 550 chevaux. Dérivé du moteur de l'EB218, il a été modifié afin d'être installé en position centrale puisque le moteur de l'EB218 était monté à l'avant. La carrosserie est en fibre de carbone.

Buick

La Buick Cielo est une décapotable 4 portes offrant des places arrière confortables ainsi qu'un habitacle aussi sécuritaire que celui d'une berline à toit rigide. Pour faciliter l'accès à bord, ses portes arrière s'ouvrent de l'avant vers l'arrière.

Les rails latéraux permettent d'installer un toit amovible rigide qu'on remise au-dessus du coffre à bagages quand on ne l'utilise pas. Les membrures longitudinales ont pour but de renforcer la structure et de servir d'arceau de protection en cas de capotage. Cette Buick emboîte donc le pas à plusieurs autres prototypes visant une plus grande polyvalence.

Cadillac

La Cadillac Evoq est sans doute l'une des réalisations les plus audacieuses de General Motors depuis fort longtemps. Non seulement la conception d'un roadster par Cadillac surprend, mais c'est un indice assuré du changement de cap de la marque. L'Evoq a été développée à partir du châssis de la future Corvette et il s'agit d'une propulsion comme cette dernière.

En plus de ses lignes taillées au couteau et de son toit rigide amovible complètement automatisé, la Cadillac Evoq compte sur une nouvelle version du moteur Northstar. Ce V8 suralimenté de 4,2 litres est monté en position longitudinale.

Chevrolet

D e tous les prototypes dévoilés récemment par General Motors, le Chevrolet Nomad est sans doute le plus controversé. Ses formes sont inspirées par la mythique voiture de production du même nom, qui a été commercialisée de 1954 à 1955. Ce modèle tente d'associer les qualités d'une berline sportive à celles d'un véhicule utilitaire sport.

Le Chevrolet Nomad a été développé à partir d'une plate-forme de Chevrolet Camaro. Il est propulsé par un moteur V8 de 5,7 litres. Ses portes arrière coulissantes, son toit ouvrant très grand de même qu'une plate-forme de charge permettent à cette Chevy de se démarquer et de soulever la controverse.

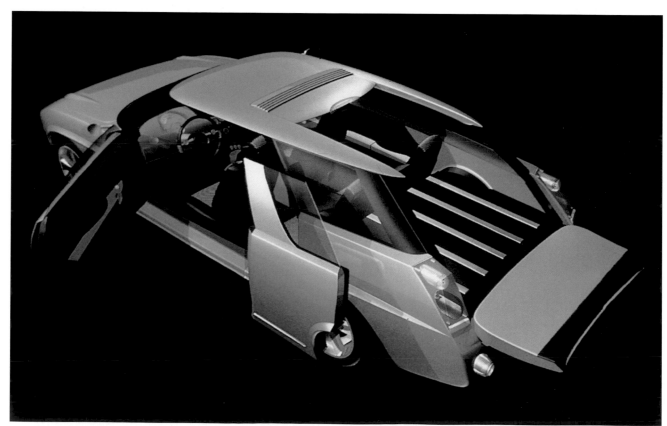

Citroën

La célèbre compagnie française est en train de retrouver son originalité d'autrefois. Ce modèle C3 constitue la version du prochain millénaire de la légendaire 2CV. En plus de sa silhouette fort sympathique, cette Citroën est avantagée par un habitacle modulaire permettant d'en modifier l'agencement selon les besoins du moment.

Malgré ses dimensions plutôt modestes, la Citroën C3 permet à 4 adultes de voyager confortablement. En plus d'être équipée d'un moteur 4 cylindres 1,6 litre de 90 chevaux, la C3 roule sur les nouveaux pneus Michelin Pax à accrochage vertical qui donnent une autonomie de 200 km à une vitesse maximale de 80 km/h lorsqu'il n'y a plus d'air dans les pneus.

Daewoo

Dans la lignée des voitures ludiques qui sont de plus en plus populaires, Daewoo a dévoilé ce roadster deux places lors du dernier Salon de Séoul. La dorénavant traditionnelle calandre de la compagnie est encadrée par un grillage perforé. Des appuie-tête en relief viennent donner un peu de piquant à la silhouette. Sa plate-forme est empruntée à la Nubira.

Dodge

L e Power Wagon porte bien son nom, car il est propulsé par un moteur 6 cylindres en ligne turbodiesel de 7,2 litres développant un couple de 780 lb-pi. En guise de référence, le moteur V10 de 8,0 litres du Dodge Ram produit 450 lb-pi.

On a dessiné la silhouette de ce prototype comme une version modernisée du légendaire Power Wagon 1946. Ce dernier a l'air d'un nain à côté du prototype dévoilé lors du dernier Salon de l'auto de Detroit du millénaire. Comme c'est le cas de tout camion moderne qui se respecte, sa cabine allongée est pourvue de 2 portes arrière.

Le tableau de bord du Power Wagon ne montre pas tellement de similitudes avec celui de la première génération. En 1946, tout était métal sur métal alors que cette édition moderne est en mesure de soutenir la comparaison avec plusieurs berlines bien nées.

Dodge

L e Dodge Charger R/T a été conçu pour les gens qui désirent piloter une voiture inspirée des *muscle cars* d'autrefois sans pour autant se sentir coupables de conduire un véhicule polluant. Son moteur V8 à compresseur est alimenté au gaz naturel compressé. Son rayon d'action est de plus de 500 km.

Les stylistes ont bien réussi la conversion d'une silhouette des années 60 à celle de l'an 2000. Le capot allongé, l'arrière tronqué et la ligne du toit sont autant d'éléments rappelant la Charger. L'intégration des réservoirs de gaz naturel compressé n'a pas brimé l'esprit créatif des responsables du projet.

Ford

L a compagnie Ford s'est montrée assez avare de prototypes cette année. Toutefois, il est indéniable que la Thunderbird a fait courir les foules. Dans l'optique de se rapprocher du modèle original, les stylistes ont réalisé une version modernisée de la T-Bird 1954. Les opinions sont partagées quant au résultat.

Lorsqu'elle sera produite en série au cours de l'année 2000, cette Thunderbird des temps modernes sera élaborée à partir de l'excellent châssis de la Lincoln LS. Pour l'instant, ce prototype tente surtout de renouer avec le passé en faisant appel à tous les indices visuels possibles.

Cette 2 places réussit assez bien à imiter les modèles des années 50. Par contre, son tableau de bord s'avère trop directement inspiré de celui de la Lincoln LS pour être crédible. Et il est certain que la couleur de la caisse n'aide pas à convaincre les sceptiques.

Isuzu

Utilisant la plate forme de son spectaculaire véhicule utilitaire sport VchiCROSS, la compagnie Isuzu a décidé de combiner les caractéristiques d'un roadster avec celles d'un tout-terrain. Le VX-02 est équipé d'un moteur V6 de 3,5 litres d'une puissance de 215 chevaux.

En plus de son toit rigide rétractable, le VX-02 est équipé d'une suspension continuellement variable qui s'adapte automatiquement à la condition de la chaussée. Son rouage 4X4 Torque-On-Demand et son logiciel breveté 3-D permettent d'éliminer pratiquement tout patinage des roues.

Italdesign

Pour célébrer son 30e anniversaire, la compagnie Italdesign met en chantier la Structura, une voiture unique puisque sa structure fait également partie de sa carrosserie. Sous l'impulsion de Giorgetto Giugiaro, les studios ont réalisé une voiture aussi chic que pratique.

Le tableau de bord doit son élégance à une utilisation fort ingénieuse des éléments de structure. Cela produit un contraste accentué par l'agencement des couleurs.

Le fait d'utiliser la structure de la caisse comme élément de carrosserie permet d'intégrer plus facilement deux toits ouvrants. Cette grande surface vitrée assure une excellente luminosité dans l'habitacle.

Jaguar

La Jaguar XK180 est une voiture concept inspirée des grands roadsters Jaguar des années 50 et 60. Elle a été conçue et réalisée sur la base du cabriolet XKR avec un empattement raccourci de 34 cm. Sa carrosserie est en aluminium. Elle est équipée du moteur V8 de 4,0 litres du XKR dont la puissance a été portée à 456 chevaux.

Le tableau de bord ressemble à ceux qui équipaient les légendaires Jaguar XK120 et autres qui ont établi de nombreux records de vitesse dans les années 50. À noter le levier de vitesses de la boîte automatique à 5 rapports, qui a été améliorée pour pouvoir transférer toute cette puissance sans problème aux roues arrière.

Lotus

La Lotus 340R est un modèle encore plus sportif de la Elise. Cette voiture concept aux formes très spectaculaires ne pèse que 500 kg. Animée par un moteur 4 cylindres de 170 chevaux, cette véloce britannique possède un rapport poids/puissance exceptionnel. Elle est capable de boucler le 0-100 km/h en un peu plus de 4 secondes.

Le châssis de la Lotus 340R est fabriqué d'aluminium extrudé. Ses éléments sont collés afin de composer une structure très rigide et très légère. Les pièces de la carrosserie sont fabriquées en fibre de carbone.

Dans la plus pure tradition Lotus, cette version de la Elise est destinée à la compétition même si elle peut également rouler sur les voies publiques. Toujours très légère, elle est propulsée par un moteur 4 cylindres de 1,8 litre provenant de chez Rover. Très rapide avec une accélération de 0-160 km/h en 10,7 secondes, elle assure une tenue de route d'une incroyable efficacité.

Mazda

A vec le «Nextourer», Mazda adopte la même approche que plusieurs autres manufacturiers. Il s'agit d'un véhicule capable d'offrir le même confort qu'une automobile et les qualités de polyvalence d'un véhicule utilitaire sport. Cette Mazda tout usage est même équipée d'un système de réglage actif de la suspension.

Le tableau de bord a été dessiné avec le but avoué de regrouper les commandes dans des éléments multifonctions qui dégagent la présentation visuelle et facilitent le travail du pilote. La nacelle des instruments placée au centre de la planche de bord facilite leur consultation.

Mercedes-Benz

Les deux prototypes de la SLR Vision de Mercedes-Benz ont été inspirés de la légendaire SL300 des années 50. Le coupé a été dévoilé en janvier 1999 à Detroit et le roadster au Salon de Francfort en septembre 99. Les deux sont propulsés par le même moteur V8 de 557 chevaux.

Mercedes-Benz a l'intention de fabriquer les deux versions de la SLR en très petite série. Selon toute éventualité, elles seront fabriquées dans les mêmes ateliers où l'on produisait la spectaculaire McLaren F1.

Mercedes-Benz

Les Mercedes SL de 1954 et SLR de 1955 affichaient un élément spectaculaire: des portes papillons. La Vision SLR est équipée d'une interprétation moderne de ces portières. Elles ne sont plus reliées au toit. Des articulations ingénieuses permettent de les ouvrir vers l'avant avec un angle de 75 degrés. Cette solution qui agrandit l'ouverture facilite la tâche, au conducteur comme au passager, pour entrer et sortir du véhicule.

Le long capot de la Vision abrite un moteur V8 de 5,5 litres d'une puissance de 557 chevaux. Toute cette cavalerie permet d'obtenir des temps d'accélération fort spectaculaires. Selon Mercedes, il ne faut que 4,2 secondes pour atteindre les 100 km/h et 11,2 secondes pour boucler le 0-200 km/h!

Deux ailes accueillent les cadrans indicateurs tandis que la console centrale abrite les commandes de climatisation et le système de navigation. Cette présentation intérieure biscornue ne s'avère pas tellement en harmonie avec la silhouette extérieure.

Nissan

Les stylistes californiens de Nissan ont eu une idée géniale avec la SUT ou Sport Utility Truck. Ce prototype combine les qualités de la camionnette compacte 4 portes au hayon d'un véhicule utilitaire sport. Ce concept est non seulement intéressant par son originalité, mais aussi très pratique.

Le coupé sport Z Concept est un prototype qui a emballé les concessionnaires, à un point tel que la compagnie Nissan devrait le produire en série. Contrairement à la dernière génération de la Z, cette nouvelle venue devrait être de prix abordable.

Pontiac

Les concepteurs de l'Aztek ne peuvent être accusés de manquer d'audace. Cet hybride regroupe les caractéristiques d'une berline sport, d'une fourgonnette et d'un véhicule utilitaire sport. D'ailleurs, GM a proposé cette année plusieurs prototypes tentant d'intégrer les mêmes tendances. Il ne s'agit pas d'une intégrale mais d'une traction.

Comme ceux de toutes les Pontiac, le tableau de bord de l'Aztek affiche une présentation très chargée. Les stylistes alternent entre le titane et le cuir pour créer un contraste provocateur. Les cadrans indicateurs sont inspirés de ceux utilisés sur les motocyclettes.

La partie arrière avec son hayon facilite le chargement et le transport d'objets encombrants. Et malgré son caractère utilitaire, cette Pontiac à tout faire se défend fort honorablement au chapitre des performances. Un poids plutôt modeste et un moteur V6 de 3,4 litres se chargent de donner un tempérament sportif à ce modèle à la silhouette très originale.

Pontiac

La Pontiac GTO a été l'un des modèles qui ont le plus marqué les années 60 et l'une des Pontiac les plus appréciées des collectionneurs. Ce prototype tente de faire revivre cette légende. Mais Jay Bernard, le styliste chargé de recréer la GTO du troisième millénaire, n'était pas encore né lorsque cette Pontiac musclée faisait la loi sur les routes américaines. Il ne semble pas avoir été tellement inspiré pour la création de ce prototype.

Batman risque d'apprécier la partie arrière de la GTO, qui a l'air d'avoir été taillée à la hache. Plusieurs observateurs soulignent que cette Pontiac est sans doute le prototype le plus loufoque à avoir été exhibé au cours des 12 derniers mois. Une chose est certaine, ce projet ne laisse personne indifférent.

Renault

La Vel Satis est la conception des stylistes de Renault de la voiture de luxe de demain. Même si elle est supposée être une auto pour les années futures, ses lignes adoptent curieusement le credo du design «New Edge» mis de l'avant par Ford sur plusieurs de ses modèles actuels. Comme c'est la tendance chez les stylistes, la polyvalence a été privilégiée en adoptant un toit surélevé permettant d'accommoder les passagers arrière ou de transporter des objets encombrants.

SEAT

Cette année encore, SEAT dévoile une autre voiture concept, la Formula. Cette 2 places est destinée à faire ressentir les émotions de la conduite en compétition sur la grand-route. Ce roadster a été dessiné par le Design Center Europe détenu à parts égales par Volkswagen, Audi et SEAT.

Think

Cette élégante petite voiturette électrique a été développée et produite par une compagnie norvégienne associée au groupe Ford. Sa commercialisation a été amorcée en Scandinavie au début de l'automne 99 et Dearborn prévoit l'importer en Amérique afin de procéder à des essais en vue de la distribuer sur notre continent.

Volkswagen

Même si la New Beetle est une inoffensive voiture aux formes attachantes, les amateurs de vitesse de Wolfburg se chargent de la rendre progressivement plus performante. Après la version 1,8T, voici la Rsi. Avec ses ailes élargies de 14 cm, un déflecteur arrière géant, ses larges prises d'air avant, cette New Beetle Rsi est drôlement intimidante. Un modèle Rsi sera éventuellement produit en série.

Cette New Beetle vraiment très spéciale est équipée d'un moteur V6 dont la puissance de plus de 200 chevaux est transmise aux 4 roues par le système 4MOTION doté d'un embrayage Haldex. L'adhérence sur le bitume ne devrait pas être un problème grâce à des pneumatiques de 18 pouces.

Zonda

La Zonda C12 est une voiture de sport fabriquée par la compagnie Pagani, de Modène, en Italie. Cette nouvelle marque italienne est dirigée par Horacio Pagani, qui a travaillé des années pour Lamborghini avant de fonder sa propre entreprise en 1991. Il compte parmi ses clients des noms aussi prestigieux que Aprilia, Dallara, Ferrari et Lamborghini.

La Zonda C12 est une voiture dédiée au légendaire Juan Manuel Fangio, idole du créateur de la voiture. Pour respecter les demandes du champion argentin, cette fougueuse italienne est propulsée par un moteur Mercedes-Benz V12 de 7,0 litres développant 550 chevaux.

les camionnettes

chevrolet silverado • gmc sierra

dodge dakota

dodge ram

ford ranger/mazda série B

ford série f

nissan frontier

toyota tacomatoyota tacoma

chevrolet S-10 • gmc sonoma • isuzu hombre

chevrolet silverado • gmc sierra

dodge dakota

dodge ram

ford série f

ford ranger/mazda série B

nissan frontier

toyota tacoma

toyota tundra

chevrolet s-10 • gmc sonoma • isuzu hombre

chevrolet silverado • gmc sierra

dodge dakota

dodge ram

ford ranger/mazda

ford sér

nissan frontier

toyota tacomatoyota tacoma

chevrolet S-10 • gmc sonoma • isuzu hombre

chevrolet silverado • gmc sierra

dodge dakota

dodge ram

ford série f

ford ranger/mazda série B

nissan frontier

toyota tacoma

toyota tundra

chevrolet s-10 • gmc sonoma • isuzu hombre

chevrolet silverado • gmc sierra

dodge dakota

dodge ram

ford ranger/mazda série B

ford série f

nissan frontier

toyota tacomatoyota tacoma

chevrolet S-10 • gmc sonoma • isuzu hombre

chevrolet silverado • gmc sierra

dodge dakota

dodge ram

ford série f

ford ranger/mazda série B

nissan frontier

chevrolet s-10 • gmc sonoma • isuzu hombre

chevrolet silverado • gmc sierra

dodge dakota

dodge ram

ford ranger/mazda série B

ford série f

nissan frontier

toyota tacomatoyota tacoma

chevrolet S-10 • gmc sonoma • isuzu hombre

chevrolet silverado • gmc sierra

dodge dakota

dodge ram

ford série f

ford ranger/mazda série B

nissan frontier

toyota tacoma

toyota tundra

chevrolet s-10 • gmc sonoma • isuzu hombre

chevrolet silverado • gmc sierra

dodge dakota

dodge ram

ford ranger/mazda série f

nissan frontier

toyota tacomatoyota tacoma

chevrolet S-10 • gmc sonoma • isuzu hombre

chevrolet silverado • gmc sierra

dodge dakota

dodge ram

ford série f

ford ranger/mazda série B

nissan frontier

toyota tacoma

toyota tundra

chevrolet s-10 • gmc sonoma • isuzu hombre

chevrolet silverado • gmc sierra

dodge dakota

dodge ram

ford ranger/mazda série B

ford série f

nissan frontier

toyota tacomatoyota tacoma

chevrolet S-10 • gmc sonoma • isuzu hombre

chevrolet silverado • gmc sierra

dodge dakota

dodge ram

ford série f

ford ranger/mazda série B

Chevrolet S-10 • GMC Sonoma • Isuzu Hombre

Chevrolet S-10

Une catégorie un peu oubliée

Si les camionnettes compactes ont connu la faveur du public dans les années 80 et au début des années 90, elles entament ce millénaire en roue libre. La raison de cette stagnation est bien simple: chez nos voisins du sud, c'est surtout le marché des gros camions qui domine. La majorité des efforts de développement se portent donc vers ces best-sellers. Les modèles compacts jouent presque le rôle de faire-valoir. D'autant plus qu'ils ont atteint une belle maturité dans leur développement et que leurs ventes toujours importantes n'obligent pas les manufacturiers à appuyer sur le bouton de panique.

Cela explique pourquoi ce trio de camionnettes offert par les concessionnaires GM et Isuzu nous revient pratiquement inchangé en 2000. Il y a bien de petites retouches çà et là, de petites améliorations mécaniques, mais c'est plutôt modeste.

Cela ne signifie pas pour autant qu'il faille ignorer ces modèles, bien au contraire. Dans l'ensemble, ils constituent un choix intéressant pour autant qu'on sache choisir les bonnes options en fonction de ses besoins d'utilisation.

Il est certain que si vous achetez un Chevrolet S-10 pour votre entreprise qui se spécialise dans la livraison de petits colis légers au centre-ville, une version plus dépouillée à cabine régulière et propulsée par le moteur 4 cylindres de 2,2 litres de 120 chevaux est un choix intéressant. Si, au contraire, vous voulez acheter ce camion pour vos besoins familiaux, que vous anticipez tracter une remorque ou même effectuer des trajets assez longs, le modèle à cabine allongée équipé du moteur V6 Vortec de 180 chevaux se

révélera mieux adapté. Surtout, ne sautez pas aux conclusions! Je n'ai pas fait d'erreur en mentionnant que ce V6 Vortec développe 180 chevaux. Il ne faut même pas tenter de comprendre pourquoi General Motors s'ingénie à modifier la puissance de ce moteur selon les modèles et leurs variantes. Il faut toutefois souligner que le moteur du modèle 2 roues motrices développe 180 chevaux et que celui du 4X4 en a 10 de plus. Et ce n'est pas tout, sur d'autres modèles, ce V6 Vortec est coté à 200 chevaux. Allez donc découvrir le pourquoi de toutes ces complications!

Une chose est certaine, vous avez l'embarras du choix en ce qui concerne l'équipement et les options. La liste s'allonge presque à l'infini en tenant compte des rapports de pont arrière, des configurations de boîte et de cabine. Parmi toute cette diversité, un choix s'impose. À moins que vous soyez misanthrope ou encore que vous appréciiez voyager dans un espace réduit, la cabine allongée est pratiquement incontournable. D'autant plus qu'elle est pourvue d'une porte arrière gauche qui facilite l'accès aux places arrière et la manutention des colis. Il faut cependant souligner que GM se fait damer le pion à ce chapitre par Ford puisque le Ranger et le Mazda série B sont tous deux équipés de 4 portes, une configuration encore plus intéressante.

Tous ces modèles souffrent toutefois de la même lacune. Qu'ils aient 3 ou 4 portes, ils sont tous handicapés par des sièges arrière conçus exclusivement pour des enfants ou des adultes de très petite taille. Ces strapontins sont tout juste bons pour dépanner sur quelques kilomètres. En fait, les modèles à cabine allongée sont surtout appréciés en raison de la possibilité qu'ils offrent de remiser bagages et colis derrière les places avant.

Chevrolet S-10

Pour

Vaste choix d'options • Moteurs éprouvés • Système 4X4 facile à enclencher • Cabine allongée • Suspension de série confortable

Contre

Conduite dangereuse en hiver (modèle 4X2 avec V6) • Pneumatiques moyens • Strapontins arrière peu confortables • Finition perfectible • Tissus des sièges de série laids

Caractéristiques

Prix du modèle à l'essai:	LS / 23 595 $
Garantie de base:	3 ans / 60 000 km
Type:	camionnette cabine allongée / propulsion
Empattement / Longueur:	312 cm / 523 cm
Largeur / Hauteur / Poids:	172 cm / 159 cm / 1460 kg
Coffre / Réservoir:	492 litres (place arrière dans la cabine) / 72 litres
Coussins de sécurité:	conducteur et passager
Suspension av. / arr.:	indépendante / essieu rigide
Freins av. / arr.:	disque / tambour ABS
Système antipatinage:	non
Direction:	à billes, assistée
Diamètre de braquage:	10,6 mètres
Pneus av. / arr.:	P205/70R15
Valeur de revente:	bonne

Motorisation et performances

Moteur / Transmission:	4L 2,2 litres / manuelle 5 rapports
Puissance / Couple:	120 ch à 5000 tr/min / 140 lb-pi à 3600 tr/min
Autre(s) moteur(s):	V6 4,3 litres 190 ch
Transmission optionnelle:	automatique 4 rapports
Accélération 0-100 km/h:	11,3 secondes; 9,4 secondes
Vitesse maximale:	175 km/h
Freinage 100-0 km/h:	44,6 mètres
Consommation (100 km):	10,3 litres; 12,2 litres

Modèles concurrents

Ford Ranger • Toyota Tacoma • Isuzu Hombre • Mazda série B

Quoi de neuf?

Nouvelle boîte manuelle • Moteur V6 révisé • Nouvelles couleurs

Verdict

Agrément	☺☺☺	Habitabilité ☺☺☺
Confort	☺☺☺	Hiver ☺☺☺
Fiabilité	☺☺☺	Sécurité ☺☺☺

Comme par les années passées, il est possible de choisir parmi 5 types de suspensions. Depuis l'an dernier, le modèle Xtreme offert dans la gamme Chevrolet S-10 s'adresse aux acheteurs désireux de conduire une camionnette ayant une personnalité plus marquée. Il est disponible sur les versions 4X2 et comprend une suspension sport ZQ8, des pneus toutes saisons P235/55R16 et une présentation extérieure spéciale.

Conduite à la carte

Peu importe que vous choisissiez le Chevrolet, le GMC ou l'Isuzu, cette camionnette peut être un véritable supplice à conduire ou vous surprendre par son confort et sa docilité. C'est pourquoi il faut passer bien du temps à étudier le catalogue des options et les choix qui s'offrent à vous. Les sièges du modèle de série sont plus ou moins confortables, la suspension ZR2 sur les 4X4 est très ferme tandis que le 4 cylindres 2,2 litres ne convient pas tellement pour les travaux de remorquage.

La sagesse de l'expérience.

Passer plusieurs heures à rouler au volant d'un modèle dont l'équipement est mal choisi peut constituer un véritable supplice. Au contraire, une cabine allongée, un moteur V6 de 4,3 litres, une présentation intérieure haut de gamme, quelques autres accessoires destinés à vous rendre la vie plus facile, et cette camionnette devient fort agréable à conduire. De plus, choisir une carrosserie Sportside avec ailes arrière en relief améliore l'apparence de la camionnette, du moins aux yeux de certains.

Même s'il est possible de se payer tout le luxe désiré ou presque sur ces camions, il ne faut jamais perdre de vue qu'ils ont été initialement conçus pour être un outil de travail. Leur suspension sera toujours plus ferme que celle d'une automobile tandis que leur rouage d'entraînement 4 roues motrices n'est pas aussi sophistiqué que celui de bien des véhicules utilitaires sport.

Ce trio proposé par GM vaut bien ce qui est offert par la concurrence. À la condition, bien entendu, d'avoir besoin d'un tel véhicule.

Denis Duquet

Chevrolet Silverado • GMC Sierra

Chevrolet Silverado

Une année de retouches

L'an dernier, ce sont des modèles Chevrolet Silverado/ GMC Sierra complètement transformés qui ont fait leurs débuts sur le marché. De l'avis de tous, ces camionnettes constituaient un net progrès. Il est vrai que leur apparence extérieure aurait pu être plus audacieuse, mais leurs qualités intrinsèques leur ont valu bien des éloges. En fait, la seule bourde d'importance de l'équipe de développement a été de ne pas avoir mis au point une cabine allongée 4 portes comme en possèdent déjà les Ford F-150 et Dodge Ram. Cette erreur sera corrigée au début de l'an 2000 alors que ces deux modèles seront finalement commercialisés en version 4 portes. On aurait pu éviter cette attente avec un peu de clairvoyance. Si la concurrence a été en mesure de prévoir cette évolution de la catégorie, il n'y a aucune raison pour que GM se soit fait devancer de la sorte. Enfin, mieux vaut tard que jamais.

Cette lacune est d'autant plus déplorable que la cabine allongée est celle qui offre le plus grand dégagement pour les jambes, à l'avant comme à l'arrière. Les places avant donnent plus d'espace pour la tête. Pour faciliter l'accès à la banquette arrière, les ceintures de sécurité sont intégrées dans les sièges avant. Une approche qui aurait dû être adoptée par Toyota pour sa nouvelle Tundra.

Cette cabine est non seulement spacieuse, mais aussi très confortable. Les sièges avant des versions plus huppées s'avèrent même supérieurs à ceux de plusieurs voitures et l'insonorisation est très poussée. Il faut également accorder de bonnes notes au tableau de bord dont les instruments sont très lisibles et les commandes faciles d'accès.

Plus qu'une cabine confortable

Si ces deux modèles dominent leurs concurrents en raison du confort qu'ils assurent, leurs composantes mécaniques figurent également parmi les meilleures. Leur châssis de type échelle comporte trois éléments distincts. La partie avant est constituée de poutres fermées produites par pression hydraulique, ce qui les rend légères et très résistantes à la torsion. Le centre du châssis doit être le plus robuste pour supporter le poids de la caisse, c'est pourquoi on l'a construit avec des poutres en forme de C. Enfin, des longerons ouverts ont été installés à l'arrière afin de permettre une certaine torsion et de faire en sorte que la suspension assure un plus grand confort. De plus, des renforts transversaux tubulaires assurent une très bonne rigidité. Résultat: un châssis plus léger, dont la fabrication nécessite moins de pièces.

La puissance de presque tous les moteurs a été augmentée cette année. Le V6 de 4,3 litres aura 200 chevaux en 2000. Quant à la famille des V8 Vortec, même si elle était toute nouvelle l'an dernier, le 4,8 litres développe maintenant 15 chevaux de plus, soit 270 au total. Quant au V8 de 5,3 litres, il gagne 15 chevaux pour atteindre un total de 285. Le V8 de 6,0 litres en produit 300 tandis que le V8 6,5 litres turbodiesel permet de compter sur 215 chevaux.

Soulignons au passage que tous les modèles sont équipés de freins à disque aux 4 roues et d'un système ABS. Plusieurs concurrents ne se montrent pas aussi généreux à ce chapitre. Enfin, les

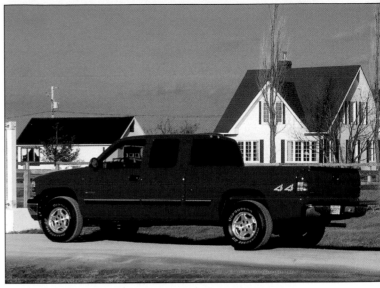

Chevrolet Silverado

Pour

Gamme de moteurs V8 intéressante
Système 4X4 efficace et simple
• Plate-forme très rigide
• Habitacle confortable • Palette
de modèles très diversifiée

Contre

Look extérieur conservateur
• Jet de lave-glace monté sur
balais • Banquette arrière pas de
type 60/40 • Moteur V6 un peu
juste • Arrivée tardive des 4 portes

Caractéristiques

Prix du modèle à l'essai:	LT / 38 995$
Garantie de base:	3 ans / 60 000 km
Type:	camionnette inter. à caisse courte / propulsion
Empattement / Longueur:	364 cm / 578 cm
Largeur / Hauteur / Poids:	199 cm / 187 cm / 1980 kg
Coffre / Réservoir:	n.d. / 98 litres
Coussins de sécurité:	conducteur et passager
Suspension av. / arr.:	indépendante / essieu rigide
Freins av. / arr.:	disque ABS
Système antipatinage:	non
Direction:	à billes, assistée
Diamètre de braquage:	13,8 mètres
Pneus av. / arr.:	P235/75R16
Valeur de revente:	excellente

Motorisation et performances

Moteur / Transmission:	V8 4,8 litres / automatique 4 rapports
Puissance / Couple:	270 ch à 5200 tr/min / 285 lb-pi à 4000 tr/min
Autre(s) moteur(s):	V6 4,3 litres 190 ch; V8 5,3 l 285 ch/6,0 l 300 ch
Transmission optionnelle:	manuelle 5 rapports
Accélération 0-100 km/h:	9,8 secondes
Vitesse maximale:	180 km/h
Freinage 100-0 km/h:	44,2 mètres
Consommation (100 km):	13,4 litres

Modèles concurrents

Ford F150 • Toyota Tundra • GMC Sierra • Dodge Ram

Quoi de neuf?

4e portière sur modèles à cabine allongée • Moteur V8 5,3 litres plus
puissant • Verrouillage programmé sur modèles LT et LS

Verdict

Agrément	⊕ ⊕ ⊕ ◔	
Confort	⊕ ⊕ ⊕ ⊕	
Fiabilité	⊕ ⊕ ⊕ ⊕	
Habitabilité	⊕ ⊕ ⊕ ⊕	
Hiver	⊕ ⊕ ⊕ ⊕	
Sécurité	⊕ ⊕ ⊕ ◔	

modèles 4X4 se démarquent par leur suspension avant à barres de torsion qui m'est apparue plus performante que celle de la version 4X2 à ressorts hélicoïdaux.

Une conduite docile

On a pratiquement l'impression de piloter une grosse berline tant le confort de la suspension et l'insonorisation de la cabine sont dignes de mention. Même sur mauvaise route, la suspension arrière se comporte de façon honnête alors que les sautillements de l'essieu sont bien bridés. Par contre, le silence de la cabine semble supérieur dans la Toyota Tundra.

Grâce aux moteurs performants et au rouage d'entraînement très souple de cette camionnette, il est facile d'oublier que l'on est au volant d'un outil de travail sur roues. Cela se traduit par une conduite assez enthousiaste. Il faut donc jeter un coup d'œil à l'indicateur de vitesse pour ne pas se trouver obligé d'entretenir une discussion amicale avec les policiers...

De mieux en mieux.

Si on pousse trop, le sous-virage de la version 4 roues motrices nous ramène à l'ordre. Une note plus positive, la direction de cette dernière s'avère plus précise que celle du modèle 4X2 bénéficiant pourtant d'une direction à crémaillère et d'une suspension à ressorts. Mais peu importe le modèle choisi et sa configuration mécanique, ces deux camions offrent un agrément de conduite fort relevé.

Il ne faut pas oublier non plus que Chevrolet et GMC n'ont jamais perdu de vue que ces deux camions servent d'outils de travail à des millions de personnes. Il est donc possible de choisir parmi une foule d'options et de configurations afin d'élaborer le modèle qui convient à ses besoins à la perfection ou presque.

Enfin, ce qui est encore plus rassurant, c'est de constater que GM poursuit le raffinement de ses nouveaux modèles avant d'y être obligé par la concurrence. Les temps ont vraiment changé.

Denis Duquet

Dodge Dakota

Dodge Dakota 4X4 Quad Cab

Une autre exclusivité

La compagnie Chrysler a souvent été à l'origine d'innovations fort intéressantes. C'est d'ailleurs sa division de camions Dodge qui a été la première à commercialiser un modèle avec une cabine allongée 4 portes. Plusieurs s'interrogeaient donc sur le fait que le Dakota de format intermédiaire n'était pas équipé de la sorte. Si on a attendu, c'est pour mieux sauter dans la mêlée avec une solution encore plus innovatrice: une camionnette de type multiplace.

Très populaire sur d'autres continents, ce modèle allie les qualités des camions compacts à celles d'un habitacle capable d'accommoder 5 personnes. Cette configuration existait depuis des années dans la catégorie des gros camions, mais leurs dimensions les disqualifiaient pratiquement pour tout usage familial.

Le nouveau Dakota Quad Cab tente avec succès de combiner les mérites et l'encombrement plus réduit d'une camionnette intermédiaire avec la polyvalence d'une cabine 4 portes. Et cette fois, il ne s'agit pas de simples panneaux d'accès donnant sur une banquette arrière exiguë ou sur des strapontins accrochés à la paroi. Trois adultes peuvent prendre place à l'arrière. Et la modularité du dossier 60/40 permet d'accueillir passager et bagages. Une fois entièrement replié, non seulement le dossier permet de transporter beaucoup de bagages, mais il est facile d'y accéder grâce aux 2 portières de dimensions normales. Détail intéressant, elles sont pourvues de glaces mobiles comme sur une voiture.

Si les concepteurs ont réussi à conserver la longueur hors tout de la version à cabine allongée de l'an dernier tout en ajoutant 2 portières de grandeur normale, c'est grâce à une astucieuse redistribution du plateau de chargement qui passe de 244 cm à 199 cm. Ces 45 cm de moins permettent d'ajouter 2 portières tout en conservant la même capacité de charge, soit 658 kg. Selon Dodge, des enquêtes effectuées auprès des utilisateurs de camions ont révélé que 98 p. 100 d'entre eux préféraient la polyvalence d'une cabine 4 portes et un plateau légèrement plus petit.

Les places arrière ne s'avèrent pas aussi spacieuses que celles d'un Durango, l'utilitaire sport dérivé du Dakota, mais c'est quand même beaucoup mieux que les places minuscules offertes sur des camions plus gros équipés de simples panneaux d'accès. Je vous mets au défi de rouler plusieurs heures assis sur la banquette arrière d'un Toyota Tundra. Réaliser le même exercice avec le Dakota semble une partie de plaisir en comparaison.

Le 4,7 litres entre en scène

L'an dernier, le Grand Cherokee étrennait un nouveau moteur V8 de 4,7 litres appelé à remplacer le vétuste 5,2 litres. Il est donc très naturel de l'entendre ronronner sous le capot du Dakota en 2000. Ce V8 de conception moderne comporte un arbre à cames simple pour chaque rangée de cylindres. Sa puissance de 235 chevaux est adéquate. Détail intéressant, il peut être livré avec une boîte manuelle à 5 rapports, tout comme le magnum V6 de 3,9 litres d'une puissance de 175 chevaux. Il faut également ajouter que le V8 de 4,7 litres peut être équipé en option d'une toute nouvelle boîte de vitesses automatique à 4 rapports. Cette

Dodge Dakota

Pour

Moteur V8 de 4,7 litres
• Cabine multiplace attrayante
• Comportement routier équilibré
• Direction à crémaillère plus précise
• Format idéal

Contre

Moteur 5,9 litres gourmand
• Freins ABS perfectibles • Tableau
de bord quelconque • Fiabilité de
la boîte de vitesses à déterminer
• Version de base dépouillée

Caractéristiques

Prix du modèle à l'essai:	Quad Cab SLT / 33 500 $
Garantie de base:	3 ans / 60 000 km
Type:	camionnette intermédiaire / propulsion
Empattement / Longueur:	332 cm / 545 cm
Largeur / Hauteur / Poids:	181 cm / 166 cm / 1785 kg
Coffre / Réservoir:	1317 litres / 83 litres
Coussins de sécurité:	conducteur et passager
Suspension av. / arr.:	indépendante / essieu rigide
Freins av. / arr.:	disque / tambour (ABS option)
Système antipatinage:	non
Direction:	à crémaillère, assistée
Diamètre de braquage:	11,0 mètres
Pneus av. / arr.:	P215/75R15
Valeur de revente:	très bonne

Motorisation et performances

Moteur / Transmission:	V6 3,9 litres / automatique 4 rapports
Puissance / Couple:	175 ch à tr/min / 225 lb-pi à 3200 tr/min
Autre(s) moteur(s):	V8 4,7 litres 235 ch; V8 5,9 litres 250 ch
Transmission optionnelle:	manuelle 5 rapports
Accélération 0-100 km/h:	9,6 secondes; 8,4 secondes (V8 4,7 litres)
Vitesse maximale:	175 km/h
Freinage 100-0 km/h:	45,7 mètres
Consommation (100 km):	12,8 litres; 14,3 litres

Modèles concurrents

Toyota Tundra • Nissan Frontier 4 portes • Ford F-150 Crew Cab

Quoi de neuf?

Version 4 portes • Moteur V8 4,7 litres • Boîte manuelle révisée
• Nouveaux sièges

Verdict

Agrément	⊕⊕⊕⊕	Habitabilité	⊕⊕⊕⊕
Confort	⊕⊕⊕⊕	Hiver	⊕⊕⊕⊕
Fiabilité	⊕⊕⊕	Sécurité	⊕⊕⊕

boîte a été développée de concert avec le V8 de 4,7 litres de sorte que les deux sont parfaitement adaptés l'un à l'autre. Cette transmission adaptative règle les passages des rapports en fonction du style de conduite du pilote.

Il est toujours possible de choisir en option le gros V8 de 5,9 litres, dont les 245 chevaux assurent des performances relevées. Cependant, c'est un incroyable glouton en carburant. Et il ne peut être commandé avec la boîte automatique du 4,7 litres, mais seulement avec celle qui était offerte en 1999.

Un compromis fort intéressant

Peu importe le modèle choisi, le Dodge Dakota est une camionnette susceptible de répondre aux besoins de bien des gens. Les compactes se révèlent souvent trop petites pour être utiles tandis que les camions de la catégorie du Ram sont encombrants, plus chers et très assoiffés. Le Dakota est donc la solution du juste milieu. Le modèle à cabine simple animé par le moteur V6 constitue un choix économique qui pourrait répondre aux besoins d'un bricoleur ou d'un entrepreneur. Le Quad Cab avec sa cabine spacieuse et confortable peut pratiquement être transformé en camionnette utilitaire sport avec son moteur V8 de 4,7 litres couplé à la traction intégrale. Il faut également ajouter que le comportement routier des 4 roues motrices est moins élémentaire en raison d'une nouvelle suspension indépendante légère à l'essieu avant et d'une direction à crémaillère.

Un dicton affirme qu'entre deux maux, on choisit le moindre. Ce Dodge en est l'exemple type. Plus spacieux qu'un compact, il est presque aussi costaud qu'un gros camion sans en posséder les inconvénients. Et le modèle à cabine multiplace à traction intégrale peut devenir la solution toute trouvée pour la personne qui hésite entre un utilitaire sport et une camionnette. Dernier détail, il ne faut pas oublier de mentionner que l'agrément de conduite est passablement bon pour un camion.

Denis Duquet

La vraie solution du juste milieu.

Dodge Ram

Dodge Ram

Toujours costaud, encore plus raffiné

Depuis son lancement en 1993, le Dodge Ram n'a pas cessé d'impressionner les acheteurs et même de surprendre les responsables de la division. Alors qu'on espérait à tout le moins réussir à gagner quelques points sur les meneurs de la catégorie qu'étaient Ford et Chevrolet, le Ram a permis à Dodge de devenir le troisième intervenant majeur dans le marché des grosses camionnettes. Il est vrai que sa silhouette inspirée des poids lourds a attiré une clientèle assez nombreuse. Toutefois, ce n'est pas uniquement avec de la frime qu'on intéresse les vrais acheteurs de camions. Il faut des qualités pratiques, des moteurs adéquats, une cabine confortable et certains points d'exclusivité qui font craquer l'acheteur. Si le Ram continue à connaître du succès, c'est qu'il possède tous ces éléments à un degré divers.

En sus de sa présentation extérieure qui continue de faire l'unanimité, ce camion avait l'avantage d'être le seul à posséder une cabine aussi spacieuse. Aussi bien en largeur qu'en longueur, l'habitacle était le champion de sa classe. La concurrence a repris une bonne partie du terrain perdu, les Chevrolet Silverado/GMC Sierra en particulier. Cependant, le Ram à cabine allongée a été le premier à proposer une version à 4 portières, une initiative qui a été largement imitée par la suite. Malgré tout, l'habitacle du Ram est toujours apprécié pour son habitabilité, le confort qu'il offre ainsi que la disposition très pratique des commandes du tableau de bord. Les stylistes ont résisté à la tentation d'adopter une présentation trop calquée sur celle des voitures. On a préféré une sobriété qui sied à tout véhicule appelé à être utilisé pour le travail.

Ce qui ne signifie pas qu'il faille négliger le luxe et le confort. D'ailleurs, le modèle SLT Plus réservé au Quad Cab comprend des sièges chauffants à commande électrique, une sellerie en cuir, une console montée sur le pavillon, un lecteur de disques compacts à rendement élevé avec télécommande sur le volant, des serrures à commande électrique, un système antivol et des freins ABS. On parle vraiment de joindre l'utile à l'agréable.

Si Dodge tente avec le SLT Plus de répondre aux attentes des personnes voulant davantage de luxe, la compagnie se préoccupe également des gens désireux d'acheter un camion 4X4 plus performant que la moyenne. Ce qui explique l'arrivée en 2000 du groupe d'équipement privilégié Off-Road. Pour donner à son propriétaire la possibilité de s'enfoncer sans arrière-pensée dans la forêt, ce modèle comprend une suspension surélevée qui augmente la garde au sol. De plus, une suspension révisée et des pneus spéciaux LT275/70R17 montés sur des roues en alliage améliorent son comportement hors route. La direction a été revue afin qu'on puisse tourner plus rapidement dans les endroits serrés tandis qu'un différentiel à glissement limité vient relever le degré de traction. Comme dans tout bon véhicule 4X4 qui se respecte, des crochets de remorquage, des plaques de protection, des phares antibrouillards et plusieurs éléments pour service dur font partie de ce groupe d'équipement. Précisons que le groupe Off-Road peut être commandé sur le modèle à cabine régulière ou sur le Quad Cab. Malgré tout, le Ram se fait souvent coiffer dans les essais comparatifs hors route par les Ford F-150 et Chevrolet Silverado. Sur chaussée raboteuse ou dans le sable, le Ram a tendance à faire du saute-mouton.

Dodge Ram

Pour

Choix de moteurs • Version Quad Cab • Cabine confortable
• Agréable à conduire
• Silhouette toujours élégante

Contre

Moteurs V8 5,9 l et V10 gourmands
• Modèle 4X4 sautille sur mauvaise route • Dossier arrière trop droit
• Ventilation moyenne
• Pneumatiques moyens

Caractéristiques

Prix du modèle à l'essai:	SLT Plus / 38 595 $
Garantie de base:	3 ans / 60 000 km
Type:	cabine allongée / propulsion
Empattement / Longueur:	394 cm / 620 cm
Largeur / Hauteur / Poids:	201 cm / 182 cm / 2172 kg
Coffre / Réservoir:	1982 litres / 132 litres
Coussins de sécurité:	conducteur et passager
Suspension av. / arr.:	indépendante / essieu rigide
Freins av. / arr.:	disque / tambour ABS
Système antipatinage:	non
Direction:	à billes, assistée
Diamètre de braquage:	13,7 mètres
Pneus av. / arr.:	P245/75R16
Valeur de revente:	bonne

Motorisation et performances

Moteur / Transmission:	V8 5,2 litres / automatique 4 rapports
Puissance / Couple:	230 ch à 4400 tr/min / 300 lb-pi à 1230 tr/min
Autre(s) moteur(s):	V6 3,9 litres; V8 5,9 litres; V10 8,0 litres; 6L 5,9 l
Transmission optionnelle:	manuelle 5 rapports; manuelle 6 rapports
Accélération 0-100 km/h:	10,8 secondes; 10,1 secondes (5,9 litres)
Vitesse maximale:	175 km/h
Freinage 100-0 km/h:	45,8 mètres
Consommation (100 km):	13,6 litres

Modèles concurrents

Ford F-150 • Chevrolet Silverado/GMC Sierra • Toyota Tundra

Quoi de neuf?

Nouveau système de freinage • Nouvelle suspension avant • Direction moins démultipliée

Verdict

Agrément	⊕ ⊕ ⊕ ◖	Habitabilité ⊕ ⊕ ⊕ ⊕
Confort	⊕ ⊕ ⊕ ◖	Hiver ⊕ ⊕ ◖ ◖
Fiabilité	⊕ ⊕ ⊕ ◖	Sécurité ⊕ ⊕ ⊕ ◖

Tout ou presque

Comme pour toutes les camionnettes de cette catégorie, il est possible de choisir parmi un très grand nombre de moteurs, de transmissions et d'accessoires de toutes sortes afin d'adapter le Ram à ses besoins. Cinq moteurs sont au programme. Trois d'entre eux sont désignés comme étant des modèles Magnum par les gourous de la mise en marché chez Dodge. On veut que ça sonne plus costaud aux oreilles des clients. Pourtant, le V6 de 3,1 litres n'est pas tellement efficace. Ses 175 chevaux seraient mieux adaptés à un camion plus petit. Sur un gros gabarit comme le Ram, la puissance est un peu juste. Le V8 de 5,2 litres est plus apprécié grâce à ses 230 chevaux et à une consommation en carburant beaucoup plus raisonnable que celle du V8 de 5,9 litres qui est un ivrogne invétéré. Il faut vraiment avoir des besoins particuliers nécessitant une puissance de 300 chevaux pour qu'il soit nécessaire d'opter pour le V10 de 8,0 litres. Vous ne serez nullement surpris si je vous confirme que la consommation est en harmonie avec la cylindrée. D'ailleurs, pour les gros travaux, c'est le 6 cylindres en ligne turbodiesel de 5,9 litres avec son couple extraordinaire qui est le choix des connaisseurs.

Toujours dans le coup.

En fait, ce gros camion est toujours en demande en raison du confort qu'il assure, d'un choix de moteurs très élaboré et d'un cahier d'options très étoffé. Chez Dodge, on n'attend pas que la demande se manifeste: on crée souvent la demande. Le modèle Quad Cab fournit un bel exemple de cette réalité. D'ailleurs, sa popularité initiale a été telle que plusieurs concurrents se sont vus dans l'obligation d'emboîter le pas.

Avec plusieurs années de raffinements, cette camionnette a maintenant atteint une belle maturité tant par son équilibre général que par sa fiabilité en progrès. Et puisque que les sondages effectués par la firme J.D. Powers and Associates ont désigné le Ram comme la camionnette la plus attrayante sur le marché parmi les gros formats, il est certain que les décideurs de Dodge sont à l'écoute du public et en mesure de combler ses attentes.

Denis Duquet

Ford Ranger • Mazda série B

Ford Ranger

L'esprit de famille

La compagnie Ford détient une forte emprise sur le marché nord-américain des camionnettes. Non seulement le Ranger est le roi de la catégorie, mais il se retrouve dans les salles de montre des concessionnaires Mazda sous les traits de la série B. La compagnie japonaise, associée à Ford depuis longtemps, a trouvé plus pratique d'offrir l'une des meilleures camionnettes de la catégorie plutôt que de dépenser des centaines de millions de dollars pour produire un véhicule moins compétitif. Donc, à quelques exceptions près, les caractéristiques de l'un sont celles de l'autre.

Comme chez tout best-seller qui se respecte, les changements réalisés d'année en année sont plus évolutifs que spectaculaires. En fait, les améliorations en profondeur effectuées en 1998 étaient les premières à survenir depuis des années. À ce moment, la plate-forme a été modifiée afin d'en améliorer la rigidité et l'empattement a été augmenté de 7,5 cm. Ces dimensions plus généreuses ont permis d'allonger la cabine d'autant. Malgré ces modifications, le modèle à cabine régulière ne peut recevoir que deux occupants sans bagage.

Si vous prévoyez utiliser le Ranger pour vos déplacements personnels et ceux des membres de votre famille, il est impératif d'opter pour la cabine allongée. Ses 2 portes arrière facilitent grandement l'accès à l'espace derrière les sièges avant. Il ne faut cependant pas se leurrer quant à l'utilité des deux strapontins boulonnés sur la paroi arrière. Ils ne conviennent qu'à des enfants et il faut exécuter de nombreuses contorsions pour y prendre place.

Mieux vaut utiliser cet espace pour ses bagages et les strapontins en cas d'urgence seulement. Il est intéressant de souligner que la version XL ne possède pas de strapontins en 2000, ce qui est loin d'être un désavantage puisqu'on économise sur le prix d'achat tout en profitant d'un espace de rangement moins encombré.

Le tableau de bord du Ranger n'a jamais été reconnu pour son élégance. À défaut d'avoir du panache, il est de consultation facile, bien assemblé, et la plupart des commandes y sont bien disposées. Comme sur les gros camions de la série F, il est possible de désactiver le coussin de sécurité du côté du passager au moyen de la clé.

Le nerf de la guerre

La compagnie Ford a toujours porté un intérêt tout particulier au secteur des camionnettes. Il n'est d'ailleurs pas surprenant que de nombreux spécialistes décrivent Ford comme une «compagnie de trucks». Cette orientation est perceptible en ce qui concerne les moteurs, le nerf de la guerre chez les camionnettes. Un moteur mal adapté, pas assez robuste, incapable de remplir son boulot, et c'est la désaffection de la clientèle. Le 4 cylindres de 2,5 litres développe un modeste 119 chevaux. Par contre, avec un couple de 146 lb-pi, il est en mesure d'accomplir plusieurs sales besognes sans rechigner. Car même si les camionnettes sont de plus en plus utilisées comme véhicule de tourisme, il ne faut jamais perdre de vue qu'elles demeurent avant tout des outils de travail. Un couple élevé est la caractéristique des deux autres moteurs disponibles sur le Ranger. Ces deux V6 d'une cylindrée de 3,0 litres et 4,0 litres respectivement ont fait la preuve de leur robustesse et de leur fiabilité

Ford Ranger

Pour

Fiabilité éprouvée • Options innombrables • Moteurs bien adaptés • Bonne valeur de revente • Finition soignée

Contre

Moteurs V6 gourmands • Dérobade du train arrière sur mauvaise route • Cabine régulière plutôt exiguë • Strapontins peu confortables (cabine allongée)

Caractéristiques

Prix du modèle à l'essai:	20 895 $
Garantie de base:	3 ans / 60 000 km
Type:	camionnette compacte / propulsion
Empattement / Longueur:	283 cm / 476 cm
Largeur / Hauteur / Poids:	176 cm / 165 cm / 1485 kg
Coffre / Réservoir:	1056 litres / 62 litres
Coussins de sécurité:	conducteur et passager
Suspension av. / arr.:	indépendante / essieu rigide
Freins av. / arr.:	disque / tambour ABS
Système antipatinage:	non
Direction:	à crémaillère, assistée
Diamètre de braquage:	12,4 mètres
Pneus av. / arr.:	P225/70R15
Valeur de revente:	bonne

Motorisation et performances

Moteur / Transmission:	4L 2,5 litres / manuelle 5 rapports
Puissance / Couple:	119 ch à 5000 tr/min / 146 lb-pi à 300 ?? tr/min
Autre(s) moteur(s):	V6 3,0 litres 143 ch; V6 4,0 litres 160 ch
Transmission optionnelle:	automatique 4 rapports, automatique 5 rapports
Accélération 0-100 km/h:	12,9 secondes
Vitesse maximale:	160 km/h
Freinage 100-0 km/h:	43,8 mètres
Consommation (100 km):	9,8 litres

Modèles concurrents

Mazda Série B • Chevrolet S-10 • GMC Sonoma • Toyota Tacoma • Nissan Frontier

Quoi de neuf?

Suspension 4X4 optionnelle sur 4X2 • Nouvelles roues 16 pouces • Phares antibrouillards sur XLT 4X4

Verdict

Agrément	⊕ ⊕ ⊕	Habitabilité
Confort	⊕ ⊕ ⊕	Hiver
Fiabilité	⊕ ⊕ ⊕	Sécurité

au fil des années. Ils sont également plus gourmands que la moyenne, tout particulièrement le 4,0 litres.

Parmi les nouveautés offertes sur le Ranger cette année, il est intéressant de souligner qu'il est maintenant possible de commander un modèle 4X2 doté de la suspension avant à barres de torsion du modèle 4X4. Selon Ford, plusieurs clients ont manifesté le désir d'acheter un Ranger ayant l'apparence du 4 roues motrices tout en se contentant de la propulsion aux roues arrière. En plus de raisons d'ordre esthétique, plusieurs conducteurs apprécient le comportement du train avant avec ses barres de torsion. Toujours au chapitre des innovations pour 2000, on retrouve une foule de détails d'agencement et d'équipement. Par exemple, il est maintenant possible de commander des roues en aluminium de 16 pouces sur le modèle 4X4.

La politique des petits pas.

L'esprit d'indépendance

Chez Mazda, on réfute les allégations que les camionnettes de la série B ne sont que des vulgaires clones du Ranger vivant sous un nom de plume. Et ils sont en partie raison. Il est vrai que la mécanique, les moteurs et les caractéristiques techniques de ces camions Mazda sont identiques aux Ranger. Ils sont même assemblés dans la même usine. Détail intéressant, chez Mazda, on souligne que leurs camionnettes sont fabriquées à l'usine Ford où la qualité d'assemblage est la meilleure. Et s'il faut se baser sur les modèles que nous avons conduits, la qualité d'assemblage n'était pas vilaine.

Les camions Mazda se démarquent des Ford par leur cabine dont la silhouette est différente, leur calandre et la grille de calandre. De plus, les responsables de l'agencement des couleurs et des tissus de l'habitacle semblent avoir plus de goûts. Et signe évident que les camions visent une clientèle plus relevée, la compagnie abandonne le moteur 4 cylindres. D'ailleurs, plusieurs considèrent que ça fait plus branché de dire qu'on roule en Mazda, vous savez la compagnie des moteurs rotatifs...

Denis Duquet

Ford série F

Ford F-150

Il défend son titre

Le marché des camionnettes n'est pas aussi important au Canada qu'aux États-Unis, mais il représente quand même tout près de 200 000 véhicules chaque année dans la seule catégorie des modèles réguliers. La lutte est féroce, c'est le moins qu'on puisse dire. Aux États-Unis, c'est le Ford F-150 qui domine depuis des lunes tandis que le duo Chevrolet Silverado/GMC Sierra se trouve au deuxième rang devant le Dodge Ram qui a beaucoup progressé depuis quelques années. Et il ne faut pas oublier de mentionner que Toyota vient d'entrer dans la danse avec le nouveau Tundra.

En fait, la lutte est tellement corsée que les compagnies doivent apporter des améliorations constantes à leurs modèles. L'an dernier, Ford a effectué de multiples modifications à sa camionnette F-150 afin de se défendre contre l'arrivée des nouveaux camions Chevrolet Silverado/GMC Sierra. Et ce, deux années à peine après l'entrée en scène de cette nouvelle génération.

Et on a mis le paquet. Une quatrième portière sans frais sur les versions SuperCab, une nouvelle grille de calandre, des pare-chocs revus, voilà autant de changements destinés à rendre cette camionnette plus compétitive. On en a également profité pour élargir la banquette avant, modifier la position des tirettes de portes et utiliser un matériau à l'épreuve des éraflures pour les garnitures de portière.

Ford a toujours été fière de ses moteurs de camions plus puissants que ceux de la concurrence et également reconnus pour leur robustesse. Le groupe propulseur le plus populaire est sans aucun doute le V8 de 5,4 litres Triton dont la puissance de 260 chevaux et le couple de 345 lb-pi ne sont sûrement pas à dédaigner. Le couple maximal atteint à un régime très bas permet d'affronter les gros travaux. Bref, il est considéré comme un choix très intéressant. En fait, depuis son introduction sur le marché en 1997, ce V8 a toujours été considéré par la revue spécialisée *Ward Auto World's* comme étant l'un des 10 meilleurs sur le marché. Contrairement aux moteurs offerts par GM et Chrysler, le Triton possède un arbre à cames en tête pour chaque rangée de cylindres.

Grand choix de moteurs

L'agrément de conduite n'est pas à dédaigner non plus. La tenue de route est prévisible, l'habitacle bien insonorisé et confortable et le moteur V8 de 5,4 litres très souple. Il faut souligner aussi que la présence d'une quatrième portière ne trouble pas cette sérénité. Voilà pour le modèle le mieux équilibré de la famille F-150. Une autre option intéressante est d'équiper ce camion du V8 de 4,6 litres d'une puissance de 220 chevaux couplé à une boîte manuelle à 5 rapports. Cette boîte au levier de vitesses à la course courte et précise se révèle plus agréable à utiliser que la moyenne. Enfin, si vous prévoyez réserver votre F-150 à des travaux légers, le V6 de 4,2 litres n'est pas dépourvu de qualités avec ses 205 chevaux et sa consommation plus parcimonieuse.

Si Ford a accompli du bon travail dans la mise au point du F-150 «régulier», on peut mettre en doute la rationalité des efforts consacrés au développement du Ligthning, une version à habitacle régulier et caisse courte animée par un moteur V8 suralimenté de 5,4 litres d'une puissance de 360 chevaux. La suspension abaissée et d'impressionnants pneus P295/45ZR18 se chargent de tirer profit de toute cette puissance.

Ford F-150

Pour

Version 4 portes • Choix de moteurs • Boîte manuelle (V6 4,2 litres et V8 4,6 litres) • Tenue de route prévisible • Freins progressifs

Contre

Consommation toujours importante • Tableau de bord terne • Ceintures de sécurité avant encombrantes • Gabarit très généreux

Caractéristiques

Prix du modèle à l'essai:	SuperCab / 34 560 $
Garantie de base:	3 ans / 60 000 km
Type:	camionnette régulière / propulsion
Empattement / Longueur:	351 cm / 574 cm
Largeur / Hauteur / Poids:	198 cm / 185 cm / 1900 kg
Coffre / Réservoir:	n.d. / 95 litres
Coussins de sécurité:	conducteur et passager
Suspension av. / arr.:	indépendante / essieu rigide
Freins av. / arr.:	disque ABS (sur certains modèles)
Système antipatinage:	non
Direction:	à billes, assistée
Diamètre de braquage:	12,3 mètres
Pneus av. / arr.:	P235/70R16
Valeur de revente:	excellente

Motorisation et performances

Moteur / Transmission:	V6 4,2 litres / manuelle 5 rapports
Puissance / Couple:	205 ch à 4950 tr/min / 255 lb-pi à 3700 tr/min
Autre(s) moteur(s):	V8 4,6 litres 220 ch; V8 5,4 litres 260 ch
Transmission optionnelle:	automatique 4 rapports
Accélération 0-100 km/h:	9,7 secondes; 8,6 secondes (5,4 litres)
Vitesse maximale:	175 km/h
Freinage 100-0 km/h:	43,5 mètres
Consommation (100 km):	14,3 litres; 16,9 litres

Modèles concurrents

Chevrolet Silverado • Dodge Ram • Toyota Tundra

Quoi de neuf?

Modèle Harley Davidson • Version SVT Lightning • Modèle SuperCrew 4 portes

Verdict

Agrément	⊕ ⊕ ⊕ (	Habitabilité	⊕ ⊕ ⊕ ⊕
Confort	⊕ ⊕ ⊕ ⊕ (	Hiver	⊕ ⊕ ⊕ (
Fiabilité	⊕ ⊕ ⊕ (	Sécurité	⊕ ⊕ ⊕ (

Bien que très sportive, cette camionnette ne répond à aucun besoin réel. De plus, son habitacle régulier n'offre pratiquement aucun espace de rangement tandis que sa suspension est calibrée en fonction de la tenue de route et pas du tout pour le travail. Son prix de vente la rend encore plus inutile. Il est plus sage de se concocter une camionnette confortable au tempérament sportif par le biais du catalogue des options. Vous allez gagner en agrément ce que vous allez perdre en performances en ignorant le Ligthning.

Les vrais costauds

La catégorie des camions plus robustes que les F-150 connaît une progression tout aussi intéressante que celle des modèles à vocation plus récréative. Pour répondre à une demande fortement à la hausse, Ford a dévoilé l'an dernier une nouvelle version de son camion Super Duty. Les ingénieurs ne se sont pas contentés d'équiper le F-150 de ressorts plus fermes et de moteurs plus puissants. Ils ont développé un châssis dérivé à la fois du nouveau F-150 et de la génération antérieure des Super Duty. Il en résulte un camion offrant une cabine plus large, plus longue et plus confortable.

Quand le succès parle.

Pour tracter des charges normales, on recommande le moteur V8 de 5,4 litres et de 235 chevaux tandis qu'un V10 de 6,8 litres et 275 chevaux et un V8 turbodiesel 7,3 litres de 235 chevaux sont affectés aux travaux plus éreintants. Il est possible de commander une boîte manuelle à 5 rapports sur les modèles avec moteur à essence et une à 6 rapports avec le diesel. Mais à moins d'avoir des besoins bien précis à combler, il est préférable de choisir la boîte automatique à 4 rapports.

Compte tenu de leur encombrement, ces camions ne sont pas à l'aise dans la circulation urbaine et dans les stationnements congestionnés. En revanche, sur les autoroutes et dans les régions moins densément peuplées, il est facile de les apprécier. Mais il ne faut pas se leurrer. Il s'agit d'outils de travail et mieux vaut se limiter aux modèles F-150 à moins d'avoir des besoins de remorquage très élevés.

Denis Duquet

143

Nissan Frontier

Nissan Frontier

De mieux en mieux!

Dans le passé, Nissan a toujours obtenu du succès dans la conception de véhicules à vocation plus spécialisée. Cette compagnie a d'ailleurs joué un rôle de premier plan dans le développement des camionnettes compactes en Amérique du Nord. C'est ainsi que le Datsun 520 lancé en 1965 a permis à cette catégorie d'obtenir ses lettres de noblesse. Puis, 12 ans plus tard, on a dévoilé la première camionnette compacte à cabine allongée, le légendaire «King Cab». Aujourd'hui, ces modèles sont les plus en demande dans toutes les marques.

À cause de ces antécédents, il serait normal que Nissan domine outrageusement ce secteur du marché. Pourtant, il n'en est rien. Plusieurs raisons peuvent expliquer cette situation. La plus évidente serait que Nissan a manqué de diligence pour renouveler son modèle Costaud, à bout de souffle après une carrière de plus d'une décennie. Et comme si ce n'était pas assez, le Frontier dévoilé en 1998 n'était disponible à ses débuts qu'avec le moteur 4 cylindres 2,4 litres de 143 chevaux alors que tous les concurrents offraient au moins un et parfois deux moteurs V6!

Il a fallu attendre plusieurs mois avant qu'un V6 soit disponible. Arrivé à la fin de 1998, ce V6 de 3,3 litres a été spécialement conçu pour être utilisé dans une camionnette et dans d'autres véhicules utilitaires. Ses 170 chevaux sont plus modestes que les moteurs de plusieurs concurrents, mais son couple de 200 lb-pi est obtenu à un régime relativement bas. À l'usage, ce V6 s'est distingué par sa souplesse et sa capacité au travail. Comme c'est le cas de la plu-

part des moteurs conçus et fabriqués par Nissan, son niveau sonore est supérieur à la moyenne, mais il est difficile de mettre en doute sa fiabilité et sa durabilité.

On a oublié une décennie!

La silhouette extérieure du Frontier, sobre et correcte, sans plus, est en harmonie avec la vocation utilitaire de ce véhicule. La présentation de la cabine est cependant loin de faire l'unanimité. Alors que plusieurs stylistes tentent de rapprocher l'allure intérieure des camionnettes de celle d'une automobile, ceux de Nissan ont décidé d'effectuer un retour en arrière. Le tableau de bord avec son module rectangulaire et ses cadrans indicateurs nous ramène aux années 70. Il faut décrier le levier d'engagement du frein d'urgence, une tirette fort mal située à la droite de la colonne de direction, une disposition très populaire dans les camionnettes japonaises il y a plusieurs années.

Parmi les points positifs, la qualité des matériaux et de la finition de la cabine sont à souligner. De bonnes notes également pour les sièges individuels confortables. Les places arrière sont moins impressionnantes. Comme sur toutes les autres camionnettes du genre, il s'agit de deux strapontins boulonnés sur les parois latérales de la cabine et réservés à des enfants ou à de minuscules adultes.

Notre camion d'essai était équipé d'une boîte manuelle à 5 rapports et d'un rouage d'entraînement 4 roues motrices à temps partiel. Un levier placé sur le plancher permet de passer en mode 4X2 ou 4X4. Contrairement à plusieurs modèles similaires, le levier de la boîte de transfert est précis et facile à utiliser. Cela dit,

Nissan Frontier

Pour
Version 4 portes • Mécanique robuste • Comportement routier sain • Finition soignée • Prix abordable

Contre
Tirette du frein d'urgence • Tableau de bord triste • Strapontins arrière peu confortables • Moteur 4 cylindres un peu juste • Pneumatiques moyens

Caractéristiques

Prix du modèle à l'essai:	SE V6 cabine allongée / 28 995 $
Garantie de base:	3 ans / 60 000 km
Type:	camionnette compacte / 4 portes / propulsion
Empattement / Longueur:	295 cm / 498 cm
Largeur / Hauteur / Poids:	182 cm / 167 cm / 1799 kg
Coffre / Réservoir:	n.d. / 73 litres
Coussins de sécurité:	conducteur et passager
Suspension av. / arr.:	indépendante / essieu rigide
Freins av. / arr.:	disque ABS / tambour ABS
Système antipatinage:	non
Direction:	à billes, assistée
Diamètre de braquage:	11,8 mètres
Pneus av. / arr.:	P265/70R15
Valeur de revente:	bonne

Motorisation et performances

Moteur / Transmission:	V6 3,3 litres / manuelle 5 rapports
Puissance / Couple:	170 ch à 4800 tr/min / 200 lb-pi à 2800 tr/min
Autre(s) moteur(s):	4L 2,4 litres 143 ch
Transmission optionnelle:	automatique 4 rapports
Accélération 0-100 km/h:	11,2 secondes (V6 4X4); 12,8 secondes (4L)
Vitesse maximale:	165 km/h
Freinage 100-0 km/h:	41,3 mètres
Consommation (100 km):	13,8 litres; 11,6 litres (4L)

Modèles concurrents
Mazda série B • Ford Ranger • Chevrolet S-10/GMC Sonoma/Isuzu Hombre • Toyota Tacoma

Quoi de neuf?
Modèle 4 portes multiplace • Édition Desert Runner

Verdict

Agrément	⊕⊕⊕⊕	Habitabilité ⊕⊕⊕
Confort	⊕⊕⊕⊕	Hiver ⊕⊕
Fiabilité	⊕⊕⊕⊕⊕	Sécurité ⊕⊕⊕⊕

le Frontier gagnerait à être équipé d'une commande électrique d'engagement du système 4X4. En la plaçant au tableau de bord, on la rendrait plus pratique tout en dégageant une partie du plancher.

Une autre innovation

Dans le cadre du Salon de l'auto de Chicago 1998, Nissan a dévoilé une version du Frontier dotée de 4 portes régulières. Il s'agissait du premier camion compact à cabine multiplace à être offert en Amérique. Peu après, Nissan a annoncé son intention de le commercialiser. Il aura fallu patienter tout près de deux ans pour assister à son entrée sur le marché.

Ce camion 4 portes utilise le châssis du 4X4, ce qui signifie que les versions 2 et 4 roues motrices bénéficient de la même garde au sol et d'un châssis très robuste. Seul le moteur V6 de 3,3 litres est disponible et c'est bien ainsi. En effet, le 4 cylindres, tout brillant soit-il, risque d'être pris de court avec 5 passagers dans la cabine et une charge assez lourde dans la boîte. Sur la route, cette version se débrouille de façon très honnête en tenant compte qu'il s'agit d'un 4X4 doté d'une suspension plus ferme et de pneus plus larges. Le levier de vitesses de la boîte manuelle possède un bon guidage tandis que le comportement d'ensemble est sain et prévisible. Le moteur V6 fait sentir sa présence par des accélérations plus musclées et des reprises plus énergiques.

Un produit bien réalisé.

Les places arrière de cette version 4 portes s'avèrent plus généreuses que celles du modèle à cabine allongée, mais pas aussi confortables que celles de l'Xterra, le nouveau tout-terrain de Nissan qui fait également ses débuts cette année.

À défaut de nous épater par du clinquant, le Frontier sous toutes ses variantes est un véhicule sobre, robuste et bien conçu. De plus, il affiche une mécanique fiable et sans problème. Reste à savoir si la compagnie sera en mesure de convaincre le public des qualités de sa camionnette, dont la mise au point a été dictée par la raison plutôt que par l'émotion.

Denis Duquet

Toyota Tacoma

Marketing, quand tu nous tiens!

En théorie, les camionnettes sont supposées être des outils de travail capables de s'astreindre aux travaux les plus éreintants sans coup férir. En pratique, elles sont de plus en plus soumises aux modes et aux tendances du marché. Les concepteurs sont donc condamnés à dessiner des silhouettes accrocheuses, à concevoir des habitacles confortables et truffés de gadgets tout en s'assurant que l'image projetée répond aux attentes des acheteurs.

Comme tout manufacturier de pointe qui se respecte, Toyota se doit de suivre ces tendances pour ne pas être laissée pour compte dans le marché ultracompétitif des camionnettes compactes aux États-Unis. Au Canada et au Québec, cette catégorie a beaucoup moins d'importance, mais elle ne doit pas être négligée non plus.

Cette année, la tendance est aux modèles 4X2 affichant les allures d'un 4X4, la toute dernière nouveauté. Vous allez me dire que cette mode ne repose sur aucune logique. C'est vrai, mais c'est ce que les gens veulent. Et ce que la clientèle veut, on l'exécute dans les officines des grands manufacturiers. D'ailleurs, Ford, Nissan et Toyota offrent tous des modèles 2 roues motrices affublés de la suspension du modèle 4X4. Une garde au sol plus élevée et certains détails de présentation les distinguent des autres versions.

Chez Toyota, c'est le Tacoma 4X2 Prerunner qui a pour mission de défendre les couleurs de la marque dans cet exercice de style. Il est offert avec le moteur 4 cylindres de 2,7 litres développant 150 chevaux ou encore le V6 3,4 litres de 190 chevaux. Ce modèle ne peut être commandé qu'avec la boîte automatique à 4 rapports et ce, peu importe le moteur Thoisi. Il faut également ajouter que le Prerunner n'est offert qu'en une seule livrée, soit le modèle Xtracab à cabine allongée. Autre détail, il est possible de commander le différentiel autobloquant lorsqu'on a opté pour le moteur V6.

L'incongruité est poussée à l'extrême lorsqu'on réalise que le modèle équipé du 4 cylindres est pourvu de la suspension Soft Ride et que celui propulsé par le moteur V6 obtient la même que le 4X4. Sauf que le Prerunner n'est offert qu'en 2 roues motrices. Marketing, quand tu nous tiens!

Ces incohérences ne doivent pas faire oublier les éléments positifs de ce camion. C'est le seul qui nous permet d'obtenir le moteur de 2,7 litres sur un modèle 2 roues motrices. Des jantes spéciales en alliage et un équipement relativement complet sont autant d'éléments à ne pas dédaigner. Sur la route, le 4 cylindres livre la marchandise tandis que le V6 de 3,4 litres se révèle tout aussi fiable que doux. Son rendement est exemplaire. Il est tout de même déplorable qu'il faille endurer la suspension de type hors route pour pouvoir profiter du V6 sur la version Prerunner.

Retour à la normale

Si Toyota consent d'indéniables concessions à la mise en marché, la famille Tacoma comprend toujours des éléments moins ésotériques. C'est ainsi que le modèle régulier 4X2 avec moteur 4 cylindres de 2,4 litres est toujours au catalogue. Un choix assez triste puisque ce moteur relativement bruyant n'est pas tellement en verve. Comme c'est le seul offert sur l'Extracab 4X2, mieux vaut se tourner vers le Prerunner qui, malgré son caractère abracadabrant, permet de rouler dans un camion 2 roues motrices propulsé par un moteur 4 cylindres plus puissant ou par l'increvable V6.

Toyota Tacoma

Pour

Choix de moteurs • Finition impeccable • Présentation extérieure plus dynamique • Fiabilité garantie • Sièges confortables

Contre

Suspension 4X4 sèche • Moteur 2,4 litres à revoir • Version Prerunner intrigante • Places arrière symboliques • Direction floue

Caractéristiques

Prix du modèle à l'essai:	4X2 / 22 500 $
Garantie de base:	3 ans / 60 000 km
Type:	camionnette compacte / cabine régulière
Empattement / Longueur:	262 cm / 454 cm
Largeur / Hauteur / Poids:	169 cm / 157 cm / 1925 kg
Coffre / Réservoir:	n.d. / 57 litres
Coussins de sécurité:	conducteur et passager
Suspension av. / arr.:	indépendante / essieu rigide
Freins av. / arr.:	disque / tambour
Système antipatinage:	non
Direction:	à crémaillère, assistée
Diamètre de braquage:	n.d.
Pneus av. / arr.:	P195/75R14
Valeur de revente:	Très bonne

Motorisation et performances

Moteur / Transmission:	4L 2,4 litres / manuelle 5 rapports
Puissance / Couple:	142 ch à 5000 tr/min / 160 lb-pi à 4000 tr/min
Autre(s) moteur(s):	4L 2,7 litres 150 ch; V6 3,4 litres 190 ch
Transmission optionnelle:	automatique 4 rapports
Accélération 0-100 km/h:	12,6 secondes; 10,7 secondes (V6)
Vitesse maximale:	165 km/h
Freinage 100-0 km/h:	45,6 mètres
Consommation (100 km):	10,3 litres; 13,9 litres

Modèles concurrents

Ford Ranger • Mazda Série B • Nissan Frontier • Chevrolet S-10

Quoi de neuf?

Aucun changement mécanique majeur • Version Prerunner

Verdict

Agrément	⊕ ⊕ ◖	Habitabilité	⊕ ⊕ ⊕
Confort	⊕ ⊕ ◖	Hiver	⊕ ⊕ ⊕
Fiabilité	⊕ ⊕ ⊕ ⊕ ⊕	Sécurité	⊕ ⊕ ⊕ ◖

Faute de quoi, il faut opter pour les modèles 4X4 qui ne connaissent aucun changement cette année. Plus précisément, ils bénéficient de nouvelles moquettes sur tous les modèles et d'un système audio avec lecteur de disques compacts incorporé. En passant, je trouve ironique qu'un outil de travail comme le Tacoma soit équipé d'office d'un lecteur de disques compacts tandis que l'acheteur d'une Mercedes de la classe S doit piger une fois de plus dans son porte-monnaie pour en obtenir un.

Comme c'est le cas de la presque totalité des produits Toyota, la qualité de fabrication et d'assemblage du Tacoma se révèle impeccable. En fait, la peinture de cette camionnette est supérieure à celle de bien des berlines et pas des moindres. Une finition sans faille et une fabrication très sérieuse complètent le portrait. Il ne faut pas oublier que les moteurs sont aussi robustes que fiables et que même les camionnettes sont à la hauteur de la réputation de la marque en ce qui concerne la fiabilité de ses produits.

Un brin de folie en 2000!

À l'écoute du marché

En fait, le Tacoma est beaucoup plus durable qu'agréable à conduire. La suspension du modèle 4X4 est sèche et le camion a tendance à sautiller sur les mauvais revêtements. En contrepartie, l'insonorisation est supérieure à la moyenne et les sièges baquets confortables. Quant aux places arrière de la version Xtracab, il s'agit de petits coussins rabattus presque sur le plancher et ils ne peuvent être utilisés que sur une très courte distance, faute de quoi les occupants des places arrière vont se retrouver sérieusement ankylosés.

Somme toute, le Tacoma est un produit bien réalisé à défaut de se révéler excitant. Quant à la nouvelle version Prerunner, elle peut sembler inutile à première vue, mais elle permet de combiner certains éléments impossibles à regrouper auparavant. Ce qui démontre que Toyota ne reste pas insensible aux demandes du marché.

Denis Duquet

Toyota Tundra

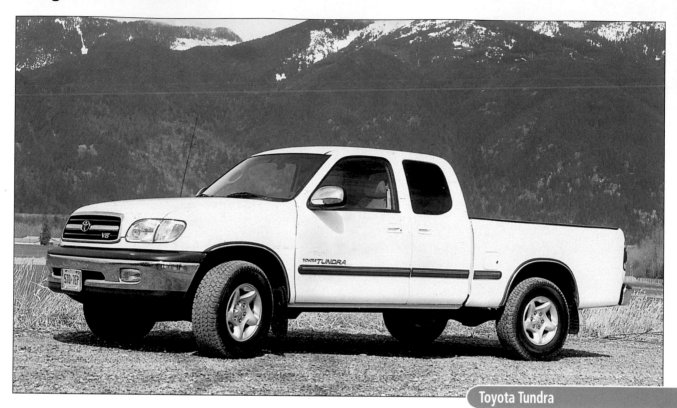

La «Lexus» des camionnettes

Même les dirigeants de Toyota ne font pas dans la dentelle lorsque vient le temps de décrire la camionnette T100. Elle avait beau être sophistiquée, elle manquait de puissance et un moteur V8 s'imposait pour être en mesure d'affronter les gros calibres de Dodge, de Ford et de General Motors. La direction du géant nippon a donc confié à Toru Tanaka, l'ingénieur en chef du futur Tundra, le mandat de concocter un camion capable d'offrir des performances supérieures à celles de la concurrence. Mieux encore, ce nouveau Toyota devait se démarquer par une capacité de remorquage très élevée, un habitacle raffiné et une douceur de roulement sans égale.

Pour répondre à la première demande, Toru Tanaka a convaincu ses supérieurs d'utiliser le V8 du Land Cruiser, un modèle non commercialisé au Canada, et du Lexus LX470. Non seulement ce V8 de 4,7 litres est le seul de la catégorie ayant deux arbres à cames en tête, mais ses 245 chevaux assurent des performances très élevées. Selon des tests effectués par la compagnie d'évaluation comparative AMCI, le Tundra devance de plus d'une seconde le Chevrolet Silverado à moteur V8 de 4,8 litres et fait mordre la poussière aux Ford F-150 et Dodge Ram. Toujours selon ces mêmes sources, le Toyota remporte le match comparatif côté freinage. Pourtant, contrairement aux Ford F-150 et Chevrolet Silverado/GMC Sierra, le Tundra doit se contenter de freins à tambour à l'arrière alors que les Ford et Chevrolet/GMC sont munis de disques aux 4 roues en équipement de série.

Raffiné de partout

Comme il fallait s'y attendre, donner à un ingénieur de Toyota le mandat de mettre au point la meilleure camionnette de la catégorie ne pouvait se traduire que par une avalanche de raffinements techniques. Le châssis est le seul de sa catégorie à utiliser une poutre à lèvre repliée, dotée en plus d'une partie avant refermée pour plus de rigidité. Soulignons au passage que c'est présentement à General Motors, avec son châssis à rigidité variable et ses pièces avant hydroformées, que revient la palme de la sophistication. Toujours selon Toyota, cela n'empêche pas le Tundra de devancer tous ses concurrents en ce qui concerne la rigidité en torsion et en flexion.

En plus du V8 de 4,7 litres, un moteur V6 de 3,4 litres de 190 chevaux est également au programme. Toutefois, les responsables de la mise en marché prévoient que le modèle le plus en demande sera la version à cabine allongée pourvue d'un moteur V8 relié à un rouage 4X4. Qu'il s'agisse d'un 4X2 ou d'un 4X4, la suspension avant est à leviers triangulés alors que l'essieu arrière rigide garde le contact avec le sol grâce à des ressorts elliptiques. Les 4X4 engagent la traction aux 4 roues par l'intermédiaire d'un bouton-poussoir monté sur le tableau de bord.

Comme sur toutes les Toyota, la finition s'avère impeccable et les matériaux de première qualité. Le tableau de bord est toutefois de présentation plutôt modeste malgré une bonne disposition des commandes. Les buveurs de café sont plus choyés que les fumeurs grâce à un porte-verres facile d'accès tandis que le «réceptacle pour les cendres» se révèle petit et peu pratique. Si les sièges avant sont confortables et pourvus d'un bon support latéral, les places arrière sont inconfortables. L'espace ne fait pas défaut, mais l'angle du dossier

Toyota Tundra

Pour

Moteur impressionnant • Douceur de roulement sans égale • Finition impeccable • Accélérations nerveuses • Tenue de route raffinée

Contre

Places arrière médiocres • Tableau de bord terne • Silhouette anonyme • Habitacle étroit • Freins arrière à tambour

Caractéristiques

Prix du modèle à l'essai:	Access Cab 4X4 / 38 260 $
Garantie de base:	3 ans / 60 000 km
Type:	camionnette intermédiaire / propulsion
Empattement / Longueur:	326 cm / 552 cm
Largeur / Hauteur / Poids:	191 cm / 182 cm / 2495 kg
Coffre / Réservoir:	n.d. / 101 litres
Coussins de sécurité:	conducteur et passager
Suspension av. / arr.:	indépendante / essieu rigide
Freins av. / arr.:	disque ABS / tambour ABS
Système antipatinage:	non
Direction:	à crémaillère, assistance variable
Diamètre de braquage:	13,5 mètres
Pneus av. / arr.:	P245/70R16
Valeur de revente:	nouveau modèle

Motorisation et performances

Moteur / Transmission:	V6 3,4 litres / manuelle 5 rapports (V6 seulement)
Puissance / Couple:	190 ch à 4800 tr/min / 220 lb-pi à 3600 tr/min
Autre(s) moteur(s):	V8 4,7 litres 245 ch
Transmission optionnelle:	automatique 4 rapports
Accélération 0-100 km/h:	10,9 secondes; 8,3 secondes (V8)
Vitesse maximale:	165 km/h
Freinage 100-0 km/h:	40,3 mètres
Consommation (100 km):	11,9 litres; 12,6 litres (V8)

Modèles concurrents

Ford F-150 • Dodge Ram • Dodge Dakota • Chevrolet Silverado/GMC Sierra

Quoi de neuf?

Nouveau modèle

Verdict

Agrément	⊕ ⊕ ⊕ ⊖	Habitabilité	⊕ ⊕ ⊕ ⊖
Confort	⊕ ⊕ ⊕ ⊕	Hiver	⊕ ⊕ ⊕
Fiabilité	Nouveau modèle	Sécurité	⊕ ⊕ ⊕ ⊕

très aigu rend toute randonnée pénible. Cette banquette qui peut être relevée donne accès à des espaces de rangement. Le dossier est également muni de points d'ancrage pour les sièges de bébé.

Une douceur remarquable

La première chose qui impressionne lorsqu'on roule est le silence du moteur et l'insonorisation de la cabine. Les passages des rapports sont à peine perceptibles. Ajoutez une direction à pignon et crémaillère d'une précision supérieure à la moyenne et vous pilotez une camionnette qui se prête avec élégance à de longues randonnées, du moins pour les occupants des places avant puisque la banquette arrière est déconseillée. Ses capacités de remorquage et de charge lui permettront d'abattre des tâches plus éreintantes.

Malgré toutes ces qualités, le Tundra nous laisse sur notre appétit. Cette camionnette fait pratiquement tout ce qu'une automobile fait, mais ne fait pas nécessairement tout ce qu'un camion devrait faire. Il lui manque également ce côté macho et industriel qui semble attirer tant de gens. Les stylistes ont voulu lui donner une silhouette moins intimidante que celle des autres camions sur le marché. Résultat: le Tundra manque carrément de caractère. Encore une fois, un produit Toyota excellent sur le plan de la conception et de l'exécution ne suscite aucune passion. Et curieusement, il semble que pour réussir dans ce marché, il faut éveiller les émotions des gens, du moins ceux qui considèrent cette catégorie de véhicules comme un moyen de transport alternatif et pas nécessairement comme un outil de travail.

Malgré ces quelques lacunes, le simple fait que le Tundra soit assemblé dans une usine américaine permet de le rendre plus compétitif au chapitre des prix. Et la capacité de production étant plus généreuse, il sera possible de répondre plus facilement à la demande. À la condition bien entendu que les commandes pour cette nouvelle venue soient à la hauteur des attentes.

Toyota n'a pas à s'en faire au début, car les inconditionnels de la marque sont suffisamment nombreux pour que toute la production des premiers mois et même de la première année soit écoulée facilement. Il faudra par la suite trouver les arguments capables de convaincre ceux qui reluquent du côté des grosses américaines.

Denis Duquet

Le champion de la douceur.

149

aston martin DB7

bmw M5

ferrari 360 modena

ferrari 456 GT

ferrari 550 maranello

lamborghini diablo

mercedes benz cl

mercedes-benz sl

porsche 911 turbo

4 sportives d'exception

acura nsx

aston martin DB7

bmw M5

ferrari 360 modena

ferrari 456 GT

ferrari 550 maranello

lamborghini diablo

mercedes-benz cl

mercedes-benz sl

porsche 911 turbo

4 sportives d'exception

acura nsx

aston martin DB7

bmw M5

ferrari 360 modena

ferrari 456 GT

ferrari 550 maranello

lamborghini diablo

mercedes-benz cl

mercedes-benz sl

porsche 911 turbo

4 sportives d'exception

acura nsx

aston martin DB7

bmw M5

ferrari 360 modena

ferrari 456 GT

ferrari 550 maranello

lamborghini diablo

mercedes-benz cl

mercedes-benz sl

porsche 911 turbo

4 sportives d'exception

acura nsx

aston martin DB7

bmw M5

ferrari 360 modena

ferrari 456 GT

mercedes-benz cl

mercedes-benz sl

porsche 911 turbo

4 sportives d'exception

acura nsx

aston martin DB7

bmw M5

ferrari 360 modena

ferrari 456 GT

ferrari 550 maranello

lamborghini diablo

mercedes-benz cl

mercedes-benz sl

porsche 911 turbo

4 sportives d'exception

acura nsx

aston martin DB7

bmw M5

ferrari 360 modena

ferrari 456 GT

ferrari 550 maranello

lamborghini diablo

mercedes-benz cl

mercedes-benz sl

porsche 911 turbo

4 sportives d'exception

acura nsx

aston martin DB7

bmw M5

ferrari 360 modena

ferrari 456 GT

ferrari 550 maranello

lamborghini diablo

mercedes-benz cl

mercedes-benz sl

porsche 911 turbo

4 sportives d'exception

acura nsx

aston martin DB7

bmw M5

ferrari 360 modena

ferrari 456 GT

ferrari 550 maranello

lamborghini diablo

mercedes-benz cl

mercedes-benz sl

porsche 911 turbo

4 sportives d'exception

les grandes sportives

Acura NSX

Acura NSX

La Ferrari de M. Kawamoto, une rétrospective

Dix ans déjà que la NSX a explosé sur la scène mondiale. Une explosion suivie des éloges de la presse spécialisée et de l'émerveillement des amateurs de belles mécaniques. Explosion accompagnée aussi des espoirs de Nobuhiko Kawamoto, responsable de la recherche et du développement chez Honda et ancien mécanicien dans l'équipe de Jack Brabham en Formule 2 dans les années 60. Devenu PDG en 1990, Kawamoto était d'avis que Honda, à la suite des 50 victoires signées par ses moteurs de Formule 1, avait atteint l'âge de la maturité. Il était donc temps de l'affirmer par le lancement d'une voiture d'exception.

L'élaboration de cette voiture exceptionnelle a nécessité plus de six ans. Honda a placé tout son savoir au service de la réussite technique de l'opération. Présentée sous forme de prototype au Salon de Chicago en 1989, la NSX nous est arrivée au courant de l'été 1990. Honda avait fait ses devoirs et les milliers d'heures de mise au point sur une multitude de circuits, notamment au Nurburgring, en Allemagne, doublés de la collaboration de spécialistes de la trempe d'Ayrton Senna, ont permis aux ingénieurs nippons de concevoir ce que certains estiment encore être la «meilleure voiture sport au monde».

L'aluminium à l'honneur

En 10 ans, seulement 10 000 exemplaires sont sortis de l'usine exclusivement dédiée à la NSX et située à Sayama, tout près du centre d'essai de Tochigi. Si la NSX n'a pas atteint ses objectifs commerciaux, il ne faut surtout pas penser que sa conception en soit la cause. En effet, il suffit d'examiner la fiche technique de la seule supervoiture d'origine japonaise pour se rendre compte de la noblesse des solutions adoptées par Honda. À commencer par la caisse, la première monocoque de grande série entièrement en aluminium; puis le moteur, le premier engin de grande série doté de bielles en titane et le premier à adopter la distribution variable pour la commande des soupapes (le système VTEC) et l'accélérateur sans câble.

Moteur central

Ce superbe V6 en alliage léger de 3,2 litres développe 290 chevaux, soit une puissance unitaire supérieure à celle de la Porsche 911. Placé au centre du châssis, comme sur la récente Porsche Boxster, ce moteur à 4 arbres à cames en tête et 24 soupapes autorise des performances qui placent la NSX dans la catégorie des Ferrari F355, tandis que la «docilité» et la souplesse du V6 en conduite urbaine permettent de manier la NSX comme s'il s'agissait d'une modeste Honda Civic. Et comme si cela ne suffisait pas, Acura propose (ô sacrilège!) une boîte semi-automatique avec palettes de commande au volant. Les fervents de l'automatique doivent cependant se contenter d'une version moins musclée du moteur, soit un 3,0 litres de 252 chevaux.

Carrosserie alu

Noblesse aussi des suspensions à double triangulation à la manière d'une monoplace, dont les éléments sont construits en alliage d'aluminium pour réduire le poids non suspendu et procurer à la NSX l'agilité du lièvre. Le tout enrobé d'une belle carrosse-

Acura NSX

Pour

Raffinement technique et noblesse des matériaux • Tenue de route remarquable • Excellente qualité d'assemblage • Grande facilité de conduite • Belle sonorité du moteur

Contre

Sobriété des lignes et de l'habitacle
• Manque d'espaces de rangement
• Moteur peu accessible
• Diffusion limitée

Caractéristiques

Prix du modèle à l'essai:	140 000 $
Garantie de base:	3 ans / 60 000 km
Type:	coupé 2 places moteur central / propulsion
Empattement / Longueur:	253 cm / 442,5 cm
Largeur / Hauteur / Poids:	181 cm / 117 cm / 1485 kg
Coffre / Réservoir:	141 litres / 70 litres
Coussins de sécurité:	conducteur et passager
Suspension av. / arr.:	indépendante
Freins av. / arr.:	disque ABS
Système antipatinage:	oui
Direction:	à crémaillère à assistance électrique variable
Diamètre de braquage:	11,6 mètres
Pneus av. / arr.:	P215/45ZR16 / P245/40ZR17
Valeur de revente:	passable

Motorisation et performances

Moteur / Transmission:	V6 3,2 litres / manuelle 6 rapports
Puissance / Couple:	290 ch à 7100 tr/min / 224 lb-pi à 5500 tr/min
Autre(s) moteur(s):	V6 3 litres 252 ch (avec boîte automatique)
Transmission optionnelle:	automatique 4 rapports
Accélération 0-100 km/h:	5,1 secondes
Vitesse maximale:	275 km/h
Freinage 100-0 km/h:	n.d.
Consommation (100 km):	13,2 litres

Modèles concurrents

Chevrolet Corvette • Porsche 911 • Dodge Viper

Quoi de neuf?

Aucun changement majeur

Verdict

Agrément	Habitabilité
Confort	Hiver
Fiabilité	Sécurité

rie en aluminium dont l'habitacle est inspiré par la forme du cockpit du chasseur F-16. Certes moins sensuelle que certaines rivales italiennes, la ligne en coin de la NSX, qui se distingue par sa sobriété et son équilibre, fait tout de même encore tourner les têtes, 10 ans après son lancement. Les amateurs de plein air apprécieront la version NSX-T (Targa) à toit amovible qui permet de se taper un coup de soleil sans affaiblir la rigidité de la caisse.

Qualités, mais défauts aussi

Exécution particulièrement soignée, grande facilité de conduite, consommation raisonnable, comportement routier irréprochable, performances de très haut niveau, moteur ayant la sonorité d'un pursang, boîte 6 rapports parfaitement étagée, freinage endurant, direction ultraprécise, habitacle convivial, telles sont certaines des qualités de la «Ferrari de M. Kawamoto». Mais qui dit qualités dit aussi défauts et on reproche à la NSX son prix élevé, son habitacle trop sobre, le manque de *sex-appeal* de sa carrosserie et le fait que, malgré son exceptionnel palmarès sportif, Honda (et à plus forte raison Acura) n'a pas encore le panache de Porsche ou de Ferrari lorsque vient le temps d'épater la galerie. Car n'est-il pas vrai que l'achat d'une supervoiture est plus souvent lié au statut que fait rejaillir la marque sur l'acheteur qu'aux qualités intrinsèques de la voiture?

Pour stimuler les ventes, Acura est allé jusqu'à offrir l'an dernier une version Alex Zanardi, ce qui n'a rien changé à l'indifférence de la clientèle. Qui sait si nous n'aurons pas droit à une édition Jacques Villeneuve l'an prochain?

Quoi qu'il en soit, si la NSX n'a pas fait la fortune de Honda (on dit même que Honda perd de l'argent sur chaque NSX vendue), elle marque sans doute une date importante dans l'histoire de l'automobile nippone et mérite certainement plus de respect qu'on ne lui en accorde. D'ailleurs, il y a fort à parier que la NSX entrera (si ce n'est déjà fait) dans le club sélect des voitures de collection.

Alain Raymond

L'oubliée.

Aston Martin DB7 • DB7 Vantage • Volante

Aston Martin DB7 Vantage Volante

Deux V6 Ford = V12 Aston Martin

Elle n'a pas de régulateur de vitesse ni d'emplacement pour un téléphone cellulaire, son coffre ne peut recevoir plus d'un sac de golf et pourtant elle coûte 230 000 $. Cette voiture, si peu pratique aux yeux d'un loustic qui avait été attiré par sa grande beauté lors de notre séance de photos, est l'Aston Martin DB7 Vantage Volante dont le premier modèle V12 est arrivé il y a peu de temps chez l'unique concessionnaire de la marque au Québec, Moteurs Décarie.

Ce qu'ignorait sans doute ce badaud, c'est qu'une telle voiture n'est pas faite pour la petite balade dominicale, ni pour faire de l'esbroufe au *country club*. De tout temps, les Aston Martin ont été en quelque sorte les Ferrari britanniques, c'est-à-dire des engins superperformants construits pour nourrir la passion des amateurs de grandes sportives. Née de la plume du styliste anglais Ian Callum, la DB7 est considérée par plusieurs designers comme une des plus belles voitures au monde.

Victorieuse au Mans en 1959, la marque est mieux connue du grand public pour son «rôle» de la voiture de James Bond (Sean Connery) dans le tout premier film de cette longue série. Cette Aston Martin DB5 truffée d'un arsenal fantasmagorique repose aujourd'hui dans un musée, tandis que la marque renaît lentement de ses cendres après avoir été rescapée par le géant américain Ford il y a quelques années.

Rationalisation et profitabilité étant à l'ordre du jour des grands patrons américains, la DB7 partage plusieurs éléments avec Jaguar, l'autre grande dame anglaise que Ford a également réussi à sortir du marasme. Elle est notamment montée sur la même plate-forme que le splendide coupé Jaguar XK8. Jusqu'ici, elle devait se contenter comme motorisation d'un ancien 6 cylindres de 3,2 litres auquel on avait greffé un compresseur volumétrique afin de lui donner une certaine respectabilité.

Pour le millésime 2000, la DB7 se raffine grâce à l'arrivée d'une nouvelle version, la Vantage, offerte sous forme de coupé ou sous les traits d'un élégant cabriolet nommé Volante.

Deux V6 Duratec transformés en V12

Son attraction principale réside sous le capot où trône un gigantesque V12 de 6,0 litres, le premier pour une Aston, né de la fusion de deux V6 Ford Duratec de 3,0 litres. Ce tour de passe-passe se solde par une puissance de 414 chevaux appuyée d'un couple de 400 lb-pi. Avec 6,0 litres de cylindrée, 4 arbres à cames en tête, 48 soupapes et une gestion électronique Visteon, le coupé à boîte manuelle 6 rapports n'a aucune difficulté à réaliser le 0-100 km/h en 5 brèves secondes, en route vers une vitesse de pointe de 298 km/h.

On appuie sur un bouton rouge au tableau de bord comme dans la nouvelle Honda S2000 et le moteur de notre voiture d'essai, le cabriolet Volante, s'anime dans un feulement qui n'est pas sans rappeler les V12 Ferrari. Une belle musique qui promet des accélérations foudroyantes qui s'avèrent finalement moins percutantes qu'on ne pourrait le croire. Il faut blâmer ici la transmission automatique qui est la seule offerte dans le cabriolet et qui vous prive de départs canon même si elle permet de bien exploiter la puissance à des régimes intermédiaires.

Aston Martin DB7

Pour

Silhouette de rêve • Moteur V12 puissant et onctueux • Comportement routier sportif • Freins exceptionnels

Contre

Prix substantiel • Fiabilité incertaine • Radio cauchemardesque • Certains accessoires issus du bas de gamme Ford

Caractéristiques

Prix du modèle à l'essai:	Vantage Coupé / 199 900 $
Garantie de base:	3 ans / kilométrage illimité
Type:	coupé 2+2 / propulsion
Empattement / Longueur:	259 cm / 467 cm
Largeur / Hauteur / Poids:	183 cm / 124 cm / 1780 kg
Coffre / Réservoir:	178 litres / 89 litres
Coussins de sécurité:	frontaux et latéraux
Suspension av. / arr.:	indépendante
Freins av. / arr.:	disque ABS
Système antipatinage:	oui
Direction:	à crémaillère, assistée
Diamètre de braquage:	13,7 mètres
Pneus av. / arr.:	245/40ZR18 / 265/35ZR18
Valeur de revente:	inconnue

Motorisation et performances

Moteur / Transmission:	V12 6,0 litres / manuelle 6 rapports
Puissance / Couple:	414 ch à 6000 tr/min / 400 lb-pi à 5000 tr/min
Autre(s) moteur(s):	6L 3,2 litres suralimenté 340 ch
Transmission optionnelle:	automatique 5 rapports
Accélération 0-100 km/h:	5,0 secondes
Vitesse maximale:	298 km/h
Freinage 100-0 km/h:	n.d.
Consommation (100 km):	16,0 litres

Modèles concurrents

Ferrari 550 Maranello • Lamborghini Diablo • Porsche 911 Turbo

Quoi de neuf?

Moteur V12 • Boîte 6 rapports • Suspension et freins revisés • Retouches au style

Verdict

Agrément	⊕⊕⊕⊕⊕	
Confort	⊕⊕⊕⊕	
Fiabilité	⊕⊕⊕	
Habitabilité	⊕⊕⊕	
Hiver	⊕⊕	
Sécurité	⊕⊕⊕⊕	

Une agilité surprenante

L'autre impression à retenir est que la voiture, qui est loin d'être un poids plume, ne donne pas l'impression d'être aussi lourde sur la route. Elle affiche une belle maniabilité qui lui permet d'accéder au rang des vraies sportives, plutôt qu'à celui d'une simple GT qui affectionne davantage les grands boulevards que les petits chemins de campagne. Et que dire de ces freins massifs pincés par des étriers Brembo qui calment avec une assurance rare les élans du moteur? De belles roues en alliage à 10 rayons assorties de pneus Bridgestone SO2 de 18 pouces prennent un soin jaloux de la tenue de route sans jamais nuire au confort. Créditons ici la rigidité étonnante du châssis de la DB7, surtout en version décapotable.

Parfum Connolly, senteur Ford

En ce qui concerne la présentation, il faut se montrer conciliant, chose difficile avec une voiture de ce prix.

James Bond s'en contenterait.

Les portes ont une sonorité un peu «légère» lorsqu'on les referme, les boutons de réglage des sièges sont difficilement accessibles, la radio pivotante qui disparaît à l'arrêt du moteur est une aberration et certaines commandes sentent la grande série. À en juger par les poignées de porte intérieures identiques à celles d'une vieille Mazda Miata et par les commutateurs en plastique provenant d'une Taurus, l'usine anglaise a largement puisé dans l'inventaire de pièces de Ford pour habiller l'intérieur de cette DB7. Fort heureusement, le bois est omniprésent et le cuir Connolly sent si bon qu'on a envie de tout lui pardonner.

En ferez-vous autant après avoir signé un chèque de 230 000 $?

Quoi qu'il en soit, avec cette DB7 Vantage, Aston Martin se joint de nouveau au club très restreint de ceux qui peuvent concurrencer les meilleures GT de la planète, celles qui sortent des usines de Maranello. On pense notamment à la Ferrari 456 contre laquelle la DB7 Vantage pourra se mesurer sans rougir, tant sur le plan des performances que sur celui de la beauté esthétique. Son V12 et son emblème n'ont peut-être pas la même noblesse, mais sachez que le prix est beaucoup plus «abordable».

Jacques Duval / Alain Raymond

BMW M5

BMW M5

La délinquante

(1) 400 chevaux et 369 lb-pi de couple. (2) 375 chevaux et 268 lb-pi de couple. (3) 300 chevaux et 296 lb-pi de couple. À votre avis, à qui appartiennent ces chiffres? Si vous répondez (1) Berline BMW, (2) Ferrari F355 et (3) Porsche 911 Carrera, vous avez visé juste.

Quatre cents chevaux dans une berline familiale à 4 portes! Celle que l'on prend pour aller chercher un litre de lait, accompagner les enfants au soccer ou faire une balade familiale un dimanche après-midi. Quatre cents chevaux et près de 400 lb-pi de couple qui vous propulsent de 0 à 100 km/h en 5,4 secondes et vous lancent sur... l'*autobahn* à la vitesse (limitée par le constructeur) de 250 km/h!

Délinquance? Démesure? Nirvana? À vous de juger. Mais c'est précisément ce que nous promet la berline la plus puissante au monde. À peine sommes-nous revenus de nos émotions à la suite de l'essai de la BMW 540i Touring (une vraie familiale), que BMW nous annonce sa fulgurante version M, signée Motorsport, le service de compétition de BMW, une équipe de sorciers qui envoûtent les productions de la maison de Bavière pour les transformer en missiles routiers.

La norme mondiale

Rappelons que la quatrième génération des berlines série 5, arrivées au Québec au printemps de 1996, a immédiatement reçu les accolades de la presse spécialisée et, plus important encore, des automobilistes connaisseurs et bien nantis. Principalement appréciée pour son comportement routier d'exception, le raffinement de son habitacle et le sobre équilibre de ses lignes, la série 5 est aussi bénie par un superbe moteur V8 (équipant la 540i) dont la souplesse et la puissance en font pratiquement la norme qu'essayent de rejoindre les autres constructeurs. D'ailleurs, il n'y a pas que le moteur de la 540i qui fasse pâlir d'envie, mais aussi son châssis dont la rigidité, la qualité des suspensions en aluminium ainsi que l'efficacité des freins et des systèmes antidérapage et antipatinage électroniques suscitent les louanges des uns et la jalousie des autres. En somme, les berlines de la série 5 constituent, de l'aveu même des autres constructeurs, la norme en matière de berlines sport de luxe.

M pour Magistrale

C'est donc sur cette base extrêmement saine que s'est penchée la division Motorsport de BMW pour transformer la 540i. La cylindrée de 4,4 litres du V8 passe à 4,9 litres par augmentation de l'alésage et de la course. Le taux de compression grimpe de 10,1 à 11; on travaille les culasses, on installe le système d'injection BMW MSS 52 et un radiateur d'huile et on réussit à passer le régime maximum à 6600 tr/min pour chatouiller le chiffre magique de 400.

Malgré ces manipulations pointues, le V8 conserve sa superbe onctuosité et ses reprises à bas régime grâce à un couple disponible en tout temps et qui culmine dès 3800 tr/min. Autrement dit, pas besoin de manier constamment le levier de vitesses pour «aller chercher les tours»; ce moteur est disponible pratiquement dès le ralenti. Évidemment, il est possible de faire un «show de boucane» pour épater les enfants à condition de désactiver l'antipatinage et

BMW M5

Pour

Motorisation remarquable • Châssis superlatif • Comportement routier d'une grand-tourisme • Sièges Sport divins • Agrément de conduite des plus prometteurs

Contre

Prix d'une maison de campagne • Chargeur de disques compacts dans le coffre • Places arrière restreintes

Caractéristiques

Prix du modèle à l'essai:	102 650 $
Garantie de base:	4 ans / 80 000 km
Type:	berline / propulsion
Empattement / Longueur:	283 cm / 478 cm
Largeur / Hauteur / Poids:	180 cm / 144 cm / 1720 kg
Coffre / Réservoir:	460 litres / 70 litres
Coussins de sécurité:	frontaux, latéraux et tête
Suspension av. / arr.:	indépendante
Freins av. / arr.:	disque ABS
Système antipatinage:	oui
Direction:	à crémaillère à assistance variable
Diamètre de braquage:	11,0 mètres
Pneus av. / arr.:	245/40ZR18 / 275/35ZR18
Valeur de revente:	bonne

Motorisation et performances

Moteur / Transmission:	V8 5,0 litres / manuelle 6 rapports
Puissance / Couple:	400 ch à 6600 tr/min / 395 lb-pi à 3800 tr/min
Autre(s) moteur(s):	aucun
Transmission optionnelle:	aucune
Accélération 0-100 km/h:	5,4 secondes
Vitesse maximale:	250 km/h (limitée)
Freinage 100-0 km/h:	n.d.
Consommation (100 km):	13,9 litres

Modèle concurrent

Mercedes-Benz E55

Quoi de neuf?

Nouveau modèle

Verdict

Agrément	⊕ ⊕ ⊕ ⊕ ⊕	Habitabilité	⊕ ⊕ ⊕
Confort	⊕ ⊕ ⊕ ⊕	Hiver	⊕ ⊕ ⊕
Fiabilité	⊕ ⊕ ⊕ ⊕	Sécurité	⊕ ⊕ ⊕ ⊕

de posséder un portefeuille bien garni pour remplacer rapidement les précieux pneus de 18 pouces.

6 vitesses

Les suspensions reçoivent aussi leur part d'attention: on abaisse, on raffermit, on calibre avec précision et on pose de superbes jantes en alliage de 18 pouces, chaussées de pneus à profil ultrabas, sans oublier les freins chargés de ralentir cette foudroyante cavalerie. Quelques retouches esthétiques, question de favoriser l'aérodynamique et de mieux coller la voiture à la route. On y ajoute la boîte manuelle à 6 vitesses (fervents de l'automatique, s'abstenir!) issue de la 540i ainsi que le différentiel autobloquant et la fusée balistique est prête pour la rampe de lancement.

400 ch, ça pousse!

Le superbe habitacle de la série 5 conserve son raffinement dans la M5: cuirs, placages en bois fins, instrumentation encore plus complète, sièges Sport chauffants ultraconfortables réglables en hauteur, climatisation automatique, volant multifonctions réglable. La sécurité passive est aussi au rendez-vous avec ceintures à tendeur automatique à l'avant et huit coussins de sécurité ainsi que des phares au xénon dont l'efficacité est cependant assez controversée.

Reste à savoir si les ingénieurs se sont penchés sur l'agaçant machin informatisé qui actionne entre autres le système de navigation et la chaîne stéréophonique de navigation de la 540i.

Un cours de conduite, S.V.P.

Reste aussi à savoir si BMW a l'intention d'offrir aux acheteurs de M5 un cours de conduite avancée pour leur signifier d'une part qu'une telle machine, malgré ses «garde-fous électroniques», ne se manie pas comme une Honda Civic et, d'autre part, pour faire un geste concret en faveur de la sécurité routière et du bien-être de ses fortunés clients. Question aussi qu'ils ne renversent pas le litre de lait sur la belle sellerie en cuir.

Alain Raymond

Ferrari 360 Modena

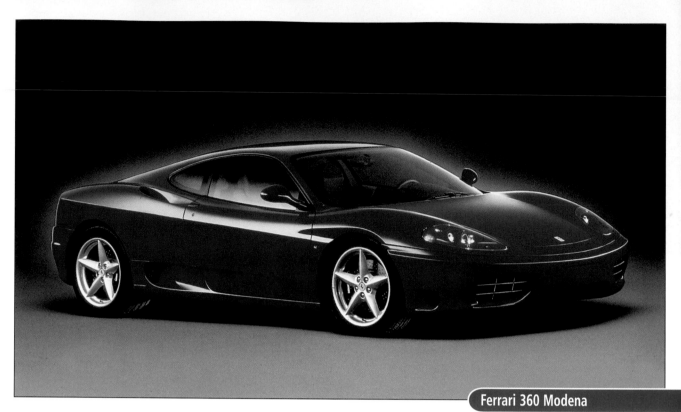

Ferrari 360 Modena

La barre est haute

**Le lancement d'une nouvelle Ferrari est toujours un évé-
nement. Avant même ses premiers tours de roues, la remplaçante de la F355, la 360 Modena, avait déjà fait la une
d'à peu près tout ce que la planète compte de magazines
automobiles. Il y a des constructeurs qui paieraient très,
très cher pour avoir ne serait-ce que le dixième d'une telle
visibilité...**

L e prestige dont jouit la marque au cheval cabré, sans égal
dans le monde de l'automobile, implique bien des privilèges.
Seul Porsche peut jouer sur ce terrain, mais la firme allemande doit s'incliner devant le palmarès sportif de sa rivale italienne, en raison de ses succès en Formule 1.

De grands souliers à chausser

C'est d'autant plus vrai dans le cas qui nous préoccupe que la
devancière de la 360, la F355, était considérée comme l'une des
meilleures sportives au monde, sinon LA meilleure. Entrée en service au
printemps de 1994, la F355 est de celles qui ont contribué à redorer le
blason des Ferrari de production, qui traînaient comme un boulet leur
réputation de voitures fragiles et assemblées de façon artisanale.

Ça, c'était avant l'arrivée de Luca Cordero di Montezemolo à la
direction des deux entités de Ferrari (course et production) en
1992. Avec lui s'est arrêté le déclin de cette marque légendaire, qui
se remettait difficilement de la mort de son fondateur, le non moins
légendaire Commendatore Enzo Ferrari, quatre ans plus tôt. Célé-
brée pour tout ça et plus encore, la F355 illustrait bien ce renouveau. Voilà donc les souliers que doit chausser la 360 Modena.

La pointure n'est cependant pas la même, car la remplaçante
repose sur un empattement allongé de 15 cm par rapport à sa
devancière; même chose pour la longueur hors tout, qui gagne
22 cm. L'habitabilité en bénéficie également, ainsi que le rangement.

Pourtant, la Modena pèse quelque 60 kg de moins qu'une
F355. Cette diminution de poids malgré des dimensions accrues
trouve son explication dans l'utilisation de l'aluminium, dont est
faite l'entière carrosserie (tout comme le châssis et les suspensions). Cela lui confère une rigidité accrue, avec une résistance à la
flexion et à la torsion améliorée de plus de 40 p. 100.

La configuration reste la même, c'est-à-dire une berlinette à
moteur central. La version décapotable n'étant pas encore prête,
on a demandé à la F355 Spider d'assurer l'intérim, qui devrait durer
jusqu'au printemps.

L'apport de la compétition

Toute sportive qui se respecte se doit de recevoir une addition
de puissance lors de sa refonte. La 360 Modena n'y échappe pas
et le chiffre de son appellation indique la cylindrée de son V8
(3,6 litres) qui, à 100 cc près, est le même que celui de sa devancière. Augmentation de cylindrée = augmentation de puissance, ce
qui se traduit par 400 chevaux, soit 20 de plus que le 3,5 litres. La
zone rouge de ce V8 à 5 soupapes par cylindre débute à 8500
tr/min! Démentiel... Je ne vois pas d'autre mot.

Pour gérer cette impressionnante cavalerie, deux transmissions
sont proposées, soit une boîte manuelle à 6 rapports et la boîte
séquentielle F1, directement issue, comme son nom l'indique, de la

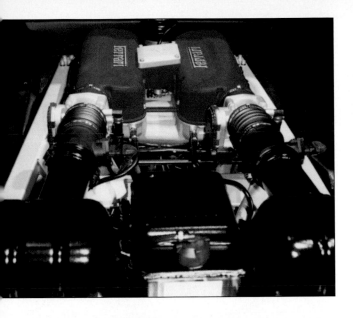

Ferrari 360 Modena

Pour
- Habitabilité accrue • V8 démentiel
- Boîte F1 bien adaptée
- Comportement phénoménal
- Héritage inestimable

Contre
- Qualités pratiques inexistantes
- Certains accessoires bon marché
- Prix surréaliste

Caractéristiques

Prix du modèle à l'essai:	360 Modena / 192 525 $
Garantie de base:	2 ans / kilométrage illimité
Type:	berlinette 2 places / propulsion
Empattement / Longueur:	260 cm / 448 cm
Largeur / Hauteur / Poids:	192 cm / 121 cm / 1290 kg
Coffre / Réservoir:	120 litres / 95 litres
Coussins de sécurité:	conducteur et passager
Suspension av. / arr.:	indépendante
Freins av. / arr.:	disque ABS
Système antipatinage:	oui
Direction:	à crémaillère, assistance variable
Diamètre de braquage:	10,8 mètres
Pneus av. / arr.:	P215/45ZR18 / P275/40ZR18
Valeur de revente:	nouveau modèle

Motorisation et performances

Moteur / Transmission:	V8 3,6 litres / séquentielle 6 rapports
Puissance / Couple:	400 ch à 8500 tr/min / n.d.
Autre(s) moteur(s):	aucun
Transmission optionnelle:	manuelle 6 rapports
Accélération 0-100 km/h:	4,5 secondes (constructeur)
Vitesse maximale:	295 km/h (constructeur)
Freinage 100-0 km/h:	n.d.
Consommation (100 km):	17,5 litres

Modèles concurrents

Acura NSX • Aston Martin DB7 • BMW M3 • Porsche 911

Quoi de neuf?

Nouveau modèle

Verdict

Agrément	⊕ ⊕ ⊕ ⊕ ⊕	Habitabilité ⊕ ⊕ (
Confort	⊕ ⊕ ⊕ ⊕	Hiver
Fiabilité	⊕ ⊕ ⊕ ⊕	Sécurité ⊕ ⊕ ⊕ (

---

compétition. Cette dernière, qui fut introduite sur la F355, en est à sa deuxième génération, ce qui signifie une gestion électronique améliorée. Vous l'aurez deviné, elle s'opère au moyen de deux petits leviers placés de part et d'autre du volant, l'un servant à monter les rapports, l'autre à rétrograder. Comme dans une Formule 1. Quant à la boîte mécanique conventionnelle, le seul changement majeur concerne sa disposition: elle n'est plus transversale, mais bien longitudinale.

L'apport de la course automobile se fait aussi sentir dans l'aérodynamique, la 360 ayant passé plus de 5000 heures en soufflerie. Elle en a bénéficié grandement puisque son fond plat en fait une véritable voiture à effet de sol, qui garantit une stabilité incomparable à haute vitesse. La géométrie de la suspension, qui fait appel à des triangles superposés à l'avant et à l'arrière, a également fait l'objet d'une révision, tout comme le système de suspension active (ou amortissement piloté, comme disent les Européens). Des freins à disque ventilé munis d'étriers à pistons se chargent d'immobiliser ce paquet de dynamite concentrée en moins de temps qu'il ne le faut pour crier Forza Ferrari!

Une Formule 1 carrossée.

Audacieuse

Une Ferrari ne serait pas une Ferrari si elle n'était pas habillée par Pininfarina. Les stylistes de cette auguste maison ont accouché d'une silhouette pour le moins audacieuse, qui ne fait pas l'unanimité. Mais elle est spectaculaire, assurément, et ceux qui aiment — et j'en suis — voient en elle une fière descendante des 308/328 et de la Dino 206 GT. Bellissima, si! Quant aux amateurs de belle mécanique, ils peuvent désormais se rincer l'œil puisque c'est une vitre qui fait office de capot, ce qui permet aux passants d'admirer les superbes culasses rouges du V8. Du grand art.

En attendant de la conduire, fions-nous à la presse spécialisée qui, américaine comme européenne, encense son comportement routier dans une rare unanimité. *Le Guide de l'auto,* qui a effectué deux visites à Maranello au cours des cinq dernières années, a déjà commencé ses démarches pour l'année prochaine. On va tout faire pour en conduire une, c'est promis!

Pour le bénéfice de nos lecteurs, bien sûr...

Philippe Laguë

Ferrari 456M GT

Ferrari 456M GT

La noblesse automobile

Si l'on pouvait transposer la notion de noblesse à l'automobile, c'est sans doute à la catégorie des voitures de grand-tourisme qu'elle s'appliquerait. *Gran turismo,* une expression d'origine italienne qui désigne des voitures exclusives capables de transporter dans le luxe et le confort deux personnes souhaitant se déplacer sur de grandes distances, avec quelques bagages et en un minimum de temps... sans prendre l'avion!

La tradition veut donc que le sigle GT soit réservé à des voitures distinguées qui affichent un comportement et des prestations relevées. Malheureusement, il orne souvent des voitures aussi banales que bâtardes, mais lorsqu'un constructeur comme Ferrari parle de *gran turismo,* ces deux lettres reprennent toute leur signification.

La dernière *gran turismo* classique portant la marque du cheval cabré était la 365 GTB/4 née en 1968 et surnommée Daytona. C'était avant l'avènement des voitures grand sport à moteur central, une mode à laquelle Enzo Ferrari avait vaillamment résisté à l'époque. Car si le moteur disposé au centre de la voiture, devant les roues arrière, permet de réaliser un centrage idéal des masses, il empiète de façon terminale sur l'espace utile, réduisant notamment la possibilité d'aménager un coffre digne de ce nom. Sans coffre, la prétendante au titre de GT a de la difficulté à se conformer à la définition donnée: deux personnes avec leurs bagages.

Retour aux sources

L'accession de Luca di Montezemolo à la direction de Ferrari s'est traduite par une redéfinition de la gamme Ferrari et de la clientèle visée. Sans vouloir abandonner les «athlètes du volant» qui accordent aux performances pures et dures la plus haute priorité, sinon la seule, di Montezemolo a voulu ramener vers Ferrari une clientèle fortunée, certes, mais moins portée à réaliser le 0 à 100 km/h en moins de 6 secondes à chaque démarrage. Autrement dit, une clientèle sensible au raffinement et au luxe, souhaitant pouvoir sortir la Ferrari du garage pour aller dignement jouer une partie de golf ou accompagner Madame à une soirée au ballet, sans pour autant faire vibrer le voisinage ni trop chiffonner le beau *tuxedo.* En somme, une Ferrari civilisée et, si possible, automatique!

«Horreur, sacrilège et trahison!» s'écrient les puristes. Et Luca di Montezemolo de répondre: «V12, 442 chevaux, 0 à 100 km/h en 5,2 secondes — 5,5 avec l'automatique — et à plus de 300 km/h, le coupé 2+2 le plus rapide au monde!» Du coup, tout le monde se tait et s'agenouille respectueusement devant le nouveau patron de la légendaire *Scuderia.* Nouveau patron dont la devise pour toute voiture née à Maranello repose sur trois critères immuables: performance extrême, esthétique envoûtante et émotion de conduire.

Mission accomplie

Du grand art, cette grand-tourisme dévoilée au Salon de Paris en 1992. Et dire qu'il aura fallu attendre près de 25 ans pour voir renaître cette ligne merveilleusement équilibrée où le long capot se prolonge gracieusement par l'arc tendu du toit qui se pose sur la poupe tronquée. Signée Design Pininfarina, cette superbe robe en aluminium habille le châssis tubulaire en acier auquel s'accrochent les suspensions indépendantes à double triangulation.

Ferrari 456M GT

Pour

Beauté intemporelle des lignes • Un des meilleurs moteurs au monde • Confort et comportement routier remarquables • Performances dignes de la marque

Contre

Prix d'exception • Poids important • Maniabilité médiocre • Service après-vente problématique

Caractéristiques

Prix du modèle à l'essai:	345 000 $
Garantie de base:	2 ans / kilométrage illimité
Type:	coupé 2+2 / propulsion
Empattement / Longueur:	260 cm / 473 cm
Largeur / Hauteur / Poids:	192 cm / 130 cm / 1690 kg, 1790 kg (auto.)
Coffre / Réservoir:	n.d. / 110 litres
Coussins de sécurité:	conducteur et passager
Suspension av. / arr.:	indépendante
Freins av. / arr.:	disque ABS
Système antipatinage:	oui
Direction:	à crémaillère, assistée
Diamètre de braquage:	n.d.
Pneus av. / arr.:	P225/45ZR17 / P285/40ZR17
Valeur de revente:	excellente

Motorisation et performances

Moteur / Transmission:	V12 5,5 litres / manuelle 6 rapports
Puissance / Couple:	442 ch à 6250 tr/min / 398 lb-pi à 4500 tr/min
Autre(s) moteur(s):	aucun
Transmission optionnelle:	automatique 4 rapports
Accélération 0-100 km/h:	5,2 secondes; 5,5 secondes (auto.)
Vitesse maximale:	300 km/h; 298 km/h (auto.)
Freinage 100-0 km/h:	n.d.
Consommation (100 km):	23,0 litres

Modèle concurrent

Aston Martin DB7 Vantage

Quoi de neuf?

Aucun changement majeur

Verdict

Agrément	⊕ ⊕ ⊕ ⊕ ⊕	Habitabilité ⊕ ⊕ ⊕ ⊕ ⊕
Confort	⊕ ⊕ ⊕ ⊕ ⊕	Hiver ⊕ ⊕ ⊕ ⊕ ⊕
Fiabilité	⊕ ⊕ ⊕ ⊕ ⊕	Sécurité ⊕ ⊕ ⊕ ⊕ ⊕

M pour *Modificata*

On croirait que le M dans 456M signifie Magnifique, Magistrale, Magique, Majestueuse, Musclée ou Mythique. Mais non; le M signifie tout simplement *Modificata*. Modifiée en 1998 plus précisément, par des raffinements apportés à la carrosserie, au moteur, aux suspensions et à l'habitacle. Sans oublier la version GTA à boîte automatique lancée en 1996 et qui compte pour 70 p. 100 des ventes. Luca di Montezemolo avait raison; il n'y a pas que les athlètes qui peuvent apprécier une Ferrari!

C'est donc depuis huit ans que ce coupé 2+2 abrite le magistral V12 de 5,5 litres à 48 soupapes et 4 arbres à cames en tête, une version légèrement assagie du V12 qui propulse l'autre «M», la 550 Maranello. Outre le moteur en aluminium, ces deux coupés d'exception partagent aussi l'architecture du groupe motopropulseur à boîte de vitesses arrière accouplée au différentiel autobloquant (avec antipatinage), question de bien équilibrer les masses sur les trains avant et arrière. Et puisque la tradition occupe une place d'honneur chez Ferrari, la boîte manuelle à 6 rapports est toujours commandée par le simplissime levier à pommeau en aluminium guidé par la légendaire grille Ferrari; un plaisir de moins pour les Ferraristes plus pépères qui optent pour la boîte automatique à 4 rapports d'origine GM.

Le retour aux sources.

Fidèle à la tradition

Il est certain que le *Commendatore* aurait été fier de sa 456M GT, une Ferrari dans la plus pure tradition de la plus petite et de la plus prestigieuse des grandes marques mondiales.

Alain Raymond

Ferrari 550 Maranello

Ferrari 550 Maranello

Le sommet de la hiérarchie Ferrari

Maranello, petit village situé à 20 km de Modène, donne aujourd'hui son nom mythique au fleuron de l'écurie Ferrari. Question de bien rappeler les origines très italiennes de la création qui confirme le retour de Ferrari à l'architecture classique — moteur avant, propulsion —, retour qui s'est manifesté dès 1992 avec la splendide 456 GT, un coupé grand-tourisme dans la tradition des 365 GTB/4 Daytona de la fin des années 60.

C'est à Luca di Montezemolo qu'est revenue la lourde tâche de succéder à Enzo Ferrari. Depuis lors, et contrairement aux prévisions de certains oiseaux de malheur, la *Scuderia* a fait preuve d'une vitalité remarquable qui témoigne du leadership et de la créativité de celui qui fut de 1973 à 1977 directeur de l'équipe des monoplaces rouges de Formule 1 (et architecte des deux championnats du monde de Nikki Lauda).

Les 12 cylindres de la tradition

Succédant aux légendaires Testarossa et 512, les premières 550 Maranello sont livrées en Europe en septembre 1996 et en Amérique du Nord en avril 1997. Représentant le haut de gamme sportif de la marque, le coupé 2 places 550 est propulsé par un classique 12 cylindres en V à 65 degrés de 5,5 litres de cylindrée qui se distingue par la forte puissance linéaire qu'il développe entre 3000 tr/min et le régime maximal de 7000 tr/min. Ce rendement est obtenu grâce, entre autres, au système de distribution variable qui favorise le couple à bas régime et la puissance à haut régime. La gestion des fonctions moteur est confiée au système Bosch Motronic 5,2.

Puissant et souple, ce magnifique V12 se distingue aussi par un bloc, des culasses, un carter en alliage léger ainsi que des chemises en aluminium traité au Nikasil. Les bielles en alliage de titane permettent d'alléger l'ensemble des pièces en mouvement, procurant ainsi une réponse et une montée en régime vives. La lubrification à carter sec, directement issue des voitures de course, permet de réduire la hauteur du moteur qui loge ainsi plus bas dans la caisse, favorisant par conséquent l'abaissement du centre de gravité.

L'expérience de la course automobile est aussi évidente au chapitre du freinage. Étudiés en collaboration avec la firme Brembo, les freins avant et arrière composés d'énormes disques perforés et ventilés sont pincés par des étriers Brembo à 4 pistons, et le tout est doté d'une assistance et de l'antiblocage Bosch.

Classicisme et modernité

L'architecture classique à moteur longitudinal avant et roues arrière motrices rappelle les immortelles Daytona et se distingue par l'emplacement de la boîte manuelle à 6 rapports à l'arrière, en amont du différentiel autobloquant, afin d'assurer la répartition parfaite des masses (50/50) entre les trains avant et arrière. Le châssis en tubes d'acier soudés affiche une rigidité exceptionnelle qui témoigne de l'expertise acquise par Ferrari en plus de 50 ans de compétition automobile. Au châssis tubulaire viennent se greffer des suspensions indépendantes réglables en deux positions à partir du poste de pilotage: normale et sport. Un système d'aide au pilotage heureusement débrayable (on entend les soupirs de soulagement des puristes!) comporte aussi deux positions de réglage et rend la 550 Maranello bien plus facile à piloter que ses

Ferrari 550 Maranello

Pour

Moteur V12 exceptionnel
• Comportement routier superbe
• Performances de très haut niveau
• Châssis noble • Habitacle soigné
et convivial • Beauté des lignes

Contre

Prix de «très haut niveau»
• Dessin controversé du capot

Caractéristiques

Prix du modèle à l'essai:	302 000 $
Garantie de base:	2 ans / kilométrage illimité
Type:	coupé 2 places / propulsion
Empattement / Longueur:	250 cm / 455 cm
Largeur / Hauteur / Poids:	193,5 cm / 128 cm / 1690 kg
Coffre / Réservoir:	185 litres / 114 litres
Coussins de sécurité:	conducteur et passager
Suspension av. / arr.:	indépendante
Freins av. / arr.:	disque ABS
Système antipatinage:	oui
Direction:	à crémaillère assistée
Diamètre de braquage:	11,6 mètres
Pneus av. / arr.:	P225/40ZR18 / P295/35ZR18
Valeur de revente:	excellente

Motorisation et performances

Moteur / Transmission:	V12 5,5 litres / manuelle 6 rapports
Puissance / Couple:	485 ch à 7000 tr/min / 419 lb-pi à 5000 tr/min
Autre(s) moteur(s):	aucun
Transmission optionnelle:	aucune
Accélération 0-100 km/h:	4,4 secondes
Vitesse maximale:	320 km/h
Freinage 100-0 km/h:	n.d.
Consommation (100 km):	22,0 litres

Modèles concurrents

Lamborghini Diablo • Aston Martin DB7 Vantage • Porsche 911 Turbo

Quoi de neuf?

Aucun changement majeur

Verdict

Agrément	⊕ ⊕ ⊕ ⊕ ⊕	Habitabilité	⊕ ⊕ ⊕ ⊕ (
Confort	⊕ ⊕ ⊕ ⊕ ⊕	Hiver	⊕ ⊕ ⊕ ⊕
Fiabilité	⊕ ⊕ ⊕ ⊕	Sécurité	⊕ ⊕ ⊕ ⊕

prédécesseurs. Cette «facilité» déplaira à ceux qui considèrent qu'une vraie Ferrari se doit d'exiger un effort et un talent hors du commun de son pilote. Il n'en demeure pas moins que l'électronique embarquée constitue un gage de sécurité même si elle ne parviendra jamais à surmonter les lois de la physique.

La traditionnelle alliance Ferrari-Pininfarina se poursuit avec la 550 Maranello dont le design a été confié au grand couturier de Turin. Longuement étudiée en soufflerie, la carrosserie en aluminium assure un excellent coefficient de pénétration dans l'air, peu de prise au vent latéral et les appuis nécessaires à haute vitesse. Malgré la controverse que suscite la grosse prise d'air juchée sur le capot, cette voiture d'exception représente une grande réussite esthétique, tant pour la ligne extérieure que pour la conception du somptueux habitacle.

Vaut-elle 3 911?

Sièges, volant et pédalier sont tous réglables, permettant à des conducteurs de taille et de corpulence très différentes de trouver la position de conduite la plus confortable. En outre, la climatisation perfectionnée, la chaîne audio haut de gamme, les cuirs de qualité et la finition soignée font oublier les habitacles plus spartiates des Ferrari d'antan.

Muscle car et voiture de prestige réunis

Affichant 1690 kg sur la balance, la belle Maranello de Maranello réalise des performances dignes de son pedigree; elle boucle le 0 à 100 km/h en 4,4 secondes et chatouille le radar à près de 320 km/h. Ces prestations, doublées d'un comportement routier irréprochable, la propulsent au sommet du créneau exclusif de la voiture de très hautes performances. En outre, et contrairement aux machines pointues et capricieuses d'antan, la Maranello rejoint aussi le cercle des voitures de prestige au comportement fort civilisé qui peuvent aussi bien accompagner leur heureux et fortuné propriétaire au théâtre qu'au circuit de course.

Serait-ce que l'esprit d'Enzo plane encore sur ce petit coin béni d'Italie?

Alain Raymond

Lamborghini Diablo

Lamborghini Diablo GT

L'éternel retour

S'il est une marque qui a connu une existence mouvementée, c'est bien Lamborghini. Dernier rebondissement en date: le retour de la mythique Diablo en 2000. Fer de lance de la marque au taureau depuis 10 ans, elle devait tirer sa révérence l'année dernière, sa remplaçante étant même annoncée pour mars 1999. Mais *Herr Doktor* Piëch en a décidé autrement...et a même ordonné la mise en production d'une version GT dont il a réservé un exemplaire.

Si vous vous demandez ce que le grand patron du groupe Volkswagen vient faire dans cette histoire, c'est que vous n'êtes visiblement pas au courant des derniers développements de la saga mouvementée de Lamborghini. Après plusieurs changements de propriétaires, la firme bolognaise, dont l'usine n'a jamais quitté son Italie natale, est venue grossir les rangs du géant allemand à l'été 1998.

Au moment de la transaction, celle qui devait prendre la relève de la Diablo terminait sa gestation. Lors d'une visite à l'usine de Sant'Agata, un mois avant l'annonce officielle de la prise de contrôle par VW, l'auteur de ces lignes avait même pu voir un exemplaire en cours d'assemblage de celle qui devait s'appeler Canto ou Toro, selon la tradition liant le nom de ces fougueuses italiennes à la tauromachie. Mais ses formes tourmentées, qui portaient la signature du maître carrossier Zagato, n'ont pas eu l'heur de plaire au Dr Piëch, qui lui reprochait son style «trop asiatique». Et la Diablo de rempiler pour une autre année...

Du même coup, Piëch retardait l'autre projet entrepris sous l'ancienne administration, soit celui d'un modèle dit abordable *(sic)*, dont le prix devait descendre sous la barre des 200 000 $... Principales cibles visées: la Porsche 911, bien sûr, et la nouvelle berlinette du rival de toujours, Ferrari, la 360 Modena. Un créneau déserté par Lamborghini depuis la disparition de la Jalpa, à la fin des années 80. On visait une production se situant entre 2000 et 3000 véhicules par an, ce qui faisait grincer bien des dents à Maranello: tant que la marque au taureau assemblait 10 fois moins de voitures que celle du cheval cabré, il était facile d'être condescendant, et même d'en rire — ce dont on ne s'est jamais retenu chez Ferrari.

Ce nouveau modèle devait d'ailleurs résulter d'une collaboration avec une autre filiale du groupe Volkswagen, en l'occurrence Audi. Mais depuis, la firme aux quatre anneaux est devenue propriétaire de Lamborghini, mais également des marques Bugatti et Bentley. Les rumeurs vont bon train, mais aucune d'elles ne se confirme. Qu'en est-il de la «petite» Lamborghini? Verra-t-elle seulement le jour? Et si oui, sous quelle bannière? Les paris sont ouverts.

Une GT pour conducteurs avertis

Pendant que le mystérieux Dr Piëch s'amuse à jongler avec ses nouvelles marques, la Diablo continue de recevoir des améliorations visant à masquer, dans la mesure du possible, son âge vénérable. La chirurgie esthétique a donc été mise à contribution: l'an dernier, on lui a refait le visage. Mais le superbe profil est resté intact, ce dont personne ne se plaindra, tant ses formes élancées semblent intemporelles. Spectaculaire, elle l'est toujours, et elle n'a rien perdu de son pouvoir de séduction. Un classique du design automobile, sans l'ombre d'un doute. Dans la version GT illustrée ci-haut, la voie avant a été élargie et la carrosserie, sauf les portes

Lamborghini Diablo

Pour

Ligne intemporelle • Performances hallucinantes • Tenue de route de haut calibre • Freinage solide • Charisme intact

Contre

Boîte manuelle dépassée • Aspect pratique inexistant • Confort minimal • Prix surréalistes • Modèle en fin de carrière

Caractéristiques

Prix du modèle à l'essai:	GT / 500 000 $
Garantie de base:	2 ans / kilométrage illimité
Type:	coupé 2 places / propulsion ou intégrale
Empattement / Longueur:	265 cm / 443 cm
Largeur / Hauteur / Poids:	204 cm / 111 cm / 1460 kg
Coffre / Réservoir:	140 litres / 100 litres
Coussins de sécurité:	conducteur et passager
Suspension av. / arr.:	indépendante
Freins av. / arr.:	disque ABS
Système antipatinage:	non
Direction:	à crémaillère, assistée
Diamètre de braquage:	13,0 mètres
Pneus av. / arr.:	P245/35ZR18 / P335/30ZR18
Valeur de revente:	passable

Motorisation et performances

Moteur / Transmission:	V12 6,0 litres / manuelle 5 rapports
Puissance / Couple:	575 ch à 7300 tr/min / n.d.
Autre(s) moteur(s):	V12 5,7 litres 530 ch
Transmission optionnelle:	aucune
Accélération 0-100 km/h:	3,9 secondes (données du constructeur)
Vitesse maximale:	338 km/h (données du constructeur)
Freinage 100-0 km/h:	39,6 mètres
Consommation (100 km):	21,0 litres

Modèles concurrents

Aston Martin Vantage • Ferrari 550 Maranello

Quoi de neuf?

Version GT

Verdict

Agrément	⊕ ⊕ ⊕ ⊕	Habitabilité	⊕ ⊕
Confort	⊕ ⊕	Hiver	⊕
Fiabilité	⊕ ⊕	Sécurité	⊕ ⊕ ⊕ ⊕

et le toit, est en fibre de carbone, ce qui a permis un abaissement du poids à 1460 kg.

L'habitacle a lui aussi été revampé, comme en témoigne une nouvelle planche de bord. Dans ce cas, ce n'était pas un luxe, mais bien une nécessité, car l'ensemble faisait vraiment trop artisanal... Tout comme la finition, qu'on dit améliorée depuis qu'Audi a pris le contrôle des opérations.

Évidemment, il aurait été impensable de ne pas souligner d'une quelconque façon l'année-modèle 2000. À la manière Lamborghini, il va sans dire. Pour ce faire, la marque au taureau lance une série limitée, simplement baptisée Diablo GT, dont seulement 80 exemplaires seront produits. Pour en faire la voiture la plus rapide au monde, les motoristes de Sant'Agata ont augmenté la cylindrée du V12, qui passe de 5,7 litres à 6,0 litres. Ce qui se traduit par un gain de 45 chevaux, pour un mirobolant — ou délirant, c'est selon — total de... 575 chevaux! On promet une vitesse de pointe de 338 km/h... Une aberration, toutefois: la boîte de vitesses n'a toujours pas de 6e rapport. Des défauts, cette belle italienne en a d'ailleurs plus d'un; mais à son âge, on ne la changera pas. Il faut la prendre telle quelle, inconditionnellement.

Les adieux d'un sex-symbol.

Un cours de conduite avec ça

Les deux autres versions de la Diablo, la SV et la VT, sont maintenues sur le marché. La VT dispose d'un système de rouage intégral permanent et elle est livrable en deux configurations: coupé et roadster. Les purs et durs opteront pour la première, plus légère parce que dépourvue de toute assistance au pilotage (ABS, suspension active, servodirection). Avec 530 chevaux et des réactions caractérielles, il est préférable de la confier à des mains expertes. Sinon, on vous recommandera fortement un séjour à l'Académie de pilotage Lamborghini, sur le circuit d'Imola. Après tout, si vous êtes l'heureux propriétaire d'une Diablo, vous n'êtes pas à 10 000 $ près...

Philippe Laguë

Mercedes-Benz CL

Mercedes-Benz CL

Pilotage automatique

Quelques mois après le lancement de la nouvelle classe S 2000, Mercedes-Benz dévoilait au 69ᵉ Salon International de l'Automobile de Genève les coupés CL issus de la S500 «la berline la plus perfectionnée au monde». Bardés d'électronique à faire rougir la fusée lunaire de Neil Armstrong, les coupés CL doivent arriver en Amérique du Nord «vers la fin de 1999».

Bénéficiant de la cure de minceur et de jeunesse de la berline de classe S, le coupé CL présente une ligne nettement plus fluide que celle de son prédécesseur. Le profil d'une très grande élégance se distingue par la ligne arquée du toit, tandis que l'avant reprend les phares ovoïdes des modèles de la classe E. Le recours à des matériaux légers (plastique, aluminium, magnésium) pour la confection de la carrosserie, du châssis et du moteur, conjugué à une diminution des dimensions extérieures, a permis un allégement de l'ordre de 340 kg par rapport aux modèles antérieurs.

V8 et V12 à 4 ou 6 cylindres...

Le coupé CL se décline en deux versions qui se distinguent essentiellement par leur motorisation (et leur prix): le CL500 et le CL600. Le V8 de 5,0 litres issu de la berline Classe S qui propulse le CL500 développe 306 chevaux... ou moins, selon qu'il fonctionne sur 8 cylindres ou sur 4 seulement! En effet, un système de coupure automatique de l'alimentation permet de neutraliser une des deux rangées de cylindres afin de réduire la consommation en charge partielle.

Le même système équipe le superbe V12 de 5,7 litres du coupé CL600 qui produit 367 chevaux à pleine vapeur. Mercedes-Benz a

cependant décidé de ne pas inclure ce système sur les CL destinés à l'Amérique du Nord. Serait-ce à cause de la mauvaise expérience vécue par les propriétaires de Cadillac des années 80 dotées de l'infâme moteur V8-6-4 ou parce que les Nord-Américains sont moins sensibles à l'économie d'essence?

La mécatronique, à votre service

«Si ça continue, nous allons bientôt pouvoir téléguider nos monoplaces à partir des puits!», s'était écrié le regretté Ayrton Senna lors de la controverse entourant les systèmes automatiques qui remplaçaient graduellement les réflexes du pilote de Formule 1 au début des années 90. Depuis lors, les suspensions actives, l'antipatinage et l'antiblocage sont interdits en Formule 1, non pas à cause de leur manque de fiabilité ou de sécurité, mais bien parce qu'ils prennent la place d'un élément essentiel de la course automobile: l'être humain.

Certes, ce qui s'applique à la piste ne s'applique pas nécessairement à la route, et c'est pourquoi les perfectionnements technologiques qui compensent partiellement ou complètement l'insuffisance du conducteur (pour ne pas dire son incompétence) sont de plus en plus courants à bord de nos voitures de tous les jours. Que ce soit l'antiblocage qui empêche le blocage des roues au freinage, l'antipatinage qui améliore la motricité en éliminant le glissement des pneus en accélération ou l'antidérapage qui ramène la voiture sur la trajectoire à la suite d'une fausse manœuvre, tous ces systèmes soustraient le conducteur de l'équation et le remplacent par l'électronique. Mercedes-Benz a même trouvé un nouveau vocable pour désigner cette discipline où la mécanique se mêle à l'électronique: la mécatronique.

Mercedes-Benz CL

Pour

Ligne classique et élégante • Allégement généralisé • Moteurs remarquables • Confort et sécurité de haut niveau • Prestige assuré • Mécatronique d'avant-garde

Contre

Influence de l'électronique sur l'agrément de conduite • Complexité croissante des systèmes électroniques • Entretien coûteux • Prix élevés

Caractéristiques

Prix du modèle à l'essai:	CL 500 / 122 900 $
Garantie de base:	5 ans / 100 000 km
Type:	coupé / propulsion
Empattement / Longueur:	288,5 cm / 499,3 cm
Largeur / Hauteur / Poids:	185,7 cm / 139,8 cm / 1 865 kg
Coffre / Réservoir:	450 litres / 88 litres
Coussins de sécurité:	frontaux, latéraux, tête
Suspension av. / arr.:	indépendante, semi-active
Freins av. / arr.:	disque ABS
Système antipatinage:	oui
Direction:	à crémaillère assistée paramétrique
Diamètre de braquage:	11,5 m
Pneus av. / arr.:	P225/55R17
Valeur de revente:	très bonne

Motorisation et performances

Moteur / Transmission:	V8 5 litres / automatique 5 rapports
Puissance / Couple:	306 ch à 5600 tr/min / 339 lb-pi à 2700 tr/min
Autre(s) moteur(s):	V12 6,0 litres 367 ch
Transmission optionnelle:	aucune
Accélération 0-100 km/h:	6,5 secondes
Vitesse maximale:	250 km/h (limitée)
Freinage 100-0 km/h:	n.d.
Consommation (100 km):	13,5 litres

Modèles concurrents

Jaguar XK8 • Lexus SC400

Quoi de neuf?

Nouveau modèle

Verdict

Agrément	⊕ ⊕ ⊕ ⊕	Habitabilité ⊕ ⊕ ⊕ (
Confort	⊕ ⊕ ⊕ ⊕ ⊕	Hiver ⊕ ⊕ ⊕ ⊕
Fiabilité	⊕ ⊕ ⊕ ⊕ (	Sécurité ⊕ ⊕ ⊕ ⊕ ⊕

Freins antiblocage, coussins de sécurité, systèmes antipatinage et antidérapage, Mercedes-Benz est souvent le premier constructeur à incorporer ces technologies issues de l'électronique à la voiture de grande série. Et pour l'an 2000, Mercedes innove encore en équipant les nouveaux coupés CL500 et CL600 d'un système de suspension active dénommé ABC. Le *Active Body Control,* ou contrôle du comportement dynamique, permet à l'hydraulique pilotée par ordinateur de prendre la relève de la mécanique...

Suspension semi-active

Expliquons: la suspension est un ensemble d'éléments mécaniques qui permettent aux roues de se déplacer à la verticale par rapport à la caisse afin d'absorber les inégalités de la chaussée et de maintenir l'équilibre de la voiture en virage et au freinage. Mais la mécanique a des limites et ne peut pas corriger tous les mouvements de la caisse. C'est pourquoi nos voitures s'inclinent en virage plutôt que de rester droites. Et c'est aussi pourquoi les ingénieurs se penchent depuis longtemps sur des systèmes conçus pour mieux contrôler ces mouvements de caisse. Le hic, c'est que ces systèmes coûtent très cher, ajoutent du poids à la voiture et, surtout, atténuent la sensation de la route, élément essentiel à l'agrément de conduite. D'où les efforts de Mercedes-Benz pour concevoir une suspension «partiellement» active qui vient seconder la suspension classique et corriger par système hydraulique les mouvements que le trio classique ressort/amortisseur/barre anti-roulis ne parvient pas à contrôler.

Vitrine techno.

Évidemment, l'habitacle des coupés CL est fidèle à la tradition de luxe, de raffinement et de confort des berlines de la classe S, tradition à laquelle s'ajoutent les gadgets de haute technologie, à savoir le régulateur de vitesse et de distance automatique Distronic (livrable en cours d'année), la ventilation des sièges ou la carte à puce qui fait office de clé de contact. En tout, une quarantaine de calculateurs électroniques. Délirant!

Reste à savoir si le conducteur ainsi chouchouté, protégé et piloté prendra un plaisir quelconque à être transporté par une si belle fusée téléguidée.

Alain Raymond

Mercedes-Benz E55 • SL

Mercedes-Benz E55

Les préférées des pilotes de Grand Prix

Il fut une époque pas tellement lointaine où la quasi-totalité des pilotes de Grand Prix conduisaient, à la ville, des Mercedes-Benz.

La firme allemande possédait un programme spécial permettant aux détenteurs d'une super licence de la FIA de louer une Mercedes... à prix très avantageux, est-il nécessaire de le préciser. La venue de nouveaux constructeurs automobiles dans le grand cirque de la F1 a, bien sûr, changé la donne et les pilotes de Grand Prix qui, aujourd'hui, roulent en Mercedes sont ceux qui conduisent des monoplaces à moteurs Mercedes, que ce soit Mika Hakkinen ou même Patrick Carpentier.

Même si le constructeur germanique n'est plus le fournisseur officiel de voitures personnelles des stars de la course automobile, sa présence sur les circuits reste très visible.

La voiture qui prend le départ de chaque Grand Prix derrière les Formules 1 de Schumacher, Villeneuve, Barrichello et cie est effectivement une Mercedes-Benz... mais pas n'importe laquelle. Sous la robe plutôt sobre d'un coupé CLK, la voiture qui emmène le médecin et tout son équipement d'intervention d'urgence a été préparée par la firme allemande AMG, spécialiste des conversions sportives de divers modèles Mercedes-Benz. La berline E55 qui a fait son apparition sur le marché l'été dernier bénéficie des mêmes modifications que l'auto-poursuite utilisée dans le premier tour de chaque Grand Prix. Et croyez-moi, elle n'a rien à envier à tout l'arsenal des sportives de haut rang, que ce soit une Ferrari ou une Porsche. En échange d'un peu moins de 100 000 $, vous pourrez d'ailleurs partir vous aussi à la chasse... aux contraventions.

La secte des trompe-l'œil

Il est certain que cette berline est d'abord faite pour dévaler les *autobahnen* de l'Allemagne sans limite de vitesse et que son attrait est limité de ce côté-ci de l'Atlantique. En revanche, c'est un peu le porte-étendard de la marque, au même titre que la M5 de BMW ou la XJR de Jaguar. Ces sportives déguisées en berline ne se vendent pas en grande quantité, mais elles sont nécessaires à l'image de marque de leur constructeur. Dans le cas de la E55, seulement 172 exemplaires seront acheminés au Canada, dont 35 pour le Québec.

Ce modèle fait partie d'une catégorie très restreinte qui, dans le jargon des chroniqueurs automobiles, s'appelle «les sleepers». Ce sont des voitures qui, sous des airs anodins, sont capables de performances insoupçonnées très supérieures à celles de la version d'origine. Elle rejoint dans ce groupe sélect les anciennes Mini Cooper, Renault 5 Turbo, Taurus SHO et autres «bombes» vouées à l'humiliation des Ferrari ou Porsche de ce monde. Pour jouer son rôle de «trompe-l'œil», la E55 AMG aligne de solides coordonnées: moteur V8 de 5,5 litres dérivé du 5,0 litres modulaire de la S500, transmission automatique empruntée à celle du moteur V12, suspension raffermie de 35 p. 100, des freins originalement conçus pour la compétition et des pneus Michelin Pilote de 18 pouces à taille basse.

Avec 349 chevaux et 391 lb-pi de couple, la voiture fait partie des gros canons de la haute performance comme en témoigne un quart de mille franchi en 13,8 secondes à la vitesse de 172 km/h ainsi qu'un sprint 0-100 km/h de 5,9 secondes, mesurés sur la piste d'accélération de Sanair. Sur le circuit, la E55 a démontré qu'elle était surtout une

Mercedes-Benz SL500

Mercedes-Benz E55

Pour	Contre
Performances fabuleuses • Moteur éblouissant • Confort surprenant • Comportement routier relevé • Sécurité active et passive	Pneus mésadaptés au Québec • Prix substantiel • Freinage déroutant • Bruit de roulement élevé

Caractéristiques

Prix du modèle à l'essai:	E55 / 98 900 $
Garantie de base:	4 ans / 80 000 km
Type:	berline / propulsion
Empattement / Longueur:	283 cm / 480 cm
Largeur / Hauteur / Poids:	180 cm / 141 cm / 1790 kg
Coffre / Réservoir:	434 litres / 80 litres
Coussins de sécurité:	frontaux, latéraux avant et arrière + tête
Suspension av. / arr.:	indépendante
Freins av. / arr.:	disque ventilé, ABS
Système antipatinage:	oui
Direction:	à crémaillère, assistée
Diamètre de braquage:	11,3 mètres
Pneus av. / arr.:	P245/40ZR18 / P275/35ZR18
Valeur de revente:	excellente (estimée)

Motorisation et performances

Moteur / Transmission:	V8 5,5 litres/automatique 5 rapports
Puissance / Couple:	349 ch à 5500 tr/min / 391 lb-pi à 3000 tr/min
Autre(s) moteur(s):	aucun
Transmission optionnelle:	aucune
Accélération 0-100 km/h:	5,9 secondes (¼ mille: 13,8 secondes à 172 km/h)
Vitesse maximale:	250 km/h
Freinage 100-0 km/h:	33,7 mètres
Consommation (100 km):	15,2 litres

Modèles concurrents

BMW M5 • Jaguar XJR • Lexus GS400

Quoi de neuf?

Retouches esthétiques • Transmission automatique à mode manuel • Coussins de sécurité arrière et pour la tête

Verdict

Agrément	⚙⚙⚙⚙	Habitabilité	⚙⚙⚙⚙
Confort	⚙⚙⚙⚙	Hiver	⚙⚙⚙
Fiabilité	⚙⚙⚙⚙	Sécurité	⚙⚙⚙⚙⚙

grande routière par un sous-virage qui oblige à aborder les virages en douceur et à n'accélérer à fond qu'une fois la voiture stabilisée. Même si on débranche l'ASP (antipatinage), le système continue à intervenir à petite dose afin de prévenir les dérapages intempestifs. Sur la voie publique, rien de tout ça ne transparaît tellement la voiture est rivée à la route. Tout comme la C43, la E55 AMG est toutefois lourdement handicapée sur nos routes bossuées. Les pneus extralarges sont mieux adaptés aux revêtements de billard et leurs flancs très bas se révèlent incapables d'absorber les difformités du bitume. La voiture y perd en stabilité à grande vitesse tout en étant sujette à l'aquaplanage dans les flaques d'eau. En revanche, le confort est moins perturbé que dans la petite C43 malgré un bruit de roulement prononcé attribuable à la surface de contact importante des pneus.

Pour se faire plaisir.

Une C43 dans le même moule

Coulée dans le même moule que la E55 par AMG, la C43 appartient elle aussi à ce groupe sélect des voitures trompe-l'œil. En raison de son poids et de ses dimensions plus modestes, elle se montre plus sportive que sa grande sœur tout en offrant des performances hors du commun grâce à son V8 4,3 litres de 302 chevaux. Au freinage notamment, la masse à stopper moins importante permet des décélérations plus rassurantes. La ligne plus vieillotte de la carrosserie rend toutefois son prix élevé assez indigeste.

Une SL en fin de carrière

Même si le flamboyant prototype Vision SL-R présenté à Detroit évoluera dans un créneau plus près de celui d'une Ferrari Maranello que d'une SL, il montre bien l'orientation que Mercedes-Benz entend donner à sa gamme de voitures sportives. La future SL, promise pour l'an prochain, demeurera un cabriolet grand-tourisme axé sur le luxe et le confort alors que la SL-R visera une audience encore plus exigeante. Et on peut ajouter qu'il est plus que temps que ce modèle change de peau puisqu'il fait figure de dinosaure dans le catalogue Mercedes. Âgée de 10 ans, la SL possède encore une belle gueule, mais son comportement routier est sans doute le moins bon parmi toutes les voitures arborant l'étoile à trois pointes. Sa remplaçante est attendue avec beaucoup d'impatience.

Jacques Duval

Porsche 911 Turbo

Porsche 911 Turbo 2001

Menace sur Maranello

C'est sous le feu des projecteurs au dernier Salon de Francfort à la mi-septembre 1999 que la Porsche 911 Turbo a vu le jour officiellement. On a voulu en faire rien de moins qu'une anti-Ferrari et la dernière 360 Modena fait partie de son tableau de chasse. Ses performances, ses coordonnées et malheureusement aussi son prix lui permettent de jouer un rôle aussi ambitieux.

Si l'on fait exception de la version S produite en petite série et dont le moteur avait été poussé à 424 chevaux, la 911 Turbo normale dérivée de la 993 affichait 408 chevaux dans sa précédente évolution. Avec son «flat 6» de 3,6 litres refroidi à l'eau, la nouvelle venue se gave de 420 chevaux DIN obtenus à un régime relativement peu élevé de 6000 tr/min. Son couple maxi est lui aussi assez hallucinant avec 414 lb-pi produits à seulement 2700 tours.

Avec de telles coordonnées, elle s'attaque de plein fouet à la 360 Modena de Ferrari apparue au dernier Salon de Genève. Il suffit d'ailleurs de comparer les chiffres pour s'en convaincre. La belle italienne affiche une puissance comparable avec ses 400 chevaux tirés d'un V8 40 soupapes de 3,6 litres également. Son couple par contre ne dépasse pas 275 lb-pi à 4750 tr/min. En toute justice, il faut préciser que le moteur de la Ferrari est à alimentation normale alors que celui de la Porsche bénéficie de la poussée d'un turbocompresseur.

Performances top niveau

Sur piste et à l'épreuve du chrono, les deux voitures alignent par ailleurs des performances très comparables. Porsche se vante d'un

0-100 km/h en 4,2 secondes tandis que Ferrari réplique avec un 4,3 secondes suivi d'un 0-160 km/h de 9,7 secondes contre 9,2 pour la Porsche. Finalement, l'affrontement suprême entre ces voitures hyperrapides voit la nouvelle Porsche 911 Turbo se pointer en tête avec une vitesse maximale de 305 km/h alors que la Modena se «traîne» avec ses 300 km/h. Entre vous et moi, un tout petit rien comme une carrosserie mieux cirée ou un simple gonflage de pneus plus favorable pourrait faire pencher la balance d'un côté comme de l'autre à de telles vitesses.

Comme sa devancière, la future Porsche 911 Turbo offrira la motricité de la traction intégrale et la sécurité du système de stabilité électronique introduit l'an dernier sur la Carrera 4.

L'équipement de série sera complété par une boîte de vitesses à 6 rapports, une sellerie en cuir, un siège conducteur à réglage électrique avec mise en mémoire et des roues en alliage léger de 18 pouces chaussées de pneus P225/40ZR18 à l'avant et P295/30ZR18 à l'arrière.

Un look distinctif

Depuis son apparition sur le marché, la dernière 911, qui répond à l'appellation de 996 chez Porsche, est fortement critiquée pour la ligne de son capot avant en tout point identique à celle de la Boxster. Surtout en version cabriolet, la récente 911 est bien difficile à différencier du modèle d'entrée de gamme. On s'est donc efforcé de donner à la Turbo un look plus distinctif qu'on reconnaît d'abord aux trois immenses prises d'air logées dans le bouclier avant. Les passages de roues à l'arrière ont aussi été considérablement élargis et se distinguent par une prise d'air latérale servant à

Porsche 911 Turbo

Pour

Données insuffisantes

Contre

Données insuffisantes

Caractéristiques

Prix du modèle à l'essai:	155 000 $ (estimé)
Garantie de base:	4 ans / 80 000 km
Type:	coupé 2+2 / transmission intégrale
Empattement / Longueur:	235 cm / 446 cm
Largeur / Hauteur / Poids:	177 cm / 130 cm / 1410 kg
Coffre / Réservoir:	130 litres / 65 litres
Coussins de sécurité:	frontaux et latéraux
Suspension av. / arr.:	indépendante
Freins av. / arr.:	disque ventilé
Système antipatinage:	non
Direction:	à crémaillère, assistée
Diamètre de braquage:	11,3 mètres
Pneus av. / arr.:	P225/40ZR18 / P295/30ZR18
Valeur de revente:	très bonne

Motorisation et performances

Moteur / Transmission:	6H 3,6 litres / manuelle 6 rapports
Puissance / Couple:	420 ch à 6000 tr/min / 275 lb-pi à 4750 tr/min
Autre(s) moteur(s):	aucun
Transmission optionnelle:	aucune
Accélération 0-100 km/h:	4,2 secondes
Vitesse maximale:	305 km/h
Freinage 100-0 km/h:	n.d.
Consommation (100 km):	13,5 litres

Modèles concurrents

Ferrari 360 Modena • Aston Martin DB7 • Maserati 3500 GT • Callaway C12

Quoi de neuf?

Données insuffisantes

Verdict

Agrément	Données	Habitabilité	Données
Confort	insuffisantes	Hiver	insuffisantes
Fiabilité		Sécurité	

alimenter le refroidisseur d'air de suralimentation (intercooler). On remarquera aussi la sortie d'air spéciale de chaque côté du pare-chocs arrière. Finalement, et Dieu merci, on a eu la sage idée de faire disparaître le grotesque aileron arrière qui déparait l'ancienne 911 Turbo au profit d'un aileron rétractable monté sur un capot moteur redessiné.

Autant par ses performances époustouflantes que par sa silhouette unique, la 911 Turbo 2000 a tous les atouts pour faire la vie dure à la Ferrari 360 Modena. Elle n'a ni la sonorité ni la beauté suave de sa rivale, mais elle sera toujours un brin plus civilisée. Une 911, Turbo ou non, peut aussi être utilisée tous les jours alors qu'une Ferrari exige d'être traitée aux petits soins, même si les petites merveilles de Maranello sont désormais beaucoup plus fiables que dans le passé.

L'anti-Ferrari.

La brute et la bête

Malgré cela, il n'est pas question de «battre» une Ferrari comme on bat une Porsche. Là où la Turbo est plus exigeante toutefois, c'est en conduite sportive à la limite. Quand on dispose de 420 chevaux qui vous poussent dans le dos, il faut assimiler certaines notions de pilotage automobile avant de pousser la voiture dans ses derniers retranchements. Les Porsche 911 Turbo qui finissent leur vie dans le décor sont beaucoup plus nombreuses que l'on pense.

Il est permis de croire néanmoins que la facilité de conduite qui caractérise les dernières 911 sera aussi profitable à la version Turbo.

Avec un peu de chance, on pourra peut-être vous présenter l'an prochain un match comparatif au sommet entre la brute de Stuttgart et la bête de Maranello. À suivre...

Jacques Duval

Quatre sportives d'exception

par Alain Raymond

1 LOTUS ELISE

POUR ELISE

Je vous parle d'un temps que les moins de 40 ans ne peuvent pas connaître.

L'auto sport de mes rêves en ce temps-là s'appelait Lotus Elan...

... et son créateur était nul autre que le génial Colin Chapman. Chapman et son pilote Jim Clark, l'idole de toute une génération de fervents de Formule 1, un duo imbattable qui a porté Lotus aux premières marches du podium.

«L'ennemi, c'est le poids», disait le regretté Chapman, un ingénieur en aéronautique qui transposait brillamment les leçons de l'aviation à l'automobile. Caisses autoporteuses, usage intensif de l'aluminium, moteur formant partie du châssis et auquel on fixait les suspensions; bref, tout pour alléger afin d'améliorer au maximum le comportement routier et de favoriser les performances. Pour Chapman, le défi consistait à gagner avec des voitures moins puissantes, mais plus légères.

C'est la Lotus Elan (1962-1973), l'une de ses créations les plus attachantes, qui illustre au mieux tout le génie de Chapman. Un roadster diminutif, une sorte de mini Miata pesant 600 kg, avec carrosserie en matière plastique et propulsée par un 4 cylindres Ford de 1,6 litre. Une tenue de route ahurissante et, grâce à la légèreté de l'ensemble, des performances qui égalaient et dépassaient souvent celles des *muscle cars* de l'époque.

Elise: une pure création Chapman

L'Elan n'est qu'un souvenir, Chapman a disparu, mais Lotus a survécu (à peine) et parvient encore à nous surprendre. Et à nous faire rêver avec l'incomparable Lotus Elise, une création dans la pure tradition Chapman.

Au cœur même de la conception de l'Elise se trouve le châssis en treillis, exceptionnellement léger et pourtant très robuste, composé de sections en aluminium anodisé collées au moyen d'un adhésif époxyde spécial: une première pour une voiture construite en série. La structure qui ne pèse que 70 kg est conforme aux normes européennes et possède une excellente rigidité en torsion. De plus, la facilité de construction et de montage de l'Elise permet à Lotus de produire ce magnifique roadster pour moins de 50 000 $.

Le moteur d'origine Rover est un banal 1,8 litre, mais puisqu'il n'a que 690 kg à déplacer, le petit 4 cylindres logé en position centrale permet à ce roadster pur et dur de boucler le 0 à 100 km/h en 5,9 secondes... avec seulement 120 chevaux! Il n'y a aucun doute que l'esprit de Colin Chapman plane encore sur Hethel, tout près de Norwich, en Angleterre.

Quant à nous, pauvres Nord-Américains aseptisés, nous ne pourrons pas goûter les joies de l'Elise, car cette voiture, aussi perfectionnée soit-elle, n'est pas conforme à certaines dispositions de nos normes de sécurité... Dommage!

LA MASERATI 3200GT
LA RENAISSANCE DE LA MARQUE AU TRIDENT

Après de nombreuses mésaventures, Maserati passe donc dans le giron du Groupe Fiat en 1993. Placée sous la tutelle de Ferrari, la marque au trident refait surface avec le coupé 3200GT dévoilé au Mondial de Paris, en octobre 1998. Dessinée par les studios Italdesign de Giorgetto Giugiaro, la carrosserie reprend le thème de la 3500GT de 1957 conçue par Touring. Giugiaro abandonne les lignes angulaires qui caractérisent les rares autres créations récentes de la marque. L'élégant coupé 2+2 rappelle par son museau la très belle Aston Martin DB7 et bénéficie d'un profil et d'un dessin arrière assez inédits.

Un soin particulier a été apporté à la conception de l'habitacle où prime le cuir de bonne qualité. Le tableau de bord classique se prolonge gracieusement par la colonne centrale qui abrite les commandes de climatisation et le système audio, alors que les sièges enveloppants et chauffants à réglage électrique promettent un confort digne de cette véritable *gran turismo*. À noter aussi que les deux places arrière, sans être généreuses, offrent plus d'espace que les autres configurations de ce genre.

Noblesse et automatisme se rejoignent

Les ingénieurs de Ferrari ont collaboré à l'élaboration du châssis à moteur avant et roues arrière motrices qui reçoit un V8 en alliage léger de 3,2 litres. Suralimenté par deux turbocompresseurs, ce V8 à 4 arbres à cames en tête et 32 soupapes développe 368 chevaux et 362 lb pi de couple. Allié à la boîte Getrag à 6 rapports, le V8 entraîne la belle italienne de 1590 kg à plus de 280 km/h et permet de boucler le 0 à 100 km/h en 5,1 secondes. Maserati propose aussi une boîte automatique à 4 rapports.

La suspension indépendante à triangles en aluminium superposés est dotée d'amortisseurs à pilotage électronique, alors que d'imposants disques avant et arrière sont chargés de freiner les pneus de 18 pouces. Antiblocage, antipatinage et coussins de sécurité complètent la fiche de la sécurité active et passive.

Le très haut de gamme du Groupe Fiat étant confortablement occupé par Ferrari, les dirigeants du géant italien ont pris pour cible commerciale de la Maserati 3200GT, la Porsche 911 et la Jaguar XKR. Prix comparables, prestations aussi, reste à voir comment ces rivales de la première heure réussiront à affronter la plus dure des réalités, celles du marché.

Contrairement à la Lotus Elise, la Maserati 3200GT traversera l'Atlantique et sera livrable chez votre concessionnaire Ferrari.

LA PANOZ ESPERANTE
PRÉFIGURE LA VOITURE DE DEMAIN

Drôle de nom pour cette américaine de Géorgie! Mais Daniel Panoz, fondateur de Panoz Auto Development (1989), n'est pas un Américain comme les autres. Il a décidé de se mesurer aux Européens sur leur propre terrain avec ses GTR-1 de course dotées

3 PANOZ ESPERANTE

de moteurs américains logés dans des châssis à la fine pointe de la technologie automobile.

Lotus inspire encore

Mais Daniel Panoz ne s'arrête pas là. Riche de l'expérience acquise avec le roadster et dans les courses d'endurance où sévit la Panoz GTR-1, notre homme lance l'Esperante, un cabriolet sport qui rappelle fortement une autre célèbre Lotus, l'Elite. On se demande d'ailleurs si le choix d'un nom commençant par la lettre E n'est pas un hommage à cette pratique qui fait tradition chez Lotus.

Fidèle à la philosophie du châssis en aluminium, la plus récente des Panoz a été conçue en collaboration avec Reynolds Aluminium. Les sections en aluminium collées et boulonnées reçoivent des berceaux indépendants qui portent les suspensions et le groupe motopropulseur. D'autres superstructures en matériaux composites qui viennent rigidifier l'ensemble servent aussi de points de montage pour les panneaux de carrosserie en aluminium.

Les lignes classiques mais sensuelles de l'Esperante sont l'œuvre

2 MASERATI 3200GT

Fiche technique

	Lotus Elise	Maserati 3200GT	Panoz Esperante	De Tomaso Mangusta
• Type	cabriolet 2 places	coupé 2+2	cabriolet 2 places	cabriolet 2 places
• Empattement (cm)	230	266	265	267
• Longueur / Largeur (cm)	373 / 170	451 / 182	441 / 183	419 / 190
• Poids (kg)	690	1590	1420	1500
• Moteur	4L 1,8 litre	V8 3,2 litres bi-turbo	V8 4,6 litres	V8 4,6 litres
• Puissance (ch à tr/min)	120 à 5500	368 à 6250	320 à 6000	320 à 6000
• Couple (lb-pi à tr/min)	121 à 3000	362 à 4500	315 à 4750	300 à 4800
• Transmission	manuelle 5 rapports	manuelle 6 rapports	manuelle 5 rapports	manuelle 5 rapports
• 0-100 km/h (secondes)	5,9	5,1	n.d.	n.d.
• Vitesse maximale (km/h)	202	281	n.d.	240

4 DE TOMASO MANGUSTA

des Studios DZN de Californie, alors que les panneaux en aluminium sont formés à chaud selon une technique moderne qui permet de produire des panneaux d'épaisseur uniforme. Le toit repliable à commande hydroélectrique comporte une section avant rigide qui augmente l'étanchéité et atténue les bruits de vent. Une fois replié, il s'escamote complètement et assure la netteté visuelle des lignes.

L'expérience en compétition est aussi évidente au chapitre des suspensions à triangles inégaux superposés. La suspension arrière comporte des amortisseurs horizontaux actionnés par biellettes de renvoi à la manière de la GTR-1 de course. Et pour compléter ce tableau sportif, notons la présence du V8 de 4,6 litres signé Ford et développant 320 chevaux et 315 lb-pi de couple. Livrable pour le moment avec la boîte manuelle à 5 rapports, l'Esperante recevra éventuellement une boîte semi-automatique à commande séquentielle. Pour favoriser le centrage des masses, le groupe motopropulseur est monté en position reculée dans le châssis.

DE TOMASO MANGUSTA
INTÉRESSANT PETIT MAMMIFÈRE...

C'est au Salon de Genève de 1999 que cet autre constructeur italien de Modène a dévoilé sa *gran turismo* à cœur américain, respectant ainsi la tradition de cette maison vieille de 40 ans qui consiste à doter ses créations de moteurs conçus ailleurs, le plus célèbre hybride étant la redoutable Pantera que l'on voit encore aux expositions de voitures classiques. Allié à Ford depuis des lunes, Alejandro

De Tomaso reprend donc cette formule qui lui est chère ainsi que le nom du «petit mammifère» utilisé pour la première fois en 1960. Associé à la famille Qvale chargée d'assurer la distribution de la Mangusta originale aux États-Unis dès 1967, De Tomaso compte depuis 1994 sur les services de Giordano Casarini (ex-Ferrari et Maserati), concepteur de la Guara et de la Bigua (rebaptisée Mangusta).

À l'instar de Panoz, De Tomaso a retenu le V8 de 4,6 litres signé Ford. Moderne avec ses 4 arbres à cames en tête et ses 32 soupapes, ce moteur en aluminium est aussi léger, performant et fiable, et, considération importante pour qui veut s'imposer aux États-Unis, il est conforme aux normes antipollution américaines. Logé à l'avant, le V8 est couplé à une boîte à 5 rapports entraînant les roues arrière par le biais d'un différentiel autobloquant. Les 320 chevaux du V8 Ford promettent une vitesse de pointe de 240 km/h.

Classique par son architecture, la Mangusta présente une carrosserie en matériau composite très léger dont le dessin se distingue par l'originalité de la forme des phares et de la calandre, et par la présence d'une grande grille d'aération sur chaque flanc. Autre technique originale, celle du toit rétractable à trois positions: il peut s'escamoter complètement par commande électrique, se mettre en position Targa pour former un arceau de sécurité ou se fermer complètement.

Véritable banc d'essai de ces nouvelles technologies, la Mangusta allie avec élégance et originalité l'artisanat et la haute technologie et nous propose des solutions qui pourraient fort bien se retrouver dans la voiture du XXIe siècle.

EXCÈS DE BUREAUCRATIE

Terminons le survol de ces quatre sportives d'exception en déplorant que nos autorités interdisent l'importation au Canada de certaines de ces voitures tant modernes qu'exclusives, sous le prétexte qu'elles ne sont pas conformes à tel ou tel petit volet des normes de sécurité (les pare-chocs, par exemple). Quand on sait qu'il circule sur nos routes des constructions artisanales du genre *dune-buggy*, des motos surpuissantes aussi agressives que dangereuses ainsi que de vieilles minounes mille fois plus exposées que n'importe laquelle des quatre voitures décrites ci-dessus, on se rend compte de l'illogisme de notre réglementation excessive. Nous savons tous que ces voitures d'exception sont construites en très petite série; l'importation d'un nombre limité ne nuirait certainement pas à notre sécurité routière, pas plus qu'elle ne nuit à celle des Européens.

essais & analyses

Acura CL

En attendant la remplaçante

Malgré des débuts énigmatiques, une ligne controversée et la concurrence directe du cousin germain, le coupé Honda Accord, Acura a jugé bon de préparer une deuxième génération de son coupé CL. La nouvelle version sera dévoilée au début de l'an 2000 et lancée sur le marché au printemps.

La première génération du coupé Acura CL, qui date de 1996, s'apprête donc à tirer sa révérence. Construite par des Américains (de l'Ohio plus précisément), exclusivement pour le marché nord-américain, l'Acura CL est l'exemple même de la voiture-marketing. En effet, soucieuse de récolter les acheteurs souhaitant découvrir luxe et allure sportive dans une voiture abordable, Honda a concocté de toutes pièces ce coupé nommé CL en pigeant dans son stock existant. Plate-forme, suspension, freins, moteurs et boîtes de vitesses de la Honda Accord, habillés d'une carrosserie agréable sans être belle, le tout agrémenté d'un habitacle doté d'une multitude d'accessoires de luxe (provenant aussi du stock Honda), et bingo! Votre coupé est avancé, Monsieur, Madame!

Cette pratique courante chez les constructeurs japonais leur permet de s'adapter rapidement aux goûts de la clientèle qu'ils souhaitent attirer. Si les résultats sont certes convenables, il n'en demeure pas moins que les produits de cette «manipulation» semblent manquer de fond, de vrai, de sérieux presque. Une voiture faite pour les Américains, une autre pour les Européens, une troisième pour les Africains et ainsi de suite... Mais pourquoi pas une bonne voiture faite pour l'automobiliste où qu'il soit et quel qu'il soit? Une question philosophique, me direz-vous, mais qui mérite

quand même qu'on se la pose. Mais revenons à nos oignons, ou plutôt à notre coupé.

Luxe et performances

Luxe et performances, deux des mots préférés des spécialistes du marketing que reprend Acura pour son coupé CL. Voyons donc si on nous dit vrai. Le luxe d'abord. Il suffit d'ouvrir la porte pour se rendre compte qu'Acura prend cet élément au sérieux. Une finition soignée, des sièges à réglage électrique tendus de cuir sur les deux versions du coupé CL, chauffants sur la 3,0CL, tout comme les rétroviseurs d'ailleurs, sans oublier le tableau de bord fonctionnel et élégant, même s'il manque un peu d'originalité, le volant inclinable gainé de cuir, le régulateur de vitesse, la climatisation, la chaîne audio avec lecteur de disques compacts et commandes au volant. Bref, la définition même d'un coupé de luxe. Et en prime, deux véritables places à l'arrière, contrairement à ce qui est le cas dans la plupart des autres coupés. Certes, sans porte arrière, l'accès à l'arrière n'est jamais facile, mais sur la 3,0CL, le siège du conducteur (et non celui du passager) avance automatiquement pour dégager le passage. Précisons que le coffre présente un volume convenable, mais que le dossier arrière ne se rabat pas. Seule une petite trappe pratiquée dans le dossier permet de loger des objets longs, comme des skis.

Et qu'en est-il du deuxième volet du duo «luxe et performances»? Désolé de vous décevoir, mais elles ne sont pas au rendez-vous. Oui, le 4 cylindres à 16 soupapes et distribution variable VTEC affiche fièrement ses 150 chevaux, mais avec plus de 1400 kg à tirer, ce n'est pas suffisant pour parler sérieusement de performances. Même avec le V6 de 3,0 litres et ses 50 chevaux de plus, la CL

Acura CL

Pour

Finition soignée • Équipement complet • Habitacle luxueux • Suspension confortable • Moteurs économiques • Fiabilité éprouvée

Contre

Performances et tenue de route moyennes • Boîte automatique lente • Direction peu précise • Modèle en fin de carrière

Caractéristiques

Prix du modèle à l'essai:	3,2CL / 30 900 $ (prix 99)
Garantie de base:	3 ans / 60 000 km
Type:	coupé 4 places / traction
Empattement / Longueur:	271 cm / 483 cm
Largeur / Hauteur / Poids:	170 cm / 139 cm / 1466 kg
Coffre / Réservoir:	340 litres / 65 litres
Coussins de sécurité:	conducteur et passager
Suspension av. / arr.:	indépendante
Freins av. / arr.:	disque ABS
Système antipatinage:	oui
Direction:	à crémaillère, assistance variable
Diamètre de braquage:	12,0 mètres
Pneus av. / arr.:	P205/55R16
Valeur de revente:	passable

Motorisation et performances

Moteur / Transmission:	V6 3,0 litres / automatique 4 rapports
Puissance / Couple:	200 ch à 5600 tr/min / 195 lb-pi à 4800 tr/min
Autre(s) moteur(s):	4L 2,3 litres VTEC 150 ch
Transmission optionnelle:	manuelle 5 rapports (avec 4L)
Accélération 0-100 km/h:	8,6 secondes
Vitesse maximale:	210 km/h
Freinage 100-0 km/h:	40,0 mètres
Consommation (100 km):	11,0 litres

Modèles concurrents

Chrysler Sebring Coupé • Mercury Cougar • Honda Accord Coupé • Honda Prelude • Saab 9³ • BMW 318 • Toyota Solara

Quoi de neuf?

Modèle entièrement remanié prévu pour le printemps 2000

Verdict

Agrément	⊙⊙⊙	Habitabilité	⊙⊙⊙
Confort	⊙⊙⊙⊙	Hiver	⊙⊙⊙⊙
Fiabilité	⊙⊙⊙⊙⊙	Sécurité	⊙⊙⊙⊙

n'arrive pas à mériter le titre de voiture de performance. D'abord, seul le 4 cylindres peut recevoir la boîte manuelle. Ensuite, la lenteur de la boîte automatique, si elle ne nuit pas à la souplesse de conduite sur autoroute, convient mal à la conduite sportive. Enfin, et malgré la belle technique du VTEC qui assure une distribution variable en fonction du régime, le couple n'est toujours pas au rendez-vous à bas régime.

La priorité au confort

Même commentaire pour la suspension axée sur le confort. Sans être molle, la suspension permet à la caisse de subir un certain roulis en virage serré. La direction généreusement assistée plaira sans doute aux adeptes de la conduite «à l'américaine», mais elle manque de précision en conduite vive. En somme, si cette voiture pouvait parler, elle vous demanderait de choisir l'autoroute pour vos promenades du dimanche plutôt que les petites routes de campagne. Un choix sans doute fort valable à condition qu'on n'essaie pas d'y coller la notion déjà trop galvaudée de performance.

Au suivant.

Économique comme nul autre

Pour le reste, les CL présentent des qualités indéniables, notamment au chapitre de la consommation. En effet, malgré ses 200 chevaux, le V6 de 3,0 litres ne boit que 7,7 litres/100 km sur autoroute, ce qui en fait le champion de l'économie dans la catégorie des coupés de luxe. Ajoutez-y le silence de roulement (surtout avec le V6), le confort, le parfum du cuir, la qualité de la chaîne Bose (version 3,0) ainsi que la bonne visibilité et vous avez de quoi apprécier l'autoroute et même oublier la campagne.

Et si nous devions passer notre commande à Acura pour la prochaine génération du coupé CL, que pourrions-nous suggérer? Un tempérament un peu plus sportif, notamment du côté des moteurs, une boîte manuelle avec le V6, un look distingué mais moins «Honda», un peu plus de fantaisie dans l'habitacle et le même sérieux dans la finition et le niveau d'équipement. En somme, presque une Honda Prelude endimanchée...

Alain Raymond

Acura EL

Acura EL

Silence et impuissance

Modèle exclusif au Canada, la petite Acura fait penser à un ballon d'essai lancé par les responsables du marketing de Honda pour savoir si une Civic apprêtée à la sauce Acura peut présenter un intérêt pour les acheteurs nord-américains. Question de se faire une place dans le premier créneau du marché et de s'approprier une clientèle jeune qui pourrait, avec les ans, rester fidèle à la marque.

C'est en effet depuis le millésime 1997 qu'Acura construit la 1,6EL dans son usine ontarienne d'Alliston, la même d'où sortent les berlines Honda Civic. Plate-forme, éléments mécaniques, suspensions, habitacle: tout est d'origine Civic, à l'exception des parties avant et arrière signées Acura et de certains détails d'aménagement de l'habitacle.

Le silence, à tout prix

Conformément à l'opération «Renaissance» lancée par Acura en 1994 pour redéfinir sa philosophie d'entreprise, la 1,6EL place la barre très haut en matière de confort et de silence de fonctionnement. Pour ce faire, la petite Acura réussit fort bien à atténuer les bruits du moteur en adoptant une formule bien connue qui consiste à «allonger» le rapport de transmission afin de réduire le régime du moteur à une vitesse de croisière. C'est ainsi que le moteur VTEC de la 1,6EL tourne à 3000 tr/min à 120 km/h, régime exceptionnellement bas pour une si petite cylindrée. Si le silence de fonctionnement est ainsi assuré, la mollesse qui en résulte vous oblige à rétrograder à la moindre montée et pour effectuer tout dépassement. Rappelons que ce 4 cylindres à 16 soupapes livre son couple

maximum à 5500 tr/min et que la ligne rouge du compte-tours est fixée à 6600 tr/min. Autrement dit, ce moteur aime les hauts régimes mais se fait plutôt prier à bas régime. Avec la boîte automatique, ce manque de vigueur du moteur se solde par des accélérations pathétiques en circulation urbaine, des reprises lymphatiques sur la grand-route et des rétrogradations de la boîte automatique à la moindre sollicitation de l'accélérateur. Plus de 12 secondes pour boucler le 0 à 100 km/h avec la boîte automatique, c'est trop; il n'en faut pas plus pour éliminer tout espoir d'agrément de conduite.

Une version sans intérêt

C'est au volant de la version de base de l'Acura 1,6EL que nous avons effectué cet essai, et pour vous dire franchement, l'utilité de cette version dépouillée nous échappe tant l'aménagement de l'habitacle ressemble à celui d'une Civic. Sans siège chauffant ni réglable en hauteur, sans jante en alliage et sans même l'ABS, la version de base ne présente qu'un faible intérêt. Il faut opter pour les versions Sport et Premium pour se sentir un peu plus à bord d'une Acura. En outre, les curseurs du chauffage datent d'une époque révolue et bien des modèles concurrents ont adopté les commandes rotatives nettement plus pratiques. Signalons aussi que les minuscules témoins lumineux des touches au tableau de bord sont pratiquement invisibles en plein jour et que l'accoudoir central, trop bas, est inutile.

Quant au comportement routier, c'est celui d'une Civic alourdie d'une centaine de kilos. Heureusement que la 1,6EL reçoit des roues de 15 pouces chaussées de bons pneus Michelin et des

Acura EL

Pour

Silence de fonctionnement • Places arrière spacieuses et confortables • Caisse rigide • Bonne boîte automatique • Faible consommation

Contre

Faibles performances • Agrément de conduite limité • Direction surassistée • Version de base peu souhaitable

Caractéristiques

Prix du modèle à l'essai:	1,6EL / 20 000 $
Garantie de base:	3 ans / 60 000 km
Type:	berline / traction
Empattement / Longueur:	262 cm / 448 cm
Largeur / Hauteur / Poids:	170 cm / 140 cm / 1144 kg
Coffre / Réservoir:	337 litres / 45 litres
Coussins de sécurité:	conducteur et passager
Suspension av. / arr.:	indépendante
Freins av. / arr.:	disque / tambour
Système antipatinage:	non
Direction:	à crémaillère, assistance variable
Diamètre de braquage:	10,0 mètres
Pneus av. / arr.:	P195/55R15
Valeur de revente:	excellente

Motorisation et performances

Moteur / Transmission:	4L 1,6 litre / manuelle 5 rapports
Puissance / Couple:	127 ch à 6600 tr/min / 107 lb-pi à 5500 tr/min
Autre(s) moteur(s):	aucun
Transmission optionnelle:	automatique 4 rapports
Accélération 0-100 km/h:	12,2 secondes (auto)
Vitesse maximale:	192 km/h
Freinage 100-0 km/h:	40,0 mètres
Consommation (100 km):	8,5 litres

Modèles concurrents

Mazda Protegé • VW Jetta • Subaru Impreza • Toyota Corolla

Quoi de neuf?

Aucun changement majeur

Verdict

Agrément	☺☺☺	
Confort	☺☺☺	
Fiabilité	☺☺☺☺ ☻	
Habitabilité	☺☺☺	
Hiver	☺☺☺ ☻	
Sécurité	☺☺☺ ☻	

barres antiroulis à l'avant et à l'arrière qui réussissent à tenir la caisse à l'horizontale en virage. La tenue de route est correcte, mais la direction à forte assistance appréciée en ville pour sa maniabilité atténue la sensation de la route et, par conséquent, la précision de conduite.

Une fiabilité exemplaire

Que reste-t-il pour plaire aux jeunes acheteurs que souhaite attirer Acura? Des places arrière dégagées et confortables, une qualité d'assemblage évidente, une caisse rigide exempte de petits bruits parasites, un coffre spacieux et accessible, une faible consommation et une fiabilité exemplaire. En somme, les qualités de la berline Civic avec, en prime, des rétroviseurs extérieurs chauffants, l'antivol, ainsi que le verrouillage et les glaces électriques. Pour bénéficier des freins antiblocage, du lecteur de disques compacts et des roues en alliage, il faut passer à la version Sport (qui n'a de sportif que le nom) et à la version Premium si l'on veut bénéficier des beaux sièges tendus de cuir. Le fait que les acheteurs favorisent la version Sport vient appuyer notre thèse selon laquelle la version de base bien trop dépouillée présente vraiment peu d'intérêt et ne sert qu'à afficher un prix de départ plus alléchant pour la gamme 1,6EL.

Le «temple du silence»

Si les concessionnaires Acura apprécient sans doute l'accès au marché des petites voitures que leur donne la 1,6EL, les adeptes du «temple du silence» trouveront chaussure à leur pied dans la plus modeste des Acura. Pour l'agrément de conduite, il faudra voir ailleurs.

Alain Raymond

Acura Integra

Acura Integra

Un dernier tour de piste

La nouvelle orientation d'Acura adoptée en 1994 vise à réserver la marque de prestige de Honda aux voitures de luxe au confort cossu et à s'éloigner du même coup de la vocation sportive qui caractérisait la marque à ses débuts. Acura a adopté au même moment la désignation alphanumérique pour ses modèles, l'Integra étant la dernière (exception faite de l'exclusive NSX) à conserver tant un tempérament sportif qu'un nom spécifique.

Construite sur la plate-forme de la Honda Civic et lancée pour la première fois en 1987, l'Integra a connu trois générations de coupés et de berlines dont la dernière a pris naissance en 1994. Depuis lors, seul le coupé a survécu et il se décline en quatre versions: SE, GS, GS-R et Type R, cette dernière étant un modèle exclusif de très faible diffusion offrant de très hautes performances.

Intègre, l'Integra

Si elle a survécu si longtemps malgré le changement de cap de son constructeur et la faible demande du marché pour les coupés sport, c'est que l'Integra est une voiture honnête. En effet, la plupart des coupés sport abordables n'ont de sport que l'allure et la désignation où se mêlent feu, soleil et même certaines espèces de poissons méchants... Mais l'Integra, elle, ne cache pas son jeu; c'est un coupé sport, un point c'est tout.

Et qui dit coupé, dit essentiellement un 2 places avec des places arrière symboliques, une assise basse et une allure fuyante. C'est précisément ce que propose l'Integra qui ajoute une troisième

porte faisant office de hayon relevable. Les sièges arrière à dossiers rabattables individuellement permettent d'augmenter le volume du coffre qui est amplement convenable pour les bagages de deux personnes, malgré son seuil élevé. Souvent, les acheteurs d'Integra optent pour l'aileron arrière; celui-ci accentue peut-être le look sportif mais nuit à la visibilité.

À l'intérieur, l'Integra n'a pas beaucoup évolué au fil des ans. Le tableau de bord sobre (pour ne pas dire vieillot) comporte une instrumentation analogique aussi classique que visible; le sélecteur ou le levier de vitesses se manie bien, le pédalier est correctement placé et le volant réglable en hauteur tombe bien en main, mais il est affublé de deux touches peu pratiques pour le klaxon. Vieillots aussi sont les curseurs du système de chauffage auxquels nous préférons les commandes rotatives bien plus pratiques.

Fidèle à sa vocation sportive, l'Integra compte de véritables sièges baquets enveloppants qui soutiennent bien en virage. Cependant, à cause de l'assise basse, on «descend à bord» et il faut se soulever pour sortir de la voiture. Quant à l'accès aux sièges arrière, souhaitons simplement que vous soyez acrobate ou âgé de 10 ans et moins si vous voulez vous y rendre.

Performant mais bruyant

Qu'en est-il du comportement routier de la fidèle Integra? Dès le premier démarrage, on remarque immédiatement le bruit du moteur. Je dis bien bruit et non sonorité, car les deux moteurs proposés (oublions celui de la Type R pour le moment) ne sont pas dotés d'une sonorité «sportivement agréable». Cela n'empêche cependant pas de réaliser des prestations honnêtes avec le moteur

Acura Integra

Pour

Agrément de conduite • Bonne tenue de route • Moteurs performants et économiques • Bonne valeur de revente • Excellente fiabilité

Contre

Moteurs bruyants • Seuil de coffre élevé • Places arrière symboliques • Suspensions dures (Type R) • Habitacle vieillot

Caractéristiques

Prix du modèle à l'essai:	SE / 22 000 $
Garantie de base:	3 ans / 60 000 km
Type:	coupé 2+2 / traction
Empattement / Longueur:	257 cm / 438 cm
Largeur / Hauteur / Poids:	169 cm / 132 cm / 1172 kg
Coffre / Réservoir:	310 litres / 50 litres
Coussins de sécurité:	conducteur et passager
Suspension av. / arr.:	indépendante
Freins av. / arr.:	disque ABS (sauf SE)
Système antipatinage:	non
Direction:	à crémaillère à assistance variable
Diamètre de braquage:	10,6 mètres
Pneus av. / arr.:	P195/55R15
Valeur de revente:	très bonne

Motorisation et performances

Moteur / Transmission:	4L 1,8 litre / manuelle 5 rapports
Puissance / Couple:	140 ch à 6300 tr/min / 127 lb-pi à 5200 tr/min
Autre(s) moteur(s):	4L 1,8 litre VTEC 170 ch / Type-R 195 ch
Transmission optionnelle:	automatique 4 rapports
Accélération 0-100 km/h:	9,5 secondes (auto)
Vitesse maximale:	190 km/h
Freinage 100-0 km/h:	40,0 mètres
Consommation (100 km):	8,7 litres

Modèles concurrents

Chevrolet Cavalier Z24/Pontiac Sunfire GT • Honda Civic SiR • Toyota Celica • VW Golf

Quoi de neuf?

Aucun changement majeur

Verdict

Agrément	⊕ ⊕ ⊕ ⊕	Habitabilité	⊕ ⊕ ⊖
Confort	⊕ ⊕ ⊕	Hiver	⊕ ⊕ ⊕
Fiabilité	⊕ ⊕ ⊕ ⊕ ⊖	Sécurité	⊕ ⊕ ⊕ ⊖

de base produisant 139 chevaux et des prestations fumantes avec le moteur VTEC qui profite du fameux système de distribution variable Honda pour développer 170 chevaux. Je vous rappelle que ce 4 cylindres à 2 arbres à cames en tête et 16 soupapes déplace seulement 1,8 litre. Si la puissance unitaire du moteur VTEC est remarquable, celle de la version Type R se révèle tout simplement extraordinaire: 195 chevaux, soit 108 chevaux au litre. Il faut aller chez Ferrari pour trouver mieux ou encore chez... Honda (240 chevaux pour 2,0 litres avec la nouvelle S2000!).

Tout cela pour vous rappeler que Honda est d'abord et avant tout un grand motoriste qui sait appliquer à l'automobile de M. et Mme Tout-le-Monde l'expérience acquise en moto et sur les circuits de course. Cette expérience s'avère précieuse aussi sur le plan de la tenue de route. Celle-ci est aussi saine que sportive grâce à la suspension à bras triangulés mise au point par Honda. Cette belle tenue en virage s'accompagne d'une tenue de cap fort convenable. Le seul bémol porte sur le confort assuré par la suspension que l'on pourrait qualifier de ferme sur les ES, GS et GS-R et de carrément dure sur la Type R.

Adieu!

Ajoutons à ce tour d'horizon que si la boîte manuelle très maniable ne présente pas de défauts, la boîte automatique accuse des passages de rapports qui manquent parfois de souplesse. Quant aux freins à disque aux 4 roues, ils sont puissants et faciles à doser. Seule leur durabilité pose un problème (voilage des disques). À noter que l'antiblocage livré de série sur les GS, GS-R et Type R n'est pas disponible sur la SE.

Fiable à souhait, agréable à conduire lorsque le confort ouaté n'est pas une priorité absolue, performante et bien collée à la route, l'Integra nous quitte cette année après de bons et loyaux services comme en témoigne sa belle valeur de revente. Acura saura-t-elle la remplacer par un coupé sport aussi vaillant? Nous le souhaitons.

Alain Raymond

Acura RL

Confortablement marginale

Les stratèges de Honda connaissent les finesses du marketing. Désirant couvrir le marché le plus vaste possible, ils nous proposent les économiques Civic, les bourgeoises Accord, les sportives NSX et S2000 ainsi que les luxueuses grandes Acura. Et ces mêmes stratèges ont décidé que l'automobiliste en quête de luxe ne s'intéressait pas particulièrement à l'agrément de conduite. D'où la grande Acura.

Le mandat des stylistes de Honda pour le haut de gamme Acura consiste à dessiner une berline qui plaise aux acheteurs potentiels de grandes américaines, ce qui explique le conservatisme des lignes et le thème général de la RL qui reprend l'essentiel de la Legend d'il y a 10 ans. Mais en 10 ans, le public cible a évolué. Les baby-boomers qui arrivent à la cinquantaine ont connu des voitures différentes de celles de leurs parents. Plus fermes, plus performantes, plus axées sur l'agrément de conduite. Adieu Buick. Bonjour BMW.

Les têtes pensantes chez Honda comprennent sans doute cette métamorphose, mais leur réaction accuse une certaine lenteur. Comment expliquer autrement l'écart qui existe entre leur Acura RL et une Volvo S80, par exemple?

Moins anonyme, moins ennuyeuse

Descendante de la grande Legend, l'Acura 3,5RL a quand même bénéficié l'an dernier de nombreuses retouches esthétiques et d'améliorations mécaniques essentiellement axées sur le comportement routier.

La partie avant, avec sa calandre à pointe inversée que l'on retrouve sur plusieurs modèles des gammes Honda et Acura, procure à la RL un air de famille. L'habitacle offre aux occupants amplement d'espace dans tous les sens, à l'exception du passager avant dont les pieds sont à l'étroit sous le tableau de bord et qui est gratifié d'une assise de siège mal inclinée qui finit par fatiguer. En outre, le conducteur a du mal à rejoindre les commandes de réglage du siège logées sur le côté de l'assise, trop près de la contre-porte.

Autre situation ridicule, les dimensions de la boîte à gants qui porte bien son nom... mais dont la petitesse est heureusement compensée par le casier pratique qui se cache sous l'accoudoir central. Pratiques aussi les commandes du système de chauffage et de climatisation dont la facilité d'utilisation se distingue de l'horrible complexité de certains systèmes «sophistiqués» qui trônent chez plusieurs concurrents. À noter cependant une lacune importante dans cette catégorie de prix: l'absence de commandes individuelles aux places avant pour le chauffage et la climatisation. Par contre, le système est efficace. Quant aux essuie-glace, nous avons été surpris de constater que leur logement sous l'arête du capot se remplissait de neige, les empêchant ainsi de revenir à la position d'arrêt.

Avant de quitter l'habitacle, signalons le dessin agréable du tableau de bord et sa belle ergonomie, ainsi que la bonne visibilité et la présence du volant escamotable qui remonte lorsqu'on coupe le contact pour faciliter le passage... du bedon. Un bon point enfin au grand coffre au seuil bas et à la trappe à ski aménagée dans le dossier de la banquette arrière. En revanche, le couvercle à commande électrique a la fâcheuse habitude de s'ouvrir tout seul sur certaines Acura RL.

Acura RL

Pour

Groupe motopropulseur souple et silencieux • Habitacle accueillant • Fiabilité éprouvée • Pas de gadgets inutiles • Bon rapport qualité/prix

Contre

Motorisation insuffisante • Ligne encore anonyme • Certaines commandes à revoir • Agrément de conduite mitigé • Siège inconfortable pour le passager avant

Caractéristiques

Prix du modèle à l'essai:	3,5RL / 52 000 $ (prix 99)
Garantie de base:	3 ans / 60 000 km
Type:	berline / traction
Empattement / Longueur:	291 cm / 495 cm
Largeur / Hauteur / Poids:	181 cm / 181 cm / 1675 kg
Coffre / Réservoir:	419 litres / 68 litres
Coussins de sécurité:	frontaux et latéraux
Suspension av. / arr.:	indépendante
Freins av. / arr.:	disque ABS
Système antipatinage:	oui
Direction:	à crémaillère, assistance variable
Diamètre de braquage:	11,0 mètres
Pneus av. / arr.:	P215/60VR16
Valeur de revente:	passable

Motorisation et performances

Moteur / Transmission:	V6 3,5 litres / automatique 4 rapports
Puissance / Couple:	210 ch à 5200 tr/min / 224 lb-pi à 2800 tr/min
Autre(s) moteur(s):	aucun
Transmission optionnelle:	aucune
Accélération 0-100 km/h:	8,2 secondes
Vitesse maximale:	225 km/h
Freinage 100-0 km/h:	41,0 mètres
Consommation (100 km):	12,0 litres

Modèles concurrents

Audi A6 • BMW 528 • Cadillac Seville • Lexus GS300 • Lincoln LS • Mazda Millenia • Mercedes E320 • Saab 9⁵ • Volvo S80

Quoi de neuf?

Système antidérapage de série

Verdict

Agrément	⊕ ⊕ ◔	Habitabilité ⊕ ⊕ ⊕ ⊕ ⊕
Confort	⊕ ⊕ ⊕ ⊕ ◔	Hiver ⊕ ⊕ ⊕ ⊕
Fiabilité	⊕ ⊕ ⊕ ⊕ ⊕	Sécurité ⊕ ⊕ ⊕ ⊕ ◔

Silence, on tourne

La souplesse et le silence de fonctionnement exceptionnels du moteur témoignent de façon éloquente des progrès réalisés par les motoristes en matière d'insonorisation. Mais avec 210 chevaux, le V6 de 3,5 litres ne permet pas d'obtenir les prestations assurées par les mécaniques plus musclées de la plupart des concurrentes de la RL. La consommation est tout au plus moyenne.

À l'instar du moteur, la boîte automatique à 4 rapports affiche une souplesse exceptionnelle. Les pneus Michelin équipant la voiture soumise à l'essai contribuent au silence de roulement et présentent une bonne adhérence sur les routes d'hiver. Fiable et éprouvé, ce groupe motopropulseur doit néanmoins évoluer pour se hisser à la hauteur des mécaniques plus puissantes et des boîtes à 5 rapports qui foisonnent dans le haut de gamme.

Encore en retrait.

La recherche du compromis

Le raffermissement des suspensions effectué l'an dernier sur la RL a permis de corriger la sensation de flottement que donnait la version antérieure sans nuire au confort ni au silence de fonctionnement. Certes, il existe encore un certain roulis en virage et le sous-virage, principale caractéristique des tractions, reste encore au menu mais sans excès. La direction à assistance variable se distingue par l'absence d'effet de couple et par une bonne précision qui favorise l'agilité de la grande berline. Par contre, on sent mal la route, ce qui nuit à l'agrément de conduite. La stabilité en ligne droite ne pose aucun problème et les freins puissants et correctement équilibrés réussissent à ralentir efficacement les 1700 kg de la grande Acura. Bien entendu, tant l'ABS que l'antipatinage — fort efficace d'ailleurs — sont fidèles au rendez-vous.

Solide, raisonnable, luxueuse, démunie de gadgets inutiles, l'Acura RL offre un rapport qualité/prix intéressant lorsqu'on la compare à certaines de ses rivales. Mais comme le prix n'est pas le seul attrait dans cette catégorie, Honda devra repenser ses voitures haut de gamme si elle souhaite marquer des points, surtout face à Volvo qui, pour un prix comparable, parvient à offrir bien plus.

Alain Raymond

Acura TL

Acura 3,2TL

Championne du rapport qualité/prix

Avec la 3,2TL, la marque Acura pourrait quasiment être accusée de concurrence déloyale. Non seulement cette voiture a fait l'objet l'an dernier d'une transformation radicale, mais son prix a aussi été revu à la baisse, ce qui lui donne un avantage marqué par rapport à ses rivales nippones que sont la Lexus ES300 ou l'Infiniti I30. Remarquez qu'Acura n'avait pas d'autre choix que de recourir à des solutions draconiennes pour réussir à implanter un modèle qui n'avait vraiment jamais décollé.

Né sous le vocable plutôt ridicule de Vigor, le modèle représentant le milieu de gamme de la branche de luxe de Honda a changé d'appellation en 1995 pour devenir la TL. Aussi fade que sa devancière, elle n'a pas réussi à prendre racine sur un marché hypercompétitif. L'an dernier, Acura a joué le tout pour le tout, d'abord en transformant complètement cette berline intermédiaire et ensuite en sabrant son prix de façon substantielle. Les résultats ne se sont pas fait attendre et de nombreux concessionnaires ont vu disparaître tout leur stock de l'année en quelques semaines. La voiture est-elle aussi attrayante que son prix le laisse supposer ou s'agit-il simplement d'une habile manœuvre de marketing?

Disons que l'on a fait certains compromis en matière d'équipement et de finition mais que, à tout prendre, la TL offre probablement le meilleur rapport qualité/prix sur le marché à l'heure actuelle.

Les seules vraies lacunes sont l'absence de coussins gonflables latéraux et une présentation intérieure où certains plastiques polis (les leviers sous le volant) détonnent un peu dans un habillage par ailleurs plutôt relevé. Acura s'est montrée un peu chiche également dans l'utilisation des appliques en bois.

Outre ces petits détails, la voiture s'est sortie de mes nombreux essais avec grande distinction.

Lauréate de sa catégorie

Lors de notre match comparatif de l'an dernier, la nouvelle Acura TL a même volé la vedette à l'Audi A4, ce qui n'est pas un mince exploit.

Malgré un manque de souffle dans les hauts régimes, le V6 3,2 litres de la TL est nerveux en attaque et assez prompt à réagir quand vient le moment de doubler un autre véhicule. La transmission automatique se double d'un mode manuel à la Tiptronic qui, pour une fois, est assez agréable à utiliser, à la condition de toujours se rappeler où se situe le levier de vitesses.

Les changements les plus intéressants à avoir été apportés à cette Acura portent sur le comportement routier. Autrefois peu gâtée à ce chapitre, la TL adopte désormais les caractéristiques d'une berline allemande. La suspension est ferme sans jamais être inconfortable tandis qu'elle procure une tenue de route neutre en virage et une grande stabilité en ligne droite, même à grande vitesse. Sur mauvais revêtement, la caisse demeure silencieuse et il suffirait d'éliminer d'occasionnels craquements au tableau de bord pour que la voiture mérite un score parfait à ce poste. Et on pourrait sans doute dans un même temps améliorer l'insonorisation aux bruits de la route. Comme toutes les voitures de chez Honda, l'Acura TL réagit sèchement et bruyamment aux joints transversaux.

La direction, pour sa part, se ressent légèrement du couple moteur qu'elle télégraphie par de petites secousses dans le volant.

Acura TL

Pour

Prix attrayant • Bon comportement routier • Motorisation sans faille • Phares puissants • Sièges confortables

Contre

Pas de coussins latéraux • Tableau de bord grande série • Faible insonorisation • Coffre à bagages (voir texte)

Caractéristiques

Prix du modèle à l'essai:	3,3 TL / 35 000 $ (prix 99)
Garantie de base:	3 ans / 60 000 km
Type:	berline / traction
Empattement / Longueur:	275 cm / 490 cm
Largeur / Hauteur / Poids:	179 cm / 143 cm / 1565 kg
Coffre / Réservoir:	405 litres / 65 litres
Coussins de sécurité:	conducteur et passager
Suspension av. / arr.:	indépendante
Freins av. / arr.:	disque ABS
Système antipatinage:	oui
Direction:	à crémaillère, assistance variable
Diamètre de braquage:	11,2 mètres
Pneus av. / arr.:	P205/60R16
Valeur de revente:	bonne

Motorisation et performances

Moteur / Transmission:	V6 3,2 litres / automatique 4 rapports
Puissance / Couple:	225 ch à 5500 tr/min / 216 lb-pi à 5000 tr/min
Autre(s) moteur(s):	aucun
Transmission optionnelle:	aucune
Accélération 0-100 km/h:	8,1 secondes
Vitesse maximale:	200 km/h
Freinage 100-0 km/h:	40,6 mètres
Consommation (100 km):	11,5 litres

Modèles concurrents

BMW 325i • Audi A4 1,8 • Mercedes-Benz 230 Classic • Volvo S70 • Saab 9⁵ • Infiniti I30 • Lexus ES300 • Volkswagen Passat GLX

Quoi de neuf?

Boîte automatique 5 rapports à mode manuel • Couple maximal abaissé de 300 tr/min • Coussins latéraux

Verdict

Agrément	☺☺☺☺	Habitabilité ☺☺☺☺☺
Confort	☺☺☺☺☺	Hiver ☺☺☺☺
Fiabilité	☺☺☺☺☺	Sécurité ☺☺☺☺

Celui-ci, par ailleurs, «lit» bien la route et a été débarrassé de cette légèreté que l'on rencontre trop souvent dans les voitures japonaises. Enfin, le freinage est sécuritaire, quoiqu'un tantinet instable à la suite de l'intervention de l'antiblocage lors d'arrêts d'urgence.

La clarté du xénon

Si l'équipement de série fait abstraction des coussins latéraux, il propose en revanche une qualité d'éclairage ordinairement réservée à des voitures plus coûteuses. L'Acura TL reçoit en effet des phares de croisement au xénon qui se distinguent par une brillance et une portée largement supérieures à celles des ampoules halogène. Leur seul inconvénient majeur est une terminaison abrupte du faisceau lumineux qui a tendance à faire croire que l'éclairage est moins puissant qu'avec des phares conventionnels. Question d'habitude... À propos de visibilité justement, la voiture est dotée d'un vaste pare-brise qui souffre néanmoins d'un désembuage perfectible par temps de pluie. Si l'on fait exception des porte-verres qui me paraissent trop en recul pour être facilement accessibles au conducteur et au passager avant, l'intérieur se fait apprécier par de bons sièges à commande électrique dont les boutons de réglage copiés sur ceux de Mercedes-Benz sont simples et commodes à utiliser. On a aussi prévu de bons rangements autant sur la console que dans les bacs de portes tandis que tous les boutons sont d'une grosseur qui rend leur manipulation infiniment facile.

Excellente, même en solde.

Soulignons aussi que l'antipatinage qui fait partie de l'équipement de base peut être désactivé en cas d'embourbement dans la neige.

L'habitabilité est également très soignée avec des places arrière spacieuses. Sur la voiture mise à l'essai, il était extrêmement difficile d'ouvrir le coffre au moyen de la commande à distance reliée à la clé de contact. Le chargement des bagages est restreint par le seuil élevé du coffre et la faible largeur du couvercle.

En faisant le bilan des «pour» et des «contre», on constate d'abord que l'Acura 3,2TL a fait beaucoup de progrès dans sa dernière évolution. Il suffit d'ajouter une facture en forte baisse pour se rendre compte que son rapport qualité/prix en fait l'une des voitures les plus attrayantes sur le marché.

Audi A4 • S4

Audi S4

Normale ou biturbo

Réputée pour l'excellence de ses voitures à traction inté- grale, la marque Audi n'a jamais vraiment misé sur la per- formance pour mousser ses ventes. Dans un créneau for- tement dominé par BMW, Audi a toujours été un peu en retrait avec un éventail de modèles d'un attrait certain, mais affligé d'une motorisation plus bourgeoise que spor- tive.

Avec le slogan *Power under control* (la puissance sous contrôle), Audi attaque les années 2000 sous le thème de la performance. L'excellente A4 bénéficie d'un certain nombre de modifications, mais c'est l'arrivée de la S4 qui devrait donner un sérieux coup de pouce à l'image de ce constructeur. Dans la lutte que se livrent les petites berlines allemandes, l'A4 a déjà fait une sérieuse percée parmi la clientèle des modèles de série 3 de chez BMW. Ces derniers conservaient toutefois la cote en matière de puissance et d'agrément de conduite. L'entrée en scène de la S4 constitue un nouvel écueil pour les petites merveilles de Munich.

Riche d'un V6 2,7 litres à 30 soupapes suralimenté par une paire de turbocompresseurs, cette berline à traction intégrale peut non seulement semer une BMW 328i sur une route enneigée, mais aussi la devancer dans des conditions tout à fait normales. On me dira que la prochaine évolution de la M3 de BMW réglera le sort de la S4, mais celle-ci bénéficiera toujours d'un meilleur rapport prix/performance. Avec l'arrivée du coupé TT, de la S4 et de l'A6 2,7 T, il est clair qu'Audi n'entend plus jouer les simples figurants dans la course à la performance.

38 «différences» pour l'A4

Même si la S4 risque de faire ombrage au modèle dont elle est dérivée, l'A4, il ne faut pas perdre de vue que cette gamme a fait l'objet de près de 40 modifications pour l'an 2000. Cela comprend, entre autres, un nouvel étagement des rapports de la transmission automatique, des coussins gonflables latéraux, une calandre et un couvercle de coffre redessinés, un toit ouvrant agrandi et, en réponse à nos critiques, des porte-verres mieux conçus. Ce qu'il faut surtout retenir de cette énumération, c'est la révision du rap- port de pont qui contribue à occulter la mollesse du moteur V6. Tous ces changements visent à donner un dernier souffle à un modèle qui date maintenant de cinq ans et qui cédera sa place à une version rafraîchie d'ici peu. Malgré tout, l'A4 reste l'une des voitures les plus intéressantes sur le marché et l'une de celles que je recommande le plus souvent, surtout avec son moteur 1,8 litre turbo. J'ai d'ailleurs personnellement franchi plus de 40 000 km sans aucun ennui avec une Audi Quattro de la précédente généra- tion, ce qui paraît rassurant au chapitre de la fiabilité.

S4 sinon SS4

En supplément de son moteur biturbo très compact, la S4 se démarque par sa boîte de vitesses manuelle à 6 rapports, sa sus- pension raffermie (de 35 p. 100), ses jantes en alliage de 17 pouces, sa direction plus rapide, ses freins haute performance et, bien sûr, ses 4 roues motrices en permanence. Au point de vue apparence, l'œil averti notera de subtiles différences à la grille de calandre et une présentation intérieure un peu plus «jazzée», bien que d'un goût discutable dans le choix de certains matériaux et couleurs.

Audi S4

Pour

Performances brillantes • Tenue de route exceptionnelle • Confort étonnant • Freinage à la hauteur • Grande maniabilité

Contre

Diffusion limitée (S4) • Mauvais étagement de la boîte manuelle • Places arrière étroites • Pneus bruyants

Caractéristiques

Prix du modèle à l'essai:	S4 / 56 000 $
Garantie de base:	3 ans / 80 000 km
Type:	berline / transmission intégrale
Empattement / Longueur:	260 cm / 448 cm
Largeur / Hauteur / Poids:	185 cm / 142 cm / 1630 kg
Coffre / Réservoir:	440 litres / 60 litres
Coussins de sécurité:	frontaux et latéraux
Suspension av. / arr.:	indépendante
Freins av. / arr.:	disque ventilé
Système antipatinage:	non
Direction:	à crémaillère, assistée
Diamètre de braquage:	11,4 mètres
Pneus av. / arr.:	P225/45ZR17
Valeur de revente:	très bonne

Motorisation et performances

Moteur / Transmission:	V6 biturbo 2,7 litres / manuelle 6 rapports
Puissance / Couple:	250 ch à 5800 tr/min / 258 lb-pi à 1850 tr/min
Autre(s) moteur(s):	4L 1,8 turbo; V6 2,8 litres 193 ch
Transmission optionnelle:	Tiptronic 5 rapports
Accélération 0-100 km/h:	6,2 secondes
Vitesse maximale:	230 km/h
Freinage 100-0 km/h:	38,4 mètres
Consommation (100 km):	12,0 litres

Modèles concurrents

BMW série 3 • Volvo V70 T5 • Mercedes-Benz C280 Sports Package et C43 • Saab Viggen

Quoi de neuf?

Pneu et roue de secours plein format • Seuil de porte en aluminium • Couleur du volant assortie au tableau de bord • Voir texte

Verdict

Agrément	⊕ ⊕ ⊕ ⊕ ◖	Habitabilité	⊕ ⊕ ◖
Confort	⊕ ⊕ ⊕ ◖	Hiver	⊕ ⊕ ⊕ ◖
Fiabilité	⊕ ⊕ ⊕ ◖	Sécurité	⊕ ⊕ ⊕ ⊕

Finalement, la sécurité passive bénéficie de coussins gonflables latéraux.

Une Carrera 4 version berline

Comme on peut le deviner, c'est sur la route que l'Audi S4 brille de tous ses feux. Ses 250 chevaux sont d'une éloquence sans pareil et s'expriment avec une spontanéité peu commune. Doté d'un petit turbocompresseur pour chaque rangée de cylindres, le V6 est très attentif aux moindres sollicitations de l'accélérateur auxquelles il répond par un petit sifflement bien sympathique. Le temps de réponse propre au turbo est assez court comme en témoigne un 0-100 km/h de 6,2 secondes, une solide référence.

Les ingénieurs ont pris grand soin de rendre ce moteur très souple. À preuve un couple maximal de 258 lb-pi obtenu à 1850 tr/min. Sur le terrain, la bonne tenue du moteur à faible régime se vérifie aisément en accélérant à partir de 1200 tr/min sur le 4e rapport. Pas d'hésitation, de cliquetis ni d'autre hoquet indiquant que le moteur peine à la tâche. La boîte de vitesses à 6 rapports, en revanche, m'apparaît superflue et répond davantage à des nécessités de marketing qu'à un besoin réel. Avec un 4e rapport qui nous mène à près de 200 km/h, on voit mal l'utilité d'une 5e et encore moins d'une 6e vitesse. Le moteur affiche une telle souplesse à tous les régimes qu'il pourrait facilement se passer de tant de rapports de boîte. De plus, la 6e qui devrait normalement jouer le rôle d'une surmultiplication paraît un peu trop courte. Hormis cette concession au marketing, la boîte est précise avec un levier facile à guider.

Les pneus Bridgestone P225/45/17 qui chaussent la S4 atteignent le parfait compromis en matière de confort et de tenue de route. Malgré leur taille basse, ils absorbent bien les imperfections du revêtement tout en restant plantés sur le bitume comme s'ils étaient retenus par une bande de Velcro. On a beau aller vite et encore plus vite en virage, la S4 ne bouge pas et se montre d'une facilité déconcertante à conduire sportivement. Ajoutons à cela l'exceptionnelle motricité du système Quattro sur des routes glissantes et vous n'êtes pas loin de ce que pourrait être une Porsche Carrera 4 carrossée en berline 4 places.

L'anti-M3.

Jacques Duval

Audi A6 • Avant • A6 2,7 T • 4,2

Audi A6 2,7 T

Une gamme étoffée

Au lieu d'être cantonné à deux types de carrosserie et à un seul moteur un peu poussif, l'acheteur d'une Audi A6 a désormais l'embarras du choix. Selon ses goûts, ses besoins et son budget, il peut opter pour une A6 normale en version berline ou familiale Avant, une A6 2,7 T au tempérament sportif plus affirmé, ou encore une A6 4,2 superluxe animée par un V8 de 4,2 litres. Et dans tous les cas, la transmission intégrale ou Quattro est au rendez-vous.

Fini l'époque où l'on pouvait ironiser sur le V6 2,8 litres de l'Audi A6 en écrivant: «Y a-t-il un moteur sous le capot?» Pour l'an 2000, le modèle qui constitue l'épine dorsale de la gamme Audi a pris du galon avec un moteur de base rajeuni, une version biturbo du même V6 et un costaud V8. Admirée jusque-là pour la remarquable sécurité tant active que passive qu'elle assurait, l'A6 laissait un peu tout le monde sur son appétit à l'étage des performances. Malgré ses 30 soupapes et ses 200 chevaux, le V6 de 2,8 litres a toujours été un peu lymphatique.

La 2,7 T: La vie de château

La nouvelle A6 2,7 T vient corriger le tir grâce à son moteur biturbo de 250 chevaux, une version suralimentée du V6 30 soupapes utilisé dans les modèles de base. C'est la plus sportive des trois livrées de l'A6 même si sa vocation haute performance est moins bien définie que celle de la S4. Nous sommes en présence d'une berline rapide qui réagit plus mollement dans les virages serrés. Même le petit sifflement qui accompagne le V6 biturbo dans la S4 est fortement atténué dans l'A6. Il n'en demeure pas moins que la voiture voit son

agrément de conduite s'enrichir grâce à sa nouvelle motorisation et à sa boîte de vitesses à 6 rapports. Encore là toutefois, celle-ci paraît superflue et la transmission Tiptronic qui sera offerte plus tard devrait convenir davantage au style de cette nouvelle A6 du millésime 2000.

Pour mieux tirer profit de son moteur, la 2,7 T reçoit des roues uniques assorties à des pneus quatre saisons P215/55R16, des ressorts de suspension plus rigides et des freins haute performance. Et comme toutes les voitures de luxe qui se respectent de nos jours, cette Audi est dotée d'un système de navigation de type GPS. Les disques nécessaires à son fonctionnement (et à celui de tous les systèmes similaires) n'avaient pas encore été complétés par la compagnie Bosch pour le territoire canadien au moment d'aller sous presse. On peut quand même souligner que le système conçu par Audi fonctionne différemment des autres en offrant surtout des informations vocales plutôt que via un écran. Dans l'A6, seul un petit fléchage entre le compte-tours et l'indicateur de vitesse vous montre la direction à suivre, ce qui est beaucoup moins distrayant qu'avec les autres GPS.

Pour nous confier le volant d'une A6 2,7 T, Audi avait choisi la région de Lake Placid, à deux petites heures de Montréal. C'est un endroit à découvrir non seulement pour son panorama mais pour la qualité de son hôtellerie et de sa cuisine. Le petit patelin compte d'ailleurs non pas un mais deux établissements faisant partie de la prestigieuse chaîne des Relais et Châteaux.

Malgré son format supérieur à celui de la S4, l'A6 2,7 T ne concède que quelques maigres dixièmes de seconde à sa petite sœur lors du sprint 0-100 km/h. La voiture est rapide mais il ne faut pas s'attendre à retrouver chez elle le comportement de ce que pourrait être une S6. Le moteur est fort bien servi par une boîte de

Audi A6

Pour

Moteur souple • Excellentes performances • Freinage sûr • Vaste coffre • Confort soigné

Contre

Transmission 6 rapports superflue • Direction légère • Bruits éoliens • Places avant serrées

Caractéristiques

Prix du modèle à l'essai:	2,7 l / 57 000 $
Garantie de base:	3 ans / 80 000 km
Type:	berline / transmission intégrale
Empattement / Longueur:	276 cm / 488 cm
Largeur / Hauteur / Poids:	193 cm / 145 cm / 1705 kg
Coffre / Réservoir:	551 litres / 70 litres
Coussins de sécurité:	frontaux, latéraux avant + rideaux gonflables opt.
Suspension av. / arr.:	indépendante
Freins av. / arr.:	disque ABS 5,3
Système antipatinage:	non
Direction:	à crémaillère, assistance variable
Diamètre de braquage:	11,7 mètres
Pneus av. / arr.:	P215/55R16
Valeur de revente:	bonne

Motorisation et performances

Moteur / Transmission:	V6 2,7 litres biturbo / manuelle 6 rapports
Puissance / Couple:	250 ch à 5800 tr/min / 258 lb-pi à 1850 tr/min
Autre(s) moteur(s):	V6 2,8 litres 200 ch; V8 4,2 litres 300 ch
Transmission optionnelle:	Tiptronic 5 rapports
Accélération 0-100 km/h:	6,8 secondes
Vitesse maximale:	230 km/h
Freinage 100-0 km/h:	38,9 mètres
Consommation (100 km):	12,2 litres

Modèles concurrents

Volvo S80 T6 • BMW 540i • Lexus GS400 • Mercedes-Benz E320 4 matic • Jaguar S-Type

Quoi de neuf?

Performances améliorées (A6 2,8) • Option d'une boîte manuelle • Moteur V8 4,2 litres de 300 chevaux

Verdict

Agrément	⊤⊤⊤⊤	Habitabilité	⊤⊤⊤⊤⊥
Confort	⊤⊤⊤⊤	Hiver	⊤⊤⊤⊤⊥
Fiabilité	⊤⊤⊤⊤	Sécurité	⊤⊤⊤⊤

vitesses dont le levier se laisse manipuler sans la moindre hésitation. Le freinage s'avère aussi de la classe des ligues majeures mais la suspension a été réglée avec une petite concession au confort plutôt qu'à la tenue de route sur les chapeaux de roues tandis que la direction demeure encore assez légère à mon goût.

Autour de 130 km/h, la voiture mise à l'essai était éprouvée par un bruit de vent, peut-être plus notable en raison du faible niveau sonore émis par la mécanique.

Même si l'A6 est plus spacieuse à l'arrière que l'A4, l'espace avant est un peu restreint et le genou gauche du passager avant semble toujours gêner le conducteur lorsqu'il manipule le levier de vitesses (à moins que...). À l'arrière, on peut raisonnablement envisager faire monter trois personnes et le coffre à bagages ne s'y opposera pas. Ce coffre, incidemment, est si profond qu'il serait normal qu'Audi offre une perche spéciale qui permettrait d'en retirer les objets logés tout au fond.

Enfin des chevaux.

Aller de l'Avant

Les A6 normales conservent leur V6 2,8 litres 5 soupapes de 200 chevaux, mais cette puissance est mieux exploitée cette année grâce à de nouveaux rapports de boîte de vitesses. Ce changement doit permettre de retrancher une seconde au temps d'accélération 0-100 km/h. C'est du moins ce qu'on affirme à l'usine.

La familiale Audi Avant montre un comportement routier aussi impressionnant que celui de la berline. Il faut vraiment regarder derrière soi pour se rendre compte que l'on est dans une familiale, tellement cette voiture est stable et silencieuse à grande vitesse, tout en se montrant d'un confort irréprochable sur mauvais revêtement.

L'aménagement intérieur ne saurait être plus soigné: même les sièges arrière et le volant sont chauffants.

Plus longue de 40 mm, l'A6 4,2 avec son moteur V8 de 300 chevaux entend donner la réplique à la nouvelle Jaguar S-Type ainsi qu'aux BMW série 5 et Mercedes-Benz classe E. Rapide et bourrée d'équipement, elle professe une vocation de voiture de grand luxe superrapide.

Bref, il existe désormais des A6 pour tous les goûts même s'il n'y en a pas nécessairement pour tous les budgets.

Audi A8

Audi A8

Avez-vous l'esprit d'observation?

Pour le néophyte, trouver la différence entre une Audi A8 1999 et la version 2000 du même modèle équivaut à chercher une aiguille dans un tas de foin. De là à dire que les changements sont mineurs, il n'y a qu'un pas. Audi affirme pourtant qu'ils sont significatifs. Celle que de nombreux critiques automobiles considèrent comme la meilleure voiture au monde entre dans le siècle nouveau avec des arguments encore plus convaincants.

Il est vrai qu'il ne faut rien bousculer quand on possède une voiture louangée par les spécialistes, mais je reste persuadé que le handicap majeur de l'Audi A8 est sa silhouette tout à fait anonyme. Elle est loin d'être laide, mais en se procurant une berline de prestige aussi coûteuse, l'acheteur s'attend à un look plus exclusif. D'autant plus que malgré le succès phénoménal de l'A4, la marque Audi n'a pas encore chez nous les mêmes lettres de noblesse que Mercedes ou BMW.

Cela dit, nous sommes en présence d'une voiture exceptionnelle que les connaisseurs sauront apprécier. J'en ai eu la conviction lors d'une chevauchée d'environ 500 km entre Stuttgart et Francfort. Que ce soit à 250 km/h sur l'*autobahn* ou sur un trajet moins amène, l'A8 s'est comportée comme une grande.

Poupée gonflable

Enrichi d'une culasse à 5 soupapes par cylindre et d'un nouveau collecteur d'admission, le V8 de 4,2 litres a vu sa puissance passer de 300 à 310 chevaux, ce qui retranche un petit dixième de seconde au traditionnel 0-100 km/h. Au-delà de ses performances d'exception, l'A8 se distingue principalement par un silence de roulement

attribuable autant à la discrétion du moteur qu'à la rigidité exemplaire du châssis en aluminium qui réduit les masses non suspendues. Bref, quand les ingénieurs d'Audi affirment que la nouvelle version de l'A8 est 80 p. 100 plus silencieuse que l'ancienne, ce n'est pas de la frime. On a aussi envie de prêter foi à leurs affirmations voulant que la voiture possède la structure la plus rigide de toute la production automobile. Ce qui est parfaitement vrai par ailleurs, c'est que l'A8 est la seule à mériter une cote de sécurité passive 5 étoiles lors des tests de collision organisés par la National Traffic Safety Administration des États-Unis. Cet avantage, elle le doit non seulement à sa coque en aluminium, mais aussi à ses multiples coussins de sécurité, dont un rideau de protection qui protège la tête et la nuque des occupants lors d'un impact latéral. En somme, avec ses six autres *airbags*, l'habitacle de cette Audi devient pratiquement une poupée gonflable en cas d'accident.

Et, en matière de sécurité active, c'est aussi la seule berline de grand luxe à offrir le système Quattro ou la transmission intégrale permanente. Au Québec, c'est un atout non négligeable.

Au cours de mon périple germanique, la suspension m'est apparue un peu plus ferme que dans les modèles de première génération. En virage, le roulis est mieux contrôlé et la stabilité à grande vitesse est stupéfiante. Le freinage aussi va au-delà des attentes et m'a surtout plu par sa rapidité d'action lors de ralentissements imprévus. En revanche, j'ai moins aimé le trop grand diamètre de braquage et l'extrême sensibilité de l'accélérateur. Il faut avoir le pied droit bien «relax» pour éviter les à-coups. La transmission automatique à 5 rapports doublée du système Tiptronic est aussi un peu lente à rétrograder.

Audi A8

Pour

Sécurité passive et active poussée
• Comportement routier remarquable
• Performances magistrales • Silence
de roulement impressionnant

Contre

Valeur de revente sous la moyenne
• Ligne anonyme • Transmission
automatique lente • Accélérateur
peu progressif

Caractéristiques

Prix du modèle à l'essai:	Quattro / 86 250 $
Garantie de base:	3 ans / 80 000 km
Type:	berline / transmission intégrale
Empattement / Longueur:	288 cm / 503 cm
Largeur / Hauteur / Poids:	188 cm / 144 cm / 1750 kg
Coffre / Réservoir:	498 litres / 90 litres
Coussins de sécurité:	frontaux, latéraux avant et arrière
Suspension av. / arr.:	indépendante
Freins av. / arr.:	disque ABS
Système antipatinage:	non
Direction:	à crémaillère, assistée
Diamètre de braquage:	12,3 mètres
Pneus av. / arr.:	P225/55R17
Valeur de revente:	faible

Motorisation et performances

Moteur / Transmission:	V8 4,2 litres / automatique 5 rapports Tiptronic
Puissance / Couple:	310 ch à 6200 tr/min / 302 lb-pi 3000-4000 tr/min
Autre(s) moteur(s):	aucun
Transmission optionnelle:	aucun
Accélération 0-100 km/h:	6,9 secondes
Vitesse maximale:	210 km/h (limitée)
Freinage 100-0 km/h:	39,7 mètres
Consommation (100 km):	14,3 litres

Modèles concurrents

Mercedes-Benz S430 • BMW série 7 • Lexus LS400

Quoi de neuf?

Modèle remanié (voir texte)

Verdict

Agrément	⊕ ⊕ ⊕ ⊕ ⊖	Habitabilité ⊕ ⊕ ⊕ ⊕ ⊖
Confort	⊕ ⊕ ⊕ ⊕ ⊖	Hiver ⊕ ⊕ ⊕ ⊕ ⊕
Fiabilité	⊕ ⊕ ⊕ ⊕	Sécurité ⊕ ⊕ ⊕ ⊕ ⊕

Congé aux stylistes

Si, en examinant les photos qui accompagnent ce texte, vous n'avez pas encore mis le doigt sur ce qui distingue cette A8 de sa devancière, laissez-moi vous guider. Notez que les pare-chocs ont été retouchés et qu'à l'avant, les antibrouillards sont désormais logés en dessous de ceux-ci. Les phares, les poignées de porte, les jantes (16 ou 17 pouces au choix) et le couvercle du coffre ont aussi été redessinés même s'ils ne semblent pas avoir fait passer de nuits blanches aux stylistes de la marque.

À l'intérieur, le bloc des instruments est légèrement différent tout comme la texture des matériaux ton sur ton. Un nouveau type de cuir (Valcona) et un bois pâle contribuent aussi à rehausser la présentation. Rien à redire bien sûr côté confort grâce à une suspension qui avale en douceur les irrégularités du revêtement et à des sièges infiniment réglables au galbe impeccable. Des places arrière spacieuses luxueusement aménagées et un coffre profond donnent aussi à l'A8 un bon score au poste de l'habitabilité.

Le luxe n'a pas été traité à la légère dans cette Audi qui réunit tous les accessoires des autres voitures de sa classe incluant les sièges arrière chauffants. Les systèmes de navigation et de contrôle électronique de la stabilité sont toutefois optionnels. Le premier équipait la voiture mise à l'essai et m'a ramené dans le droit chemin vers mon hôtel de Francfort après une erreur dans les indications routières préparées par Audi. L'A8 succombe malheureusement à la mode du gadget avec un avertisseur sonore qui s'accélère au fur et à mesure que la voiture recule ou avance vers un obstacle. Sauf que ledit gadget ne tient pas compte du braquage des roues et qu'il vous casse les oreilles même lorsque le volant est tourné pour diriger la voiture à l'écart de l'obstacle.

Compte tenu de la somme de ses qualités de confort, de sécurité et de comportement routier, c'est une incartade dont on s'abstiendra de tenir compte à l'heure du bilan.

Car l'Audi A8 mérite de figurer sur la liste de tous ceux qui cherchent une voiture de grand luxe hors du commun.

Jacques Duval

Cherchez la différence.

Audi TT • TT Roadster

Retour en Ombrie

L'Italie devient contagieuse pour les constructeurs auto-mobiles, du moins ceux qui produisent des roadsters. Après la Mercedes-Benz SLK en Toscane, la Porsche Boxster S dans les Marches, c'est le tour de l'Audi TT Roadster de prendre son envol dans la péninsule, plus précisément en Ombrie où l'avait précédé l'an dernier le coupé du même nom. Pays de la douce *farniente* et de la *bella vita*, l'Italie possède ce petit côté nonchalant qui colle parfaitement à la vocation d'un roadster.

Cette précision géographique étant faite, il y a des voitures dont l'apparence laisse indifférent au début, mais qu'on finit par aimer avec le temps. Serait-il possible que ce soit l'inverse avec le coupé TT? Foudroyant les gens par son look d'enfer à ses débuts il y a déjà plus d'un an, ce modèle ne semble pas faire partie de ces chefs-d'œuvre de design dont on ne se lasse jamais. Bref, plus je le vois, moins il m'emballe, surtout si la couleur ne lui sied pas. En livrée gris argent, cette Audi ne passe pas inaperçue, mais le bleu et le noir lui enlèvent beaucoup de son relief. Mais... les goûts ne se discutent pas et je serai le premier à admettre mon erreur si jamais je me suis trompé. Cela dit, délaissons ces considérations esthétiques pour nous attarder à ces fameuses Audi sportives.

La version coupé s'étant vu consacrer un match comparatif dans une autre section de ce guide, nous traiterons ici principale-ment du roadster que notre nouveau correspondant en Europe, Patrick Morin, est allé essayer pour nous autour du charmant petit village médiéval de Gubbio près de Pérouse. Je lui laisse le soin de vous relater son expérience.

Virée italienne

Soigneusement alignés sur l'aire de stationnement de l'aéro-port de San Egidio, une quarantaine de roadsters attendaient patiemment leurs chauffeurs d'un jour. Les différences entre le coupé et le roadster sont minimes, mais on se doit de mentionner la présence des deux arceaux de sécurité en aluminium brossé, joli-ment installés en permanence sur un caisson situé derrière les sièges. Tendus de cuir, ceux-ci sont très confortables et assurent un excel-lent maintien. En option, des sièges avec les contours agrémentés d'un laçage semblable à celui des gants de baseball sont offerts. Entre vous et moi, c'est tape-à-l'œil et un tantinet kitsch.

Les instruments et l'ordinateur de bord qui trouvent leur place derrière le très beau volant à trois branches sont bien regroupés et demeurent parfaitement lisibles quelle que soit la luminosité. Comme dans le coupé, la présentation intérieure a recours à l'alu-minium brossé en maints endroits et le résultat est du plus bel effet. En revanche, les pédales peuvent s'avérer glissantes lorsqu'on a les souliers mouillés et cela en dépit des petites lan-guettes antidérapantes qui y ont été ajoutées.

Mi-bourgeoise, mi-sportive

Le moteur surprend par sa douceur et sa discrétion. Le Road-ster ne serait-il qu'un cabriolet tranquille pour baby-boomer sur le retour d'âge? La réponse ne tardera pas à venir! Longuement bloqué derrière une camionnette en direction d'Assise, nous enfonçons l'accélérateur à la première occasion pour obtenir une réaction instantanée. Bref, le temps de réponse du turbo est imperceptible, aussi bien dans la version 180 chevaux que dans la 225 que nous conduisions. Incidemment, la différence majeure entre ces deux moteurs se limite à la grosseur du turbocompresseur et à la présence d'un second échangeur thermique.

Les changements de vitesse se succèdent et, chaque fois, le compte-tours s'envole vers la zone rouge. La bien petite ligne droite est à peine avalée que nous devons déjà ralentir pour le premier virage annoncé. Le freinage est à l'image de l'accélération, puissant et équilibré. Bien sûr, les disques ventilés sur les 4 roues de 17 pouces chaussées de Bridgestone Potenza, l'ABS et le répartiteur de freinage électronique (EBD) n'y sont pas pour rien. Nous appuyons de nouveau sur l'accélérateur et c'est reparti! Le moteur, même sollicité à plein régime, reste d'une discrétion absolue. Cela est tellement vrai que lors de nos essais à haute vitesse avec la capote en place, nous pouvons apprécier pleinement la musique qui nous parvient du lecteur de disques compacts. Soucieux du moindre détail, les ingénieurs d'Audi ont en effet conçu une capote possédant d'excellentes qualités aérodynamiques. Un souci particulier a été apporté pour obtenir le meilleur écoulement d'air possible, ce qui a pour effet de réduire les turbulences et le bruit.

Avec ses 4 roues motrices, ce roadster sera sans doute utilisé toute l'année par plusieurs propriétaires. Audi a eu la sage idée de prévoir une lunette arrière en verre avec dégivreur.

Lorsque la capote est baissée, un écran amovible en verre dissimulé derrière les sièges peut être actionné électriquement afin de diminuer les turbulences dans l'habitacle. Cet écran, qui disparaît totalement dans la cloison transversale, est très efficace et ne réduit aucunement la visibilité arrière.

Comme la Diablo

Débarrassé des soucis de la circulation, nous avons pu soumettre notre voiture à un traitement plus musclé. De franches accélérations, suivies de freinages agressifs et de nombreux changements de vitesse firent rapidement grimper notre consommation, mais également notre plaisir de conduire. La tenue de route est impressionnante. Ce roadster n'est affecté que par un roulis à peine perceptible, grâce à son châssis renforcé, rigidifié par de nombreux éléments dissimulés dans les bas de caisse, la planche de bord et le train avant. En sortie de virage, la motricité du système Quattro s'avère remarquable et dans les cas extrêmes, le système de répartition de puissance entre les 4 roues motrices permet un contrôle absolu. À propos de traction intégrale, soulignons que le seul autre roadster à offrir 4 roues motrices est la version découverte de la Lamborghini Diablo.

Les changements de vitesse s'effectuent en douceur et la manipulation du levier est précise. Sur la seule et unique ligne droite rencontrée, nous avons réussi à enclencher la sixième vitesse pour freiner aussitôt et entrer dans une longue courbe rapide. La voiture colle littéralement à la route et dégage une grande sensation de sécurité. Et si jamais l'irréparable devait se produire, la TT bénéficie de deux coussins de sécurité avant et de deux autres dissimulés dans le dossier des sièges et destinés à protéger la tête et le thorax.

Les sensations procurées par le roadster ne manquent pas et lors de la traversée d'un des nombreux tunnels que l'on rencontre en Italie, nous avons éprouvé une étrange sensation. Ce long tunnel, parfaitement rectiligne, était plongé dans une obscurité totale! La seule référence visuelle était la ligne centrale éclairée par nos phares. Les murs, la route, le plafond du tunnel, tout était parfaitement noir. Un instant, en regardant le tableau de bord parfaitement

Audi TT

Pour

Tenue de route rassurante • Courte distance de freinage • Bruits aéro-dynamiques et mécaniques bien contrôlés • Présentation intérieure soignée • 4 roues motrices

Contre

Inconfortable sur mauvaise route • Housse de toit problématique • Performances décevantes (180 ch) • Pédalier glissant • Accès difficile (coupé)

Caractéristiques

Prix du modèle à l'essai:	49 500 $
Garantie de base:	4 ans / 80 000 km
Type:	coupé 2 places / traction intégrale
Empattement / Longueur:	243 cm / 404 cm
Largeur / Hauteur / Poids:	186 cm / 135 cm / 1320 kg
Coffre / Réservoir:	220 litres; 180 litres / 62 litres
Coussins de sécurité:	frontaux et latéraux
Suspension av. / arr.:	indépendante
Freins av. / arr.:	disque ABS 5,3
Système antipatinage:	non
Direction:	à crémaillère, assistée
Diamètre de braquage:	10,45 mètres
Pneus av. / arr.:	P205/55R16 (option: P225/45R17)
Valeur de revente:	nouveau modèle

Motorisation et performances

Moteur / Transmission:	4L 1,8 litre turbo / manuelle 6 rapports
Puissance / Couple:	225 ch à 5900 tr/min / 207 lb-pi 2200 - 5500 tr/min
Autre(s) moteur(s):	4L 1,8 turbo 180 ch
Transmission optionnelle:	manuelle 5 rapports (180 ch)
Accélération 0-100 km/h:	7 secondes; 8,2 secondes
Vitesse maximale:	230 km/h (225 ch); 209 km/h (180 ch)
Freinage 100-0 km/h:	31,3 mètres
Consommation (100 km):	11 litres (roadster)

Modèles concurrents

BMW Z3 • Honda S2000 • Mercedes-Benz SLK • Porsche Boxster

Quoi de neuf?

Nouveau modèle

Verdict

Agrément	Habitabilité
Confort	Hiver
Fiabilité	Sécurité

éclairé qui semblait flotter dans l'espace, nous avons eu l'impression de faire partie d'un jeu vidéo.

Et des irritants

La suite de notre essai nous fit découvrir d'autres qualités mais aussi certains défauts de notre nouveau-né. La manœuvre d'abaissement de la capote est aisée, sauf qu'après qu'une commande électrique s'en est chargée, il faut s'arrêter, descendre de la voiture, ouvrir le coffre et sortir le couvre-capote de ce dernier. D'autres manufacturiers ont mieux résolu ce problème. D'autant plus que l'espace à l'intérieur du coffre est déjà très limité par la transmission intégrale. Dans l'ensemble, les qualités l'emportent largement sur les petits défauts rencontrés. Rarement avons-nous eu la possibilité de conduire une voiture performante aussi confortable et offrant autant de sécurité. Audi est peut-être en train de changer la définition de la nouvelle sportive du XXIe siècle.

De bien beaux objets.

Retour au Québec

Si notre essayeur européen a été séduit par la version 225 chevaux du roadster Audi, le coupé TT de 180 chevaux conduit au Québec (voir match comparatif) n'a pas répondu à mes attentes du côté des performances. Il s'est même fait avoir par la Nouvelle Beetle. En plus, la défaillance du synchro du second rapport de la boîte manuelle semble un mal généralisé, à en juger par les commentaires de propriétaires de TT aux États-Unis. Le coupé a aussi démontré qu'il ne s'adressait pas aux claustrophobes en raison d'un habitacle à effet de bunker rendu difficile d'accès par la ligne basse du toit et dans lequel la visibilité latérale laisse à désirer.

Espérons que le look d'enfer du coupé Audi TT sera suffisant pour faire oublier ces quelques déceptions.

Jacques Duval / Patrick Morin

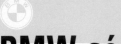

BMW série 3

BMW 328 coupé

Entre l'hiver et l'Espagne

Comme embrouillamini, il est difficile de trouver mieux que la série 3 de BMW. Cette gamme comprend une telle diversité de modèles coiffés d'appellations souvent trompeuses que même un chroniqueur automobile chevronné a de la difficulté à y voir clair. La série 3 comprend à l'heure actuelle 4 types de carrosserie (*hatchback*, berline, coupé et cabriolet), autant de moteurs différents et des désignations numériques qui ne correspondent pas toujours à la cylindrée du moteur. C'est ainsi que la 323i par exemple possède un 6 cylindres de 2,5 litres. Essayons de déchiffrer ce capharnaüm automobile.

Les modèles à hayon *(hatchback)* 318 baptisés de l'ancien nom des berlines sont toujours commercialisés, mais pour la forme seulement puisque leurs ventes se comptent sur les doigts de la main. Les berlines et coupés de la dernière génération de 318 sont offerts avec des moteurs de 2,5 ou 2,8 litres comme des 323i ou 328i. Le cabriolet et la M3, quant à eux, traînent encore la carrosserie des séries 3 de la précédente génération. Ils seront rajeunis en cours d'année.

Une ennemie nommée A4

J'ignore s'il faut y voir une relation de cause à effet, mais il ne fait aucun doute que les BMW série 3 sont en train de se faire damer le pion par les Audi A4. Malgré l'apparition d'une berline sérieusement remaniée l'an dernier, la grande chérie des BCBG a un peu perdu la cote auprès de ceux qui recherchent un certain plaisir dans l'utilisation d'une automobile.

À en juger par la quantité d'A4 qui circulent sur nos routes, la petite Audi Quattro fait mal à BMW. D'ailleurs, lors du dévoilement de la nouvelle génération de la série 3, les responsables de la marque bavaroise avaient beaucoup insisté sur les aptitudes hivernales des nouvelles 323 et 328. Même si ce sont des voitures à propulsion, on n'hésitait pas à les présenter comme de vraies reines des neiges.

Des systèmes électroniques de traction très poussés permettraient à une BMW série 3 de passer à peu près partout où passe une Audi A4, nous disait-on. Comme j'étais sceptique, je me suis promis de conduire une 328 en hiver pour voir si elle tenait ses promesses en matière de traction sur des surfaces glissantes.

Petit format et gros prix

Le modèle mis à l'essai était doté d'une boîte manuelle à 5 rapports et de l'option Sport Package 2 qui comprend un volant sport, des jantes de 16 pouces, des sièges chauffants de type Recaro, un toit ouvrant, un sac à skis et une suspension plus rigide. Ce groupe d'équipement majore le prix de départ d'environ 5600 $ auxquels viennent s'ajouter environ 900 $ pour la chaîne audio à Harman Kardon. La facture grimpe aisément bien au-delà de 50 000 $, une note plutôt salée. Tout cela pour une voiture compacte du même format qu'une Ford Focus. On comprend tout de suite que la petite BM s'adresse à des passionnés qui ne magasinent pas chez Costco.

De meilleures aptitudes hivernales

Pour répondre immédiatement à la question soulevée au début concernant la traction sur la neige ou la glace, précisons tout de suite que l'électronique relève magnifiquement le défi qu'on lui a lancé. On peut, par exemple, accélérer à fond avec une seule des roues motrices sur la glace et la voiture reste parfaitement en ligne. Grâce à un antipatinage dernière génération, à un nouveau système de contrôle du freinage en virage et à l'assistance des pneus Pirelli Winter 210, la 328i permet d'envisager la conduite en hiver avec une propulsion de façon beaucoup plus sereine. Cette BMW n'a sans doute pas encore l'efficacité d'une traction intégrale dans la neige, mais elle peut passer l'hiver au Québec sans avoir besoin d'un tas de sable dans le coffre arrière.

Pour ce qui est du reste, la BMW 328i continue d'afficher le comportement routier sûr et stimulant que j'avais expérimenté lors de son lancement l'an dernier. La suspension sport ne gâche en rien le confort. Le freinage et la direction demeurent à la hauteur des critères d'excellence de la marque allemande.

Malgré ses 190 chevaux, le moteur de 2,8 litres de la 328i ne donne pas une impression de puissance effrénée. Il se distingue plutôt par cette douceur légendaire des 6 cylindres en ligne de BMW, par sa grande souplesse et une remarquable sobriété, compte tenu de sa cylindrée. Le 0-100 km/h est bouclé en 7,5 secondes sans que la consommation passe jamais au-dessus de 10 litres aux 100 km. Le levier de vitesses est généralement agréable à manier, mais il arrive que le conducteur confonde la marche arrière et le premier rapport, situés sur le même axe. La voiture gagnerait aussi à posséder une boîte à 6 rapports afin de diminuer le niveau sonore aux vitesses légales sur autoroute.

Du dégivrage s.v.p.

La qualité de construction des BMW a fait l'objet d'un certain nombre de critiques ces dernières années. Bien que la satisfaction de la clientèle soit en hausse, ma voiture d'essai faisait entendre quelques craquements autour du toit ouvrant. En plus, le dégivrage du pare-brise et de la lunette arrière était largement insuffisant, pour ne pas dire carrément mauvais.

La série 3 de BMW mérite toujours sa place parmi les voitures les plus désirables du monde. Nul doute que les aptitudes hivernales des dernières versions sont immensément rassurantes. Le prix de la 328i risque toutefois de refroidir l'enthousiasme de bien des acheteurs qui se rendent compte que l'agrément de conduite n'est plus l'apanage exclusif des BMW.

Un baptême espagnol pour le coupé

Cette édition 2000 du *Guide de l'auto* marque les débuts d'un autre Duval dans le journalisme automobile, mon fils François. Instructeur et membre ardent du Club Porsche, il a hérité de la passion de conduire de son paternel. Il était donc le choix logique pour représenter le *Guide de l'auto* lors du dévoilement de la BMW 328Ci. Voici son compte rendu.

Jacques Duval

★ ★ ★

À Marbella, sur la côte sud de l'Espagne, BMW avait réuni tous les ingrédients essentiels à la réussite du lancement de son nouveau coupé de série 3. Le climat et l'ambiance n'auraient pu mieux se prêter à l'évaluation du comportement de ces voitures sur les magnifiques routes qui mènent à l'intérieur du pays.

Les nouveaux modèles de la série 3 de BMW sont d'abord apparus l'automne dernier carrossés en berline sous les appellations de 323i (6 cylindres, 2,5 litres, 163 chevaux) et 328i (6 cylindres, 2,8 litres, 190 chevaux). Cette année, c'est au tour des coupés d'hériter des modifications apportées l'an dernier aux versions 4 portes. Ils ont d'abord été allongés, élargis et abaissés de quelques millimètres. La plus forte inclinaison du pare-brise contribue pour sa part à rendre la silhouette plus fine et plus élégante. À l'avant, des naseaux plus larges, des phares plus plats et un nouveau bouclier intégrant les antibrouillards confèrent un look distinctif au coupé.

Du côté de l'habitabilité, ce type de carrosserie impose tout de même de petits sacrifices. L'accès aux places arrière est ardu en dépit du système Comfort Access. Ce dispositif abaisse la glace

BMW série 3

Pour

Moteur remarquable • Agrément de conduite toujours présent • Adaptabilité hivernale accrue • Direction impeccable • Look plus distinctif

Contre

Accès arrière ardu • Mauvaise visibilité • Coffre à gants à revoir • Dégivrage déficient • Prix élevé

Caractéristiques

Prix du modèle à l'essai:	328CI / 46 900 $
Garantie de base:	4 ans / 80 000 km
Type:	coupé / propulsion
Empattement / Longueur:	272,5 cm / 449 cm
Largeur / Hauteur / Poids:	176 cm / 139 cm / 1450 kg
Coffre / Réservoir:	410 litres / 63 litres
Coussins de sécurité:	frontaux et latéraux + tête
Suspension av. / arr.:	indépendante
Freins av. / arr.:	disque ventilé, ABS
Système antipatinage:	oui
Direction:	à crémaillère, assistée
Diamètre de braquage:	10,5 mètres
Pneus av. / arr.:	P205/55R16 H
Valeur de revente:	très bonne

Motorisation et performances

Moteur / Transmission:	6L DACT 2,8 litres / manuelle 5 rapports
Puissance / Couple:	193 ch à 5500 tr/min / 206 lb-pi à 3500 tr/min
Autre(s) moteur(s):	6L 2,5 litres, 170 ch
Transmission optionnelle:	automatique 5 rapports
Accélération 0-100 km/h:	7,3 secondes; 8,2 secondes (323)
Vitesse maximale:	206 km/h (limitée)
Freinage 100-0 km/h:	37,7 mètres
Consommation (100 km):	9,8 litres

Modèles concurrents

Audi S4 • Mercedes-Benz CLK320 • Volvo S70 T5 • Lexus ES300 • Saab Viggen

Quoi de neuf?

Nouveau coupé deux portes

Verdict

Agrément	⊕ ⊕ ⊕ ⊕	
Confort	⊕ ⊕ ⊕ ⊕	
Fiabilité	⊕ ⊕ ⊕ ⊕	
Habitabilité	⊕ ⊕	
Hiver	⊕ ⊕ ⊕ ⊕	
Sécurité	⊕ ⊕ ⊕ ⊕ ⊕	

sans cadre de la portière pour faciliter l'entrée à l'arrière, mais l'exercice demeure pénible. Le design du coffre à gants est aussi à repenser, car son couvercle tombe carrément sur les genoux du passager lorsqu'il est ouvert. Finalement, la visibilité de trois quarts arrière, la bête noire des coupés, laisse un peu à désirer. Les cadres du pare-brise sont un peu plus gros parce que les coussins gonflables y sont montés, ce qui a pour effet de gêner la visibilité en virage. Mais, sécurité oblige, on ne peut blâmer BMW d'avoir instauré ce dispositif de sécurité passive pour éviter des blessures sérieuses en cas d'accident.

Les bonnes et moins bonnes options

Les sièges sont très confortables et bien adaptés aux longs périples. Le volant multifonction représente une option qui mérite d'être retenue, puisqu'il permet de contrôler à la fois la radio, le régulateur de vitesse et, surtout, le téléphone. D'ailleurs, dans plusieurs pays, ce dispositif est obligatoire si l'on désire utiliser un téléphone cellulaire. En revanche, une option à déconseiller: la garniture intérieure en matière plastique recouverte d'une peinture métallisée. Elle a le désagrément de refléter tous les objets en bordure de la route, ce qui est franchement agaçant.

Sur la route, le comportement routier de ce coupé BMW se montre fidèle à la réputation des produits de la marque allemande. La petite route de montagne choisie pour cet essai était composée d'interminables lacets que la voiture, une 328Ci, a négociés avec aplomb. Par rapport à l'ancien modèle, la voiture s'inscrit en virage avec plus de précision grâce, en partie, à sa voie avant élargie. Chapeau aussi au système CBC (Cornering Brake Control) qui prévient le survirage si l'on doit freiner soudainement dans un virage rapide.

Le moteur, toujours aussi souple et silencieux, contribue au plaisir de conduire qui n'est perturbé que par un léger bruit de vent à haute vitesse.

Joli et performant, le nouveau coupé BMW de série 3 reste l'un des rares modèles de cette catégorie à allier l'aspect pratique à l'agrément de conduite.

Plus seules au sommet.

François Duval

BMW série 5

Béatitude!

«Je me doutais que les BMW étaient spéciales, mais je n'aurais jamais pensé que la différence avec les autres voitures était si grande!» Ces mots sont ceux d'un ami qui a pris place dans le redoutable BMW 540i Touring faisant l'objet de cet essai. Si vous aimez conduire, vous allez adorer la BMW 540i. Et si vous n'aimez pas, la 540i vous convertira avec l'ardeur d'un fanatique!

Dès le premier contact, on sent qu'il va se passer quelque chose de spécial. Et ce premier contact, ce sont les sièges Sport de la 540i Touring. Certes, ils sont livrables en option, mais jamais 500 $ n'ont été aussi bien dépensés. Chaque centimètre carré de votre anatomie qui repose dans ce siège Sport est soutenu avec une ferme douceur qui élimine toute trace d'inconfort pendant des heures. Petits et grands, minces et grassouillets se sont exclamés sur l'incomparable confort de ces sièges.

Une mer d'huile

L'émerveillement reprend dès les premiers tours de roue. Les accélérations... en 6 secondes et des poussières, vous êtes à 100 km/h. Et vous pourriez jurer que la boîte n'a pas changé de vitesse tellement les passages automatiques sont imperceptibles, à moins que vous décidiez de manier les 5 rapports avec le sélecteur StepTronic. Sur l'autoroute, pas un bruit, pas une secousse, une onctuosité à couper le souffle. L'assurance d'un paquebot sur une mer d'huile. Un coup d'œil au compteur, surprise! Vous êtes à 140 km/h! Décidément, ce V8 de 4,4 litres à 4 arbres à cames en tête et à distribution variable jouit d'une santé d'athlète.

Mais allons voir sur une route sinueuse. Malgré ses 1850 kg, la Touring enfile la succession de virages comme une sportive pesant deux fois moins. Certes, il s'agit de la suspension Sport (3000 $ en option) qui vous permet de chausser votre Touring de pneus hautes performances montés sur de superbes roues en alliage de 17 pouces accrochées à une suspension multibras en aluminium avec correcteur d'assiette à l'arrière, doublée d'un système de contrôle dynamique de la stabilité et d'un système antipatinage! Et en prime, votre BMW freine comme si elle était dotée de rétrofusées grâce au système d'assistance qui augmente automatiquement la pression agissant sur les 4 grands disques.

Malgré cet étourdissant étalage de technologie, le conducteur reste maître suprême à bord. La merveilleuse intégration des multiples systèmes électroniques et mécaniques à l'exceptionnel équilibre dynamique de cette voiture vous procure un plaisir de conduire que d'autres constructeurs de voitures de luxe trouvent impossible à reproduire. La précision des suspensions est telle qu'on dirait que la route vous parle.

Le salon

Tendu de cuir souple, l'habitacle respire le luxe et le raffinement. Évidemment, vous avez déjà été conditionné par ces fameux sièges, mais l'efficacité ne s'arrête pas là puisque le système de climatisation automatique se propose de vous dorloter indépendamment du passager qui occupe l'autre place avant. Et si par malheur vous deviez laisser échapper votre BMW, le système de sécurité passive se chargera de vous garder en vie avec ses ceintures à tendeur automatique à l'avant et ses 8 coussins de sécurité.

BMW série 5

Pour

Moteur V8 emballant • Boîte automatique parfaitement adaptée • Sièges Sport divins • Suspension et freins superbes • Merveilleux agrément de conduite

Contre

Horrible complexité des commandes sur écran • Lecteur de CD dans le coffre et en option • Places arrière restreintes • Prix corsés (achat et options)

Caractéristiques

Prix du modèle à l'essai:	540i Touring / 90 805 $
Garantie de base:	4 ans / 80 000 km
Type:	familiale / propulsion
Empattement / Longueur:	283 cm / 480,5 cm
Largeur / Hauteur / Poids:	180 cm / 144 cm / 1 840 kg
Coffre / Réservoir:	410 litres / 70 litres
Coussins de sécurité:	frontaux, latéraux, tête
Suspension av. / arr.:	indépendante
Freins av. / arr.:	disque ABS
Système antipatinage:	oui
Direction:	à crémaillère à assistance variable
Diamètre de braquage:	11,3 mètres
Pneus av. / arr.:	P235/45R17
Valeur de revente:	bonne

Motorisation et performances

Moteur / Transmission:	V8 4,4 litres / automatique 5 rapports
Puissance / Couple:	282 ch à 5400 tr/min / 324 lb-pi à 3600 tr/min
Autre(s) moteur(s):	6L 2,8 litres 193 ch
Transmission optionnelle:	manuelle 5 rapports (528i); 6 rapports (540i)
Accélération 0-100 km/h:	6,7 secondes
Vitesse maximale:	206 km/h (limitée)
Freinage 100-0 km/h:	41 mètres
Consommation (100 km):	13,9 litres

Modèles concurrents

Mercedes-Benz classe E • Acura RL • Lexus GS300/GS400 • Audi A6 • Volvo S80

Quoi de neuf?

Modèle M5

Verdict

Agrément	⊕ ⊕ ⊕ ⊕ ⊊	Habitabilité ⊕ ⊕ ⊕
Confort	⊕ ⊕ ⊕ ⊕	Hiver ⊕ ⊕ ⊕
Fiabilité	⊕ ⊕ ⊕	Sécurité ⊕ ⊕ ⊕ ⊕

Évidemment, la chaîne stéréophonique saura faire honneur à Wagner, mais... hélas, il y a un mais! Si vous avez eu la mauvaise idée de commander le système de navigation (4500 $, rien de moins), vous allez devoir l'apprivoiser. Un copieux livret se propose de vous expliquer les finesses de la chose électronique, mais optez plutôt pour une série de leçons particulières que vous proposera peut-être le vendeur soucieux de votre satisfaction. Radio, cassette, CD, téléphone cellulaire, système de navigation, ordinateur de bord et que sais-je encore passent par cette bébelle à écran à cristaux liquides qui vous fera sacrer. Sans oublier qu'il vous faut suivre toutes ces opérations à l'écran tout en essayant d'éviter l'imbécile qui vient de vous couper la route! De grâce, messieurs les ingénieurs, donnez-nous quelque chose de facile à utiliser! Quant au lecteur de CD bien caché dans le coffre, vous devriez avoir honte de nous le proposer en supplément quand on sait qu'on peut acheter 5 Mazda Protegé avec lecteur de CD de série au tableau de bord pour le prix de votre merveille roulante.

L'arnaque à l'allemande.

Autres critiques: l'inutilité des phares au xénon, une option d'un coût de 1200 $, le côté gadget de l'avertisseur arrière de distance de stationnement et, enfin, le faible dégagement pour les jambes aux places arrière.

«Première de classe»

C'est ainsi que le *Guide de l'auto 98* avait qualifié la BMW 540i. La version Touring ne perd rien des prestations de sa sœur la berline et vous offre en prime la polyvalence et l'habitabilité d'une familiale superbement conçue. Pour ceux qui ont assez de volonté pour se passer du V8, il existe évidemment les 528i berline et familiale, propulsées par le célèbre 6 cylindres en ligne BMW développant 193 chevaux (contre 282 pour le V8), avec boîte manuelle à 5 vitesses ou automatique à 4 rapports. Pour la berline 540i, vous avez le choix entre la manuelle à 6 vitesses ou l'automatique à 5 rapports, la manuelle n'étant pas offerte sur la version 540i Touring.

Pour s'approcher de la perfection, il ne restera à BMW qu'à nous livrer une documentation en français qui fasse honneur à notre langue plutôt que de la massacrer et à trouver une solution élégante à la ridicule complexité de certaines commandes.

Alain Raymond

BMW série 7

BMW 740iS

Sportive malgré tout

Les modèles BMW de la série 7 sont les plus luxueux et les plus cossus de toute la famille. Et quand on connaît la réputation de cette compagnie en matière d'automobiles de qualité, on peut s'attendre que son porte-étendard soit non seulement le plus sophistiqué au chapitre de la mécanique, mais également le plus luxueux. Tous ces éléments sont présents, c'est indéniable. Mais là où cette belle allemande se démarque de ses concurrentes, c'est au chapitre du comportement routier. Malgré des dimensions assez imposantes, elle transmet des sensations de conduite similaires à celles d'une voiture moins volumineuse.

L'Audi A8 se comporte comme une voiture aux bonnes manières sans être capable de soulever les passions. Pour sa part, la Lexus LS400 nous endort par son silence et son caractère aseptisé. Il y a bien la Mercedes-Benz classe S dont le châssis est extraordinaire. Mais son caractère oscille entre la grande routière et la berline un peu kitsch dont le tableau de bord ressemble à un jeu vidéo. Par contre, les BMW de la série 7 sont capables à la fois d'enfiler les virages serrés avec autant d'aplomb qu'une GT et de vous permettre de rouler dans le plus grand confort sur les autoroutes, en berlines de luxe qu'elles sont.

Les amateurs de grosses pointures vont montrer un faible pour l'imposant moteur V12 de 5,3 litres de la 750iL. Ses 322 chevaux et une incroyable douceur en font le moteur de prédilection pour ceux qui doivent rouler souvent à très haute vitesse sur les auto-

routes allemandes. Mais, sur notre continent où les limites de vitesses sont à l'opposé du potentiel de cette grande routière, la 740i, avec son moteur V8 de 4,4 litres, constitue sans doute un choix plus judicieux. On perd un tout petit peu de puissance sur le plan des accélérations, mais l'agrément de conduite est supérieur en raison d'un meilleur équilibre des masses et des réactions plus vives de ce V8. Mais peu importe le modèle choisi, on sera toujours en mesure d'apprécier la rigidité exceptionnelle de la plate-forme et de la suspension, qui assure un équilibre presque parfait entre le confort et l'agrément de conduite.

Il faut également mentionner que la boîte automatique à 5 rapports Steptronic permet de passer les vitesses de façon manuelle. Il suffit de pousser le levier vers la gauche et d'engager les rapports manuellement. Comme dans tous ces systèmes, on sent toujours une hésitation entre la commande et son exécution, mais le résultat est nettement meilleur que le système Tiptronic de Porsche, même si c'est cette compagnie qui a concocté ce type de boîte automatique. Si le mode Hiver de la boîte a été éliminé avec l'arrivée du système de traction asservie et de stabilité directionnelle, le mode Sport garantit des accélérations plus vives. Il est apprécié lorsqu'on veut rouler en ville sans nécessairement passer les rapports manuellement.

Parlant de sport, notre voiture d'essai était équipée du groupe d'option Sport consistant en des jantes en alliage de 18 pouces garnies de pneus haute performance, une suspension «M» et des sièges sport. Cette option coûte environ 3000 $, mais c'est plus que justifié sur une berline de cet acabit. Le comportement routier et l'agrément de conduite sont encore plus relevés.

BMW série 7

Pour
Moteurs d'anthologie • Sécurité passive et active raffinée • Groupe Sport • Agrément de conduite relevé • Équipement complet

Contre
Certaines commandes complexes • Absence de lecteur de disques compacts • Écran LCD • Navigation par GPS inutilisable au Canada • Accoudoir central peu confortable

Caractéristiques

Prix du modèle à l'essai:	740iS / 98 500 $
Garantie de base:	4 ans / 80 000 km
Type:	berline de luxe / propulsion
Empattement / Longueur:	293 cm / 498 cm
Largeur / Hauteur / Poids:	186 cm / 143 cm / 1930 kg
Coffre / Réservoir:	500 litres / 85 litres
Coussins de sécurité:	frontaux et latéraux
Suspension av. / arr.:	indépendante
Freins av. / arr.:	disque ABS
Système antipatinage:	oui
Direction:	à billes, assistance variable
Diamètre de braquage:	11,6 mètres
Pneus av. / arr.:	P235/50R18; P255/45R18 (740i Sport)
Valeur de revente:	bonne

Motorisation et performances

Moteur / Transmission:	V8 4,4 litres / automatique 5 rapports
Puissance / Couple:	282 ch à 5700 tr/min / 324 lb-pi à 3700 tr/min
Autre(s) moteur(s):	V12 5,3 litres 322 ch
Transmission optionnelle:	Steptronic 5 rapports
Accélération 0-100 km/h:	7,4 secondes; 6,7 secondes
Vitesse maximale:	210 km/h (limitée)
Freinage 100-0 km/h:	40,1 mètres
Consommation (100 km):	12,7 litres; 16,5 litres

Modèles concurrents
Audi A8 • Mercedes-Benz classe S • Lexus LS400

Quoi de neuf?
Aucun changement majeur

Verdict
Agrément	⊕⊕⊕⊕⊕	Habitabilité	⊕⊕⊕⊕
Confort	⊕⊕⊕⊕⊕	Hiver	⊕⊕⊕⊕⊕
Fiabilité	⊕⊕⊕⊕	Sécurité	⊕⊕⊕⊕⊕

Place aux accessoires

Tout acheteur de voiture de grand luxe souhaite que cette dernière soit d'un grand raffinement en matière de sécurité passive. Il imagine également que l'équipement régulier est on ne peut plus complet. En fait, la seule énumération de l'équipement de série de cette BMW suffirait sans doute à remplir les deux pages du *Guide* qui lui sont consacrées. Tout y est ou presque. Il y a bien entendu les glaces à commande électrique qui s'abaissent et remontent automatiquement sans qu'on soit obligé de maintenir le doigt sur la commande, même les glaces arrière. Les sièges avant peuvent se régler de multiples façons et il est pratiquement impossible de ne pas trouver le bon réglage. Et comme sur toutes ces voitures dont les ajustements sont variables à l'infini, il est possible de les mettre en mémoire et même de les personnaliser pour trois conducteurs. Ce qui signifie que plusieurs personnes peuvent utiliser la même voiture en y retrouvant aisément leurs réglages préférés.

Lire les instructions

J'ai assez peu apprécié le tableau de bord de la Mercedes-Benz classe S et ses commandes énigmatiques. De plus, l'écran LCD n'est pas tellement convivial. La BMW n'est pas extraordinaire non plus à ce chapitre, mais c'est quand même beaucoup mieux. Toutefois, comme sur la classe S, il vous faudra passer plusieurs minutes avec le manuel du propriétaire en main pour tirer parti de toutes les astuces électroniques de ce tableau de bord. Au moins, les commandes de la climatisation sont simples et il est possible de lutter contre la canicule puisque le système est efficace.

Il est vrai que la série 7 sera la prochaine voiture à connaître une refonte chez BMW. Ce qui n'empêche pas cette élégante berline d'offrir un heureux équilibre entre le luxe, le confort et l'agrément de conduite. Et pour les bien nantis désireux d'obtenir un comportement routier supérieur, le groupe d'équipement Sport est à conseiller.

Denis Duquet

BMW X5

La vraie solution?

Il est bien évident que les succès de Mercedes avec le tout-terrain M320/M430 n'ont laissé personne indifférent à Munich. Et l'annonce d'un projet conjoint Porsche-Volkswagen pour développer un utilitaire sport a certainement fait pencher la balance. Ses concurrents de toujours étant déjà lancés, BMW se devait de se précipiter à la contre-attaque. Mais puisque cette entreprise est également propriétaire de Land Rover, elle ne pouvait pas concocter un concurrent direct aux véhicules de celle-ci. Les ingénieurs bavarois ont donc conçu un véhicule hybride aux performances aussi relevées que celles des berlines sport de la marque dont le rouage d'entraînement intégral figure parmi les plus sophistiqués sur le marché. Ajoutez une garde au sol plus élevée que celle d'une automobile et une carrosserie en filiation visuelle avec les autres véhicules de la marque et vous avez décrit le X5. Il est certain que la vaste expérience de Land Rover dans la conduite hors route a certainement été prise en considération lors du développement du X5. Et grâce à une heureuse synergie entre ces deux compagnies, c'est la plate-forme de ce dernier qui sera utilisée pour le Range Rover qui a besoin d'une sérieuse cure de rajeunissement.

Il est évident que les stylistes ont puisé leur inspiration dans la familiale Touring de la série 5. Détail intéressant, ce tout-terrain de luxe est 15 cm plus court qu'une série 5 tout en étant quelques millimètres plus large qu'une berline de la série 7. BMW a voulu intégrer dans le X5 la maniabilité de la première et le luxe

de la seconde. D'ailleurs, l'habitacle et le tableau de bord ressemblent à une variante modernisée de ceux de la 740i. Côté tenue de route et agrément de conduite, les visées étaient bien simples: offrir un comportement routier semblable à celui de la 740iS, et ce même si le X5 affiche 30 cm de plus en hauteur afin d'assurer une garde au sol élevée.

Pour atteindre ces objectifs, on a modifié les suspensions avant et arrière de la série 7. Quant au châssis du X5, il est de type auto-porteur, afin de privilégier la tenue de route et le confort. La suspension avant est constituée de nouvelles jambes de force MacPherson à joint double. Et comme sur la série 7, les roues sont guidées par les éléments de la suspension. À l'arrière, l'essieu indépendant à liens multiples est ancré sur un berceau isolé pour assurer une rigidité accrue et pour mieux filtrer les bruits et les vibrations. Plusieurs éléments en aluminium sont utilisés pour réduire le poids non suspendu. Et la version propulsée par le moteur V8 sera équipée de série de la suspension arrière pneumatique à réglage automatique qui sera optionnelle sur le modèle à moteur 6 cylindres.

L'alphabet de la sophistication

Le cahier de présentation du X5 ressemble à un recueil d'acronymes de toutes sortes. Parmi les éléments techniques les plus intéressants, il faut souligner le DSC, travaillant de concert avec l'ADB et le HDC. Et j'allais oublier les CBC, DBC et ASC-X. Cet alphabet technique indigeste témoigne bien de l'ultime raffinement de ce véhicule et de l'utilisation à satiété de composantes électroniques afin d'assurer la stabilité directionnelle et l'adhérence sous toutes les conditions.

BMW X5*

Pour
Mécanique sophistiquée
• Équipement très complet
• Agrément de conduite assuré
• Habitacle spacieux
• Performances intéressantes

Contre
Éléments techniques complexes
• Qualité d'assemblage à prouver
• Prix élevé • Diffusion initiale parcimonieuse

Caractéristiques

Prix du modèle à l'essai:	X5 / 75 595 $
Garantie de base:	4 ans / 80 000 km
Type:	véhicule toute activité / traction intégrale
Empattement / Longueur:	283 cm / 466 cm
Largeur / Hauteur / Poids:	187 cm / 172 cm / 1985 kg
Coffre / Réservoir:	1525 litres / 70 litres
Coussins de sécurité:	frontaux, latéraux et arrière
Suspension av. / arr.:	indépendante
Freins av. / arr.:	disque ABS
Système antipatinage:	oui
Direction:	à crémaillère, assistance variable
Diamètre de braquage:	11,3 mètres
Pneus av. / arr.:	P255/50VR19
Valeur de revente:	nouveau modèle

Motorisation et performances

Moteur / Transmission:	V8 4,4 litres / automatique 5 rapports
Puissance / Couple:	270 ch à 5500 tr/min / 325 lb-pi à 3700 tr/min
Autre(s) moteur(s):	aucun
Transmission optionnelle:	aucune
Accélération 0-100 km/h:	7,8 secondes
Vitesse maximale:	210 km/h
Freinage 100-0 km/h:	41,3 mètres
Consommation (100 km):	14,2 litres

*données préliminaires

Modèles concurrents
Mercedes-Benz ML430 • Range Rover 4,6 • Lincoln Navigator • Volvo X Country

Quoi de neuf?
Nouveau modèle

Verdict
Agrément	●●●●	Habitabilité ●●●●●
Confort	●●●●	Hiver ●●●●●
Fiabilité	●●●	Sécurité ●●●●

Le rouage d'entraînement intégral transmet 72 p. 100 du couple aux roues arrière et 28 p. 100 aux roues avant dans des conditions normales. Les roues arrière sont entraînées par un arbre de couche actionnant un différentiel. À l'avant, un arbre à cardan parallèle au moteur est actionné par chaîne. Les deux arbres de couche sont de longueur égale afin d'éliminer l'effet de couple. Pour ce faire, celui de droite traverse le carter d'huile, comme c'était le cas sur la 325iX.

Pas loin de l'automate

Ce rouage d'entraînement mécanique est ensuite contrôlé par une panoplie d'aides électroniques à la conduite. Le système Dynamic Stability Control est une traction asservie très sophistiquée intégrant plusieurs éléments venant raffiner son fonctionnement. L'Automatic Differential Brake est en quelque sorte un différentiel électronique qui compense pour les pertes de traction en répartissant automatiquement le couple aux roues possédant le plus d'adhérence. De plus, ce mécanisme peut appliquer les freins de façon sélective dans le but d'améliorer la traction et de stabiliser le véhicule. Quant au Cornering Brake Control, il assure une utilisation des freins d'une ou plusieurs roues en virage lorsque les capteurs détectent une perte de stabilité latérale. Enfin, la vitesse dans les descentes est réglée par le Hill Descent Control, un mécanisme de contrôle électronique qui permet de descendre les pentes abruptes et glissantes à basse vitesse, comme si le X5 était équipé d'un rapport démultiplié.

Toutes les personnes qui ont eu le privilège de piloter les prototypes de ce tout-terrain de grand luxe ont été impressionnées par la stabilité directionnelle, la sophistication du rouage d'entraînement et l'efficacité du système de traction intégrale. Ce dernier n'a peut-être pas toute la robustesse nécessaire pour affronter des conditions très, très difficiles, mais là n'est pas la vocation du X5. Cependant, comme véhicule de luxe capable de passer pratiquement n'importe où et en toutes saisons, c'est bien réussi.

Denis Duquet

BMW Z3 • M Roadster

BMW Z3 2,8

Les premiers seront les derniers

Premier-né du quatuor des roadsters allemands, le Z3 de BMW a bien mal vieilli, comme en témoigne notre match comparatif l'opposant aux modèles similaires de Honda (S2000), de Porsche (Boxster), de Mercedes-Benz (SLK) et d'Audi (TT Roadster). Pour tout dire, il s'est classé dernier au terme de cette confrontation. Et ce ne sont pas les discrètes modifications apportées aux versions 2000 qui vont changer quoi que ce soit au classement.

Il faut dire que BMW n'a jamais vraiment investi sérieusement pour donner au Z3 une motorisation digne de sa silhouette. On a misé sur un look sans trop se préoccuper de ce qu'il y avait sous le capot. Dès son apparition sur le marché à l'automne de 1994, ce roadster était affligé d'un petit 4 cylindres de 1,9 litre plutôt anémique. Pour relever la sauce, on a fait appel un an plus tard à un 6 cylindres de 2,8 litres qui semble aussi bien adapté à ce modèle qu'un ensemble complet-cravate sur le dos de Dan Bigras.

Ce 2,8 est un moteur de berline qui n'a absolument pas la courbe de puissance ou les accents pointus d'un engin sportif. L'an dernier, on a mis le 1,9 à la retraite pour le remplacer par un 6 cylindres de 2,5 litres même si ce modèle se fait bêtement appeler Z3 2,3. Entre-temps, le constructeur allemand était allé puiser dans sa filière M pour concocter le M Roadster suivi de l'horrible M Coupe, des petites sportives qui ne manquent pas de chevaux, mais dont le châssis est un peu mal en point face à une débauche de puissance. Bref, conduire ces voitures à la limite exige un doigté qui n'est pas donné au premier venu.

Rajeuni

Cette année, le Z3 a légèrement changé de gueule ou plutôt de postérieur puisque c'est à l'arrière que les changements sont les plus notables. La courbe des ailes et les passages de roues ont été accentués tandis que les feux arrière adoptent un nouveau design. Il en va de même des roues en alliage léger de 16 et 17 pouces qui équipent le 2,3 et le 2,8. Pour compléter cet éventail de changements, on offre six nouvelles couleurs extérieures ainsi que trois nouvelles couleurs intérieures. La console centrale a été redessinée et on en a profité pour simplifier les commandes qui s'y trouvent et ajouter une montre analogique. Et après quatre années de critiques, BMW a finalement décidé d'insonoriser la capote du roadster Z3 en la dotant d'une doublure. Mieux vaut tard que jamais! Désormais, il sera possible de faire la conversation sans se donner une extinction de voix en roulant dans le Z3. Le nouvel appareil de radio y trouvera aussi une certaine justification.

Autant BMW construit des voitures quelquefois superbes, autant son bureau de relations publiques est un désastre d'inefficacité. À tel point que c'est la compagnie Honda, lors du lancement de la S2000, qui nous a fourni un roadster BMW Z3 2,8 pour les fins de cet essai. Pour le Z3 M Roadster, nous avons dû nous en remettre à la présidente du club BMW, Dominique Valois, pour rafraîchir nos impressions de conduite. Plus mal organisé que cela, tu tiens des bingos dans un sous-sol d'église. Mais, le Québec, voyez-vous, BMW l'a loin dans le Q...

Une voiture saisonnière

Cela dit et redit, le comportement routier reste l'atout majeur du Z3 2,8. La voiture est d'un format qui lui donne une grande maniabilité bien servie par une direction rapide dont le diamètre de bra-

BMW Z3

Pour

Bonnes performances
• Comportement routier sportif
• Belle maniabilité
• Agrément de conduite

Contre

Moteur 2,8 mésadapté • Instabilité à haute vitesse • Intérieur étroit • Utilisation saisonnière • Retard sur la concurrence

Caractéristiques

Prix du modèle à l'essai:	Z3 2,3litres / 45 900 $
Garantie de base:	4 ans / 80 000 km
Type:	roadster / propulsion
Empattement / Longueur:	244,5 cm / 402 cm
Largeur / Hauteur / Poids:	174 cm / 129 cm / 1325 kg
Coffre / Réservoir:	180 litres / 51 litres
Coussins de sécurité:	frontaux et latéraux
Suspension av. / arr.:	indépendante
Freins av. / arr.:	disque ABS
Système antipatinage:	oui
Direction:	à crémaillère, assistée
Diamètre de braquage:	10,0 mètres
Pneus av. / arr.:	P225/50R16
Valeur de revente:	passable

Motorisation et performances

Moteur / Transmission:	6L 2,8 litres / manuelle 5 rapports
Puissance / Couple:	193 ch à 5500 tr/min / 206 lb-pi à 3500 tr/min
Autre(s) moteur(s):	6L 2,5 litres 170 ch
Transmission optionnelle:	automatique 4 rapports
Accélération 0-100 km/h:	6,7 secondes; 7,8 secondes (Z3 2,3)
Vitesse maximale:	210 km/h; 200 km/h (Z3 2,3)
Freinage 100-0 km/h:	36,2 mètres
Consommation (100 km):	11,0 litres; 9,8 litres (Z3 2,3)

Modèles concurrents

Honda S2000 • Porsche Boxster • Mercedes-Benz SLK • Audi TT Roadster

Quoi de neuf?

Ligne arrière retouchée • Nouvelles jantes • Capote mieux insonorisée • Console redessinée

Verdict

Agrément	⊕ ⊕ ⊕	Habitabilité	⊕ ⊕
Confort	⊕ ⊕ ⊕	Hiver	⊕ ⊕ ⊕
Fiabilité	⊕ ⊕ ⊕ ⊕	Sécurité	⊕ ⊕ ⊕ ⊕

quage est particulièrement court. La voiture surprend non seulement par sa tenue de route insistante, mais aussi par sa très grande facilité de conduite. Le moteur 6 cylindres de 2,8 litres ne peut être critiqué pour son couple ou sa puissance, mais il demeure mal adapté à ce modèle. Très linéaire dans sa façon de transmettre la puissance, il est aussi d'une douceur qui donne l'impression que l'on est au volant d'une berline pépère et confortable. C'est une caractéristique qui semble plaire à la clientèle puisque le roadster Z3 de BMW est actuellement le modèle le plus vendu de la catégorie. Et cela en dépit de son manque de polyvalence qui le confine à une utilisation très saisonnière.

À cause de son habitacle étriqué, de sa lunette arrière en plastique sans dégivreur et de sa propulsion, ce modèle est condamné à passer l'hiver sous une bâche si l'on vit au pays de Gilles Vigneault. Pourtant, l'équipement de série comprend non seulement l'ABS mais un antipatinage perfectionné appelé «ASC+T» (Automatic Stability Control + Traction).

En retard sur les autres.

Un M Roadster +

Pour l'essai du M Roadster, le manque de coopération de BMW a été compensé par la possibilité de conduire une version très particulière de ce modèle appartenant à Dominique Valois. Son M Roadster personnel a fait le voyage Montréal-Munich-Montréal pour y laisser son moteur d'origine en échange du 6 cylindres de 3,2 litres qui équipe les modèles européens.

Curieusement, le saut de 240 à 321 chevaux n'est pas aussi évident qu'on pourrait le croire. La voiture est rapide, c'est sûr, mais elle l'était déjà originalement. On y gagne à peine quelques dixièmes de secondes par rapport aux 5,8 secondes qu'il faut normalement compter pour passer de 0 à 100 km/h. Le gain de puissance a aussi pour effet d'amplifier les faiblesses du châssis et de rendre sa conduite à la limite d'autant plus exigeante. Tout compte fait, le coupé M3 issu de la série 3 de BMW offre un comportement routier supérieur à celui du M Roadster, ce qui est assez gênant pour le roadster.

Compte tenu de son retard sur la concurrence (voir match comparatif), le BMW Z3 a besoin d'un sérieux coup de pinceau. Cela ne devrait pas tarder.

Buick Century • Regal

Buick Century

Cent fois sur le métier...

L'analyse des modifications apportées à la Buick Century au cours des trois dernières années fournit la preuve que cette marque a renié son passé et tente dorénavant par tous les moyens d'améliorer ses produits au fil des mois et même des semaines. On est loin de la «belle époque» où GM se contentait de fabriquer des modèles plus ou moins compétitifs qu'elle n'améliorait qu'avec beaucoup de réticences. La Century a eu de la difficulté à toucher la cible depuis qu'elle a été transformée en 1997. La direction de Buick a heureusement multiplié les changements pour l'adapter aux besoins du marché.

On peut d'ailleurs s'interroger sur les raisons de cet entêtement à offrir deux modèles pratiquement similaires puisque la Century et la Regal partagent la même plate-forme. C'était justifié lorsque les deux voitures utilisaient des châssis différents, mais ça l'est de moins en moins de nos jours. En fait, la Century est une voiture de prix plus abordable en mesure d'intéresser les familles à la recherche d'un moyen de transport fiable, efficace et confortable qui offre le confort traditionnel des Buick.

Le modèle dévoilé en 1997, spacieux, élégant et confortable, se vendait beaucoup moins cher que la concurrence. Malheureusement, une suspension ultrasouple et un moteur V6 3,1 litres de 160 chevaux ne constituaient pas des éléments capables de convaincre les acheteurs. Cette compacte ne pouvait intéresser que les personnes désirant un moyen de transport pour aller faire leurs courses ou rouler paisiblement sur la grand-route. Et gare aux virages abordés trop rapidement! Ils étaient accueillis par un épouvantable roulis de caisse.

Au fil des années, les améliorations se sont multipliées. L'an dernier, les freins ABS ont été revus ainsi que plusieurs détails de présentation. La direction et la suspension avant ont également bénéficié de multiples retouches. Cette année, on remet ça une autre fois!

Le moteur V6 de 3,1 litres est de retour, mais sa puissance est maintenant de 175 chevaux, ce qui fait toute la différence. La Century n'est toujours pas en mesure d'aller aux courses, mais ce surplus de puissance assure des accélérations plus franches et surtout des dépassements moins stressants. En plus, Buick continue d'offrir de menues améliorations. Il est maintenant possible de commander un dossier arrière 60/40, un coussin de sécurité latéral pour le conducteur et plusieurs nouveaux accessoires offerts en option. Il faut par contre s'interroger sur la sagesse de n'offrir qu'un coussin de sécurité latéral. Ça fait vraiment économie de bout de chandelle, d'autant plus que cet accessoire est optionnel et que la Century est une voiture familiale susceptible d'accueillir un passager à l'avant plus souvent que bien d'autres modèles.

Malgré tout, cette berline sans histoire est mieux équipée que jamais pour remplir sa mission.

Un bon compromis

La Regal ressemble de très près à la Century jusqu'au moment où on jette un coup d'œil sous le capot. Son moteur V6 3,8 litres de 200 chevaux est nettement plus performant que le V6 3,1 litres de la petite sœur. De plus, sa suspension est calibrée en fonction d'une conduite plus agressive et la tenue de route se révèle nettement supérieure. Et pour les conducteurs encore plus pressés, la

Buick Century

Pour

Moteur 3,1 litres plus puissant
• Habitabilité généreuse
• Équipement complet • Silhouette élégante • Tableau de bord pratique

Contre

Suspension encore trop souple
• Coussin de sécurité latéral uniquement pour le conducteur
• Direction engourdie • Pneumatiques moyens • Finition du coffre dénudée

Caractéristiques

Prix du modèle à l'essai:	Custom / 25 440 $
Garantie de base:	3 ans / 60 000 km
Type:	berline / traction
Empattement / Longueur:	277 cm / 498 cm
Largeur / Hauteur / Poids:	185 cm / 144 cm / 1595 kg
Coffre / Réservoir:	473 litres / 64 litres
Coussins de sécurité:	conducteur et passager
Suspension av. / arr.:	indépendante
Freins av. / arr.:	disque ABS / tambour ABS
Système antipatinage:	oui
Direction:	à crémaillère, assistée
Diamètre de braquage:	11,4 mètres
Pneus av. / arr.:	P205/70R15
Valeur de revente:	moyenne

Motorisation et performances

Moteur / Transmission:	V6 3,1 litres / automatique 4 rapports
Puissance / Couple:	175 ch à 5200 tr/min / 195 lb-pi à 4000 tr/min
Autre(s) moteur(s):	V6 3,8 litres 200 ch/240 ch (Regal)
Transmission optionnelle:	aucune
Accélération 0-100 km/h:	10,8 secondes; 6,9 secondes (Regal GS)
Vitesse maximale:	180 km/h
Freinage 100-0 km/h:	43,1 mètres
Consommation (100 km):	11,3 litres;12,9 litres (Regal GS)

Modèles concurrents

Ford Taurus • Chrysler Cirrus • Chevrolet Malibu • Oldsmobile Intrigue

Quoi de neuf?

Moteur 3,1 litres plus puissant • Nouvelle boîte de vitesses
• Habitacle plus luxueux

Verdict

Agrément	⊕ ⊕ ⊕	Habitabilité	⊕ ⊕ ⊕ (
Confort	⊕ ⊕ ⊕ ⊕	Hiver	⊕ ⊕ ⊕ (
Fiabilité	⊕ ⊕ ⊕ (	Sécurité	⊕ ⊕ ⊕ (

Regal peut être commandée avec la version suralimentée de ce V6. Avec 240 chevaux, il est difficile de se plaindre des accélérations. Il est vrai que plusieurs reprochent à ce V6 de ne pas être à arbres à cames en tête, déplorant en plus que ses poussoirs et culbuteurs soient d'une autre époque. Mais le fait demeure que ce moteur est fiable et performant en plus d'offrir un couple généreux à bas régime.

Suspension trop souple

Si vous êtes un lecteur assidu des publications automobiles américaines, vous avez certainement pris connaissance des reproches qu'on adresse à la Regal. Même la suspension de sa version GS est jugée trop souple. Il est important de souligner que ce jugement a été porté après qu'on eut conduit cette Buick sur des routes impeccables. Puisque sa suspension est plus molle que celle des Pontiac Grand Prix et Oldsmobile Intrigue, la Regal est mieux adaptée pour circuler sur les routes en mauvais état qui sont le lot de bien des automobilistes résidant dans l'est du continent. En optant pour la suspension Gran Touring, on obtient un juste milieu puisque la version régulière est un tantinet trop souple.

Qu'il s'agisse de la Century ou de la Regal, le tableau de bord est pratique, la disposition des commandes bonne et la finition honnête. Si les sièges avant sont confortables, ils manquent certainement de support latéral, surtout ceux qui équipent le modèle LS. Par contre, lors d'un long trajet, ils jouent étonnamment bien leur rôle compte tenu de leur mollesse.

Contrairement à l'Oldsmobile Intrigue qu'on a conçue comme un substitut pour les voitures importées, les Buick Century et Regal s'inspirent de la tradition américaine qui privilégie le confort et le silence de roulement. La Century est essentiellement orientée vers cet objectif tandis que la Regal offre davantage côté performances et conduite inspirée.

La tradition à la moderne.

Denis Duquet

Buick LeSabre • Oldsmobile Aurora • Pontiac Bonneville

Oldsmobile Aurora

Le trio de la relance

Toute la stratégie de la remontée de General Motors repose sur une mise en marché très élaborée où les modèles ont des rôles précis à jouer en fonction de la clientèle visée. Ce trio de berlines intermédiaires nous fournit une occasion inespérée d'expliquer à l'aide d'exemples bien précis cette politique de «gestion par les marques» qui est supposée remettre GM sur le chemin de la domination du marché nord-américain.

Buick est la division du luxe et du raffinement à prix abordable. La mission de la nouvelle LeSabre est de les offrir. Quant à la division Oldsmobile, elle s'attaque à la concurrence des importées et la nouvelle Aurora a été remaniée en fonction de cette clientèle. Enfin, le groupe Pontiac-GMC doit procurer des sensations fortes grâce à ses performances et à sa silhouette. C'est le mandat de la nouvelle Bonneville.

Reste à voir laquelle des voitures de ce trio s'approche le plus de son objectif.

Buick LeSabre: la plus vendue

Au fil des années, la Buick LeSabre est devenue la plus vendue de sa catégorie en plus d'avoir obtenu une foule de prix pour sa fiabilité et la satisfaction de ses propriétaires.

Cette année, elle bénéficie cette fois de changements plus marqués qu'il y a deux ans. Malgré tout, la transformation est toujours en demi-teintes, comme tout ce que fait cette marque. À première vue, la nouvelle LeSabre ressemble à une version plus économique de la Park Avenue avec sa ceinture de caisse qui remonte vers

l'arrière. Cependant, la cadette de la famille hérite d'une silhouette plus dynamique que son aînée en raison de son élégante calandre et de sa partie arrière plus raffinée. On a également abandonné les poignées de portes en chrome pour les remplacer par des éléments de la même couleur que la carrosserie, ce qui est curieux car le chrome semble revenir à la mode, du moins en Europe.

Les changements les plus appréciés se retrouvent dans l'habitacle. On a finalement abandonné la planche de bord à nacelle rectangulaire pour placer les instruments dans trois cercles contigus. Les cadrans indicateurs de dimensions généreuses se révèlent faciles à consulter.

Sa silhouette a toujours été élégante, mais la LeSabre ne s'est pas toujours attiré des éloges pour son comportement routier. Elle paie encore pour les années de mollesse au cours desquelles le tangage et le roulis étaient à l'honneur. Malgré des progrès marqués au fil des années, plusieurs personnes la considèrent comme une voiture de «papy» incapable de tenir la route et dénuée de tout agrément de conduite. Le modèle 2000 prouve que cette perception est erronée. La suspension de la nouvelle LeSabre affiche toujours une bonne souplesse, mais le rendement n'est pas trop mou non plus. Le roulis est bien contrôlé dans les virages et la voiture oscille moins qu'auparavant sur la grand-route lorsqu'elle est soumise à un fort vent latéral. La vraie solution consiste à opter pour la suspension Touring avec ses pneus de 16 pouces. Cela fait toute la différence. Il ne faut pas croire que cette Buick deviendra une sportive, mais elle est nettement plus agréable à piloter tout en assurant une tenue de route plus efficace. Ces éléments augmentent la sécurité active: cette berline freine sur une plus courte distance et peut être contrôlée plus facilement lors d'une manœuvre d'urgence.

Soulignons que le V6 3,8 litres fait sentir la présence de ses 205 chevaux, adéquats pour l'utilisation anticipée. De plus, en accélération franche, ce moteur livre la marchandise tandis que l'effet de couple dans le volant est minimal. Une randonnée de plus de 200 km a donné une consommation combinée ville/grand-route de 12,3 litres aux 100 km. Contrairement à ce qui est le cas pour la Park Avenue Ultra, il est impossible de choisir en option la version suralimentée de ce moteur.

Les nouveaux sièges avant avec ceinture de sécurité intégrée sont confortables, mais la ceinture est difficile à atteindre. De plus, la position de conduite est perfectible. Malgré mes efforts pour bien ajuster le siège, le volant se trouvait toujours trop haut. Détail en passant, le levier de vitesses est mal placé et on se frotte souvent les jointures sur le volant. Quant aux places arrière, on se sent comme le PDG d'une multinationale lorsqu'on se glisse sur la banquette. Par contre, on ne peut basculer le dossier arrière pour accéder au coffre, dont la présentation fait bon marché pour une voiture aux prétentions bourgeoises.

La nouvelle LeSabre plaira aux propriétaires d'un tel modèle et risque d'intéresser de nouveaux acheteurs grâce à son prix compétitif et à sa présentation plus dynamique. Pour plusieurs gens d'affaires, c'est une voiture dotée d'un certain prestige et moins ennuyante que certaines asiatiques visant le même marché, tout en exigeant un déboursé bien plus raisonnable que ces dernières.

L'Aurora conserve son caractère

L'Aurora était considérée à ses débuts en 1995 comme la voiture qui devait sauver la division Oldsmobile de l'extermination. Elle n'a pas rempli toutes les attentes, mais il faut bien admettre que la division est toujours en vie. Ce qui la caractérisait le plus était son moteur V8 4,0 litres presque aussi performant que le Northstar 4,3 litres dont il est dérivé. Sa silhouette faisait également l'unanimité. Sa ligne de toit effilée, ses feux arrière, l'absence de calandre et une foule de détails du même genre la distinguaient du lot. Sa présentation intérieure se révélait tout aussi inédite lorsqu'on la comparait aux autres berlines de GM. L'Aurora n'a pas battu les records de vente anticipés, mais elle s'est attiré une clientèle aussi loyale que satisfaite.

L'Aurora 2001 devait donc être une voiture dont la silhouette la placerait dans une classe à part et dont le comportement routier serait encore plus relevé que celui des nouvelles Intrigue et Alero lancées au cours des deux dernières années. La nouvelle venue n'est peut-être pas aussi raffinée que sa devancière, mais elle provoque un impact. Elle dérange, quoi! Les passages des roues sont soulignés par des renflements longitudinaux tandis que les feux arrière demeurent la signature visuelle de cette berline. Comme c'était le cas avec la première Aurora, cette seconde génération devrait inspirer les modèles Oldsmobile subséquents.

On n'est pas surpris de retrouver le moteur V8 4,0 litres de 250 chevaux sous le capot. Il s'est distingué dans le passé par sa fiabilité et ses performances. Chez Oldsmobile, on est également très fier du fait que ce V8 est utilisé par la plupart des équipes de la Série Indy Racing League. Un autre moteur est offert. Il s'agit du V6 de 3,5 litres qui équipe actuellement l'Intrigue. Tout aussi raffiné que le V8, il est déjà reconnu comme l'un des plus intéressants sur le marché.

Enfin, les stylistes ont conservé le tableau de bord si typique de la première Aurora avec sa console verticale scindant la planche de bord en deux. On a cependant corrigé certaines lacunes de présen-

Oldsmobile Aurora

Pontiac Bonneville

tation et apporté des retouches çà et là. Détail important, la finition semble meilleure que jamais.

Cette nouvelle génération sera commercialisée au printemps 2000 en tant que modèle 2001.

La Bonneville joue toujours la carte sportive

Parmi les nouvelles berlines pleine grandeur chez General Motors, la Bonneville est celle qui vise une clientèle plus sportive, davantage intéressée par des sensations plus éclatées que subtiles.

Pour remplir sa mission, la Bonneville compte sur une silhouette qui, à défaut d'être élégante, possède le côté accrocheur correspondant à sa vocation. On dirait que les stylistes ont pris une Grand Prix et se sont ingéniés à en exagérer certains aspects visuels. La partie la plus controversée de la silhouette est l'avant, avec sa calandre surplombant un pare-chocs tourmenté abritant deux phares circulaires. La Bonneville s'adresse à une clientèle

Buick LeSabre

Buick LeSabre

Pour

Silhouette élégante • Cabine spacieuse • Bon rapport qualité/prix • Moteur bien adapté • Fiabilité éprouvée

Contre

Ceintures de sécurité avant difficiles d'accès • Levier de vitesses récalcitrant • Position de conduite perfectible • Pneumatiques moyens

Caractéristiques

Prix du modèle à l'essai:	Custom / 30 465 $
Garantie de base:	3 ans / 60 000 km
Type:	berline / traction
Empattement / Longueur:	285 cm / 508 cm
Largeur / Hauteur / Poids:	186 cm / 144 cm / 1620 kg
Coffre / Réservoir:	510 litres / 70 litres
Coussins de sécurité:	frontaux et latéraux
Suspension av. / arr.:	indépendante
Freins av. / arr.:	disque ABS
Système antipatinage:	oui
Direction:	à crémaillère, assistance variable
Diamètre de braquage:	12,0 mètres
Pneus av. / arr.:	P215/70R15
Valeur de revente:	bonne

Motorisation et performances

Moteur / Transmission:	V6 3,8 litres / automatique 4 rapports
Puissance / Couple:	205 ch à 5200 tr/min/ 230 lb-pi à 4000 tr/min
Autre(s) moteur(s):	V8 3,8 litres 240 ch/4,0 l 250 ch; V6 3,5 l 215 ch
Transmission optionnelle:	aucune
Accélération 0-100 km/h:	9,6 secondes
Vitesse maximale:	180 km/h
Freinage 100-0 km/h:	39,4 mètres
Consommation (100 km):	12,2 litres

Modèles concurrents

Chrysler Intrepid • Lincoln Continental • Infiniti I30 • Toyota Avalon

Quoi de neuf?

Nouveau modèle

Verdict

Agrément	⊕⊕⊕	Habitabilité	⊕⊕⊕⊖
Confort	⊕⊕⊕⊕	Hiver	⊕⊕⊕⊖
Fiabilité	⊕⊕⊕⊕	Sécurité	⊕⊕⊕⊕

jeune et active à la recherche d'une voiture qui ne fait pas dans les demi-mesures.

Le tableau de bord est d'un design audacieux et très relevé. La Bonneville est équipée d'une radio plus performante que la moyenne.

L'Aurora: le meilleur choix

Compte tenu de la vocation de cette voiture, le groupe propulseur se doit d'offrir des performances intéressantes. Le moteur régulier est le V6 3,8 litres de 205 chevaux qui a fait ses preuves depuis plusieurs années. Son couple élevé à bas régime permet de compter sur des accélérations dynamiques. Pour les conducteurs plus pressés, Pontiac propose une version suralimentée de ce même V6. La puissance de 240 chevaux permettra à la version SSEi de soutenir ses prétentions sportives. De plus, la boîte-pont est renforcée pour supporter cette puissance accrue. Et il faut souligner que cette voiture s'inspire des mêmes éléments de suspension que la Cadillac Seville STS, un élément à ne pas dédaigner.

La division Pontiac joue une fois de plus la carte de la sportivité et de la jeunesse pour intéresser ses clients à sa grosse berline qui est également le modèle le plus luxueux de toute la gamme Pontiac.

En fait, parmi ces trois voitures, c'est probablement la Pontiac qui rate le coche en continuant d'utiliser les mêmes recettes faciles avec une présentation trop chargée. De plus, lorsqu'on superpose les photos de la Bonneville et de la Chevrolet Impala, la ressemblance est gênante. L'Aurora est probablement celle qui remplit le mieux sa mission en proposant des améliorations plus marquées que la LeSabre, coupable de trop de conservatisme.

Denis Duquet

La relève est arrivée.

Buick Park Avenue • Ultra

Toujours mal perçue

Depuis plusieurs années, la compagnie General Motors a investi des centaines de millions de dollars afin d'améliorer la qualité de ses voitures et leur raffinement technique. Prenez la Buick Park Avenue, par exemple. Celle-ci a toujours été reconnue comme une voiture bien assemblée et fiable à défaut d'être une référence en fait d'agrément de conduite et de tenue de route. Il y a trois ans, la plus huppée des Buick a été transformée du tout au tout. Elle a adopté une plate-forme très sophistiquée constituée de nombreux éléments fabriqués selon des méthodes très avant-gardistes. L'utilisation de pièces de suspension plus raffinées a permis d'améliorer la tenue de route.

Les stylistes en avaient profité pour élaborer une carrosserie encore plus élégante que celle du modèle précédent. Le tableau de bord ne faisait plus songer à celui d'une Chevelle 1976. Malheureusement, cette Buick semble toujours souffrir d'un problème de perception. On a relevé la qualité du produit, mais bien peu d'efforts semblent avoir été mis de l'avant pour le faire savoir au grand public. C'est bien beau la stratégie des raffinements classiques et de la filiation visuelle d'un modèle à l'autre, mais cela ne ferait pas de tort que le message soit transmis clairement aux clients potentiels. Il semble que GM ne consente pas les efforts nécessaires pour faire connaître les mérites de cette grosse berline.

Pourtant, la Park Avenue et sa grande sœur plus musclée et plus luxueuse, la Park Avenue Ultra, sont des voitures qui méritent un meilleur sort.

À cause du V6?

On peut s'interroger sur cette gêne à mettre la Park Avenue en avant. On pourrait être porté à croire que c'est en raison de l'absence d'un moteur V8 de conception sophistiquée. Les ingénieurs de Buick ont peut-être honte de leur moteur V6 de 3,8 litres à soupapes en tête? Pourtant, même si sa conception à soupape en tête n'est pas tellement moderne, ce V6 est considéré par plusieurs spécialistes comme l'un des meilleurs sur le marché, point à la ligne. Et même si ce moteur existe chez Buick depuis des décennies, d'innombrables révisions ont permis de le moderniser au fil des années et d'en garantir la fiabilité. Non seulement sa consommation de carburant est exemplaire, mais ses 205 chevaux garantissent de bonnes performances. L'utilisation d'un compresseur sur ce même moteur permet d'obtenir une puissance de 240 chevaux, de quoi faire attraper quelques points de démérite à votre permis de conduire. Et il est important d'ajouter que les accélérations à bas régime sont très vives en raison d'un couple élevé, l'un des avantages des moteurs à soupapes en tête.

Ce n'est donc pas à cause du moteur que la direction de Buick semble hésitante à faire la promotion de sa grosse berline.

Est-ce la tenue de route?

Un jour, lors d'une conversation à propos des suspensions ultra-moelleuses des Buick des bonnes années, un ingénieur de la compagnie m'a déclaré: «Chez Buick, on n'offre pas de la tenue de route mais du confort.» Cette perception explique pourquoi tant de modèles de cette marque donnaient l'impression que leurs ressorts avaient été remplacés par des oreillers de plumes. En ligne droite,

Buick Park Avenue

Pour

Moteurs performants
• Comportement routier sain
• finition soignée • Bon rapport
qualité/prix • Habitacle confortable

Contre

Pneumatiques moyens • Roulis en
virage • Banquette avant indigne
de la catégorie • Peu de support
des sièges baquets • Suspension
régulière trop souple

Caractéristiques

Prix du modèle à l'essai:	Ultra / 48 310 $
Garantie de base:	3 ans / 60 000 km
Type:	berline / traction
Empattement / Longueur:	289 cm / 525 cm
Largeur / Hauteur / Poids:	189 cm / 147 cm / 1790 kg
Coffre / Réservoir:	541 litres / 70 litres
Coussins de sécurité:	frontaux et latéraux
Suspension av. / arr.:	indépendante
Freins av. / arr.:	disque ABS
Système antipatinage:	oui
Direction:	à crémaillère, assistance variable
Diamètre de braquage:	12,2 mètres
Pneus av. / arr.:	P225/60R16
Valeur de revente:	excellente

Motorisation et performances

Moteur / Transmission:	V6 3,8 litres / automatique 4 rapports
Puissance / Couple:	240 ch à 5200 tr/min / 280 lb-pi à 3600 tr/min
Autre(s) moteur(s):	V6 3,8 litres 200 ch
Transmission optionnelle:	aucune
Accélération 0-100 km/h:	9,1 secondes; 10,6 secondes
Vitesse maximale:	180 km/h
Freinage 100-0 km/h:	44,8 mètres
Consommation (100 km):	13,6 litres; 12,8 litres

Modèles concurrents

Acura RL • Cadillac DeVille • Lincoln Continental • Infiniti Q45

Quoi de neuf?

Nouvelles couleurs • Coussins de sécurité 2 phases • Autres changements
de détail

Verdict

Agrément	⊕ ⊕ ⊕ ◖	Habitabilité	⊕ ⊕ ⊕ ⊕
Confort	⊕ ⊕ ⊕ ⊕	Hiver	⊕ ⊕ ⊕ ◖
Fiabilité	⊕ ⊕ ⊕ ⊕	Sécurité	⊕ ⊕ ⊕ ⊕

on croyait rouler sur un nuage. Mais les choses se détérioraient en virage, alors que les pare-chocs raclaient pratiquement la chaussée.

Ces absurdités ne sont plus appréciées de nos jours et les ingénieurs ont été en mesure de calibrer les suspensions de tous les modèles afin d'offrir un confort relevé, mais pas nécessairement au détriment de la tenue de route. Le modèle régulier se tire assez bien d'affaire même sur une route sinueuse. Toutefois, les pneumatiques ont été choisis beaucoup plus en vertu du confort que des performances qu'ils offraient. Comme ils travaillent de concert avec une direction quelque peu engourdie et des amortisseurs plutôt souples, les sensations de conduite ne sont pas trop excitantes.

Un meilleur choix

Une Park Avenue Ultra équipée de la suspension Gran Touring est davantage en mesure d'exploiter les 240 chevaux de son V6 suralimenté. Malgré son gabarit généreux, cette bourgeoise tire avantageusement son épingle du jeu sur une route sinueuse négociée à vive allure. Et si jamais vous vous faites piéger par une situation imprévue ou si votre enthousiasme vous mène à la faute de pilotage, le système Stabilitrack permet de reprendre la stabilité directionnelle. Soulignons au passage qu'il est de série sur le modèle Ultra. Cette édition plus relevée bénéficie également de la direction à assistance variable Magnasteer de type magnétique que plusieurs confrères décrient. Personnellement, j'ai un faible pour cette direction qui me semble donner un résultat moins artificiel. Pourtant, certains jurent le contraire!

La conclusion est donc simple. Si la Park Avenue et la Park Avenue Ultra n'obtiennent pas le traitement médiatique qu'elles méritent, c'est tout simplement que Buick est incapable d'en faire une promotion adéquate. Ce n'est pas la voiture parfaite, sa banquette avant 55/45 n'a pas sa place dans cette auto, même les sièges baquets n'offrent pas de support, et sa présentation intérieure manque de caractère. Mais c'est tout de même une élégante voiture proposant un rapport qualité/prix très intéressant.

Elle mérite un meilleur sort.

Denis Duquet

Cadillac Catera

Une adoption contestée

Même si elle fait partie de la famille Cadillac depuis 1997, la Catera ne semble pas s'y être intégrée à part entière. Plusieurs lui reprochent d'avoir été adoptée tant bien que mal pour assurer la présence de la marque dans la catégorie des berlines intermédiaires de luxe, la plus active sur le marché des voitures de plus de 50 000 $. D'autres sont tellement enthousiasmés par cette Caddy d'origine germanique qu'ils décrient les autres modèles produits par cette division.

Bref, certains considèrent la Catera comme une Opel déguisée en Cadillac tandis que d'autres y voient la solution de l'avenir. Sans vouloir clore la discussion, il est intéressant de souligner que la Catera est une propulsion et que la plupart des modèles Cadillac qui seront dévoilés dans les années à venir le seront aussi.

Sans avoir connu un succès de ventes phénoménal, cette berline a permis de rejoindre une nouvelle catégorie d'acheteurs qui n'auraient jamais considéré l'achat d'une Cadillac auparavant. Des dimensions plus raisonnables, une silhouette très sobre et des sensations de conduite plus directes ont principalement attiré ces gens. Il faut cependant admettre que la sobriété de sa silhouette ne rend pas justice à la Catera. Il est vrai que les acheteurs de berlines allemandes apprécient les designs sobres et les présentations extérieures nuancées. Mais cette approche peut jouer de vilains tours lorsqu'on tente d'implanter un nouveau modèle sur un marché déjà encombré. La Catera ne possède pas ce «crochet» visuel qui attire le regard et qui permet de différencier une voiture

des autres. Elle roule le plus souvent dans l'anonymat. Pire encore, elle pourrait trôner dans une salle de montre Saturn sans détonner du tout.

Il en est de même de la présentation de l'habitacle qui est pratiquement identique à celui de l'Opel Omega, voiture allemande qui vit sous la bannière Cadillac en Amérique. Plusieurs se sont élevés contre l'utilisation à outrance de panneaux de plastique de couleurs différentes et contre la présentation du tableau de bord qui semble être le fruit d'un croisement entre un produit Chrysler et une Lexus. Le résultat n'est pas mauvais mais, comme pour la silhouette, il est difficile d'y retrouver une personnalité bien typée. Et le pire, c'est que cet intérieur est pratiquement en tout point pareil à celui de l'Opel Omega et non pas le résultat d'une modification de dernière minute pour la transformer en Cadillac. Cette année, des changements ont été apportés pour le mieux, mais il reste beaucoup de travail à réaliser pour faire taire les critiques.

Une mécanique unique

Depuis plusieurs années, la haute direction de General Motors prône le partage des plates-formes et des différents organes mécaniques afin de diminuer les coûts. Pourtant, la Catera fait cavalier seul, du moins en Amérique. Son moteur V6 3,0 litres est seul dans la gamme GM sur notre continent. Très compact et très léger, il offre 200 chevaux, ce qui est adéquat pour la catégorie. Toutefois, à l'usage, il semble toujours travailler fort et on se surprend à espérer plus de nervosité en certaines circonstances. Par contre, il est tout aussi performant ou si vous voulez tout aussi limité dans ses prestations que le V6 2,8 litres offert par Audi.

Cadillac Catera

Pour

Caisse rigide • Finition soignée • Tenue de route saine • Slèges confortables • Coffre généreux

Contre

Antipatinage à revoir • Finition du coffre sommaire • Direction filtre mal les chocs de la route • Silhouette trop discrète • Modèle en fin de série

Caractéristiques

Prix du modèle à l'essai:	42 310 $
Garantie de base:	4 ans / 80 000 km
Type:	berline / propulsion compacte sport
Empattement / Longueur:	273 cm / 493 cm
Largeur / Hauteur / Poids:	179 cm / 493 cm / 1720 kg
Coffre / Réservoir:	410 litres / 68 litres
Coussins de sécurité:	conducteur, passager et latéraux
Suspension av. / arr.:	indépendante
Freins av. / arr.:	disque ABS
Système antipatinage:	oui
Direction:	à billes, assistance variable
Diamètre de braquage:	10,2 mètres
Pneus av. / arr.:	P225/55R16
Valeur de revente:	passable

Motorisation et performances

Moteur / Transmission:	V6 3,0 litres / automatique 4 rapports
Puissance / Couple:	200 ch à 6000 tr/min / 192 lb-pi 3600 à tr/min
Autre(s) moteur(s):	aucun
Transmission optionnelle:	aucune
Accélération 0-100 km/h:	9,2 secondes
Vitesse maximale:	205 km/h
Freinage 100-0 km/h:	38,5 mètres
Consommation (100 km):	12,5 litres

Modèles concurrents

Mazda Millenia • BMW série 3 • Lexus ES300 • Mercedes-Benz C280 • Acura 3,2 TL • Audi A4 2,8 • Oldsmobile Aurora

Quoi de neuf?

Carrosserie modifiée à l'avant et à l'arrière • Nouveau tableau de bord

Verdict

Agrément	⬤⬤⬤◖	
Confort	⬤⬤⬤◖	
Fiabilité	⬤⬤⬤◖	
Habitabilité	⬤⬤⬤⬤	
Hiver	⬤⬤⬤⬤	
Sécurité	⬤⬤⬤⬤	

Les deux ont été conçus pour une clientèle européenne alors que les conducteurs de ce côté-là de l'Atlantique ne se contentent pas de placer le levier de la boîte de vitesses automatique en position «D». Ces derniers n'hésitent pas à jouer du levier de vitesses, même s'ils conduisent une automatique. Ils obtiennent ainsi des performances plus intéressantes.

Cette petite allemande tentant de vivre en Amérique sous un nom d'emprunt possède une fiche technique tout ce qu'il y a de plus correct. Sa suspension arrière à liens multiples, sa direction à billes et une caisse rigide sont des attributs que l'on retrouve chez toutes ses concurrentes. Et, j'allais oublier, la suspension arrière est pourvue d'un correcteur d'assiette automatique.

Une routière valable

Tant et si bien que la Catera se débrouille fort avantageusement à haute vitesse sur la grand-route. Sa stabilité directionnelle s'avère impressionnante, la position de conduite adéquate et le confort général bon. La direction est toutefois mal isolée de la route et les impacts des pneus sur les trous et les bosses se transmettent dans le volant. Quant au moteur, ses prestations sont moyennes, mais il lui faut travailler fort pour y arriver.

En fait, c'est sur une route sinueuse que la Catera se distingue le plus. Son faible encombrement, son agilité et sa capacité à enfiler les virages avec assurance de même que ses freins progressifs nous donnent confiance. C'est de loin la Cadillac la plus à son aise sur une route secondaire.

La Catera n'est pas la voiture parfaite. Il s'agit malgré tout d'un produit de qualité capable de rivaliser avec certains autres modèles de sa catégorie. Une nouvelle génération est en voie de développement. Celle-ci n'aura plus de problème d'identité puisqu'elle sera assemblée en Amérique. En attendant, le modèle 2000 bénéficie de retouches mineures pour nous faire patienter davantage.

Denis Duquet

Elle se cherche toujours.

Cadillac DeVille

En quête d'une nouvelle image

La DeVille 1999 n'était pas dénuée de qualités. Pour une voiture de cette catégorie et de ce gabarit, elle offrait un comportement routier honnête, un moteur exemplaire et, bien entendu, une habitabilité nettement supérieure à la moyenne. Pourtant, elle traînait avec elle la réputation d'être une automobile pour des acheteurs d'âge mûr et même très mûr.

Comme c'est le cas depuis bientôt deux décennies, la division Cadillac tente par tous les moyens de diminuer la moyenne d'âge de ses clients. Faute de quoi, elle risque de se retrouver en sérieuse difficulté en raison d'un manque d'acheteurs.

En 2000, la DeVille se trouve donc complètement transformée tant sur le plan mécanique qu'esthétique. Chez Cadillac, on espère ainsi intéresser des acheteurs plus jeunes à la recherche d'une traction de luxe offrant un bon compromis entre les grosses américaines de jadis et l'agrément de conduite des voitures modernes.

Une silhouette intrigante

Les stylistes de Cadillac n'ont pas eu le coup de crayon tellement heureux au cours des dernières années. Le look de l'Eldorado demeure controversé des années après son entrée en scène tandis que la version précédente de la DeVille semblait avoir été empruntée aux années 70. En fait, seule la Seville a été l'objet de commentaires positifs. Ce qui explique pourquoi les stylistes ont tenté de donner à la plus populaire des Cadillac une silhouette inspirée de la Seville. La forme de la custode, les parois latérales légèrement bombées sont des éléments empruntés à cette dernière. En fait, la DeVille se

démarque par des phares avant terminant les ailes de façon abrupte. À l'avant, c'est pratiquement le seul élément qui saute aux yeux, donnant l'impression que cette Caddy vient à peine de frapper un mur tant la partie avant est verticale. Le fait d'avoir placé une barre de chrome transversale par-dessus la grille de calandre met encore plus en évidence cette présentation assez particulière.

On peut se demander qui a choisi les roues en alliage de la version DVS. Elles ressemblent à des ventilateurs de radiateur qu'on aurait coulés dans l'aluminium et placés au centre de la jante. Le résultat est supposé donner un caractère sportif à la voiture, mais il n'est pas du plus bel effet.

L'habitacle est sobre, classique et d'une finition exemplaire. Les appliques en bois, le cuir de première qualité des sièges et une instrumentation analogique facile à consulter sont les éléments les plus positifs. Soulignons l'espace généreux réservé aux occupants des places arrière de même que le confort de la banquette.

Un châssis plus sophistiqué

En plus de cette présentation extérieure et intérieure renouvelée, le changement le plus important est l'utilisation par la DeVille d'une nouvelle plate-forme. Dorénavant, ce modèle partage la plate-forme G avec l'Oldsmobile Aurora, les Buick LeSabre et Park Avenue ainsi que la Seville. Cette plate-forme plus rigide est pourvue d'éléments de suspension formés par pression hydraulique à la fois plus robustes et plus légers. Selon les ingénieurs de GM, la nouvelle DeVille gagne plus de 21 p. 100 de rigidité en torsion.

Comme toute Cadillac qui se respecte, elle est truffée de gadgets électroniques des plus sophistiqués. Elle peut être équipée

Cadillac DeVille

Pour

Plate-forme plus moderne • Esthétique plus dynamique • Finition impeccable • Places arrière généreuses • Moteurs performants

Contre

Silhouette intrigante • Jantes peu élégantes • Perception négative • Certaines options inutiles

Caractéristiques

Prix du modèle à l'essai:	DHS / 53 555 $
Garantie de base:	4 ans / 80 000 km
Type:	berline / traction
Empattement / Longueur:	292 cm / 509 cm
Largeur / Hauteur / Poids:	189 cm / 144 cm / 1805 kg
Coffre / Réservoir:	509 litres / 60 litres
Coussins de sécurité:	frontaux et latéraux
Suspension av. / arr.:	indépendante
Freins av. / arr.:	disque ABS
Système antipatinage:	oui
Direction:	à crémaillère, assistance variable
Diamètre de braquage:	11,8 mètres
Pneus av. / arr.:	P225/60R16; P235/55R17 (DTS)
Valeur de revente:	moyenne

Motorisation et performances

Moteur / Transmission:	V8 4,6 litres / automatique 4 rapports
Puissance / Couple:	275 ch à 5600 tr/min / 300 lb-pi à 4000 tr/min
Autre(s) moteur(s):	V8 4,6 litres 300 ch
Transmission optionnelle:	aucune
Accélération 0-100 km/h:	8,0 secondes; 7,4 secondes
Vitesse maximale:	210 km/h
Freinage 100-0 km/h:	41,3 mètres
Consommation (100 km):	13,9 litres; 14,4 litres

Modèles concurrents

Infiniti Q45 • Lincoln Town Car • Lexus LS400

Quoi de neuf?

Nouvelle plate-forme • Nouvelle carrosserie

Verdict

Agrément	⊕ ⊕ ⊕ ⊕	Habitabilité	⊕ ⊕ ⊕ ⊕
Confort	⊕ ⊕ ⊕ ⊕ ⊕	Hiver	⊕ ⊕ ⊕ ⊕
Fiabilité	⊕ ⊕ ⊕ ⊕	Sécurité	⊕ ⊕ ⊕ ⊕

d'un système de vision de nuit dérivé de ceux utilisés par les forces alliées lors de l'opération «Tempête du désert» contre Saddam Hussein. Ce mécanisme permet de voir, par projection, des objets et des personnes qui n'auraient pu être vus dans l'obscurité. Le conducteur de la DeVille pourra non seulement les apercevoir à l'écran, mais suffisamment à l'avance pour éviter cet obstacle invisible. Cette voiture est également équipée de la toute dernière version du système de contrôle de la stabilité latérale StabiliTrack. Parmi les autres accessoires électroniques d'assistance à la conduite, on peut mentionner le détecteur arrière d'obstacles, l'antipatinage et le système exclusif à Cadillac de modification continuelle de la suspension en fonction des conditions de la route.

On retrouve les mêmes moteurs qu'en 1999. Le modèle régulier et le DeVille High Luxury Sedan ou DHS sont équipés du V8 Northstar de 4,6 litres d'une puissance de 275 chevaux. Quant au DeVille Touring Sedan ou DTS, il peut compter sur la version haute performance de 300 chevaux du Northstar, l'un des meilleurs moteurs sur le marché.

Les temps changent.

Une image à reconstruire

Le modèle précédent n'avait rien des grosses barges de jadis et son comportement routier était vraiment plus qu'honnête. C'est encore mieux sur les modèles 2000. Et il est certain que le porte-étendard de la nouvelle génération sera le DTS avec son moteur plus puissant, sa suspension sport et des roues de 17 pouces garnies de pneus à taille basse.

Pour les clients recherchant davantage le luxe que la performance, le DHS offre un équipement plus cossu tout en étant capable d'impressionner plusieurs conducteurs sélectifs. Quant au modèle régulier, il réussit à concilier tenue de route et confort d'une façon assez impressionnante. Il ne reste plus maintenant à cette division qu'à transformer la perception négative du grand public à son égard.

Denis Duquet

Cadillac Escalade

Mascarade, plutôt

Dans un de ces tours de passe-passe dont General Motors a le secret, Cadillac a dévoilé l'an dernier le premier utilitaire de luxe de son histoire, l'Escalade. Or, celui-ci aurait très bien pu s'appeler Mascarade, puisqu'il n'était rien d'autre qu'un GMC Yukon Denali affublé d'un écusson Cadillac. Jusque-là, pas de problème, Lincoln ayant fait la même chose avec son Navigator. Le hic, c'est que contrairement à ce dernier, l'Escalade est déjà passé date...

En effet, le trio Yukon, Tahoe et Suburban, avec lequel l'Escalade partageait carrosserie et mécanique, a été revu en profondeur pour l'année-modèle 2000. Mais pas l'Escalade, qui venait tout juste d'entrer en scène... En clair, cela signifie que cette nouveauté *(sic)* signée Cadillac repose sur une plate-forme qui a amorcé sa carrière en 1992, lors de l'introduction de l'avant-dernière génération du Suburban. C'est donc dire que, comme Fernand Gignac, l'Escalade n'a jamais été jeune; il est venu au monde vieux.

Chez Ford, au moins, on a eu la décence de maquiller un véhicule de conception récente (l'Expedition) pour en faire un utilitaire de luxe vendu sous la bannière Lincoln (le Navigator). D'ailleurs, le succès de celui-ci fut tel qu'il a forcé Cadillac à concevoir en catastrophe un utilitaire de luxe à son tour. C'est que, voyez-vous, les dirigeants de la branche de prestige de GM ne croyaient pas à la réussite de ce type de véhicule. Pourtant, il ne faut pas être un génie du marketing pour voir que tout ce qui porte l'étiquette «utilitaire» de nos jours se vend comme des petits pains chauds. Mais, bon, ce n'est pas la première fois que le géant américain ne voit pas plus loin que le bout de son nez; on ne le refera pas.

Le 4X4 d'Elvis

Comme son rival de chez Lincoln, l'Escalade essaie tant bien que mal d'afficher une certaine opulence. Pour ma part, je ne peux m'empêcher de penser qu'il est d'un kitsch que le King lui-même n'aurait pas renié. Le volant mi-cuir mi-bois fait quelque peu rococo; ce faisant, il s'harmonise plutôt bien avec la présentation intérieure, qui se situe dans le même ton. Mais les goûts ne se discutent pas; alors allons-y pour les faits, indéniables ceux-là.

Comme dirait Jacques Demers, soyons po-po-positifs, en commençant par les bons côtés. Depuis quelques années, les produits Cadillac brillent par leur finition soignée, et l'Escalade ne fait pas exception. Si la décoration est pour le moins ostentatoire, on ne peut cependant pas mettre en doute la qualité des matériaux employés. C'est digne d'un véhicule portant l'écusson Cadillac, tout comme l'insonorisation, qui vous permettra d'apprécier pleinement le rendement impressionnant du système audio.

Pas de surprises du côté du tableau de bord, en tout point pareil à celui du Yukon de l'ancienne génération. N'allez pas croire, toutefois, qu'il s'agit là d'un reproche déguisé, car ledit tableau de bord n'en mérite aucun. L'instrumentation est aussi complète que facile à consulter et les commandes, regroupées dans la partie centrale, témoignent d'une ergonomie sans faille. Ou presque: peu profonds, la plupart des espaces de rangement ne peuvent pas contenir grand-chose.

Recouverts d'un cuir qui respire la qualité, les fauteuils qui font office de sièges procurent un confort à l'avenant, ainsi qu'un support latéral convenable. De plus, ils sont tous chauffants. La seule véritable fausse note vient des places arrière, qui offrent un espace pour les jambes décevant en regard des dimensions pachydermiques du

Cadillac Escalade

Pour
Finition soignée • Tableau de bord réussi • Équipement pléthorique • Confort appréciable • Mécanique éprouvée

Contre
Intérieur rococo • Places arrière décevantes • Pédale de frein spongieuse • Stratégie marketing discutable • Consommation gargantuesque

Caractéristiques

Prix du modèle à l'essai:	Escalade / 64 095 $
Garantie de base:	4 ans / 80 000 km
Type:	utilitaire sport de luxe / propulsion / 4X4
Empattement / Longueur:	298 cm / 511 cm
Largeur / Hauteur / Poids:	196 cm / 189 cm / 2530 kg
Coffre / Réservoir:	1894 litres ou 3347 litres / 114 litres
Coussins de sécurité:	conducteur et passager
Suspension av. / arr.:	indépendante / essieu rigide
Freins av. / arr.:	disque ABS / tambour ABS
Système antipatinage:	non
Direction:	à billes, assistance variable
Diamètre de braquage:	12,4 mètres
Pneus av. / arr.:	P265/70R16
Valeur de revente:	faible

Motorisation et performances

Moteur / Transmission:	V8 5,7 litres / automatique 4 rapports
Puissance / Couple:	255 ch à 4600 tr/min / 330 lb-pi à 2800 tr/min
Autre(s) moteur(s):	aucun
Transmission optionnelle:	aucune
Accélération 0-100 km/h:	9,8 secondes
Vitesse maximale:	180 km/h (limitée)
Freinage 100-0 km/h:	52,1 mètres
Consommation (100 km):	15,8 litres

Modèles concurrents
Lexus LX470 • Lincoln Navigator • Land Rover Range Rover

Quoi de neuf?
Portes de chargement arrière maintenant livrables

Verdict

Agrément	⊕ ⊕ ◖	Habitabilité ⊕ ⊕ ⊕ ⊕
Confort	⊕ ⊕ ⊕ ◖	Hiver ⊕ ⊕ ⊕ ⊕
Fiabilité	⊕ ⊕ ⊕	Sécurité ⊕ ⊕ ⊕ ⊕ ◖

véhicule. On aurait peut-être pu en prendre un peu de la soute à bagages, qui est la plus vaste de sa catégorie. Il en va de même pour l'équipement de série, tellement complet qu'aucune option ne figure au catalogue. Même le système de navigation par satellite On Star est offert de série. Chapeau.

Une mécanique éprouvée

Le V8 de 5,7 litres de l'Escalade est une vieille connaissance, puisque c'est le même qui propulsait vous savez qui. Il pourrait cependant céder sa place en cours d'année, sinon l'an prochain, au nouveau V8 5,3 litres des camionnettes Silverado/Sierra, plus puissant malgré une cylindrée inférieure. Remarquez, rien ne presse, car l'actuel V8, en plus d'être un engin fiable, se défend plus qu'honorablement. S'il grogne à l'accélération, il devient ensuite doux comme un agneau. Mais on sent tout de même la force tranquille de ses 255 chevaux et surtout, quel couple, mes amis!

Vestige de prestige.

Tout cela est géré bien efficacement par une transmission qui a fait ses preuves elle aussi, soit la boîte Hydra-Matic à 4 rapports. Pour passer de 2 à 4 roues motrices, rien de plus facile: l'opération se fait à la volée, pendant que le véhicule roule, au moyen de commutateurs placés à côté du volant. Le conducteur a le choix entre le rouage intégral permanent ou les roues arrière motrices, d'une part; ou encore, deux modes 4X4 (4H et 4L).

Malgré un roulis prononcé et le gabarit du véhicule, la tenue de route est correcte, voire étonnante. La suspension procure un confort acceptable, d'autant plus qu'elle doit composer avec la présence de pneus surdimensionnés. Spongieuse et affligée d'une longue course, la pédale de frein est difficile à doser, ce qui laisse craindre le pire. Or, il n'en est rien: ça freine avec aplomb, cette grosse affaire-là, et ça demeure stable lors des arrêts d'urgence.

Tout ça pour dire que l'Escalade n'est pas un mauvais véhicule en soi, au contraire. Mais son rapiéçage sent l'opportunisme à plein nez et la stratégie marketing de GM avec ce modèle est une insulte à l'intelligence des consommateurs. Mais le Lexus LX470 et, surtout, le Range Rover, sont encore pires dans le genre, et le Cadillac coûte bien moins cher qu'eux. Alors...

Philippe Laguë

Cadillac Seville • Eldorado

Cadillac Eldorado

L'ombre et la lumière

Créée en 1975, la Cadillac Seville a connu une carrière en montagnes russes, avec certaines descentes particulièrement abruptes. Aussi, l'apparente prudence dans l'élaboration de la cinquième génération est plutôt teintée de logique, voire de sagesse, la Seville ayant connu au cours de l'actuelle décennie une constante progression... vers le haut, cette fois. Chez GM, on s'est donc efforcé de garder cette trajectoire.

Plutôt que de partir d'une feuille blanche, les concepteurs de la Seville et de sa jumelle à 2 portes, l'Eldorado, se sont appliqués à raffiner leurs devancières, de sorte qu'il convient davantage de parler d'évolution lorsqu'il est question de leurs remplaçantes, qui sont venues prendre la relève l'année dernière.

On parle ici de raffinements d'ordre technique (rigidité et insonorisation accrues, suspension arrière redessinée) et de certains ajouts à un équipement de série déjà pléthorique. Une liste d'options qui n'est pas longue comme le bras sur une voiture américaine, voilà qui est digne de mention! Mais la perfection n'étant pas de ce monde, on digère mal qu'il faille débourser un supplément pour l'installation d'un toit ouvrant électrique et d'un chargeur de disques au laser (dans le coffre) dans les versions haut de gamme (Seville STS et Eldorado Touring).

Conservatrice, mais toujours élégante

Sur le plan esthétique, on a suivi, là aussi, la démarche évolutive qui a prévalu dans le développement des Seville et Eldorado «revues et corrigées». Dans les deux cas, les parties avant et arrière ont été redessinées, tandis que le profil anguleux, bien que légèrement arrondi aux extrémités, conserve sa ligne en coin. Une approche trop

conservatrice au goût de certains, mais avant de jeter la pierre aux dirigeants de Cadillac, ne perdons pas de vue que le design de la Seville, lors de sa précédente refonte, ne s'est attiré que des compliments, et que sa silhouette n'a pas pris une ride depuis. (On ne peut malheureusement pas en dire autant pour l'Eldorado; mais elle se vend au compte-gouttes, ce qui atténue la gravité de la chose.)

Du reste, les irritants de l'édition précédente étaient plus nombreux à l'intérieur, et c'est justement là qu'on a mis le paquet. Débarrassé de l'affichage digital, le tableau de bord a pris du mieux avec une instrumentation moins confuse, faite de cadrans électroluminescents (façon Lexus) qui, le soir venu, arrachent des oh! et des ah! aux passagers. Effet garanti.

Côté rangement, on est passé d'un extrême à l'autre, puisque c'est désormais l'abondance, en quantité comme en capacité. Quant à la finition, celle de notre véhicule d'essai était impeccable; souhaitons seulement que ça dure, ce qui n'a pas toujours été le cas pour les modèles de la génération précédente.

Plaisirs... auditif et mécanique

En ce qui a trait au confort, on pourrait difficilement demander mieux. Spacieuse et cossue, la Seville dorlote particulièrement ceux qui prennent place à l'avant, avec des sièges baquets épousant la morphologie de leurs occupants. Ce n'est pas une figure de style: une technique sophistiquée de rembourrage fait en sorte que les sièges en question s'ajustent au gabarit de la personne qui s'y installe.

Mais passons tout de suite au dessert: la chaîne stéréo. Alors là, mes amis, on a frappé un grand coup. L'ensemble haute fidélité, conçu avec la collaboration de Bose, ne mérite que des éloges.

Cadillac Seville

Pour

Habitacle spacieux et confortable
• Présentation intérieure réussie
• Allure élégante • Chaîne stéréo
époustouflante • Moteur enivrant
• Comportement routier inspirant

Contre

Effet de couple toujours présent
• Options discutables • Suspension
molle (SLS) • Pneus de série
quelconques

Caractéristiques

Prix du modèle à l'essai:	STS / 64 815 $
Garantie de base:	4 ans / 80 000 km
Type:	berline / traction
Empattement / Longueur:	285 cm / 510 cm
Largeur / Hauteur / Poids:	190 cm / 141 cm / 1815 kg
Coffre / Réservoir:	445 litres / 71 litres
Coussins de sécurité:	frontaux et latéraux
Suspension av. / arr.:	indépendante
Freins av. / arr.:	disque ABS
Système antipatinage:	oui
Direction:	à crémaillère, assistance variable
Diamètre de braquage:	12,3 mètres
Pneus av. / arr.:	P235/60ZR16
Valeur de revente:	bonne

Motorisation et performances

Moteur / Transmission:	V8 4,6 litres / automatique 4 rapports
Puissance / Couple:	300 ch à 6000 tr/min / 295 lb-pi à 4400 tr/min
Autre(s) moteur(s):	V8 4,6 litres 275 ch
Transmission optionnelle:	aucune
Accélération 0-100 km/h:	7,7 secondes; 8,2 secondes
Vitesse maximale:	240 km/h
Freinage 100-0 km/h:	42,4 mètres
Consommation (100 km):	12,5 litres; 12,3 litres

Modèles concurrents

Audi A6 • BMW 540 • Mercedes-Benz E430 • Jaguar Type S V8
• Lexus GS400 • Lincoln Continental • Volvo S80 T6

Quoi de neuf?

Dispositif de mise hors circuit du coussin de sécurité côté passager avant
• Protection de la tête ajoutée aux sacs gonflables latéraux

Verdict

Agrément	⊕ ⊕ ⊕ ⊕	Habitabilité	⊕ ⊕ ⊕ ⊕
Confort	⊕ ⊕ ⊕ ⊕	Hiver	⊕ ⊕ ⊕ ⊕
Fiabilité	⊕ ⊕ ⊕	Sécurité	⊕ ⊕ ⊕ ⊕

Parlons moteurs

Restons dans les superlatifs, puisque le moment est venu de parler moteur. Avec le V8 Northstar, les ingénieurs de Cadillac peuvent se targuer d'avoir conçu l'une des meilleures motorisations au monde, rien de moins. Sa puissance varie selon qu'il s'agisse des versions de base (275 chevaux) ou haut de gamme (300 chevaux). Les accélérations franches, les reprises fulgurantes et le couple généreux de ce V8 ont par ailleurs valu à la Seville le surnom de «Corvette 4 portes», ce qui en dit long sur ses prestations.

Cette cavalerie fait toutefois craindre le pire quand on sait que la Seville, contrairement à ses rivales importées, est une traction et non une propulsion. Encore là, les ingénieurs ont réussi du beau travail, puisque l'effet de couple, bien que perceptible, est assez bien maîtrisé. On se surprend néanmoins à rêver d'une version intégrale, surtout pour nos rudes hivers québécois; mais avec la traction et l'antipatinage, la version actuelle est acceptable.

L'une revit, l'autre se meurt.

La transmission Hydramatic gère cette puissance avec autant de brio que de doigté, et on ne peut vraiment pas lui reprocher grand-chose, si ce n'est l'absence d'un 5e rapport, alors que la plupart des berlines de luxe en offrent un. Elle passe les vitesses en douceur mais réagit promptement quand le besoin se fait sentir, et on prend un certain plaisir à la piloter de façon manuelle, après avoir sélectionné le mode Sport au préalable. Non, vous ne rêvez pas: on peut avoir du plaisir à conduire une Cadillac! Beaucoup, même, car le comportement routier de la STS s'avère à la hauteur des performances du V8 Northstar. En fait, sa direction rapide et précise, sa tenue de route incisive ainsi qu'une maniabilité étonnante (pour une berline pesant près de 2 tonnes) placent la Seville dans le peloton de tête.

Telle est la Seville: tantôt tigresse, tantôt chatte, mais toujours féline. Moins chère que la plupart de ses rivales, elle n'a pourtant rien à leur envier, possédant même une qualité de plus en plus rare: du tempérament. La meilleure voiture jamais construite en Amérique, dites-vous ? Oui, et aussi l'une des plus belles. Au point de reléguer sa jumelle — au physique moins avantageux — dans l'ombre...

Philippe Laguë

Chevrolet Astro • GMC Safari

Chevrolet Astro

Les vertus de la spécialisation

L'exploit mérite d'être souligné: le tandem Astro/Safari fête cette année son 15ᵉ anniversaire. Si leur apparence n'a guère changé depuis leurs débuts, ces deux «fourgonnettes grand format» n'en ont pas moins subi moult raffinements au fil des ans et leur fiabilité, douteuse à l'origine, a été considérablement améliorée. Mais c'est surtout leur statut d'ouvrières spécialisées qui leur a valu cette longévité exceptionnelle.

En effet, les Chevrolet Astro et GMC Safari possèdent des compétences particulières, qui leur assurent un noyau d'acheteurs fidèles. Avec leurs roues arrière motrices, elles comblent un besoin chez les utilisateurs de fourgonnettes qui désirent tracter, qui un bateau, qui une roulotte, qui une remorque... Mieux, elles peuvent également être pourvues de la traction intégrale. Qui plus est, la récente conversion de la Mazda MPV, qui vient de passer de la propulsion à la traction, leur confère désormais l'exclusivité. Ceux qui les croyaient mûres pour la retraite devront donc revoir leurs prédictions.

Mais le taux de satisfaction et la loyauté des propriétaires de Safari et d'Astro ne s'expliquent pas seulement par leurs rouages d'entraînement, on s'en doute. Leurs principaux organes mécaniques sont éprouvés (lire: plus fiables) et en plus d'être solides comme le roc, ils ne manquent pas de cœur à l'ouvrage. Leur gabarit les place dans une classe à part, à mi-chemin entre les fourgonnettes de même famille (Chevrolet Venture/Oldsmobile Silhouette/Pontiac Montana) et les fourgons conventionnels (Chevrolet Express/GMC Savana). Dans la nomenclature GM, on les désigne d'ailleurs sous

le vocable «fourgonnettes intermédiaires», un créneau au sein duquel elles n'ont aucune rivale directe. Voilà ce qui s'appelle bien positionner un modèle.

Une configuration, une motorisation, trois versions

La Safari comme l'Astro se déclinent en trois niveaux de finition et une seule configuration, soit la version à empattement allongé, la version courte ayant tiré sa révérence il y a cinq ans. Sur les modèles à traction intégrale, une boîte de transfert active est offerte depuis l'année dernière, en remplacement du système à commande électrique. Au cours de leur longue carrière, ces deux jumelles ont d'ailleurs considérablement évolué: il suffit de comparer leur fiche technique avec celle de 1985, année de leur introduction, pour le constater.

Au fil des ans se sont ajoutés l'ABS, la boîte automatique à 4 rapports, la traction intégrale, les coussins de sécurité, les poutrelles de protection, la direction à assistance variable ainsi qu'une motorisation plus moderne et plus puissante. L'aménagement intérieur a également fait l'objet d'une révision majeure.

Ceux qui attendaient des changements draconiens pour l'année-modèle 2000 resteront sur leur appétit: on s'est contenté de raffiner le moteur, afin de le rendre plus silencieux et de diminuer sa soif intarissable en carburant. Heureuse initiative dans les deux cas, car ce sont là les principales lacunes du V6 Vortec de 4,3 litres, qui loge sous le capot de ces fourgonnettes depuis quatre ans. Sinon, on ne peut pas lui reprocher grand-chose: sa puissance (190 chevaux) est bien adaptée et il y a du couple tant qu'on en veut. Sans être un moteur de muscle, car ledit V6 sait aussi se montrer performant, particulièrement à bas régime, alors qu'il surprend par sa

Safari Condo

GMC Safari

Pour

Excellente visibilité • V6 bien adapté • Capacité de remorquage • Véhicule polyvalent • Fiabilité en progrès

Contre

Espace restreint à l'avant • Suspension revêche • Direction floue • Freinage médiocre • Agrément de conduite nul

Caractéristiques

Prix du modèle à l'essai:	SLT / 32 595 $
Garantie de base:	3 ans / 60 000 km
Type:	fourgonnette / intégrale
Empattement / Longueur:	283 cm / 482 cm
Largeur / Hauteur / Poids:	197 cm / 190 cm / 1810 kg
Coffre / Réservoir:	4825 litres / 96 litres
Coussins de sécurité:	conducteur et passager
Suspension av. / arr.:	indépendante
Freins av. / arr.:	disque ABS / tambour ABS
Système antipatinage:	non
Direction:	à billes, assistance variable
Diamètre de braquage:	12,9 mètres
Pneus av. / arr.:	P215/75R15
Valeur de revente:	passable

Motorisation et performances

Moteur / Transmission:	V6 4,3 litres / automatique 4 rapports
Puissance / Couple:	190 ch à 4400 tr/min / 250 lb-pi à 2800 tr/min
Autre(s) moteur(s):	aucun
Transmission optionnelle:	aucune
Accélération 0-100 km/h:	11,9 secondes
Vitesse maximale:	180 km/h
Freinage 100-0 km/h:	44,2 mètres
Consommation (100 km):	13,4 litres

Modèle concurrent

Volkswagen EuroVan

Quoi de neuf?

Moteur plus raffiné • Sélection mode remorquage • Réservoir de carburant en plastique • Ancrages pour sièges d'enfant • Ordinateur multifonction

Verdict

Agrément	⊕ ⊕	Habitabilité	⊕ ⊕ ⊕ ⊕
Confort	⊕ ⊕ ⊕	Hiver	⊕ ⊕ ⊕
Fiabilité	⊕ ⊕ ⊕	Sécurité	⊕ ⊕ ⊕

nervosité. Mais il impressionne encore plus par sa capacité de remorquage: 2630 kg! De plus, les modèles 2000 reçoivent le dispositif Sélection mode remorquage, jumelé à la transmission, qui facilite les opérations lorsque vient le temps de tracter.

Chevaux de trait

Si la capacité de travail de ces fourgonnettes ne semble pas avoir de limites, il en est tout autrement pour leurs aptitudes routières... Contrairement aux fourgonnettes, dont la conduite se rapproche de celle d'une automobile, leurs réactions sont celles d'un camion. Sur un pavé le moindrement accidenté, la suspension se montre revêche.

Leur vocation n'étant aucunement sportive, on ne leur en tiendra pas rigueur; mais ce qui est plus dérangeant, c'est le freinage, franchement atroce. Il manque de puissance et d'endurance, et déstabilise le véhicule lors d'arrêts brusques. En plus, la pédale est exécrable: spongieuse, elle rend le dosage difficile. À revoir, et vite!

Seules sur leur île.

S'il est possible d'améliorer cette lacune sans refaire le véhicule au complet, ce n'est toutefois pas le cas pour le manque d'espace à l'avant (vous avez bien lu), causé par le prolongement du moteur à l'intérieur de la cabine. Avec la proéminence des passages de roues de chaque côté, le conducteur et son voisin se retrouvent pour le moins coincés au niveau des jambes. Par contre, l'arrière offre plus d'espace et les occupants jouissent d'une excellente visibilité. Le conducteur, de son côté, appréciera les gros miroirs extérieurs. Quant à la finition, elle est allée dans le même sens que la fiabilité, en s'améliorant. Depuis la dernière révision de l'habitacle, en 1996, on a également découvert le sens du mot ergonomie.

Les Astro et Safari sont des employés modèles qui travaillent fort et bien. Ce sont ces caractéristiques qui ont incité la compagnie québécoise Par Nado Inc. de Vallée-Jonction dans la Beauce à fabriquer un véhicule motorisé inspiré d'assez près du Camper de Volkswagen. Le Safari Condo est non seulement pratique et économique, mais son comportement routier est très homogène. Déjà son constructeur a un carnet de commandes fort bien rempli.

Chevrolet Blazer • GMC Jimmy • GMC Envoy

On se raffine!

Après avoir dormi au gaz pendant des années et laissé la concurrence reprendre le terrain perdu, General Motors tente de mettre les bouchées doubles pour remonter aux premières places. C'est la situation qui prévaut dans la catégorie des véhicules utilitaires sport alors que GM s'est fait devancer par plusieurs après avoir été le champion indiscutable de la catégorie. Les Blazer/Jimmy ont été entièrement transformés en 1995 et n'ont pas cessé de s'améliorer au fil des années.

Fait surprenant pour General Motors, des changements majeurs ont été apportés pendant cette période. C'est ainsi que la partie avant et le tableau de bord ont été remplacés en 1998. Et l'an dernier, on a offert la boîte de transfert Autotrac. Ce système fait partie de l'équipement de série sur les modèles les plus élaborés et est offert en option sur certains autres. Il s'agit d'une boîte de transfert qui répartit automatiquement le couple aux roues possédant le plus de traction. En utilisation normale, tout le couple du moteur est dirigé vers les roues arrière. Lorsqu'elles se mettent à patiner, il est automatiquement réparti vers les roues avant jusqu'à une proportion de 50/50. Le couple est à nouveau concentré vers les roues arrière lorsque l'adhérence est revenue à la normale.

Certains modèles 4X4 sont pourvus du système Insta-Trac qui permet de passer en mode 4X4 sans stopper le véhicule, et ce à toutes les vitesses. Par contre, il faut toujours s'immobiliser pour engager la démultipliée en passant au mode «4-Lo».

Cette année, les améliorations mécaniques se trouvent à nouveau au programme: on a modifié l'incontournable V6 de 4,3 litres

Vortec. Sa puissance de 190 chevaux reste inchangée de même que son couple. C'est surtout la fiabilité et la durabilité qui sont visés par les changements. L'ajout de culbuteurs à rouleaux, l'utilisation d'une chaîne de distribution à rouleaux de même que des pignons de chaîne de distribution en acier plus résistants constituent quelques-uns des changements apportés à ce moteur reconnu pour être l'un des plus robustes de l'industrie. Ces modifications internes ont également permis de réduire le niveau sonore de ce V6. La boîte manuelle à 5 rapports a été l'objet d'un remaniement pour améliorer le passage des rapports et sa durabilité. Il faut se souvenir que cette boîte manuelle ne peut être livrée qu'avec le modèle 2 portes.

Détail intéressant, tous les modèles Blazer/Jimmy sont équipés de série de freins à disque aux 4 roues tandis que le Cadillac Escalade doit se contenter de freins à tambour aux roues arrière. Cette année, le contrôleur de freins ABS a été amélioré sur le Blazer et cie.

Utilitaire sport à la carte

Décidément, on ne reconnaît plus General Motors. Après qu'elle eut longtemps imposé ses diktats à ses clients sous le prétexte que ce qui était bon pour GM était bon pour eux, voilà que c'est pratiquement le contraire qui se produit. On ne fait rien, ne fabrique plus rien sans consulter la clientèle. Ce qui explique sans doute pourquoi il est possible de choisir parmi plusieurs types de suspensions afin de bien adapter celle-ci aux besoins des acheteurs. Les suspensions Z83 (modèle 2 portes) et ZQ1 (modèle 4 portes) sont spécialement dessinées pour les utilisateurs à la recherche du confort au détriment de l'efficacité en tout-terrain. Elles sont recom-

Chevrolet Blazer

Pour

Moteur V6 amélioré • Tableau de bord pratique • Freins ABS plus efficaces • Finition en progrès • Système audio amélioré

Contre

- Certains pneumatiques décevants
- Banquette arrière peu confortable
- Pièces en plastique à revoir
- Direction floue au centre
- Certaines versions de prix corsé

Caractéristiques

Prix du modèle à l'essai:	LT / 40 480 $
Garantie de base:	3 ans / 60 000 km
Type:	utilitaire sport 4 portes / intégrale
Empattement / Longueur:	272 cm / 465 cm
Largeur / Hauteur / Poids:	172 cm / 163 cm / 1835 kg
Coffre / Réservoir:	2311 litres / 72 litres
Coussins de sécurité:	conducteur et passager
Suspension av. / arr.:	indépendante / essieu rigide
Freins av. / arr.:	disque ABS
Système antipatinage:	non
Direction:	à billes, assistance variable
Diamètre de braquage:	12,0 mètres
Pneus av. / arr.:	P205/75R15
Valeur de revente:	passable

Motorisation et performances

Moteur / Transmission:	V6 4,3 litres / automatique 4 rapports
Puissance / Couple:	190 ch à 4400 tr/min / 250 lb-pi à 2800 tr/min
Autre(s) moteur(s):	aucun
Transmission optionnelle:	manuelle 5 rapports (modèle 2 portes seul.)
Accélération 0-100 km/h:	9,0 secondes
Vitesse maximale:	195 km/h
Freinage 100-0 km/h:	40,0 mètres
Consommation (100 km):	14,6 litres

Modèles concurrents

Dodge Durango • Jeep Grand Cherokee • Ford Explorer • Nissan Pathfinder • Toyota 4Runner

Quoi de neuf?

Moteur V6 amélioré • Boîte manuelle révisée

Verdict

Agrément	⊕ ⊕ ⊕	Habitabilité ⊕ ⊕ ⊕
Confort	⊕ ⊕ ⊕	Hiver ⊕ ⊕ ⊕
Fiabilité	⊕ ⊕	Sécurité ⊕ ⊕ ⊕

mandées pour la conduite urbaine et pour les gens qui ne prévoient pas effectuer de remorquage ou de conduite hors route.

La suspension Z85 Touring est celle qui offre le meilleur compromis pour ceux qui veulent à la fois le confort, la tenue de route et l'utilisation occasionnelle en tout terrain. Ses amortisseurs mono tubes, ses ressorts plus fermes et des tampons en néoprène de densité adaptée permettent aux modèles qui en sont équipés de se démarquer par leur confort et leur comportement routier. Enfin, la suspension ZR2 Wide-Stance n'est disponible que sur le modèle 2 portes et n'intéresse que les mordus de la conduite tout-terrain plus poussée.

Un V6 bien adapté

Pas si mal que ça!

Dans l'ensemble, le Blazer/Jimmy est un utilitaire sport à son aise sur la grand-route qui se prête aux longs voyages. Le rouage d'entraînement Autotrac constitue probablement un meilleur choix que l'Insta-Trac, plus spécialisé et s'adressant davantage aux propriétaires désireux d'aller s'épivarder dans les forêts et les sentiers boueux de façon régulière. Encore une fois, le moteur V6 tire bien son épingle du jeu et c'est encore mieux cette année, car il est moins bruyant. Il faut maintenant espérer que la direction gagnera en précision lors des prochains changements. Cela relèverait l'agrément de conduite de plusieurs crans. Et puisque GM est à l'écoute de ses clients, il faut espérer que ces derniers se plaignent davantage de la banquette arrière, vraiment inconfortable. Il faut cependant féliciter les ingénieurs d'avoir développé un système qui permet de replier le dossier sans devoir enlever les appuie-tête.

Il ne faut pas oublier l'Envoy de GMC, une version toute garnie du Jimmy. La présentation intérieure est plus cossue tandis que l'extérieur se caractérise par une partie avant plus arrondie et quelques artifices visuels.

Même si leur finition et certains détails nous font toujours tiquer, ce trio de tout-terrains n'est pas à dédaigner, car ces véhicules se font apprécier au fil des jours et des mois.

Denis Duquet

Chevrolet Camaro • Pontiac Firebird

Chevrolet Camaro

Brutes épaisses

Depuis leur dernière refonte, en 1995, les Camaro et Firebird sont assemblées chez nous, à Boisbriand. En octroyant à son usine québécoise l'assemblage de ces sportives au passé glorieux, la haute gomme de General Motors insistait même pour dire qu'il s'agissait d'un privilège, rien de moins. Or, il conviendrait plutôt de parler de cadeau empoisonné, tant ces deux modèles sont en perte de vitesse.

N'allez surtout pas lancer la pierre aux employés de l'usine de Boisbriand, qui n'ont rien à voir avec la chute vertigineuse des ventes de ces reliques — car c'est bien de cela qu'il s'agit. Contrairement à la rivale de toujours, la Ford Mustang, qui a su s'adapter à son époque tout en demeurant fidèle à ses origines, les Camaro et Firebird sont des véhicules dépassés à tout point de vue.

On leur demandait de préserver l'héritage des *muscle cars* des années 60 et 70, ce qui est une noble intention en soi; le hic, c'est que ces deux coupés sport ont conservé les rares qualités de leurs ancêtres, mais surtout leurs nombreux défauts. Bien sûr, ils sont plus sophistiqués, tiennent mieux la route et freinent avec plus d'autorité; mais ils souffrent d'embonpoint, consomment exagérément et ne sont ni pratiques ni confortables. Comme les sportives américaines d'antan... Entre vous et moi, pour être ainsi déconnecté de la réalité lorsqu'on conçoit une automobile, il faut vraiment le faire exprès!

2+2? Non, 1+3...

Des voitures dépassées à tout point de vue, disais-je. La présentation intérieure nous ramène elle aussi 20 ans en arrière. (Si vous croyez que j'exagère, je vous invite fortement à examiner l'habitacle d'une Camaro 1980 et celui d'une 2000.) Après avoir refermé une portière qui permettra aux haltérophiles de garder la forme, on pénètre dans l'univers du plastique bon marché, si cher à GM. De cette surabondance résulte une symphonie de craquements provenant d'un peu partout, ce qui ne fait pas très sérieux.

Le ratage est complet, tellement qu'on ne sait pas par où commencer dans l'énumération des anomalies et autres irritants... Allons-y par le plus aberrant: le manque d'espace, dans la cabine comme dans le coffre. D'aucuns diront qu'il s'agit là d'un aspect secondaire dans l'évaluation d'une sportive; à cela je répondrai que la chose est impardonnable en regard des dimensions de ces volumineux coupés. Les formes torturées du coffre se traduisent par une très faible contenance, inférieure même à celle de sportives beaucoup plus petites (la Cougar, par exemple); les places arrière ne peuvent accueillir 2 adultes normalement constitués; et ce n'est pas mieux à l'avant, où le passager doit composer avec la bosse protubérante du convertisseur catalytique. Conclusion: les Camaro et Firebird sont des monoplaces! Ce qui avait fait dire à l'auteur de ces lignes, dans l'édition 1997 du *Guide de l'auto*, que GM avait inventé un nouveau type de coupé sport: 1+3, plutôt que 2+2...

Vous en voulez encore? Le siège du conducteur ne se recule pas suffisamment, ce qui fera pester les «grands six pieds»; la visibilité vers l'arrière est nulle sous tous les angles, tandis qu'à l'avant, le conducteur doit composer avec un capot interminable. Pour mesurer à la fois votre habileté et votre patience, je vous suggère fortement le stationnement en parallèle. Si la piètre visibilité et la longueur démesurée du véhicule ne vous font pas perdre votre calme,

Chevrolet Camaro

Pour

Bon choix de moteurs • Performances ahurissantes (V8) • Tenue de route en progrès • Freinage solide

Contre

Poids et format exagérés • Confort sommaire • Habitacle à revoir complètement • Coffre ridicule • Boîte manuelle exécrable • Modèles en sursis

Caractéristiques

Prix du modèle à l'essai:	Z28 / 31 455 $
Garantie de base:	3 ans / 60 000 km
Type:	coupé 2+2 / propulsion
Empattement / Longueur:	257 cm / 490 cm
Largeur / Hauteur / Poids:	188 cm / 130 cm / 1560 kg
Coffre / Réservoir:	366 litres / 59 litres
Coussins de sécurité:	conducteur et passager
Suspension av. / arr.:	indépendante / essieu rigide
Freins av. / arr.:	disque ABS
Système antipatinage:	oui (optionnel)
Direction:	à crémaillère, assistée
Diamètre de braquage:	12,5 mètres
Pneus av. / arr.:	P235/55R16
Valeur de revente:	faible

Motorisation et performances

Moteur / Transmission:	V8 5,7 litres / manuelle 6 rapports
Puissance / Couple:	305 ch à 5200 tr/min / 335 lb-pi à 4000 tr/min
Autre(s) moteur(s):	V8 5,7 litres 320 ch • V6 3,8 litres 200 ch
Transmission optionnelle:	automatique 4 rapports
Accélération 0-100 km/h:	6,6 secondes; 5,5 s (SS); 8,2 s (V6)
Vitesse maximale:	245 km/h
Freinage 100-0 km/h:	40,3 mètres
Consommation (100 km):	13,8 litres; 12,0 litres (V6)

Modèle concurrent

Ford Mustang

Quoi de neuf?

Commandes de radio au volant (Camaro) • Chaîne stéréo Monsoon (Camaro) • Nouvelles roues de 16 et 17 pouces

Verdict

Agrément	☼☼☼◖	
Confort	☼☼◖	
Fiabilité	☼☼◖	
Habitabilité	☼☼	
Hiver	☼☼	
Sécurité	☼☼☼◖	

c'est le trop grand rayon de braquage qui vous achèvera. Des heures et des heures de plaisir en perspective...

Un problème d'image

Handicapées à la fois par leur direction et par leur format géant, les Camaro et Firebird ne sont pas, on s'en doute, des références en matière de maniabilité. Dommage, car elles reposent sur une base plutôt saine: depuis leurs débuts, en 1967, elles n'ont jamais si bien tenu la route. Enfin, tant que le revêtement est dépourvu de toute imperfection (lire: ailleurs qu'au Québec...). Sinon, l'adhérence devient rapidement précaire. Et gare aux réactions vicieuses des puissantes versions à moteur V8: quand le train arrière décide, sans avertissement, de décrocher, il est déjà trop tard pour réagir. Si vous possédez quelques notions de pilotage, elles vous seront d'un grand secours.

Tout dans les bras, rien dans la tête.

Les versions plus sportives s'illustrent en ce qui concerne le comportement routier, surtout les éditions limitées (construites dans deux ateliers montréalais spécialisés) que sont les Camaro SS et Firebird Trans Am Ram Air. Outre leur suspension plus ferme et une monte pneumatique plus performante, elles disposent en exclusivité de V8 plus puissants que ceux des Z28 (Camaro) et Trans Am (Firebird) régulières. Elles conservent cependant la boîte manuelle de série, l'exécrable transmission Skipshift qui, en conduite normale, passe directement du premier au quatrième rapport afin de diminuer la consommation. Une bonne idée en théorie, mais en théorie seulement. Par contre, le freinage se montre à la hauteur: qu'il s'agisse de la version de base ou de la plus musclée, il brille par sa promptitude, sa puissance et son endurance.

Démodés pour les uns, kétaines pour les autres, ces deux dinosaures doivent en plus composer avec un sérieux problème d'image: «char de Gino», de mafioso, de danseuse, voilà le genre de commentaires que suscitent les Camaro et Firebird. Et qui fait fuir à toutes jambes plus d'un amateur de performances. De toute façon, si elles étaient mieux conçues, de nombreux acheteurs potentiels ne se préoccuperaient pas de ça. Mais c'est loin d'être le cas.

Philippe Laguë

Chevrolet Cavalier • Pontiac Sunfire

Chevrolet Cavalier

Multiples personnalités

La dernière refonte du tandem Cavalier/Sunfire, en 1995, avait permis de réviser sérieusement ces deux modèles pour la première fois depuis le début des années 80. Une plate-forme plus rigide, des groupes propulseurs plus modernes et une habitabilité supérieure avaient permis à ce duo de se moderniser. Malgré ces changements, ces deux jumelles ont toujours de la difficulté à se faire justice devant leurs concurrentes.

Pour vous en convaincre, vous n'avez qu'à lire le compte rendu de notre match comparatif des compactes, dans lequel la Cavalier a perdu des plumes. Il est vrai qu'il s'agissait de la version la plus dépouillée qu'on puisse offrir, mais ce sont justement ces modèles qui nous permettent d'évaluer la voiture sans le fard des accessoires additionnels, qui viennent souvent masquer leurs faiblesses.

Ce match nous permet également de constater que la Cavalier et la Sunfire peuvent se transformer en Dr Jeckyll ou en Mr. Hyde selon la motorisation choisie et le niveau d'équipement du modèle.

Des best-sellers!

Malgré leurs lacunes, ces deux compactes continuent de se vendre comme des petits pains chauds — la Cavalier surtout. C'est d'autant plus difficile à comprendre que le rapport qualité/prix ne leur est pas toujours favorable. Une Cavalier de base, c'est vraiment tout nu... Il faut alors prendre le chemin des options, ce qui a pour effet de gonfler la facture au point d'égaler, sinon de surpasser, celle des rivales importées, supposées coûter beaucoup plus cher.

Au cours des dernières années, les prix de la Cavalier et de la Sunfire ont progressé au point de gommer l'avantage que possédait le duo à ce chapitre. De nos jours, à prix presque égal, il faut tenir compte du fait que plusieurs importées sont pourvues de mécaniques plus raffinées.

Nous en avons un bel exemple avec le moteur 2,2 litres qui a pour mission de propulser ces voitures. Il s'agit d'un modèle à soupape en tête dont les origines remontent presque à la nuit des temps. Heureusement, il est associé cette année à une boîte manuelle toute nouvelle qui peut se classer parmi les meilleures de sa catégorie, notamment celles de la Honda Civic et de la Mazda Protegé, qui peut même surpasser celles des Chrysler Neon et Ford Focus. Remplacez celle-ci par une boîte automatique à 3 rapports et on recule. En fait, seule la Chrysler Neon offre une boîte de vitesses rétro de la sorte. À la décharge de cette unité à 3 vitesses, précisons qu'elle a au moins la qualité d'être fiable et le passage des rapports se révèle relativement doux.

Si pour vous une automobile est autre chose qu'un modeste moyen de transport devant coûter le moins cher possible, un choix s'impose. Il est essentiel d'opter pour le 4 cylindres de 2,4 litres capable de soutenir la comparaison avec tous les moteurs de cette catégorie. Mieux servi par son architecture moderne (16 soupapes, DACT), il se tire beaucoup mieux d'affaire que le vétuste 2,2 litres. En fait, une Cavalier/Sunfire équipée de ce moteur, en termes de puissance, ne recule que devant les Golf et Jetta VR6 dont le prix est prohibitif. Et il faut ajouter que la boîte automatique à 4 rapports qui accompagne ce 2,4 litres est très honnête et d'une bonne fiabilité.

Chevrolet Cavalier

Pour

Moteur 2,4 litres plus raffiné
• Transmissions efficaces
• Habitacle spacieux • Ergonomie sans faille • Coffre très logeable

Contre

Version de base à éviter
• Finition bon marché • Jeu des options trompeur • Moteur 2,2 litres désuet • ABS exécrable
• Faible valeur de revente

Caractéristiques

Prix du modèle à l'essai:	20 575 $
Garantie de base:	3 ans / 60 000 km
Type:	berline / traction
Empattement / Longueur:	264 cm / 459 cm
Largeur / Hauteur / Poids:	172 cm / 139 cm / 1215 kg
Coffre / Réservoir:	385 litres / 58 litres
Coussins de sécurité:	conducteur et passager
Suspension av. / arr.:	indépendante / essieu rigide
Freins av. / arr.:	disque ABS / tambour ABS
Système antipatinage:	oui (option)
Direction:	à crémaillère, assistée
Diamètre de braquage:	10,8 mètres
Pneus av. / arr.:	P195/70R14
Valeur de revente:	passable

Motorisation et performances

Moteur / Transmission:	4L 2,2 litres / automatique 4 rapports
Puissance / Couple:	115 à 5000 tr/min / 135 lb-pi à 3600 tr/min
Autre(s) moteur(s):	4L 2,4 litres 150 ch
Transmission optionnelle:	manuelle 5 rapports
Accélération 0-100 km/h:	12,4 secondes; 9,1 secondes
Vitesse maximale:	160 km/h
Freinage 100-0 km/h:	43,5 mètres
Consommation (100 km):	7,0 litres; 8,5 litres

Modèles concurrents

Chrysler Neon • Daewoo Nubira • Ford Focus • Honda Civic • Hyundai Elantra • Kia Sephia • Mazda Protegé • Nissan Sentra • Toyota Corolla

Quoi de neuf?

Nouveaux carénages avant et arrière (Cavalier Z24 et Sunfire) • Nouveau tableau de bord (Cavalier) • Nouvelles roues et garnitures de roues (Sunfire)

Verdict

Agrément	⊕ ⊕	
Confort	⊕ ⊕ ⊕	
Fiabilité	⊕ ⊕ ⊕	
Habitabilité	⊕ ⊕ ⊕ ⊕	
Hiver	⊕ ⊕ ⊕	
Sécurité	⊕ ⊕ ⊕	

Somme toute, lorsqu'on achète une Cavalier/Sunfire, il faut savoir se tricoter une voiture munie des meilleurs éléments mécaniques disponibles et des bonnes options côté équipement. C'est ce qui fera la différence entre un toquard et une voiture honnête, même si l'avantage côté prix diminue. Comme on est conscient du problème chez GM, à partir de cette année, le climatiseur est de série, ce qui améliore le rapport prix/équipement.

Prêtes pour l'an 2000

La Cavalier a été la voiture qui s'est le mieux vendue chez General Motors à 12 reprises au cours des 16 dernières années tandis que la Sunfire devance plusieurs concurrentes. Pour continuer d'attirer la clientèle, ces deux automobiles bénéficient de multiples améliorations pour 2000. Des carénages avant et arrière pour la Cavalier, de nouvelles roues pour la Sunfire, un tableau de bord modifié dans les deux cas ainsi qu'un équipement de base plus étoffé et une insonorisation plus poussée permettent à ce duo de faire meilleure figure.

La diversité.

Savoir jouer le jeu des options

Le résultat serait encore plus intéressant si la texture des pièces en plastique de l'habitacle et la qualité des tissus étaient plus relevées. Enfin, une finition plus soignée serait également appréciée. Sur le plan de la mécanique, la boîte manuelle est toute nouvelle, l'exécrable système de freins ABS a été remplacé par un ensemble plus sophistiqué tandis que les éléments de suspension sont mieux isolés du châssis.

Somme toute, la Cavalier et la Sunfire présentent tellement de divergences entre un modèle de base au dépouillement effarant et les versions tout équipées qu'il faut nuancer son jugement. La Cavalier qui a participé à notre match comparatif méritait son sort. Une version LS avec moteur de 150 chevaux et boîte automatique à 4 rapports aurait beaucoup mieux figuré. Il est donc important de savoir commander le bon modèle. Sinon…

Denis Duquet

Chevrolet Corvette

Chevrolet Corvette

Un rapport prix/performance dur à battre

Pendant des années, les propriétaires de Corvette et les *aficionados* de ce modèle nous ont cassé les oreilles en soulignant que cette Chevrolet était la seule authentique voiture sport fabriquée par une compagnie américaine. La «Vette» était la seule à défendre les couleurs du pays au sein de ce marché prestigieux. C'était vrai jusqu'à l'arrivée de la Dodge Viper au début de la décennie. Ce monstre de la route avec son moteur V10 et un prix atteignant maintenant les 100 000 $ ne figure pas dans la même classe que la Chevrolet. Pourtant, les deux sont d'authentiques sportives.

S ans vouloir quitter le créneau des 2 places de prix moyen, la division Chevrolet a fait beaucoup pour améliorer le produit aussi bien sur le plan de la performance que sur celui de l'agrément de conduite. Et le fait de pouvoir choisir entre trois modèles distincts est un facteur qui n'est pas sans influencer plusieurs acheteurs. Comme si on voulait remplacer l'exclusivité d'antan par une gamme de voitures plus large.

Après avoir dévoilé un cabriolet à l'été 1997, la direction de Chevrolet présentait en mai 1998 un *hard-top* qui s'est révélé de loin le modèle le plus intéressant de la gamme.

Cette fois, on a visé le conducteur à la recherche d'une authentique auto sport et prêt à sacrifier un peu de luxe pour bénéficier d'une voiture plus affûtée pour moins cher!

Sur les traces de la Sting Ray

Cette nouvelle venue est le premier *hard-top* depuis les légendaires Sting Ray offertes de 1963 à 1967. La version moderne uti-

lise en grande partie le châssis du cabriolet sur lequel est greffé un toit fixe.

Cette approche permet d'obtenir une excellente rigidité de la caisse. De plus, pour pouvoir offrir ce bijou à un prix très compétitif, on a soustrait plusieurs éléments. C'est ainsi que le mécanisme de fermeture automatique des phares, le volant télescopique, les sièges en cuir, le climatiseur à zone de contrôle individuelle, un système d'information par projection sur le pare-brise (HUD) et autres babioles du genre ne peuvent être commandés sur ce modèle. De plus, le système audio est plutôt modeste.

Malgré tout, ce *hard-top* n'est pas dépouillé à l'extrême. L'équipement régulier comprend un climatiseur, des rétroviseurs télécommandés, des glaces à commandes électriques, un volant gainé de cuir et des sièges sport de belle facture. Bref, cette Corvette ne pénalise personne côté aménagement. On a tout simplement enlevé le superflu pour se concentrer sur l'essentiel dans une voiture sport: la mécanique.

Une vraie de vraie!

Pendant des années, la Corvette était considérée par les puristes comme une voiture spectaculaire certes, mais ne possédant pas les éléments nécessaires pour être prise au sérieux. Cette fois, le châssis ultrarigide de la version C5 associé à une suspension fort efficace en a fait changer plusieurs d'idée. Le *hard-top* offre une configuration spécialement concoctée pour profiter de ces qualités au maximum.

Comme sur les autres modèles, le seul groupe propulseur offert est le V8 LS1 5,7 litres de 345 chevaux. Mais il ne peut être livré

Chevrolet Corvette

Pour

Silhouette sympathique • Performances musclées • Tenue de route impressionnante • Suspension confortable • Choix de modèles

Contre

Hayon très lourd (coupé) • Visibilité moyenne • Finition perfectible • Système audio régulier moyen

Caractéristiques

Prix du modèle à l'essai:	*hard-top* / 56 595 $
Garantie de base:	3 ans / 60 000 km
Type:	coupé à toit rigide / propulsion
Empattement / Longueur:	265 cm / 456 cm
Largeur / Hauteur / Poids:	187 cm / 121 cm / 1430 kg
Coffre / Réservoir:	377 litres / 75 litres
Coussins de sécurité:	conducteur et passager
Suspension av. / arr.:	indépendante
Freins av. / arr.:	disque ABS
Système antipatinage:	oui
Direction:	à crémaillère, assistance variable
Diamètre de braquage:	12,2 mètres
Pneus av. / arr.:	P245/45ZR17 / P275/40ZR18
Valeur de revente:	bonne

Motorisation et performances

Moteur / Transmission:	V8 5,7 litres / manuelle 6 rapports
Puissance / Couple:	345 ch à 5600 tr/min / 350 lb-pi à 4400 tr/min
Autre(s) moteur(s):	aucun
Transmission optionnelle:	automatique 4 rapports (coupé et cabriolet)
Accélération 0-100 km/h:	4,6 secondes / 5,8 secondes (automatique)
Vitesse maximale:	263 km/h
Freinage 100-0 km/h:	40,6 mètres
Consommation (100 km):	12,8 litres / 13,6 litres (automatique)

Modèles concurrents

Dodge Viper • Acura NSX • Porsche 911 • Jaguar XKR

Quoi de neuf?

Suspension Z51 modifiée • Roues à 5 rayons • Nouvelles couleurs intérieures

Verdict

Agrément	⊕⊕⊕⊕ C	Habitabilité ⊕⊕⊕
Confort	⊕⊕ C	Hiver ⊕
Fiabilité	⊕⊕⊕	Sécurité ⊕⊕⊕ C

qu'avec la boîte manuelle à 6 rapports. Mieux encore, seule la suspension Z51 très sportive est installée dans ce 2 places à toit rigide. Et il faut ajouter que cette suspension a été améliorée cette année avec l'addition de barres antiroulis plus rigides. De plus, il est possible de commander la suspension à contrôle actif — AHS — qui permet de conserver la stabilité en virage grâce à l'utilisation sélective des freins et du contrôle du couple du moteur.

Pour rire de la pluie

On a souvent reproché aux anciennes Corvette de n'être que des coupés aux prétentions plus élevées que leurs performances. Cette fois, la nouvelle génération, le modèle *hard-top* en particulier, se révèle une authentique voiture sport alliant performances, tenue de route et agrément de conduite.

Étonnante.

La Corvette C5 se démarque par une suspension confortable pour une voiture de cet acabit et par sa capacité à pardonner les fautes de pilotage les plus flagrantes. En fait, cette Chevrolet offre une sécurité active impressionnante pour cette catégorie.

Les caprices de Dame nature nous ont obligés à rouler sur un circuit de course détrempé. Cet exercice généralement peu intéressant au volant d'une voiture équipée de pneus aussi larges a permis de découvrir une auto qui se débrouille très honorablement sous une pluie torrentielle. Sa tenue en virage et son comportement neutre sont à ajouter à la colonne des plus. En fait, le seul point critique est un allégement de l'arrière au freinage à très haute vitesse. Et si jamais votre audace vous incite à dépasser les bornes, le système AHS *(Active Handling System)* intervient avec efficacité pour vous maintenir en piste. De plus, malgré ses muscles, cette Corvette se montre docile comme une modeste sous-compacte en conduite quotidienne.

Voilà une voiture sport qui vaut le coup. Et il faut préciser que le *hard-top* se vend beaucoup moins cher que le coupé ou le cabriolet, des versions moins pointues en termes de conduite, mais plus bourgeoises.

Denis Duquet

Chevrolet Impala • Monte Carlo

Chevrolet Impala

Des américaines pure laine

Si Ford a dominé la catégorie des berlines intermédiaires avec sa Taurus, si Chrysler demeure le maître incontesté des fourgonnettes depuis plus de deux décennies, General Motors tente toujours de trouver le modèle qui lui permettrait de revenir aux avant-postes. Le numéro un mondial a produit récemment plusieurs modèles intéressants, mais aucun n'a réussi à enflammer l'enthousiasme du public.

Est-ce pour tenter de raviver la gloire perdue que les responsables de la mise en marché ont décidé d'appeler cette nouvelle berline Impala en souvenir de la Chevrolet qui a dominé le marché au cours des années 50-60. La division Chevrolet se défend bien d'adopter la voie de la facilité en tentant de ressusciter le passé. On nous explique que cette nouvelle venue possède les ingrédients qui ont fait la popularité des modèles antérieurs. L'Impala du troisième millénaire est spacieuse, agile, tout en offrant un bon équilibre entre la tenue de route et le confort.

Éléments connus, personnalité à part

Au cours des années 80, la direction de la compagnie avait donné l'ordre de produire des voitures qui partageaient les mêmes éléments mécaniques dans chaque catégorie. Les résultats ont été catastrophiques puisqu'on n'avait pas eu la clairvoyance de créer des styles et des comportements différents. L'engouement actuel des compagnies pour le partage des plates-formes prouve que l'idée de GM n'était pas farfelue: il suffisait d'une exécution plus subtile. Cette fois, l'Impala se démarque fortement des Oldsmobile

Intrigue et Pontiac Grand Prix, même si elle utilise la même plate-forme «W» que celles-ci. Chevrolet y a apporté plusieurs améliorations destinées à renforcer la rigidité et à alléger la structure. On lui a notamment ajouté un nouveau support de moteur en aluminium. D'ailleurs, la rigidité accrue de la caisse a permis aux ingénieurs d'utiliser des ressorts et des amortisseurs plus souples permettant d'améliorer le confort sans pour autant affecter le comportement routier. La version LS possède une suspension plus ferme et une direction moins démultipliée dans le but d'offrir un meilleur agrément de conduite. Tous les modèles roulent sur des pneus de 16 pouces et sont équipés de freins à disque aux 4 roues de dimensions plus généreuses que la moyenne.

Les ingénieurs de Chevrolet ont opté pour des valeurs sûres lorsque le temps est venu de choisir des groupes propulseurs. Le moteur régulier est le V6 3,4 litres de 180 chevaux tandis que l'incontournable V6 3,8 litres de 200 chevaux peut être commandé en option. Les deux sont couplés à la boîte Hydramatic 4T65-E à commande électronique qui est devenue une référence en fait de douceur et de fiabilité.

Un style controversé

Dans le clan GM, Oldsmobile a pour mission de lutter contre les importées et sa silhouette a été conçue en conséquence. La division Chevrolet doit pour sa part offrir au public des voitures de prix abordable affichant les qualités traditionnelles des américaines des bonnes années. Les stylistes de la nouvelle Impala ont donc repris des thèmes visuels propres aux années antérieures. Par exemple, sa calandre est traversée par une barre chromée qui s'inspire de l'Impala 1965, la plus populaire dans l'histoire de ce modèle. Quant aux feux arrière circulaires, ils ont toujours été la marque de commerce des Impala. Typiquement américaine, la silhouette m'a laissé plutôt indifférent au premier contact. Mais on se prend à trouver que «ce n'est pas si mal que ça»!

Le style de l'habitacle est indubitablement nord-américain. Le résultat s'avère heureusement meilleur que sur bien d'autres voitures fabriquées par GM. La présentation est équilibrée et les matériaux ne font pas trop bon marché. Sur le tableau de bord, pratique à défaut d'être original, toutes les commandes sont à la portée de la main. Toutefois, on aurait pu être plus subtil avec les coussins latéraux insérés dans les dossiers. La trappe de déploiement fait vraiment rudimentaire. Les sièges eux-mêmes sont confortables même s'ils offrent un support latéral assez faible. Compte tenu des dimensions de l'habitacle, il n'est pas surprenant que la banquette arrière soit en mesure d'accommoder tous les gabarits.

Surprise! Surprise!

Si vous exigez d'une voiture qu'elle vous assure des émotions de conduite très fortes, regardez ailleurs. En revanche, si vous êtes à la recherche d'une automobile offrant un équilibre d'ensemble supérieur à la moyenne, une tenue de route surprenante pour la catégorie et une mécanique qui a fait ses preuves, l'Impala a des chances de vous séduire.

J'ai eu l'occasion de prendre le volant des deux modèles de la gamme et les deux se sont révélés intéressants. Il est toutefois indéniable que la version LS, avec sa suspension plus ferme et sa direction moins démultipliée travaillant de concert avec le moteur V6 3,8 litres, est plus agréable à conduire. D'ailleurs, si les deux versions roulent sur des pneus de 16 pouces, ceux de la LS sont plus performants. Et il ne faut pas oublier de souligner la puissance des freins qui est de loin supérieure à celle de toutes les autres berlines de la catégorie.

La nouvelle Impala risque de ne pas faire l'unanimité. Sa silhouette ne plaît pas à tout le monde et plusieurs auraient apprécié un moteur d'une conception mécanique plus raffinée. D'autres vont lui reprocher sa présentation intérieure très américaine. Il n'en demeure pas moins que cette nouvelle Chevrolet possède de nombreux éléments positifs et un très bon équilibre qui vont lui permettre de satisfaire ses propriétaires. À la condition bien entendu que la qualité de la finition soit au rendez-vous. Chez Chevrolet, on a fait confiance à l'usine d'Oshawa qui a une excellente réputation côté qualité.

Monte Carlo: une voiture anachronique

Si la Chevrolet Monte Carlo a connu ses heures de gloire dans les années 70, sa version actuelle jouit d'une popularité fort mitigée sur le marché du Québec. Même aux États-Unis où ces modèles sont plus en demande, elle est loin de bénéficier du prestige et de la popularité de son ancêtre.

Chez Chevrolet, on espère bien renouer avec les succès du passé grâce à cette nouvelle venue qui tente de se démarquer de la version actuelle dont la silhouette est assez peu excitante merci. Et pour souligner qu'elle s'inspire de la Monte Carlo 1970, la nouvelle venue affiche même un écusson similaire à celui de la première génération.

Malgré tous les efforts des stylistes pour donner du relief à ce coupé, les dimensions très généreuses de la caisse empêchent

Chevrolet Impala

Pour

Mécanique saine • Tenue de route équilibrée • Freins puissants • Habitacle spacieux • Équipement complet

Contre

Silhouette discutable • Qualité de la finition inconnue • Certains détails de présentation à revoir • ABS en option avec moteur V6 3,4 litres

Caractéristiques

Prix du modèle à l'essai:	LS / 28 985 $
Garantie de base:	3 ans / 60 000 km
Type:	berline / traction
Empattement / Longueur:	280 cm / 508 cm
Largeur / Hauteur / Poids:	185 cm / 146 cm / 1572 kg
Coffre / Réservoir:	498 litres / 64 litres
Coussins de sécurité:	conducteur, passager et latéraux
Suspension av. / arr.:	indépendante
Freins av. / arr.:	disque ABS
Système antipatinage:	oui
Direction:	à crémaillère, assistée
Diamètre de braquage:	11,6 mètres
Pneus av. / arr.:	P225/60R16
Valeur de revente:	nouveau modèle

Motorisation et performances

Moteur / Transmission:	V6 3,8 litres / automatique 4 rapports
Puissance / Couple:	200 ch à 5200 tr/min / 225 lb-pi à 4000 tr/min
Autre(s) moteur(s):	V6 3,4 litres 180 ch
Transmission optionnelle:	aucune
Accélération 0-100 km/h:	9,6 secondes
Vitesse maximale:	190 km/h
Freinage 100-0 km/h:	41,6 mètres
Consommation (100 km):	12,6 litres

Modèles concurrents

Chrysler Intrepid • Ford Taurus • Mercury Grand Marquis • Toyota Avalon

Quoi de neuf?

Nouveau modèle

Verdict

Agrément	◍◍◍◖	Habitabilité ◍◍◍◍◖
Confort	◍◍◍◍	Hiver ◍◍◍◖
Fiabilité	◍◍◍◍	Sécurité ◍◍◍◍

d'avoir recours à des concepts trop audacieux, faute de quoi ce véhicule va paraître trop volumineux. Pour atténuer son importance, l'arrière se profile pour se terminer de façon abrupte. Cette partie est délimitée à chaque extrémité par des feux triangulaires peu communs, avec une lentille cristalline abritant 2 feux circulaires de dimensions différentes. Les phares avant en forme de nœud papillon contribuent à donner une apparence très personnelle à cette voiture. Le design devrait plaire à nos voisins du sud et aux inconditionnels de Jeff Gordon ou Dale Earnhart. Malgré tout, avec un empattement similaire à celui de l'Impala et une longueur hors tout presque identique, cette Monte Carlo prend de la place.

Des valeurs sûres

«Des chars amérécains».

Côté mécanique, les ingénieurs ont préféré s'en tenir à des valeurs sûres, comme ce fut le cas pour toutes les berlines GM dévoilées en début d'année. Comme pour l'Impala, le moteur de série est le V6 3,4 litres de 180 chevaux. Ce moteur, performant pour sa cylindrée, a démontré sa fiabilité sur plusieurs autres produits Chevrolet. On peut toutefois s'interroger sur la pertinence d'équiper ce coupé prétendument sportif du même moteur qui anime la fourgonnette Venture.

Si vous voulez que le ramage s'harmonise avec le plumage, mieux vaut opter pour le V6 3,8 litres dont les 200 chevaux s'avèrent davantage en harmonie avec le caractère de cette voiture. Il faut souhaiter que Chevrolet concocte un modèle encore plus relevé qui utiliserait la version suralimentée du V6 3,8 litres.

La nouvelle Monte Carlo résulte de la même recette que l'Impala. Elle raffine une plate-forme connue, peaufine sa mise au point et fait appel à une carrosserie d'inspiration carrément américaine. La recette n'est pas mauvaise. Toutefois, il s'agit d'un modèle qui est totalement déconnecté de la réalité actuelle. Ses ventes devraient être confidentielles au Québec, et ce dans les meilleures circonstances.

Denis Duquet

Chevrolet Malibu

À la recherche du temps perdu

Mon premier souvenir d'une Malibu remonte à celle de mon beau-frère, une 1978 de couleur rouille (prémonition?). Au moins 5 mètres de long, un coffre béant pour les déménagements (pas trop lourds, car la suspension arrière s'affaissait facilement), un V8 de 307 po³, une boîte automatique à 3 rapports et une radio AM-FM.

Pas compliquée, pas chère, et n'importe quel forgeron du coin pouvait la réparer en cas de panne (rarissimes). La belle histoire d'amour se termina par un cancer des tôles généralisé. La nouvelle Malibu soulève à peu près les mêmes passions. Elle représente le fruit de quatre années de travail de la part des ingénieurs de GM et s'attaque directement aux importées comme l'Accord et la Camry. Lors de son lancement, même la publicité évoquait directement la concurrence visée: «N'est-ce pas qu'elle a l'allure d'une japonaise?» En effet, les stylistes ont voulu lui donner des lignes génériques comme celles de la plupart des nippones de cette catégorie. Quoi qu'il en soit, la silhouette plaît à l'œil même si elle passe maintenant à peu près inaperçue. Sa mission est très simple, car GM a décidé de revenir aux valeurs traditionnelles qui ont fait sa force, et de donner à un certain type de conducteur nord-américain ce qu'il recherche: l'espace, l'utilité sans ostentation et le silence de roulement, tout en respectant aussi la notion d'économie propre à la division Chevrolet.

Spacieuse et confortable

Disponible en version de base et LS, la Malibu se situe dans la bonne moyenne en ce qui concerne la taille, car elle est plus longue mais plus étroite que la Camry et la Cirrus, plus courte mais plus haute que la Taurus. Le montage des éléments de la carrosserie laisse encore à désirer. L'habitacle très spacieux permet à 5 adultes d'y prendre place aisément. Les gros fauteuils, particulièrement à l'avant, sont typiquement américains, c'est-à-dire confortables mais sans maintien latéral. Les réglages du siège du conducteur de la LS s'effectuent électriquement. Sur la planche de bord d'allure agréable, les gros contrôles offrent une bonne prise. Les instruments sont de lecture facile et les matériaux de facture correcte. Les espaces de rangement abondent; sur ce point, la Malibu semble avoir dépassé la concurrence. L'environnement accueillant se situe à des années-lumière de celui de la Corsica que la Malibu remplace directement. Seul élément original: le porte-verres placé à gauche dans la planche de bord, potentiellement source de dégâts. Le coffre à bagages très volumineux s'agrandit encore grâce au fractionnement du dossier de la banquette arrière sur la LS (en option sur la version de base).

Cette berline possède un tout nouveau châssis très rigide permettant un meilleur réglage des suspensions. Celles de la Malibu font encore une fois dans le classique, offrant un confort étudié tout en autorisant un comportement routier prévisible mais très sage. De toute façon, si vous poussez un peu trop fort, les cris des Firestone Affinity vous ramèneront bien vite à des humeurs plus calmes. Les intrusions sonores de l'extérieur sont bien maîtrisées et vous arriverez frais et dispos après une longue route. Surtout que l'équipement de série est impressionnant. Il comprend l'ABS, deux coussins de sécurité, un système antivol PASSLock, une boîte de vitesses automatique à 4 rapports, la climatisation et une radio

Chevrolet Malibu

Pour

Habitacle spacieux • Prix très étudiés • Coffre volumineux • Équipement complet • Confort appréciable

Contre

Finition bâclée • Moteurs dépassés • Ligne générique • Pneus d'origine minables • Comportement routier trop placide

Caractéristiques

Prix du modèle à l'essai:	24 170 $
Garantie de base:	3 ans / 60 000 km
Type:	berline / traction
Empattement / Longueur:	271 cm / 484 cm
Largeur / Hauteur / Poids:	176 cm / 143 cm / 1395 kg
Coffre / Réservoir:	464 litres / 58 litres
Coussins de sécurité:	conducteur et passager
Suspension av. / arr.:	indépendante
Freins av. / arr.:	disque ABS / tambour ABS
Système antipatinage:	non
Direction:	à crémaillère, assistée
Diamètre de braquage:	11,1 mètres
Pneus av. / arr.:	P215/60R15
Valeur de revente:	moyenne

Motorisation et performances

Moteur / Transmission:	V6 3,1 litres / automatique 4 rapports
Puissance / Couple:	150 ch à 4400 tr/min / 180 lb-pi à 3200 tr/min
Autre(s) moteur(s):	4L 2,4 litres 150 ch
Transmission optionnelle:	aucune
Accélération 0-100 km/h:	9,5 secondes; 10,5 secondes
Vitesse maximale:	195 km/h
Freinage 100-0 km/h:	42,0 mètres
Consommation (100 km):	10,5 litres; 9,5 litres

Modèles concurrents

Chrysler Cirrus • Honda Accord • Hyundai Sonata • Mazda 626 • Nissan Altima

Quoi de neuf?

Roues en aluminium et enjoliveurs de base redessinés • Système OnStar livrable • Deux nouvelles couleurs de carrosserie

Verdict

Agrément	⊕ ⊕ ⊕	Habitabilité	⊕ ⊕ ⊕ ⊕
Confort	⊕ ⊕ ⊕ ⊕	Hiver	⊕ ⊕ ⊕ ⊕
Fiabilité	⊕ ⊕ ⊕	Sécurité	⊕ ⊕ ⊕ ⊕

AM/FM avec lecteur de cassettes. La version LS ajoute un moteur V6, les roues en alliage, le régulateur de vitesse et toutes les assistances électriques pour les lève-glaces, la condamnation centrale des portières, etc.

Des moteurs dépassés

Côté moteur, vous avez le choix entre le 4 cylindres 2,4 litres assez moderne de 150 chevaux, et le V6 3,1 litres à soupapes en tête aussi faiblard, dont l'origine remonte à plusieurs années. Le premier offre un léger avantage sur le plan de la consommation, mais c'est tout. Le remorquage n'est même pas recommandé tant sa puissance est considérée à la limite, même par le manufacturier. Le couple supérieur du V6 permet des dépassements beaucoup plus sécuritaires. Son fonctionnement est plus doux et je crois qu'il vaut amplement la dépense supplémentaire malgré son architecture, soyons polis, plus classique. Il a au moins le mérite d'être éprouvé et de ne pas coûter une petite fortune à fabriquer ni à entretenir. Mais 150 chevaux pour 3,1 litres, cela relève du domaine agricole. La boîte de vitesses automatique qui accomplit sa tâche avec une discrétion exemplaire permet aux moteurs de prendre la vie de façon très relax à 100 km/h, même si le délai pour atteindre cette vitesse se révèle assez longuet merci avec le petit groupe propulseur. La consommation apparaît très raisonnable: on dépasse rarement 10,5 litres aux 100 km en parcours mixte avec le V6. Le freinage satisfait dans l'ensemble même si l'ABS a tendance à se déclencher un peu trop facilement. Au risque de me répéter, de meilleurs pneus régleraient ce problème.

Comme les anciennes Malibu, la nouvelle réunit les vertus qui ont fait la réputation de la division Chevrolet, soit une habitabilité intéressante, un équipement complet, et ce pour un prix très étudié. Elle semble aussi construite pour durer. De quoi séduire encore une fois mon beau-frère. Mais si la conduite automobile vous intéresse vraiment, allez tout simplement voir ailleurs.

Pour déménageurs du dimanche.

Jean-Georges Laliberté

Chevrolet Metro • Pontiac Firefly • Suzuki Swift

Chevrolet Metro

Une Metro ou le métro?

Les Metro, Firefly et Swift révisées en profondeur pour la dernière fois en 1995 restent inchangées pour cette année et leur avenir ne semble pas assuré à moyen terme. Au milieu de véhicules de plus en plus imposants, vaut-il mieux assurer ses déplacements par le transport en commun plutôt qu'au volant de ces petites puces?

Disons qu'il faut pour le moins une certaine période d'adaptation pour conduire ces minivoitures. Sans exagérer, on peut tendre le bras pour aller chercher un objet sur la plage arrière tout en restant bien attaché sur un siège avant. Leur ligne est quand même agréable et moderne en dépit d'un empattement de la même longueur hors tout qu'une grosse moto. Il s'en dégage une certaine délicatesse qui semble plaire particulièrement à une clientèle féminine.

Une moto à 4 roues

Les trois sont construites par une coentreprise Suzuki/GM dans une usine située à Ingersol (Ontario). Suzuki est le maître d'œuvre du développement mais n'offre que la Swift, un coupé avec hayon, alors que les Metro et Firefly sont aussi fabriquées en configuration berline. Les deux GM sont absolument identiques, mais les équipements offerts dans la Suzuki diffèrent juste assez pour compliquer un peu votre choix. Malgré des apparences un peu trompeuses, le dégagement pour les jambes en avant et en arrière est identique sur toute la gamme, alors que la berline possède un certain avantage quant à la garde au toit et à la largeur disponible pour les hanches et les épaules. L'accès aux places arrière de la berline s'effectue difficilement, mais il relève presque de l'acrobatie

dans les coupés, d'autant plus que le siège du conducteur ne peut être replié pour libérer le passage. Bizarre… Une fois installé, on a plutôt hâte à la fin du voyage devant tant d'inconfort. Le coffre surprend par sa capacité dans la berline et son exiguïté dans le coupé. On peut à peine y loger une rangée de sacs d'épicerie. Le dossier du siège arrière se rabat pour régler en partie le problème, en deux pièces pour la Suzuki, d'un seul tenant chez GM (chiche).

La première impression lorsqu'on prend place au volant: on est assis bien bas. Le volant semble bien haut et on perd le capot de vue. Un peu plus et on verrait le bout de ses orteils. Rien à redire sur le format des sièges, mais ils manquent de fermeté et n'offrent pas de support lombaire. L'habitacle est composé en grande partie d'un plastique sec qui menace de fendre au moindre choc. Le tableau de bord est très simple et de lecture facile. Les espaces de rangement sont proportionnels à la taille du véhicule, mais le coffre à gants offre une capacité normale. Les rétroviseurs s'ajustent à la «mitaine» (surtout l'hiver en roulant, brrrrr!). Certaines options surprennent, comme le compteur journalier sur les coupés GM. Les glaces arrière sont fixes sur les coupés et la direction assistée est réservée à certains «privilégiés» qui peuvent aussi se payer la boîte automatique et le moteur le plus puissant.

Sur la route, les résultats sont quand même plus satisfaisants que l'on imagine à la lecture de la fiche technique. La direction s'avère assez précise, mais la voiture se laisse distraire assez facilement par les ornières et les autres pièges de la route. Pas surprenant lorsqu'on examine les minuscules pneumatiques qui ne manquent d'ailleurs aucune occasion de crier leur dégoût lorsqu'on les sollicite un tant soit peu. On remarque aussi une forte sensibi-

Chevrolet Metro

Pour
Ligne agréable • Moteur 4 cylindres bien adapté • Consommation minime • Habitabilité intéressante (berline) • Manœuvrabilité sans pareille

Contre
Vulnérabilité (voir texte) • Accès à l'arrière acrobatique (coupé) • Pneus ridicules • Équipement réduit • Moteur 3 cylindres obsolète

Caractéristiques

Prix du modèle à l'essai: 11 680 $
Garantie de base: 3 ans / 60 000 km
Type: coupé / traction
Empattement / Longueur: 236,5 cm / 379,5 cm
Largeur / Hauteur / Poids: 159 cm / 139 cm / 845 kg
Coffre / Réservoir: 238 litres / 39 litres
Coussins de sécurité: conducteur et passager
Suspension av. / arr.: indépendante
Freins av. / arr.: disque / tambour (ABS optionnel GM)
Système antipatinage: non
Direction: à crémaillère, assistée (optionnelle)
Diamètre de braquage: 9,6 mètres
Pneus av. / arr.: P155/80R13
Valeur de revente: faible

Motorisation et performances

Moteur / Transmission: 4L 1,3 litre / manuelle 5 rapports
Puissance / Couple: 79 ch à 6000 tr/min
Autre(s) moteur(s): 3L 1,0 litre 55 ch (coupé de base)
Transmission optionnelle: automatique 3 rapports
Accélération 0-100 km/h: 12,9 secondes; 16,8 secondes
Vitesse maximale: 160 km/h
Freinage 100-0 km/h: 45,0 mètres
Consommation (100 km): 6,2 litres; 5,8 litres

Modèles concurrents
Daewoo Lanos • Honda Civic *hatchback* • Hyundai Accent • Toyota Echo

Quoi de neuf?
Deux nouvelles couleurs de carrosserie

Verdict
Agrément	⊕⊕	Habitabilité ⊕⊕⊕
Confort	⊕⊕	Hiver ⊕⊕⊕
Fiabilité	⊕⊕⊕	Sécurité ⊕⊕

lité aux forts vents latéraux et certains écarts au passage des gros camions. Malgré tout, le confort surprend agréablement, surpassant celui offert par plusieurs utilitaires sport luxueux.

Performa! ah! ah! ances?

Deux moteurs se retrouvent au catalogue. Le premier, un 3 cylindres de 1000 cc, équipe les coupés offerts par GM. Que dire sinon qu'il devrait être réservé à un usage purement urbain. Le 4 cylindres, par contre, tire mieux son épingle du jeu. Malgré ses modestes 79 chevaux, les accélérations qu'il procure vous permettent de suivre tranquillement le flot de la circulation même si elles sont accompagnées d'un raffut assez considérable. Car avec une masse de moins de 900 kg, on dispose d'un rapport poids/puissance plus avantageux que celui d'un Toyota RAV4, d'un Range Rover 4,0 ou même d'une Nissan Quest. Ce moteur bourdonne considérablement sur autoroute mais sans se fatiguer, du moins si on se fie aux commentaires élogieux de ses propriétaires. En ville, on se faufile partout, prestement, et on se gare presque perpendiculairement au trottoir. Comme on peut s'en douter, dans toutes les conditions la consommation s'avère minime. Le maniement de la boîte manuelle satisfait. L'automatique appartient presque à un autre âge avec ses 3 rapports et son fonctionnement purement mécanique. Elle accomplit quand même bien son boulot et les reprises étonnent à 100 km/h. Le freinage doit composer avec les modestes pneumatiques d'origine. Les GM peuvent même recevoir un ABS.

Suzuki offre une garantie plus avantageuse (3 ans/80 000 km), mais les berlines ne se retrouvent que chez GM. Vérifiez aussi le prix des pièces de rechange qui varie inexplicablement du simple au triple entre les différents concessionnaires. Difficile de départager véritablement les deux marques si on désire un coupé. Dans tous les cas cependant, considérez qu'en dépit des deux coussins de sécurité et des autres dispositifs de sécurité offerts, vous serez quand même extrêmement vulnérable face (à face!) à la plupart des autres véhicules rencontrés sur votre chemin. Ces voitures valent par contre un examen approfondi si vos déplacements s'effectuent dans un environnement majoritairement urbain.

Ingénues naines et nues.

Jean-Georges Laliberté

Chevrolet Tahoe • Suburban • GMC Yukon • Yukon XL

Chevrolet Tahoe

La guerre de l'extralarge

Depuis des années, on annonce l'effondrement du marché des utilitaires sport, mais ces prévisions se révèlent toujours erronées. En fait, ces véhicules sont plus populaires que jamais, ce qui incite les grandes compagnies à se livrer une guerre sans merci, notamment Ford et General Motors, les deux grands ténors dans la catégorie des modèles grand format. GM profite maintenant de l'arrivée l'an dernier de ses nouveaux camions Silverado et Sierra pour transformer ses gros véhicules tout-terrains.

Les Chevrolet Tahoe et Suburban de même que le Yukon de GMC font donc peau neuve. Et puisque GMC ne veut plus commercialiser un modèle identifié à la division Chevrolet, le GMC Suburban sera maintenant identifié comme étant le Yukon XL (extralarge). Vous avouerez que ce n'est pas la trouvaille du siècle. Mais, n'en déplaise à la division Pontiac-GMC, puisqu'il s'agit de modèles pratiquement identiques, nous allons concentrer notre analyse sur les deux modèles Chevrolet.

Tahoe: robustesse assurée

Les acheteurs de Tahoe ont besoin d'un véhicule alliant la robustesse d'une camionnette intermédiaire au confort d'une grosse berline et leur donnant la possibilité de bénéficier de la traction intégrale lorsque les conditions routières se corsent ou que la route prend fin. La nouvelle génération remplit toutes ces conditions à la lettre et offre même d'autres avantages. Il est certain que l'élément le plus impressionnant de cette nouvelle version est son châssis modulaire dérivé de celui du Silverado. Non seulement il

s'avère d'une très grande rigidité, mais l'utilisation d'éléments aux qualités variées a permis aux ingénieurs de combiner confort et solidité. D'ailleurs, lors du lancement de ce modèle réalisé à Telluride, au Colorado, même des personnes n'ayant pratiquement jamais conduit de tels costauds ont été impressionnées par le raffinement du châssis.

L'utilisation d'une suspension avant avec barre de torsion sur toutes les versions du Tahoe contribue à assurer une direction plus précise et une suspension vraiment impressionnante pour la catégorie. À l'arrière, le Tahoe et même le Suburban 1500 font appel à des ressorts hélicoïdaux afin d'améliorer le confort. Mentionnons également que ce gros tout-terrain freine avec efficacité grâce à ses freins à disque aux 4 roues.

L'habitacle du Tahoe s'avère tout aussi confortable et spacieux que celui du Silverado dont il s'inspire grandement. Cette fois, une troisième banquette de type 50/50 permet de porter le total des passagers à neuf. De bonnes notes également pour le tableau de bord aux cadrans indicateurs bien agencés et très faciles à consulter.

Le Tahoe comme le Suburban peuvent être commandés avec le système 4X4 Autotrac qui permet, au simple toucher d'un bouton, de passer à l'un des modes suivants: 2 Hi, Auto 4WD, 4HI, 4LO et N. Ce qui signifie qu'on peut rouler en 2 roues motrices, en traction intégrale, en 4X4 et en démultipliée. Comme ces véhicules sont appelés à effectuer des remorquages fréquents, la boîte automatique à 4 rapports possède également un mode «Tow/Haul» permettant d'éviter que la transmission chasse incessamment lors du remorquage.

Chevrolet Suburban

Pour

Moteurs performants • Châssis impressionnant • Habitabilité assurée • Comportement routier en progrès • Suspension confortable

Contre

Dimensions encombrantes • Consommation élevée • 3e banquette arrière peu confortable • Pneumatiques moyens • Utilisation urbaine difficile

Caractéristiques

Prix du modèle à l'essai:	Suburban 1500 / 46 595 $
Garantie de base:	3 ans / 60 000 km
Type:	familiale utilitaire sport 6/9 places / propulsion
Empattement / Longueur:	330 cm / 557 cm
Largeur / Hauteur / Poids:	200 cm / 186 cm / 2350 kg
Coffre / Réservoir:	1290 litres (3e banquette en place) / 125 litres
Coussins de sécurité:	frontaux et latéraux
Suspension av. / arr.:	indépendante / essieu rigide
Freins av. / arr.:	disque ABS
Système antipatinage:	oui
Direction:	à billes, assistée; assist. variable (Sub. 1500 4X4)
Diamètre de braquage:	12,8 mètres
Pneus av. / arr.:	P245/75R16
Valeur de revente:	bonne (version précédente)

Motorisation et performances

Moteur / Transmission:	V8 5,3 litres / automatique 4 rapports
Puissance / Couple:	285 ch à 5200 tr/min / 325 lb-pi à 4000 tr/min
Autre(s) moteur(s):	V8 6,0 litres 300 ch; V8 4,8 litres 275 ch (Tahoe)
Transmission optionnelle:	aucune
Accélération 0-100 km/h:	11,7 secondes; 10,8 secondes (V8 6,0 litres)
Vitesse maximale:	175 km/h
Freinage 100-0 km/h:	48,6 mètres
Consommation (100 km):	14,8 litres; 16,8 litres

Modèles concurrents

Ford Excursion • Ford Expedition

Quoi de neuf?

Nouveau modèle

Verdict

Agrément	⊙ ⊙ ⊙	Habitabilité	⊙ ⊙ ⊙ ⊙ ⊙
Confort	⊙ ⊙ ⊙	Hiver	⊙ ⊙ ⊙
Fiabilité	nouveau modèle	Sécurité	⊙ ⊙ ⊙ ⊙ ⊙

Suburban: 52 cm de plus!

Puisque le Tahoe et le Suburban se ressemblent passablement et que ces deux mastodontes sont capables de transporter beaucoup d'occupants et de bagages, plusieurs se demandent pourquoi offrir deux modèles plus ou moins similaires. La réponse est simple et elle tient en un nombre: 52 cm. C'est en effet la différence entre la longueur du Suburban, le plus gros, et le Tahoe, un peu moins gros. Si vous pensez toujours en pouces, sachez que ça fait 21 pouces de plus pour le Suburban.

Cela signifie qu'il est capable de transporter plus de bagages, que ses occupants ont plus d'espace pour prendre leurs aises et que sa capacité de remorquage est plus élevée. Le Tahoe possède deux moteurs V8 à son catalogue. Le plus «petit» a une cylindrée de 4,8 litres et développe 275 chevaux. L'autre est un 5,3 litres de 285 chevaux. C'est également le groupe propulseur de base sur le Suburban qui ne peut être équipé du V8 de 4,8 litres. On a préféré ajouter un V8 de 6,0 litres développant 300 chevaux, ce qui permet au Suburban 2500 de tracter une remorque de 10 500 livres!

La démesure.

En dépit de son gros gabarit, le Suburban se conduit avec étonnamment d'aisance. Il est certainement plus à l'aise sur les grands-routes et à la campagne, mais son diamètre de braquage est très court pour un gros véhicule, ce qui facilite les manœuvres de stationnement. Il est également possible de commander une suspension arrière pourvue d'amortisseurs à correcteur automatique d'assiette sur les modèles Tahoe et Suburban 1500. Le confort est surprenant et le comportement routier prévisible, même lorsque le véhicule est lourdement chargé.

Même si Ford remporte la bataille des données physiques avec l'Excursion, il est évident que l'expérience acquise par GM au fil des années se manifeste à son avantage sur le Tahoe et le Suburban, sans négliger les GMC Yukon/Yukon XL. En effet, les ingénieurs de GM ont réussi à nous en offrir plus avec des dimensions plus modestes. Si on peut maintenant placer un moteur diesel sous le capot de ces costauds, ce sera encore mieux.

Denis Duquet

Chevrolet Venture • Olds. Silhouette • Pontiac Montana

Pontiac Montana

Perception négative

Même si General Motors consacre beaucoup d'efforts à l'amélioration de ses produits, elle n'arrive pas à se débarrasser de la perception négative du public. Il faut dire que cette opinion ne repose pas uniquement sur des préjugés.

Par exemple, dans le cadre du match comparatif des fourgonnettes réalisé pour l'édition 1999 du *Guide de l'auto*, l'Oldsmobile Silhouette avait séduit plusieurs participants par sa présentation extérieure. Malheureusement, une finition sommaire, des sièges arrière peu confortables et une kyrielle de détails irritants l'ont reléguée en queue de peloton. La situation aurait été encore pire si on avait comparé aux autres fourgonnettes une Pontiac Trans Sport puisque celles que nous avons essayées ont toujours affiché une qualité de finition de beaucoup inférieure à celle de l'Oldsmobile. C'est sans doute pour faire oublier cette réputation que Pontiac a délaissé l'identification Trans Sport au profit de Montana. Et ce n'est pas sans raison que les Européens ont boudé l'Opel Sintra, une version identique à ses sœurs américaines dont on a dû abandonner la production, faute de clients.

Pourtant!

Ce qui est le plus irritant dans cette situation, c'est que ces fourgonnettes disposent de plusieurs atouts en dépit de leur finition irrégulière et d'une présentation déconcertante, du moins sur certains modèles. Lorsqu'on cherche une fourgonnette pratique, économique et fiable, ce trio de GM n'est pas à dédaigner. Toutes trois sont propulsées par un moteur V6 3,4 litres de 185 chevaux bien

adapté à ces véhicules et qui a démontré une bonne fiabilité au fil des années. Il est couplé à une boîte automatique à 4 rapports, considérée comme l'une des meilleures et des plus robustes de l'industrie. Ce V6 doit concéder plusieurs chevaux à la Honda Odyssey et à la Ford Windstar, mais il se compare avantageusement aux autres moteurs de la catégorie. Précisons qu'il a été révisé l'an dernier et utilisé d'abord sur la Silhouette en 1999. Cette année, la Venture et la Montana bénéficient elles aussi du Gen III, troisième génération de ce V6 qui a débuté sa carrière avec une cylindrée de 3,1 litres.

Malgré l'engouement du public pour les fourgonnettes allongées, les versions à empattement court des Venture et Montana sont à prendre en considération. L'habitacle est suffisamment spacieux pour la plupart des familles et on y gagne en agilité et en performances en raison d'un poids moins important. Il faut également souligner que l'habitacle regorge d'espaces de rangement, que les sièges individuels arrière, légers, sont faciles à enlever et à installer.

Cette année, GM a abandonné la production de ses modèles 3 portes en raison d'une demande trop faible. En effet, qui veut se passer d'une porte coulissante arrière gauche? Il faut ajouter qu'Oldsmobile ne commercialise plus de Silhouette à empattement court. Toujours en parlant de différences entre ces trois modèles, la Silhouette fait encore bande à part en offrant de série la porte coulissante droite motorisée, ce qui est un peu normal puisque Oldsmobile a été la première marque à offrir une telle porte coulissante. Celle-ci est également livrée sur les Venture et Montana, mais à titre d'option.

D'ailleurs, Oldsmobile vise un marché plus huppé que les deux autres modèles. Chez Chevrolet, c'est même l'inverse: cette division

Chevrolet Venture

Pour
Habitacle pratique • Écran vidéo optionnel • Moteur bien adapté • Boîte automatique fiable • Prix compétitif

Contre
Finition irrégulière • Sièges arrière peu confortables • Pneumatiques moyens • Certaines commandes mal placées • Bruits de caisse

Caractéristiques
Prix du modèle à l'essai:	Value Van / 26 595 $
Garantie de base:	3 ans / 60 000 km
Type:	fourgonnette empattement régulier / traction
Empattement / Longueur:	284 cm / 474 cm
Largeur / Hauteur / Poids:	183 cm / 171 cm / 1710 kg
Coffre / Réservoir:	3582 litres (sièges arrière enlevés) / 76 litres
Coussins de sécurité:	conducteur, passager et latéraux
Suspension av. / arr.:	indépendante / essieu rigide
Freins av. / arr.:	disque / tambour ABS
Système antipatinage:	oui
Direction:	à crémaillère, assistée
Diamètre de braquage:	11,4 mètres
Pneus av. / arr.:	P215/70R15
Valeur de revente:	bonne

Motorisation et performances
Moteur / Transmission:	V6 3,4 litres / automatique 4 rapports
Puissance / Couple:	185 ch à 5200 tr/min / 210 lb-pi à 4000 tr/min
Autre(s) moteur(s):	aucun
Transmission optionnelle:	aucune
Accélération 0-100 km/h:	12,6 secondes
Vitesse maximale:	180 km/h
Freinage 100-0 km/h:	43,1 mètres
Consommation (100 km):	13,2 litres

Modèles concurrents
Nissan Quest • Mazda MPV • Chrysler Town & Country • Toyota Sienna • Ford Windstar • Honda Odyssey

Quoi de neuf?
Écran LCD optionnel sur tous les modèles • Adoption du V6 3,4 litres Gen III, • Pontiac Trans Sport devient Montana • Équipement plus complet

Verdict
Agrément	🔘🔘🔘	Habitabilité 🔘🔘🔘🔘
Confort	🔘🔘🔘	Hiver 🔘🔘🔘
Fiabilité	🔘🔘🔘	Sécurité 🔘🔘🔘

a concocté cette année un modèle Value Van doté d'un équipement moins complet destiné à être vendu moins cher. Les rétroviseurs extérieurs y sont à commande manuelle et la banquette arrière d'une seule pièce et non pas de type 50/50 comme sur les autres modèles.

L'habitacle a été revu pour 2000 et on nous assure que la qualité d'assemblage de l'usine de Doraville, en Géorgie, est à la hausse.

Cinéma-fourgonnette!

La popularité du cinéma-maison a rapidement atteint le monde des fourgonnettes. L'an dernier, la division Oldsmobile était la première à commercialiser un groupe d'options permettant de transformer sa fourgonnette en salle de spectacle: écran LCD couleur de 5,6 pouces, lecteur de cassette VHS et, en plus, la possibilité de brancher des jeux vidéo.

Cette initiative a certainement connu du succès puisque Chevrolet et Pontiac ont emboîté le pas. Il est donc possible de commander la version Warner Brothers Edition de la Chevrolet Venture et la Montanavision chez Pontiac. Les deux offrent ce qu'Oldsmobile avait inauguré l'an dernier. Par contre, la Venture est plus fortement identifiée en raison de son association plus directe avec Warner Brothers, annoncée par le biais d'insignes extérieurs et de moulures extérieures exclusives à ce modèle.

Qualité à parfaire

Malgré quelques faiblesses, ces fourgonnettes représentent une bonne valeur, ce qui explique leur popularité sur le marché. Si GM réussit à tenir parole et à resserrer la qualité de l'assemblage et de la finition, ces trois fourgonnettes jouiront d'une popularité encore plus grande.

Denis Duquet

Chrysler 300M • LHS

Chrysler 300M

La multiplication des pains

Il n'y a pas que la compagnie Volkswagen qui soit passée maître dans l'art de produire plusieurs modèles différents à partir d'une même plate-forme. Chez Chrysler, on applique le même principe. À une différence près cependant: les voitures concernées sont toutes de taille impressionnante. Malgré leur présentation élancée, élégante même, la LHS de même que les Concorde et Intrepid – dont elle est dérivée – figurent tout de même parmi les plus grosses berlines sur le marché. Quant à la 300M, on lui a donné des dimensions plus modestes pour respecter les normes plus rationnelles des marchés étrangers.

L a politique des plates-formes partagées a pour but de réduire le temps nécessaire au développement d'une nouvelle voiture et surtout de diminuer les coûts de fabrication en utilisant plusieurs pièces identiques sur de nombreux modèles. Le danger est de produire des voitures trop semblables. Chrysler a heureusement su éviter cet écueil.

La 300M tire son nom des légendaires Chrysler C-300 des années 50 qui ont connu leurs heures de gloire en piste. Mais ce qu'il est encore plus important de savoir, c'est que la lettre «M» signifie que cette voiture est de mensurations métriques. Sa longueur hors tout de 5 m lui permet d'être commercialisée dans plusieurs marchés européens ou asiatiques sans être taxée pour «dimensions excessives». À titre de comparaison, la LHS destinée strictement au marché nord-américain affiche une longueur de 5,25 m tandis que la 300M mesure 23,4 cm de moins. Curieuse-

ment, malgré cette différence, le volume et l'habitabilité des deux voitures se révèlent quasi identiques.

Le gabarit plus modeste de la 300M de même que son arrière relevé lui donnent des allures plus sportives, caractère accentué par sa calandre avant moins imposante. La LHS, pour sa part, ne cache pas sa vocation luxueuse avec son porte-à-faux arrière plus important, sa large calandre ovale et une silhouette plus bourgeoise. J'avoue entretenir un faible pour la 300M, au look plus caractéristique.

Les deux voitures partagent le même tableau de bord particulièrement bien réussi. La présentation générale dynamique et moderne offre un agréable contraste avec les cadrans indicateurs à chiffres noirs sur fond blanc. De plus, les chiffres de caractère rétro ajoutent un petit quelque chose de différent. Malheureusement, Chrysler semble avoir perdu la touche en ce qui concerne les porte-verres puisque ceux offerts sur ces deux voitures sont moyennement efficaces et font piètre figure lorsqu'on les compare avec ceux de la fourgonnette Town & Country.

Soulignons au passage que la 300M est la seule des deux versions à offrir un dossier arrière 60/40 pouvant se rabattre.

Même moteur, approche différente

Ces deux berlines sont pourvues d'un moteur V6 de 3,5 litres développant 253 chevaux. Il s'agit d'une version plus puissante et de cylindrée plus généreuse du V6 de 3,2 litres offert sur la Concorde, qui a 28 chevaux de moins.

Sur la 300M, ce V6 est relié à une boîte automatique à 4 rapports dotée du système AutoStick permettant le passage des

Chrysler 300M

Pour

Silhouette raffinée • Tableau de bord élégant • Tenue de route saine • Habitabilité généreuse • Prix très compétitif

Contre

Direction engourdie • Porte-verres moyens • Pédale de frein de stationnement lilliputienne • Système AutoStick décevant

Caractéristiques

Prix du modèle à l'essai:	45 895 $
Garantie de base:	3 ans / 60 000 km
Type:	berline / traction
Empattement / Longueur:	287 cm / 502 cm
Largeur / Hauteur / Poids:	210 cm / 142 cm / 1620 kg
Coffre / Réservoir:	476 litres / 64 litres
Coussins de sécurité:	conducteur et passager
Suspension av. / arr.:	indépendante
Freins av. / arr.:	disque ABS
Système antipatinage:	oui
Direction:	à crémaillère, assistance variable
Diamètre de braquage:	11,5 mètres
Pneus av. / arr.:	P225/60R17
Valeur de revente:	moyenne

Motorisation et performances

Moteur / Transmission:	V6 3,5 litres / automatique 4 rapports
Puissance / Couple:	253 ch à 6400 tr/min / 255 lb-pi à 3950 tr/min
Autre(s) moteur(s):	aucun
Transmission optionnelle:	aucune
Accélération 0-100 km/h:	9,2 secondes
Vitesse maximale:	190 km/h
Freinage 100-0 km/h:	38,5 mètres
Consommation (100 km):	12,0 litres

Modèles concurrents

Audi A6 • BMW 528 • Volvo S70 • Oldsmobile Aurora • Infiniti I30 • Acura TL • Lexus ES300 • Cadillac Catera

Quoi de neuf?

Coussins isolants à la suspenssion arrière • Nouveau commutateur de glaces électriques • Lecteur 4 disques CD optionnel

Verdict

Agrément	⊕ ⊕ ⊕ (	Habitabilité	⊕ ⊕ ⊕ ⊕ ⊕
Confort	⊕ ⊕ ⊕ ⊕	Hiver	⊕ ⊕ ⊕ (
Fiabilité	⊕ ⊕ ⊕ (	Sécurité	⊕ ⊕ ⊕ ⊕

vitesses en mode manuel. La LHS, plus pantouflarde, se contente des commandes traditionnelles. Je dois cependant avouer que l'AutoStick déçoit. On se surprend à laisser le levier en position «D» puisque les passages des rapports en mode manuel se montrent assez peu convaincants.

Compte tenu de l'utilisation anticipée de chaque modèle, on a donné à la suspension de la 300M des réglages plus fermes que ceux de la LHS. La première possède, entre autres, des ressorts avant faisant appel à des amortisseurs en polyuréthane afin d'atténuer les impacts de la route.

La 300M se démarque

En conduite, le V6 se révèle honnête avec des accélérations intéressantes bien qu'inférieures à ce que la compagnie promet. Chez Chrysler, on fait état d'un 0-100 km/h de 8,2 secondes. En réalité, il faut ajouter au moins 1 seconde. Malgré tout, c'est acceptable.

Quant à la tenue de route, celle de la LHS est handicapée par une suspension souple, source de sautillements sur mauvaise route et de roulis en virage. Celle de la 300M, plus ferme, assure de meilleures prestations. La 300M nous laisse quand même sur notre appétit en raison de sa direction quelque peu engourdie et de sensations de conduite atténuées par un manque de feed-back. Heureusement que ses concepteurs ont eu l'excellente idée de mettre au point une «suspension haute performance». Elle rend la voiture beaucoup plus agréable à piloter grâce à un comportement routier supérieur, à une direction plus précise et à une maniabilité accrue.

Plus d'une année après leur entrée en scène ces deux modèles nous épatent en raison de leur design audacieux, de leur cabine inspirée et d'un comportement routier sain à défaut d'être exceptionnel. Et lorsqu'on réalise que ces deux belles américaines se vendent moins de 40 000 $ (prix de base), on est prêt à leur pardonner bien des défauts.

Élégance grand format.

Denis Duquet

Chrysler Cirrus

Rationalisation

L'industrie automobile n'échappe pas à la mode de la rationalisation à tout crin qui sévit dans toutes les économies occidentales. Chez Daimler-Chrysler, les Dodge Stratus et Plymouth Breeze ont été «congédiées». Raison officielle? Duplication avec la Chrysler Cirrus qui peut assumer la tâche des deux autres. Comme celle-ci ne fait l'objet d'aucune amélioration (lire investissement), on peut supposer qu'elle sera bientôt remplacée.

La gamme se présente donc maintenant en deux seuls modèles, soit la LX et la LXi. La carrosserie, qui ne fait l'objet d'aucun changement, vieillit remarquablement bien. C'est dire le talent dont avaient fait preuve les designers de Chrysler lors de son lancement en 1994. Le court capot plongeant imprime une allure énergique à l'ensemble et l'aérodynamique soignée permet de réduire à un niveau confortable les bruits d'air sur la carrosserie. On aurait pu cependant consentir un petit effort pour modifier la très haute ligne du coffre qui nuit énormément à la visibilité arrière et remplacer les minuscules phares qui manquent encore cruellement de puissance.

Habitacle spacieux mais qualité perfectible

On constate que le concept de la cabine avancée permet de dégager une habitabilité encore remarquable par rapport à une concurrence plus jeune. Les passagers à l'arrière, particulièrement, jouissent d'un dégagement pour la tête et les genoux parmi les meilleurs de la catégorie. Les sièges de bon format s'avèrent confortables, mais le cuir disponible en option uniquement sur la LXi

vous fait regretter un simple tissu de bonne qualité. Sa minceur semble l'empêcher de respirer et il a l'apparence du vinyle. Le dessin de la planche de bord plaît encore, mais le tableau de bord simpliste paraît de plus en plus déplacé sur une berline de ce prix. La finition de l'habitacle pâtit de l'aspect un peu bon marché des plastiques qui gagneraient à être plus moelleux. L'assemblage se révèle en progrès comme chez tous les modèles en fin de carrière chez Chrysler. Les fades pictogrammes négligemment imprimés un peu partout dans la cabine ne résisteront sûrement pas longtemps au nettoyage. Rien ne manque, cependant; l'ergonomie respecte les canons établis en la matière, même si l'emplacement de certaines commandes surprend. Celle de l'air climatisé, par exemple, se retrouve superposée à celle du ventilateur. Le coffre permet d'emporter de volumineux bagages, d'autant que le dossier de la banquette arrière se fractionne et que les charnières intégrées dans la caisse ne les écraseront pas.

La rationalisation a aussi porté ses fruits quant au nombre d'accessoires disponibles en option, car la LX de base reçoit un équipement plus riche que par le passé. On y retrouve l'air climatisé, le régulateur de vitesse, des rétroviseurs chauffants, les glaces et le verrouillage des portières à commande électrique et j'en passe. La LXi ajoute des disques à l'arrière et l'ABS, des antibrouillards absolument inutiles et un V6. Les seules options au catalogue concernent les roues de 15 pouces en alliage (de même format que celles en acier), le siège du conducteur à réglages électriques, des appareils de sonorisation de qualité supérieure, un système d'alarme, le toit ouvrant à commande électrique et le cuir.

Chrysler Cirrus

Pour

Ligne réussie • Habitabilité intéressante • Prix concurrentiel • Comportement routier compétent • Confort appréciable

Contre

Habitacle à revamper • Moteurs à revoir • Phares inefficaces • Fiabilité parfois défaillante • Visibilité arrière médiocre

Caractéristiques

Prix du modèle à l'essai:	LXi / 24 840 $
Garantie de base:	3 ans / 60 000 km
Type:	berline / traction
Empattement / Longueur:	274 cm / 472 cm
Largeur / Hauteur / Poids:	198 cm / 137 cm / 1406 kg
Coffre / Réservoir:	445 litres / 60 litres
Coussins de sécurité:	conducteur et passager
Suspension av. / arr.:	indépendante
Freins av. / arr.:	disque ABS
Système antipatinage:	non
Direction:	à crémaillère, assistée
Diamètre de braquage:	11,3 mètres
Pneus av. / arr.:	P195/65R15
Valeur de revente:	passable

Motorisation et performances

Moteur / Transmission:	V6 2,5 litres SACT / automatique 4 rapports
Puissance / Couple:	168 ch à 5800 tr/min / 170 lb-pi à 4350 tr/min
Autre(s) moteur(s):	4L 2,4 litres 150 ch
Transmission optionnelle:	aucune
Accélération 0-100 km/h:	10,8 secondes; 9,7 secondes
Vitesse maximale:	185 km/h
Freinage 100-0 km/h:	44,0 mètres
Consommation (100 km):	11,0 litres; 10,5 litres

Modèles concurrents

Honda Accord • Hyundai Sonata • Mazda 626 • Nissan Altima • Oldsmobile Alero • Pontiac Grand Am • Toyota Camry

Quoi de neuf?

Nouveau modèle LX abordable • Nouvelles couleurs de carrosserie • Ancrage pour siège d'enfant

Verdict

Agrément	⊕ ⊕ ⊕ ⟮	Habitabilité	⊕ ⊕ ⊕ ⟮
Confort	⊕ ⊕ ⊕ ⟮	Hiver	⊕ ⊕ ⊕
Fiabilité	⊕ ⊕ ⟮	Sécurité	⊕ ⊕ ⊕

Deux moteurs un peu dépassés

Le petit moteur 2,0 litres disparaît sans que se manifeste aucun regret, car il n'avait vraiment pas sa place dans une berline de cette classe. Vous devrez choisir entre le 4 cylindres de 2,4 litres et le V6 de 2,5 litres d'origine Mitsubishi. Que vous sollicitiez l'un ou l'autre, les sonorités émises ne flattent pas l'oreille. Il devient clair après quelques kilomètres que le châssis et les suspensions ne demandent qu'un engin plus puissant pour mieux s'exprimer. Bien calibrées, les suspensions n'affichent pas la sécheresse de certaines japonaises au passage des saignées et autres petites inégalités du revêtement. Le long empattement autorise une tenue de cap très franche sur autoroute sans nuire à la maniabilité sur parcours plus sinueux. Les mouvements de caisse sont bien contrôlés dans les courbes et on vire sans trop d'inclinaison. La direction vous met en contact direct avec la route malgré l'adhérence limitée des Michelin XW4 d'origine qui absorbent cependant silencieusement les chocs. La seule boîte disponible demeure l'automatique à 4 rapports à commande électronique. Son fonctionnement satisfait lors d'une conduite coulée, mais il semble que sa solidité demeure encore discutable. Le freinage déçoit un peu, avec une pédale de frein spongieuse. Les distances d'arrêt demeurent néanmoins dans la moyenne sur la LXi équipée des 4 disques et l'ABS remplit bien ses fonctions sans démontrer trop de sensibilité. Pour un usage tranquille, le montage mixte disques/tambours vous stoppera presque aussi court.

Plus de 2500 $ séparent les deux modèles. C'est bien cher payé pour deux disques, l'ABS et un V6 peu reluisant. Tout à fait entre nous, la LX constitue une bonne occasion et les concessionnaires la laissent aller à bon prix. Souhaitons pour 2001 le V6 de 200 chevaux de l'Intrepid, un habitacle plus chaleureux et une automatique 5 rapports à sélection séquentielle Autostick. Sans oublier de relever d'un bon cran la résistance mécanique, qui laisse encore à désirer. Ainsi parée, la Cirrus ferait de très sérieux ravages parmi la concurrence.

Près du grand couperet.

Jean-Georges Laliberté

249

Chrysler Concorde • Intrepid

Chrysler Concorde

Elles tiennent le coup

Les Chrysler Concorde et Intrepid de la première génération s'étaient attiré bien des éloges en raison de leur élégance, de leur comportement routier et de leur conception générale très soignée. C'était la première fois depuis la Taurus qu'une berline américaine relevait la barre. Malheureusement, une fiabilité problématique et un choix de groupes propulseurs un peu juste ont atténué l'impact de cette berline. Les ingénieurs de la compagnie se sont retroussé les manches et ont développé deux superbes voitures qui ont fait leur entrée en 1998.

I est indéniable que ces deux berlines sont d'une élégance très relevée. D'ailleurs, chaque fois que je réalise un essai routier de l'une de ces voitures, les compliments fusent de toutes parts. Même deux ans après leur entrée en scène, on ne se lasse pas de la silhouette de ces deux voitures. Les lignes sont élancées, élégantes et la tension des tôles sur les parois donne un effet à la fois sportif et formel. Les blocs optiques aux formes originales encadrent une calandre très classique surmontée du logo ailé. Même la concurrence lève son chapeau aux stylistes de Chrysler.

Le plus important dans toute cette affaire, c'est que la Concorde et l'Intrepid ne se contentent pas d'avoir fière allure. Leur plate-forme s'avère aussi rigide que celle de voitures européennes bien cotées et leurs suspensions avant et arrière sont bien réglées. Les freins demeurent l'un des points faibles de ces deux Chrysler: la pédale est spongieuse et les distances de freinage un peu longues.

En 1998, plusieurs s'inquiétaient en constatant la présence de deux nouveaux moteurs sous le capot de ces élégantes. Plus de deux ans plus tard, ils ont prouvé qu'on pouvait s'y fier. Le V6 de 2,7 litres à double arbre à cames en tête développe 202 chevaux. On peut lui préférer un autre V6, le 3,2 litres à simple arbre à cames en tête d'une puissance de 225 chevaux. Un peu plus tard dans l'année, Chrysler mettra sur le marché l'Intrepid R/T. Cette version beaucoup plus sportive sera propulsée par un V6 de 3,5 litres développant 242 chevaux relié à la boîte automatique Autostick permettant de passer manuellement les vitesses. Détail à souligner, la Concorde ne peut être commandée avec l'Autostick; je crois que personne ne s'en plaindra vraiment puisque ce gadget se révèle plus ou moins enthousiasmant à l'usage.

Que d'espace!

Les Concorde et Intrepid sont en mesure de combler celles et ceux qui aiment prendre leurs aises dans une voiture. En fait, même si le dossier arrière rend la position du centre inconfortable, la Concorde et l'Intrepid sont parmi les rares voitures sur le marché à pouvoir accueillir 5 adultes sans trop de problèmes. De plus, les quelque 530 litres du coffre à bagages permettent de transporter toutes les valises que vous voulez, ou presque. Il faudra être fort, cependant, puisque le seuil de chargement est élevé.

Les sièges avant pourraient offrir plus de support latéral, mais ils se sont révélés confortables lors de trajets de plusieurs heures. De bonnes notes également pour la position de conduite. Quant au tableau de bord, même s'il est facile à consulter, sa présentation est très sobre, trop même. Parmi les autres éléments discordants, il faut souligner une pédale de frein de stationnement maigrichonne à souhait et un couvercle de vide-poches central difficile à ouvrir.

Chrysler Intrepid

Pour

Finition plus soignée • Silhouette réussie • Habitabilité sans égale • Tenue de route saine • Système antipatinage efficace

Contre

Seuil du coffre élevé • Freins perfectibles • Autostick disponible uniquement sur Intrepid • Direction parfois légère • Tableau de bord trop sobre

Caractéristiques

Prix du modèle à l'essai:	ES / 30 150 $
Garantie de base:	3 ans / 60 000 km
Type:	berline / traction
Empattement / Longueur:	287 cm / 517 cm
Largeur / Hauteur / Poids:	198 cm / 142 cm / 1585 kg
Coffre / Réservoir:	521 litres / 64 litres
Coussins de sécurité:	conducteur, passager et latéraux
Suspension av. / arr.:	indépendante
Freins av. / arr.:	disque (ABS optionnel)
Système antipatinage:	oui
Direction:	à crémaillère, assistée
Diamètre de braquage:	11,5 mètres
Pneus av. / arr.:	P225/60R16
Valeur de revente:	moyenne

Motorisation et performances

Moteur / Transmission:	V6 2,7 litres / automatique 4 rapports
Puissance / Couple:	202 ch à 5800 tr/min / 195 lb-pi à 4200 tr/min
Autre(s) moteur(s):	V6 3,2 litres 225 ch; V6 3,5 litres 242 ch
Transmission optionnelle:	aucune
Accélération 0-100 km/h:	10,2 secondes; 9,0 secondes (V6 3,2 litres)
Vitesse maximale:	200 km/h
Freinage 100-0 km/h:	39,2 mètres
Consommation (100 km):	10,3 litres; 10,8 litres (V6 3,2 litres)

Modèles concurrents

Ford Taurus • Chevrolet Impala • Pontiac Grand Prix • Buick LeSabre

Quoi de neuf?

Moteur 202 chevaux • Modèle R/T • Suspension arrière mieux isolée

Verdict

Agrément	⊕⊕⊕⊕	Habitabilité ⊕⊕⊕⊕⊕
Confort	⊕⊕⊕⊕	Hiver ⊕⊕⊕⊕
Fiabilité	⊕⊕⊕	Sécurité ⊕⊕⊕⊕

Le tableau de bord de la Concorde affiche un look moins relevé que celui de l'Intrepid qui tente de nous gagner à sa cause avec des cadrans indicateurs avec chiffres noirs sur fond blanc. C'est justement pour compenser que la Concorde arbore cette année des cercles chromés visant à lui assurer une présentation plus dynamique.

Solide comme le roc

Au fil des mois, il a été possible de conduire Concorde et Intrepid dans différentes situations. Compte tenu des conditions routières qui prévalent dans notre coin de planète, l'intégrité de la caisse de même que la capacité de la suspension à avaler les bosses ont été mises à rude épreuve. Pourtant, la caisse s'est révélée rigide comme une voûte de banque et la suspension a démontré son efficacité.

En dépit de leurs dimensions généreuses, ni la Concorde ni l'Intrepid ne se sont laissé intimider par les routes sinueuses. Elles se sont avérées d'une agilité surprenante. Enfin, le système de contrôle de traction a fait preuve d'efficacité lors d'un voyage effectué en pleine tempête de neige au volant d'une Concorde.

L'élégance grand format.

Une fiabilité en hausse

Ces deux grosses américaines ne se contentent pas d'être élégantes et spacieuses, il s'agit de routières dotées d'indéniables qualités. Et il faut ajouter que le V6 de 2,7 litres est sans aucun doute l'un des meilleurs sur le marché, toutes origines confondues.

La fiabilité était l'un des points à surveiller lorsque ce tandem a été dévoilé en 1998. Depuis ce temps, nous n'avons pas entendu les histoires d'horreurs qui couraient auparavant. Il y a bien eu quelques pépins, mais pas plus qu'ailleurs dans l'industrie. Voilà qui est rassurant.

Denis Duquet

Chrysler Neon

Chrysler Neon

Mea-culpa

Chrysler a été le premier constructeur automobile nord-américain à commercialiser un modèle de l'an 2000: sa version revue et corrigée de la Neon. Introduite en 1994 sous le millésime 1995, cette sous-compacte avait bonne mine, mais sa qualité de construction se révélait souvent déficiente. Alors que la presse conciliante l'avait encensée (voiture de l'année de l'Association des Journalistes Automobiles du Canada), des essayeurs plus pointilleux l'avaient quelque peu écorchée.

L e concept était sain mais l'exécution laissait souvent à désirer. Et il y avait ces fameuses glaces latérales sans cadre à l'origine de petits bruits ennuyeux qui souffraient d'un manque d'étanchéité flagrant. Chrysler a rectifié le tir et la Neon 2000 reçoit des portières dont les glaces sont solidifiées par un cadre en bonne et due forme. Cela fait partie des nombreuses transformations apportées à un modèle dont 78 p. 100 des composantes ont été renouvelées ou modifiées. À bien y penser, la liste des améliorations ressemble à un mea-culpa du constructeur nord-américain puisqu'elle identifie la plupart des défauts que l'on retrouvait sur les versions initiales de la Neon.

Des défauts corrigés

En plus de vanter les mérites des nouvelles portières qui assurent un plus grand silence de roulement, un ajustement plus précis et un meilleur fonctionnement des glaces, la nomenclature des nouveautés fait état d'une suspension dont le débattement accru (de 30 p. 100 à l'arrière) réduit «considérablement l'affaissement du véhicule» (dixit Chrysler). On fait allusion aussi à la plus grande rigidité de la structure destinée à améliorer le comportement routier et la maniabilité ainsi qu'à une commande de boîte manuelle plus souple.

Un essai routier permet de découvrir que Chrysler a bien fait ses devoirs. Il n'y a que du côté de l'insonorisation du moteur que les modifications sont moins appréciables. Le petit 4 cylindres de 2,0 litres et 132 chevaux voit sa puissance se manifester à un régime plus bas, mais il demeure bruyant et plaignard à haut régime. Surtout que la transmission automatique à 3 rapports sévit encore alors que tous les modèles concurrents offrent des boîtes à 4 rapports. Chrysler défend son option en précisant qu'à une vitesse de croisière, le régime moteur n'est pas indûment élevé et que le niveau sonore est comparable à celui de bien des berlines de cette catégorie. C'est sans doute vrai, mais il reste que ce genre d'équipement dans une voiture des années 2000 fait curieusement rétro.

La Neon se rachète en offrant un équipement de série relativement complet. Même la LE de base est pourvue d'un climatiseur, d'un volant inclinable, d'une banquette arrière à dossiers repliables et d'une radio AM-FM avec lecteur de cassettes et CD. La LX plus chère et plus luxueuse comporte en sus des roues de 15 pouces au lieu de 14, des phares antibrouillards et des glaces à commande électrique à l'avant. L'ABS, par contre, fait partie des options dans les deux modèles. Il est amélioré par des freins à disque plutôt qu'à tambour à l'arrière ainsi que par un antipatinage à des vitesses inférieures à 50 km/h.

Pour ce qui est du design, la Neon 2000 a gardé ses phares ovoïdes, mais les lignes de la carrosserie adoptent un air de famille et se rapprochent de celles de la Cirrus. La version coupé 2 portes a été rayée du catalogue et la voiture est désormais commercialisée sous le seul nom de Chrysler au lieu de Plymouth et Dodge.

Chrysler Neon

Pour

Suspension à plus grand débattement
• Caisse plus rigide
• Bon équipement de série
• Confort en hausse

Contre

Transmission automatique toujours à 3 rapports • Version 150 chevaux supprimée • Moteur encore bruyant • Seuil de coffre élevé

Caractéristiques

Prix du modèle à l'essai:	17 995 $
Garantie de base:	3 ans / 60 000 km
Type:	berline / traction
Empattement / Longueur:	267 cm / 443 cm
Largeur / Hauteur / Poids:	171 cm / 142 cm / 1161 kg
Coffre / Réservoir:	371 litres / 47 litres
Coussins de sécurité:	frontaux
Suspension av. / arr.:	indépendante
Freins av. / arr.:	disque ABS / tambour ABS
Système antipatinage:	non
Direction:	à crémaillère, assistée
Diamètre de braquage:	10,8 mètres
Pneus av. / arr.:	P185/65R14
Valeur de revente:	faible (estimé)

Motorisation et performances

Moteur / Transmission:	4L 2,0 litres / automatique 3 rapports
Puissance / Couple:	132 ch à 5600 tr/min / 130 lb-pi à 4600 tr/min
Autre(s) moteur(s):	aucun
Transmission optionnelle:	manuelle 5 rapports
Accélération 0-100 km/h:	11,8 secondes
Vitesse maximale:	175 km/h
Freinage 100-0 km/h:	41,2 mètres
Consommation (100 km):	7,8 litres

Modèles concurrents

Chevrolet Cavalier/Sunfire • Hyundai Elantra • Daewoo Nubira • Ford Focus • Toyota Echo • Kia Sephia • Mazda Protegé • Honda Civic berline

Quoi de neuf?

Nouveaux rapports de boîte manuelle (2e et 4e) • Lecteur CD de série

Verdict

Agrément	⊕ ⊕ ⊕	Habitabilité ⊕ ⊕ ⊕ ⊕ ⊕
Confort	⊕ ⊕ ⊕	Hiver ⊕ ⊕ ⊕
Fiabilité	nouveau modèle	Sécurité ⊕ ⊕ ⊕

De belles promesses

Il faudra attendre plusieurs mois avant de savoir si la dernière Neon a bénéficié de la célèbre alliance Chrysler-Mercedes, mais mon essai m'a au moins permis de constater que la voiture a été bonifiée, principalement du côté de la suspension. Elle ne talonne plus comme sur de mauvais revêtements lorsqu'il y a 3 ou 4 personnes à bord. Le débattement accru des amortisseurs, surtout à l'arrière, a un effet appréciable sur le confort. La caisse plus rigide et les glaces à cadre intégral contribuent pour leur part à diminuer les bruits de roulement. Le moteur, hélas, n'a pas pleinement bénéficié des efforts déployés pour apaiser son fonctionnement geignard. À faible ou moyen régime, ça peut toujours aller, mais dès qu'il est le moindrement sollicité, il conserve un niveau sonore gênant. Et cela malgré les efforts des harmonistes et de leur boîte de résonance.

Le moteur de la Neon n'a toutefois rien perdu de sa verve ni de sa frugalité et le levier de la boîte manuelle à 5 rapports m'est apparu plus précis. Rehaussé par une maniabilité de premier ordre, le comportement routier est à la hauteur de celui des meilleures voitures de la catégorie.

L'intérieur a aussi été entièrement repensé et les utilisateurs apprécieront le confort des sièges assez fermes mais jamais inconfortables, à l'exception peut-être d'un léger effet de rouleau à pâte dans le bas du dossier. Grâce à des dimensions légèrement augmentées, cette petite Chrysler offre un espace arrière étonnant. Même avec un conducteur de grande taille, le dégagement pour les jambes à l'arrière demeure très convenable. Le coffre aussi a grandi d'une trentaine de litres, mais son accès reste difficile en raison de son seuil plutôt élevé.

Toutefois, ce qui démarque encore plus la Neon 2000 de modèles de première génération, c'est sa qualité de construction et l'utilisation de matériaux d'apparence plus soignée. J'ignore s'il faut voir là l'influence de Mercedes-Benz mais, chose certaine, la Neon de l'ère Daimler-Chrysler semble mieux nantie que sa devancière. Reste à savoir si la fiabilité sera au rendez-vous.

Jacques Duval

Chrysler PT Cruiser

Chrysler PT Cruiser

La trouvaille du nouveau millénaire

Chrysler a bouleversé le marché au début des années 80 avec sa fourgonnette Autobeaucoup, mais plusieurs sont prêts à parier que le PT Cruiser connaîtra encore plus de succès. Et puisque ce nouveau véhicule est appelé à être commercialisé un peu partout sur la planète, son impact sera encore plus grand.

Si le succès est assuré ou presque, c'est que le PT Cruiser constitue un amalgame de caractéristiques techniques, de configuration de caisse et de style qui s'unissent pour former un tout unique en son genre. Et puisque Chrysler est maintenant associé à Daimler, on a prévu d'emblée que ce modèle pourra être fabriqué avec conduite à gauche ou à droite et sera en mesure d'être propulsé par plusieurs moteurs différents en fonction des marchés locaux. Pour l'Amérique du Nord, ce moteur sera le 4 cylindres de 2,4 litres de la Chrysler Cirrus qui lui prêtera également sa transmission automatique à 4 rapports. Heureusement, il sera également possible de l'équiper d'une boîte manuelle à 5 rapports. Mais nous reviendrons sur la quincaillerie plus tard. Cette Chrysler est avant tout une question de style et de concept dans la même veine que la nouvelle Coccinelle de Volkswagen.

Unique en son genre

Qui aurait pensé qu'un beau jour nous verrions un véhicule empruntant la silhouette élevée des panels des années 50 avec un habitacle à mi-chemin entre celui d'une fourgonnette et d'une familiale? Cette fascinante évolution a débuté au Salon de l'auto de Genève en mars 1998. Il s'agissait d'un coupé *hot-rod* inspiré du Prowler. Ce coupé rétro avait adopté la grille à fentes horizon-

tales de ce dernier tandis que ses ailes en relief lui donnaient un caractère très particulier, tout en le démarquant du Prowler.

C'est le styliste Bryan Nesbitt, un jeune homme de 30 ans diplômé de l'Art College Center of Design de Pasadena en Californie, qui a obtenu le mandat de transformer cette première ébauche en un véhicule de transport personnel suffisamment polyvalent pour être adopté par tous et assez élégant pour faire craquer les gens de tous les âges. Nesbitt a eu une idée de génie en surélevant le toit, en ajoutant 2 portières et en exploitant le thème du véhicule à tout faire pour les gens *cool*. Ces modifications apportées au Pronto Cruizer initial n'ont pas ruiné la silhouette, puisque les ailes en relief ont contrebalancé l'élévation de la voiture. Mieux encore, le fait de l'allonger de plusieurs centimètres tout en conservant l'arrière surélevé et le capot plongeant a contribué à créer un style unique.

En fait, tout le monde y trouve son compte. Les plus vieux y verront les nostalgiques panels de leur enfance qui étaient utilisés par les artisans et les livreurs. Les plus jeunes apprécieront le côté «modifié» et un tantinet *hot-rod* de la silhouette tandis que tous seront unanimes à vanter l'équilibre général de la voiture et son caractère unique. Cette présentation à la fois hybride et typiquement américaine assure le succès du PT Cruiser sur les marchés étrangers. Au Brésil, où s'est déroulée la présentation préliminaire du PT Cruiser, il a causé tout un émoi partout où nous sommes allés, dans un pays qui en a pourtant vu bien d'autres.

Pratique avec ça!

Que le PT Cruiser soit élégant, tout le monde est d'accord là-dessus. Mais ce qui est encore plus intéressant, c'est qu'il se révèle également très pratique. Les 4 portières, le pavillon élevé et le hayon arrière permettent d'obtenir un habitacle spacieux dans lequel on peut transporter des objets encombrants. Et le fait que la banquette arrière 65/35 puisse être rabattue ou complètement enlevée est un élément de plus en faveur de cette Chrysler à tout faire. Mieux encore, il est possible de rabattre totalement le dossier du siège du passager avant, ce qui permet de transporter des objets relativement étroits ayant jusqu'à 2,4 mètres de long.

Tout sur cette voiture a été pensé en fonction d'usages multiples. La soute à bagages comprend une tablette servant à masquer les objets à la vue des gens lorsqu'on la place dans sa position la plus élevée. Cette tablette peut être réglée à différentes hauteurs et positions afin de répondre aux besoins du moment.

Un autre élément intéressant est la facilité d'accès à bord. Les sièges avant et arrière sont plus élevés que ceux d'une automobile conventionnelle, mais plus bas que ceux d'une fourgonnette. Pas besoin de se soulever ou de se laisser tomber pour prendre place à bord. On se glisse dans les sièges de façon toute naturelle. Chrysler parle d'un véhicule destiné à 5 passagers, mais je plains l'adulte, même de petite taille, qui devra voyager au centre de la banquette arrière avec deux compagnons de voyage. C'est surtout une 4 places ou bien une 2 places avec un espace de chargement d'un peu moins de 2000 litres une fois les sièges arrière enlevés.

Il s'agit somme toute d'un véhicule unique en son genre qui plaira aux personnes qui ont eu une fourgonnette et dont les besoins en matière de volume de transport ont diminué. Le PT Cruiser est la solution rêvée pour les familles en croissance, les sportifs devant transporter beaucoup de choses ou tout simplement pour ceux qui désirent un véhicule familial de dimensions moyennes. Avec ses airs de taxi londonien, ce Chrysler à la silhouette inusitée est tout cela et plus encore. Et si vous n'avez pas encore deviné ce que PT signifie, sachez que cela veut dire Personal Transport.

Pas cher! Pas cher!

Mais le meilleur est à venir. Non seulement cette compacte à tout faire est en mesure de plaire à une très vaste proportion de la population, mais elle a été conçue de façon à être vendue à un prix très, très compétitif. Les aléas de la date de tombée nous privent d'un prix exact puisque cette voiture fera ses débuts à l'orée de l'an 2000. Mais on espère chez Chrysler être en mesure d'offrir une version de base à un prix légèrement supérieur à celui d'une berline Neon. Et un modèle tout équipé devrait afficher une facture inférieure à celle d'une fourgonnette moyennement équipée. C'est là le plan de match. Reste à savoir si on va le respecter.

On est en mesure de parler de prix relativement modestes pour la simple raison que le PT Cruiser utilise plusieurs éléments empruntés à de nombreuses voitures de production chez Chrysler. On l'a mentionné précédemment, le groupe propulseur est dérivé de celui de la Cirrus tandis que la plate-forme est une version revue et corrigée de celle de la Neon. La suspension avant est à jambes de force tandis que celle à l'arrière est spécialement conçue pour le Cruiser. L'utilisation de jambes de force aurait empiété sur l'espace de chargement et même créé des maux de tête aux responsables du ficelage définitif de l'habitacle. Les ingénieurs ont fait appel à une poutre déformante reliée à un lien Watt. Cela permet d'obtenir un plancher arrière; le lien Watt assure la stabilité en réponse aux forces latérales engendrées sur l'essieu dans les virages.

Si l'on se fie aux véhicules que nous avons conduits au lancement, les modèles réguliers rouleront sur des pneus de 15 pouces montés sur des jantes en acier. Des jantes en alliage de 16 pouces ainsi que des freins à disque aux 4 roues seront offerts sur les modèles plus huppés. Le système de freins ABS et l'antipatinage devraient pouvoir être commandés en option.

Chrysler PT Cruiser

Pour

Silhouette unique • Habitacle polyvalent • Prix compétitifs • Conduite agréable • Sièges confortables

Contre

Habitacle étroit • Fiabilité inconnue • Finition perfectible • Un seul moteur offert • Approvisionnement douteux

Caractéristiques

Prix du modèle à l'essai:	24 595 $ *
Garantie de base:	3 ans / 60 000 km
Type:	fourgonnette hybride / traction
Empattement / Longueur:	261 cm / 428 cm
Largeur / Hauteur / Poids:	170 cm / 160 cm / 1280 kg*
Coffre / Réservoir:	518 litres / 60 litres*
Coussins de sécurité:	conducteur, passager et latéraux
Suspension av. / arr.:	indépendante / semi-indépendante
Freins av. / arr.:	disque / tambour (ABS en option)
Système antipatinage:	oui (en option)
Direction:	à crémaillère, assistée
Diamètre de braquage:	11,3 mètres*
Pneus av. / arr.:	P205/ 65R16*
Valeur de revente:	nouveau modèle

Motorisation et performances

Moteur / Transmission:	4L 2,4 litres / manuelle 5 rapports
Puissance / Couple:	150 ch à 5200 tr/min / 167 lb-pi à 4000 tr/min*
Autre(s) moteur(s):	aucun
Transmission optionnelle:	automatique 4 rapports
Accélération 0-100 km/h:	8,9 secondes*; 10,6 secondes* (automatique)
Vitesse maximale:	190 km/h
Freinage 100-0 km/h:	43,5 mètres*
Consommation (100 km):	10,8 litres*; 11,4 litres* (automatique)

* données anticipées sujettes à changement

Modèles concurrents

Aucun

Quoi de neuf?

Nouveau véhicule

Verdict

Agrément	⏚⏚⏚⏚	Habitabilité ⏚⏚⏚⏚⏚
Confort	⏚⏚⏚⏚	Hiver ⏚⏚⏚⏚
Fiabilité	nouveau modèle	Sécurité ⏚⏚⏚

Un avant-goût prometteur

En réponse aux demandes des rédacteurs du *Guide de l'auto,* Daimler-Chrysler nous a permis d'obtenir un avant-goût de la version définitive du PT Cruiser. Même si plusieurs des pièces en plastique du modèle essayé étaient mal ajustées et si leur finition laissait à désirer, cela a été suffisant pour nous faire une bonne idée du potentiel de ce véhicule.

Tel que mentionné précédemment, les sièges sont d'une hauteur presque idéale. Conducteur et passager sont donc assis dans une position plus verticale que dans une voiture, ce qui permet de pouvoir se sentir confortable même si l'espace pour les jambes n'est pas exceptionnel. Comme on s'y attendait, le dégagement pour la tête est très généreux; il l'est cependant moins pour les hanches et les coudes.

Le tableau de bord, très design, affiche des cadrans circulaires, une console centrale en relief de la planche de bord et des buses de ventilation bien en évidence. On les oriente à l'aide d'une tige protubérante placée au centre de la grille. Le volant à quatre branches et son moyeu rond amènent une touche nostalgique. Sur les modèles équipés de la boîte de vitesses manuelle, le levier de passage des rapports est chromé et surmonté d'une sphère blanche imitant les boules de billard. Il est certain que les accessoiristes vont offrir des boules de toutes les numérotations, notamment la huit.

La conduite de cette Chrysler est intéressante. Elle ne s'incline pas autant que prévu dans les virages et montre une bonne stabilité directionnelle. On peut parler d'un compromis entre la conduite d'une fourgonnette Chrysler et celle d'une berline Cirrus. C'est quand même prometteur.

Tout porte à croire que cette nouvelle venue sera la coqueluche du marché lorsqu'elle sera commercialisée au début de l'an 2000. Ce sera sans aucun doute une des voitures les plus recherchées. Il est certain que la demande sera supérieure à l'offre puisque l'usine Chrysler de Toluca, au Mexique, ne peut en produire que 100 000 par année.

Denis Duquet

Chrysler Sebring Cabriolet • Coupé

Dans la plus pure tradition américaine

S'il est un concept que maîtrisent les américains, c'est bien celui des voiture aux allures sportives, mais davantage axées sur le confort que la performance. Le duo cabriolet et coupé Sebring de Chrysler est un exemple parfait de cette approche. Même si elles font appel à des plates-formes différentes, leur silhouette est presque identique ainsi que leur personnalité qui repose sur un comportement prévisible.

Aux États-Unis, la tradition des cabriolets est bien implantée. En fait, elle semble se porter mieux que jamais, après avoir connu une traversée du désert qui a duré près de 10 ans. Rappelons que c'est en 1976 que Cadillac a abandonné la production de l'Eldorado décapotable, seule survivante du lot, et qu'il a fallu attendre jusqu'à 1982 pour que les constructeurs américains recommencent à produire ce type de voiture, que les intégristes de la sécurité routière avaient condamné à mort. C'est Chrysler qui a reparti le bal, avec la défunte LeBaron. Celle-ci a toutefois terminé sa carrière au moment même où commençait celle des berlines de la plate-forme JA (Cirrus/Stratus/Breeze).

C'est ici que l'histoire se complique un brin. En effet, le coupé et le cabriolet Sebring n'ont en commun que le nom. Des demi-frères, en quelque sorte... Le premier est d'origine japonaise, ayant été conçu à partir du châssis de la défunte Eagle Talon, qui était en fait une Mitsubishi Eclipse rebaptisée. Le cabriolet, lui, fut plutôt élaboré à partir de la plate-forme JA, car il y avait, semble-t-il, incompatibilité d'outillage avec le coupé. De Mitsubishi, on ne conserva que le V6 de 2,5 litres, désormais la seule motorisation disponible,

le 4 cylindres de 2,4 litres, trop peu en demande, ayant tiré sa révérence l'année dernière.

Du vouloir mais pas de pouvoir

Lors du lancement du cabriolet Sebring, à l'été 1996, les bonzes du marketing de Chrysler avaient clairement défini le rôle de ce modèle, affirmant n'avoir pas voulu faire «une autre Barracuda ou une Mustang». Il se situe plutôt dans la lignée des Chrysler 300, Imperial et autres décapotables qui écrivirent de belles pages de l'histoire de cette marque.

La Sebring n'est donc pas une sportive, loin s'en faut. Cela se ressent surtout sur le plan des performances: il faut, par exemple, compter 11 bonnes secondes pour effectuer le 0-100 km/h, ce qui n'est rien pour écrire à sa mère, et les reprises se révèlent laborieuses, de sorte qu'un dépassement nécessite une bonne dose de planification. Le couple ne se fait sentir qu'à bas régime, le moteur s'essoufflant ensuite rapidement. Une fois la barrière des 4000 tr/min franchie, la seule réaction qu'on obtient en enfonçant l'accélérateur est une augmentation du niveau sonore... Pour reprendre l'expression d'un collègue journaliste, «ce n'est pas que le moteur ne veut pas, c'est qu'il ne peut pas»! Bref, quelques chevaux de plus seraient les bienvenus, c'est le moins qu'on puisse dire. Un peu de raffinement aussi, parce qu'en plus d'être paresseux, ce V6 émet un grondement peu inspirant à l'accélération. Malgré son architecture moderne, sa sonorité évoque celle des 6 cylindres américains d'il y a 20 ans. Dommage, car une voiture aussi bien tournée mérite mieux.

Comme c'est encore trop souvent le cas à bord d'une Chrysler, le freinage n'est pas à la hauteur: pédale spongieuse, manque de

Chrysler Sebring Cabriolet

Pour

Ligne réussie • Habitacle spacieux
• Finition en progrès • Routière
confortable • Utilisation 4 saisons

Contre

V6 décevant • Freinage médiocre
• Rayon de braquage important
• Transmission paresseuse
• Rigidité moyenne

Caractéristiques

Prix du modèle à l'essai:	JXi / 34 965 $
Garantie de base:	3 ans / 60 000 km
Type:	cabriolet / traction
Empattement / Longueur:	269 cm / 490 cm
Largeur / Hauteur / Poids:	178 cm / 139 cm / 1 511 kg
Coffre / Réservoir:	311 litres / 61 litres
Coussins de sécurité:	conducteur et passager
Suspension av. / arr.:	indépendante
Freins av. / arr.:	disque ABS / tambour ABS
Système antipatinage:	oui (en option)
Direction:	à crémaillère, assistance variable
Diamètre de braquage:	11,6 mètres
Pneus av. / arr.:	P215/55R16
Valeur de revente:	bonne

Motorisation et performances

Moteur / Transmission:	V6 2,5 litres / automatique 4 rapports
Puissance / Couple:	168 ch à 5800 tr/min / 170 lb-pi à 4350 tr/min
Autre(s) moteur(s):	aucun
Transmission optionnelle:	aucune
Accélération 0-100 km/h:	11,0 secondes
Vitesse maximale:	175 km/h (limitée)
Freinage 100-0 km/h:	43,0 mètres
Consommation (100 km):	12,2 litres

Modèles concurrents

Chevrolet Camaro/Pontiac Firebird • Ford Mustang • Toyota Solara
• VW Golf Cabrio

Quoi de neuf?

Direction ferme de série • Déverrouillage du levier sélecteur au frein
• Nouvelles couleurs de carrosserie

Verdict

Agrément	⊤⊤⊤	
Confort	⊤⊤⊤⊤	
Fiabilité	⊤⊤⊤	
Habitabilité	⊤⊤⊤⊤	
Hiver	⊤⊤⊤	
Sécurité	⊤⊤⊤	

puissance, distances d'arrêt plus longues que la moyenne... Médiocre serait plutôt le terme approprié. Quant à la direction, elle est handicapée par un trop grand rayon de braquage. Résultat: une voiture ni très maniable ni très agréable à conduire.

La rescapée

Jusqu'à l'an dernier, cette compagnie nous proposait les Sebring et Dodge Avenger. La décision de cesser la distribution au Canada de la majorité des modèles Dodge et Plymouth nous prive dorénavant de l'Avenger. Mais si son plumage laissait entrevoir des performances plus relevées que la moyenne, cette Dodge montrait un comportement aussi paisible que celui de la Sebring. Cette dernière, qu'on a plutôt dotée d'une carrosserie toute en élégance et en rondeurs, fait penser à une voiture de grand-tourisme au pedigree très relevé.

Malheureusement, son ramage est moins impressionnant que son plumage. Cette Sebring tente de nous épater par sa présentation extérieure, mais son comportement routier et ses performances sont plus ou moins identiques à ceux d'une berline un peu pépère. Ce n'est pas un tonitruant moteur V8 de plus de 200 chevaux qui est chargé d'animer cette Chrysler, mais un paisible V6 2,5 litres de 163 chevaux. C'est adéquat pour les balades du dimanche, mais rien pour perdre son permis de conduire. Incidemment, pas question de boîte manuelle. Seule l'automatique à 4 rapports est offerte, avec le système Autostick sur le modèle Limited.

Le comportement routier de la Sebring est un peu à l'image de son moteur: suffisant mais pas nécessairement excitant. La tenue en virage est bonne, le roulis de caisse pratiquement inexistant et la direction d'une précision adéquate. Toutefois, à cause de sensations de conduite engourdies, le plaisir de conduire s'avère mitigé. Pour se faire désirer un peu, il faudrait à cette Sebring un peu plus de caractère, quelques irritants dans sa conception, bref de quoi se démarquer. Pour l'instant, sa silhouette et une conduite sans histoire sont les seuls éléments qu'on remarque.

Le plaisir tranquille.

Philippe Lagüe

Daewoo Lanos

Daewoo Lanos

Drôle de nom, conduite plus sérieuse

Décidément, les responsables du marketing chez Daewoo semblent s'être ingéniés à trouver des noms de voitures pour le moins bizarres. Il est difficile de ne pas songer à certains calembours truculents avec un nom comme Lanos. Après le Grand Vitara de Suzuki, on pensait avoir tout vu, mais c'était sans compter sur les Asiatiques.

L e choc de la nomenclature passé, force est d'admettre que cette petite coréenne a du chien. Sa présentation extérieure sympathique a ajouté à des prestations routières qui nous ont ménagé une agréable surprise.

Une équipe internationale

Comme pour plusieurs de ses modèles, Daewoo n'a pas hésité à faire appel à des spécialistes de l'étranger pour développer cette sous-compacte. Côté design, on s'est une fois de plus tourné vers le styliste favori de la maison, Giorgetto Giugiaro, le grand patron d'Italdesign. Comme ce fut le cas pour les autres modèles Daewoo réalisés par cette maison, les lignes sont toutes en rondeurs et la présentation élégante à défaut d'être spectaculaire. Pour le marché canadien, la Lanos est offerte en modèle 3 portes *hatchback* et en berline conventionnelle. Mais, je vous le donne en mille, devinez quel est le modèle le plus élégant de la gamme? Le *hatchback* 5 portes qui n'est pas commercialisé en Amérique! Encore une fois, le peu d'intérêt des Américains pour ce type de voiture nous prive d'une auto intéressante et pratique à la fois.

Malgré tout, plusieurs personnes se sont retournées sur notre passage et les commentaires se sont faits plutôt élogieux. Souli-

gnons que la calandre distinctive donne un petit cachet spécial à cette sous-compacte. D'ailleurs, toutes les Daewoo sont faciles à identifier en raison de cette grille de calandre vraiment particulière.

L'habitacle sobre et d'une élégance fonctionnelle s'attire beaucoup plus de compliments que les tentatives de certains manufacturiers de nous en mettre plein la vue. Malgré ce contexte, la finition de la voiture s'avère bonne pour la catégorie et la qualité des plastiques et des tissus sans reproche. La garniture des portières est intéressante, car des pièces de tissus contrastants viennent égayer l'habitacle tandis que des dépressions dans la paroi accordent quelques millimètres de plus pour le dégagement des coudes.

Un bon p'tit moteur!

Daewoo vise une clientèle jeune à la recherche d'une voiture à la fois pratique, nerveuse et agréable à conduire. Le moteur 4 cylindres de 1,6 litre à DACT développe 105 chevaux et offre un bon rendement pour la catégorie. Appelé E-TC, il a été développé conjointement par le motoriste britannique Ricardo et l'Institut de Technologie de Munich. Un autre moteur au catalogue équipe de série le modèle le plus économique. Il s'agit d'un 4 cylindres 1,5 litre qui concède une vingtaine de chevaux au 1,6 litre, plus sophistiqué sur le plan mécanique et beaucoup plus performant.

Ce dernier est bruyant lorsqu'on le sollicite à fond, mais les régimes élevés ne semblent pas l'affecter. La boîte manuelle à 5 rapports se révèle d'un maniement agréable et il est également possible de se procurer en option une boîte automatique à 4 rapports. La robustesse de ces éléments mécaniques ne semble pas

Daewoo Lanos

Pour

Silhouette sympathique • Moteur robuste • Agréable à conduire • Prix compétitif • Finition honnête

Contre

Fiabilité à prouver • Valeur de revente inconnue • Moteur bruyant • Réseau de concessionnaires ténu • Version berline moins inspirante

Caractéristiques

Prix du modèle à l'essai:	3 portes / 13 895 $
Garantie de base:	3 ans / 60 000 km
Type:	*hatchback* / traction
Empattement / Longueur:	252 cm / 407 cm
Largeur / Hauteur / Poids:	168 cm / 143 cm / 1310 kg
Coffre / Réservoir:	250 litres (886 litres siège abaissé) / 48 litres
Coussins de sécurité:	conducteur et passager
Suspension av. / arr.:	indépendante / essieu rigide
Freins av. / arr.:	disque / tambour
Système antipatinage:	non
Direction:	à crémaillère, assistée
Diamètre de braquage:	9,8 mètres
Pneus av. / arr.:	P185/60R14
Valeur de revente:	nouveau modèle

Motorisation et performances

Moteur / Transmission:	4L 1,6 litre / manuelle 5 rapports
Puissance / Couple:	105 ch à 5800 tr/min / 106 lb-pi à 3400 tr/min
Autre(s) moteur(s):	aucun
Transmission optionnelle:	automatique 4 rapports
Accélération 0-100 km/h:	11,5 secondes; 12,9 secondes (automatique)
Vitesse maximale:	170 km/h
Freinage 100-0 km/h:	39,7 mètres
Consommation (100 km):	6,4 litres; 7,2 litres

Modèles concurrents

Hoinda Civic • Hyundai Accent • Chevrolet Metro • Suzuki Swift

Quoi de neuf?

Aucun changement majeur • Équipement de série modifié

Verdict

Agrément	⊕⊕⊕⊖	Habitabilité ⊕⊕⊕
Confort	⊕⊕⊕	Hiver ⊕⊕⊕
Fiabilité	⊕⊕⊕⊖	Sécurité ⊕⊕⊕

être une cause d'inquiétude. Daewoo s'est d'ailleurs taillé une enviable réputation à ce chapitre partout où elle s'est installée.

La suspension a été développée par les services techniques de Daewoo qui ont également eu recours à l'expertise de la compagnie Porsche afin de pouvoir offrir un excellent rapport entre le confort et la tenue de route. Comme il fallait s'y attendre sur une voiture de ce prix, la suspension avant est à jambes de force Mac-Pherson tandis que l'essieu arrière est semi-rigide avec poutre déformante et ressorts hélicoïdaux. Des barres anti-devers sont placées à l'avant comme à l'arrière.

Il est possible de la piloter de façon sportive sans pour autant atteindre très rapidement les limites de sa suspension comme c'est souvent le cas avec les voitures de cette catégorie. Quant à la berline, à défaut d'être spectaculaire, c'est une honnête sous-compacte dotée d'une mécanique qui a fait ses preuves sur d'autres marchés et qui a le mérite d'offrir des performances honnêtes et une habitabilité de bon aloi.

Deux adultes peuvent prendre place à l'avant sans se serrer les coudes. Même le modèle 3 portes s'avère d'une habitabilité intéressante aux places arrière en raison d'un toit plus élevé que la moyenne qui assure un bon dégagement pour la tête.

Belle et pas chère, point.

Des points d'interrogation

Malgré ses qualités inhérentes, cette Daewoo n'est pas sans reproches. Elle se situe en général dans la bonne moyenne à tous les points de vue, mais se vend à un prix qui nous permet d'excuser ses quelques lacunes. Même si la Lanos n'a pas de complexe à avoir vis-à-vis de ses concurrentes, il ne faut pas perdre de vue que le réseau de concessionaires est plutôt ténu au Québec et en Ontario et inexistant partout ailleurs au Canada. De plus, il est difficile d'établir la valeur de revente d'une marque qui en est à ses premiers balbutiements sur le marché. Heureusement que cette Daewoo a le mérite d'être équilibrée et agréable à conduire.

Denis Duquet

Daewoo Leganza

Daewoo Leganza

La bourgeoise de la famille

La compagnie Daewoo ne fait jamais les choses comme les autres. Aux États-Unis, par exemple, elle avait concocté un plan assez farfelu afin de confier la vente de ses voitures à des étudiants fréquentant les campus des grandes universités américaines. Ce projet n'a pas fait long feu. Ce qui n'a pas empêché ses dirigeants de mettre de l'avant le projet de vendre des voitures sur Internet. Sa politique de commercialisation au Canada n'est pas aussi excentrique, mais elle sort des sentiers battus. En général, les manufacturiers qui font leurs débuts dans un nouveau marché se contentent de distribuer un ou deux modèles de prix modeste afin d'établir un certain volume de ventes. Puis, au fil des mois ou même des années, on commence à importer les véhicules plus luxueux.

C hez Daewoo, au contraire, la Leganza fait partie de l'alignement partant dès le tout début. Ses dimensions et son équipement permettent au fabricant de clamer qu'il s'agit d'une voiture de luxe à prix modique. Pour se rapprocher de la vérité, il vaudrait mieux parler de voiture très bien équipée offerte à un prix compétitif.

Bien des gens font immédiatement un lien avec la Sonata de Hyundai, compte tenu que les deux sont produites par des constructeurs coréens. Non seulement elles sont de la même nationalité et font partie de la même catégorie, mais leurs caractéristiques sont pratiquement similaires. La plus grande différence qui existe entre ces deux voitures intéressantes est le fait que la Sonata puisse être commandée avec un moteur V6.

Style italien, moteur australien

Lorsque la compagnie Daewoo a décidé de cesser de fabriquer des automobiles de bas de gamme pour General Motors, la direction a pris les moyens pour que ses autos soient en mesure de se défendre au sein des grands marchés internationaux. On a vu grand mais à la lumière des graves ennuis financiers qui secouent l'entreprise depuis quelques mois on s'est peut-être montré trop ambitieux. Le design de la carrosserie a été confié à Giorgetto Giugiaro. Le célèbre styliste italien a réalisé une silhouette élégante mais qui ne renverse rien côté créativité. L'élégance discrète de la Leganza lui permettra de bien vieillir sur le plan visuel.

La mécanique est également «importée» puisque le moteur 2,2 litres de 131 chevaux provient de chez Holden, la filiale australienne de General Motors. Pour se donner les moyens de convaincre certains acheteurs nord-américains, il aurait été encore plus intéressant que Daewoo ajoute un moteur V6 à son modèle de haut de gamme. La suspension a été en partie réalisée par Lotus. Porsche a également participé à titre de consultant en ingénierie à différents aspects de la production de la nouvelle gamme Daewoo.

Le style de l'habitacle s'avère plus recherché que la carrosserie. Certains vont trouver le tableau de bord un peu trop chargé, mais il est pratique et original. La finition surprend par sa qualité. Par contre, on se passerait facilement de cette imitation de bois qui ne trompe personne. Comme pour tous les autres modèles de cette marque, l'équipement de base est très complet compte tenu du prix. Au tout début, on trouve les commandes de climatisation complexes, mais tout rentre dans l'ordre une fois qu'on a déchiffré les pictogrammes. Malgré tout, des commandes plus simples

Daewoo Leganza

Pour

Silhouette réussie • Tenue de route assurée • Équipement complet • Bonne position de conduite • Performances raisonnables

Contre

Commandes radio irritantes • Fiabilité inconnue • Valeur de revente inquiétante • Moteur bruyant à haut régime • Climatisation réfrigérante

Caractéristiques

Prix du modèle à l'essai:	SX / 21 395 $
Garantie de base:	3 ans / 60 000 km
Type:	berline / traction
Empattement / Longueur:	267 cm / 467 cm
Largeur / Hauteur / Poids:	178 cm / 144 cm / 1134 kg
Coffre / Réservoir:	400 litres / 60 litres
Coussins de sécurité:	conducteur et passager
Suspension av. / arr.:	indépendante
Freins av. / arr.:	disque ABS
Système antipatinage:	oui
Direction:	à crémaillère, assistée
Diamètre de braquage:	11,0 mètres
Pneus av. / arr.:	P205/60R15
Valeur de revente:	nouveau modèle

Motorisation et performances

Moteur / Transmission:	4L 2,2 litres / manuelle 5 rapports
Puissance / Couple:	131 ch à 5200 tr/min / 148 lb-pi à 2800 tr/min
Autre(s) moteur(s):	aucun
Transmission optionnelle:	automatique 4 rapports
Accélération 0-100 km/h:	9,6 secondes; 11,4 secondes
Vitesse maximale:	195 km/h
Freinage 100-0 km/h:	43,4 mètres
Consommation (100 km):	11,6 litres; 12,5 litres

Modèles concurrents

Hyundai Sonata • Chevrolet Malibu • Nissan Altima • Honda Accord • Mazda 626 • Chrysler Cirrus

Quoi de neuf?

Modifications de l'équipement selon modèles • Calandre modifiée • Tissu des sièges modifié

Verdict

Agrément		Habitabilité	
Confort		Hiver	
Fiabilité		Sécurité	

seraient bienvenues. Et si vous faites partie de ceux qui aiment transformer l'habitacle de leur véhicule en glacière, sachez que le climatiseur de la Leganza peut le faire en un rien de temps. Il est tellement efficace qu'il faut parfois l'arrêter même en pleine canicule. Une bonne position de conduite et des sièges confortables sont à placer dans la colonne des plus.

À quand un V6?

Dès qu'on prend le volant de cette voiture et qu'on roule pendant quelques kilomètres, on apprécie son comportement routier. Une plate-forme rigide, une suspension bien réglée et des freins efficaces travaillent à l'unisson pour assurer une conduite agréable. Au fil des kilomètres et des virages, on se surprend à conduire de façon plus sportive et à pousser la voiture. De prime abord, le moteur 4 cylindres 2,0 litres d'une puissance de 131 chevaux soutient moins bien la comparaison. À l'usage cependant, il se révèle performant pour sa cylindrée et assure des reprises intéressantes. Cependant, un moteur V6 serait un atout de plus en sa faveur. La boîte automatique à 4 rapports est dans la bonne moyenne. Toutefois, le moteur devient bruyant à haut régime. Il est d'ailleurs inutile de le solliciter au-delà de 3500 tr/min puisque seul le niveau sonore semble augmenter sans que les performances s'améliorent.

J'ai eu mon premier contact avec une Leganza en hiver, immédiatement après l'une des plus importantes chutes de neige de la saison. Malgré la chaussée enneigée, cette coréenne s'est fort bien débrouillée. D'ailleurs, toutes les personnes qui l'ont pilotée ont été favorablement impressionnées. Agréable à conduire, cette intermédiaire se démarque par son équipement complet, une finition honnête et un prix compétitif. Ces points positifs sont contrecarrés par une fiabilité inconnue, une valeur de revente incertaine et surtout, un avenir nébuleux de la marque à la suite de ses problèmes financiers.

Denis Duquet

Daewoo Nubira

Une inconnue dans la foule

Compte tenu des déboires financiers d'au moins deux des constructeurs automobiles japonais (Nissan et Mazda), on peut s'interroger sur la pertinence de l'entrée en scène de Daewoo, une marque coréenne peu connue ici qui a décidé, l'an dernier, d'aborder le marché canadien.

Comme si l'offre n'était pas déjà largement suffisante, ce manufacturier débarque chez nous avec trois nouveaux modèles, la Lanos, la Nubira et la Leganza. L'argument invoqué est bien sûr le prix, puisque Daewoo entend rivaliser surtout avec son homologue coréen Hyundai en proposant des voitures belles, bonnes et surtout pas chères.

Rien de mieux qu'une évaluation du produit pour remettre tout ça dans une juste perspective. J'ai opté pour la Nubira, une berline sous-compacte aussi offerte en version familiale.

Du pareil au même

Jamais encore je n'avais changé de marque et de modèle de voiture pratiquement sans m'en rendre compte. Cela montre jusqu'à quel point les voitures de grande série, surtout les asiatiques, se ressemblent. C'était encore plus vrai dans le cas de la Daewoo Nubira qui ne m'a pas paru bien différente de la Hyundai Sonata que je venais de quitter. Un peu plus bruyante sans doute et un tantinet plus sèche, mais à bord, une ambiance commune, celle d'une petite voiture honnête sans qualité ni défaut exceptionnels... comme tant d'autres. En somme, une inconnue dans la foule...

Il me semble qu'une compagnie qui décide de prendre pied dans un marché déjà saturé devrait se démarquer des autres. Or, ce n'est pas le cas de Daewoo dont les voitures ressemblent à leurs rivales comme deux gouttes d'eau. Je ne parle pas du style qui m'apparaît plutôt réussi, mais des impressions de conduite. Avec une grille de calandre ressemblant à celle d'une BMW et une silhouette arrière où les feux ne sont pas sans rappeler ceux d'une Audi A6, la Nubira mise à l'essai affiche une mine sympathique. Au volant toutefois, on se retrouve en terrain familier en reconnaissant tous les petits travers des modèles de cette catégorie, ni plus ni moins.

Une rude concurrence

Le moteur, un 4 cylindres de 2,0 litres, est rugueux et bruyant à haut régime, les pneus sont médiocres et la suspension arrive difficilement à concilier confort et tenue de route.

En revanche, l'équipement de série de la SX de base est remarquablement complet pour une voiture de ce prix et son habitabilité fait de la Nubira une vraie 5 places. Le coffre à bagages d'une bonne contenance pourra transporter les effets de tous les passagers.

Malgré tout, je pense qu'elle aura beaucoup de mal à s'imposer parmi des valeurs sûres comme la Honda Civic, la Ford Focus, la Saturn et la Mazda Protegé, offertes à des prix similaires. La familiale, par ailleurs, pourrait trouver sa place dans un segment du marché peu développé grâce à de petites astuces intéressantes.

En outre, quel argument Daewoo peut-elle mettre de l'avant pour convaincre la clientèle d'acheter ses voitures? Le rapport qualité/prix est sans doute intéressant, mais le client est en droit de se demander ce qu'il adviendra de la compagnie si le marché canadien ne lui est pas favorable. En ce qui a trait à la valeur de revente, l'incertitude incite à la réflexion.

Daewoo Nubira

Pour

Silhouette agréable • Performances satisfaisantes • Prix compétitif • Équipement relativement complet • Bonne habitabilité

Contre

Moteur bruyant • Suspension sautillante • Tenue de route limitée • Bruits de caisse • Fiabilité et valeur de revente incertaines

Caractéristiques

Prix du modèle à l'essai:	SX / 16 295 $
Garantie de base:	3 ans / 60 000 km
Type:	berline / traction
Empattement / Longueur:	257 cm / 447 cm
Largeur / Hauteur / Poids:	170 cm / 142,5 cm / 1200 kg
Coffre / Réservoir:	370 litres / 62 litres
Coussins de sécurité:	frontaux
Suspension av. / arr.:	indépendante
Freins av. / arr.:	disque / tambour (ABS optionnel)
Système antipatinage:	non
Direction:	à crémaillère, assistée
Diamètre de braquage:	10,6 mètres
Pneus av. / arr.:	P185/60R14
Valeur de revente:	nouveau modèle (voir texte)

Motorisation et performances

Moteur / Transmission:	4L, 2,0 litres / automatique 4 rapports
Puissance / Couple:	129 ch à 5400 tr/min / 136 lb-pi à 4400 tr/min
Autre(s) moteur(s):	aucun
Transmission optionnelle:	manuelle 5 rapports
Accélération 0-100 km/h:	10,1 secondes
Vitesse maximale:	178 km/h
Freinage 100-0 km/h:	44,2 mètres
Consommation (100 km):	9,0 litres

Modèles concurrents

Hyundai Elantra • Chrysler Neon • Ford Focus • Toyota Corolla • Honda Civic berline • Mazda Protegé • Kia Sephia

Quoi de neuf?

Retouche à la carrosserie

Verdict

Agrément	⊕ ⊕	Habitabilité	⊕ ⊕ ⊕ ⊖
Confort		Hiver	⊕ ⊕ ⊕ ⊕
Fiabilité	nouveau modèle	Sécurité	aucune statistique

Si jamais l'aventure vous tente, sachez que vous obtiendrez dans la Nubira une petite voiture qui n'est pas avare de performances grâce à son moteur de 129 chevaux. On peut déplorer le niveau sonore de celui-ci, mais il fait bon ménage avec la transmission automatique à 4 rapports proposée en option. La direction est agréable aussi, ni trop ferme ni trop légère. Les choses se gâtent un peu au point de vue confort et tenue de route en raison d'une suspension qui semble avoir du mal à concilier ces deux aspects. Surtout par temps froid, les trous ou les bosses sont durement ressentis, tandis que l'adhérence en virage a vite atteint ses limites. Bien sûr, les pneus Pacemark Snowtrakker (une sous-marque de Goodyear) ne figurent pas parmi les recommandations des experts en la matière et nul doute que la Nubira serait mieux servie par un équipement pneumatique de plus grande qualité. Je n'ai pas tellement apprécié non plus le bruit de castagnettes de l'ABS et le fait que la voiture pique trop du nez au freinage.

Si vous avez le goût du risque.

Du côté de la qualité de construction, le couvercle du coffre paraît d'une légèreté déconcertante et on note quelques craquements de la caisse par temps très froid mais, dans l'ensemble, Daewoo se situe sur le même plan que la concurrence.

Vue de l'intérieur, la Nubira SX sait éviter l'aspect bas de gamme de certaines de ses semblables. Les contre-portes sculptées sont du plus bel effet et Daewoo ne lésine pas sur l'équipement de série. La liste comprend des glaces et rétroviseurs à commande électrique, le verrouillage centralisé des portières, le volant réglable, des phares antibrouillards, deux coussins gonflables et des sièges à hauteur variable offrant un confort appréciable. Bravo pour la position de conduite et pour la visibilité, bonne sous tous les angles. Pour suppléer à un coffre à gants assez petit, pas moins de trois espaces de rangement ont été prévus sur la console centrale.

Le constructeur coréen semble avoir pris au sérieux la rigueur du climat canadien, installant un système de chauffage au rendement très satisfaisant.

À l'image de la grande majorité des sous-compactes, la Daewoo Nubira SX propose un mode de transport honnête, sans être pour autant excitant. Elle pèche cependant par son manque d'individualité, son anonymat ainsi qu'une fiabilité et une valeur de revente incertaines.

Jacques Duval

Dodge Caravan • Chrysler Town & Country

Chrysler Town & Country

Polyvalence

Même si leur dernière révision d'importance remonte déjà à 1996 et que chaque année la concurrence leur présente de nouveaux et formidables adversaires, il n'en demeure pas moins que les fourgonnettes de Daimler-Chrysler sont encore les plus populaires. Essayons de comprendre les raisons de leur succès.

Leur principal atout est sans doute leur incroyable polyvalence. Elles offrent en effet un éventail de modèles beaucoup plus étendu que tout ce qui se fait ailleurs. Même si la marque Plymouth (Voyager et Grand Voyager) est reléguée aux oubliettes, il n'en demeure pas moins que les Dodge sont disponibles en deux empattements, qu'elles peuvent recevoir trois moteurs différents, deux boîtes de vitesses, la traction intégrale et j'en passe. La Town & Country quant à elle se présente un peu pompeusement comme la limousine des fourgonnettes et elle n'est pas loin de mériter ce titre. Les caractéristiques de série et éléments offerts en option remplissent plusieurs pages du catalogue, mais on peut les résumer comme suit.

La Town & Country se décline en LX, traction avant ou intégrale, en LXi à traction avant seulement, et en Limited, avec ces deux types de rouage d'entraînement. Elle se présente avec l'empattement allongé, de même que la Grand Caravan qui est fabriquée en version de base à traction avant, ainsi qu'en SE, LE, et ES avec les deux modes de propulsion. L'empattement de la «simple» Caravan mesure environ 16 cm de moins que celui de la version allongée tandis que la longueur hors tout est réduite de 34 cm. En clair, vous perdez plus de 200 litres de capacité de chargement, peu importe la position des sièges, ce qui équivaut à un coffre de voiture sous-compacte. Si vous désirez emporter des quantités appréciables de bagages sans devoir les disperser dans l'habitacle, retenez le grand empattement. Dans cette éventualité, il vous faut aussi, et à tout le moins, le moteur 3,3 litres, car le 3,0 litres offert dans la Grand Caravan de base ne suffit tout simplement pas à la tâche. Quant au 3,8 litres, il se retrouve obligatoirement dans les Grand Caravan LE et ES, et en option dans les Caravan et Grand Caravan SE. Il constitue le choix le plus approprié avec ses 180 chevaux, mais il est à la limite de son développement. Il serait temps d'y voir, face aux Honda Odyssey et Toyota Sienna qui offrent des groupes motopropulseurs ultramodernes d'environ 200 chevaux. La Town & Country LX, quant à elle, reçoit le 3,3 litres à la base, ce qui constitue une pure aberration. Payez le supplément et faites installer le 3,8 litres comme dans les LXi et Limited, sinon vous serez déçu.

Des options évidentes

Maintenant, quelle boîte et quel rouage d'entraînement choisir? La transmission automatique séquentielle Autostick à 4 rapports se retrouve dans la Grand Caravan ES. Son utilité demeure bien théorique: on s'amuse un peu en ville au début et on la laisse finalement à «drive» au bout d'un certain temps. La traction intégrale présente un problème plus épineux. Il est certain que ce type de rouage d'entraînement constitue un élément de sécurité active indiscutable. Si vous faites beaucoup de sports d'hiver, pensez-y sérieusement, sinon, faites comme la plupart de ceux qui ne l'ont jamais essayée et contentez-vous de la traction avant.

À propos des portes, maintenant. Tous les modèles sauf la Caravan en offrent deux de chaque côté, mais sans commande électrique

Dodge Caravan

Pour

Ligne réussie • Roulement confortable • Aménagements pratiques • Grand choix de configuration • Bonne valeur de revente

Contre

Moteurs à bout de souffle • Fiabilité incertaine • Certains équipements douteux • Qualité inégale • Banquettes inconfortables

Caractéristiques

Prix du modèle à l'essai:	Grande Caravan SE / 33 745 $
Garantie de base:	3 ans / 60 000 km
Type:	fourgonnette / traction
Empattement / Longueur:	303 cm / 507 cm
Largeur / Hauteur / Poids:	220 cm / 174 cm / 1746 kg
Coffre / Réservoir:	671 litres ou 4771 litres / 76 litres
Coussins de sécurité:	conducteur et passager
Suspension av. / arr.:	indépendante / essieu rigide
Freins av. / arr.:	disque / tambour ABS
Système antipatinage:	oui
Direction:	à crémaillère, assistée
Diamètre de braquage:	11,5 mètres
Pneus av. / arr.:	P205/65/R15
Valeur de revente:	excellente

Motorisation et performances

Moteur / Transmission:	V6 3,8 litres, / automatique 4 rapports
Puissance / Couple:	180 ch à 4300 tr/min / 240 lb-pi à 3100 tr/min
Autre(s) moteur(s):	V6 3,0 litres 150 ch; V6 3,3 litres 158 ch
Transmission optionnelle:	automatique Autostick
Accélération 0-100 km/h:	11,0 secondes; 12 s (3,3 litres)
Vitesse maximale:	175 km/h; 165 km/h (3,3 litres)
Freinage 100-0 km/h:	44 mètres
Consommation (100 km):	12,5 litres; 10,8 litres (3,3 litres)

Modèles concurrents

Chevrolet Venture/Oldsmobile Silhouette • Ford Windstar • Honda Odyssey • Toyota Sienna

Quoi de neuf?

Dodge Caravan LE supprimé • Nouvelles couleurs disponibles • Modèle LX en versions traction et intégrale (Town & Country)

Verdict

Agrément	⊕⊕⊕⊕	Habitabilité ⊕⊕⊕⊕
Confort	⊕⊕⊕	Hiver ⊕⊕⊕
Fiabilité	⊕⊕	Sécurité ⊕⊕⊕

comme chez certains concurrents. Il m'apparaît cependant que ce mécanisme est dans la plupart des cas superflu, et qu'il connaît un taux de panne assez élevé merci pour le moment. On peut donc s'en passer sans remords.

Le choix des sièges semble assez évident. Les fauteuils individuels procurent un net avantage parce qu'ils permettent de créer plus d'aménagements et que le confort des banquettes est assez sommaire.

Quant aux suspensions, les options dites «sport» représentent dans la majorité des cas une bonne affaire, car elles assurent un comportement routier supérieur à peu de frais. La même remarque s'applique au choix des roues. De grâce, évitez celles de 14 pouces et optez carrément pour des 16 pouces si vous le pouvez. La Grand Caravan ES offre même des 17 pouces. Judicieusement équipées, ces fourgonnettes tiennent très bien la route et se comparent à une voiture de tourisme. Le freinage n'a jamais constitué leur point fort, mais il s'améliore un peu chaque année et l'ABS se généralise. Les versions intégrales offrent même 4 disques.

L'étalon «fertile».

Pour le reste, ces pionnières demeurent les plus jolies sur la route et leur aménagement intérieur a de quoi satisfaire la plupart des usagers, même si les plus récentes réalisations apparaissent un peu mieux pourvues à cet égard. Leur résistance à long terme demeure cependant problématique. S'il faut en croire les publications spécialisées dans les services aux consommateurs, leur intégrité mécanique est plus souvent prise en défaut que la moyenne, et on mentionne encore des problèmes récurrents aux transmissions et à la climatisation. Il serait temps que des mesures énergiques soient prises. Aussi, le montage de certains éléments laisse encore parfois à désirer. Les japonaises ont rapidement atteint des standards plus élevés à cet égard.

Les remplaçantes sont prévues pour 2001 et Chrysler nous a habitués à profiter d'améliorations considérables à chaque nouvelle série. Il est certain que les moteurs seront plus modernes et que d'autres bonnes surprises attendent les futurs acheteurs. D'ici là, celles qu'on nous offre affichent de très beaux restes et servent encore d'inspiration aux autres.

Jean-Georges Laliberté

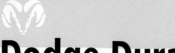

Dodge Durango

Dodge Durango

Le couteau suisse des 4X4

Comme celui des automobiles, le marché des utilitaires sport est de plus en plus compartimenté. Il y a les modèles compacts, les intermédiaires et les gros formats. Et on observe même une spécialisation dans chaque catégorie. Le Dodge Durango est un 4X4 dérivé d'un châssis de camion et capable de trimer dur tout en assurant un confort relevé. Il ne vient donc pas s'opposer au Grand Cherokee qui, malgré des qualités hors route extraordinaires, intéresse les acheteurs beaucoup plus attirés par le confort et l'agrément de conduite que par la capacité de charge et de remorquage.

Il est certain que l'acheteur type d'un Durango est une personne qui connaît les camions et les utilitaires sport. Ce véhicule a été conçu pour répondre à des besoins bien spécifiques et vise une clientèle déterminée. Ce qui n'empêche pas les néophytes de craquer pour son allure virile, sa silhouette sympathique et un habitacle aussi spacieux que confortable. C'est une affaire de priorité.

Au chapitre de la mécanique, les ingénieurs se sont assurés de disposer d'éléments robustes capables de supporter les abus des durs travaux tout en possédant une capacité de remorquage élevée. À titre d'exemple, le modèle équipé du moteur V8 5,9 litres et d'un rapport de pont de 3,92 a une capacité de remorquage de 3447 kg. Le modèle 4 roues motrices doit concéder 90 kg, mais il est quand même capable de répondre aux besoins de bien des gens. Ces chiffres indiquent que la capacité de remorquage du plus costaud des Durango est presque la même que celle de la camionnette Ram et supérieure à celle de la majorité des Dakota dont il emprunte la plate-forme.

À moins que vous ayez à tracter une lourde remorque de façon régulière, il serait plus sage d'opter pour le V8 5,2 litres par rapport au V8 5,9 litres. Il ne concède que 15 chevaux, mais est pratiquement aussi performant tout en se montrant beaucoup moins gourmand. Il reste toujours possible de cocher le V6 de 3,9 litres, mais force est d'admettre que ses performances se situent à la limite. Il ne faut pas se fier non plus aux données du manufacturier concernant la capacité de charge et de remorquage de ce V6. Ces chiffres sont fondés, mais on a toujours l'impression derrière le volant qu'on est à la limite en toutes circonstances. On ne devrait choisir cette option que si on prévoit un usage très léger et des remorquages occasionnels.

Contrairement à plusieurs autres véhicules de cette catégorie, il est possible de choisir entre une traction intégrale ou à temps partiel. Encore là, il s'agit d'une décision à prendre en fonction de l'utilisation anticipée. C'est un fait reconnu que les adeptes de la conduite hors route préfèrent le système à temps partiel qui leur confère un meilleur contrôle lorsque les conditions se détériorent. Par contre, si vous prévoyez utiliser le Durango essentiellement sur la grand-route et sur des voies secondaires, la traction intégrale répond davantage à vos besoins.

Simple, mais efficace

Les stylistes ont eu le coup de crayon heureux en dessinant cette silhouette. Il est facile de relier le Durango aux camions Dakota et Ram, mais la partie arrière vitrée est bien intégrée. Les angles subtils de la caisse ont pour effet d'atténuer l'impression visuelle négative qu'une telle masse pourrait avoir. Même le fait

Dodge Durango

Pour

Châssis robuste • Habitacle spacieux • Bonne capacité de remorquage • Présentation extérieure relevée • Groupes propulseurs bien adaptés

Contre

Dimensions encombrantes • Moteurs V8 assoiffés • Places arrière peu confortables • Détails d'aménagement à revoir • Tableau de bord de camion

Caractéristiques

Prix du modèle à l'essai:	Sport / 40 395 $
Garantie de base:	3 ans / 60 000 km
Type:	utilitaire sport / 4X4
Empattement / Longueur:	294 cm / 491 cm
Largeur / Hauteur / Poids:	181 cm / 185 cm / 2086 kg
Coffre / Réservoir:	1453 litres / 95 litres
Coussins de sécurité:	conducteur et passager
Suspension av. / arr.:	indépendante / essieu rigide
Freins av. / arr.:	disque / tambour (ABS roues arrière sur Sport)
Système antipatinage:	non
Direction:	à crémaillère, assistée
Diamètre de braquage:	11,9 mètres
Pneus av. / arr.:	P235/75R15
Valeur de revente:	très bonne

Motorisation et performances

Moteur / Transmission:	V8 4,7 litres / automatique 4 rapports
Puissance / Couple:	235 ch à 4800 tr/min / 295 lb-pi à 3200 tr/min
Autre(s) moteur(s):	V8 5,2 litres 230 ch; V8 5,9 litres 245 ch
Transmission optionnelle:	aucune
Accélération 0-100 km/h:	9,0 secondes; 9,2 secondes (V8 5,2 litres)
Vitesse maximale:	190 km/h
Freinage 100-0 km/h:	41,6 mètres
Consommation (100 km):	13,7 litres; 14,6 litres (V8 5,2 litres)

Modèles concurrents

Chevrolet Tahoe/GMC Yukon • Ford Expedition • Toyota 4Runner

Quoi de neuf?

Version Sport • Moteur V8 4,7 litres • Nouvelles roues • Boîte de transfert révisée

Verdict

Agrément	⊕⊕⊕⊕	Habitabilité ⊕⊕⊕⊕
Confort	⊕⊕⊕	Hiver ⊕⊕⊕⊕
Fiabilité	⊕⊕⊕	Sécurité ⊕⊕⊕

que la partie arrière du pavillon soit relevée de 5 cm est à peine perceptible, le résultat étant astucieusement dissimulé par le porte-bagages du toit.

L'habitacle s'avère plus fonctionnel qu'esthétique. Les couleurs des plastiques et des tissus sont sobres, trop sobres même. Il faut toutefois se rappeler que ce véhicule a été conçu pour servir d'outil de travail à plusieurs de ses propriétaires. La sélection des coloris est basée sur le gros bon sens. La même remarque s'applique au tableau de bord, plus fonctionnel qu'élégant. Quant aux sièges avant, ils offrent un confort appréciable et un bon support latéral pour un utilitaire sport. Les places arrière se situent dans la bonne moyenne tandis que la troisième banquette offerte en option n'est pas très spacieuse, mais tout de même plus que celle qui équipe les Ford Expedition/Lincoln Navigator.

Les addicts aiment ses qualités.

Un bon compromis route/sentiers

Malgré ses dimensions généreuses et sa mécanique de camionnette et même s'il n'a pas l'agilité d'un Grand Cherokee, le Durango se débrouille quand même assez bien dans la circulation urbaine et sur la grand-route. Il faut toutefois vous rappeler que ses dimensions entraînent un handicap en ville. Mieux vaut vous exercer aux manœuvres de stationnement avant de vous lancer à l'assaut des rues secondaires. Il est vrai qu'on s'y habitue à la longue, mais ce gabarit impressionnant peut constituer un irritant majeur.

Le rouage d'entraînement intégral ou 4X4 est efficace. Ce Dodge est capable d'en prendre lorsque la boue se met de la partie ou que le sentier devient impraticable. Ses miroirs de grandes dimensions, une position de conduite élevée et la puissance de ses deux moteurs V8 sont autant d'avantages pour négocier plus facilement les passages difficiles.

Somme toute, le Durango n'est pas un tout-terrain pour les personnes à la recherche d'une option alternative à leur automobile. C'est par contre un outil de travail fort efficace dont le caractère civilisé permet de l'utiliser régulièrement avec agrément.

Denis Duquet

Dodge Viper

Dodge Viper

À faire peur

La Viper est une voiture à part, aussi bien en raison de ses formes très agressives que par sa mécanique. Initialement réalisée en tant que prototype pour le Salon de l'auto de Detroit, ce roadster avait été accueilli avec tellement d'enthousiasme que la compagnie a décidé d'entamer sa production. Plusieurs étaient persuadés que ce projet n'allait pas faire long feu. Non seulement la conception technique de la Viper était inusitée pour une voiture américaine, mais son comportement routier était tellement violent qu'on croyait que les gens allaient s'en lasser.

P ourtant, un peu moins de 10 ans plus tard, cette Dodge pure et dure est toujours parmi nous. Mieux encore, elle continue d'évoluer. C'est d'ailleurs pourquoi ce modèle demeure toujours en production: les versions se sont succédé au fil des années pendant que la qualité générale de la voiture s'améliorait constamment.

La Viper est toujours élaborée à partir d'un châssis tubulaire recouvert de panneaux en matière composite afin d'obtenir une structure à la fois légère et rigide. De plus, cette solution technique facilite la fabrication en petite série. Soulignons au passage que cette 2 places a été développée avec un investissement minimum compte tenu des performances et de l'impact de cette voiture. Puisque les coûts ont été modestes, il est plus facile pour la direction de poursuivre sa fabrication. Et on a eu la clairvoyance chez Dodge de faire participer la Viper à des courses de prestige où elle a bien figuré. Cette puissante américaine a d'ailleurs remporté la classe GT II à l'épreuve des 24 Heures du Mans en 1999 en plus d'avoir

connu du succès dans d'autres courses internationales. Elle possède dorénavant un pedigree en course, ce qui est généralement l'apanage des grandes marques européennes. Un propriétaire de Viper peut maintenant se vanter de posséder une voiture qui a fait ses preuves en piste au plus haut niveau. Ce n'est pas le fruit du hasard si la division Dodge a lancé à la fin de 1999 la version ACR Coupe encore plus puissante et dotée d'accessoires de performances, comme si le modèle régulier n'était pas assez sportif. La Viper ACR est propulsée par une version de 460 chevaux et 500 lb-pi de couple du moteur V10 de 8,0 litres. C'est-à-dire 10 chevaux et 10 lb-pi de plus que le moteur de la version «régulière», si on peut utiliser ce terme pour une telle voiture. Ce coupé roule sur des roues BBS de 18 pouces; sa suspension est pourvue d'amortisseurs Koni de course et de ressorts Meritor. En plus, un filtre à air K+N assure une alimentation plus généreuse en air au moteur. Puisque cette version est vendue en tant que voiture de piste, les ceintures de sécurité sont de type course à 5 points d'attache. Comme si cela n'était pas suffisant, on a pris soin d'appliquer des décalques et des écussons d'identification sur la carrosserie, de peur sans doute que les gens ne remarquent pas la voiture...

La qualité s'améliore

Les premiers exemplaires de la Viper montraient une qualité de finition assez sommaire. Heureusement, les nouveaux modèles sont nettement plus raffinés à ce chapitre. La première Viper, fabriquée uniquement en version cabriolet, était pourvue d'un toit souple des plus rudimentaires. Ce toit amovible est plus civilisé de nos jours, même si le résultat ressemble toujours à du bricolage d'amateur. Et il faut ajou-

Dodge Viper

Pour

Performances époustouflantes
• Version ACR • Moteur V10 unique
• Bon support des sièges
• Finition améliorée

Contre

Confort minimal • Silhouette du cabriolet controversée • Toit souple toujours primitif • Absence de freins ABS • Voiture estivale seulement

Caractéristiques

Prix du modèle à l'essai:	coupé GTS / 104 595 $
Garantie de base:	3 ans / 60 000 km
Type:	coupé sport 2 places / propulsion
Empattement / Longueur:	244 cm / 448 cm
Largeur / Hauteur / Poids:	192 cm / 119 cm / 1569 kg
Coffre / Réservoir:	260 litres / 70 litres
Coussins de sécurité:	conducteur et passager
Suspension av. / arr.:	indépendante
Freins av. / arr.:	disque
Système antipatinage:	non
Direction:	à crémaillère, assistée
Diamètre de braquage:	12,3 mètres
Pneus av. / arr.:	P275/35ZR18 / P335/30ZR18
Valeur de revente:	excellente

Motorisation et performances

Moteur / Transmission:	V10 8,0 litres / manuelle 6 rapports
Puissance / Couple:	450 ch à 5200 tr/min / 490 lb-pi à 3700 tr/min
Autre(s) moteur(s):	V10 8,0 litres 460 ch (ACR)
Transmission optionnelle:	aucune
Accélération 0-100 km/h:	4,7 secondes; 4,4 secondes
Vitesse maximale:	299,7 km/h; 304,6 km/h
Freinage 100-0 km/h:	49,7 mètres
Consommation (100 km):	17,5 litres

Modèles concurrents

Chevrolet Corvette • Acura NSX • Porsche 911

Quoi de neuf?

Groupe options ACR • Nouvelle couleur grise

Verdict

Agrément	⊙ ⊙ ⊙ ⊙	Habitabilité	⊙ ⊙
Confort	⊙ ⊙	Hiver	nul
Fiabilité	⊙ ⊙ ⊙	Sécurité	⊙ ⊙ ⊙

ter que le toit donne à la voiture une allure pour le moins curieuse. Il faut de plus se livrer à toutes sortes de contorsions pour prendre place à bord puisque ce toit est très bas. Le coupé est la version de choix. Plus élégant, plus confortable, il atteint une vitesse de pointe plus élevée en raison de ses meilleures qualités aérodynamiques.

Attention, on consomme!

La conduite d'une Viper se révèle une expérience unique. À part le pédalier réglable, l'habitacle ne fait pratiquement aucune concession au confort. Il faut se glisser dans les sièges. Une fois qu'on y est, ceux-ci offrent un bon support latéral et un bien-être plutôt modeste. Avis aux claustrophobes, la cabine est étroite et on s'y sent comme dans un cocon. Même assis sans rouler, on se croit presque à la ligne de départ des 24 Heures du Mans.

Cramponnez-vous!

Une fois le moteur V10 lancé, on est quelque peu déçu par sa sonorité. C'était encore pire au tout début alors que cette grosse cylindrée se contentait de quelques chuintements faiblards. Le son est devenu plus rond et plus guttural maintenant, mais on s'attendait à mieux. En revanche, les performances s'avèrent à la hauteur des attentes. Les accélérations initiales sont brutales et la vélocité augmente très rapidement jusqu'à ce que la raison nous incite à lever le pied. Il suffit d'ailleurs de jeter un coup d'œil à l'indicateur de vitesse pour réaliser que cette Dodge peut rouler très rapidement. Elle consomme également à un rythme effréné. C'est la première voiture que je conduis dans laquelle il est possible de voir l'aiguille du réservoir d'essence descendre au fil des kilomètres.

Cette sportive pure et dure ne compte pas sur des aides électroniques au pilotage pour la garder dans le droit chemin. Sa tenue de route est bonne même si un survirage se manifeste en sortie de virage. Et gare au freinage! Il est très facile de bloquer les roues avant en raison de l'absence de freins ABS.

La Dodge Viper est une sportive dans le vrai sens du terme qui ne fait aucun compromis et qui demande une main experte au volant pour pouvoir en tirer tout le potentiel. Ceux qui voudront tester sa limite extrême devront rouler à des vitesses frôlant les 300 km/h, comme nous l'avons fait il y a 2 ans sur la piste de Blainville.

Denis Duquet

Ford Excursion

Ford Excursion

«Think Big, &*()_+!»

Les concepteurs du film *Elvis Gratton II* ne savaient sûrement pas que Ford allait produire, pour ce nouveau millénaire, un véhicule affichant les dimensions les plus imposantes de toute l'industrie. Le thème du film produit par le tandem Falardeau/Poulin est «*Think Big,* s'tie» et, à part le juron, cette phrase lapidaire décrit sans doute l'état d'esprit des membres de l'équipe qui ont travaillé à la mise au point de l'Excursion. Pour donner une idée de l'ampleur de ce mastodonte, il suffit d'ajouter à un Chevrolet Suburban 20 cm de longueur et 13 cm de hauteur. Quand on sait que le Suburban était le champion à cet égard, on comprend que les gens de Ford n'ont pas eu peur de voir grand.

Il serait trop facile de condamner la compagnie de Dearborn pour avoir voulu faire plus long et plus large dans une catégorie qui reçoit déjà son lot de critiques pour produire des mastodontes. Il faut cependant mettre le tout en perspective. Il est facile d'ironiser et de prétendre qu'il s'agit d'un autobus scolaire peint d'une autre couleur. Mais, en fait, l'Excursion est un véhicule utilitaire conçu pour répondre à des besoins précis. Il doit être capable de transporter neuf personnes et leurs bagages en plus d'avoir une capacité de remorquage de 4500 kg. Avec un tel cahier des charges, il est facile de comprendre pourquoi on a construit un véhicule aux dimensions si généreuses.

Pour exécuter ce mandat, l'équipe de mise au point s'est tournée vers la camionnette Super Duty lancée l'an dernier. Elle pouvait ainsi compter sur un châssis moderne et robuste ainsi que sur des

groupes propulseurs bien adaptés. Cette longue plate-forme permettait également d'y déposer une cabine de la longueur et de la largeur voulues. D'ailleurs, il suffit de stationner un camion Super Duty à côté d'un Excursion pour comprendre les origines du second. On découvre une partie avant et un tableau de bord pratiquement identiques à ceux du camion. Par contre, les portières arrière sont plus longues que celles du camion à cabine multiplace afin de faciliter l'accès à bord. Il est possible de prendre place sur la troisième banquette par la porte arrière droite. Le deuxième siège de type 60/40 s'avance en sa partie la plus étroite pour laisser passer les occupants de l'arrière. Ceux-ci sont installés sur une banquette relativement confortable et bénéficient d'un bon dégagement pour les jambes. Détail à souligner, les poignées de soutien et d'accès à la cabine pullulent. Dans la même veine, les porte-verres sont nombreux ainsi que les prises électriques 12V. La soute à bagages est de dimensions généreuses, on s'en serait douté. Sa capacité est de 1360 litres. À titre de comparaison, celle d'une berline Taurus est de 447 litres. On y accède par une porte arrière constituée de trois éléments: un demi-hayon se rabattant sur 2 demi-portes horizontales. Celles-ci, en matière plastique, se révèlent très faciles à opérer. Le pneu de secours est placé à l'intérieur, le long de la paroi gauche.

Surprenant malgré tout

En toute logique, les ingénieurs affectés à l'Excursion ont choisi les mêmes moteurs que ceux du camion Super Duty. Le modèle 4X2 est propulsé par le V8 5,4 litres d'une puissance de 255 chevaux. Il est également possible de commander en option le V10 6,8 litres

Ford Excursion

Pour

Habitabilité sans égale • Tenue de route adéquate • Choix de moteurs • Bonne capacité de remorquage • Multiples espaces de rangement

Contre

Dimensions hors normes • Consommation élevée • Direction sensible • Freinage perfectible • Moteur diesel bruyant

Caractéristiques

Prix du modèle à l'essai:	XLT / 48 595 $
Garantie de base:	3 ans / 60 000 km
Type:	utilitaire sport / 9 places
Empattement / Longueur:	348 cm / 576 cm
Largeur / Hauteur / Poids:	203 cm / 202 cm / 3261 kg
Coffre / Réservoir:	1360 litres (4145 litres sans banquettes) / 166 litres
Coussins de sécurité:	conducteur et passager
Suspension av. / arr.:	indépendante / essieu rigide
Freins av. / arr.:	disques ABS
Système antipatinage:	non
Direction:	à billes, assistée
Diamètre de braquage:	15,3 mètres
Pneus av. / arr.:	LT265/75R16
Valeur de revente:	nouveau modèle

Motorisation et performances

Moteur / Transmission:	V8 5,4 litres / automatique 4 rapports
Puissance / Couple:	255 ch à 4500 tr/min / 350 lb-pi à 2500 tr/min
Autre(s) moteur(s):	V10 6,8 litres 310 ch; V8 7,3 litres TDI 235 ch
Transmission optionnelle:	aucune
Accélération 0-100 km/h:	14,8 secondes; 12,7 secondes (V10)
Vitesse maximale:	165 km/h
Freinage 100-0 km/h:	n.d.
Consommation (100 km):	14,8 litres; 17,8 litres (V10)

Modèles concurrents

Chevrolet Suburban/Yukon XL

Quoi de neuf?

Nouveau modèle

Verdict

Agrément	⊕ ⊕ ◖	Habitabilité	⊕ ⊕ ⊕ ⊕ ⊕
Confort	⊕ ⊕ ◖	Hiver	⊕ ⊕ ⊕
Fiabilité	nouveau modèle	Sécurité	⊕ ⊕ ⊕

de 310 chevaux, le moteur régulier de la version 4X4. Enfin, pour compléter le trio, le V8 turbodiesel 7,3 litres de 235 chevaux est optionnel sur les deux modèles. Une boîte automatique à 4 rapports est offerte de série. Le rouage d'entraînement 4 roues motrices s'enclenche à l'aide d'une manette montée sur le tableau de bord. On peut rouler en 2 roues motrices, en traction intégrale, en 4X4 et en démultipliée «Lo».

Malgré ses dimensions, l'Excursion est facile à conduire et d'une tenue de route surprenante. Il n'est pas question de s'inscrire à une compétition d'autocross à son volant, mais il est possible de rouler à bonne allure sans se préoccuper de la tenue de route. Par contre, si la direction des modèles 2 roues motrices s'avère d'une précision adéquate, celle du 4X4 est plutôt aléatoire. Le véhicule a tendance à louvoyer si l'on n'est pas vigilant. Et il faut être plutôt délicat avec son coup de volant. De plus, sur mauvaise route, la suspension avant a tendance à sautiller. Il ne faut toutefois pas oublier qu'il s'agit d'un véhicule utilitaire et le juger comme tel.

Le modèle XXXL de l'industrie.

Les responsables du projet chez Ford recommandent d'opter pour le moteur V8 5,4 litres uniquement si vous n'avez pas l'intention de tracter de lourdes remorques et si vous prévoyez rouler en terrain plat ou ondulé la plupart du temps. Selon eux, le moteur V10 est un choix plus intéressant aussi bien en raison de sa puissance que de son couple généreux. Le turbodiesel V8 7,3 litres, très performant, émet un niveau sonore qui en dérangera plusieurs. Et si jamais ce genre de détail vous intéresse, la vitesse de pointe est de 150 km/h. C'est plus que suffisant compte tenu du poids et des dimensions de cet utilitaire sport pour famille nombreuse. D'ailleurs, au freinage, il est très facile de percevoir qu'on tente d'immobiliser une masse de plus de 3250 kg.

Somme toute, l'Excursion est plutôt agréable à conduire, sa tenue de route est adéquate et c'est le véhicule idéal pour les personnes qui aiment prendre leurs aises. Encore faut-il savoir si les caractéristiques de l'Excursion sont en mesure de répondre à vos besoins. Faute de quoi, il s'agit d'un excès à tout point de vue.

Denis Duquet

Ford Expedition • Lincoln Navigator • Lincoln Blackwood

Ford Expedition

Le démesure envers et contre tous

Les magazines spécialisés les condamnent, les chroniqueurs automobiles ne cessent de décrier leur tenue de route étriquée et les environnementalistes ont épuisé à leur endroit toutes les invectives de leur vocabulaire. Pour faire bonne mesure, il faut ajouter que leur consommation de carburant est élevée et qu'ils ne sont jamais utilisés à bon escient. Toute personne raisonnable serait portée à conclure que la popularité des véhicules utilitaires sport est à la baisse.

Pourtant, c'est tout le contraire qui se produit. La demande pour ces mastodontes ne semble pas en voie de s'amenuiser. En fait, elle est tellement forte que Cadillac, BMW, Lexus, Mercedes-Benz et même Porsche ont été conquis par les sirènes de cette catégorie. Pire encore, Lincoln nous réserve le Blackwood, un hybride entre un utilitaire sport et une camionnette.

La popularité du tandem Ford Expedition/Lincoln Navigator est le plus bel exemple de cet engouement du public. Lorsque Ford n'avait que le vétuste Bronco à offrir, les ventes étaient presque confidentielles. L'arrivée de l'Expedition a coïncidé avec l'éveil de la ferveur du public pour ce genre de véhicules et le marché a littéralement explosé. Les usines de Ford tournent à plein régime depuis ce temps. Lincoln a voulu profiter de cette manne providentielle et a rapidement commercialisé le Navigator en 1998. Encore plus provocateur avec sa calandre chromée au look agressif, ce gros tout-terrain est devenu l'une des vedettes du marché.

Même si la popularité de ces deux mastodontes reste au beau fixe, Ford ne laisse rien au hasard. C'est ainsi que les deux peuvent être équipés d'un pédalier réglable, simple et bien fait. Un moteur électrique permet de déplacer le pédalier de plus de 7,5 cm au simple toucher d'un commutateur monté sur le tableau de bord. Ce mécanisme a été mis au point à la demande de plusieurs clientes de petite taille qui se plaignaient d'avoir de la difficulté à atteindre les pédales. Ce gadget vient régler le problème puisqu'il permet à 95 p. 100 de la population adulte de trouver le réglage qui lui convient.

Pour les acheteurs de ce genre de véhicule, la puissance du moteur s'avère un argument de poids. Pour animer l'Expedition, on a le choix entre deux moteurs V8. Le premier est un 4,6 litres de 240 chevaux, le second un 5,4 litres de 260 chevaux. Il faut souligner que ces moteurs Tritons à SACT ont pris du muscle l'an dernier avec des gains de puissance respectifs de 25 et de 30 chevaux. Noblesse oblige, le Navigator a l'exclusivité du moteur Intech V8 de 5,4 litres à DACT d'une puissance de 300 chevaux. Il est relié à une boîte de vitesses automatique à 4 rapports plus robuste que celle qui équipe l'Expedition.

Ces deux tout-terrains sont dotés du rouage d'entraînement Control Trac qui permet de passer en mode 4Auto, 4Hi et 4Lo par le biais d'un commutateur placé sur le tableau de bord. La plupart du temps, on roule en mode Auto qui est l'équivalent de la traction intégrale. L'ordinateur de bord transfère automatiquement aux roues avant ou arrière le couple nécessaire en fonction de l'adhérence. En revanche, le réglage 4Hi répartit le couple de façon égale, soit 50/50 à l'avant et à l'arrière. Comme son nom l'indique, 4Lo est un rapport démultiplié qui permet de rouler sur des terrains très difficiles.

Ford Expedition

Pour

Habitacle confortable • Moteurs sophistiqués • Rouage d'entraînement pratique • Modèle prestigieux • Équipement relevé

Contre

Dimensions hors normes • Consommation intimidante • Direction trop assistée • Manœuvres de stationnement délicates • Prix très corsé

Caractéristiques

Prix du modèle à l'essai:	XLT Eddie Bauer / 51 595 $
Garantie de base:	3 ans / 60 000 km
Type:	utilitaire sport / traction intégrale
Empattement / Longueur:	302,5 cm / 520 cm
Largeur / Hauteur / Poids:	195 cm / 203 cm / 2520 kg
Coffre / Réservoir:	de 280 à 740 litres / 113,5 litres
Coussins de sécurité:	conducteur et passager
Suspension av. / arr.:	indépendante / essieu rigide
Freins av. / arr.:	disque ABS
Système antipatinage:	non
Direction:	à billes, assistance variable
Diamètre de braquage:	12,3 mètres
Pneus av. / arr.:	P245/75R16
Valeur de revente:	bonne

Motorisation et performances

Moteur / Transmission:	V8 5,4 litres / automatique 4 rapports
Puissance / Couple:	260 ch à 4500 tr/min / 345 lb-pi à 2300 tr/min
Autre(s) moteur(s):	V8 4,6 litres 240 ch / 5,4 litres DACT 300 ch
Transmission optionnelle:	aucune
Accélération 0-100 km/h:	8,2 s; 9,6 s; 7,9 s (Navigator)
Vitesse maximale:	190 km/h
Freinage 100-0 km/h:	43,8 mètres
Consommation (100 km):	17,3 litres; 16,0 litres; 18,3 litres (Navigator)

Modèles concurrents

Chevrolet Suburban • Cadillac Escalade • Chevrolet Tahoe • GMC Yukon/Denali • Lexus LX470 • Range Rover SE

Quoi de neuf?

Aucun changement majeur

Verdict

Agrément	⊙⊙⊙	Habitabilité ⊙⊙⊙⊙
Confort	⊙⊙⊙⊙	Hiver ⊙⊙⊙⊙
Fiabilité	⊙⊙⊙	Sécurité ⊙⊙⊙⊙

S'il est facile de critiquer leurs dimensions exagérées, ces deux matamores des routes et des forêts méritent de bonnes notes pour leur habitabilité. Le confort des sièges avant, le caractère pratique du tableau de bord, les commandes faciles d'accès, le lecteur de disques compacts placé dans l'accoudoir, les nombreux espaces de rangement, tout cela est à inscrire à la colonne des plus.

La troisième banquette est une aberration. Non seulement elle est inconfortable pour les adultes de toutes les tailles, mais il faut se livrer à de sérieuses contorsions pour y accéder. Plus ridicule encore, l'espace réservé aux bagages devient presque inexistant une fois la banquette en place. Vraiment pathétique dans des véhicules aussi gros!

De grosses pointures.

Misérable en ville

Comme l'Expedition et le Navigator sont dérivés de la camionnette F-150, ils affichent les mêmes défauts et les mêmes qualités. Sur la grand-route, leur comportement d'ensemble est sain. La direction est trop assistée, surtout sur la Lincoln, mais ça plaira quand même à la majorité. Il est certain que la tenue en virage n'est pas celle d'une Ford Mustang ou d'une Lincoln LS. Mais le résultat est quand même assez honnête pour autant qu'on utilise son jugement. Enfin, comme c'est le cas pour tout bon véhicule utilitaire à essieu rigide, les virages négociés sur mauvaises routes font danser la sarabande aux roues arrière. Enfin, aussi bien le Ford que le Lincoln offrent des prestations acceptables lorsque la route se transforme en champ ou en bourbier.

C'est lorsqu'on les conduit dans la circulation urbaine que nos deux coqs en pâte de la route perdent des points. La consommation de carburant dépasse les 22 litres aux 100 km, leur encombrement rend toute circulation agaçante et on a l'impression d'amarrer un porte-avions à chaque manœuvre de stationnement. Il semble pourtant que les gens n'ont pas encore compris puisque le nouveau et gigantesque Excursion a été développé pour répondre à une demande!

Denis Duquet

Ford Explorer • Explorer Sport • Sport Trac

Ford Explorer Sport Trac

Déjà prêt pour 2001

Chez Ford, on ne se contente pas de dominer le secteur des utilitaires sport. On met également les bouchées doubles pour développer une multitude de nouveaux modèles et de versions de toutes sortes. Et contrairement à plusieurs autres manufacturiers qui semblent toujours lents à dévoiler les modèles à venir, les dirigeants claironnent longtemps à l'avance ce qui sera en montre plus tard chez les concessionnaires.

Les modèles Explorer Sport et Sport Trac sont l'exemple parfait de cette promptitude. Ces deux véhicules utilitaires sport ne seront commercialisés qu'au printemps 2000 en tant que modèles 2001, mais leur dévoilement public s'est effectué au mois d'août 1999. La concurrence n'a qu'à bien se tenir.

L'Explorer Sport en premier

La popularité des véhicules utilitaires sport s'explique en grande partie par l'avènement des modèles 4 portes au milieu des années 80. Malgré tout, plusieurs utilisateurs ne jurent que par les versions 2 portes. Leur empattement plus court leur assure une meilleure maniabilité en conduite hors route. Autre avantage: leur plate-forme plus rigide. Enfin, leur prix plus abordable est un autre argument prêchant en leur faveur.

Malheureusement, le comportement routier des modèles 2 portes se révèle souvent moins intéressant et, dans le cas de l'Explorer, la suspension avant n'a jamais été à la hauteur. Cette situation sera certainement corrigée avec l'Explorer Sport 2000, la nouvelle génération de 2 portes qui sera commercialisée au printemps 2000.

Non seulement l'Explorer Sport affiche un nouveau plumage, mais sa suspension, ses freins et sa plate-forme ont été sérieusement révisés. Le châssis est plus rigide certes, mais les ingénieurs ont également fait appel à des amortisseurs de meilleure qualité et à des ressorts à flexibilité variable. De plus, la géométrie des points d'ancrage a été modifiée. La tenue de route est améliorée d'autant tandis que le sautillement du véhicule sur mauvaise route est chose du passé.

Puisque ce modèle intéresse une catégorie très précise d'acheteurs, seul le V6 4,0 litres à simple arbre à cames en tête de 210 chevaux pourra être commandé. Il sera associé à la boîte automatique à 5 rapports. C'est d'ailleurs le meilleur choix possible.

En plus de ces améliorations sur le plan mécanique, l'Explorer Sport affiche une nouvelle tenue. Sa partie avant a été entièrement transformée. Elle adopte la même présentation extérieure que celle du Sport Trac, le nouvel hybride qui sera lui aussi commercialisé au début de l'an 2000. Inspirées par le design *New Edge* si cher à Ford, les rondeurs et les surfaces planes s'affrontent pour créer un tout fort intéressant. Le résultat est certainement plus élégant que la version précédente.

Comme il s'agit d'un dépoussiérage en règle, l'habitacle se démarque par une présentation spéciale. Ses cadrans sont à fond blanc, la console comprend des porte-verres plus gros et plus efficaces et de nombreux autres espaces de rangement ont été ajoutés.

Quant au modèle 4 portes, il demeure pratiquement inchangé en 2000. Il pourra toutefois être équipé en option d'un système de détecteur d'obstacles arrière intégré dans le pare-chocs. Si un objet ou une personne se trouve derrière le véhicule, un avertisseur

Ford Explorer

Pour

Nombreuses variantes • Habitacle spacieux • Espace pour bagages généreux • Système 4X4 simple à opérer • Boîte automatique à 5 rapports

Contre

Moteurs gourmands
• Pneumatiques peu efficaces
• Tableau de bord sans relief
• Passages des rapports secs
• Efficacité moyenne en 4X4

Caractéristiques

Prix du modèle à l'essai:	Eddie Bauer 4X4 / 45 785 $
Garantie de base:	3 ans / 60 000 km
Type:	utilitaire sport / traction intégrale
Empattement / Longueur:	283 cm / 479 cm
Largeur / Hauteur / Poids:	170 cm / 178 cm / 1890 kg
Coffre / Réservoir:	1206 litres / 80 litres
Coussins de sécurité:	conducteur et passager
Suspension av. / arr.:	indépendante / essieu rigide
Freins av. / arr.:	disque ABS / tambour ABS
Système antipatinage:	non
Direction:	à crémaillère, assistée
Diamètre de braquage:	11,3 mètres (4X4) 10,5 mètres (4X2)
Pneus av. / arr.:	P235/75R15
Valeur de revente:	bonne

Motorisation et performances

Moteur / Transmission:	V6 4,0 litres / automatique 5 rapports
Puissance / Couple:	210 ch à 5250 tr/min / 240 lb-pi à 3250 tr/min
Autre(s) moteur(s):	V6 4,0 litres 160 ch; V8 5,0 litres 215 ch
Transmission optionnelle:	manuelle 5 rapports; automatique 4 rapports
Accélération 0-100 km/h:	9,2 secondes; 11,7 secondes (V6 160 ch)
Vitesse maximale:	190 km/h
Freinage 100-0 km/h:	43,4 mètres
Consommation (100 km):	12,8 litres; 13,7 litres (V6 160 ch)

Modèles concurrents

Chevrolet Blazer • Dodge Durango • Jeep Grand Cherokee • Nissan Pathfinder • Toyota 4Runner

Quoi de neuf?

Version 2 portes 2001 • Détecteur de proximité arrière optionnel • Camionnette Sport Trac

Verdict

Agrément	⊕ ⊕ ⊕		Habitabilité	⊕ ⊕ ⊕ ⊕
Confort	⊕ ⊕ ⊕ ⊕		Hiver	⊕ ⊕ ⊕
Fiabilité	⊕ ⊕ ⊕		Sécurité	⊕ ⊕ ⊕ ⊕

sonore se fait entendre. Plusieurs modifications de détails, de nouvelles couleurs et des groupes d'options modifiés sont les autres changements pour 2000.

Le Sport Trac: une idée brillante

Si Nissan a eu l'ingéniosité de transformer une camionnette en utilitaire sport, Ford a fait l'inverse en transformant son utilitaire sport Explorer en camionnette. Le Sport Trac était créé. La partie réservée aux bagages a été remplacée par une boîte de chargement comme celle utilisée sur les camionnettes. D'une longueur de 122 cm, cette boîte est réalisée d'une seule pièce et fabriquée dans une résine synthétique moulée qui ajoutera à la durabilité de ce véhicule. De nombreux points d'attache et une prise de courant 12 volts ont pour but de rendre cet accessoire plus polyvalent. Il sera également possible de commander une extension articulée qui augmentera la longueur de chargement de 60 cm, ce qui permettra de transporter sans ennui l'incontournable feuille de contreplaqué.

Ça bouge.

Contrairement au Nissan SUT dont la partie arrière de la cabine est modifiée pour en faire un hayon, celui du Ford est fixe. La lunette arrière peut cependant s'abaisser grâce à un commutateur monté sur le tableau de bord.

La primeur à Ford

Le Sport Trac partage la même présentation extérieure que l'Explorer Sport en plus d'offrir le même groupe propulseur, soit le V6 4,0 litres relié à la boîte automatique à 5 rapports. Et si cet hybride est équipé de la même suspension avant que les autres modèles Explorer, la suspension arrière a été modifiée afin de l'adapter à cette configuration quand même différente.

Et si vous avez l'intention d'accuser Ford de copier Nissan, il est intéressant de se rappeler que Ford avait présenté un prototype assez semblable au Sport Trac au Salon de Los Angeles en 1996. Il s'agissait de l'Adrenalin.

Denis Duquet

Ford Focus

Ford Focus ZX3

L'âme d'une fourgonnette

Reçue à bras ouverts par la presse européenne qui en a fait sa voiture de l'année en 1999, la Ford Focus s'amène sur le marché nord-américain précédée d'une excellente réputation. C'est de bon augure puisque la tâche qui lui incombe est d'envergure: elle doit remplacer non pas une mais deux voitures sur notre marché. D'une part, elle prend le relais de l'Escort; d'autre part, elle doit combler le vide laissé dans la gamme Ford par l'abandon de la Contour. Est-elle à la hauteur?

Avec son capot plongeant, sa position de conduite surélevée, ses immenses portières et une caisse assez haute sur pattes, la nouvelle Ford Focus se prend pour une fourgonnette. C'est la sensation que j'ai éprouvée en m'installant au volant, du moins dans la version 4 portes que j'ai eu l'occasion d'essayer sur un bon millier de kilomètres. Sa qualité première est d'échapper à l'étiquette de «petite voiture», autant par son profil que par son habitabilité exceptionnelle. En la voyant ou en y prenant place, on ne pense absolument pas avoir affaire à une sous-compacte. Pour cette raison seulement, la Focus devrait connaître sa part de succès dans une catégorie où la concurrence est nombreuse et bien affûtée. On ne s'attaque pas à une Honda Civic ou à une VW Golf sans avoir fait ses classes. Chez Ford, on en a été conscient et le premier modèle 2000 du constructeur américain a fait l'objet de sérieuses études de marché, spécialement auprès des jeunes de la génération X qui seront bientôt 80 millions en Amérique. C'est cette clientèle qui est visée par la Focus et ses diverses variantes.

Une voiture jeune

La berline 4 portes sera vraisemblablement le modèle de grande diffusion auprès des jeunes couples tandis que la familiale ira chercher sa clientèle auprès des familles déjà établies. Au Canada et principalement au Québec, c'est la 3 portes à hayon qui aura la cote chez les jeunes célibataires, ne serait-ce que grâce à sa jolie frimousse qui l'inscrit d'emblée comme une sérieuse rivale des Honda Civic et Volkswagen Golf 3 portes. Un autre argument de poids pour ce *hatchback* est qu'il ne sera livré qu'avec le moteur le plus performant des deux au catalogue, le 2,0 litres Zetec de 130 chevaux, accompagné de jantes en aluminium de 15 pouces. Des antibrouillards, des sièges sport, un volant cuir et des garnitures métalliques au tableau de bord dans le style de l'Audi TT rehaussent le niveau d'équipement de série. Cette panoplie sportive a d'ailleurs fait en sorte qu'on lui accole l'appellation de ZX3, en souvenir du petit coupé ZX2, toujours en production.

La familiale ne sera offerte qu'en une seule version SE tandis que la berline se décline en trois niveaux de présentation: LX, SE et ZTS. C'est cette dernière avec une boîte de vitesses manuelle à 5 rapports que j'ai d'abord essayée.

L'éventail des prix s'étend de 14 895 $ pour une LX 4 portes à moteur 2,0 litres de 110 chevaux à 19 695 $ pour la ZTS susmentionnée. La Focus 3 portes ZX3, quant à elle, pourra être acquise pour 16 595 $, un autre atout non négligeable.

Pour faire oublier l'Escort

On peut se demander comment la clientèle visée réagira face à une voiture dont la devancière ne possédait pas une image très reluisante auprès des acheteurs. Malgré de belles prestations réalisées vers la fin de sa carrière, l'Escort n'avait pas très bonne réputation, pas plus chez nous qu'en Europe.

Les gens de Ford sont d'ailleurs les premiers à l'admettre pour justifier le changement d'appellation de leur modèle d'entrée de gamme. Cela dit, la nouvelle Focus n'est-elle qu'une Escort rebaptisée et redessinée? Pas du tout, puisque cette dernière avait des racines japonaises (par sa filiation avec Mazda) tandis que la Focus a été développée avec le concours de Ford Europe.

Les grands espaces

L'impression d'espace que donne la Focus de prime abord n'est pas l'effet du hasard. La voiture a été développée de façon à maximiser l'espace intérieur en tenant compte que l'homme moyen aura grandi d'environ 1 cm au début des années 2000 tandis que la femme du prochain siècle mesurera 0,5 cm de plus que sa consœur d'il y a 10 ans. Il en résulte une habitabilité supérieure à celle des concurrentes majeures de la Focus (Cavalier, Civic, Neon, Saturn, Corolla).

La Focus bénéficie d'une toute nouvelle plate-forme à empattement long qui se distingue tant par sa grande rigidité que par sa légèreté. La suspension avant est à jambes de force MacPherson tandis que l'essieu arrière fait appel à un système multibras. On peut regretter l'absence d'une suspension sport optionnelle, surtout dans la version 3 portes ZX3. Il en va de même des freins ABS qui ne sont offerts de série que sur la ZTS de grand luxe.

Le moteur de service est le 4 cylindres 2,0 litres à simple arbre à cames en tête développant 110 chevaux.

Pour ce qui est de l'apparence, les avis sont partagés mais l'arrière de la berline 4 portes se révèle assez réussi tout en permettant l'aménagement d'un coffre à bagages gargantuesque à volume modulable grâce à une banquette arrière à dossier repliable.

À la sauce américaine

Même avec le moteur 16 soupapes de 130 chevaux, la Focus n'a aucune prétention sportive. Elle s'élance bien sagement pour franchir le 0-100 km/h en un peu plus de 11 secondes en tirant très fort sur chacun des 3 premiers rapports de la boîte de vitesses manuelle. Avec un moteur pouvant tourner à un régime maximum de 6800 tr/min, on s'attend à monts et merveilles, mais la réalité déçoit un peu. En retour, le Zetec n'est pas exagérément bruyant et témoigne d'une belle souplesse. Face à de tels chiffres, toutefois, on se demande si le moteur de 110 chevaux couplé à la transmission automatique ne se montrera pas un peu essoufflé. Le levier de la boîte mécanique est précis grâce à l'utilisation d'une commande par câble.

La direction à crémaillère est l'un des points forts de la Focus parce qu'elle transcrit assez fidèlement le travail des roues motrices tout en étant suffisamment rapide avec trois tours d'une butée à l'autre. Les réglages de suspension souffrent à mon avis de leur adaptation à la conduite nord-américaine. Les ressorts à grand débattement sont d'une telle souplesse que je me suis pris à penser aux anciennes Citroën à suspension hydropneumatique.

La Focus n'est pas loin d'être la sous-compacte la plus confortable sur le marché. Le prix à payer toutefois est un roulis marqué en virage et une perte de motricité lors de brusques changements d'appui ou transferts de poids. Dans les grandes courbes, la Focus montre une tenue de route honorable; ce n'est qu'au passage de virages serrés que les choses se gâtent.

Selon moi, il est dommage que la Focus nord-américaine n'ait pas conservé quelques travers de son héritage européen. Cette mollesse dont elle s'enveloppe diminue passablement l'agrément de conduite qu'elle pourrait offrir. La rigidité de la caisse, par exemple, est difficilement décelable sur mauvaise route. Finalement, la Focus n'échappe pas à la sensibilité au vent latéral que lui impose sa carrosserie haute et étroite.

Ford Focus

Pour

Vaste espace intérieur • Coffre immense • Confort de bon aloi • Direction plaisante • Bonne ergonomie • Prix attrayant

Contre

Performances sous la moyenne • Sensibilité au vent latéral • Suspension flasque • Mauvaise visibilité arrière

Caractéristiques

Prix du modèle à l'essai:	ZTS / 19 695 $
Garantie de base:	3 ans / 60 000 km
Type:	berline / traction
Empattement / Longueur:	262 cm / 175 cm
Largeur / Hauteur / Poids:	170 cm / 143 cm / 1164 kg
Coffre / Réservoir:	12,9 pi3 / 50 litres
Coussins de sécurité:	frontaux, latéraux optionnels
Suspension av. / arr.:	indépendante
Freins av. / arr.:	disque ABS
Système antipatinage:	oui
Direction:	à crémaillère, assistée
Diamètre de braquage:	10,9 mètres
Pneus av. / arr.:	P195/60R15
Valeur de revente:	nouveau modèle

Motorisation et performances

Moteur / Transmission:	4L 2,0 litres / manuelle 5 rapports
Puissance / Couple:	130 ch à 5300 tr/min / 135 lb-pi à 4500 tr/min
Autre(s) moteur(s):	4L 2,0 litres 110 chevaux
Transmission optionnelle:	automatique 4 rapports
Accélération 0-100 km/h:	11,3 secondes
Vitesse maximale:	195 km/h
Freinage 100-0 km/h:	42,6 mètres
Consommation (100 km):	8,5 litres

Modèles concurrents

Chevrolet Cavalier • Saturn SL • Toyota Corolla • Honda Civic • Volkswagen Golf • Chrysler Neon

Quoi de neuf?

Nouveau modèle

Verdict

Agrément	⊕ ⊕ ⊕	Habitabilité	⊕ ⊕ ⊕ ⊕
Confort	⊕ ⊕ ⊕ ⊕	Hiver	⊕ ⊕ ⊕ ⊕
Fiabilité	nouveau modèle	Sécurité	nouveau modèle

Un intérieur amical

L'aménagement intérieur a été soigneusement étudié comme en témoigne l'attention apportée à certains détails. Le siège du conducteur, notamment, possède une molette qu'il suffit de tourner dans un sens ou dans l'autre pour en régler la hauteur. Le volant, pour sa part, peut être réglé sur deux axes, en hauteur et en profondeur. En plus, la télécommande du coffre est placée bien en vue sur le tableau de bord au lieu d'être dissimulée près du plancher. Voilà autant de petites touches qui contribuent à rendre la Focus sympathique à l'usage. On peut en dire autant de l'ergonomie qui ne pèche que par la petitesse du bouton servant à passer de la chaîne FM à la chaîne AM sur l'appareil audio. Et que dire de la présence d'un lecteur de disques compacts en équipement de série sur la STS alors que cet accessoire est en option dans une Mercedes Benz de classe S?

Une grande «petite» voiture.

Les espaces de rangement sont légion et on appréciera particulièrement la largeur des bacs de portières et le petit espace destiné à recevoir un crayon ou un stylo. Les sièges sont trop mollement rembourrés à mon goût, mais ne s'avèrent pas inconfortables pour autant. La superbe visibilité vers l'avant tient à la grande dimension du pare-brise autant qu'à un capot très court. Vers l'arrière, toutefois, la hauteur du coffre et la forme du pilier C créent un angle mort important.

Tel que promis, la Focus est une voiture très spacieuse et il suffit de s'asseoir à l'arrière pour s'en rendre compte. Détail étonnant, le rembourrage de la banquette arrière est ferme et d'un confort indéniable.

Comme la récente Volkswagen Jetta dont elle se pose en rivale, cette petite Ford est construite au Mexique, mais cela ne semble pas avoir d'incidence sur sa qualité d'assemblage. La nouvelle Focus n'a rien d'une voiture révolutionnaire puisqu'elle fait appel à des solutions fiables et éprouvées. Elle mise plutôt sur un confort taillé sur mesure pour le marché nord-américain et une utilisation intelligente de l'espace qui en fait la vraie fourgonnette de l'automobile.

Jacques Duval

Ford Mustang

Ford Mustang

L'art de vieillir en beauté

Tandis que le tandem Camaro/Firebird poursuit sa lente agonie, la Mustang ne s'est jamais si bien portée. Chez GM, on se défend en disant que les coupés sport sont une espèce en voie d'extinction; le hic, c'est que leur rivale de chez Ford voit ses ventes augmenter année après année. Trouvez l'erreur...

Peu de temps après le lancement de la Mustang, en 1964, les autres constructeurs américains ont riposté en proposant à leur tour une sportive à prix abordable. C'était l'âge d'or des *pony cars*, qui a vu naître les Javelin, Barracuda et autres Camaro et Firebird. Mais seules les deux dernières sont encore là aujourd'hui pour donner la réplique à cette légende vivante, dont le mythe se porte aussi bien que celui de la Corvette. Celle-ci évolue cependant dans les hautes sphères, tandis que la Mustang a su rester fidèle à sa vocation originale, sans pour autant devenir une sorte de relique sclérosée.

Ce tour de force — car c'en est un —, GM ne l'a pas réussi avec sa paire de *muscle cars*, dont la conception n'est plus en harmonie avec son époque depuis belle lurette. Bref, l'une a su vieillir en beauté et pas les deux autres; ne cherchez pas plus loin le secret du succès de la Mustang (et celui de l'échec du duo adverse).

La ZX2 de retour

Comme ses deux rivales de toujours, la Mustang a subi quelques améliorations depuis sa dernière refonte, en 1994. Mais, encore une fois, ces évolutions l'ont mieux servie que les deux autres parce qu'elle reposait sur des bases solides. Alors que les Camaro et Firebird auraient dû être revues de A à Z... Mais cessons de tourner le

fer dans la plaie, et regardons plutôt comment ces améliorations ont été bénéfiques pour le plus populaire des coupés sport de la famille Ford, qui compte également la ZX2 et la Mercury Cougar.

Jumelle de la Mustang à l'origine, puis de la défunte Thunderbird, la Cougar diffère toutefois radicalement de la Mustang, dans sa conception comme dans son esprit. Un cran plus bas, on retrouve la ZX2, qui poursuit sa carrière malgré le retrait de l'Escort du marché canadien. Elle partage son 4 cylindres Zetec de 2,0 litres avec la Focus, mais ses 130 chevaux indiquent clairement les limites de son mandat. La clientèle visée est avant tout féminine, ce qui justifie sa présence chez nous. C'est d'ailleurs une femme (Bobbie Gaunt) qui préside depuis deux ans aux destinées de Ford Canada. Parions qu'elle a eu son mot à dire dans le maintien de la ZX2 au sein de la gamme.

Du muscle, encore du muscle!

Fermons la parenthèse et revenons à la Mustang, puisque c'est d'elle dont il est question. L'an dernier, elle a subi d'importantes retouches, sur les plans esthétique et mécanique. Dans le premier cas, cela s'est traduit par la conversion au style New Edge, qui est désormais la norme à Dearborn. Fini les rondeurs; bienvenue aux lignes en coin! Avec la Mustang, le résultat est flatteur, d'autant plus qu'on l'a adapté à la carrosserie du véhicule, sans la redessiner complètement. L'exercice n'avait rien d'évident, mais les stylistes de Ford ont démontré leur savoir-faire.

Cette philosophie de faire du neuf avec du vieux a également orienté les améliorations apportées aux moteurs. Dans le cas du V8, cela signifiait 25 chevaux supplémentaires, ce qui n'était pas pour déplaire aux amateurs de performances, qui constituent la

Ford Mustang

Pour	Contre
Améliorations bénéfiques • Finition solide • Agrément de conduite en hausse • Confort en progrès • Rapport qualité/performances/prix	V6 en fin de développement • Train arrière sensible • Sièges baquets décevants • Lacunes ergonomiques • Version cabriolet chère

Caractéristiques

Prix du modèle à l'essai:	base / 29 429 $
Garantie de base:	3 ans / 60 000 km
Type:	cabriolet / propulsion
Empattement / Longueur:	257 cm / 465 cm
Largeur / Hauteur / Poids:	186 cm / 135 cm / 1456 kg
Coffre / Réservoir:	218 litres / 59 litres
Coussins de sécurité:	conducteur et passager
Suspension av. / arr.:	indépendante / essieu rigide (sauf Cobra)
Freins av. / arr.:	disque (ABS optionnel)
Système antipatinage:	oui
Direction:	à crémaillère, assistée
Diamètre de braquage:	11,7 mètres
Pneus av. / arr.:	P205/65R15
Valeur de revente:	passable

Motorisation et performances

Moteur / Transmission:	V6 3,8 litres / manuelle 5 rapports
Puissance / Couple:	190 ch à 5250 tr/min / 220 lb-pi à 3000 tr/min
Autre(s) moteur(s):	V8 4,6 litres 250 ch; V8 4,6 litres DACT 320 ch
Transmission optionnelle:	automatique 4 rapports
Accélération 0-100 km/h:	7,5 secondes; 6,6 secondes (GT man.)
Vitesse maximale:	180 km/h (limitée électroniquement)
Freinage 100-0 km/h:	41,8 mètres
Consommation (100 km):	10,5 litres; 14,0 litres (GT)

Modèles concurrents

Chevrolet Camaro/Pontiac Firebird

Quoi de neuf?

Capot en matériau composite avec prise d'air • Déflecteur arrière et phares antibrouillards (GT) • Système antivol SecuriLock standard

Verdict

Agrément	⊕ ⊕ ⊕ ⊕	Habitabilité	⊕ ⊕ ⊕
Confort	⊕ ⊕ ⊕	Hiver	⊕ ⊕ ⊕
Fiabilité	⊕ ⊕ ⊕	Sécurité	⊕ ⊕

clientèle cible de la Mustang GT. Ceux qui ne sont pas rassasiés par ses 250 chevaux peuvent se tourner vers l'exclusive Cobra, dont le V8 à double arbre à cames en tête a lui aussi reçu une injection de stéroïdes. Résultat: 320 chevaux, ce qui lui permet de faire jeu égal avec les versions plus musclées des Camaro et Firebird.

Une version de base attrayante

Offert de série dans la version de base, le sempiternel V6 de 3,8 litres n'est pas en reste lui non plus, avec rien de moins qu'une quarantaine de chevaux supplémentaires. Au chapitre des performances, la différence est notable: nous avons enregistré un temps de 7,5 secondes pour effectuer le 0-100 km/h, contre 9,2 secondes l'année précédente. Les reprises y gagnent elles aussi, tout comme le couple à bas régime. Mais le creux dans les régimes intermédiaires persiste, ainsi que le manque de flexibilité de ce moteur, dont il n'y a plus grand-chose à extraire. La fin est proche...

Fidèle à ses origines.

Mais en attendant, il n'a pas à être gêné de ses prestations, car il permet à la Mustang de base d'offrir un bon rapport prix/performances. L'agrément de conduite n'est pas à dédaigner non plus: cette sportive n'a jamais si bien freiné, grâce au remplacement des tambours à l'arrière par des disques, et sa tenue de route va elle aussi en s'améliorant. Il faut toutefois se méfier des réactions du train arrière; mais ses dérobades sont à tout le moins prévisibles, de sorte qu'il est facile de les corriger. Sur la Cobra, l'antique essieu rigide cède la place à une suspension indépendante, ce qui laisse entrevoir une amélioration. On pourra confirmer — ou infirmer — lorsque Ford daignera nous la faire essayer...

Terminons avec l'aménagement intérieur qui, dans l'ensemble, a plutôt fière allure, et ce tant dans la GT que dans la livrée de base. Sans être accueillantes à proprement parler, les places arrière sont fonctionnelles et non décoratives, comme dans certains coupés sport. Même s'ils ont été revus, les sièges avant sont à peine plus confortables; disons qu'ils sont moins pires, sans plus. L'ergonomie n'est pas parfaite non plus, mais la présentation du tableau de bord compense — en partie du moins. Quant à la finition, elle respecte les standards de Ford, ce qui est désormais un compliment.

Philippe Lagué

Ford Taurus

Ford Taurus

Une succession difficile

La Ford Taurus a été sans aucun doute la voiture nord-américaine des années 80. Non seulement elle a transformé la façon de concevoir les voitures chez les trois grands, mais elle a également signifié un changement marqué des goûts chez les acheteurs traditionnels. Au lieu des grosses barges d'antan, Dearborn offrait une voiture à la silhouette rien de moins que spectaculaire pour l'époque — certains diront même iconoclaste. De plus, le comportement routier de la Taurus était précis, sa conduite agréable, et la compagnie qui avait presque institutionnalisé les suspensions guimauves avait viré son capot de bord en faveur d'amortisseurs plus rigides et d'une direction ferme.

Cette révolution nord-américaine a porté fruit puisque la Taurus est restée la voiture la plus vendue en Amérique pendant plus d'une décennie. Lorsque le temps est venu de remplacer cette voiture légendaire, l'équipe chargée de cette tâche fort délicate a décidé d'en mettre plein la vue au public. C'est justement là qu'on a fait erreur. On a vraiment outrepassé les attentes de la clientèle. Tant et si bien que la Taurus a progressivement perdu du terrain aux dépens de berlines stylisées certes, mais montrant un meilleur équilibre visuel et technique.

Non seulement les ouvertures de forme ovale étaient trop nombreuses, mais le tableau de bord, bien que pratique, en décontenançait plusieurs avec son poste de contrôle de la sonorisation et de la climatisation en forme de crêpe... ovale! En plus, même si on avait amélioré son châssis, cette voiture avait perdu son équilibre

général. Les freins étaient mal calibrés et la direction vraiment capricieuse, tant et si bien que la Taurus ne soutenait plus la comparaison avec une foule de berlines plus équilibrées et moins étriquées.

La troisième génération de la Taurus est beaucoup plus sage que sa devancière. Les stylistes ont bridé leur imagination pour nous proposer une berline aux lignes élégantes, mais beaucoup plus conservatrices. La lunette arrière ovale a été remplacée par une autre, de forme rectangulaire cette fois. En fait, la section arrière s'inspire de celle de la défunte Escort, un modèle de classicisme et de retenue. Il en découle une voiture dont les formes seront appréciées par une plus grande majorité et qui ne sera pas frappée d'obsolescence visuelle dans deux ans. La même approche a été adoptée pour le tableau de bord. Plus conservateur, il fait fi des excentricités. Moins flamboyant donc, mais encore plus pratique qu'auparavant. Enfin, l'habitacle offre plus d'espace, surtout à l'arrière, et le coffre à bagages loge davantage.

On peut cependant se demander comment la nouvelle Taurus s'harmonisera avec la Focus dont la silhouette diffère beaucoup de celle de sa grande sœur. En attendant de trouver la réponse, il est important de souligner que la nouvelle Taurus a été essentiellement conçue sous le signe de la sécurité tous azimuts.

Classée cinq étoiles!

Les dirigeants de Ford semblent avoir changé leur priorité. Ils ne désirent plus produire la voiture la plus design en ville, mais l'intermédiaire la plus sécuritaire. La Taurus 1999 a été la seule de sa catégorie à obtenir du gouvernement américain une cote cinq

Ford Taurus

Pour
Moteurs plus puissants • Sécurité passive améliorée • Habitabilité en progrès • Nombreux espaces de rangement • Prix compétitif

Contre
Pneumatiques moyens • Silhouette très discrète • Certaines commandes à revoir • Absence de la Mercury Sable

Caractéristiques

Prix du modèle à l'essai:	LX / 29 995 $
Garantie de base:	3 ans / 60 000 km
Type:	berline / traction
Empattement / Longueur:	275 cm / 502 cm
Largeur / Hauteur / Poids:	185 cm / 142 cm / 1520 kg
Coffre / Réservoir:	481 litres / 60 litres
Coussins de sécurité:	conducteur, passager et latéraux
Suspension av. / arr.:	indépendante
Freins av. / arr.:	disque (disque arrière avec ABS en option sur LX)
Système antipatinage:	non
Direction:	à crémaillère, assistance variable
Diamètre de braquage:	12,1 mètres
Pneus av. / arr.:	P215/60R16
Valeur de revente:	nouveau modèle

Motorisation et performances

Moteur / Transmission:	V6 3,0 litres / automatique 4 rapports
Puissance / Couple:	153 ch à 5000 tr/min / 182 lb-pi à 4000 tr/min
Autre(s) moteur(s):	V6 3,0 litres 200 ch
Transmission optionnelle:	aucune
Accélération 0-100 km/h:	10,8 secondes; 9,4 secondes
Vitesse maximale:	185 km/h
Freinage 100-0 km/h:	43,7 mètres
Consommation (100 km):	11,7 litres; 12,5 litres

Modèles concurrents

Chevrolet Impala • Chrysler Intrepid • Toyota Camry • Buick Regal • Oldsmobile Intrigue • Pontiac Grand Prix

Quoi de neuf?

Nouveau modèle

Verdict

Agrément	⊕⊕⊕⊖	
Confort	⊕⊕⊕⊖	
Fiabilité	nouveau modèle	
Habitabilité	⊕⊕⊕⊕	
Hiver	⊕⊕⊕⊖	
Sécurité	⊕⊕⊕⊕⊖	

étoiles, le score optimal, pour la qualité de la protection accordée aux occupants en cas de collision frontale. Cette nouvelle génération a été développée de façon à obtenir cette cote cinq étoiles en cas d'impact frontal et latéral. Des coussins de sécurité à déploiement à deux intensités, des coussins latéraux, des ceintures de sécurité plus sophistiquées, des piliers mieux rembourrés dans l'habitacle, tout a été conçu pour optimiser la sécurité des occupants. La Taurus est même munie d'un pédalier réglable afin de permettre aux personnes de tous les gabarits d'adopter une meilleure position de conduite. On sait que lorsque le conducteur est placé trop près du volant, le coussin de sécurité devient moins efficace.

Au secours des prisonniers du coffre

Lors du lancement de la Taurus, on a fait tout un plat d'un nouveau dispositif de sécurité incorporé au coffre à bagages. On a mis au point une poignée de déclenchement afin que les personnes qui y seraient enfermées accidentellement ou contre leur gré puissent se libérer très facilement.

La mécanique demeure la même qu'auparavant. Ce qui signifie que les deux moteurs V6 sont de retour tout en bénéficiant d'un surplus de puissance. Le V6 Vulcan 3,0 litres développe maintenant 153 chevaux, un gain de 8 chevaux. Quant au Duratec de même cylindrée, il fait un bond de 15 chevaux qui lui permet d'atteindre le cap des 200 chevaux. Ce qui, curieusement, était la puissance annoncée l'an dernier. Nous aurait-on menti? Les ingénieurs en ont profité pour effectuer des modifications internes à la boîte automatique afin d'atténuer les secousses lors des changements de rapports.

La conduite de ces nouvelles Taurus promet d'être plus intéressante. Non pas en raison d'une suspension plus souple, mais tout simplement parce qu'on a concentré les efforts afin que tous les éléments mécaniques travaillent en harmonie. Le fait d'avoir amélioré le feed-back de la direction est sans doute le progrès le plus marquant.

Denis Duquet

Ford Windstar

Ford Windstar

5000 kilomètres plus tard

Lancée en 1995, la Windstar a subi l'année dernière sa première véritable refonte. But de l'opération: mettre fin à l'hégémonie de Chrysler dans le segment ultracompétitif des fourgonnettes. Histoire de vérifier si la nouvelle Windstar avait les moyens de ses ambitions, l'auteur de ces lignes a parcouru un véritable marathon derrière son volant.

Deux semaines et plus de 5000 km plus tard, le verdict est tombé: la Ford Windstar de deuxième génération marque un réel progrès par rapport à sa devancière et elle est mieux outillée que jamais pour tirer son épingle du jeu. Mais attention, la perfection n'étant pas de ce monde, il y a encore place à amélioration. Voyons voir.

Le modèle actuel est en fait une version évoluée de son prédécesseur, dont il reprend les grandes lignes — qu'il s'agisse de la carrosserie, du châssis ou de la mécanique. Sur le plan esthétique, c'est plutôt réussi, les nombreuses retouches parvenant à rajeunir sa silhouette avec bonheur. Les versions plus relevées (SE et SEL) ont particulièrement fière allure avec leurs roues en alliage. Quant au châssis, il a été renforcé: il est encore plus rigide, de 25 p. 100 en torsion et de 33 p. 100 en flexion. Du solide.

La reconduction des principaux organes mécaniques a cependant ses bons et ses mauvais côtés. Cette continuité est gage de fiabilité, la Windstar ayant toujours fait bonne figure dans ce domaine. Là où le bât blesse, c'est lorsqu'on en arrive aux moteurs. Seule motorisation désormais offerte, le sempiternel V6 de 3,8 litres cache de plus en plus mal son âge. Certes, il est robuste,

fiable et durable, mais il est aussi en fin de développement, de sorte que le rendre aussi raffiné que les V6 des concurrents de la Windstar relève de l'impossible.

Mais ce moteur n'a pas que des défauts, loin de là: en puissance, il ne concède que 10 chevaux à la Honda Odyssey, chef de file en la matière. Mais surtout, son couple est franchement impressionnant, en théorie — 240 lb-pi, un sommet chez les fourgonnettes — comme en pratique. S'il n'était pas si bruyant lorsqu'on accélère ou décélère, on ferait fi de son âge vénérable, car on ne peut sûrement pas lui reprocher de manquer de cœur à l'ouvrage.

Du travail bien fait

Pendant ce long périple, qui nous a notamment menés jusque sur la côte Ouest de la Floride, nous avons pu apprécier le confort, la douceur de roulement ainsi que l'intégrité de la caisse de cette fourgonnette. En effet, pas une seule fois avons-nous pu entendre un quelconque bruit suspect émanant de la carrosserie ou de l'habitacle. Il s'agit d'autant plus d'un tour de force que ce type de véhicule est souvent affligé de bruits de caisse, à cause des portes coulissantes. Ce beau résultat en dit long sur la qualité d'assemblage exceptionnelle des Windstar, une marque de commerce des produits Ford. Cette construction méticuleuse se vérifie sur tous les plans: qualité des matériaux, finition soignée... Bref, du beau travail.

L'ergonomie se place elle aussi à l'abri de toute critique. Les commandes sont judicieusement disposées et faciles d'accès; les espaces de rangement, nombreux; et l'habitacle, aussi spacieux qu'aéré. De plus, il est modulable à souhait: on peut en faire un véhicule à 4, 5, 6 et même 7 places. La seule note discordante vient

Ford Windstar

Pour

Habitacle confortable et polyvalent • Douceur de roulement • Sécurité poussée • Construction soignée • Fiabilité réputée

Contre

Moteur décevant • Suspension flottante • Rayon de braquage trop grand • Agrément de conduite mitigé • Tableau de bord terne

Caractéristiques

Prix du modèle à l'essai:	LX / 32 047 $
Garantie de base:	3 ans / 60 000 km
Type:	fourgonnette / traction
Empattement / Longueur:	307 cm / 511 cm
Largeur / Hauteur / Poids:	191 cm / 167 cm / 1895 kg
Coffre / Réservoir:	646 litres ou 4025 litres / 98 litres
Coussins de sécurité:	conducteur, passager et latéraux
Suspension av. / arr.:	indépendante / essieu rigide
Freins av. / arr.:	disque ABS / tambour ABS
Système antipatinage:	oui
Direction:	à crémaillère, à assistance variable
Diamètre de braquage:	12,3 mètres
Pneus av. / arr.:	P225/60R16
Valeur de revente:	bonne

Motorisation et performances

Moteur / Transmission:	V6 3,8 litres / automatique 4 rapports
Puissance / Couple:	200 ch à 4900 tr/min / 240 lb-pi à 3600 tr/min
Autre(s) moteur(s):	aucun
Transmission optionnelle:	aucune
Accélération 0-100 km/h:	9,6 secondes
Vitesse maximale:	180 km/h
Freinage 100-0 km/h:	40,3 mètres
Consommation (100 km):	12,1 litres

Modèles concurrents

Chevrolet Venture • Dodge Caravan • Honda Odyssey • Mazda MPV • Toyota Sienna

Quoi de neuf?

Le V6 3,0 litres n'est plus offert • 3e banquette munie d'attaches pour sacs • Pédalier ajustable

Verdict

Agrément	☺☺◖	
Confort	☺☺☺◖	
Fiabilité	☺☺☺☺◖	
Habitabilité	☺☺☺☺◖	
Hiver	☺☺☺☺☺	
Sécurité	☺☺☺☺☺	

du tableau de bord, pas très joli à regarder. Mais comme il est complet et aisé à consulter, on ne lui en tiendra pas trop rigueur.

Par ailleurs, cette fourgonnette a obtenu une classification 5 étoiles du Bureau fédéral américain de la sécurité routière. En plus d'être solide comme le roc, la Windstar est joliment garnie en accessoires de sécurité, active comme passive. Et, le fin du fin, elle peut être munie, en option, d'un sonar qui, grâce à des émetteurs placés dans le pare-chocs arrière, prévient le conducteur de la présence d'obstacles derrière le véhicule.

Un choix rationnel

Confortable, la Windstar s'avère aussi une routière qui sait se faire apprécier. Seule la suspension prête flanc à la critique: comme sa devancière, elle demeure affligée d'une trop grande mollesse. En fait, elle donne l'impression que les amortisseurs ont été remplacés par des guimauves, de sorte qu'à la moindre bosse, on a l'impression d'être porté par une vague...

Il suffirait de presque rien...

À un rythme de croisière comme à une vitesse plus élevée, la Windstar brille cependant par son aplomb. Imperturbable, sa tenue de cap témoigne de son efficacité aérodynamique, et elle avale les grandes courbes avec assurance. Elle est bien servie par une direction précise, dont l'assistance est remarquablement dosée, ce qui mérite d'être souligné. Elle pèche cependant par son trop grand rayon de braquage, mais comme l'agilité et la maniabilité ne sont pas les qualités premières de ce type de véhicule, cette lacune ne dérange pas trop.

Au cours de ce long périple, la Windstar nous a donc séduits par son confort, sa convivialité et ses aptitudes routières. Il lui manque peu de chose pour qu'elle puisse s'immiscer dans le peloton de tête des fourgonnettes: une suspension moins «nautique» et, surtout, une motorisation rajeunie. Des lacunes qu'on ne saurait atténuer, encore moins passer sous silence; mais que viennent contrebalancer des arguments de poids tels que la qualité d'assemblage, la solidité et la fiabilité, ainsi qu'un rapport qualité/prix intéressant. Parions que les acheteurs de ce type de véhicule, réputés pour leur pragmatisme, sauront apprécier tout ça.

Philippe Laguë

Honda Accord

Un raffinement certain

La première Accord apparue en 1976 ferait maintenant pâle figure auprès d'une nouvelle Civic maintenant plus substantielle et plus luxueuse. Il faut dire que la clientèle cible a «gagné» quelques années, et des kilos supplémentaires elle aussi. Signe des temps, la présente version semble plus mûre, plus tranquille, et ne soulève pas les passions que son ancêtre avait fait naître à l'époque.

Les lignes de la carrosserie, par exemple, semblent à première vue banales. Pourtant, à l'examen, elles laissent voir plusieurs pincements subtils qui l'agrémentent et qui démontrent l'application des stylistes. Comme chez Toyota avec la Solara, les designers ont travaillé dur pour que le coupé et la berline ne partagent absolument aucun panneau de leur carrosserie, et ce avec le même succès mitigé à mon avis, car leur ligne n'a rien de transcendant.

Une gamme harmonieuse

Par ailleurs, les résultats se révèlent vraiment plus intéressants à l'intérieur. Les matériaux de bonne qualité sont assemblés de façon irréprochable. La planche de bord posée encore très bas dégage une vue panoramique. On trouve aisément les boutons de commande, qui accentuent l'impression de raffinement se dégageant de l'expérience de conduite. La gamme des berlines se présente maintenant à partir d'une DX assez dépouillée, mais qui comprend entre autres le climatiseur. Soyez cependant avisé que si vous optez pour cette version, vous n'aurez droit qu'à un moteur de 135 chevaux, à des pneus de 14 pouces indignes des efforts investis dans la caisse, et que vous devrez vous passer d'à peu près toute assistance électrique. Suit la LX

avec un VTEC de 150 chevaux, l'ABS, des glaces électriques et la condamnation centrale des portières. Plus haut dans l'échelle, l'EX offre un équipement assez riche comprenant entre autres des sièges chauffants tendus d'un cuir de bonne qualité (celui du conducteur réglable électriquement), un toit ouvrant, des freins à disque aux 4 roues, un lecteur de disques compacts assez performant et, bien entendu, toutes les assistances électriques pour les glaces, portières et autres gadgets qui flattent le bourgeois qui sommeille chez certains d'entre nous. On retrouve au sommet de la gamme l'EX V6 qui cannibalisera sans doute ses consœurs Acura tant ses prétentions au luxe sont bien soutenues. Elle ajoute à son équipement le contrôle automatique de la température, et obligatoirement la boîte automatique. Les coupés respectent quant à eux grosso modo la même hiérarchie sauf qu'on n'y retrouve pas de version DX.

L'habitacle de la berline se situe parmi les plus grands de sa catégorie. Deux passagers pourront s'étirer à leur aise à l'arrière; le troisième ne rechignera pas avant plusieurs kilomètres. Les espaces de rangement de bonnes dimensions abondent. Le coffre de forme régulière et de contenance très correcte voit sa capacité augmentée lorsqu'on rabat le dossier postérieur, ce qui ne se fait cependant que d'un seul tenant. Heureusement, une trappe à skis vient racheter un peu cette erreur. Les mêmes remarques s'adressent au coupé, sauf en ce qui concerne, vous vous en doutez bien, les places arrière. Disons par politesse qu'elles sont respectables pour ce type de carrosserie, mais sans plus.

Un 4 cylindres très approprié

Les LX et EX ont droit au 4 cylindres de 150 chevaux. Son système de calage variable des soupapes (VTEC) permet en théorie

Honda Accord

Pour

Moteurs VTEC brillants
• Comportement routier intéressant
• Facture impeccable • Durabilité
exemplaire • Valeur de revente
exceptionnelle

Contre

Ligne un peu banale • Dossier
arrière d'une seule pièce • Bruits de
roulement mal filtrés • Version DX
trop dépouillée • Mise en marché
discutable

Caractéristiques

Prix du modèle à l'essai:	EX / 31 300 $
Garantie de base:	3 ans / 60 000 km
Type:	berline / traction
Empattement / Longueur:	271 cm / 479 cm
Largeur / Hauteur / Poids:	178 cm / 144 cm / 1490 kg
Coffre / Réservoir:	399 litres / 65 litres
Coussins de sécurité:	conducteur et passager
Suspension av. / arr.:	indépendante
Freins av. / arr.:	disque ABS
Système antipatinage:	non
Direction:	à crémaillère, assistée
Diamètre de braquage:	11,8 mètres
Pneus av. / arr.:	P205/65R15
Valeur de revente:	excellente

Motorisation et performances

Moteur / Transmission:	V6 3,0 litres VTEC / automatique 4 rapports
Puissance / Couple:	200 ch à 5500 tr/min / 195 lb-pi à 4700 tr/min
Autre(s) moteur(s):	4L 2,3 litres 135 et 150 ch (VTEC)
Transmission optionnelle:	manuelle 5 rapports (DX LX et EX)
Accélération 0-100 km/h:	8,5 secondes; 10,3 s (LX)
Vitesse maximale:	210 km/h; 180 km/h (LX)
Freinage 100-0 km/h:	39,0 mètres
Consommation (100 km):	11,4 litres; 9,5 litres (VTEC 150 ch)

Modèles concurrents

Chevrolet Malibu • Chrysler Cirrus • Mazda 626 • Nissan Altima
• Saturn série L • Toyota Camry

Quoi de neuf?

Aucun changement majeur • Nouvelles couleurs de carrosserie

Verdict

Agrément	⊕ ⊕ ⊕ ⊕	Habitabilité ⊕ ⊕ ⊕ ⊕
Confort	⊕ ⊕ ⊕ ⊕	Hiver ⊕ ⊕ ⊕
Fiabilité	⊕ ⊕ ⊕ ⊕ ⊕	Sécurité ⊕ ⊕ ⊕ ⊖

d'offrir un couple important à tous les régimes et une puissance encore agressive à haute révolution. Dans les faits, il ne se démarque pas notablement de la concurrence, si ce n'est par son extrême douceur et sa frugalité. Pour le reste, il manifeste encore sa propension à taquiner la zone rouge et une certaine mollesse à bas régime. Les accélérations qu'il procure sont parfaitement adéquates et on se demande s'il faut vraiment dépenser près de 3000 $ pour le V6 et ses 200 chevaux. Précisons quand même que ce dernier se comporte comme une bête de race et qu'il pourra satisfaire pleinement l'amateur de mécanique raffinée. Contrairement aux premières versions, les présentes Accord reçoivent la plupart du temps une boîte automatique. Équipée d'un «indétectable» dispositif de détection de l'inclinaison, elle promet de deviner vos pensées lorsque vous relâchez l'accélérateur en descendant ou en grimpant une pente, mais elle est à peine meilleure à ce petit jeu que nos sondeurs d'opinion en temps d'élection.

Accord presque unanime.

Les suspensions paraissent un peu raides à faible allure, mais les choses se tassent sur autoroute. Les bruits éoliens sont bien maîtrisés même si ceux de la route le sont moins. La tenue de cap rassure et la voiture avale les grandes courbes avec aplomb. La direction est rapide et tant les berlines que les coupés affichent sur petites routes sinueuses un comportement routier au-dessus de la moyenne. Il faut dire que ces remarques concernent particulièrement les modèles chaussés de Michelin MXV4 Energy, qui s'accrochent bien à tous les types de revêtements. Ils permettent aussi de freiner en toute sécurité, assistés par un ABS efficace et pas trop sensible.

La dernière Accord respecte donc sa mission fixée à la première heure, soit d'offrir un véhicule pratique, durable, relativement performant et au comportement routier au-dessus de la moyenne. Sa valeur de revente particulièrement solide constitue encore un bon argument devant les prix pratiqués par des concessionnaires un peu trop «indépendants». Vous me direz aussi qu'elle s'embourgeoise un brin avec les années, mais ce n'est surtout pas à mon âge que je lui en tiendrai rigueur.

Jean-Georges Laliberté

Honda Civic

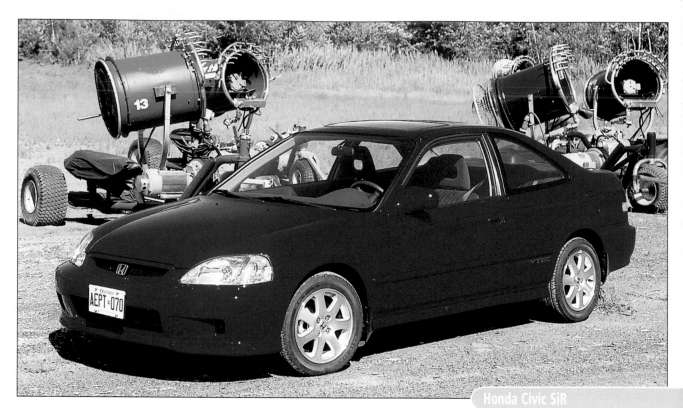

Honda Civic SiR

À l'aube d'une révision

Comme le démontre notre match comparatif des voitures sous-compactes, plusieurs concurrentes sont en mesure de faire la vie dure à la Civic. Jadis l'étalon de la catégorie, elle est maintenant dépassée par plusieurs modèles entièrement révisés qui ont atteint et même surpassé son niveau d'excellence. Il ne faut pas se méprendre, la Civic n'est pas une mauvaise voiture, mais elle n'a plus les qualités nécessaires pour devancer toutes ses rivales. La puissance de ses moteurs, à une exception près, est moindre que les autres tandis que sa présentation très sobre demeure un handicap aux yeux de plusieurs.

L ors de la dernière refonte de la Civic, les stylistes ont adopté une silhouette très dépouillée et classique qui a bien survécu aux affres du temps. Si bien que cette Honda demeure toujours dans le coup sur le plan visuel. Même le *hatchback,* critiqué lors de son lancement en 1995, semble maintenant plus élégant. Du moins, sa silhouette est mieux acceptée par le grand public.

Cependant, l'habitacle fait l'objet de critiques nourries. Cette voiture a toujours eu un tableau de bord en retrait afin d'accentuer l'impression d'espace dans l'habitacle et de favoriser le confort des occupants. Cette caractéristique a l'inconvénient de laisser beaucoup de place pour l'observation des moquettes et de l'environnement. Puisque le tableau de bord se montre non seulement très sobre, mais très dépouillé, cela donne l'impression que cette voiture est dénudée au possible. Au contraire, la plupart de ses concurrentes ont misé sur une planche de bord à la présentation très relevée et la Civic est souvent écorchée à ce chapitre.

Pourtant, tout est là. Les commandes sont à la portée de la main et en nombre suffisant. La qualité de l'assemblage s'avère toujours aussi impeccable. Et il faut souligner que les moquettes sont devenues un peu plus épaisses au fil des ans. Malgré tout, la refonte anticipée pour l'an prochain ne sera certainement pas superflue.

Ho les moteurs!

En théorie, la Civic peut être commandée avec trois moteurs différents. Ils sont tous de même cylindrée, mais leur puissance varie. En pratique, la presque totalité des modèles est équipée de la version de 106 chevaux. Ce moteur toujours aussi fiable offre des performances très relevées par rapport à la cylindrée et à la puissance. Malheureusement, plusieurs de ses concurrentes affichent au moins une douzaine de chevaux de plus, minimum!

S'il est vrai que ce 1,6 litre couplé à une boîte manuelle ajoute à l'agrément de conduite, son association avec une boîte automatique est moins heureuse. Il est toujours possible d'opter pour le moteur de 125 chevaux. Mais il n'est offert que sur le Coupé Si, un modèle plus luxueux et plus cher.

Pour les mordus de la vitesse et de la conduite sportive, Honda a concocté un moteur 1,6 litre à double arbre à cames en tête et système Vtec d'une puissance de 160 chevaux. Lorsque cette nouvelle a été annoncée l'automne dernier, plusieurs se sont mis à rêver de piloter le modèle *hatchback* équipé de ce groupe propulseur. Malheureusement, leur rêve ne se réalisera pas encore cette année puisque ce moteur très sportif n'est disponible que dans le coupé SiR. Un modèle dont le prix dépasse les 25 000 $, donc pas

Honda Civic

Pour

Moteur très sportif • Excellente tenue de route • Suspension confortable • Bon rapport performances/prix • Fiabilité assurée

Contre

Série vieillissante • Places arrière difficiles d'accès • Faible couple du moteur à bas régime • Présentation intérieure très dépouillée • Effet de couple dans le volant

Caractéristiques

Prix du modèle à l'essai:	SiR / 25 995 $
Garantie de base:	3 ans / 60 000 km
Type:	coupé sport / traction
Empattement / Longueur:	262 cm / 445 cm
Largeur / Hauteur / Poids:	170 cm / 137 cm / 1182 kg
Coffre / Réservoir:	338 litres / 45 litres
Coussins de sécurité:	conducteur et passager
Suspension av. / arr.:	indépendante
Freins av. / arr.:	disque ABS
Système antipatinage:	non
Direction:	à crémaillère
Diamètre de braquage:	10,8 mètres
Pneus av. / arr.:	P195/60VR15
Valeur de revente:	excellente

Motorisation et performances

Moteur / Transmission:	4L 1,6 litre / manuelle 5 rapports
Puissance / Couple:	160 ch à 7600 tr/min / 111 lb-pi à 7000 tr/min
Autre(s) moteur(s):	4L 1,6 litre 106 ch; 4L 1,6 litre 125 ch
Transmission optionnelle:	automatique 4 rapports
Accélération 0-100 km/h:	7,2 secondes; 9,2 secondes (106 ch)
Vitesse maximale:	195 km/h
Freinage 100-0 km/h:	44,7 mètres
Consommation (100 km):	8,6 litres; 6,6 litres (106 ch)

Modèles concurrents

Toyota Echo • Toyota Corolla • VW Golf • VW Jetta • Nissan Sentra • Ford Focus • Mazda Protegé

Quoi de neuf?

Version SiR apparue en cours d'année • Modifications de détail

Verdict

Agrément	⊤ ⊤ ⊤ ⊤	Habitabilité	⊤ ⊤ ⊤
Confort	⊤ ⊤ ⊤	Hiver	⊤ ⊤ ⊤
Fiabilité	⊤ ⊤ ⊤ ⊤	Sécurité	⊤ ⊤ ⊤ ⊤

tellement à la portée des jeunes acheteurs. Et pas besoin d'être un spécialiste en la matière pour savoir que les primes d'assurances de ce petit bolide seront très corsées.

«Yes SiR!»

Le coupé SiR est donc le modèle Civic le plus cher, mais il est aussi le plus performant et celui possédant la meilleure tenue de route. Son moteur de 160 chevaux justifie en bonne partie une facture aussi élevée. S'ajoutent en équipement de série un déflecteur avant, un volant gainé de cuir, des jantes sport de 15 pouces et des freins à disque aux 4 roues. Et le système ABS est de série. Une sage décision compte tenu du potentiel de vélocité de cette voiture. Et comme sport peut rimer avec confort, la SiR est équipée à l'usine d'un climatiseur, d'un lecteur de disques compacts et d'un toit ouvrant.

À la limite!

Malgré une puissance affichée de 160 chevaux, il faut que le pilote travaille pour en bénéficier. En conduite régulière, le moteur cache bien son jeu et il faut manier le levier de vitesses avec insistance pour en obtenir toute la puissance puisque c'est au-delà des 5500 tr/min que le système Vtec entre en jeu et que les événements se précipitent. Les accélérations se font alors très incisives. Cela se traduit également par un effet de couple dans le volant lorsqu'on accélère à fond. La boîte manuelle montre un étagement bien adapté. Toutefois, la course du levier de vitesses se révèle un peu trop élastique.

Cette Civic aux stéroïdes compte sur des pneus accrocheurs et une suspension bien calibrée pour bien négocier les virages. Ce n'est qu'à l'extrême limite qu'un sous-virage prononcé se manifeste. Et si jamais votre enthousiasme vous fait dépasser les limites, le tandem disque/disque avec ABS convient bien à l'utilisation anticipée même si les disques arrière sont trop petits.

Malgré l'apport du Coupé SiR, la gamme Civic a de plus en plus de difficulté à devancer la concurrence et il est certain que l'entrée en scène d'une nouvelle génération l'an prochain arrivera au bon moment.

Denis Duquet

Honda CR-V

Le bon équilibre

Les résultats de notre match comparatif des utilitaires sport compacts démontrent une fois de plus que le succès sur le marché n'est pas toujours relié aux performances d'un véhicule. Celui-ci doit avant tout répondre aux attentes du public. Par exemple, le CR-V s'est fait doubler dans ce match par plusieurs véhicules utilitaires sport. Pourtant, ceux-ci traînent loin derrière lorsque les chiffres de ventes sont colligés.

Tentons donc de découvrir ce qui fait le succès de ce tout-terrain par rapport à d'autres qui se montrent plus efficaces en certaines circonstances. En premier lieu, il est certain que l'écusson qui trône fièrement sur le capot constitue un argument de poids. Cette crédibilité, Honda l'a développée au fil des années en mettant sur le marché des produits fiables, performants et agréables à conduire. De plus, la qualité de la finition, certaines caractéristiques techniques et un agrément de conduite toujours supérieur à la moyenne sont des éléments propres à toute Honda.

Mais il y a plus que la réputation. Le CR-V est l'un des véhicules les plus spacieux de sa catégorie. C'est en effet une illusion d'optique qui nous fait croire que ce véhicule est petit. En fait, il est plus long que le Jeep Cherokee et ne s'en laisse pas imposer côté dimensions par ses principales concurrentes. Il en résulte un habitacle très spacieux. Et cette impression est accentuée par un tableau de bord en retrait et une banquette arrière facile d'accès. Donc, pour déplacer des personnes, cette Honda est plus que dans le coup, elle se situe dans le groupe de tête. Elle perd néanmoins des points du côté de la soute à bagages. Ses dimensions sont infimes et on y accède par

une ouverture offrant une combinaison hayon/panneau inutilement compliquée. Le hayon est de type demi-porte horizontale et se soulève vers le haut tandis que la partie inférieure est une porte avec charnière qui se déplace vers le côté. Le tout se révèle assez pratique une fois les deux éléments en position ouverte. Par contre, le fait de devoir ouvrir un panneau et puis l'autre et les refermer dans l'ordre devient agaçant. C'est probablement pour compenser ce désagrément que les concepteurs ont placé dans le coffre une table à pique-nique qui sert également de couvercle pour accéder au bac de remisage de la roue de secours.

Toujours parmi les éléments positifs, il faut souligner la présentation du tableau de bord, juste assez relevée pour ne pas être ennuyeuse, et l'excellence des commandes de la climatisation. Par contre, plusieurs personnes n'apprécient pas tellement le levier de vitesses sur la colonne de direction dans la version automatique.

Enfin, la silhouette du CR-V constitue un bon compromis entre les lignes arrondies des automobiles et le type «épaules carrées» des authentiques véhicules utilitaires sport. Le confort de la suspension indépendante aux roues arrière est un autre élément qui incite les gens à pencher en faveur du CR-V.

Les décideurs de chez Honda ont donc accompli de l'excellente besogne. Ces éléments positifs sont d'ailleurs assez forts pour compenser pour les faiblesses de ce véhicule, faiblesses qui sont tout de même assez importantes.

Plus de chevaux, mais...

Depuis l'an dernier, le CR-V peut compter sur un moteur de 147 chevaux, un élément à souligner puisque la version antérieure

Honda CR-V

Pour
Moteur plus puissant
- Suspension arrière indépendante
- Silhouette élégante
- Finition impeccable
- Habitabilité généreuse

Contre
Moteur toujours juste
- Pneumatiques moyens
- Rouage intégral simpliste
- Direction lente
- Hayon arrière à revoir

Caractéristiques

Prix du modèle à l'essai:	EX / 29 895 $
Garantie de base:	3 ans / 60 000 km
Type:	utilitaire sport compact / traction intégrale
Empattement / Longueur:	262 cm / 451 cm
Largeur / Hauteur / Poids:	175 cm / 167 cm / 1398 kg
Coffre / Réservoir:	375 litres / 59 litres
Coussins de sécurité:	conducteur et passager
Suspension av. / arr.:	indépendante
Freins av. / arr.:	disque / tambour ABS
Système antipatinage:	non
Direction:	à crémaillère, assistance variable
Diamètre de braquage:	10,6 mètres
Pneus av. / arr.:	P205/70R15
Valeur de revente:	très bonne

Motorisation et performances

Moteur / Transmission:	4L 2,0 litres / automatique 4 rapports
Puissance / Couple:	147 ch à 5400 tr/min / 165 lb-pi à 4700 tr/min
Autre(s) moteur(s):	aucun
Transmission optionnelle:	manuelle 5 rapports
Accélération 0-100 km/h:	10,7 secondes
Vitesse maximale:	175 km/h
Freinage 100-0 km/h:	43,6 mètres
Consommation (100 km):	11,8 litres

Modèles concurrents
Toyota RAV4 • Subaru Forester • Jeep Cherokee • Suzuki Vitara
• Chevrolet Tracker

Quoi de neuf?
Aucun changement majeur • Modifications de détail • Moteur plus puissant au milieu de 1999

Verdict

Agrément	⊕ ⊕ ⊕ (	
Confort	⊕ ⊕ ⊕ (	
Fiabilité	⊕ ⊕ ⊕ ⊕	
Habitabilité	⊕ ⊕ ⊕ (	
Hiver	⊕ ⊕ ⊕ (	
Sécurité	⊕ ⊕ ⊕	

en proposait 21 de moins. À l'usage, cela se traduit par des accélérations plus rapides et des reprises plus incisives. Il est également plus facile de dépasser. Ces chevaux additionnels ajoutent au confort puisque le moteur ne doit pas toujours tourner comme un moulin à coudre pour faire avancer le CR-V, améliorant d'autant le silence dans l'habitacle.

Malgré tout, c'est toujours le moteur qui constitue le talon d'Achille de ce tout-terrain. En conduite hors route, ce 4 cylindres de 2,0 litres doit fournir toute sa puissance pour que le véhicule soit capable de négocier des obstacles difficiles ou des montées abruptes. D'ailleurs, lors du match comparatif, il aura fallu le doigté d'un conducteur expert pour que cette petite Honda franchisse tous les obstacles sans coup férir. Et il faut également ajouter que le rouage d'entraînement intégral est d'une efficacité plutôt marginale.

Une recette gagnante.

Plus voiture que camion

Mais comme pratiquement aucun acheteur de CR-V n'envisage d'aller se perdre dans la forêt à son volant, ces limites n'affectent pas sa popularité. Les gens sont beaucoup plus impressionnés par son comportement d'ensemble proche de celui d'une voiture, par le confort de la suspension et également par des sensations de conduites plus relevées que celles offertes par certaines concurrentes. La direction est vraiment trop assistée, mais ses vives réactions contribuent à ajouter au caractère sportif de ce 4X4 nettement plus à l'aise sur les autoroutes que dans des sentiers intimidants. Bien que perfectible, sa traction intégrale est assez efficace pour ne pas être incommodée par une chaussée rendue glissante par la neige ou la pluie.

Comme on peut le constater, la Honda CR-V n'est pas sans défauts. Par contre, son caractère et l'interaction de certains éléments permettent de convaincre les gens de ses qualités d'ensemble. Il serait toutefois préférable de choisir le modèle à boîte manuelle si vous prévoyez conduire souvent hors route. Le léger surplus de puissance transmise aux roues motrices risque de faire toute la différence.

Denis Duquet

Honda Insight

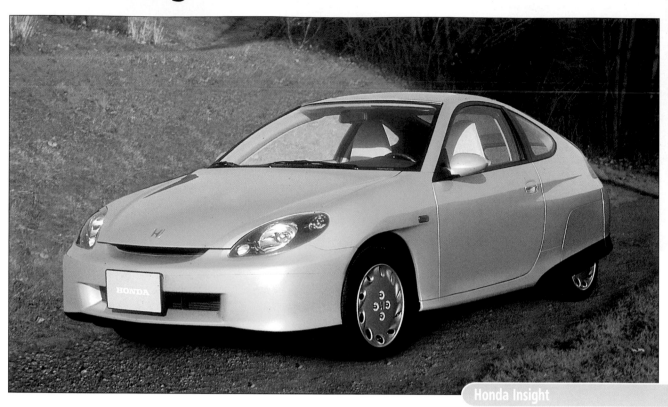

Honda Insight

Elle gagne la course

Dans cette fable écologique moderne du lièvre et de la tortue, ce n'est pas la compagnie qui a annoncé la donne en premier qui aura le privilège de commercialiser la première voiture hybride sur notre continent. En effet, Toyota a annoncé l'automne dernier que la Prius à moteur hybride allait être distribuée en Amérique au cours de l'an 2000. Puis, en janvier 1999, sans tambour ni trompette, voilà que Honda annonçait à son tour qu'elle avait l'intention de distribuer dès le mois de décembre 1999 une voiture à propulsion hybride, devançant ainsi sa grande rivale Toyota de plusieurs mois.

C ertains diront qu'il s'agit en quelque sorte d'un match nul puisque Toyota a eu l'honneur d'être le premier manufacturier de la planète à produire en série une voiture à moteur hybride en lançant la Prius sur le marché japonais en septembre 1998.

Revenons à Honda. Il ne faut pas croire non plus qu'il s'agisse d'une génération spontanée et que les ingénieurs de la compagnie ont précipité le développement de l'Insight pour devancer la concurrence. En fait, depuis au moins 1995 que cette compagnie exhibe au Salon de l'auto de Tokyo des véhicules écologiques utilisant différents groupes propulseurs, tous moins polluants les uns que les autres. Ce processus évolutif s'est poursuivi avec le dévoilement en 1999 de la VV, un intrigant coupé 2 places aux formes dictées par les règles les plus strictes de l'aérodynamique. Quelques mois plus tard, la direction de Honda annonçait que cette voiture allait dorénavant être appelée Insight et serait commercialisée à partir de décembre 1999.

Comme le prototype VV, l'Insight sera propulsée par un moteur à combustion interne de petite cylindrée relié à un moteur électrique. Ce petit 3 cylindres de 1,0 litre est intégré à un moteur électrique à courant direct. Ce dernier, très mince avec ses 60 mm, est alimenté par une pile nickel-métal-hydrite de 144 volts. Dans le but d'obtenir une voiture d'une grande légèreté, ce 3 cylindres est constitué d'un bloc-moteur et d'une culasse en aluminium utilisés en association avec d'autres matériaux légers tels le magnésium et des plastiques composites afin d'en faire le moteur le plus léger au monde. Les ingénieurs se sont également attardés à réduire la friction interne le plus possible. La combustion du carburant est de type «mélange appauvri» afin d'assurer une consommation peu élevée et des gaz d'échappement d'une très grande propreté. Un pot catalytique très efficace et à réchauffement rapide contribue aussi à la propreté des gaz d'échappement de l'Insight.

SOS électricité

Au départ, c'est le moteur à essence qui a pour mission de vaincre la gravité et de faire avancer cette voiture. Le moteur électrique entre en action lorsque les performances de la voiture ont besoin d'être plus relevées. Ce surplus de puissance temporaire permet d'obtenir des performances équivalentes à celles d'un moteur à essence de 1,5 litre. Grâce à cette astuce, les accélérations et les reprises se situent dans la bonne moyenne tout en réduisant la consommation de carburant de façon marquée. Cette petite Honda devrait afficher une moyenne de 3,2 litres aux 100 km. Son moteur pollue très peu; cette voiture sera classée ULEV par l'État de la Californie.

Honda Insight

Pour
Données insuffisantes

Contre
Données insuffisantes

Caractéristiques

Prix du modèle à l'essai:	n.d.
Garantie de base:	3 ans / 60 000 km
Type:	berline / traction
Empattement / Longueur:	240 cm / 394 cm
Largeur / Hauteur / Poids:	119 cm / 135 cm / 835 kg
Coffre / Réservoir:	139 litres / 40 litres
Coussins de sécurité:	conducteur et passager
Suspension av. / arr.:	indépendante / semi-indépendante
Freins av. / arr.:	disque ABS / tambour ABS
Système antipatinage:	non
Direction:	à crémaillère, assistée
Diamètre de braquage:	n.d.
Pneus av. / arr.:	P165/65R14
Valeur de revente:	n.d.

Motorisation et performances

Moteur / Transmission:	3L 995 cc / manuelle 5 rapports
Puissance / Couple:	68 ch à 4800 tr/min / 75 lb-pi à 1800 tr/min
Autre(s) moteur(s):	aucun
Transmission optionnelle:	aucune
Accélération 0-100 km/h:	12,0 secondes
Vitesse maximale:	180 km/h
Freinage 100-0 km/h:	n.d.
Consommation (100 km):	3,4 litres

Modèle concurrent
Toyota Prius

Quoi de neuf?
Nouveau modèle

Verdict

Agrément	⊕ ⊕	Habitabilité	⊕ ⊕
Confort	⊕ ⊕ ⊕	Hiver	
Fiabilité	n.d.	Sécurité	⊕ ⊕ ⊕

Comme la plupart des autres voitures hybrides, l'Insight n'a pas besoin d'une source de courant extérieur pour recharger ses piles. Celles-ci sont alimentées en courant par le moteur à essence qui joue également le rôle d'une dynamo, ainsi que par la récupération d'énergie au freinage. La gestion de l'entrée en action du moteur électrique et de la recharge des piles est effectuée par l'unité de commande de puissance de la voiture.

Place à l'aluminium!

En plus de son moteur propre et peu glouton, cette petite écologique se caractérise par sa structure en aluminium. Il faut se souvenir que Honda possède une vaste expérience de la fabrication en série de voitures à châssis et carrosserie en aluminium puisque la NSX est fabriquée de ce métal.

Le châssis en aluminium de l'Insight est de type hybride puisqu'il comprend des pièces moulées, extrudées et estampées. Tous ces éléments travaillent à l'unisson pour composer une caisse à la fois très rigide, très solide et très légère. Selon Honda, ce coupé 2 places pèse 40 p. 100 de moins qu'un véhicule conventionnel de la même taille. Une carrosserie très aérodynamique contribue à offrir le moins de résistance possible à l'air. Ce qui explique ses formes extérieures assez particulières, qu'on n'a certainement pas choisies pour leur apparence. Tout cela se conjugue pour faire de cette Honda une voiture unique à plus d'un point de vue et capable de respecter les normes très strictes de l'État de la Californie en matière de pollution pendant des années.

Un choix logique

Le groupe propulseur hybride est un choix plus logique que le moteur uniquement alimenté en énergie électrique pour l'automobile. La technologie actuelle des piles ne permet pas de construire en série des voitures viables et pratiques.

Denis Duquet

Vision d'avenir.

Honda Odyssey

Honda Odyssey

Une *Odyssey* de 5000 km

En lançant l'Odyssey de deuxième génération, l'année dernière, Honda est passée d'un extrême à l'autre. Pour un constructeur désireux de profiter de la manne dans ce segment en pleine effervescence, cette volte-face s'imposait; cette fois, on a accouché d'une fourgonnette en bonne et due forme, en remplacement d'une familiale qui prétendait en être une.

Non seulement il était nécessaire de changer le fusil d'épaule, mais l'opération fut couronnée de succès, l'Odyssey «revue et corrigée» obtenant à la fois un succès d'estime (de la part de la presse spécialisée) et populaire (avec des chiffres de vente enviables). Le *Guide de l'auto* n'a pas fait exception: lors du match comparatif des fourgonnettes, l'année dernière, l'Odyssey, faut-il le rappeler, est montée sur la plus haute marche du podium. Rappelons également que ce verdict émanait d'un jury composé de trois familles (6 parents et 10 enfants), d'un jeune père et de deux chroniqueurs automobiles.

Cette année, nous avons soumis cette camionnette japonaise conçue aux États-Unis et assemblée au Canada (!) à un essai pour le moins intensif, réparti en deux séquences: l'une hivernale (7 jours), l'autre printanière (10 jours). Une opération qui a totalisé plus de 5000 km, et qui a notamment mené l'auteur de ces lignes au cap Hatteras, en Caroline du Nord. Encore une fois, l'Odyssey s'en est tirée avec les honneurs de la guerre.

Une Honda grand format

Un tel périple aurait été plus ardu, voire impensable, avec l'Odyssey de première génération. Je n'ose imaginer l'essoufflement du 4 cylindres de 2,2 litres (jumelé à une boîte automatique!)

avec à bord 5 personnes et leurs bagages respectifs, ainsi que deux planches à voile sur le toit... Sans parler de ses dimensions, inférieures à celles de la plupart des modèles concurrents.

Sa remplaçante a pris du volume, puisqu'il s'agit du plus gros véhicule jamais fabriqué par Honda. Il en va de même pour son V6, du moins en termes de cylindrée (3,5 litres). Le résultat, c'est que l'Odyssey peut désormais faire jeu égal avec ses rivales, quand elle ne les surclasse pas; ainsi, de sous-motorisée qu'elle était, elle est devenue la plus puissante de sa catégorie. Les extrêmes, disions-nous...

Muni du système de calage variable des soupapes (VTEC) cher à Honda, ce V6 constitue par ailleurs la seule motorisation disponible, et il ne peut être accouplé qu'à une boîte automatique à 4 rapports. Fort de ses 210 chevaux, il n'a eu aucune peine à soutenir le rythme, et ce même si le véhicule était chargé à bloc; ajoutons que notre randonnée en Caroline du Nord s'est effectuée d'une traite, à l'aller comme au retour. Soit environ une quinzaine d'heures d'affilée chaque fois. Or, jamais, au grand jamais, le moteur n'a montré quelque signe de fatigue. De plus, tous les conducteurs qui se sont relayés à son volant ont apprécié sa grande souplesse.

La boîte automatique effectue elle aussi du bon boulot, si ce n'est qu'en usage normal, elle m'est apparue un peu paresseuse. Il s'agit par ailleurs d'une caractéristique propre aux transmissions automatiques de ce constructeur, affligées qu'elles sont d'un temps mort. Cette nonchalance se ressent dans les accélérations et les reprises, qui se situent dans la bonne moyenne, sans plus. Malgré la cylindrée et la puissance du V6, ce n'est donc pas la foudre, mais c'est bien tout ce qu'on peut reprocher au tandem moteur/transmission qui, autrement, brille de tous ses feux: tout se passe en

Honda Odyssey

Pour
Finition et ergonomie soignées
• Habitacle spacieux et polyvalent
• V6 bien adapté • Tenue de route
étonnante • Routière confortable

Contre
Silhouette anonyme • Présentation
intérieure terne • Transmission
paresseuse • Bruit de roulement
• Prix corsé

Caractéristiques

Prix du modèle à l'essai:	EX / 33 600 $
Garantie de base:	3 ans / 60 000 km
Type:	fourgonnette / traction
Empattement / Longueur:	300 cm / 511 cm
Largeur / Hauteur / Poids:	192 cm / 177 cm / 1945 kg
Coffre / Réservoir:	711 litres / 76 litres
Coussins de sécurité:	conducteur et passager
Suspension av. / arr.:	indépendante
Freins av. / arr.:	disque ABS / tambour ABS
Système antipatinage:	oui (EX)
Direction:	à crémaillère, assistée
Diamètre de braquage:	11,7 mètres
Pneus av. / arr.:	P215/65R16
Valeur de revente:	bonne

Motorisation et performances

Moteur / Transmission:	V6 3,5 litres / automatique 4 rapports
Puissance / Couple:	210 ch à 5200 tr/min / 229 lb-pi à 4300 tr/min
Autre(s) moteur(s):	aucun
Transmission optionnelle:	aucune
Accélération 0-100 km/h:	10,4 secondes
Vitesse maximale:	190 km/h
Freinage 100-0 km/h:	42,4 mètres
Consommation (100 km):	10,8 litres

Modèles concurrents

Chevrolet Venture • Dodge Caravan • Ford Windstar • Toyota Sienna
• VW EuroVan

Quoi de neuf?

Aucun changement majeur

Verdict

Agrément	⊙ ⊙ ⊙	Habitabilité	⊙ ⊙ ⊙ ⊙ (
Confort	⊙ ⊙ ⊙ ⊙	Hiver	⊙ ⊙ ⊙ ⊙
Fiabilité	⊙ ⊙ ⊙ ⊙	Sécurité	⊙ ⊙ ⊙ ⊙

douceur et en silence. Ce qui, du reste, ne surprendra guère les habitués de la marque.

Des trouvailles intéressantes

L'ergonomie est une science que les constructeurs nippons maîtrisent assez bien, merci, et Honda ne fait pas exception. Ainsi, l'habitacle de l'Odyssey recèle quelques trouvailles intéressantes: l'emplacement du pneu de secours, sous le plancher (derrière les sièges avant); les sièges médians qui se déplacent latéralement et qui, dans la plus relevée des deux versions (EX), peuvent se transformer (deux baquets ou une banquette, au choix); et, comme dans le modèle de première génération, la troisième banquette qui est non seulement escamotable, mais qui vient se cacher dans le plancher, laissant ainsi une surface plane. Brillant! Ladite banquette est également munie d'appuie-tête; l'envers de la médaille, c'est qu'ils se trouvent en plein dans le champ de vision du conducteur... Rien n'est parfait.

Spacieux, polyvalent et ergonomique, l'habitacle brille aussi par sa finition impeccable et la qualité des matériaux utilisés. Dommage que la décoration soit un brin austère, surtout dans la version de base (LX); pour l'ambiance, on repassera. Déjà que de l'extérieur, l'Odyssey ne paie pas de mine... Il y a aussi place à amélioration en ce qui concerne l'insonorisation: plus la randonnée est longue, plus le bruit du roulement agace. Sans être insupportable, il pourrait être mieux filtré que personne ne s'en plaindrait. Encore là, il s'agit d'un irritant qui afflige la plupart des Honda. Les pneus ne peuvent donc en être tenus seuls responsables.

Cette firme japonaise a cependant gagné ses lettres de noblesse en matière de suspension, ce dont bénéficient tant le confort que le comportement routier. Même s'il s'agit d'une fourgonnette, l'Odyssey ne fait pas exception: sa maniabilité et sa tenue de route respectent les standards de la marque. On peut en dire autant de la fiabilité proverbiale des Honda, puisque aucune anomalie, mécanique ou autre, ne s'est manifestée durant cet essai marathon, qui s'est avéré on ne peut plus concluant. Remarquez qu'à plus de 30 000 $ l'exemplaire, c'était la moindre des choses...

Philippe Laguë

Toujours en tête.

Honda Prelude

Vitrine technologique

Il y a 20 ans, Honda introduisait sur le marché nord-américain un petit coupé sport économique élaboré sur la plate-forme de l'Accord. Malgré une motorisation modeste (1,6 litre, 73 chevaux), il allait en séduire plus d'un par son agrément de conduite. Depuis, la Prelude, car c'est bien d'elle qu'il s'agit, a pris du galon pour devenir en quelque sorte la vitrine technologique de ce constructeur nippon.

L'évolution s'est faite de façon progressive, la Prelude devenant de plus en plus performante et sophistiquée au fil des générations. Son prix a évidemment fait de même, de sorte que la vocation économique a cédé le pas à une approche plus sportive. Mais ces changements de personnalité ont également entraîné des bouleversements, disons, existentiels.

Avant sa dernière refonte, il y a deux ans, la Prelude se cherchait. Plus musclée que jamais, elle voyait pourtant ses ventes décliner constamment. La génération précédente aura été la plus contestée, tant sur le plan esthétique que pour ses déficiences en matière d'ergonomie et d'aménagement. Elle n'avait pourtant jamais été aussi puissante, mais les consommateurs n'étaient plus prêts à faire de telles concessions pour la seule performance. De toute évidence, on a découvert, chez Honda, les vertus de la critique constructive, car la Prelude de cinquième génération est venue corriger le tir.

Toujours sportive

Comme il se doit, sa fiche technique contient sa part de solutions originales, sinon inédites. C'est le cas de l'ATTS *(Active Torque Transfer System)*, un système qui entre en action dans les virages,

où il gère puis redistribue la puissance aux roues motrices, selon l'angle dudit virage. La roue extérieure peut ainsi tourner sur elle-même jusqu'à 15 p. 100 plus rapidement que l'autre, entraînant la voiture dans la meilleure trajectoire en sortie de courbe. L'effet de sous-virage propre aux tractions s'en trouve du même coup atténué. Mieux, la tenue de route d'une Prelude n'a rien à envier à celle des meilleures propulsions, quand elle ne les surpasse pas!

Ce dispositif est réservé exclusivement à l'une des deux versions de la Prelude, soit la Type SH. Et il ne peut être accouplé à la boîte automatique. Livrable seulement sur la version de base, celle-ci est cependant une boîte à mode séquentiel, inspirée de la Tiptronic de Porsche et de l'Autostick de Chrysler, et baptisée Sportshift chez Honda. Outre l'agrément de conduite qu'elle procure, son utilisation se traduit aussi par un gain de performance: ainsi, pour effectuer le 0-100 km/h, nous avons obtenu un temps de 7,6 secondes, contre 8,5 secondes en mode automatique conventionnel.

Une seule motorisation est disponible, tant sur la version de base que sur la Type SH. Il s'agit du 4 cylindres VTEC de 2,2 litres, dont la puissance a été portée à 200 chevaux l'année dernière. Il développe 5 chevaux de moins lorsqu'il est jumelé à la boîte automatique. Du reste, avec sa zone rouge fixée à plus de 7000 tr/min, cet engin à haut rendement se marie mieux à une boîte manuelle. D'autant plus que celle de la Prelude comblera ceux qui aiment jouer du levier, tant elle est précise et bien étagée. Un modèle du genre.

Rapide comme l'éclair, la direction s'avère elle aussi un petit bijou de précision et on sent très bien le travail de l'assistance variable dans les virages plus prononcés. En utilisation urbaine, on apprécierait toutefois un rayon de braquage plus court. Le choix

Honda Prelude

Pour

Tenue de route phénoménale
• Performances de haut niveau
• Boîte manuelle impeccable
• Direction et suspension sportives
• Technologie de pointe

Contre

Rayon de braquage • Pneus de série moyens • Design controversé

Caractéristiques

Prix du modèle à l'essai:	Type SH / 31 800 $
Garantie de base:	3 ans / 60 000 km
Type:	coupé / traction
Empattement / Longueur:	258 cm / 452 cm
Largeur / Hauteur / Poids:	175 cm / 131 cm / 1380 kg
Coffre / Réservoir:	246 litres / 60 litres
Coussins de sécurité:	conducteur et passager
Suspension av. / arr.:	indépendante
Freins av. / arr.:	disque ABS
Système antipatinage:	oui
Direction:	à crémaillère, assistance variable
Diamètre de braquage:	11,0 mètres
Pneus av. / arr.:	P205/50R16
Valeur de revente:	bonne

Motorisation et performances

Moteur / Transmission:	4L 2,2 litres / manuelle 5 rapports
Puissance / Couple:	200 ch à 7000 tr/min / 156 lb-pi à 5250 tr/min
Autre(s) moteur(s):	aucun
Transmission optionnelle:	automatique 4 rapports
Accélération 0-100 km/h:	7,2 secondes; 7,6 secondes (Sportshift)
Vitesse maximale:	220 km/h
Freinage 100-0 km/h:	37,2 mètres
Consommation (100 km):	10,8 litres

Modèles concurrents

Acura Integra GS-R • Mercury Cougar • Toyota Celica

Quoi de neuf?

Aucun changement majeur

Verdict

Agrément	⊖ ⊖ ⊖ ⊖ (	Habitabilité	⊖ ⊖ (
Confort	⊖ ⊖ ⊖ (	Hiver	⊖ ⊖ ⊖ (
Fiabilité	⊖ ⊖ (	Sécurité	⊖ ⊖ ⊖ (

des pneumatiques de série laisse cependant à désirer: sur le sec, ils font le travail, mais dès que la pluie ou la neige se mettent de la partie, leur adhérence devient précaire. Vous voilà prévenu.

Retour aux sources

Sur le plan des performances et du comportement, la Prelude se révèle donc une digne héritière de ses ancêtres, tout en étant plus spacieuse et plus volumineuse que celles-ci. Enfin, spacieux est un bien grand mot quand il est question de la Prelude, mais disons que c'est moins pire qu'avant. Acceptable, même: les places arrière et le coffre ne se contentent plus d'être symboliques et la présence d'une banquette arrière rabattable permet d'augmenter la capacité de chargement.

Un contenu supérieur à l'emballage.

Le tableau de bord et les commandes ne tromperont personne: nous sommes bel et bien à bord d'une Honda. La présentation d'ensemble est réussie et tant le confort que l'ergonomie se placent au-dessus des critiques. Bref, du bien beau travail sur tous les plans, tant esthétique que pratique, le tout couronné par un équipement de série des plus relevés, identique dans les deux versions. La Type SH se différencie avant tout par des ajouts techniques; de l'extérieur, la «décoration» ne varie que par la présence d'un aileron arrière et de roues en alliage différentes de celles du modèle de base.

Sa carrosserie trois volumes évoque les Prelude des trois premières générations. Un retour aux sources, donc, mais la partie avant diverge du profil classique. Ses deux énormes phares rectangulaires n'ont pas fini de faire jaser. Les connaisseurs se rappelleront l'émoi causé par la devanture de la Studebaker Avanti, trois décennies plus tôt. Moins spectaculaire et surtout moins contesté que celui de l'édition précédente, le design néo-rétro de la Prelude a plus de détracteurs que d'admirateurs; mais si l'emballage n'est pas à la hauteur, le contenu, lui, n'a jamais été aussi impressionnant. Derrière le volant, on oublie rapidement l'allure quelconque de la Prelude. Très rapidement, même...

Philippe Lagué

Honda S2000

Honda S2000

RPM 9000

La fièvre des roadsters qui faisait la une du *Guide de l'auto 97* n'est plus seulement causée par un virus allemand. Après la BMW Z3, la Mercedes-Benz SLK, la Porsche Boxster et, plus récemment, l'Audi TT Roadster, c'est au tour du Japon de nous envoyer une autre de ces petites voitures irrésistibles qui rendent malade de désir.

La Honda S2000 s'attaque au quatuor allemand avec une personnalité si distincte que l'on ne sait plus très bien si elle s'apparente à ses supposées rivales.

RPM 9000... Voilà 3 lettres et 4 chiffres qui décrivent mieux que n'importe quelle expression alambiquée la vraie nature de la Honda S2000. Si vous attendiez la sortie de ce nouveau modèle du constructeur japonais avant de choisir votre prochain roadster, abandonnez tout de suite votre magasinage, à moins que... Cette S2000 est en effet dans une classe à part qui la place au-dessus ou en dessous de ses concurrentes selon les critères utilisés. Même si ses concepteurs veulent le voir s'immiscer parmi les têtes d'affiche de la catégorie (Z3, SLK, Boxster), le roadster de Honda est une voiture qui fait passer le confort et l'aspect pratique au second plan dans la poursuite d'un but unique: le plaisir de conduire. Cette boutade de mon collègue Denis Duquet résume bien l'approche de Honda par rapport à celle de Mercedes, par exemple: «Honda a dépensé 35 000 $ sur le moteur tandis que Mercedes a investi la même somme dans le toit.» En clair, la S2000 est d'abord et avant tout un superbe moteur attelé à un châssis hyperrigide favorisant l'équilibre des masses alors que la SLK joue la carte du confort et de l'élégance avec un moteur qui sonne faux.

La petite allemande se prête à la douce flânerie, se laissant aller à quelques élans sportifs de temps à autre. Quant à la Boxster (excluant la S) et à la Z3 2,8, elles placent la barre un peu plus haut mais conservent une plus grande civilité que la S2000. Cette dernière, en revanche, semble mal à l'aise à des allures urbaines et ne demande qu'à foncer d'un virage à l'autre en faisant hurler son moteur à double arbre à cames en tête. À la longue, il n'est pas dit toutefois que vous ne vous lasserez pas de toujours conduire comme si vous étiez 30 minutes en retard à un rendez-vous galant avec Miss Monde.

Au rendez-vous de la F1

Ces précisions étant faites, voyons plus en détail les principales caractéristiques de la nouvelle venue.

Pour bien marquer son orientation, le roadster de Honda ne se contente pas d'un moteur tournant à 9000 tr/min et dont le rendement au litre est le meilleur au monde pour une voiture de série (même la Ferrari 360 Modena ne fait pas mieux). Outre ses 240 chevaux à 8300 tr/min, la S2000 se démarque par un bouton rouge au tableau de bord faisant office de démarreur, une instrumentation numérique et luminescente de type F1, un pédalier en aluminium ajouré et une boîte de vitesses dont les changements de rapport s'accompagnent d'un son d'engrenage identique à ce que l'on entend quand on conduit une voiture de course.

Pour résumer les quelque 200 pages d'informations techniques fournies par Honda, soulignons les éléments essentiels de ce modèle anniversaire (voir texte séparé).

La pièce maîtresse de ce chef-d'œuvre technologique est son moteur signé Yutaka Otobe, chef ingénieur du centre de recherche et de développement de Honda. Otobe est l'un des motoristes qui ont mis au point le V10 de F1 qui a fait la gloire des McLaren-Honda il y a une décennie. Muni d'une nouvelle culasse VTEC à distribution variable, le 2,0 litres de la S2000 doit une partie de son efficacité à ses pistons en aluminium forgé et à ses bielles en acier forgé traitées à la chaleur. Un entraînement par engrenage et chaîne silencieuse contribue à la légèreté de ce moteur ultracompact tandis que des culbuteurs à rouleau plutôt qu'à glissement diminuent la friction afin de permettre d'atteindre des régimes plus élevés. Et pour calmer les environnementalistes, Honda a réussi le tour de force de réduire le taux de pollution de ce moteur haute performance de 40 p. 100.

Le châssis de la S2000 a aussi fait l'objet d'une attention spéciale. Il s'agit d'un double monocoque constitué par un large tunnel qui traverse le centre du cockpit et qui sert de charpente ainsi que de principale structure de charge, un peu comme sur l'ancienne Lotus Elan. L'architecture en X du châssis ainsi que les longerons élevés de la carrosserie assurent une rigidité incomparable en même temps qu'une sécurité accrue à la S2000.

Deux arceaux anti-tonneau ajoutent à la protection des occupants en cas d'accident.

La précision du direct

En plaçant le moteur bien en retrait de l'essieu avant et certaines pièces lourdes (batterie, roue de secours) dans la partie centrale du véhicule, les ingénieurs de Honda ont réussi à atteindre l'équilibre magique du 50-50 dans la répartition du poids. Ajoutons à cela un centre de gravité très bas et on comprend déjà les secrets de l'étonnante tenue de route de la S2000. BMW disait de sa Z3 qu'elle avait l'agilité d'un go-kart, mais avec la venue de cette nouvelle Honda, les ingénieurs allemands devront retourner à leur table à dessin.

Une autre caractéristique propre à la S2000 est la rapidité d'action des diverses commandes. Honda a voulu que la voiture réponde aux impulsions de son conducteur instantanément. Cela se sent dans l'action directe de la tringlerie du levier de vitesses et de la crémaillère à assistance électrique. Avec 2,2 tours d'une butée à l'autre, le volant donne l'impression de deviner à l'avance vos intentions alors que le levier de la boîte de vitesses à 6 rapports se distingue par une course extrêmement courte.

Contrairement à la Boxster et à la Z3, le roadster de Honda roule sur des pneus moins agressifs montés sur des jantes de 16 pouces. Le freinage utilise des disques d'un diamètre comparable à celui de la Porsche Boxster (300 mm à l'avant et 282 mm à l'arrière) tandis que la suspension fait appel à un double levier triangulé à chacune des roues.

Un comportement spécial, très spécial

C'est dans l'environnement assez familier des petites routes qui serpentent autour du circuit de Road Atlanta en Géorgie (site de notre essai Panoz-Prowler de l'an dernier) que nous avons d'abord fait connaissance avec la S2000. Quelle découverte! Je savais que ce roadster différait des autres mais pas à ce point. Si l'expression «voiture de course pour la route» n'a pas toujours été utilisée à bon escient, elle retrouve ici toute sa signification.

Quelques tours de roue à peine et le moteur annonce déjà ses couleurs. Avec un couple maximal logé à 7500 tr/min, il faut tirer sur chacun des rapports pour aller chercher les 240 chevaux et ce n'est qu'à partir de 6500 tours que le moteur s'enflamme. Ce qui est ordinairement le régime maximal de la plupart des voitures sport n'est que le seuil du plaisir dans cette Honda. C'est tellement inhabituel qu'il faut combattre le réflexe naturel de passer à un rapport supérieur quand le bruit devient trop aigu. Dès qu'on s'y fait, la puissance est toute là, bien que moins perceptible qu'avec un moteur dont le couple maximal se situe à un régime plus bas. Bien que la section Recherche et Développement de Honda ait longuement travaillé sur sa sonorité, le petit 4 cylindres 2,0 litres de la S2000 ne peut cacher sa faible cylindrée et pourrait être plus plaisant à l'oreille. À ce chapitre, la Boxster exploite mieux son niveau sonore. Et puisqu'on y est, le rouage d'entraînement du roadster Honda s'entend beaucoup trop dans l'habitacle, ce qui gâte la perception de qualité de la voiture.

Honda S2000

Pour

Moteur fabuleux • Comportement routier sportif • Cockpit intimiste • Fiabilité prometteuse • Plaisir de conduire

Contre

Moteur pointu • Rangement insuffisant • Faible habitabilité • Housse de toit incommodante • Rouage d'entraînement bruyant • Usage limité

Caractéristiques

Prix du modèle à l'essai:	48 500 $
Garantie de base:	3 ans / 60 000 km
Type:	roadster / propulsion
Empattement / Longueur:	240 cm / 412 cm
Largeur / Hauteur / Poids:	175 cm / 128,5 cm / 1275 kg
Coffre / Réservoir:	141,4 litres / 50 litres
Coussins de sécurité:	frontaux
Suspension av. / arr.:	indépendante
Freins av. / arr.:	disque
Système antipatinage:	oui
Direction:	à crémaillère, assistée électroniquement
Diamètre de braquage:	n.d.
Pneus av. / arr.:	P205/55VR16 / P225/50VR16
Valeur de revente:	nouveau modèle

Motorisation et performances

Moteur / Transmission:	4L DACT 2,0 litres / manuelle 6 rapports
Puissance / Couple:	240 ch à 8300 tr/min / 153 lb-pi à 7500 tr/min
Autre(s) moteur(s):	aucun
Transmission optionnelle:	aucune
Accélération 0-100 km/h:	7,5 secondes
Vitesse maximale:	240 km/h
Freinage 100-0 km/h:	36,9 mètres
Consommation (100 km):	10,7 litres

Modèles concurrents

Audi TT Roadster • BMW Z3 • Mercedes-Benz SLK • Porsche Boxster

Quoi de neuf?

Nouveau modèle

Verdict

Agrément	☺☺☺	
Confort	☺	
Fiabilité	nouveau modèle	
Habitabilité	☺☺	
Hiver		
Sécurité	☺☺☺ ☾	

Autant le levier de vitesses possède une grille serrée qui accélère le passage des rapports, autant ces derniers sont trop longs. C'est ainsi que la 4e «monte» à 187 km/h et la 5e à 225 km/h.

La S2000 n'a pour vocation que la conduite sportive. Bien calé dans un siège étroit, le conducteur a vraiment l'impression d'être dans un cockpit. On tourne la clé, on appuie sur le bouton rouge et c'est parti. Une barre orange s'illumine de gauche à droite pour mesurer le nombre de tours/minute pendant que la vitesse s'inscrit numériquement sous vos yeux. De part et d'autre du volant, à portée des doigts, les commandes de la radio et de la climatisation permettent de garder les deux mains sur le volant en tout temps. Le petit levier de vitesses est à proximité et ne demande pas d'effort particulier. La tenue de route n'est pas plus exigeante et la S2000 semble n'avoir aucune limite d'adhérence dans les virages les plus serrés. Voilà une voiture parfaitement neutre et bien équilibrée. Et en prime, un confort qui n'est pas à dédaigner.

Pour jouer à la F1.

Les défauts de ses qualités

On ne peut que regretter toutefois le côté un peu spartiate de ce roadster qui le confine à une utilisation très limitée. Le coffre est modeste, les rangements quasi inexistants, la climatisation et les sièges à commande manuelle, la quincaillerie du toit souple apparente, etc. On a beau vanter les 6 secondes nécessaires pour abaisser la capote, que fait-on de l'éternité qu'il faut pour retirer la housse? La S2000 exige aussi une complète immunité à la claustrophobie tellement son habitacle est minuscule, ainsi que des aptitudes pour la divination afin de diminuer les méfaits des angles morts en marche arrière. Et assurez-vous de savoir où se trouve le bouton d'ouverture de la trappe du réservoir d'essence avant de partir. Je vous laisse le soin de le trouver en moins de temps que moi...

Tout compte fait, la Honda S2000 a les défauts de ses qualités. En jouant les sportives à l'extrême (et de manière fort compétente), elle néglige l'aspect pratique que certains puristes sont prêts à abandonner, mais qu'une certaine clientèle est aussi en droit d'exiger dans une voiture de près de 50 000 $.

Jacques Duval

De la S600 à la S2000: la poursuite d'une tradition

Honda S600 66

À l'aurore du XXIe siècle, Honda célèbre son cinquantenaire en s'offrant une voiture fidèle à sa tradition. La S2000 est en effet l'aboutissement à la fois logique et technologique d'une aventure commencée au milieu des années 60 avec un petit roadster nommé S600.

Si vous faites partie de ces lecteurs de la première heure qui me font l'honneur de collectionner Le Guide de l'auto, précipitez-vous sur la toute première édition publiée en 1967. Vous y trouverez une mince fiche technique, un texte un peu simpliste et une photo embrouillée d'une voiture sport dont la patte avant en l'air montre bien qu'elle est poussée à sa limite. Ce drôle d'engin est une Honda S600 qui, curieusement, partage certaines caractéristiques avec la S2000 d'aujourd'hui. On aurait même envie de dire «plus ça change, plus c'est pareil» tellement les deux voitures ont de points en commun.

Pour ceux qui n'ont pas ce premier Guide de l'auto sous la main, permettez-moi de rappeler les grandes lignes du texte d'alors.

Tout comme la S2000 de cette année, la S600 représentait le fruit de l'expertise de son constructeur dans le monde sophistiqué de la Formule 1. Alors que l'on faisait état en 1966 du triomphe de Honda au Grand Prix du Mexique de 1965, on évoque plutôt aujourd'hui les victoires plus récentes à l'époque des Williams, McLaren ou Jordan à moteur Honda et, bien sûr, la participation de la marque japonaise à l'écurie BAR pour les années à venir.

Des régimes délirants

Outre le fait que la S600 et la S2000 sont des cabriolets 2 places à moteur avant et propulsion, la plus grande affinité entre ces deux modèles est la conception et le rendement élevé de leurs moteurs respectifs. Avec ses 240 chevaux, le 4 cylindres de 2,0 litres qui équipe la S2000 est le moteur de série offrant le plus haut rapport puissance/cylindrée et on pouvait dire la même chose du 4 cylindres de 606 cm³ (0,6 litre) qui animait la S600. Ses 57 chevaux étaient l'équivalent de 94 chevaux au litre, un chiffre remarquable encore aujourd'hui. À titre d'exemple, le moteur 1,8 litre d'une Mazda Miata 2000, bien que trois fois plus gros, offre un rendement au litre de seulement 79 chevaux.

Le secret d'une telle puissance, aussi bien dans la S600 que dans la S2000, est un régime élevé. La petite Honda de 1966 développait ses 57 chevaux à 8500 tr/min et montait allègrement au-dessus des 9000 tr/min. Dans la S2000, les 240 chevaux du moteur s'obtiennent à 8300 tr/min et le limitateur de régime n'intervient pas avant 9000 tr/min. De tels chiffres se traduisent par un agrément de conduite élevé, mais aussi par un comportement que l'on associe davantage à celui d'un jouet qu'à celui d'une automobile de tous les jours. C'est précisément ce que j'avais écrit également après mon essai de la S600 il y a 34 ans.

Dans le temps, Honda mettait à profit sa vaste expérience des moteurs acquise principalement dans le développement de motos de compétition. Aujourd'hui, l'histoire se répète et Honda continue de s'affirmer comme l'un des meilleurs motoristes au monde.

La tradition est préservée même si les jouets coûtent de plus en plus cher.

Jacques Duval

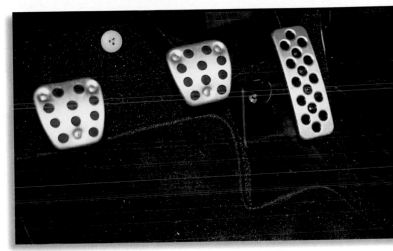

Hyundai Accent

Un air de famille

À sa cinquième année sur le marché nord-américain, il était temps pour l'Accent de changer de robe, de rafraîchir sa présentation. Ses rondeurs et sa silhouette atypique des autres modèles de la gamme Hyundai la rendaient de plus en plus délinquante sur le plan visuel. Et force est d'avouer que plusieurs personnes, même chez Hyundai, ont toujours eu de la difficulté à accepter sa silhouette. On ne la trouvait pas laide, mais…

L'Accent avait un petit quelque chose de différent, d'excitant même, sans pour autant pouvoir mettre le doigt sur l'élément visuel qui clochait ou qui plaisait aux gens. Mais ce sont justement ces formes indéfinies aux angles très ronds qui ont permis à l'Accent de demeurer dans le coup. Même cinq ans après son entrée en scène, elle n'a pas tellement vieilli.

Il ne faut pas s'illusionner non plus. Dans la catégorie des voitures économiques, c'est surtout le prix de vente modeste, la frugalité du moteur côté carburant et une mécanique fiable qui font la différence. Et l'Accent se défendait fort bien à tous les chapitres. Côté prix, elle était en mesure de soutenir la comparaison avec les Chevrolet Metro/Pontiac Firerfly et Suzuki Swift, ses concurrentes directes. Et, bonne nouvelle, même si l'Accent 2000 bénéficie de nombreuses modifications tant sur le plan esthétique que sur le plan mécanique, les prix vont demeurer sensiblement les mêmes qu'en 1999. Hyundai connaît beaucoup de succès avec ce modèle et tient à conserver cette avance. Un nouveau modèle revu et amélioré, vendu à un prix toujours très compétitif, a de très bonnes chances de continuer de progresser.

L'économie de carburant de l'Accent, sans être exceptionnelle, se situe dans la bonne moyenne. Il faut de plus souligner que son moteur 1,5 litre à simple arbre à cames en tête aura cette année un avantage de 16 chevaux par rapport à la Chevrolet Metro. Voilà un argument qui a de bonnes chances de convaincre plusieurs personnes. Ses accélérations permettront de boucler le 0-100 km/h en 10,8 secondes et des poussières, ce qui est fort honnête. Et ce 4 cylindres de 95 chevaux est beaucoup moins bruyant cette année. Le grognement de son moteur était la principale source de plaintes de la part des propriétaires d'Accent. Rouler sur la grand-route à son volant signifiait entendre le ronronnement mécanique de ce petit moteur Alpha pendant des heures. À la longue, ça devenait agaçant et le niveau sonore de la radio augmentait au fil des kilomètres. Cette fois, les décibels sont moins hostiles et Hyundai nous assure que la fiabilité est toujours au rendez-vous. En fait, il n'y a pas que le moteur qui est plus silencieux. L'insonorisation de la cabine a été améliorée afin de corriger une autre lacune de cette voiture: l'intrusion des bruits de la route et du roulement des pneus dans l'habitacle. Le modèle 3 portes était particulièrement vulnérable à ce chapitre; lors de plusieurs essais de ce modèle, chaque fois, on avait l'impression que le hayon arrière était mal fermé. Plusieurs propriétaires d'Accent nous ont d'ailleurs tenu informés au fil des années de leur expérience avec cette sous-compacte; l'insonorisation était l'un des irritants mentionnés le plus souvent. La projection d'eau dans les ailes se traduisait par un grondement sourd. Hyundai, cela va de soi, a tenu compte des critiques de ses clients; critiques, somme toute, fort constructives.

Hyundai Accent

Pour

Insonorisation améliorée •Habitacle plus spacieux • Moteur plus puissant • Prix toujours plus compétitif • Finition en progrès

Contre

Pneumatiques toujours moyens • Valeur de revente incertaine • Certains éléments en plastique à revoir • Freins perfectibles

Caractéristiques

Prix du modèle à l'essai:	GSi / 13 495 $
Garantie de base:	3 ans / 60 000 km
Type:	*hatchback* / traction
Empattement / Longueur:	240 cm* / 420 cm
Largeur / Hauteur / Poids:	165 cm* / 140 cm* / 995 kg
Coffre / Réservoir:	485 litres*/ 48 litres*
Coussins de sécurité:	conducteur, passager et latéraux*
Suspension av. / arr.:	indépendante
Freins av. / arr.:	disque / tambour
Système antipatinage:	non
Direction:	à crémaillère, assistée
Diamètre de braquage:	9,7 mètres
Pneus av. / arr.:	P185/60R14*
Valeur de revente:	moyenne

Motorisation et performances

Moteur / Transmission:	4L 1,5 litre / manuelle 5 rapports
Puissance / Couple:	95 ch à 5600 tr/min / 100 lb-pi à 4000 tr/min*
Autre(s) moteur(s):	aucun
Transmission optionnelle:	automatique 4 rapports
Accélération 0-100 km/h:	10,8 secondes*
Vitesse maximale:	180 km/h
Freinage 100-0 km/h:	38,5 mètres
Consommation (100 km):	7,9 litres

*données préliminaires

Modèles concurrents

Chevrolet Metro/Pontiac Firefly/Suzuki Swift • Daewoo Lanos • Kia Sephia

Quoi de neuf?

Nouvelle carrosserie • Habitacle remanié • Moteur plus puissant • Caisse plus longue

Verdict

Agrément	☺ ☺ ☺	Habitabilité ☺ ☺ ☺ ☺ ☺
Confort	☺ ☺ ☺	Hiver ☺ ☺ ☺ ☺
Fiabilité	☺ ☺ ☺	Sécurité ☺ ☺ ☺

Quant à la fiabilité, un autre objet d'inquiétude pour plusieurs acheteurs dans cette catégorie, sachez que cette Hyundai n'a pas connu d'ennuis majeurs depuis son entrée en scène. Du moins, face à ses concurrentes, elle s'en tire avec honneur.

Place au raffinement

Appelée à remplacer l'Excel, une voiture plutôt primitive qui s'était raffinée au fil des ans, l'Accent a fait la preuve qu'Hyundai avait atteint une rassurante maturité en tant que constructeur. On ne se contentait plus de fabriquer des copies plus ou moins bien exécutées de modèles Mitsubishi dépassés. La finition était en progrès de même que la qualité d'assemblage. En outre, elle comportait le moteur le plus puissant de la catégorie ainsi qu'une suspension arrière indépendante.

Le modèle 2000 poursuit dans cette voie. La carrosserie de l'Accent n'affiche plus cette silhouette qui la faisait parfois ressembler à un jouet Fisher Price atteint de gigantisme. Les stylistes coréens ont le coup de crayon élégant depuis quelques années et la nouvelle Accent montre des airs de famille. En fait, elle emprunte quelques-unes de ses lignes à la Sonata, une voiture dont l'élégance est de plus en plus appréciée.

Plus longue de 10 cm par rapport au modèle 1999 dans la version 3 portes et de 13 cm dans la version 4 portes, cette nouvelle Hyundai est nécessairement plus spacieuse, un autre élément qui devrait jouer en sa faveur. Et ce n'est pas une augmentation de poids d'une quarantaine de kilos qui devrait altérer ses performances et sa consommation de carburant.

Bref, Hyundai continue d'améliorer la qualité de ses produits et leur conception mécanique devient toujours plus sophistiquée avec chaque génération de voitures. Ce qui est de bon augure pour cette nouvelle Accent qui profite de ce nouveau millénaire pour changer d'apparence et peaufiner sa mécanique. Autant d'éléments qui devraient permettre à ce modèle de continuer sa progression au chapitre des ventes, surtout au Québec.

Elle voit grand.

Denis Duquet

Hyundai Elantra

Une valeur sûre

Plusieurs des modèles Hyundai ont connu des ennuis à leurs débuts sur notre marché. Étant l'exception qui confirme la règle, l'Elantra n'a pas souffert d'un départ raté et est devenue populaire dès son entrée en scène. Son bel équilibre, ses performances et une généreuse habitabilité ont permis de convaincre plusieurs acheteurs. Partie de cette base solide, le constructeur coréen n'a jamais lésiné sur les moyens pour adapter l'Elantra aux besoins du jour par le biais de modifications fréquentes. L'an dernier, par exemple, sa carrosserie a été revue et son habitacle raffiné tandis qu'un nouveau moteur prenait place sous le capot. Ce qui explique pourquoi cette voiture est l'un des modèles les plus populaires de sa catégorie.

L'Elantra a toujours été reconnue pour l'équilibre et l'élégance de sa silhouette. En 1997, sa carrosserie avait été transformée. Toutefois, le résultat avait l'apparence d'une œuvre inachevée. Il était évident que cette présentation aurait pu être mieux réussie. L'an dernier, les stylistes ont parachevé leur travail. La calandre à deux orifices en forme d'ellipse améliore de beaucoup l'allure de la partie avant. Et pour que tous les éléments visuels se trouvent en harmonie les uns avec les autres, le pare-chocs avant, la prise d'air, les phares avant et arrière, le couvercle du coffre et le capot ont tous été retouchés.

L'habitacle a toujours été l'un des points faibles des Hyundai. Ce n'est pas le cas pour l'Elantra. Les tissus des sièges, d'assez bonne qualité, sont même élégants, contrairement à la sellerie de la version précédente qui n'était pas une trouvaille. Les sièges avant procurent un bon support latéral et lombaire, une rareté dans cette catégorie. Du côté du tableau de bord, les commandes de ventilation à boutons rotatifs font songer aux japonaises tandis que la présentation d'ensemble est dans la note.

Un costaud!

Le moteur 2,0 litres qui grogne sous le capot s'acquitte honnêtement de ses fonctions. Il est de plus important de souligner que sa fiabilité potentielle n'est pas à mettre en doute. Après tout, ce 4 cylindres est le même que celui qui équipe la Tiburon qui ne cesse d'accumuler les victoires sur les circuits de course un peu partout en Amérique.

Mais il y a plus. Les impressions de conduite sont passablement relevées pour une voiture de cette catégorie. Il ne faut pas croire que ce moteur transforme l'Elantra en BMW à prix modique. On peut tout de même compter sur des reprises plus vives et sur des accélérations plus musclées. Le grand gagnant de cette puissance accrue est la version équipée de la boîte automatique. Celle-ci manque toujours de précision dans le passage des rapports, mais le mugissement du groupe propulseur se montre beaucoup moins prononcé. Il est possible de tirer un meilleur parti du châssis et de sa suspension arrière indépendante. Mais il y a encore du travail à faire à ce chapitre. Cette Hyundai n'a pas encore la même rigidité de caisse qu'une Nissan Sentra ou une Volkswagen Golf. Mais compte tenu du prix, le résultat demeure intéressant.

Hyundai Elantra

Pour

Bonne tenue de route
• Moteur performant
• Présentation extérieure élégante
• Sièges confortables
• Finition en progrès

Contre

Pneumatiques décevants • Plastique d'aspect bon marché • Hésitation de la boîte automatique • Levier de vitesses imprécis sur boîte manuelle • Insonorisation faible

Caractéristiques

Prix du modèle à l'essai:	GLS / 18 995 $
Garantie de base:	3 ans / 60 000 km
Type:	berline / traction
Empattement / Longueur:	255 cm / 446 cm
Largeur / Hauteur / Poids:	170 cm / 146 cm / 1250 kg
Coffre / Réservoir:	324 litres / 55 litres
Coussins de sécurité:	conducteur et passager
Suspension av. / arr.:	indépendante
Freins av. / arr.:	disque ABS (GLS)
Système antipatinage:	non
Direction:	à crémaillère, assistée
Diamètre de braquage:	9,9 mètres
Pneus av. / arr.:	P195/60R14
Valeur de revente:	moyenne

Motorisation et performances

Moteur / Transmission:	4L 2,0 litres / manuelle 4 rapports
Puissance / Couple:	140 ch à 6000 tr/min / 133 lb-pi à 4800 tr/min
Autre(s) moteur(s):	aucun
Transmission optionnelle:	automatique 4 rapports
Accélération 0-100 km/h:	9,3 secondes
Vitesse maximale:	195 km/h
Freinage 100-0 km/h:	43,8 mètres
Consommation (100 km):	10,8 litres

Modèles concurrents

Chevrolet Cavalier/Pontiac Sunfire • Chrysler Neon • Honda Civic • Mazda Protegé • Nissan Sentra • Saturn SL • Toyota Corolla

Quoi de neuf?

Aucun changement majeur

Verdict

Agrément	⊕ ⊕ ⊕	Habitabilité ⊕ ⊕ ⊕
Confort	⊕ ⊕ ⊕	Hiver ⊕ ⊕ ⊕
Fiabilité	⊕ ⊕ ⊕	Sécurité ⊕ ⊕ ⊕

Et la familiale?

Les familiales compactes ne sont pas les modèles les plus en demande sur le marché. L'arrivée des nouvelles Ford Focus et Daewoo Lanos devrait toutefois susciter un intérêt renouvelé pour ce type de voiture. Après tout, en dépit de leurs dimensions modestes, elles sont en mesure de transporter une quantité surprenante d'objets. Et une fois la banquette arrière remisée, la capacité de rangement est encore plus impressionnante. Le volume utilitaire de l'Elantra est de 913 litres lorsque le siège arrière est relevé, ce qui représente à peu près le double de ce qu'une berline de cette catégorie offre. La capacité est portée à 1784 litres une fois les sièges rabattus. Cette familiale est également agile en conduite urbaine en vertu de ses dimensions compactes, et un rayon de braquage court facilite les manœuvres de stationnement.

L'Elantra familiale est animée par le même moteur 2,0 litres de 140 chevaux qui équipe la berline. Il permet de bonnes accélérations pour cette catégorie de voitures et ne semble jamais pris au dépourvu. La puissance est disponible à bas régime, bonne nouvelle sur une voiture appelée à être chargée plus que la moyenne. Il faut cependant déplorer le fait que la boîte automatique semble hésiter légèrement en certaines circonstances.

La comparaison avec la Daewoo Nubira est inévitable. Le moteur de la Hyundai a un avantage de 7 chevaux alors que celui de la Nubira développe un couple supérieur. Côté dimensions, la Nubira a un empattement plus long de 2 cm et sa caisse est également plus longue. Curieusement, les deux voitures sont de la même largeur. Quant à l'espace utilitaire, la familiale Elantra possède un plus grand volume une fois les sièges relevés tandis que la Nubira a un léger avantage lorsque les sièges sont rabattus.

Faute de les départager, soulignons que ces deux modèles ont plusieurs points en commun. Mais puisque l'Elantra est sur le marché depuis quelques années, il est plus facile de connaître ses forces et ses faiblesses. Cette feuille de route plus étoffée permettra à plusieurs de faire un choix.

Elle sait plaire.

Denis Duquet

Hyundai Santa Fe

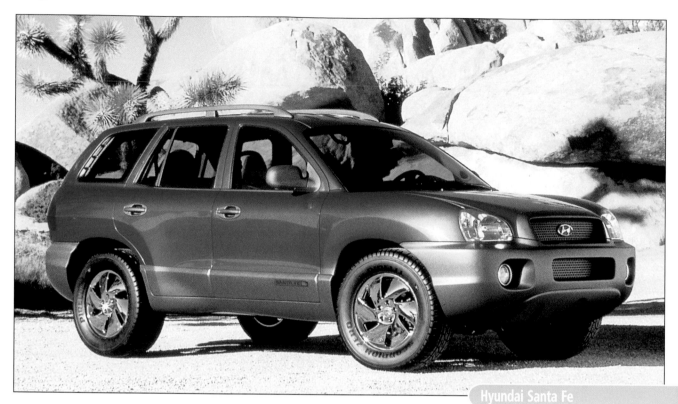

Moi aussi, je veux jouer!

Le succès des utilitaires sport en Amérique du Nord dépasse l'entendement. Tout le monde veut le sien, et cet engouement ne semble aucunement s'essouffler. Les constructeurs désirent eux aussi profiter de la manne, d'autant plus qu'il ne s'agit pas du moins lucratif des créneaux... C'est donc le tour de Hyundai de sauter dans le bain avec le Santa Fe, dont l'arrivée est prévue pour le printemps prochain, sous le millésime 2001.

I s'agira du premier véhicule de type utilitaire conçu, mis au point et développé par cette firme coréenne, qui semble par ailleurs s'être remise de la crise économique qui a secoué l'Asie il y a deux ans. Certes, le Galloper, vendu dans son pays d'origine ainsi que dans certaines parties du continent européen, est commercialisé sous la bannière Hyundai; mais le plus vendu des 4X4 en Corée est en fait un Mitsubishi Pajero, dont le Galloper reprend la mécanique et la carrosserie. D'ailleurs, la ressemblance avec son géniteur est on ne peut plus évidente. Précisons toutefois qu'il s'agit du Pajero de l'ancienne génération, qui a terminé sa carrière chez Mitsubishi en... 1991! Un bel exemple de récupération...

Hyundai ne sera cependant pas le premier constructeur coréen à commercialiser un 4X4 en Amérique du Nord; il a été précédé en cela par Kia, qui exporte le Sportage aux États-Unis et, depuis quelques mois, au Canada. Incidemment, cette marque est passée l'année dernière dans le giron du groupe Hyundai, qui s'en est porté acquéreur.

Tout pour séduire

Présenté au Salon de Toronto, l'hiver dernier, le véhicule concept Santa Fe donnait un très bon aperçu de ce que sera l'utilitaire sport du même nom que le n° 1 coréen s'apprête à mettre sur le marché. Par ailleurs, le choix de ce patronyme est en quelque sorte un indice des origines de ce nouveau venu, dont la conception a été confiée aux studios de Hyundai California Design (HCD), ceux-là mêmes auxquels on doit le dessin inspiré du coupé Tiburon.

Celui du Santa Fe l'est tout autant: son allure résolument macho, à la fois costaude et trapue, risque de faire un malheur auprès des amateurs de 4X4, masculins comme féminins. Car il faut bien le dire, l'achat de ce genre de véhicule est rarement l'issue d'une décision rationnelle... Traduisez: dans le choix d'un utilitaire sport, l'apparence compte pour beaucoup. Hyundai commence donc du bon pied, parce que son 4X4 possède une sacrée gueule.

Il en va de même pour l'habitacle, dont la présentation, plutôt cossue, est rehaussée par une planche de bord aussi agréable à l'œil que fonctionnelle — du moins était-ce le cas du prototype exposé à Toronto, qui avait tout d'un modèle fin prêt pour la production en série. La console centrale, qui intègre dans sa partie supérieure la chaîne stéréo, les commandes et les buses de ventilation, démontre une recherche ergonomique évidente; de plus, elle est munie non pas d'une mais de deux prises de courant (12 volts). On en retrouve une troisième à l'arrière. Toujours dans le rayon des trouvailles pratiques, mentionnons la présence dans la soute à bagages d'un panneau pouvant servir de table à pique-nique. Comme par hasard, on retrouve pareil accessoire à bord du Honda CR-V, cible avouée du Santa Fe. Enfin, l'une d'entre elles...

Hyundai Santa Fe

Pour

Design original et audacieux
• Présentation intérieure réussie
• Trouvailles pratiques • Choix de moteurs

Contre

Aptitudes hors route limitées
• Fiabilité inconnue

Caractéristiques

Prix du modèle à l'essai:	n.d.
Garantie de base:	3 ans / 60 000 km
Type:	utilitaire sport / traction intégrale
Empattement / Longueur:	262 cm / 450,5 cm
Largeur / Hauteur / Poids:	182 cm / 167,5 cm / n.d.
Coffre / Réservoir:	n.d.
Coussins de sécurité:	conducteur, passager et latéraux
Suspension av. / arr.:	n.d.
Freins av. / arr.:	n.d.
Système antipatinage:	non
Direction:	à crémaillère, assistée
Diamètre de braquage:	n.d.
Pneus av. / arr.:	n.d.
Valeur de revente:	nouveau modèle

Motorisation et performances

Moteur / Transmission:	4L 2,4 litres / automatique 4 rapports
Puissance / Couple:	150 ch
Autre(s) moteur(s):	V6 2,7 litres 170 ch
Transmission optionnelle:	n.d.
Accélération 0-100 km/h:	12,5 secondes (estimée)
Vitesse maximale:	175 km/h (estimée)
Freinage 100-0 km/h:	n.d.
Consommation (100 km):	12,0 litres (estimée)

Modèles concurrents

Honda CR-V • Jeep Cherokee • Kia Sportage • Nissan Xterra • Subaru Forester • Suzuki Grand Vitara • Toyota RAV4

Quoi de neuf?

Nouveau modèle

Verdict

Agrément	Données	Habitabilité	Données
Confort	insuffisantes	Hiver	insuffisantes
Fiabilité		Sécurité	

Quatre et six cylindres

Justement, parlons-en, de la concurrence... La partie est loin d'être gagnée d'avance pour ce nouveau venu qui devra affronter, en plus du CR-V, un autre nouveau joueur au talent prometteur, le Nissan Xterra; ainsi que des modèles établis tels le Jeep Cherokee, le Subaru Forester et le Suzuki Grand Vitara. Chez Hyundai, on insiste pour mentionner que le Santa Fe est plus large que les petits utilitaires sport tels le CR-V et le Toyota RAV4.

Pour affronter tout ce beau monde, Hyundai a choisi d'y aller avec un 4 cylindres, offert de série, et un V6. Sage décision. Malgré les informations diffusées au compte-gouttes, nous apprenions, au moment de mettre sous presse, que leurs cylindrées respectives seront de 2,4 et 2,7 litres. Dans le premier cas, il s'agit du 4 cylindres qu'on retrouve dans la version de base de la berline Sonata, bon pour 150 chevaux; quant au nouveau V6 tout aluminium, il reprend en tout point l'architecture de celui de la Sonata (4 soupapes par cylindre et double arbre à cames en tête), et sa puissance est la même (170 chevaux), ce qui place le Santa Fe en très bonne position face à ses futurs rivaux.

De type adaptative, la boîte automatique est munie d'un système de gestion électronique. Quant au rouage d'entraînement, Hyundai a suivi la tendance en optant pour le mode intégral, avec visco-coupleur central. Les aventuriers déploreront toutefois l'absence de rapports courts, très utiles lors d'excursions hors route. À l'avant comme à l'arrière, les suspensions sont munies de jambes de force de type MacPherson; à l'arrière, on retrouve également des bras oscillants longs et courts.

À première vue, Hyundai semble avoir bien fait ses devoirs avant de plonger tête première dans le segment des utilitaires. On ne va pas à la guerre avec un tire-pois, c'est bien connu, et le géant coréen a eu l'intelligence de bien préparer le Santa Fe avant de l'envoyer au front, notamment en lui donnant deux motorisations qui, d'emblée, le placent dans le peloton de tête. Tout ça est bien beau sur papier, mais il faudra attendre un essai en bonne et due forme avant de se prononcer.

Philippe Laguë

Hyundai Sonata

Abus de langage

Au cas où vous sauriez ce que c'est, Hyundai tient absolument à vous informer que sa nouvelle Sonata est de classe internationale. L'obscure citation revient trois fois dans la pochette de presse. Personnellement, j'ai beaucoup de mal à visualiser ce que peut être «une sécurité de classe internationale» ou «des moteurs de classe internationale». Même si le dictionnaire n'en dit rien, je soupçonne que le message qu'on veut nous refiler est que les produits de cette firme coréenne soutiennent la comparaison avec ce qui se fait de mieux dans le monde.

C'eût été si simple de l'écrire, sauf qu'il est sans doute plus prudent d'utiliser une expression plus vague juste au cas où l'on serait porté justement à comparer la Sonata avec ce qui se fait de mieux dans le monde. Aussi valable soit-elle, la dernière génération de berlines de format moyen de Hyundai pourrait perdre des plumes... Car la Sonata n'est pas une Camry et certainement pas une Accord. Bien sûr, elle coûte moins cher, ce qui signifie qu'il faudrait peut-être écrire une voiture de classe internationale au prix d'une voiture de classe... nationale. Mais au diable la sémantique et voyons ce que peut offrir cette Sonata à l'automobiliste qui cherche constamment à résoudre l'équation: beau, bon, pas cher.

Dans sa dernière livraison, la Sonata a fait peau neuve et se donne des allures plus cossues. Elle revendique une coque plus rigide, une meilleure habitabilité, une puissance accrue, un confort plus soigné, bref la litanie habituelle des voitures «nouvelles et améliorées».

Un 4 cylindres éloquent

Curieusement, c'est dans sa version à moteur 4 cylindres que la dernière Sonata est la plus convaincante. Même avec la transmission automatique de la GL mise à l'essai, ce 2,3 litres montre une forme réjouissante. Il signe coup sur coup un 0-100 km/h en moins de 10 secondes et une vitesse de pointe de 192 km/h. Ces performances ne sont pas loin de celles du V6 de 2,5 litres et le 4 cylindres a l'avantage d'être un peu moins bruyant à haut régime. Il faut préciser qu'il n'y a que 15 chevaux de différence entre les deux moteurs et qu'aucune boîte de vitesses manuelle n'est offerte.

Malgré tout, la transmission automatique n'est pas un handicap et on peut même modifier les changements de rapports à l'aide d'un petit bouton identifié «power» placé sur le levier de vitesses.

Si la GL se débrouille assez bien au chapitre des performances, son équipement et sa présentation laissent toutefois un peu songeur.

ABS manquant

On s'étonne par exemple de ne pas trouver de freins antiblocage sur la GL d'environ 20 000 $ alors qu'il y en a dans une simple Chevrolet Cavalier de 15 000 $. J'en profite d'ailleurs pour souligner jusqu'à quel point on s'est habitué rapidement à ce type d'équipement. Il suffit de conduire une voiture qui n'en est pas dotée pour se rendre compte que rouler en hiver devient périlleux sans ABS. Au freinage par exemple, la voiture part facilement en travers et exige un conducteur beaucoup plus alerte pour éviter les tête-à-queue consécutifs à un blocage des roues.

On profite d'une tenue de route saine aussi bien à haute vitesse en ligne droite que dans de petits chemins sinueux. La limite d'adhérence

Hyundai Sonata

Pour

Carrosserie robuste • Bon confort • Habitabilité intéressante • Performances satisfaisantes (GL 4 cylindres) • Prix attrayant

Contre

Faible adhérence des pneus • Tissus bon marché (GL) • Pas de freins ABS (GL) • Retard sur la concurrence

Caractéristiques

Prix du modèle à l'essai:	GL / 19 990 $
Garantie de base:	3 ans / 60 000 km
Type:	berline / traction
Empattement / Longueur:	270 cm / 471 cm
Largeur / Hauteur / Poids:	182 cm / 141 cm / 1409 kg
Coffre / Réservoir:	377 litres / 65 litres
Coussins de sécurité:	frontaux et latéraux
Suspension av. / arr.:	indépendante
Freins av. / arr.:	disque / tambour (ABS optionnel)
Système antipatinage:	oui (optionel)
Direction:	à crémaillère, assistée
Diamètre de braquage:	10,5 mètres
Pneus av. / arr.:	P195/70R14
Valeur de revente:	faible

Motorisation et performances

Moteur / Transmission:	4L 2,3 litres / automatique 4 rapports
Puissance / Couple:	148 ch à 5500 tr/min / 156 lb-pi à 3000 tr/min
Autre(s) moteur(s):	V6 2,5 litres 163 ch
Transmission optionnelle:	aucune
Accélération 0-100 km/h:	9,8 secondes
Vitesse maximale:	192 km/h
Freinage 100-0 km/h:	41,3 mètres
Consommation (100 km):	8,5 litres

Modèles concurrents

Daewoo Leganza • Nissan Altima • Ford Contour • Chevrolet Malibu • Honda Accord • Subaru Legacy • Toyota Camry

Quoi de neuf?

Aucun chagement majeur

Verdict

Agrément	⊕ ⊕ ◐	Habitabilité	⊕ ⊕ ⊕ ◐
Confort	⊕ ⊕ ⊕ ◐	Hiver	⊕ ⊕ ⊕
Fiabilité	⊕ ⊕ ⊕	Sécurité	⊕ ⊕ ⊕

est cependant facilement atteinte, en partie à cause des fortes inclinaisons de la caisse en virage. La souplesse de la suspension contribue à aplanir les pires imperfections du revêtement et le confort de la Sonata est aussi rehaussé par une carrosserie exempte de bruits insolites sur mauvaise route. La servo-direction à crémaillère n'est ni trop légère ni trop lourde. Elle a cette imperceptible qualité de se faire oublier.

Un intérieur soigné

En version GL, cette Hyundai affiche un p'tit côté bas de gamme qui se remarque surtout dans la plêtre apparence des sièges en tissu. Par contre, si les matériaux utilisés dans la présentation intérieure ne paient pas de mine, l'habitacle n'en demeure pas moins de bonne facture.

Pas si mal après tout.

Effectué en hiver, mon essai a permis de vérifier la qualité du système de chauffage qui s'est montré à la hauteur de toutes les situations. Seules des serrures gelées sont venues mettre un bémol sur les aptitudes hivernales de la Hyundai Sonata.

La position de conduite est fort convenable avec des sièges agréables et un volant réglable en hauteur. Ce dernier regroupe les commandes du régulateur de vitesse automatique, une solution qui évite d'avoir à retirer les mains du volant. On a aussi eu la bonne idée d'installer sur la console centrale des espaces de rangement qui se révèlent très pratiques au cours de longs trajets.

La refonte de ce modèle a su éviter tous les traquenards qui flattent la ligne aux dépens de la visibilité. Une bonne surface vitrée comme celle de la Sonata ajoute à la sécurité active d'une voiture.

En ce qui concerne l'habitabilité, la Sonata s'avère comparable aux voitures qu'elle entend concurrencer grâce à des places arrière offrant un généreux dégagement pour les jambes. Les plus grands trouveront peut-être l'espace pour la tête un peu juste, mais rien de plus. Finalement, ce tour du propriétaire a permis de découvrir un coffre à bagages assez vaste qui, en plus, est rendu facile d'accès par une large ouverture.

Sans avoir le lustre d'une Camry ou d'une Accord, la Sonata apparaît bien construite et d'un comportement routier fort acceptable. Certes, elle n'atteint pas cette classe internationale dont elle se réclame à tout propos, mais son prix compense largement.

Jacques Duval

Hyundai Tiburon

Un requin apprivoisé

Pour sortir du créneau de la voiture économique et attirer une plus grande clientèle, Hyundai s'attaque aux coupés sport avec la Tiburon. La recette est connue: plate-forme et groupe motopropulseur provenant d'un modèle existant (l'Elantra), look sexy et prix attrayant.

Le lancement de la Tiburon pour le millésime 1997 a donné lieu à des réactions diamétralement opposées: on aime ou on n'aime pas. Le look ravageur du requin qui semble avoir plu aux fervents des formes «musclées» a généralement déplu aux amateurs de simplicité et de lignes pures. À vrai dire, le paysage automobile compte plusieurs exercices de style comparables qui présentent la fâcheuse habitude de se démoder rapidement. Notre Tiburon FX d'essai était garnie du petit aileron arrière nettement plus discret que le monstrueux aileron de requin proposé en option.

Pour 2000, Hyundai s'est inspirée du concept Turbulence dévoilé au Salon de Séoul pour les retouches stylistiques dont bénéficie la Tiburon. Cet effort de style controversé se prolonge à l'intérieur de la Tiburon dont le tableau de bord aux courbes plus gracieuses que celles de la carrosserie offre l'avantage d'une ergonomie soignée. En effet, les principales commandes situées sur la colonne de direction et sur la planche de bord sont accessibles et faciles à manier. Même la radio (avec lecteur de cassettes et 6 haut-parleurs) dispose de touches de taille normale, chose assez rare chez un constructeur asiatique. À corriger, les reflets gênants dans les deux instruments situés de part et d'autre du compteur de vitesse.

La climatisation de série rafraîchit convenablement l'habitacle. Les bouches d'air incorporées aux contre-portes ainsi que l'empla-cement judicieux des commandes des glaces, de l'accoudoir et des porte-verres témoignent du soin apporté à l'aménagement intérieur.

Et puisque nous sommes à l'intérieur, signalons le confort qu'assurent les sièges avant dont celui du conducteur qui comporte une assise à inclinaison réglable manuellement, ce qui permet d'ajuster le siège de façon à bien soutenir les cuisses, chose souvent impossible à réaliser sur des modèles comparables. En outre, le dossier enveloppant et la garniture en tissu tricoté assurent un excellent maintien qui rehausse l'agrément de conduite. Quant à la banquette arrière généreusement creusée, il serait préférable de la réserver aux enfants, tant le dégagement à la tête est limité. Cette même banquette se rabat en deux parties pour augmenter le volume utile du coffre, doté d'un seuil assez élevé.

Timide, le moteur du requin

Voyons à présent si les performances de la Tiburon rendent justice à son allure menaçante. D'abord, la sonorité du moteur, facteur important pour une voiture aux prétentions sportives: malgré ses deux sorties d'échappement, le 4 cylindres Hyundai ne chante pas! La montée en régime s'accompagne d'un bruit quel-conque qui devient ensuite presque désagréable. Avec un chrono de 9,4 secondes pour le 0 à 100 km/h, vous conviendrez sûre-ment qu'il n'y a pas de quoi se pâmer! Outre l'accélération, ce moteur de 140 chevaux procure des reprises moyennes, car il manque de couple à bas et à mi-régime, talon d'Achille des moteurs multisoupapes. En fait, ce moteur fait vieux jeu et il serait temps de le faire évoluer. Heureusement, pour seconder le moteur se trouve la boîte manuelle à 5 vitesses dont le levier se

Hyundai Tiburon

Pour

Excellents freins • Bonne tenue de route • Bonne boîte de vitesses • Sièges avant confortables • Habitacle agréable • Équipement complet • Prix abordable

Contre

Performances modestes • Suspension dure • Moteur bruyant • Ligne controversée • ABS en option seulement

Caractéristiques

Prix du modèle à l'essai:	18 895 $
Garantie de base:	5 ans / 100 000 km
Type:	coupé 2+2 / traction
Empattement / Longueur:	247 cm / 434 cm
Largeur / Hauteur / Poids:	173 cm / 131 cm / 1 150 kg
Coffre / Réservoir:	362 litres / 55 litres
Coussins de sécurité:	conducteur et passager
Suspension av. / arr.:	indépendante
Freins av. / arr.:	disque (ABS en option)
Système antipatinage:	non
Direction:	à crémaillère assistée
Diamètre de braquage:	10,4 mètres
Pneus av. / arr.:	P205/50VR15
Valeur de revente:	passable

Motorisation et performances

Moteur / Transmission:	4L 2,0 litres / manuelle 5 rapports
Puissance / Couple:	140 ch à 6000 tr/min / 133 lb-pi à 4800 tr/min
Autre(s) moteur(s):	aucun
Transmission optionnelle:	automatique 4 rapports
Accélération 0-100 km/h:	9,5 secondes
Vitesse maximale:	205 km/h
Freinage 100-0 km/h:	44,0 mètres
Consommation (100 km):	10,8 litres

Modèles concurrents

Acura Integra • Honda Civic Si • Saturn SC • Ford Focus

Quoi de neuf?

Parties avant et arrière restylées • aménagement rehaussé

Verdict

Agrément	⊕ ⊕ ⊕ (	Habitabilité	⊕ ⊕
Confort	⊕ ⊕ ⊕	Hiver	⊕ ⊕ ⊕
Fiabilité	⊕ ⊕ ⊕	Sécurité	⊕ ⊕ ⊕ (

manie fort bien: débattement correct, grille bien définie, effort minimal.

Sportifs, les freins et les suspensions

Si le moteur manque de brio, la suspension, elle, ne décevra pas les amateurs de conduite sportive. Correctement chaussée de Michelin XGT V4 montés sur des jantes en alliage de 15 pouces, la Tiburon s'accroche à la chaussée en virage, tenace. Neutre sauf dans les épingles serrées, elle affiche peu de roulis et avale la succession de virages avec aplomb. La direction précise qui bénéficie d'une assistance judicieusement dosée permet de bien placer la voiture sur sa trajectoire. Autre prestation impressionnante: celle des freins. Les 4 freins à disque de la FX sont un exemple du genre et la pédale ferme permet de moduler facilement la pression de freinage. Heureusement d'ailleurs, car la Tiburon FX ne reçoit l'ABS qu'en option. En somme, suspension et freins constituent sans conteste les deux éléments les plus réussis de cette Tiburon et compensent en partie le manque de tonus du moteur.

Mais chez Hyundai, suspension sportive rime encore avec suspension dure et la Tiburon vous fera secouer le dentier sur les anfractuosités qui ponctuent si généreusement les belles routes ensoleillées du Québec. À haute vitesse, le bruit de vent vient se mêler à celui du moteur et des suspensions.

Autant dire que la Tiburon ne sera pas le poisson favori de l'automobiliste qui souhaite se faire dorloter en silence, mais qu'elle plaira aux amateurs de look rageur et de comportement sportif. Bien équipée, dotée d'une caisse rigide et proposée à un prix plus raisonnable que celui de ses principales concurrentes, la Hyundai Tiburon constitue un choix valable si le confort de suspension et le silence de roulement ne comptent pas parmi les premiers critères d'achat.

Alain Raymond

Un requin sport.

Infiniti G20 • G20t

Infiniti G20t

Un coup d'épée dans l'eau

La voiture a beau avoir une tenue de route à faire pâlir d'envie n'importe quel coupé sport, je doute fort que la résurrection de la G20t soit autre chose qu'un coup d'épée dans l'eau pour son constructeur, Infiniti, la marque de prestige du groupe Nissan. Cette petite berline mi-sport, mi-luxe est particulièrement à l'aise sur un parcours sinueux ou une bretelle d'autoroute, mais dès la première ligne droite, elle n'offre vraiment pas grand-chose pour rendre justice à cette image de performance que fait surgir son petit aileron arrière.

S on maigre 4 cylindres de 2,0 litres et 140 chevaux n'est certes pas le meilleur compagnon de la G20t et Infiniti devra refaire ses calculs avant de présenter sa petite dernière comme une option alternative à une BMW 325i ou une VW Jetta VR6. Pour quelques milliers de dollars de plus ou de moins, on peut obtenir une berline sport bien plus vivante que la G20t.

Remarquez que le succès est tout proche pour Infiniti et qu'il suffirait d'une trentaine de chevaux et d'un peu d'originalité pour tout régler. Je m'explique... Ce qui fait défaut à la G20t, c'est non seulement son moteur un peu fluet mais aussi cette totale absence de luxe, que ce soit au tableau de bord ou ailleurs dans l'habitacle. Les gens chez Infiniti semblent conscients du problème puisque les versions 2000 de ce modèle héritent de quelques appliques en bois au tableau de bord et d'un moteur enrichi de 5 chevaux grâce, en partie, à un nouvel échappement à double sortie. Malgré tout, c'est bien peu pour une voiture qui veut se démarquer. Dans l'état actuel des choses, son habitacle ressemble à celui de n'importe quelle

petite voiture japonaise sans relief. Les seuls indices de luxe sont la présence d'un climatiseur thermostatique, de phares à extinction automatique et de sacs gonflables aux places arrière. Or, en relevant la présentation et en offrant à ce modèle un moteur moins galvaudé que le 4 cylindres de la Nissan Sentra XE, Infiniti donnerait un peu plus de panache à la G20t.

Une sportive aguerrie

Plaisante à piloter grâce à un comportement routier très neutre avec un soupçon de survirage à la limite, cette berline peut aussi compter sur un freinage fort bien équilibré et une direction qui transforme la conduite sportive en un jeu d'enfant. Il serait d'ailleurs fort intéressant de monter des pneus haute performance sur cette voiture et de la lancer à l'assaut d'une piste de course. Nul doute qu'elle s'y défendrait fort bien même si l'embrayage de notre voiture d'essai rechignait un peu lors de changements de rapport trop rapides. D'ailleurs, la première n'est pas toujours facile à enclencher.

Une Miata 4 portes

Sommairement, on pourrait décrire la G20t comme une Mazda Miata carrossée en berline. On note en effet beaucoup d'affinités entre les deux voitures: tempérament sportif très poussé, maniabilité exemplaire, grande facilité de conduite... et un moteur en mal de puissance. Celui de l'Infiniti n'a pas la phobie des hauteurs et chatouille les 7000 tr/min sans sourciller même si un tel exercice ressemble davantage à un défoulement qu'à une chasse aux chevaux-vapeur. L'agrément de conduite d'une G20t se trouve donc

Infiniti G20

Pour

- Tenue de route époustouflante
- Confort soigné
- Coussins gonflables arrière
- Construction solide
- Belle maniabilité

Contre

- Moteur peu performant
- Embrayage déficient
- Tableau de bord terne
- Aquaplanage

Caractéristiques

Prix du modèle à l'essai:	G20t / 29 950 $
Garantie de base:	4 ans / 100 000 km
Type:	berline / traction
Empattement / Longueur:	260 cm / 451 cm
Largeur / Hauteur / Poids:	169 cm / 140 cm / 1332 kg
Coffre / Réservoir:	382 litres / 60 litres
Coussins de sécurité:	frontaux et latéraux
Suspension av. / arr.:	indépendante
Freins av. / arr.:	disque ABS
Système antipatinage:	non
Direction:	à crémaillère, assistée
Diamètre de braquage:	11,4 mètres
Pneus av. / arr.:	P195/60HR15
Valeur de revente:	faible

Motorisation et performances

Moteur / Transmission:	4L 2,0 litres / manuelle 5 rapports
Puissance / Couple:	145 ch à 6000 tr/min / 136 lb-pi à 4800 tr/min
Autre(s) moteur(s):	aucun
Transmission optionnelle:	automatique 4 rapports
Accélération 0-100 km/h:	9,2 secondes
Vitesse maximale:	200 km/h
Freinage 100-0 km/h:	38,6 mètres
Consommation (100 km):	9,0 litres

Modèles concurrents

VW Jetta VR6 • Saab 9³ • BMW 325i • Audi A4 1,8

Quoi de neuf?

Puissance accrue de 5 chevaux • Échappement double • Rétroviseurs extérieurs chauffants

Verdict

Agrément	⊕ ⊕ ⊕ ⊖	Habitabilité ⊕ ⊕ ⊕ ⊖
Confort	⊕ ⊕ ⊕ ⊖	Hiver ⊕ ⊕ ⊖
Fiabilité	⊕ ⊕ ⊕ ⊕ ⊕	Sécurité ⊕ ⊕ ⊕ ⊕

essentiellement dans son exceptionnelle tenue de route servie par une direction d'intervention rapide dotée d'un volant agréable à tenir en mains. Le seul petit nuage à ce chapitre: le piètre rendement des pneus d'origine qui montrent une tendance à l'aquaplanage dans les flaques d'eau, une faiblesse que l'absence d'antipatinage rend encore plus flagrante. En revanche, ces mêmes pneus s'avèrent remarquables sur pavé sec tout en assurant un confort de roulement qui surprend dans une voiture aussi bien accrochée à la route. Ils ont aussi une incidence favorable sur la rigidité de la caisse qui n'est jamais perturbée même sur de fort mauvaises routes.

Triste tableau

La banalité du tableau de bord est d'autant plus désolante que l'habitacle m'est apparu très convivial. Les sièges à commande manuelle sont à l'abri de toute critique et le volant réglable facilite la recherche de la position de conduite idéale.

Il suffirait de presque rien.

Même l'aileron arrière ne nuit pas à la visibilité et le conducteur a droit à de nombreux espaces de rangement ici et là. La facilité d'accès des diverses commandes, entre autres celles de la climatisation et de la chaîne audio, est la preuve d'une ergonomie soignée. On a droit à une sonorité musicale particulièrement impressionnante grâce à la présence de haut-parleurs Bose judicieusement placés.

Il eût suffi d'une petite touche d'originalité pour donner à la G20t le cachet d'exclusivité dont elle a cruellement besoin.

L'habitabilité de la G20t n'est pas renversante, mais elle imite en cela la majeure partie de ses concurrentes. On appréciera cependant la présence d'appuie-tête repliables aux places arrière. Finalement, le coffre est de bonne dimension pour une voiture de ce format. Face à une voiture comme l'Infiniti G20t, on se retrouve mi-figue, mi-raisin, enthousiasmé par son esprit sportif et sa belle exécution mais déçu par sa trop grande sobriété, autant sous le capot que dans l'habitacle. C'est ce qui me fait dire que son retour sur le marché a toutes les apparences d'un coup d'épée dans l'eau.

Jacques Duval

Infiniti I30

Infiniti I30t

La domestique en tenue de gala

Bien sûr elle fait partie d'une famille huppée, mais il n'est pas nécessaire de gratter très longtemps pour se rendre compte que l'Infiniti I30 n'est, après tout, qu'une Nissan Maxima en costume de soirée. Certes, elle est légèrement mieux insonorisée et une touche plus confortable que sa modeste cousine, mais vaut-il vraiment la peine de débourser plusieurs milliers de dollars de plus pour se rendre chez un concessionnaire Infiniti plutôt que chez Nissan au moment des mises au point?

Une grosse partie de la réponse à cette question se trouve justement chez le concessionnaire. Chez Infiniti, l'acheteur est quasi assuré d'être reçu comme un roi alors que chez Nissan l'accueil risque d'être un peu plus expéditif, bien que courtois. Chose certaine, les deux voitures partagent une qualité de construction très bien cotée au sein de l'industrie automobile. Ni l'une ni l'autre n'est révolutionnaire dans sa nouvelle tenue 2000, mais il faut bien admettre que nous avons affaire à des produits élaborés avec beaucoup de sérieux.

Le duo Maxima/Infiniti I30 n'échappe pas à la litanie habituelle des améliorations qu'on retrouve pratiquement sur toutes les nouvelles voitures depuis au moins cinq ans.

Tout cela serait plus louable si l'on avait réussi à ne pas augmenter le poids de la voiture. Or, l'Infiniti I30 nouvelle cuvée pèse une cinquantaine de kilos de plus que sa devancière, ce qui s'avale difficilement à une époque où les matériaux sont de plus en plus légers. Quand on sait que l'ennemi, c'est le poids, Nissan a un peu raté le coche à ce chapitre.

Un moteur gagnant

Cet embonpoint est le résultat de dimensions plus généreuses, dont une longueur augmentée de 10,4 cm. En revanche, l'I30 pavoise en offrant l'habitacle le plus spacieux de toutes les voitures de la catégorie des intermédiaires de luxe, le segment le plus vaste à l'heure actuelle sur le marché des voitures chic. L'Acura 3,2TL est actuellement le modèle le plus vendu de ce groupe sélect. Pour mieux lui faire la lutte, l'I30 comporte cette année un V6 de 3,0 litres dont la puissance a été accrue de 37 chevaux grâce à de nouveaux réglages, y compris un système d'admission d'air variable et des composantes moins sujettes à la friction. Notons au passage que ce V6 a toujours été l'attribut numéro 1 du duo Maxima/I30 et qu'il est considéré comme l'un des 10 meilleurs moteurs au monde. Il n'est livré qu'avec la transmission automatique dans la gamme Infiniti alors que chez Nissan, l'acheteur peut opter pour une boîte manuelle à 5 rapports. Cette décision est un peu loufoque compte tenu qu'il existe une version Touring et nécessairement plus sportive de l'I30 chaussée de roues et de pneus de 17 pouces au lieu des jantes de 16 pouces de la version luxe.

Parfaitement identique à la Maxima, cette Infiniti doit se contenter d'un essieu arrière rigide dont la suspension multibras limite énormément les effets nocifs d'une telle architecture. Au volant, il est en effet bien difficile de se rendre compte que la voiture ne bénéficie pas de roues indépendantes à l'arrière.

Des appuie-tête inédits

La nouveauté la plus significative au chapitre de l'aménagement intérieur est la présence d'appuie-tête avant développés par Lear Corporation et conçus pour réduire le risque de coup de fouet cervical lors

318

Infiniti I30t

Pour
Moteur remarquable • Freinage impressionnant • Bonne habitabilité • Sécurité passive soignée • Fiabilité établie

Contre
Performances moyennes • Direction gommée • Poids en hausse • Mauvaise visibilité ¾ arrière • Mécanique identique à la Maxima

Caractéristiques

Prix du modèle à l'essai:	I30t / 41 500 $
Garantie de base:	4 ans / 100 000 km
Type:	berline / traction
Empattement / Longueur:	275 cm / 492 cm
Largeur / Hauteur / Poids:	178 cm / 143 cm / 1475 kg
Coffre / Réservoir:	422 litres / 70 litres
Coussins de sécurité:	frontaux et latéraux
Suspension av. / arr.:	indépendante / essieu rigide
Freins av. / arr.:	disque ABS
Système antipatinage:	oui
Direction:	à crémaillère, assistance variable
Diamètre de braquage:	10,8 mètres
Pneus av. / arr.:	P225/50R17
Valeur de revente:	nouveau modèle

Motorisation et performances

Moteur / Transmission:	V6 3,0 litres / automatique 4 rapports
Puissance / Couple:	227 ch à 6400 tr/min / 217 lb-pi à 4000 tr/min
Autre(s) moteur(s):	aucun
Transmission optionnelle:	aucune
Accélération 0-100 km/h:	10,2 secondes
Vitesse maximale:	200 km/h
Freinage 100-0 km/h:	38,2 mètres
Consommation (100 km):	10,8 litres

Modèles concurrents
Acura TL • Lexus ES300 • Mazda Millenia • Volvo S70

Quoi de neuf?
nouveau modèle

Verdict

Agrément	⊕ ⊕ ⊕	Habitabilité ⊕ ⊕ ⊕ ⊕
Confort	⊕ ⊕ ⊕ ⊕	Hiver ⊕ ⊕ ⊕
Fiabilité	⊕ ⊕ ⊕ ⊕ ⊕	Sécurité ⊕ ⊕ ⊕ ⊕

d'une collision arrière. En se déplaçant mécaniquement vers l'avant et le haut lors d'un impact afin de mieux supporter la nuque de l'occupant, cet appuie-tête spécial diminue de 35 p. 100 l'hyperextension de la nuque. La nouvelle I30 offre aussi des coussins gonflables frontaux de deuxième génération qui se déploient avec plus ou moins de force selon la violence de l'impact, ainsi que des coussins latéraux avant de série.

Le moteur est d'une telle discrétion qu'il arrive que l'on tourne la clé de contact alors qu'il est déjà en marche. Sa douceur de roulement est aussi indiscutable, mais la puissance de 227 chevaux n'est pas particulièrement impressionnante. Il faut par exemple plus de 10 secondes pour rallier les 100 km/h et les reprises ne vous calent pas dans votre siège. Nul doute que la boîte manuelle de la Maxima ferait grand bien à l'I30, surtout à la version Touring mise à l'essai, car celle-ci se comporte avec beaucoup d'aplomb en conduite rapide. La tenue de cap est exceptionnelle et, sans être sportive, la tenue de route s'avère immensément rassurante. Seule la direction m'est apparue un peu vague et gommée.

Beau doublé.

Assurant un confort on ne peut plus soigné, cette Infiniti est une vraie berline grand-tourisme dans laquelle on peut franchir de longs trajets sans avoir à s'arrêter toutes les heures pour se délier les muscles. Le confort est maintenu lorsque la chaussée se dégrade et l'absence de bruits de caisse contribue à la tranquillité d'esprit du conducteur.

À l'intérieur, la position de conduite bénéficie de sièges bien dessinés et une petite horloge à la signature Infiniti essaie de vous convaincre que vous n'êtes pas dans une Maxima. Le système audio Bose est d'une puissance à faire trembler le sol et bénéficie surtout de gros boutons qui ne se laissent pas chercher. Idem pour la climatisation. L'I30 emprunte aussi à Mercedes-Benz ce petit rideau pare-soleil pour la lunette arrière que l'on peut contrôler à partir du tableau de bord. Et tel que promis, l'espace est généreux aussi bien aux places arrière que pour le rangement.

Cela dit, la majeure partie de ces impressions de conduite s'appliquent aussi à la dernière Maxima de Nissan. Vous n'avez plus qu'à déterminer quel écusson vous aimez le mieux.

Jacques Duval

Infiniti Q45

Infiniti Q45

Un hybride à sa façon

Les voitures à moteur hybride sont d'actualité de nos jours alors que la lutte fait rage entre les manufacturiers pour savoir qui devancera l'autre dans cette course à la nouvelle technologie. L'Infiniti Q45 est un hybride d'une autre sorte. Et il répond encore mieux que les premiers à la définition de ce terme. En effet, une voiture hybride dans le sens le plus propre du terme est celle qui est constituée d'éléments différents.

C'est justement le cas de la plus luxueuse des voitures Infiniti qui tente d'attirer une clientèle indéterminée en amalgamant dans un même modèle les tendances les plus hétéroclites. Il faut remonter dans le passé pour mieux comprendre le caractère de cette voiture pour le moins unique en son genre. La première Q45 est apparue en 1991. C'était une berline à la silhouette assez particulière dépourvue de grille de calandre et affichant en plein centre de son capot un écusson que plusieurs apparentaient à une boucle de ceinture western. En fait, au premier coup d'œil, il était permis de croire que les stylistes s'étaient inspirés de la Jaguar XJ6.

Si l'apparence extérieure de cette voiture éveillait la controverse, l'unanimité a été faite immédiatement quant aux qualités routières de cette japonaise pour le moins originale. Son trait de caractère le plus marqué était son moteur V8 de 4,5 litres dont les 278 chevaux travaillaient en harmonie avec une suspension très efficace. Cette berline était conçue pour le conducteur appréciant la conduite sportive.

Malgré toutes ces qualités, une mise en marché ratée et un lent approvisionnement ont permis à la Lexus LS400 de prendre les

devants dans cette course entre les deux meneurs japonais. La Q45 n'a jamais récupéré de ces débuts chancelants et tente toujours de rattraper ses adversaires. Dans cette fuite vers l'avant, les modifications se sont succédé afin de répondre aux attentes des clients et de reprendre ainsi le terrain perdu.

Une grille de calandre est apparue en 1994. Par la même occasion, l'habitacle est devenu plus luxueux, les appliques en bois se sont multipliées et la suspension a été assouplie. De berline de luxe sport, la Q45 s'est rapprochée davantage de la boulevardière BCBG recherchée par une clientèle qui continuait quand même de la bouder.

Les caprices d'un styliste

En 1997, la division Infiniti a transformé la voiture du tout au tout. Le moteur V8 de 4,5 litres a vu sa cylindrée réduite à 4,1 litres, même si on a conservé l'appellation Q45. Quant à la silhouette, on a voulu en faire la réincarnation moderne d'une limousine Rolls Royce entrevue lors d'une virée nocturne dans le quartier Ghinza de Tokyo par le responsable du design.

Le résultat de ce regroupement de tendances s'avère assez particulier. C'est comme si on avait demandé à un Américain féru des grosses berlines traditionnelles à la mode de Detroit de dessiner une limousine britannique tout en y intégrant la qualité de fabrication japonaise. Et cette impression ne se limite pas à l'esthétique: la conduite d'une Q45 est une expérience unique en son genre.

Mais avant de prendre la route, je me dois de terminer la saga des transformations de la Q45. Alors qu'elle avait été modifiée complètement en 1998, il semble que les stylistes se soient précipités

Infiniti Q45

Pour

Finition impeccable
• Prix compétitif • Mécanique
raffinée • Équipement complet
• Tenue de route homogène

Contre

Coffre minuscule • Silhouette
baroque • Roulis en virage
• Direction engourdie
• Pneumatiques moyens

Caractéristiques

Prix du modèle à l'essai:	Touring / 69 895 $
Garantie de base:	4 ans / 100 000 km
Type:	berline / propulsion
Empattement / Longueur:	283 cm / 506 cm
Largeur / Hauteur / Poids:	182 cm / 144 cm /1761 kg
Coffre / Réservoir:	303 litres / 85 litres
Coussins de sécurité:	conducteur, passager et latéraux
Suspension av. / arr.:	indépendante
Freins av. / arr.:	disque ABS
Système antipatinage:	oui
Direction:	crémaillère, assistance variable
Diamètre de braquage:	11,3 mètres
Pneus av. / arr.:	P225/50R17
Valeur de revente:	faible

Motorisation et performances

Moteur / Transmission:	V8 4,1 litres / automatique 4 rapports
Puissance / Couple:	266 ch à 5600 tr/min / 278 lb-pi à 4000 tr/min
Autre(s) moteur(s):	aucun
Transmission optionnelle:	aucune
Accélération 0-100 km/h:	8,9 secondes
Vitesse maximale:	225 km/h
Freinage 100-0 km/h:	39,8 mètres
Consommation (100 km):	13,5 litres

Modèles concurrents

Acura RL • Cadillac DeVille • Lexus LS400 • Lincoln Town Car

Quoi de neuf?

Aucun changement majeur

Verdict

Agrément	⊕⊕⊕⊕⊙	Habitabilité ⊕⊕⊕⊕⊙
Confort	⊕⊕⊕⊕⊕	Hiver ⊕⊕⊕⊕⊙
Fiabilité	⊕⊕⊕⊕⊙	Sécurité ⊕⊕⊕⊕⊙

vers leurs planches à dessin quelques jours après le dévoilement de cette cuvée puisqu'elle était l'objet de plusieurs retouches esthétiques pour l'édition 1999. Cette fois, l'avant et l'arrière se sont réconciliés tandis que le tableau de bord a été modifié afin de faire place à une montre analogique, un élément de la première génération abandonné en 1998 et repris une année plus tard à la demande générale.

Il est facile de conclure que ce modèle a de la difficulté à se faire une place au soleil tant les changements ont été fréquents. Pour cette année du moins, la Q45 tente de se faire justice avec ses qualités et ses défauts et conserve le *statu quo*. La silhouette quasiment rétro risque de plaire aux nostalgiques tandis que la qualité de sa fabrication et de son assemblage permet d'acheter une voiture de la même qualité qu'une Lexus LS400 pour 25 000 $ de moins.

Si vous aimez les nœuds papillons.

À l'américaine

Le moteur V8 de 4,1 litres développe 266 chevaux et ses performances se situent dans la bonne moyenne. C'est d'ailleurs plus que suffisant puisque cette nippone roule sur des pneumatiques choisis essentiellement en raison de la conduite pantouflarde qu'ils permettent. C'est dommage de ne pas pouvoir tirer un meilleur parti d'un châssis dont le potentiel est à peine effleuré en raison de réglages privilégiant le confort.

Au volant d'une Q45, on a l'impression de piloter une grosse américaine dont la qualité d'assemblage serait impeccable. La direction relativement engourdie, le roulis dans les virages et l'isolement des sensations de la route correspondent à ce que Detroit a toujours prôné dans ses belles années. Et il faut également souligner que le tableau de bord manque d'homogénéité avec cette montre analogique qu'on a placée là où on pouvait la mettre et non pas en fonction d'un concept d'ensemble.

Il serait facile de conclure que la Q45 fait fausse route. Par contre, elle possède au moins du caractère, qu'il soit pertinent ou non. C'est donc mieux que l'Acura RL qui est aussi ennuyante à piloter qu'elle est bien assemblée et, croyez-moi, son assemblage est quasiment parfait!

Denis Duquet

Isuzu Rodeo • Trooper

Les frères oubliés

Il y a deux ans, les Isuzu Rodeo et Trooper ont subi d'importantes retouches. En fait, le Rodeo a été entièrement transformé. Malgré tout, ces utilitaires vivent pratiquement dans l'ombre de leurs concurrents. Pourtant, compte tenu de leurs qualités, ces deux utilitaires méritent un meilleur sort, surtout le Rodeo dont la conception répond aux attentes du public.

En procédant à la refonte du Rodeo, ses géniteurs ont pris bien soin de ne pas répéter les erreurs du passé. Pour vous rafraîchir la mémoire, rappelons que l'esthétique on ne peut plus réussie du modèle de la première génération n'arrivait pas à faire oublier une présentation intérieure complètement ratée et des motorisations anémiques. Ces dernières eurent beau gagner du tonus au fil des années, le mal était déjà fait. On connaît la suite: les ventes n'ont jamais décollé, et le Rodeo a été relégué au rôle peu enviable — et peu rentable — de figurant.

En plus de recevoir une nouvelle robe, le Rodeo a vu son habitacle redessiné, ce qui était un impératif, et a fait l'objet de certaines améliorations mécaniques d'importance. Son empattement est plus court que celui de son prédécesseur, même si la longueur hors tout reste sensiblement la même, et l'opération rajeunissement s'est accompagnée d'une cure d'amaigrissement, qui se traduit par la perte de 130 kg.

Les deux versions proposées (S et LS) ne se distinguent que par des détails d'aménagement et d'équipement. Aucune différence, donc, du côté mécanique, puisqu'elles partagent le même moteur ainsi que le même rouage d'entraînement à 4 roues motrices, qui a lui aussi fait l'objet d'une révision lors de la dernière refonte. Le rouage intégral n'est toujours pas disponible, mais au moins, on peut passer au mode 4X4 à la volée, sans immobiliser le véhicule, en appuyant tout simplement sur un commutateur placé au tableau de bord.

Du muscle, mais aussi du talent

Seule motorisation disponible, le V6 de 3,2 litres est toujours au rendez-vous, mais il a eu droit lui aussi à sa part de modifications. La principale concerne son architecture, qui utilise désormais une configuration à double arbre à cames en tête, au lieu d'un seul. En termes de chiffres, ce changement lui confère 15 chevaux de plus (205 contre 190), mais c'est surtout le rendement de ce moteur qui sort grand gagnant de l'opération.

Ce V6 se classe en effet d'emblée parmi les meilleurs moteurs de cette catégorie de véhicules. Doux, silencieux et ultrasouple, il se montre à l'aise à tous les régimes et ne peine jamais à la tâche. Puissance et couple répondent présents en tout temps et les performances du Rodeo ne sont pas à dédaigner. Cette belle mécanique mériterait une note parfaite si ce n'était de sa gloutonnerie. On le sait, les utilitaires sport sont loin d'être des modèles de frugalité, et le Rodeo ne donne pas sa place, d'autant plus que les prestations de son V6 incitent à une conduite, disons, plutôt enthousiaste... En quel cas il se métamorphose en un monstre énergivore. Bref, à moins qu'on ne désire devenir intime avec son pompiste, il est préférable de s'en tenir à une conduite plus posée.

Or, ce qui rend la chose encore plus difficile pour ceux qui ne dédaignent pas la conduite sportive, c'est que le Rodeo brille également par ses qualités routières, maniabilité et tenue de route en tête

Isuzu Rodeo

Isuzu Rodeo

Pour

Superbe V6 • Direction précise • Comportement inspirant • Système 4X4 simple • Habitacle spacieux • Service après-vente exemplaire

Contre

Consommation élevée • Confort moyen • Présentation intérieure austère • Plastiques bon marché • Prix corsé

Caractéristiques

Prix du modèle à l'essai:	LS / 38 900 $
Garantie de base:	3 ans / 60 000 km
Type:	utilitaire sport / propulsion / 4X4
Empattement / Longueur:	270 cm / 449 cm
Largeur / Hauteur / Poids:	179 cm / 174 cm / 1780 kg
Coffre / Réservoir:	933 litres / 80 litres
Coussins de sécurité:	conducteur et passager
Suspension av. / arr.:	indépendante / essieu rigide
Freins av. / arr.:	disque ABS
Système antipatinage:	non
Direction:	à crémaillère, assistance variable
Diamètre de braquage:	11,7 mètres
Pneus av. / arr.:	P245/70R16
Valeur de revente:	faible

Motorisation et performances

Moteur / Transmission:	V6 3,2 litres / automatique 4 rapports
Puissance / Couple:	205 ch à 5400 tr/min / 214 lb-pi à 3000 tr/min
Autre(s) moteur(s):	aucun
Transmission optionnelle:	manuelle 5 rapports
Accélération 0-100 km/h:	9,2 secondes
Vitesse maximale:	180 km/h (limitée)
Freinage 100-0 km/h:	43,2 mètres
Consommation (100 km):	13,2 litres

Modèles concurrents

Chevrolet Blazer/GMC Envoy • Ford Explorer • Jeep Cherokee • Nissan Pathfinder • Toyota 4Runner

Quoi de neuf?

Aucun changement majeur

Verdict

Agrément	⊕⊕⊕⊕⊖	Habitabilité ⊕⊕⊕⊕⊖
Confort	⊕⊕⊕⊖⊖	Hiver ⊕⊕⊕⊕⊖
Fiabilité	⊕⊕⊕⊕⊖	Sécurité ⊕⊕⊕⊕⊖

de liste, bien servies par une direction aussi vive que précise. Le résultat: un agrément de conduite supérieur à la moyenne des utilitaires sport. Qui, en règle générale, n'ont de sportif que le nom...

Équipé pour la grosse ouvrage

Bien que laissé à lui-même, le Trooper est de retour. Ceux qui avaient annoncé prématurément sa mort doivent donc se raviser. Mais il serait néanmoins plus juste de dire qu'il est maintenu en vie artificiellement... Ainsi, il ne reçoit aucune modification pour l'année-modèle 2000.

Comme l'an dernier, le V6 de 3,5 litres est la seule motorisation offerte. Si sa puissance autorise des performances tout à fait convenables, il ne faut toutefois pas s'attendre au couple et aux reprises d'un V8. De plus, il ne brille pas par sa discrétion, et son grondement s'amplifie dès qu'on touche à l'accélérateur. Ce V6 a beau être réputé pour sa robustesse, il manque de raffinement si on le compare aux motorisations de ses rivaux.

Un secret bien gardé.

Par contre, si vous faites partie du club ultrarestreint de ceux qui se servent d'un utilitaire pour les vraies raisons, c'est-à-dire les randonnées hors des sentiers battus, rassurez-vous: ce moteur ne craint pas la grosse ouvrage. Nous l'avons vérifié, tout comme nous avons vérifié les capacités hors route du Trooper, qui est loin d'être manchot. Il est d'ailleurs équipé pour aller à la guerre, avec des plaques protectrices placées aux endroits stratégiques, sous le véhicule, et des suspensions ultrarobustes. Les adeptes du rouage intégral devront cependant en faire leur deuil, car le Trooper n'est livrable qu'avec une boîte de transfert débrayable à 2 rapports. Il n'est cependant pas nécessaire d'immobiliser le véhicule pour l'engager. Utilitaire de luxe, mais utilitaire quand même...

Dans des conditions idéales, le Trooper sait se montrer civilisé: on apprécie la douceur de son roulement, la souplesse de la suspension parvenant à amenuiser la dureté des pneus surdimensionnés. Cette même suspension démontre cependant ses limites dès que le revêtement n'est plus lisse comme un billard. Malgré tout, cet utilitaire ne mérite pas l'anonymat qui est son lot, d'autant plus que ses principaux irritants sont inhérents à ce type de véhicule.

Philippe Laguë

Jaguar Type S

Un premier pas dans l'ère moderne

«Jaguar ne sera plus jamais Jaguar.» C'est en ces termes que le président nord-américain de la vénérable marque anglaise a entamé son boniment de présentation de la nouvelle Type S à Beverly Hills en Californie. Il voulait souligner par là la nouvelle orientation de la firme britannique qui, avec le lancement d'une berline de luxe de catégorie moyenne, a décidé d'élargir sa gamme vers le bas. Ce faisant, Jaguar rompt avec la tradition et ne se contentera plus de courtiser une clientèle huppée en proposant essentiellement deux modèles de très grand luxe.

D ésormais, Jaguar veut recruter une clientèle plus jeune et, disons-le, un peu moins bien nantie. Il faudra tout de même aligner quelque 60 000 $ pour faire partie du club sélect des propriétaires de Jaguar, mais l'acheteur aura au moins la certitude de posséder une voiture plus moderne que les archaïques XJ8. En effet, malgré l'apparition de Ford dans le décor, les grandes Jaguar traînent un petit côté vétuste qui n'est pas toujours à leur avantage.

Celle que l'on pourrait appeler la Jaguar des années 2000 a, bien sûr, été conçue conjointement par Ford et ses acolytes de Coventry. Une version moins élaborée (devrait-on dire moins intéressante?) est d'ailleurs commercialisée par Lincoln, une division de Ford qui patauge dans la médiocrité depuis quelques années. Chez Jaguar, on craint sans doute que la filiation entre les deux voitures soit nuisible à la Type S. On peut en effet imaginer que l'acheteur ne verra pas d'un très bon œil que sa Jaguar soit disponible en solde chez un concessionnaire Lincoln.

Avec ses phares ronds et sa calandre traditionnelle, la partie avant évoque les anciennes S Type des années 60, mais cette ligne qu'on a voulu rétro-moderne ne soulève pas une grande passion. L'arrière, entre autres, est non seulement banal mais fait penser à celui d'une simple Chrysler Neon.

L'aménagement intérieur répond à une ergonomie très actuelle et l'habitacle se permet même d'être plus spacieux que celui d'une XK8, pourtant plus encombrante. Idem pour le coffre à bagages dont le volume est de loin supérieur à celui des grandes berlines de la marque. Il m'apparaît dommage toutefois que la voiture soit quasiment aussi lourde que les grandes Jaguar alors qu'elle est plus courte de 16 cm. À 1710 kg, c'est beaucoup plus qu'une Mercedes-Benz E320 qui n'est pourtant pas un poids plume. Qu'est-il advenu de ce vœu pieux des constructeurs de fabriquer des voitures plus légères et nécessairement plus efficaces?

Deux moteurs, deux voitures

La Type S ne concède rien à ses grandes sœurs au chapitre du luxe ou de la distinction. Les responsables de la mise en marché comptent d'ailleurs beaucoup sur la réputation d'élégance des Jaguar pour enrôler une nouvelle clientèle. Les acheteurs visés sont ceux qui se tourneraient normalement vers une Mercedes-Benz classe E, une BMW série 5 ou une Lexus LS400 qui sont, comme la nouvelle petite Jaguar, des propulsions. Celle-ci imite aussi ses rivales de chez Mercedes et BM en proposant deux motorisations, soit un V8 de 4,0 litres que l'on trouve sous le capot des autres modèles de la firme et un V6 de 3,0 litres d'origine beaucoup plus modeste. Il s'agit d'une version retravaillée du moteur Duratec de 2,5 litres qui équipait jusqu'à cette année la Ford Contour SVT. Sous le capot de la Type S, il développe 240 chevaux handicapés par un couple mal adapté à la transmission automatique à 5 rapports, la seule au programme. L'absence d'une boîte de vitesses manuelle sur le marché nord-américain est d'autant plus incompréhensible que ce type d'équipement est offert dans la Lincoln LS. Bref, c'est un peu le monde à l'envers... Le moteur n'a pas non plus la sonorité qui convient à une telle voiture, mais il est, en revanche, à l'origine d'un équilibre des masses (52 p. 100 - 48 p. 100) qui est le meilleur de toutes les voitures de la catégorie.

Vive le V8

Une randonnée de plus de 300 km dans les canyons de la Haute-Californie a été très révélatrice du comportement routier des nouvelles Jaguar. La S à moteur V8 mérite pleinement son étiquette de «berline sport» alors que la version dotée du V6 s'est montrée beaucoup plus timide avec des performances que la plus ordinaire des compactes est en mesure de rééditer.

Sur une route de montagne, dans une interminable succession de virages pointus, la première a tiré plein profit de sa suspension sport plus ferme, tandis que la seconde manquait vraiment de punch dans les reprises pour maintenir une conduite fluide.

La tenue de route ne pose de problèmes ni dans l'une ni dans l'autre des versions, mais il est certain que les pneus Pirelli P Zéro offrent une plus grande résistance au dérapage que les P 4000 de série. L'agrément de conduite réside aussi dans le fait que le système de contrôle de la stabilité n'intervient que lorsque le dérapage est imminent. Sur une plaque de glace inattendue au milieu d'un virage, la combinaison de l'antipatinage, des freins et de la direction m'a permis de calmer une amorce de survirage particulièrement brutale. Avec une bonne réserve de puissance et une tenue de route sécurisante, la Jaguar Type S V8 est une voiture facile à conduire et pas vicieuse pour deux sous.

Elle profite également d'une suspension adaptative qui se règle en fonction des conditions de la route et du style de conduite. Sa grande qualité est de maintenir un confort optimal, même avec des pneus à profil bas et les ressorts du groupe «sport». Toutefois, ce qui est vrai sur les routes en billard de la Californie l'est un peu moins sur les quasi-sentiers menant au lac Brome dans les Cantons-de-l'Est. En utilisation intensive, les plaquettes de freins dégagent une légère odeur de brûlé, mais cela ne diminue en rien la surprenante qualité du freinage.

Le silence est d'or

Tous ceux qui ont conduit cette nouvelle Jaguar sur l'autoroute ont été particulièrement étonnés de son silence de roulement et de l'absence quasi totale de bruit de vent. En revanche, un revêtement gondolé a fait jaillir quelques bruits de caisse, mais il se peut que cette faiblesse ait été propre aux modèles de présérie qui nous furent confiés.

Par contre, on sait déjà que le moteur V6 ne rend pas justice à la Type S et qu'il n'est pas superflu d'investir 10 000 $ de plus pour la version V8 plus puissante de 40 chevaux et mieux équipée. Dans les deux versions toutefois, il faut regretter le peu d'espace de rangement et l'inutilité du coffre à gants rempli par le chargeur de disques compacts (6) ainsi que d'une console centrale accaparée par le téléphone cellulaire. L'espace intérieur est supérieur à celui d'une XJ8, mais on doit déplorer le manque de place à l'arrière pour les pieds, qu'il faut soigneusement poser sous les sièges avant.

Jaguar Type S

Pour

Excellent comportement routier
• Silence de roulement remarquable
• Confort soigné • Prix compétitif
• Bon moteur (V8)

Contre

Moteur V6 décevant • 4 places
seulement • Peu d'espace de
rangement • Fiabilité incertaine
• Pas de boîte manuelle

Caractéristiques

Prix du modèle à l'essai:	69 950 $
Garantie de base:	4 ans / 80 000 km
Type:	berline / propulsion
Empattement / Longueur:	291 cm / 486 cm
Largeur / Hauteur / Poids:	182 cm / 142 cm / 1710 kg
Coffre / Réservoir:	370 litres / 69,5 litres
Coussins de sécurité:	frontaux et latéraux
Suspension av. / arr.:	indépendante
Freins av. / arr.:	disque ABS
Système antipatinage:	oui
Direction:	à crémaillère, assistance variable
Diamètre de braquage:	11,4 mètres
Pneus av. / arr.:	P225/55HR16 (P235/50ZR17 optionnels)
Valeur de revente:	nouveau modèle

Motorisation et performances

Moteur / Transmission:	V8 4,0 litres / automatique 5 rapports
Puissance / Couple:	281 ch à 6100 tr/min / 287 lb-pi à 4300 tr/min
Autre(s) moteur(s):	V6 3,0 litres 240 ch
Transmission optionnelle:	aucune
Accélération 0-100 km/h:	6,9 secondes; 9,0 secondes (V6)
Vitesse maximale:	210 km/h
Freinage 100-0 km/h:	38,5 mètres
Consommation (100 km):	12,0 litres

Modèles concurrents

Lincoln LS • Mercedes-Benz classe E • BMW série 5 • Audi A6 • Volvo S80
• Saab 9⁵ • Lexus GS300/GS400

Quoi de neuf?

Nouveau modèle

Verdict

Agrément	⚙⚙⚙⚙	Habitabilité	⚙⚙⚙
Confort	⚙⚙⚙⚙⚙	Hiver	⚙⚙⚙⚙
Fiabilité	nouveau modèle	Sécurité	⚙⚙⚙

Un sublime mélange de bois d'érable et de cuir Connolly compense pour certains boutons en plastique qui entachent la présentation intérieure. Les sièges, eux, s'avèrent d'un confort irréprochable. La Type S est aussi capable d'impressionner la galerie, grâce au premier système à commande vocale pour la climatisation, le système audio et la téléphonie cellulaire. Il suffit de dire à haute voix la température désirée pour le climatiseur ou le numéro du disque au laser qu'on désire écouter et le système s'exécute.

Pour revenir aux propos du président nord-américain de Jaguar, la Type S n'est pas une petite Jaguar, mais une nouvelle voiture à part entière qui entend propager l'image de la marque auprès de la nouvelle génération d'acheteurs. En réalité, il y aura bel et bien une petite Jaguar, la 400, mais ça, c'est une autre histoire dont on vous reparlera dans un an.

Second regard

L'essai d'une Type S de série sur les routes du Québec a confirmé l'excellent comportement routier de cette Jaguar, mais a aussi fait ressortir un certain nombre de déficiences qui soulèvent au moins une question. Ce nouveau modèle n'a-t-il pas été commercialisé de façon un peu hâtive? Comme sur la voiture de présérie conduite en Californie, la S V8 mise à ma disposition a été éprouvée par un affichage indiquant une défectuosité de l'antipatinage (DSC). Elle souffrait surtout d'un tableau de bord qui, sur certaines bosses de faible amplitude, était la source de frottements et de craquements désagréables. Ajoutons à cela des aérateurs difficiles à orienter confortablement, un système d'ouverture des portes capricieux et un levier de vitesses de transmission automatique dont il est impossible de savoir s'il en engagé avant d'appuyer sur l'accélérateur et vous aurez compris que la Jaguar Type S aurait sans doute pu bénéficier d'une période de développement un peu plus longue.

Jacques Duval

Jaguar XJ8 • Vanden Plas • XJR

Jaguar Vanden Plas

Un passé tenace

La blague qui voulait qu'il soit préférable de se mettre en ménage avec un mécanicien avant d'acheter une Jaguar ne soulève plus les mêmes échos d'approbation. Du bas de la liste, la réputée marque anglaise est remontée à la 4e place au palmarès de la fiabilité, en compagnie des meilleures créations japonaises. En somme, le mariage avec Ford, qui s'annonçait houleux, a eu des effets bénéfiques sur la qualité de construction des produits de Coventry.

Jusqu'ici, Jaguar n'offrait pas une grande diversité, mais avec l'apparition cette année de la Type S et celle prévue pour l'an prochain de la 400, Jaguar s'apprête à renforcer sa présence sur le marché en offrant une gamme complète de voitures de luxe plutôt que de se confiner au domaine des coûteuses limousines et des prestigieux coupés/cabriolets.

Lors du lancement de la Type S, j'ai aussi conduit la somptueuse Jaguar Vanden Plas. Version à empattement allongé (de 12,5 cm) de la classique XJ8, ce modèle est sans doute le plus représentatif de ce qu'était jusqu'ici la compagnie Jaguar. Lignes fluides, gabarit imposant, élégance discrète sont des caractéristiques qui conviennent parfaitement à une Vanden Plas. Quand on arrive n'importe où au volant d'une telle limousine, on sent que l'on est arrivé.

Le bonheur est sous le capot

Sous le capot, cette Jaguar partage son moteur avec la XJ8 : un V8 de 4,0 litres de conception récente dont les 290 chevaux accomplissent la tâche considérable de déplacer près de 2000 kg. Étonnamment, le moteur apparaît pleinement à la hauteur avec des

accélérations fort convenables (0-100 km/h en 8 secondes) et des reprises qui facilitent les dépassements. Une part du crédit revient à l'excellente transmission automatique ZF à 5 rapports dotée d'un mode de sélection manuel et d'un bouton qui permet de retarder les passages de vitesses pour une performance maximale.

La puissance disponible est appréciée au moment d'entrer sur une autoroute ou de doubler quelqu'un en ville.

Sur de petites routes campagnardes, la Vanden Plas n'a cependant rien d'une berline sport et la maniabilité ne fait vraiment pas partie de ses attributs. Et cela en dépit de ses pneus Pirelli P400 dont elle a bien du mal à tirer profit. Concluez que la voiture est assez pataude et vous aurez mis le doigt sur le comportement de cette grande Jaguar.

Les conducteurs plus pressés auraient avantage à opter pour la XJR avec son bouillant moteur de 4,0 litres développant 370 chevaux bien comptés. Là encore toutefois, la douceur de roulement qui semble indissociable d'une Jaguar a préséance sur la tenue de route.

Le châssis d'une rigidité moyenne montre bien que le concept original de cette voiture date d'une époque où la marque anglaise avait d'autres préoccupations que la résistance à la torsion de ses véhicules.

C'est ce qui fait qu'au volant d'une Vanden Plas, on a davantage l'impression de conduire une voiture nord-américaine qu'une allemande. Son format la rend particulièrement pénible à garer ailleurs que sur un terrain de football, d'autant plus que le diamètre de braquage excède les 12 mètres.

Passez au salon

L'option confort se poursuit au chapitre de l'aménagement intérieur. À l'exception de quelques bavures, l'ambiance est

Jaguar XJ8

Pour
Superbe groupe propulseur
- Performances adéquates
- Confort princier
- Intérieur somptueux
- Chaîne stéréo haut de gamme

Contre
Voiture massive et encombrante à la ville • Grand diamètre de braquage • Coffre de faible volume • Suspension trop souple

Caractéristiques

Prix du modèle à l'essai:	Vanden Plas / 90 500 $
Garantie de base:	4 ans / 80 000 km
Type:	berline à empattement allongé / propulsion
Empattement / Longueur:	299,5 cm / 515 cm
Largeur / Hauteur / Poids:	207 cm / 135 cm / 1993 kg
Coffre / Réservoir:	360 litres / 87,4 litres
Coussins de sécurité:	frontaux et latéraux
Suspension av. / arr.:	indépendante
Freins av. / arr.:	disque ABS
Système antipatinage:	oui
Direction:	à crémaillère, assistance variable
Diamètre de braquage:	12,4 mètres
Pneus av. / arr.:	P225/60ZR16
Valeur de revente:	moyenne

Motorisation et performances

Moteur / Transmission:	V8 4,0 litres / automatique 5 rapports
Puissance / Couple:	290 ch à 6100 tr/min / 290 lb-pi à 4250 tr/min
Autre(s) moteur(s):	V8 4,0 litres 370 ch (XJR)
Transmission optionnelle:	aucune
Accélération 0-100 km/h:	8,0 secondes; 5,8 secondes (XJR)
Vitesse maximale:	250 km/h (limitée)
Freinage 100-0 km/h:	38,2 mètres
Consommation (100 km):	16,0 litres

Modèles concurrents
BMW 740i • Mercedes-Benz S430 • Lexus LS400 • Audi A8 4,2

Quoi de neuf?
Nouvelles jantes • Antipatinage et ABS améliorés • Essuie-glace avec capteur de pluie

Verdict

Agrément	●●●●○	Habitabilité ●●●●
Confort	●●●●◐	Hiver ●●●
Fiabilité	●●●●	Sécurité ●●●●

chaleureuse grâce à une agréable juxtaposition du cuir et du bois. Le tableau de bord est plaisant à contempler et le conducteur (devrais-je dire le chauffeur?) bénéficie d'un siège qui n'occasionne aucun désagrément physique lors de longs déplacements. Conducteur, conductrice et chauffeur peuvent aussi avoir leur propre réglage au simple toucher d'un bouton. Des espaces de rangement ont été commodément aménagés dans les portières et sur la console centrale. Le seul petit détail d'ergonomie qui m'a fait chipoter est l'emplacement de la clé de contact. En la tournant, il m'est souvent arrivé de faire partir les essuie-glaces en même temps.

Contrairement aux voitures allemandes qui sont la plupart du temps affligées de chaînes stéréo d'une qualité bien au-dessous du prix payé, les Jaguar soignent l'oreille de leurs acheteurs. La Vanden Plas mise à l'essai pouvait compter sur un appareil Harman Kardon de 240 watts avec lecteur de disques compacts d'une sonorité stéréophonique impressionnante.

Enfin sortie des ténèbres.

Le problème majeur de la XJ8 à empattement normal est l'étroitesse de ses places arrière. Dans la Vanden Plas, les 12 cm additionnels en longueur se traduisent par un dégagement largement suffisant pour les jambes. Les élégantes petites tablettes de travail en bois qui s'articulent dans le dossier du siège sont du plus bel effet, mais entre vous et moi, complètement inutiles, que ce soit pour écrire ou pour y déposer quoi que ce soit. Au premier coup d'œil, le coffre à bagages donne l'impression d'être assez grand, mais son volume n'a pas bougé d'un iota par rapport aux 360 litres d'une XJ normale. En revanche, le seuil bas et sa vaste ouverture facilitent énormément le chargement d'objets lourds ou encombrants.

Finalement, on ne peut boucler l'essai d'une Jaguar sans traiter de la qualité de construction. Les statistiques prouvent hors de tout doute que celle-ci a été considérablement améliorée, mais les incidents isolés étant ce qu'ils sont, le bouton du toit ouvrant m'est resté dans les mains.

Je pense sincèrement toutefois qu'il n'y a pas lieu d'en faire un plat et que les Jaguar ne méritent plus ces fameuses plaques d'immatriculation sarcastiques portant l'inscription: *Pieces falling off this car are of pure british craftmanship.*

Jacques Duval

Jaguar XK8 • XKR

Jaguar XK8

Signe des temps

La XKE a été l'une des voitures les plus mythiques dans toute l'histoire de l'automobile. Son élégance, son moteur 6 cylindres puissant et doux, sa tenue de route, bref tout se conjuguait pour en faire une voiture d'exception. En contrepartie, la XJS, sa remplaçante dévoilée en 1975, a été l'une des pires voitures de luxe. Laide, disproportionnée, lourde et peu agile, elle a réussi malgré tout à atteindre des chiffres de ventes surprenants. C'est dire le prestige de la marque.

La XJS est identifiée aux moments les plus sombres de l'histoire de la marque de Coventry alors que la médiocrité était la règle et la fragilité de la mécanique une obligation ou presque. Quant à sa remplaçante, apparue au printemps 1997, elle symbolisait le renouveau et la progression vers l'excellence. Elle était la preuve que cette compagnie pouvait enfin produire des véhicules de qualité. Et la présence sous le capot d'un nouveau moteur V8, le premier chez Jaguar, permettait de croire à des jours meilleurs. Et c'est justement ce qui se produit. Soulignons d'ailleurs que la marque figure maintenant parmi les meilleures en termes de fiabilité et de satisfaction de la clientèle. Une chose impensable il y a deux ans à peine.

Vestiges anciens

La nouvelle Type S partage sa plate-forme et plusieurs éléments mécaniques avec la Lincoln LS, signe évident de l'intégration de la marque dans un ensemble appelé Ford 2000. Quand la XK8 a été développée, Jaguar était plus indépendante et devait faire avec. C'est pourquoi les ingénieurs ont conservé une bonne partie de la

plate-forme de la version précédente. Des suspensions révisées ont été greffées à des supports spéciaux pour assurer plus de rigidité et filtrer les bruits et les vibrations. Cependant, les ingénieurs de Coventry n'ont pas été en mesure de corriger une des principales lacunes de la XJS: l'espace disponible dans la cabine. En effet, l'habitabilité est passablement restreinte, surtout le dégagement pour les jambes. Les personnes de grande taille n'avaient d'autre choix que de baisser la tête et relever les jambes en prenant place à bord.

Les stylistes devaient donc travailler avec ces contraintes. L'équipe alors dirigée par le regretté Geoff Lawson, le directeur du design chez Jaguar, décédé à l'été 1999, a voulu préserver l'héritage des voitures sport de la marque. La XK8 tire son inspiration des anciennes E Type et XK-120. Après quelques années de recul, force est d'admettre que les designers ont accompli du bon travail puisque cette Jag possède toujours ce petit côté exotique qui fait son effet. Quant à la XKR propulsée par une version suralimentée du V8 4,0 litres, elle se démarque par des prises d'air sur le capot, des roues spéciales et un béquet très discret intégré à la lèvre extérieure du coffre.

Malgré son exiguïté, l'habitacle s'avère confortable, du moins pour les occupants des sièges avant. L'arrière devrait être réservé aux sacs d'épicerie. Quant au cabriolet, son toit isolé souple se révèle étanche et bien insonorisé. Et s'il n'empiète pas dans le coffre une fois replié, sachez que le monticule qu'il crée à l'arrière est peu élégant.

Histoire de moteurs

La XK8 a été la première Jaguar à être dotée d'un moteur V8, dont le nom de code était AJ-V8 lors de son développement. Sa

Jaguar XK8

Pour

Moteur moderne • Tenue de route impeccable • Cabriolet sophistiqué • Performances relevées • Finition sérieuse

Contre

Habitacle exigu • Voiture lourde • Accès à bord difficile • Places arrière symboliques • Ventilation perfectible

Caractéristiques

Prix du modèle à l'essai:	coupé / 97 895 $
Garantie de base:	4 ans / 80 000 km
Type:	coupé 2+2 / propulsion
Empattement / Longueur:	258 cm / 476 cm
Largeur / Hauteur / Poids:	183 cm / 129 cm / 1755 kg
Coffre / Réservoir:	270 litres / 75 litres
Coussins de sécurité:	conducteur et passager
Suspension av. / arr.:	indépendante
Freins av. / arr.:	disque ABS
Système antipatinage:	oui
Direction:	à crémaillère, assistance variable
Diamètre de braquage:	12,4 mètres
Pneus av. / arr.:	P245/50ZR17
Valeur de revente:	bonne

Motorisation et performances

Moteur / Transmission:	V8 4,0 litres / automatique 5 rapports
Puissance / Couple:	290 ch à 6100 tr/min / 284 lb-pi à 4200 tr/min
Autre(s) moteur(s):	V8 4,0 litres suralimenté 370 ch (XKR)
Transmission optionnelle:	aucune
Accélération 0-100 km/h:	7,3 secondes; 4,5 secondes (XKR)
Vitesse maximale:	250 km/h
Freinage 100-0 km/h:	38,5 mètres
Consommation (100 km):	13,4 litres; 15,3 litres (XKR)

Modèles concurrents

Mercedes-Benz SL • Porsche 911 (pour la Jaguar XKR)

Quoi de neuf?

Aucun changement majeur • Commercialisation du XKR en Amérique

Verdict

Agrément	⊕⊕⊕⊕◔	
Confort	⊕⊕⊕⊕◔	
Fiabilité	⊕⊕⊕◔◔	
Habitabilité	⊕⊕⊕◔◔	
Hiver	⊕⊕⊕◔◔	
Sécurité	⊕⊕⊕⊕◔	

cylindrée est de 4,0 litres et sa puissance est de 290 chevaux. Entièrement développé chez Jaguar, ce V8 à 4 soupapes par cylindre est l'un des plus légers et des plus efficaces sur le marché. Il est associé à une boîte automatique à 5 rapports spécialement conçue par la compagnie ZF pour être utilisée avec ce moteur. Comme dans les autres Jaguar, le levier de vitesses est associé à une grille en forme de J. Cela permet de laisser le levier en position «D» ou de changer les vitesses manuellement. Curieusement, ce V8 a la sonorité d'un V8 américain à soupapes en tête. Son ronronnement s'associe davantage à celui d'une Camaro qu'à celui d'une Jaguar.

Sur la route, ce V8 se montre à la hauteur des attentes des conducteurs privilégiant des accélérations adéquates et de bonnes reprises pour la catégorie. Pourtant, compte tenu du prestige de cette marque et du caractère sportif de ce coupé/cabriolet, la direction de la compagnie a voulu créer un modèle encore plus performant. C'était d'autant plus obligatoire que la berline pouvait être commandée avec une version suralimentée du V8 4,0 litres pour obtenir 370 chevaux. Ironiquement, compte tenu du couple élevé de ce moteur, Jaguar achète sa boîte automatique à 5 rapports de Mercedes.

Well done, mate!

La XKR se trouve dans une position unique sur le marché. Moins austère qu'une Porsche 911, elle en offre pratiquement les performances en plus d'être plus exclusive. Et puisque Jaguar participera à la Formule 1 en 2000, le prestige sera encore plus élevé. Chez Mercedes-Benz, la SL est devenue vieillotte, tandis que BMW n'offre rien d'équivalent. Et il ne faut pas oublier que la XK8 est une voiture moins sportive, mais certainement capable de combler les amateurs de modèles grand-tourisme malgré quelques restrictions quant à l'habitacle.

Les deux prochaines années seront cruciales pour les modèles XK. Ils ont démontré beaucoup de potentiel et de belles qualités. Il faut maintenant nous prouver que la qualité et la fiabilité seront toujours de la partie au fil des mois et des années. Si tel est le cas, le défi aura été relevé de façon certaine.

Denis Duquet

Jeep Cherokee

Jeep Cherokee

Fidèle à ses origines

Cette affirmation risque de surprendre certains d'entre vous, mais il fut une époque où les véhicules utilitaires sport ne faisaient pas bon chic, bon genre. Ils intéressaient essentiellement les sportifs et les campeurs. Tout a basculé lorsque Jeep a introduit sa version 4 portes du Cherokee au milieu des années 80. Les résultats furent immédiats. Le marché s'est alors emballé et on assiste à une croissance continuelle de la catégorie depuis ce temps.

Le Cherokee de cette époque utilisait une plate-forme passablement vétuste qu'on a gardée jusqu'en 1997 tout en lui faisant subir des révisions de temps à autre. Si la division Jeep se contentait de rafistoler le Cherokee de la sorte, c'est qu'il était condamné à céder sa place au Grand Cherokee dès l'arrivée de ce dernier. Mais les amateurs de conduite tout-terrain sont restés fidèles au Cherokee. Ses capacités de passe-partout, sa robustesse, sa simplicité, la possibilité de commander un modèle 2 portes et son prix plus abordable l'ont sauvé de l'extermination.

Lorsque les décideurs de la compagnie ont accordé un sursis de plusieurs années à ce modèle, ils ont été obligés de mettre les bouchées doubles pour le moderniser. Mais au lieu de sombrer dans l'excès contraire et de tout changer, ils en ont conservé le caractère essentiel. Sa simplicité, son rouage d'entraînement, la boîte manuelle, tout est demeuré au programme. Même la silhouette taillée au couteau a été conservée. Les angles sont devenus plus arrondis pour répondre aux goûts du jour sans pour autant altérer le côté rustique et légèrement rétro du Cherokee. D'ailleurs, un

peu comme c'était le cas avec la défunte Volvo 245, plusieurs personnes se sentent rassurées par ce caractère d'autrefois qui refuse de changer.

En fait, pour être en mesure de conserver un prix très compétitif, on n'a apporté de transformations majeures qu'aux éléments les plus importants, soit la rigidité de la plate-forme et la qualité d'assemblage. Les ingénieurs ont concentré leurs efforts sur l'amélioration de la rigidité de la caisse aussi bien en flexion qu'en torsion. Cette approche explique pourquoi cette relique du passé est toujours en mesure de tenir la dragée haute à ses concurrentes. Le côté camion tout-terrain n'est plus qu'un souvenir. D'ailleurs, les vibrations ont pratiquement toutes été éliminées, et le niveau sonore à l'intérieur de l'habitacle se situe dans la bonne moyenne.

Un autre élément de ce 4X4 qui s'améliore d'année en année est la qualité de l'assemblage. Il fut un temps où ces véhicules semblaient avoir été assemblés dans l'obscurité par des ouvriers novices en état d'ivresse. En fait, tandis que le Grand Cherokee était fabriqué dans une usine toute neuve située avenue Jefferson à Detroit, son aînée était construite dans la vétuste manufacture de Toledo en Ohio. Inaugurées avant la Deuxième Guerre mondiale, ces installations ont été largement modernisées en 1996 et ont connu plusieurs améliorations depuis. Cela a permis de perfectionner l'assemblage et d'assurer un meilleur respect des dimensions des pièces. L'atelier de pressage des tôles a été entièrement transformé. Des procédés d'assemblage plus stricts permettent d'améliorer l'ajustement des éléments des portes arrière.

Jeep Cherokee

Pour
Tableau de bord pratique et élégant • Caisse solide • Agilité indiscutable en tout-terrain • Système 4X4 efficace et robuste • Moteur 6 cylindres adéquat

Contre
Consommation élevée du 6 cylindres • Portes arrière très étroites • Version 4 cylindres peinarde • Pneu de secours encombrant • Pneus bruyants

Caractéristiques

Prix du modèle à l'essai:	Sport 4X4 / 28 895 $
Garantie de base:	3 ans / 60 000 km
Type:	utilitaire sport / 4X4
Empattement / Longueur:	258 cm / 425 cm
Largeur / Hauteur / Poids:	176 cm / 163 cm / 1520 kg
Coffre / Réservoir:	932 litres / 76 litres
Coussins de sécurité:	conducteur et passager
Suspension av. / arr.:	essieu rigide
Freins av. / arr.:	disque / tambour (ABS optionnel)
Système antipatinage:	non
Direction:	à billes, assistée
Diamètre de braquage:	10,9 mètres
Pneus av. / arr.:	P225/75R15
Valeur de revente:	passable

Motorisation et performances

Moteur / Transmission:	6L 4,0 litres / automatique 4 rapports
Puissance / Couple:	190 ch à 4600 tr/min / 225 lb-pi à 3000 tr/min
Autre(s) moteur(s):	4L 2,5 litres 125 ch
Transmission optionnelle:	manuelle 5 rapports; automatique 3 rapports
Accélération 0-100 km/h:	9,7 secondes; 14,5 secondes
Vitesse maximale:	180 km/h
Freinage 100-0 km/h:	49,8 mètres
Consommation (100 km):	15,2 litres; 13,7 litres

Modèles concurrents
Nissan Xterra • Suzuki Grand Vitara • Nissan Pathfinder • Chevrolet Blazer

Quoi de neuf?
Moteur six cylindres amélioré • Nouvelle boîte manuelle

Verdict

Agrément	⊤⊤⊤	
Confort	⊤⊤⊤	
Fiabilité	⊤⊤⊤	
Habitabilité	⊤⊤⊤⊤	
Hiver	⊤⊤⊤⊤⊤	
Sécurité	⊤⊤⊤	

Un air de famille

En prenant place derrière le volant, on aperçoit un tableau de bord à la présentation similaire à celle des TJ. Les cadrans avec chiffres blancs sur fond noir et aiguilles de couleur orange s'avèrent de consultation aisée. Ils sont toutefois logés dans une nacelle quasiment verticale qui fait un peu camion. Pour le reste, c'est net et bien disposé. Le volant à deux branches s'harmonise avec l'ensemble. Le levier de vitesses, pour sa part, est non seulement peu esthétique, mais quelque peu rétro. Des panneaux de portes plus élégants, une console centrale pratique et des tissus de sièges de qualité contribuent à rendre l'habitacle plus harmonieux.

Malheureusement, l'accès aux places arrière est rendu difficile par l'étroitesse des portières et le pneu de secours pleine grandeur empiète sur le compartiment à bagages.

Le charme de la simplicité.

Elle conserve ses qualités

Les performances inspirantes du moteur 6 cylindres et sa grande agilité en conduite tout-terrain constituent les points forts du Cherokee. Sur la route, ses dimensions raisonnables et un rouage d'entraînement bien au point font rapidement oublier la présentation d'une autre époque et le fait que notre épaule est appuyée sur le pilier B tant les ouvertures sont étroites. Et je vous prie de me croire qu'un modèle équipé du moteur 6 cylindres et du groupe d'équipement spécialisé «conduite hors route» est pratiquement sans équivalent lorsque les conditions routières se corsent. Les puristes apprécient toujours l'efficacité du rouage d'entraînement 4X4 à temps partiel Command Trac tandis que le SelecTrac à traction intégrale est le choix des gens qui veulent ne pas avoir à intervenir quand les choses se gâtent. Le 4 cylindres 2,5 litres est surtout recommandé avec la boîte manuelle.

Bref, la grande qualité du Cherokee est d'avoir conservé ses caractéristiques originales, et même de les avoir améliorées et modernisées. La division Jeep n'a toutefois pas l'intention de se maintenir dans le rétro à la moderne trop longtemps et une remplaçante devrait se montrer la calandre d'ici quelques années.

Denis Duquet

Jeep Grand Cherokee

Jeep Grand Cherokee

La grande bouffe

Mettons d'abord cartes sur table... Quand on aime l'automobile (c'est mon cas), on déteste généralement les camions ou tout ce qui s'en rapproche. Cela dit, il faut tout de même faire preuve de réalisme et d'objectivité quand vient le moment d'évaluer un véhicule qui, au départ, ne correspond pas à nos goûts. Fort d'une telle approche, j'avoue que j'ai été plaisamment surpris par la dernière version du Jeep Grand Cherokee.

Certains traits de caractère propres à ce genre d'engin subsistent, mais ce modèle rajeuni montre de grands progrès. À première vue, on serait porté à croire que l'on s'est contenté de légères modifications esthétiques, mais sous sa robe discrètement retouchée, le Grand Cherokee cache des innovations qui lui permettent de reprendre la tête du peloton dans le marché ultra-compétitif des véhicules sport utilitaires.

Tout n'est pas parfait, loin de là, mais ce Jeep trouve le moyen d'être à la fois plus confortable et plus entreprenant dans sa vocation de tout-terrain. Le gros hic est sa très forte propension à avaler des hydrocarbures. Cela signifie une consommation qui oscille généralement autour de 16,5 litres aux 100 km lorsque le Grand Cherokee est animé par son nouveau moteur V8 4,7 litres de 235 chevaux. Cela marque une légère amélioration par rapport aux anciens V8 de 5,2 ou 5,9 litres, mais la baisse apparaît insuffisante.

Un habile grimpeur

Il faut bien sûr payer pour ces accélérations à l'emporte-pièce et ces reprises énergiques. Mais de telles performances sont-elles vraiment nécessaires dans un véhicule qui demande, pour des raisons de

sécurité, à être conduit paisiblement? Avec son essieu arrière toujours rigide, ses gros pneus à larges rainures et son centre de gravité élevé, le Grand Cherokee est, après tout, un tout-terrain dont le comportement routier est fait de compromis. Un bel exemple est sa traction phénoménale hors route. C'est un habile grimpeur qui ne recule devant presque rien mais qui, une fois sur une route glissante, est handicapé au chapitre du freinage par des pneus dont la bande de roulement est moins adaptée à ce genre d'exercice. Si le GC se débrouille si bien en terrain accidenté, c'est que son nouveau système de traction Quadra-Drive transfère continuellement la puissance à la roue ayant la meilleure adhérence. Cette caractéristique serait sans faille si le levier du boîtier de transfert servant à enclencher la démultiplication des rapports (Low) se montrait moins récalcitrant.

La transmission automatique en revanche est sans reproche tout comme la direction qui étonne par un diamètre de braquage court qui se fait apprécier dans des endroits serrés sur la route ou en dehors. Malgré sa tendance à vaciller un peu, ce Jeep tient raisonnablement bien la route et fait montre d'une belle stabilité à grande vitesse sur autoroute. Et quand le pavé se dégrade, on note encore quelques déhanchements rappelant que l'on a affaire à un camion, mais le confort est néanmoins beaucoup plus relevé que dans la majeure partie des autres véhicules du même type.

À l'exception de petits craquements en provenance du pare-brise, le nouveau Jeep Grand Cherokee bénéficie d'un assemblage serré qui prévient les bruits de caisse sur mauvaise route. Le seul obstacle au confort de roulement est le niveau sonore du moteur dont l'admission d'air est trop perceptible autour de 120 km/h. À froid, le même bruit est si prononcé qu'on a l'impression de conduire une Zamboni.

Jeep Grand Cherokee

Pour

Excellent moteur • Confort en hausse • Superbes aptitudes hors routes • Faible diamètre de braquage • Aménagement luxueux

Contre

Consommation encore élevée • Faible espace arrière • Certains détails à revoir (lire texte) • Moteur bruyant • Levier du rouage d'entraînement récalcitrant

Caractéristiques

Prix du modèle à l'essai:	42 595 $
Garantie de base:	3 ans / 60 000 km
Type:	utilitaire sport / traction intégrale
Empattement / Longueur:	269 cm / 461 cm
Largeur / Hauteur / Poids:	184 cm / 176 cm / 1837 kg
Coffre / Réservoir:	1104 litres / 78 litres
Coussins de sécurité:	conducteur et passager
Suspension av. / arr.:	essieu rigide
Freins av. / arr.:	disque ABS
Système antipatinage:	non
Direction:	à billes, assistée
Diamètre de braquage:	11,5 mètres
Pneus av. / arr.:	P245/70R16
Valeur de revente:	très bonne (anciens modèles)

Motorisation et performances

Moteur / Transmission:	V8 4,7 litres / automatique 4 rapports
Puissance / Couple:	235 ch à 4800 tr/min / 295 lb-pi à 3200 tr/min
Autre(s) moteur(s):	6L 4 litres 195 ch
Transmission optionnelle:	automatique avec surmultiplications
Accélération 0-100 km/h:	8,5 secondes
Vitesse maximale:	180 km/h
Freinage 100-0 km/h:	40,2 mètres
Consommation (100 km):	16,5 litres

Modèles concurrents

Ford Explorer • Mercedes-Benz ML320 • Dodge Durango • Toyota 4Runner • Infiniti QX4 • GMC Envoy

Quoi de neuf?

Version V8 4,7 litres 2 roues motrices • Cuir plus souple • Révision mineure au tableau de bord

Verdict

Agrément	⊕ ⊕ ⊕ ◖
Confort	⊕ ⊕ ⊕ ◖
Fiabilité	⊕ ⊕ ⊕
Habitabilité	⊕ ⊕ ⊕
Hiver	⊕ ⊕ ⊕ ◖
Sécurité	⊕ ⊕ ⊕ ⊕

Un intérieur douillet

Le mariage du cuir et du bois confère à l'habitacle de ce Jeep un indéniable cachet de luxe rehaussé par nombre d'accessoires normalement réservés à des voitures cossues. Ainsi, les sièges sont non seulement très agréables, mais leur réglage peut être rappelé par un bouton de mise en mémoire qui ajuste aussi les rétroviseurs. Un ordinateur de bord à affichage multilingue fournit non seulement la moyenne de consommation et quelques autres données pertinentes, mais il permet aussi de contrôler un tas de fonctions, de l'intervalle d'extinction des phares après que l'on a quitté la voiture jusqu'à l'annulation du petit carillon annonçant un faible niveau d'essence.

Aussi amélioré soit-il, le nouveau Jeep Grand Cherokee a besoin de peaufinage comme bien des nouveaux modèles. Primo, il faudra faciliter l'usage du klaxon qui est non seulement très dur à actionner, mais qui oblige à retirer une main du volant. Secundo, il y aurait lieu de revoir le loquet servant à débloquer le levier de vitesses qui a la fâcheuse habitude de vous coincer la peau des doigts. La double climatisation gauche-droite est intéressante, mais le chauffage aux pieds m'a paru déficient. Par contre, les sièges chauffants vous mettent littéralement le feu au passage tellement ils deviennent brûlants même au plus bas réglage. Bien sûr, ce sont là de menus détails qu'on ne manquera sûrement pas de corriger avec le temps. Il y aurait peut-être lieu aussi de rendre les places arrière un peu plus accueillantes en rognant sur le vaste espace à bagages situé juste derrière.

Finalement, le tableau de bord est équipé d'une généreuse instrumentation avec ampèremètre et jauge de pression d'huile, la visibilité est sans reproche et de bons espaces de rangement ont été prévus dans l'environnement du conducteur.

Ce Jeep Grand Cherokee, revu et corrigé, a su conserver ses meilleurs éléments et sa fort jolie silhouette tout en adoptant un comportement routier qui, tant sur les grands chemins que sur les petits sentiers, est beaucoup plus efficace que dans le passé. Cher à l'achat et peu économique à la pompe à essence, ce véhicule autrefois destiné à une vocation surtout utilitaire est devenu la solution de rechange à bien des voitures de luxe.

Jacques Duval

Jeep TJ

Jeep TJ

Fidèle à lui-même

Le TJ est l'incarnation même du tout-terrain, le plus Jeep des Jeep. Véritable mythe au sein de la production automobile américaine, au même titre que la Corvette ou la Mustang, il a, comme celles-ci, acquis le statut de légende de son vivant. Et ce, sans jamais s'écarter de sa vocation originale. Avec ce que cela implique...

Comme les anciens gauchistes convertis aux vertus du capitalisme, les utilitaires de tout poil se sont embourgeoisés au point de devenir des 4X4 de salon. Sauf le TJ et ses prédécesseurs (YJ et CJ), véritables gardiens de l'orthodoxie utilitaire. Même le temps n'est pas parvenu à adoucir ce pur et dur... ou si peu, car il a bien fallu, au fil des années, faire quelques concessions à la modernité. Celles-ci n'empêchèrent toutefois pas le TJ de demeurer fidèle à ses convictions; il n'a fait que s'adapter à son époque, un point c'est tout. Du reste, ces changements touchaient la forme plutôt que le fond. Et encore: ce fier descendant du Willys MB, qui entra en service au sein de l'armée américaine en 1941, a toujours affiché une très forte ressemblance avec son ancêtre. C'est ce qu'on appelle avoir de bons gènes.

Du rêve au cauchemar

Profondément intègre, tout d'un bloc, le TJ a cependant les défauts de ses qualités. Son manque de raffinement en rebutera plus d'un, comme c'est souvent le cas pour ceux qui sont tellement hypnotisés par le mythe qu'ils n'en voient plus clair, et qui déchantent rapidement après s'être procuré le véhicule de leurs rêves. Qui tournent au cauchemar en moins de temps qu'il n'en faut pour dire «Jeep».

Affirmer que le TJ n'est pas un engin à la portée de tous relève donc de l'euphémisme. Pour s'aventurer hors des sentiers battus, il ne se fait pas mieux, c'est vrai; mais pour suivre la mode en se pavanant au volant d'un quelconque utilitaire, il existe des modèles, disons, plus civilisés... Par contre, si vous êtes un peu masochiste et désirez prolonger votre souffrance — ou votre plaisir, c'est selon — en conduisant, c'est le véhicule idéal. À chacun ses perversions.

Voyons de plus près ce qu'implique la conduite d'un Jeep TJ. Dans un premier temps, il faut s'acclimater à une tenue de cap pour le moins aléatoire, causée en partie par un empattement très court. Mais surtout, les formes équarries de ce véhicule haut sur pattes ne favorisent guère l'aérodynamique, ce qui le rend hypersensible aux vents latéraux. Il faut donc constamment corriger à l'aide du volant, ce qui permet alors de constater une trop grande démultiplication de la direction. Celle-ci est cependant bien dosée, et son faible rayon de braquage facilite les manœuvres sur route comme hors route. Cette fois, l'empattement court est un plus. Mais pour le confort, on repassera... Idem pour les suspensions, dont la robustesse ne fait aucun doute; mais la dureté des amortisseurs entraîne des réactions de la caisse à la moindre inégalité du revêtement.

Vu le piètre état de notre réseau routier, on se retrouve ainsi plus souvent qu'autrement aux prises avec un véhicule instable, dont la conduite peut rapidement devenir une corvée. Ce n'est guère plus drôle dans les virages, où il faut tenir compte de la tenue de route délicate du TJ. Celle-ci est prévisible, certes, mais la limite est rapidement atteinte. Si, en plus, le pavage n'est pas lisse comme un billard, il faut redoubler de prudence, à cause des sus-

Jeep TJ

Pour

6 cylindres vaillant et robuste
• Boîte manuelle bien adaptée
• Faible rayon de braquage
• Utilitaire véritable • Véhicule
intemporel

Contre

Tenue de cap aléatoire • Suspension
rétive • Freinage à revoir • Soute à
bagages minuscule • Confort
minimal • Banquette arrière
décorative

Caractéristiques

Prix du modèle à l'essai:	Sahara / 25 305 $
Garantie de base:	3 ans / 60 000 km
Type:	utilitaire / propulsion ou 4X4
Empattement / Longueur:	237 cm / 386 cm
Largeur / Hauteur / Poids:	169 cm / 180 cm / 1482 kg
Coffre / Réservoir:	326 litres / 72 litres
Coussins de sécurité:	conducteur et passager
Suspension av. / arr.:	essieu rigide
Freins av. / arr.:	disque / tambour (ABS optionnel)
Système antipatinage:	non
Direction:	à billes, assistée
Diamètre de braquage:	10,2 mètres
Pneus av. / arr.:	P225/70R16
Valeur de revente:	faible

Motorisation et performances

Moteur / Transmission:	6L 4,0 litres / manuelle 5 rapports
Puissance / Couple:	181 ch à 4600 tr/min / 222 lb-pi à 2800 tr/min
Autre(s) moteur(s):	4L 2,5 litres 120 ch
Transmission optionnelle:	automatique 3 rapports
Accélération 0-100 km/h:	10,8 secondes
Vitesse maximale:	165 km/h
Freinage 100-0 km/h:	42,3 mètres
Consommation (100 km):	14,7 litres; 13,0 litres

Modèles concurrents

Chevrolet Tracker • Suzuki Vitara

Quoi de neuf?

Nouvelles roues Canyon en aluminium • Radio AM/FM avec lecteur de
cassette de série • Radio AM/FM avec lecteur CD de série sur Sahara

Verdict

Agrément	☺☺	Habitabilité	☺☺
Confort	☺☺	Hiver	☺☺☺ 6
Fiabilité	☺☺ 6	Sécurité	☺☺☺ 6

pensions qui sautillent. Vous voilà averti. Et ça ne s'arrête pas là: le freinage y va lui aussi de ses réactions imprévisibles, en plus d'être mal servi par une pédale spongieuse. Dans ce dernier cas, on peut parler de problème génétique, car ce mal afflige la famille Jeep au grand complet.

Dans la colonne des plus, mentionnons le rendement du 6 cylindres en ligne de 4,0 litres, offert de série sur les versions Sport et Sahara. La version de base doit pour sa part se contenter du vétuste 4 cylindres de 2,5 litres, un moteur à bout de souffle (120 chevaux...) s'il en est un. Nerveux à bas régime, performant et généreux en couple, le 6 cylindres ne craint pas le dur labeur. Aussi robuste que vaillant, il est fin seul dans sa catégorie. Les deux boîtes de vitesses respirent elles aussi la solidité. Précise et bien étagée, la boîte manuelle tire un meilleur profit du moteur que l'automatique (à 3 rapports), qui cache mal son âge. Mais elle est éprouvée et pour un utilitaire, un vrai, c'est ce qui compte.

Il n'y a pas si longtemps, celui qui s'installait au volant d'un Jeep faisait face à une planche de bord en métal, garnie d'une instrumentation limitée au strict minimum. Cette époque est bel et bien révolue; en lieu et place, on retrouve plutôt un tableau de bord complet, aussi fonctionnel qu'agréable à l'œil. C'est l'une des rares concessions à la modernité évoquées plus haut. On pourrait aussi inclure l'ergonomie et la finition, tous deux en net progrès. Heureusement, d'ailleurs, qu'il y a des espaces de rangement, car le coffre à gants est minuscule; quant à la soute à bagages, elle incite à voyager léger. Très, très léger... Les sièges avant sont aussi confortables que la banquette arrière est inconfortable; de plus, le dégagement pour les jambes à l'arrière est restreint, pour ne pas dire inexistant. Et ne parlons pas de l'insonorisation, un concept abstrait à bord du TJ.

Celui-ci est un vrai de vrai, un utilitaire au sens le plus pur du terme. Vu sous cet angle, il mérite considération, car c'est le plus doué et le plus résistant du lot. Sinon, cet objet de culte, si vous vous le procurez pour les mauvaises raisons, risque fort d'enrichir votre vocabulaire liturgique...

Philippe Laguë

Kia Sephia

Conjuguer le passé au présent

On m'avait dit que la Kia Sephia était la Lada des années 2000 et j'avais lu dans le très crédible magazine anglais *Car* que cette berline construite en Corée ne valait pas cher la verge. J'ai profité de son arrivée sur le marché québécois pour me faire ma propre opinion.

On n'a qu'à voir la campagne publicitaire de Kia pour constater que le nouveau venu compte énormément sur l'argument du prix pour tenter de s'approprier une part du lucratif marché de la petite voiture chez nous. Ce marché, soit dit en passant, représente 60 p. 100 des ventes totales d'automobiles au Québec, un fait unique en Amérique. Au pays des petites voitures donc, Kia mise sur des prix d'aubaine. L'approche est logique, compte tenu que l'on ne peut pas se vanter de bien d'autres choses. La Sephia est une petite voiture drabe, honnêtement assemblée, avec un p'tit côté vieillot qui est peut-être garant de sa fiabilité. Ce n'est pas le Pérou, mais ce n'est pas une Lada non plus puisqu'elle reprend un certain nombre d'organes mécaniques des anciennes générations de Mazda 323 qui furent également utilisés dans la Ford Escort GT. Si c'était bon pour Mazda et Ford, ce devrait l'être pour Kia, à condition que l'on soit prêt à faire un retour en arrière en roulant dans une voiture qui se comporte comme une voiture japonaise neuve que l'on aurait oubliée dans un garage depuis 10 ans. Encore là, pour 12 995 $, ça paraît alléchant pour les petits budgets.

Une question de prix

Pour le magazine *Car* toutefois, la Kia Sephia est à ce point nulle qu'il vaut mieux investir dans une bonne voiture d'occasion. Que faut-il

en conclure? On peut pardonner beaucoup à une voiture cédée à prix d'aubaine, mais quand la facture atteint 17 000 $ comme c'était le cas pour la voiture bien équipée mise à ma disposition, tout est remis en question. Car l'équipement de luxe gomme un peu les faiblesses de n'importe quelle voiture. Avec son climatiseur, son lecteur de disques compacts, sa transmission automatique et toutes ses commandes électriques, notre Sephia LS 4 portes atteint un prix de détail suggéré de 16 795 $. On est donc tenté de la comparer à une Mazda Protegé plus moderne et plus raffinée qui vaut à peu près la même somme.

Un moteur qui fait du bruit

Si la qualité de construction des Kia peut soulever des points d'interrogation, la mécanique en revanche me paraît digne de confiance. Le moteur, notamment, a largement fait ses preuves et est l'auteur de performances qui placent la Sephia au beau milieu de ses concurrentes (voir match comparatif) en ce qui a trait aux accélérations et aux reprises. Ce 4 cylindres de 2,0 litres et 125 chevaux est un 16 soupapes à 2 arbres à cames en tête dont le seul inconvénient est un niveau sonore élevé. Autour de 5000 tr/min, il beugle au point d'irriter les tympans, ce qui est particulièrement désagréable quand on fait appel au *kick-down* de la transmission automatique. Il est aussi recommandé de jouer de l'accélérateur avec circonspection, car celui-ci se montre particulièrement sensible et manque de progressivité. La transmission n'est pas un modèle de douceur dans ses passages de vitesse. Elle est par contre munie d'une surmultiplication qui permet d'abaisser le régime du moteur à une vitesse de croisière. Si les freins font raisonnablement bien leur travail, le comportement routier souffre d'une direction vague qui semble commandée par des

Kia Sephia

Pour

Prix attirant (modèle de base) • Bonne visibilité • Nombreux rangements • Habitabilité intéressante • Bon équipement (voir texte)

Contre

Consommation élevée • Fiabilité et valeur de revente incertaines • Moteur bruyant • Suspension dure • Sièges inconfortables

Caractéristiques

Prix du modèle à l'essai:	LS / 16 795 $
Garantie de base:	3 ans / 60 000 km
Type:	berline / traction
Empattement / Longueur:	256 cm / 443 cm
Largeur / Hauteur / Poids:	170 cm / 141 cm / 1182 kg
Coffre / Réservoir:	295 litres / 50 litres
Coussins de sécurité:	frontaux
Suspension av. / arr.:	indépendante
Freins av. / arr.:	disque / tambour sans ABS
Système antipatinage:	non
Direction:	à crémaillère, assistance variable
Diamètre de braquage:	n.d.
Pneus av. / arr.:	P185/65R14
Valeur de revente:	nouveau modèle

Motorisation et performances

Moteur / Transmission:	4L 2,0 litres DACT / automatique 5 rapports
Puissance / Couple:	125 ch à 6000 tr/min / 108 lb-pi à 4500 tr/min
Autre(s) moteur(s):	aucun
Transmission optionnelle:	manuelle 5 rapports
Accélération 0-100 km/h:	11,4 secondes
Vitesse maximale:	160 km/h
Freinage 100-0 km/h:	42,4 mètres
Consommation (100 km):	9,8 litres

Modèles concurrents

Hyundai Elantra • Toyota Corolla • Daewoo Nubira • Ford Focus • Chrysler Neon • Chevrolet Cavalier • Mazda Protegé • Subaru Impreza

Quoi de neuf?

Nouveau modèle

Verdict

Agrément	☺ ☺	Habitabilité	☺ ☺ ☺
Confort	☺ ☺	Hiver	☺
Fiabilité	nouveau modèle	Sécurité	aucune donnée

bandes de caoutchouc et, surtout, d'une suspension comparable aux chemises de l'archiduchesse, ce qui revient à dire qu'elle est sèche, archi-sèche. Bref, le confort ne figure pas dans la colonne des «pour» dans le sommaire d'un essai de la Kia Sephia. Et l'absence de freins antiblocage sur une voiture dotée d'un groupe d'équipements dit «puissance» constitue une anomalie peu banale.

Finalement, quelques bruits de caisse sur mauvaise route viennent aussi trahir l'âge du châssis qui n'a pas la rigidité de celui de modèles concurrents.

Un habitacle pas si mal

L'aménagement intérieur de la version de luxe mise à ma disposition se défend bien. Il faut savoir toutefois que la présence de nombreux accessoires de luxe fait toujours mieux paraître une voiture et tend à occulter ses faiblesses. Quoi qu'il en soit, la Sephia LS avec son groupe «puissance» se paye le luxe de deux coussins de sécurité, d'une radio de bonne qualité, d'un régulateur de vitesse à commandes sur le volant et d'un climatiseur.

L'aubaine piège.

Les espaces de rangement ont fait l'objet d'une attention particulière et la visibilité ne souffre d'aucun angle mort gênant. On ne peut toutefois se montrer aussi élogieux à l'endroit des sièges dont le coussin d'assise est trop peu profond et qui deviennent rapidement inconfortables.

De dimensions comparables à celles d'une Toyota Corolla, la Kia Sephia offre un habitacle relativement spacieux avec 2 bonnes places arrière complétées par un coffre de bon volume. Là où les comparaisons lui sont défavorables toutefois, c'est au chapitre de la finition qui semble un peu légère, pour être poli. L'ouverture des portes arrière s'accompagne d'un grincement lorsque les pentures forcent un peu et arrive même à faire bouger la tôle du pilier central.

En fin de compte, la Kia Sephia ne correspond pas au modèle de médiocrité qu'est l'épouvantable Lada, mais elle n'atteint pas non plus le niveau de qualité de ses principales rivales. Son bas prix sera-t-il suffisant pour lui permettre de faire carrière chez nous? J'en doute, à moins que quelques centaines de dollars de différence suffisent pour compenser ses lacunes et l'incertitude de sa valeur de revente.

Jacques Duval

Kia Sportage

Kia Sportage

Désillusion

Jamais deux sans trois, dit l'adage; après Hyundai et Dae-woo, c'est le tour de Kia de tenter une percée sur le marché canadien. Contrairement aux deux autres construc-teurs coréens, le nouveau venu dispose cependant d'un atout dans son jeu: le Sportage, un utilitaire sport en for-mat de poche, abordable et mignon comme tout. Mais le coup de foudre est de courte durée...

Avant d'aller plus loin, une précision s'impose: j'avais un préjugé favorable envers le 4X4 de Kia depuis un récent voyage en Floride, où j'en avais aperçu quantité, ce qui ne faisait qu'aiguiser ma curiosité chaque fois. Et comme plusieurs d'entre vous, je lui trouvais plutôt fière allure. Sachant qu'il arrivait bientôt chez nous et qu'il serait vendu à un prix d'aubaine, comme tout bon véhicule coréen qui se respecte, j'avais franchement très hâte d'en faire l'essai. De plus, je lui prédisais le succès avant même de l'avoir conduit, à cause de l'engouement — le mot est faible — pour les utilitaires de tout poil, petits, moyens et grands. Autrement dit, Kia ne pouvait pas manquer son coup, à moins de le faire exprès. Or, c'est exactement ce qu'ils ont fait: exprès!

Invités de marque

Tout avait pourtant si bien commencé, comme le disent si souvent ceux qui racontent leurs peines d'amour. De prime abord, le Sportage avait tout pour lui: le look, le prix, ainsi qu'une fiche technique pas piquée de vers, remplie de noms tous plus prestigieux les uns que les autres. Modern Engineering avait collaboré à la conception du châssis, Lotus avait revu les suspensions, les firmes alle-

mandes Getrag et Bosch s'étaient vu confier respectivement la boîte manuelle et l'injection d'essence, tandis que l'ABS (optionnel) portait la signature Kelsey-Hayes. Bref, une liste de collaborateurs triés sur le volet, ma chère...

Tout avait bien commencé, disais-je... Après le coup de foudre initial, la relation entre le Sportage et moi se déroulait comme prévu. Sa beauté n'était pas qu'extérieure, comme j'avais pu le constater en m'installant à bord la première fois. C'était joliment décoré, là-dedans, et le soin apporté à l'ergonomie sautait aux yeux. À cette présentation intérieure réussie s'ajoutaient des places arrière correctes, en regard des dimensions du véhicule, et un compartiment à bagages qui se situait lui aussi dans la bonne moyenne.

Certes, tout n'était pas parfait: la finition respectait les stan-dards coréens, une coche en dessous de ceux des produits japo-nais. Mais vous savez ce que c'est, quand ça commence, on par-donne plus facilement les petits travers. Sauf que l'amour a beau rendre aveugle, il ne rend pas sourd pour autant...

De mal en pis

Dès les premiers tours de roues, le Sportage a commencé à montrer sa vraie personnalité. Des bruits suspects émanaient de la caisse: un craquement ici, un cliquetis là... Des *rattles,* en bon qué-bécois. Oh, oh...

Mais je n'ai pas eu à les subir trop longtemps: au fur et à mesure que la vitesse augmentait, le grondement du moteur a pris le dessus. En voilà un qui fait sentir sa présence! Pourtant, sur papier, c'était encore une fois prometteur, avec une architecture

Kia Sportage

Pour

Physique agréable • Présentation intérieure réussie • Soute à bagages logeable • Places arrière convenables • Mode 4X4

Contre

Qualité d'assemblage douteuse • Moteur lent et bruyant • Boîte manuelle exécrable • Suspension flasque • Direction à revoir

Caractéristiques

Prix du modèle à l'essai:	EX / 23 595 $
Garantie de base:	3 ans / 60 000 km
Type:	utilitaire sport / 4X4
Empattement / Longueur:	265 cm / 413 cm
Largeur / Hauteur / Poids:	173 cm / 165 cm / 1520 kg
Coffre / Réservoir:	761 litres / 60 litres
Coussins de sécurité:	conducteur et passager
Suspension av. / arr.:	indépendante / essieu rigide
Freins av. / arr.:	disque / tambour (ABS optionnel)
Système antipatinage:	non
Direction:	à billes, assistance variable
Diamètre de braquage:	n.d.
Pneus av. / arr.:	P205/75R15
Valeur de revente:	inconnue / nouveau modèle

Motorisation et performances

Moteur / Transmission:	4L 2,0 litres / manuelle 5 rapports
Puissance / Couple:	130 ch à 5500 tr/min / 127 lb-pi à 4000 tr/min
Autre(s) moteur(s):	aucun
Transmission optionnelle:	automatique 4 rapports
Accélération 0-100 km/h:	14,1 secondes
Vitesse maximale:	172 km/h
Freinage 100-0 km/h:	n.d.
Consommation (100 km):	11,3 litres

Modèles concurrents

Chevrolet Tracker • Honda CR-V • Subaru Forester • Suzuki Vitara • Toyota RAV4

Quoi de neuf?

Nouveau modèle

Verdict

Agrément	⊙ ⊙	Habitabilité	⊙ ⊙ ⊙ ⊙ ◖
Confort	⊙ ⊙ ◖	Hiver	⊙ ⊙ ⊙ ⊙ ◖
Fiabilité	nouveau modèle	Sécurité	⊙ ⊙ ⊙ ⊙

moderne (4 soupapes par cylindre, 2 arbres à cames en tête) et une puissance annoncée de 130 chevaux.

Sauf qu'ils ne sont pas tous fringants, c'est l'évidence même. À moins de 4000 tr/min, ce 4 cylindres n'est pas anémique, mais bien comateux et pour peu qu'on franchisse ce cap, il veut tout simplement sortir du capot, ce que tend à confirmer un grognement à la limite du supportable. Sur un parcours montagneux, il peine à la tâche (et je suis poli), tandis que les dépassements impliquent une bonne dose de planification.

Vous pensez peut-être que c'est le jumelage avec une transmission automatique qui handicape ce petit 4 cylindres: eh bien! non, les deux véhicules mis à l'essai étaient munis d'une boîte manuelle. J'ose à peine imaginer que cela peut être pire avec l'automatique; si c'est le cas, les temps d'accélération du Sportage doivent se comparer à ceux d'un tracteur.

Parlons-en, de la boîte manuelle... Une atrocité, je ne vois pas d'autre mot. La course du levier est tellement longue que je recommande au conducteur de demander à la personne qui prend place à côté de lui de changer les vitesses à sa place. Non mais, sérieusement, ce n'est pas seulement désagréable, c'est aussi dangereux si on doit réagir rapidement: chaque rétrogradation est hasardeuse. Difficile de croire qu'une firme comme Getrag a pu collaborer à ce désastre, tout comme il est difficile de croire que Lotus a pu concevoir une suspension aussi flasque, qui rend le véhicule instable sur un revêtement le moindrement accidenté. Et ne parlons pas de la direction, qui réagit à la moindre fissure dans l'asphalte.

Décevant, le Sportage? Le mot est faible. Au cours des presque 10 années de ma jeune carrière, je ne me souviens pas d'un véhicule m'ayant autant déçu. Avec le Lada Niva, au moins, je savais à quoi m'attendre, de sorte que j'avais pris la chose en riant; mais Kia avait mis la barre nettement plus haute avec son 4X4 qui, sur papier, avait tout pour réussir.

Comme le dit la chanson, «plaisir d'amour ne dure qu'un moment, chagrin d'amour dure toute la vie...»

Philippe Laguë

Land Rover Discovery II

Land Rover Discovery II

Toujours fragile

Les déboires de BMW et de sa filiale anglaise Rover / Land Rover ont fait le tour de la planète. Convaincue que la logique et les méthodes de travail germaniques allaient permettre d'améliorer la qualité des véhicules produits dans ses usines britanniques, BMW a investi des milliards de marks dans l'aventure. Avant de réaliser qu'elle tentait de remplir un trou sans fond.

Le directoire de la célèbre compagnie bavaroise travaille à mettre en place un plan de relance tandis que la production se poursuit en Grande-Bretagne. En Amérique, les produits Rover ne sont heureusement pas offerts. Leur fiabilité est inférieure à celle de la concurrence et la plupart des modèles pratiquement désuets ou sur le point de l'être.

Les mêmes commentaires auraient pu être émis à propos du Land Rover Discovery. Il s'en est fallu de peu. Heureusement, ce vénérable tout-terrain a bénéficié d'un sérieux dépoussiérage l'an dernier. Avec la collaboration de leurs collègues bavarois, les ingénieurs de Solihull en Grande-Bretagne ont augmenté la rigidité du châssis en plus d'allonger la caisse de 16,6 cm et de l'élargir de 9,7 cm. L'habitacle devient donc plus spacieux et le confort est amélioré d'autant puisque cette plate-forme moins flexible a permis de réviser la suspension qui travaille avec plus d'efficacité pour amortir les secousses et réduire le roulis prononcé qui était la marque de commerce du «Disco».

Cette transformation s'est poursuivie avec l'adoption de nouveaux sièges plus confortables et offrant un meilleur support latéral. Autrefois l'un des éléments d'originalité de ce Land Rover, les stra-

pontins latéraux sont désormais remplacés par des sièges amovibles articulés sur des charnières qui permettent de faire face à la route et non de contempler son voisin d'en face. D'ingénieux appuie-tête ancrés au pavillon permettent de relever le niveau de sécurité pour les occupants de ces sièges occasionnels. Cette configuration moins excentrique s'avère nettement plus confortable et pratique.

Le tableau de bord a perdu son côté énigmatique et il est même possible de trouver les commandes et contrôles appropriés sans être obligé de potasser le manuel du propriétaire pendant de longues minutes. L'habitacle est également parsemé de nombreux espaces de rangement dont un ingénieux porte-documents monté sur le pavillon.

Moteur rétro, suspension électronique

BMW s'est bien promis de se débarrasser des vétustes moteurs V8 de Land Rover dont les origines remontent aux années 60. Mais il faudra faire avec en attendant. Ce V8 de 4,0 litres a bénéficié l'an dernier de multiples modifications afin d'accroître sa robustesse et sa puissance. Ses 188 chevaux ne sont d'ailleurs pas de trop pour déplacer cette masse de 1990 kg aux qualités aérodynamiques semblables à celles d'un bloc de béton.

Le Discovery II est toujours doté d'essieux rigides à l'avant et à l'arrière. Ce choix peut paraître rétro, mais Land Rover y demeure fidèle afin d'obtenir un plus grand débattement de la suspension. Celle-ci bénéficie depuis l'an dernier d'une géométrie complètement revue et d'une voie élargie.

Le Discovery de la première génération était affligé d'un roulis considérable lorsqu'on négociait un virage sur la route. Son

Land Rover Discovery II

Pour

Moteur adéquat • Traction intégrale efficace • Systèmes d'assistance à la conduite raffinés • Finition en progrès

Contre

Rapport qualité/prix suspect • Dimensions encombrantes • Présentation extérieure rétro • Accès aux places arrière difficile • Systèmes électroniques complexes

Caractéristiques

Prix du modèle à l'essai:	LSE / 54 400 $
Garantie de base:	4 ans / 80 000 km
Type:	utilitaire sport / traction intégrale
Empattement / Longueur:	245 cm / 471 cm
Largeur / Hauteur / Poids:	189 cm / 197 cm / 1990 kg
Coffre / Réservoir:	1735 litres / 89 litres
Coussins de sécurité:	conducteur et passager
Suspension av. / arr.:	essieu rigide
Freins av. / arr.:	disque ABS
Système antipatinage:	oui
Direction:	à billes, assistée
Diamètre de braquage:	11,9 mètres
Pneus av. / arr.:	P255/55HR18
Valeur de revente:	faible

Motorisation et performances

Moteur / Transmission:	V8 4,0 litres / automatique 4 rapports
Puissance / Couple:	188 ch à 4750 tr/min / 251 lb-pi à 2600 tr/min
Autre(s) moteur(s):	aucun
Transmission optionnelle:	aucune
Accélération 0-100 km/h:	11,2 secondes
Vitesse maximale:	170 km/h
Freinage 100-0 km/h:	45,8 mètres
Consommation (100 km):	14,7 litres

Modèles concurrents

Mercedes-Benz M430 • Jeep Grand Cherokee • Ford Expedition

Quoi de neuf?

Modifications à la carte des couleurs • Améliorations visant à rehausser la fiabilité

Verdict

Agrément	⊕⊕⊕(	Habitabilité ⊕⊕⊕⊕
Confort	⊕⊕⊕⊕	Hiver ⊕⊕⊕⊕
Fiabilité	⊕⊕(	Sécurité ⊕⊕⊕

successeur s'est beaucoup amélioré à ce chapitre: on n'a plus l'impression que l'on va capoter à chaque courbe. Un système optionnel de contrôle électronique du roulis permet au véhicule de conserver une stabilité encore plus grande. Appelée ACE *(Active Cornering Enhancement System),* cette option fait appel à des vérins hydrauliques contrôlés par ordinateur qui remplacent les barres antiroulis à l'avant et à l'arrière. Il faut moins de 250 millièmes de secondes à ce mécanisme pour intervenir. L'ACE élimine pratiquement tout roulis de la caisse jusqu'à une accélération latérale de 0,4 g. On peut aussi commander une suspension arrière à nivellement automatique.

Impressionnant, mais…

Le «Disco II» plaît par son caractère original, son habitacle fonctionnel et une conduite sur route tout de même acceptable. Sans être sportive, elle ne donne plus l'impression d'être au volant d'un camion transportant des billes de bois. La conduite hors route est facilitée par la position de conduite élevée, le système de contrôle de traction, les freins à disque aux 4 roues et le mécanisme de contrôle de vitesse dans les descentes.

L'antipatinage relié à la traction intégrale intervient lorsqu'une ou plusieurs des roues sont en perte d'adhérence. Il suffit qu'une seule des roues puisse bénéficier d'un minimum de traction pour que le véhicule soit en mesure de progresser. Le système de contrôle de vitesse de descente appelé HDC se révèle fort ingénieux. En plus de l'action du frein moteur, la vitesse du véhicule est contrôlée par une distribution automatique des freins afin que la vitesse ne dépasse pas 6,0 km/h lorsque les 1er et 2e rapports sont utilisés et 9,6 km/h en 3e ou 4e vitesse.

En fait, la seule chose qui puisse arrêter un Discovery II est un bris mécanique. Jadis fragiles comme du verre, les Land Rover ont fait des progrès en termes de fiabilité. Reste à savoir si c'est suffisant pour régler le problème une fois pour toutes.

Denis Duquet

Land Rover Range Rover 4,0 SE • 4,6 HSE

Land Rover Range Rover

Fragile comme du verre!

Dès que BMW s'est portée acquéreur du Groupe Rover au milieu de la décennie, tous les observateurs de l'industrie automobile furent convaincus que le constructeur allemand allait replacer Land Rover dans la bonne voie. Le prestige de BMW était tel qu'on était assuré que les ingénieurs bavarois allaient trouver le moyen de remédier rapidement aux lacunes des Land et des Range Rover. Comme on se plaisait si souvent à le dire: «Ce sont des véhicules intéressants. Si seulement on trouvait le moyen de les assembler proprement et d'en assurer la fiabilité.»

Ceux qui suivent l'actualité automobile le savent, l'acquisition de Rover et de Land Rover par BMW a sérieusement affaibli la compagnie allemande qui est entraînée vers les abysses par le poids de l'incurie du groupe Rover. D'ailleurs, il faut reconnaître que les gens de chez Rover se situent dans une classe à part en ce qui concerne la médiocrité. Ces gens ont travaillé avec Honda, une autre référence en fait de qualité et de fiabilité, et ils ont trouvé le moyen de saboter les voitures issues de cette entente. Les automobilistes américains se souviennent de la berline Sterling, une version signée Rover de l'Acura Legend. Pendant que cette dernière, fabriquée au Japon, battait tous les records de fiabilité et de satisfaction de la clientèle, la Sterling de fabrication britannique tombait en morceaux dans les salles de montre. C'est tout dire.

Après des investissements majeurs et de nombreux efforts afin d'améliorer la qualité des produits, la situation semble même pire qu'auparavant. Peut-être qu'avant on était pessimiste au maximum. On se disait: «C'est britannique et ça va péter dans quelques

kilomètres» et la complétion de tout parcours un tantinet plus long constituait une agréable surprise. Depuis la prise en charge par BMW, on s'attend à beaucoup mieux et on est déçu, même si la fiabilité a fait des progrès. Du moins, c'est ce que les sondages nous laissent croire. En revanche, les quelques lecteurs du *Guide* qui sont propriétaires de modèles récents de Range Rover ne cessent de nous tenir informés des mésaventures mécaniques et techniques de leur tout-terrain de luxe. Un vrai roman feuilleton: les bris se suivent à un rythme dément.

Il faut certainement être très fortuné pour rouler en Range Rover. Il faut tout d'abord être capable de payer les quelque 90 000 $ requis pour s'en procurer un. Il faut également posséder un second véhicule pour être en mesure de se déplacer pendant que la luxueuse britannique se fait réparer. En passant, chapeau aux conducteurs de Range Rover qui s'aventurent seuls dans les forêts profondes et les régions isolées. Les obstacles naturels ne risquent pas d'empêcher le cheminement du véhicule, mais un bris mécanique peut sûrement le faire.

En fait, la situation est telle que même les publications les plus sérieuses entretiennent une chronique régulière relatant les avatars mécaniques des Range Rover.

Il y a de l'espoir!

Heureusement que Land Rover a été achetée par BMW, une compagnie qui entend bien développer et commercialiser des produits de qualité. D'ailleurs, plusieurs gestes ont été faits en ce sens. Et même si l'un de nos lecteurs a vu sa Rover prendre feu sur l'autoroute des Cantons de l'Est à la suite d'une panne électrique,

Range Rover

Pour

Conduite hors route impressionnante • Système GPS intégré • Habitacle luxueux • Suspension pneumatique (HSE) • Pneus bien adaptés

Contre

Fragilité mécanique • Finition indigne du prix • Prix ésotérique • Roulis en virage • Commandes archaïques

Caractéristiques

Prix du modèle à l'essai:	4,6 HSE / 97 565 $
Garantie de base:	4 ans / 80 000 km
Type:	utilitaire sport / traction intégrale
Empattement / Longueur:	274 cm / 472 cm
Largeur / Hauteur / Poids:	188 cm / 182 cm / 2552 kg
Coffre / Réservoir:	552 litres / 1640 litres / 93 litres
Coussins de sécurité:	conducteur et passager
Suspension av. / arr.:	essieu rigide
Freins av. / arr.:	disque ABS
Système antipatinage:	oui
Direction:	à billes, assistance variable
Diamètre de braquage:	11,9 mètres
Pneus av. / arr.:	P255/55HR18
Valeur de revente:	faible

Motorisation et performances

Moteur / Transmission:	V8 4,6 litres / automatique 4 rapports
Puissance / Couple:	222 ch à 4750 tr/min / 300 lb-pi à 3000 tr/min
Autre(s) moteur(s):	V8 4,0 litres 188 ch
Transmission optionnelle:	aucune
Accélération 0-100 km/h:	9,7 secondes; 11,4 secondes
Vitesse maximale:	190 km/h
Freinage 100-0 km/h:	55,0 mètres
Consommation (100 km):	17,1 litres; 16,4 litres

Modèles concurrents

Lexus LX470 • Mercedes-Benz classe M • Cadillac Escalade • Lincoln Navigator • Jeep Grand Cherokee Limited

Quoi de neuf?

Aucun changement majeur

Verdict

Agrément	⊕ ⊕	Habitabilité	⊕ ⊕ ⊕ ⊕
Confort	⊕ ⊕ ⊕	Hiver	⊕ ⊕ ⊕ ⊕
Fiabilité	⊕ ⊕ ⊖	Sécurité	⊕ ⊕ ⊕ ⊕

la qualité s'est améliorée et la fiabilité est en progrès. Mais puisqu'on part du fond de l'abîme, la pente est très longue à remonter. D'ailleurs, au lieu de tenter de rafistoler ces vieilles plates-formes et les méthodes de travail archaïques des Britanniques, Munich a opté pour une transformation radicale des produits Rover à moyenne échéance. Les éléments seront développés à Munich en tenant compte de l'expérience de Land et de Range Rover en conduite hors route.

S'il faut en croire les révélations qui ont filtré jusqu'à maintenant, la nouvelle génération du Range sera en grande partie dérivée de l'utilitaire sport X5 développé par BMW. Ce qui signifie également que le vétuste moteur V8 acheté à GM dans les années 60 sera abandonné pour être remplacé par des moteurs cousins de ceux fabriqués par BMW, une amélioration qui fera époque. Le premier modèle à être complètement transformé sera le Range Rover, suivi d'une version plus moderne du Freelander. Ce sera ensuite le tour du Discovery de passer sous le bistouri à la fin de 2001. Par la suite, le Defender sera également modernisé, ce qui devrait permettre à ce modèle de reprendre sa place sur notre marché.

Si vous désirez quand même rouler en Range Rover tout de suite, deux modèles sont encore au catalogue. La version la plus abordable est le 4,0SE propulsé par un moteur V8 de 4,0 litres développant 188 chevaux, ce qui est peu compte tenu du poids élevé du véhicule. Pour un peu moins de 15 000 $ de plus, il y a toujours le modèle haut de gamme, le 4,6 HSE, dont les 222 chevaux assurent une vélocité accrue et une consommation de carburant plus élevée. Soulignons au passage que ces deux moteurs ont été sérieusement modernisés l'an dernier et associés à une transmission automatique ZF de type adaptatif.

Impressionnantes par leur fragilité, les Range Rover le sont également en matière de conduite tout-terrain alors que leur rouage d'entraînement intégral, leurs essieux rigides à très grand débattement et un système électronique de contrôle de traction leur permettent de passer presque partout avec assurance. Si on pouvait trouver le moyen de régler leurs problèmes de fiabilité!

Denis Duquet

Lexus ES300

Lexus ES300

L'obsession

Lexus avait voulu faire de l'ES300 née en 1992, revue et corrigée en 1997, comme de la première LS400 apparue en 1990, une voiture plus performante et offerte à meilleur prix que les européennes des meilleures familles. Pour continuer dans la même voie, la plus petite berline de ce constructeur (avant la venue de l'IS) reçoit cette année encore quelques modifications mineures.

Elle dérive pourtant de la populaire Camry dont elle utilise en grande partie la plate-forme. Avant de crier au scandale devant des origines si «roturières», il faut quand même admettre que cette dernière constitue une des références dans sa catégorie et qu'elle se permet même d'offrir certains attributs supérieurs à ceux de productions plus coûteuses. Cela explique aussi peut-être la ligne assez banale de l'ES300 qui fait encore pâle figure devant la plupart des marques d'outre-Atlantique de même classe (je pense entre autres aux Audi et BMW) et même devant certaines américaines au style beaucoup plus intéressant et surtout original. Il est évident par exemple que la ceinture de bas de caisse très prononcée et de teinte différente évoque directement certaines Mercedes-Benz. L'imitation demeure peut-être la plus sincère des flatteries, mais il faudrait aussi prendre les moyens de réaliser ses ambitions. D'ailleurs, ce ne sont pas les quelques modifications apportées cette année à cette partie de la carrosserie qui changeront mon opinion. Je m'interroge toujours aussi sur la pertinence d'avoir retenu des glaces latérales sans cadre, et sur les extraordinaires mesures qu'il a certainement fallu prendre pour s'assurer de leur rigidité.

Cependant, s'il est un secteur où l'ES300 ne reçoit de leçon de personne, c'est sur le plan de l'équipement. La très longue nomenclature est complétée cette année par le chargeur à six disques compacts dans le coffre à gants (une belle prouesse à imiter) qui fait maintenant partie de la dotation de base alors qu'il était optionnel, et par quelques centimètres carrés supplémentaires de noyer de Californie dispersés çà et là dans l'habitacle. Pour le reste, tout y est ou presque, et seulement quelques options peuvent être retenues, comme par exemple le toit ouvrant, la «suspension variable adaptive» *(sic)* dont nous reparlerons plus loin, et des roues en alliage chromées. Les matériaux d'excellente qualité semblent installés par des ouvriers obsédés par la précision et l'ergonomie demeure sans reproche. Les fauteuils chauffants à l'avant offrent un bon confort malgré leur relative «platitude» et leur cuir respire la santé. Le tableau de bord vous éblouira avec ses instruments «électroluminescents» (quel bel emprunt à l'anglais), attrayants le jour, fascinants le soir venu. L'habitabilité est très respectable pour quatre occupants, mais le troisième passager arrière voudra changer de place au retour. Cette année, on annonce des changements à la trappe située dans le dossier arrière, mais on devrait simplement pouvoir le rabattre pour augmenter la capacité assez ordinaire de la soute.

Un rouage d'entraînement plus noble

Le groupe motopropulseur se distingue à plus d'un titre de celui de la Camry. Le même bloc 3,0 litres se coiffe de culasses VVT-i pour Variable Valve Timing-intelligent qui permettent un calage variable et continu des soupapes d'admission. Il offre 16 chevaux et 11 lb-pi de plus que son cousin, une souplesse vraiment remar-

Lexus ES300

Pour

Finition maniaque • Silence de fonctionnement impressionnant • Fiabilité mécanique et service enviables • Équipement complet • Valeur de revente intéressante

Contre

Ligne banale • Comportement routier aseptisé • Suspension AVS décevante • Dossier arrière fixe • Troisième place arrière inconfortable

Caractéristiques

Prix du modèle à l'essai:	49 065 $
Garantie de base:	4 ans / 80 000 km
Type:	berline / traction
Empattement / Longueur:	267 cm / 483 cm
Largeur / Hauteur / Poids:	179 cm / 139 cm / 1505 kg
Coffre / Réservoir:	70 litres / 367 litres
Coussins de sécurité:	conducteur, passager et latéraux
Suspension av. / arr.:	indépendante
Freins av. / arr.:	disque ABS
Système antipatinage:	oui
Direction:	à crémaillère, assistée
Diamètre de braquage:	11,2 mètres
Pneus av. / arr.:	P215/60VR16
Valeur de revente:	excellente

Motorisation et performances

Moteur / Transmission:	V6 3,0 litres / automatique 4 rapports
Puissance / Couple:	210 ch à 5800 tr/min / 220 lb-pi à 4400 tr/min
Autre(s) moteur(s):	aucun
Transmission optionnelle:	aucune
Accélération 0-100 km/h:	8,3 secondes
Vitesse maximale:	215 km/h
Freinage 100-0 km/h:	38,0 mètres
Consommation (100 km):	10,7 litres

Modèles concurrents

Acura 3,2 TL • Audi A6 • Cadillac Catera • Infiniti I30 • Lincoln LS • Saab 9⁵ • Volvo S80

Quoi de neuf?

Chargeur à 6 disques compacts de série • Bas de caisse retouché • Trappe à skis modifiée • Appliques de bois plus nombreuses

Verdict

Agrément	Habitabilité
Confort	Hiver
Fiabilité	Sécurité

quable, et des accélérations suffisantes mais pas exceptionnelles. La transmission à 4 rapports reçoit une «commande électronique intelligente» (on se veut vraiment intelligent) ECT-i pour Electronic Control Transmission-intelligent qui adapte la cartographie des changements de vitesse à votre conduite. En pratique, on ne perçoit pas de différence notoire et elle travaille pour vous de façon complètement transparente. Il faudra bientôt suivre la concurrence et offrir cinq rapports pour encore plus de douceur.

Les suspensions très classiques peuvent recevoir en option un dispositif pour ajuster les amortisseurs appelé AVS pour Adaptive Variable Suspension qui laisse au conducteur le choix entre quatre niveaux d'amortissement allant du sport au confort. Les altérations sont très perceptibles, mais le mode sport amène un certain inconfort et le mode confort, le mal des transports. J'exagère un peu sur le dernier aspect, mais il me semble que le juste milieu constitue le meilleur compromis. Ne vous attendez cependant pas à la rigueur de comportement offerte par les allemandes, par exemple. L'ES300 ne déshonore pas ses concepteurs mais semble encore trop détachée de la route et sa direction paraît un peu artificielle. Par contre, le silence de fonctionnement impressionnant et le confort ouaté contribuent à rendre vos déplacements agréables et très relax. Les pneus de 16 pouces offerts pour la première fois cette année relèveront certainement d'un cran la qualité de la tenue de route et du freinage, car l'ABS se déclenche trop facilement lors des pertes d'adhérence sur mauvais revêtement. La même remarque vaut pour le système antipatinage. Les distances d'arrêt sont quand même très respectables.

Après seulement quelques années d'existence, la gamme Lexus possède déjà une réputation enviable et bien méritée. Elle connaît un très faible taux de panne, le service continue d'épater et la valeur de revente croît sans cesse. Néanmoins, elle ne représente plus l'aubaine des premières années et les tarifs de la concurrence sont de plus en plus attractifs. L'ES300 demeure une excellente voiture, mais son caractère et ses performances très sages, en regard de son prix quand même assez conséquent, donnent à réfléchir avant de signer au bas du contrat.

Jean-Georges Laliberté

Lexus GS300 ● GS400

Lexus GS300

La meilleure n'est pas celle que vous croyez

L'obsession de Lexus est de faire une percée auprès des inconditionnels qui ne jurent que par BMW. La marque de luxe du groupe Toyota tente par tous les moyens de recréer la sensation de conduite offerte par les voitures allemandes, sans y parvenir tout à fait. Avec la GS300, force est d'admettre cependant que Lexus n'a jamais été aussi près du but.

L'an dernier, l'essai de la GS400, pourtant plus puissante et plus étoffée, m'avait laissé songeur. Cette berline, forte de ses 300 chevaux, poussait très fort et son équipement pneumatique ne laissait aucun doute sur ses aspirations de berline sport. Mais malgré de beaux efforts, elle n'arrivait pas à faire oublier une BMW série 5. Avec la GS300, la différence d'identité entre une allemande et une japonaise est beaucoup moins prononcée et il suffirait de fermer les yeux pour se croire au volant d'une 528i.

Si j'étais à la recherche d'une voiture de grand luxe de format moyen, je ne suis pas sûr que j'opterais pour la GS400 et cela en dépit de son moteur V8 de 4,0 litres fort prometteur. À mon avis, ses 300 chevaux sont mal gérés par une suspension beaucoup trop sèche et surtout par des pneus à taille basse tout à fait exécrables.

Oui, la GS400 accélère comme une fusée et colle à la route telle une ventouse, mais le confort des occupants est rudement mis à l'épreuve sur nos routes du tiers-monde. Les pneus ont la vilaine habitude de «lire» la route, c'est-à-dire de suivre ses moindres anfractuosités. À certains moments, il faut même tenir solidement le volant pour éviter que la voiture change de trajectoire toute seule, ce qui est plutôt gênant.

La GS400 est née du désir de Lexus de séduire les conducteurs de BMW dont les voitures, on le sait, sont réputées pour l'agrément de conduite qu'elles procurent. Or, il faut plus qu'un moteur surpuissant et des ressorts extrafermes pour transformer une berline ordinaire en berline sport. La GS400 représente un bel effort pour se rapprocher d'une BMW série 5, mais elle n'atteint pas pleinement la cible. Son aileron arrière est d'ailleurs un artifice de mauvais goût pour une voiture dont on veut qu'elle soit prise au sérieux.

Comme toujours chez Lexus, la qualité de construction se révèle impeccable, la qualité de la finition soignée et la chaîne audio d'une sonorité irréprochable. Évidemment, on ne s'attend à rien de moins pour autant d'argent, mais sachez que l'on retrouve les mêmes qualités et un agrément de conduite supérieur dans une GS300, tout en économisant près de 10 000 $.

Moins de chevaux pour plus de plaisir

La moins chère des GS concède 75 chevaux à la version à moteur V8, mais son 6 cylindres en ligne de 3,0 litres a cette douceur qui rappelle immanquablement les groupes propulseurs de chez BMW. Les accélérations n'affichent sans doute pas le même entrain qu'avec le V8 de 4,0 litres, mais elles demeurent suffisantes pour que l'on n'ait pas à s'inquiéter de la première Golf GTI venue. Ce moteur trouve même le moyen de faire apprécier sa discrète sonorité. Il est dommage que Lexus n'offre pas une boîte de vitesses manuelle à 5 rapports, car la GS300 s'en accommoderait plutôt bien. On ne peut rien reprocher à l'automatique à 5 rapports, sinon une grille de sélection assez tarabiscotée qui complique inutilement les choses, mais il est tout de même permis de croire qu'une boîte mécanique est la petite cerise qui manque sur le gâteau.

Lexus GS300

Pour

Superbes moteurs • Tenue de route spectaculaire (GS400) • Finition soignée • Équipement complet • Confort appréciable (GS300)

Contre

Suspension inconfortable (GS400) • Pneus désagréables (GS400) • Coffre peu pratique • 4 places seulement • Grille du levier de vitesses déplaisante

Caractéristiques

Prix du modèle à l'essai:	GS300 / 59 900 $
Garantie de base:	4 ans / 80 000 km
Type:	berline / propulsion
Empattement / Longueur:	280 cm / 481 cm
Largeur / Hauteur / Poids:	180 cm / 144 cm / 1665 kg
Coffre / Réservoir:	419 litres / 75 litres
Coussins de sécurité:	frontaux et latéraux
Suspension av. / arr.:	indépendante
Freins av. / arr.:	disque (ventilé à l'avant) ABS
Système antipatinage:	oui
Direction:	à crémaillère, assistance variable
Diamètre de braquage:	11,3 mètres
Pneus av. / arr.:	P225/55VR16
Valeur de revente:	moyenne

Motorisation et performances

Moteur / Transmission:	6L 3,0 litres / automatique 5 rapports
Puissance / Couple:	225 ch à 6000 tr/min / 220 lb-pi à 4000 tr/min
Autre(s) moteur(s):	V8 4,0 litres, 300 ch
Transmission optionnelle:	aucune
Accélération 0-100 km/h:	7,9 secondes; 6,9 secondes (GS400)
Vitesse maximale:	222 km/h; 239 km/h (GS400)
Freinage 100-0 km/h:	39,4 mètres
Consommation (100 km):	11,7 litres; 14 litres (GS400)

Modèles concurrents

BMW 528 • Mercedes-Benz E320 • Infiniti Q45 • Cadillac Seville STS • Jaguar Type S • Acura RL

Quoi de neuf?

Aucun changement majeur

Verdict

Agrément	⊤ ⊤ ⊤ ⊤		Habitabilité	⊤ ⊤ ⊤ (
Confort	⊤ ⊤ ⊤ ⊤		Hiver	⊤ ⊤ ⊤ ⊤
Fiabilité	⊤ ⊤ ⊤ (		Sécurité	⊤ ⊤ ⊤ ⊤

Car, malgré une certaine dose de roulis et un survirage précoce, la tenue de route reste stimulante. Et, après tout, on n'achète pas une Lexus pour aller faire du slalom. Le comportement routier bénéficie d'un châssis dont la rigidité impressionnante surpasse celle de tout ce que j'ai pu conduire au cours des deux dernières années. La GS300 est tout d'un bloc, rien de moins. Très bien équilibrée, elle m'est apparue de loin plus homogène que la GS400. Une chose est sûre: elle n'est jamais brutale et demeure d'un confort rigoureux.

Quelques bémols

N'avons-nous aucune critique à formuler à l'endroit de cette Lexus? Pas tout à fait puisqu'elle est affligée d'un système de déverrouillage à distance assez désarmant. Il faut faire attention de ne pas appuyer sur le bouton trop longtemps, car un tel geste entraîne automatiquement l'abaissement de toutes les glaces et l'ouverture du toit ouvrant. Il m'est arrivé de garer la voiture et de me rendre compte à la dernière minute que les glaces arrière avaient été partiellement abaissées au moment du dernier déverrouillage des portes. Un petit détail à revoir, à tout prix. On peut ajouter au côté négatif du bilan un coffre arrière peu profond et de forme inégale ainsi qu'une banquette arrière qui fait de la GS300 une 4 places seulement.

Pour le reste, la gamme GS de Lexus offre un équipement fort complet avec une excellente climatisation, un volant réglable aussi bien en hauteur qu'en profondeur, des sièges en cuir confortables avec mise en mémoire de la position de conduite et une chaîne stéréo haut de gamme.

Redessinées l'an dernier, les GS300 et 400 ont une ligne qui ne plaira sans doute pas à tout le monde, mais qui a l'avantage de sortir du moule habituel des berlines japonaises. Un «redesign» est cependant prévu pour l'an prochain.

Somme toute, la Lexus GS300 m'a réconcilié avec cette gamme de modèles en s'avérant beaucoup plus une anti-BMW que la GS400 essayée précédemment. Vous n'avez toutefois pas besoin de me croire sur parole et je vous conseille de soumettre les voitures à un essai avant de faire votre choix. La meilleure des deux risque de ne pas être celle que vous imaginiez.

Près du but.

Jacques Duval

Lexus IS

L'anti-série 3

Ce n'est pas d'hier que des constructeurs automobiles tentent de réinventer la série 3 de BMW. Devant le succès des 323 et 328 allemandes, on cherche par tous les moyens à recréer cet agrément de conduite si particulier qui est le propre des petites BMW. Jusqu'à maintenant, personne n'a encore réussi à faire bouger de leur socle les fameuses berlines bavaroises. Le dernier à tenter sa chance est Lexus, qui lancera d'ici quelques mois une nouvelle berline sport compacte conçue pour ramener la notion de plaisir dans la conduite automobile.

Déjà commercialisée au Japon sous le nom de Toyota Altezza et en Europe sous l'appellation Lexus IS, cette voiture sera le sixième et plus important modèle pour l'avenir d'une marque qui a sans doute beaucoup de succès avec ses produits haut de gamme, mais qui a besoin d'une voiture de grande diffusion pour demeurer viable.

Après avoir fait ses débuts dans le cadre du Salon de Detroit en janvier 1999, l'IS devait faire son apparition sur le marché nord-américain beaucoup plus tôt, mais l'accueil plutôt tiède qu'elle a reçu en Europe a convaincu la marque japonaise de revoir son plan de mise en marché. Le hic, c'est que l'IS a été présentée comme une rivale des suprêmes BMW mais sans bénéficier de la puissance nécessaire pour jouer un tel rôle. Le moteur utilisé outre-Atlantique est un 6 cylindres en ligne de seulement 2,0 litres dont la puissance est limitée à 155 chevaux malgré la présence du système de distribution variable intelligente (VTTi) que l'on retrouve cette année dans plusieurs moteurs chez Toyota aussi bien que chez Lexus (voir texte sur l'essai de la Toyota Celica). C'est bien peu pour s'opposer aux 190 chevaux d'une BMW 328. La voiture a beau être plus légère et plus petite que sa prétendue rivale, elle n'arrive pas à séduire les conducteurs en quête de performances, d'exclusivité et d'émotion au volant.

3,0 litres minimum

Il est tout à fait probable que Lexus misera sur le moteur 6 cylindres de 3,0 litres et 225 chevaux que l'on retrouve sous le capot de la Lexus GS300 pour les versions nord-américaines de la nouvelle IS. Un tel moteur, combiné à une carrosserie fort joliment dessinée, devrait assurer à ce modèle une meilleure pénétration du marché. Non seulement ses lignes sont plaisantes à admirer, mais elles confèrent à cette mini-Lexus un coefficient de traînée aérodynamique très bas se situant à 0,28.

Le système de suspension de la Lexus IS, peaufiné au fil de milliers de kilomètres de tests en Europe et au Japon, est constitué à l'avant comme à l'arrière d'une double triangulation hautement évoluée et entièrement indépendante. Cette configuration assure le meilleur équilibre possible entre une bonne sensibilité au braquage, un grand confort de conduite et une tenue de route ultrasaine. Ce sont là toutefois les affirmations du constructeur puisque la version définitive de la Lexus IS qui sera vendue ici n'était pas disponible pour des essais quelques jours avant la date de tombée du *Guide de l'auto*.

Des caractéristiques prometteuses

La fiche technique n'en demeure pas moins de très bon augure. Campée sur des jantes en alliage de 17 pouces, l'IS démontre une grande précision de comportement sans négliger le confort, un

Lexus IS 200

Pour
Données insuffisantes

Contre
Données insuffisantes

Caractéristiques

Prix du modèle à l'essai:	45 000 $ (estimé)
Garantie de base:	4 ans / 80 000 km
Type:	berline / propulsion
Empattement / Longueur:	267 cm / 440 cm
Largeur / Hauteur / Poids:	172 cm / 141 cm / 1300 kg
Coffre / Réservoir:	400 litres / 70 litres
Coussins de sécurité:	frontaux et latéraux
Suspension av. / arr.:	indépendante
Freins av. / arr.:	disque (ventilé à l'avant), ABS
Système antipatinage:	oui
Direction:	à crémaillère, assistée
Diamètre de braquage:	n.d.
Pneus av. / arr.:	P215/45ZR17
Valeur de revente:	nouveau modèle

Motorisation et performances

Moteur / Transmission:	6L 2,0 litres / manuelle 6 rapports
Puissance / Couple:	n.d.
Autre(s) moteur(s):	n.d.
Transmission optionnelle:	automatique 4 rapports
Accélération 0-100 km/h:	9,5 secondes
Vitesse maximale:	215 km/h
Freinage 100-0 km/h:	n.d.
Consommation (100 km):	n.d.

Modèles concurrents
Audi A4 • BMW série 3 • Volvo S70 • Infiniti G20 • Saab 9³

Quoi de neuf?
Modèle non encore commercialisé

Verdict

Agrément	données	Habitabilité	données
Confort	insuffisantes	Hiver	insuffisantes
Fiabilité		Sécurité	

phénomène pourtant fréquent avec des pneus à taille basse montés sur des jantes plus petites.

Comme il sied à une berline sportive, le châssis a fait l'objet de réglages hyperfins et soutient une coque de carrosserie rigide recourant largement à la tôle d'acier à résistance élevée, un gage de légèreté, mais aussi de solidité et de longévité.

En termes d'esthétique, l'IS se distingue de la masse par son style affirmé, son souci du détail et son profil tranché. Mais la Lexus, selon son constructeur, est une berline extrêmement pratique. Plus courte que nombre de ses concurrentes dans la catégorie des berlines sportives compactes, elle possède cependant un habitacle plus long et plus large, une meilleure garde au toit et un coffre de 400 litres plus généreux, capable d'accueillir quatre sacs de golf.

À surveiller.

Équipement «Lexueux»

À l'instar de toutes les berlines Lexus, l'IS peut se prévaloir d'un excellent rapport prix/équipement, bon nombre de ses raffinements offerts de série exigeant généralement des déboursés supplémentaires chez ses rivales européennes.

C'est ainsi qu'elle offre, entre autres, une climatisation complète, un système audio entièrement intégré avec chargeur automatique de six disques compacts, des lève-glaces électriques et des jantes en alliage. Elle possède également un verrouillage centralisé à télécommande ainsi qu'un antivol entièrement intégré.

Un système de navigation embarqué, avec écran escamotable situé au sommet de la console centrale, est quant à lui offert en option au même titre qu'un ensemble Sport comprenant un différentiel à glissement limité de type Torsen, un volant sport, un pédalier allégé en aluminium perforé, des vitres teintées assombries ainsi que des plaques de seuil en acier inoxydable.

Avec une GS300 très près d'une BMW série 5 (voir essai), qui sait si la nouvelle Lexus IS ne sera pas finalement la première vraie rivale de la série 3 de BMW? Le seul problème serait de choisir entre l'original et l'imitation. Dans le cas qui nous préoccupe, l'imitation ne devrait pas avoir de mal à gagner la partie, du moins au chapitre de la fiabilité, une qualité qui fait souvent défaut chez BMW.

Jacques Duval

Lexus LS400

Lexus LS400

Zzzzz...

Dix ans après ses débuts, la marque Lexus s'impose déjà comme un joueur de premier plan dans le segment des voitures de luxe. Grand bien lui fasse, mais il convient de préciser que la division de prestige de Toyota, qui entendait mettre un terme à la domination allemande dans ce créneau, est quelque peu passée à côté de ses pompes. Lorsqu'on conduit son vaisseau-amiral, on a plutôt l'impression que Lexus a réinventé le concept du «gros char américain», tel qu'on l'entendait avant 1980.

D e là lui vient son surnom de «Buick japonaise». À vous de juger s'il s'agit d'une insulte, mais chose certaine, ce n'est pas un compliment! Et ce n'est pas dénué de fondement parce qu'à bord d'une LS400, on a plus l'impression de flotter que de rouler. On en vient même à se demander si des ceintures de sauvetage ne seraient pas plus appropriées que les ceintures de sécurité...

Bref, c'est bien d'un gros bateau dont il est question, de sorte que le modèle haut de gamme de Lexus représente davantage une menace pour les Lincoln Town Car et Cadillac De Ville que pour les belles allemandes. Il lui reste des croûtes à manger avant de pouvoir rivaliser avec les Audi A8, BMW série 7 et Mercedes-Benz classe S. En revanche, la fiabilité de ces dernières tient plutôt du mythe, alors que celle des Lexus est bien réelle. Et, disons-le, exceptionnelle. Tout comme l'est le service après-vente chez les concessionnaires de la marque, tandis que chez les Allemands, l'accueil est pour le moins variable d'un établissement à l'autre. Ne cherchez pas plus loin le secret de la réussite de cette marque: lorsqu'on engloutit une telle somme d'argent dans une automobile, on est en droit d'exiger ce

qu'il y a de mieux sur tous les plans. À vous de voir où se situent vos priorités: si c'est de rouler la tête tranquille, la LS400 est pour vous. Si c'est l'agrément de conduite, regardez ailleurs.

Une routière peu douée

La suspension, on s'en doute, est en grande partie responsable du comportement nautique de cette limousine japonaise, qui est affligée d'un important roulis en virage. Ajoutez à cela une direction surassistée, qui réduit à néant toute sensation de la route, et vous vous retrouvez avec un véhicule dont la conduite sur de petites routes sinueuses n'a rien de rassurant. Ainsi, si vous débordez un peu trop d'enthousiasme, la LS400 vous montrera rapidement les limites de son talent de sportive. Même en ligne droite, elle ne fait pas le poids devant ses rivales germaniques, dont la stabilité est légendaire — *autobahn* oblige. Alors que pour conduire une LS400 à haute vitesse, il faut un certain courage. Ou est-ce de la témérité?

Dans le même ordre d'idées, les pédales d'accélérateur et de frein sont spongieuses, ce qui rend le dosage difficile et leur utilisation, désagréable. La puissance de freinage est toutefois au rendez-vous, ce qui s'avère essentiel lorsque vient le temps de ralentir ce paquebot. Terminons cette visite au comptoir des plaintes par la lenteur de la boîte automatique. De plus, elle n'aime pas être brusquée; si on a le malheur de s'exciter un peu, elle proteste par des secousses. Encore une fois, une conduite *politically correct* s'impose.

S'il en est un qui se place à l'abri des reproches, c'est le fabuleux moteur qui propulse la plus chère des Lexus. Muni, depuis deux ans, d'un système de calage variable des soupapes (VVT-i) — qui, contrairement à celui de Honda, opère de façon continue —, ce V8 DACT à

352

Lexus LS400

Pour

Finition méticuleuse • Grande douceur de roulement • Silence monacal • V8 à la fois doux et puissant • Fiabilité et qualité du service après-vente

Contre

Design peu inspiré • Coffre peu logeable • Comportement rétro • Conduite aseptisée • Manque de personnalité

Caractéristiques

Prix du modèle à l'essai:	LS400 / 82 385 $
Garantie de base:	4 ans / 80 000 km
Type:	berline / propulsion
Empattement / Longueur:	285 cm / 499 cm
Largeur / Hauteur / Poids:	183 cm / 143 cm / 1775 kg
Coffre / Réservoir:	394 litres / 85 litres
Coussins de sécurité:	conducteur, passager et latéraux
Suspension av. / arr.:	indépendante
Freins av. / arr.:	disque ABS
Système antipatinage:	oui
Direction:	à crémaillère, assistance variable
Diamètre de braquage:	10,6 mètres
Pneus av. / arr.:	P225/60VR16
Valeur de revente:	excellente

Motorisation et performances

Moteur / Transmission:	V8 4,0 litres / automatique 5 rapports
Puissance / Couple:	290 ch à 6000 tr/min / 300 lb-pi à 4000 tr/min
Autre(s) moteur(s):	aucun
Transmission optionnelle:	aucune
Accélération 0-100 km/h:	8,1 secondes
Vitesse maximale:	250 km/h
Freinage 100-0 km/h:	39,0 mètres
Consommation (100 km):	12,5 litres

Modèles concurrents

Audi A8 • BMW 740i • Cadillac De Ville • Infiniti Q45 • Lincoln Town Car • Mercedes-Benz S500

Quoi de neuf?

Système Brake Assist

Verdict

Agrément	☺ ☺	Habitabilité	☺ ☺ ☺ ☺
Confort	☺ ☺ ☺ ☺ ☺	Hiver	☺ ☺ ☺ ☺
Fiabilité	☺ ☺ ☺ ☺ ☺	Sécurité	☺ ☺ ☺ ☺ ☺

4 soupapes par cylindre est d'une rare onctuosité. Ultrasouple, ultra-doux et ultrasilencieux (si, si), il ne performe pas trop mal non plus: le couple augmente au même rythme que la montée en régime, tandis que les reprises sont franches. Il ne lui manque qu'une transmission à la hauteur qui pourrait en tirer le maximum.

Des plus et des moins

Décriée plus tôt pour sa trop grande souplesse, la suspension sait tout de même se faire pardonner en assurant une douceur de roulement remarquable. La Lexus LS400 a redéfini les standards dans ce domaine lors de son arrivée, et elle demeure une référence en la matière. Les fauteuils qui meublent ce salon roulant procurent un confort du même calibre, tout en offrant un bon maintien. Quant à l'habitabilité, elle est directement proportionnelle aux dimensions du véhicule. Pour la malle arrière, c'est l'inverse: sa capacité de chargement est presque risible, car elle est tronquée par une banquette arrière qui non seulement ne se replie pas, mais n'est même pas pourvue d'une ouverture pour les skis. Franchement...

La présentation intérieure respecte les règles établies (cuir, bois laqué...), sans sortir des sentiers battus. Ce qui, du reste, aurait étonné de la part d'un membre de la famille Toyota... Mais le soir venu, on reconnaît la touche Lexus lorsqu'on jette un coup d'œil au tableau de bord, où brillent de tous leurs feux les cadrans électrolumines-cents qui sont le propre de cette marque. À entendre les «oh!» et les «ah!» des passagers, on constate que cela fait encore son effet. Tout comme la chaîne stéréo, qui comblera les audiophiles.

Comme ses consœurs nippones évoluant au même échelon, la LS400 brille également par sa finition d'orfèvre et sa construction soignée. Là où le bât blesse pour la Lexus, c'est lorsqu'on s'arrête au prix. L'Infiniti Q45 et l'Acura 3,5RL coûtent moins cher, et elles n'ont rien à envier — ou si peu — à leur auguste rivale. Et puis il y a la concurrence américaine, fraîchement renouvelée, qui fait presque figure d'aubaine à côté de la LS400. Il commence à se faire tard...

Philippe Laguë

Trop timide.

Lexus LX470

Lexus LX470

Une brute en smoking

La prolifération des gros utilitaires sport dépasse l'entendement. Comment diable tant de gens peuvent-ils avoir besoin d'acheter d'aussi gros véhicules pour se contenter de rouler sur les routes pavées et ne jamais les utiliser pour leur vocation première? Mais, ainsi va notre société: des millions de gens veulent se montrer originaux en imitant leurs voisins. Même si cette tendance est illogique et que des centaines d'arguments militent contre l'acquisition de ces mastodontes de luxe, la demande ne cesse de croître.

On ne peut donc pas reprocher aux manufacturiers de répondre à une telle demande. Certains réussissent à remplir ce mandat avec plus ou moins de succès. Lexus mérite de très bonnes notes grâce à une fabrication et à une qualité des matériaux exemplaires. Ses ingénieurs ont même réussi à développer un moteur dérivé du V8 de 4,0 litres de la berline LS400. Sa cylindrée a été portée à 4,7 litres et son bloc est en fonte, mais ce V8 partage plusieurs composantes internes avec le 4,0 litres. Fait à souligner, rares sont les moteurs de véhicules utilitaires dotés de 32 soupapes et de 2 arbres à cames en tête. Celui-ci est associé à une boîte automatique à 4 rapports spécialement adaptée aux conditions d'utilisation nord-américaines.

Les 230 chevaux de ce moteur ne sont peut-être pas aussi impressionnants que les 300 chevaux du Lincoln Expedition ou encore les 268 chevaux du Mercedes ML420, mais ce groupe propulseur se révèle d'une grande douceur et d'une souplesse inouïe. Il faut de plus souligner que le passage des rapports s'ef-

fectue sans à-coups. Comme c'est presque de rigueur pour la catégorie, la traction est intégrale. Mais, comme dans tout bon utilitaire sport qui se respecte, il est possible de passer au point mort ou en mode «lo», ce qui a également pour effet de bloquer le différentiel central.

On a installé une suspension avant à barres de torsion et à leviers triangulés afin d'assurer un confort raisonnable et une tenue de route décente. L'utilisation d'une direction à pignon et crémaillère réduit l'imprécision de la direction dont souffrent bien des véhicules de cette catégorie. En fait, le LX470 pourrait faire la leçon à plusieurs de ses concurrents.

Hauteur variable

Le châssis d'une robustesse à toute épreuve et l'essieu arrière spécialement étudié pour assurer une bonne traction dans la boue des routes forestières ont peu de chances d'intéresser les clients potentiels. Par contre, il est certain que la suspension adaptative et à hauteur variable est susceptible d'influencer plusieurs personnes. Les puristes se révoltent devant des gadgets de la sorte, mais je suis prêt à parier gros que le côté techno de ce système fera craquer les gens. Pourtant, il n'y a rien de bien excitant dans le fait que la hauteur du véhicule puisse être relevée ou abaissée de 50 mm par rapport à la normale, mais c'est suffisamment sophistiqué pour impressionner.

Lorsque les conditions nécessitent une garde au sol plus généreuse, l'avant se soulève de 40 mm et l'arrière de 50 mm. Par ailleurs, pour faciliter l'accès et la sortie, la suspension s'abaisse lorsque le véhicule est stationné. De même, à haute vitesse, la sus-

Lexus LX470

Pour

Finition impeccable • Moteur sophistiqué • Habitacle cossu • Tenue de route surprenante • Plate-forme très robuste

Contre

Faible maniabilité en conduite hors route • Pneumatiques peu efficaces dans la neige et la boue • Prix très corsé • Banquette arrière peu confortable • Centre de gravité élevé

Caractéristiques

Prix du modèle à l'essai:	LX470 / 83 650 $
Garantie de base:	4 ans / 80 000 km
Type:	utilitaire sport de luxe / intégrale
Empattement / Longueur:	285 cm / 489 cm
Largeur / Hauteur / Poids:	194 cm / 185 cm / 2450 kg
Coffre / Réservoir:	de 830 à 1370 litres / 96 litres
Coussins de sécurité:	conducteur et passager
Suspension av. / arr.:	indépendante / essieu rigide
Freins av. / arr.:	disque ABS
Système antipatinage:	non
Direction:	à crémaillère, assistance variable
Diamètre de braquage:	12,1 mètres
Pneus av. / arr.:	P275/70R16
Valeur de revente:	très bonne

Motorisation et performances

Moteur / Transmission:	V8 4,7 litres / automatique 4 rapports
Puissance / Couple:	230 ch à 4800 tr/min / 320 lb-pi à 3400 tr/min
Autre(s) moteur(s):	aucun
Transmission optionnelle:	aucune
Accélération 0-100 km/h:	10,8 secondes
Vitesse maximale:	180 km/h
Freinage 100-0 km/h:	44,0 mètres
Consommation (100 km):	18,5 litres

Modèles concurrents

Mercedes-Benz ML430 • Cadillac Escalade • Lincoln Navigator • Range Rover 4,6 HSE

Quoi de neuf?

Aucun changement majeur

Verdict

Agrément	☺☺	Habitabilité	☺☺☺☺
Confort	☺☺☺☺	Hiver	☺☺☺
Fiabilité	☺☺☺☺ ¢	Sécurité	☺☺☺☺

pension adopte une position basse afin d'assurer une meilleure stabilité. Et ce n'est pas tout! Cette Lexus est également pourvue d'une suspension adaptative qui se règle automatiquement selon les conditions de conduite. Le pilote peut régler cette suspension selon les 4 modes variant entre les réglages Confort et Sport.

Le luxe assuré

Comme sur tous les véhicules arborant l'écusson Lexus, aucun détail n'a été ignoré dans l'aménagement de l'habitacle. La qualité des cuirs est impressionnante, la finition toujours aussi exemplaire et le tableau de bord avec ses cadrans électroluminescents fidèle à la disposition des commandes de tous les autres modèles Lexus. Les sièges avant confortables peuvent se régler de multiples façons à défaut d'offrir un bon support latéral. La banquette arrière se situe dans la bonne moyenne, mais mieux vaut éviter de tenter d'installer des adultes sur la troisième rangée de sièges, non seulement difficile d'accès, mais aussi très peu confortable.

Le luxe s'aventure en forêt.

Ce gros tout-terrain impressionne par son luxe et ses atours ou même son raffinement technique. Mais c'est son comportement routier qui est l'élément le plus marquant. Malgré ses dimensions très généreuses et sa suspension arrière à essieu rigide, ce gros utilitaire surprend agréablement par son agilité, le confort de sa suspension et sa tenue en virage. Cette appréciation tient également compte du fait qu'il s'agit d'un tout-terrain dont le centre de gravité est plus élevé que celui d'une automobile. Il faut en tenir compte dans la conduite et dans l'évaluation.

Silencieux, confortable et offrant même un certain agrément de conduite pour la catégorie, le LX470 se montre beaucoup moins à son aise lorsque les conditions routières se détériorent ou quand la route se termine. Il est possible de compter sur une bonne traction dans le sable et en terrain accidenté. Mais ce costaud perd sa belle assurance dans la neige mouillée alors que sa traction est moins impressionnante et la stabilité latérale assez aléatoire. On s'aperçoit alors que ce gros gabarit manque d'agilité.

Denis Duquet

Lexus RX300

Lexus RX300

Le 4X4 réinventé

Malgré leur popularité sans cesse grandissante, les utilitaires sport n'ont pas que des amis. Leurs détracteurs, et ils sont de plus en plus nombreux, leur reprochent principalement un confort aléatoire, un appétit démesuré ainsi qu'une piètre maniabilité, due à leur gabarit imposant. Avec le RX300, la division Lexus semble avoir trouvé la solution miracle.

I l conviendrait en fait de parler de solution du juste milieu, car cet utilitaire en tenue de soirée allie le confort d'une berline de luxe à la polyvalence d'un 4X4 comme aucun avant lui.

Si son prix le place dans la même catégorie que les Explorer, Grand Cherokee et cie, sa conception diffère radicalement de celle de ses rivaux. Ceux-ci sont de véritables camions: montés, pour la plupart, sur un châssis autonome, ils sont hauts sur pattes et ont recours à des motorisations dont le raffinement n'est pas toujours la qualité première. En contrepartie, le RX300 offre une carrosserie monocoque, une garde au sol moins élevée et un V6 d'une douceur incomparable. Et pour cause: c'est le même qu'on retrouve sous le capot de la berline ES300, une référence s'il en est.

Tout en douceur

Dire que ce V6 brille par sa douceur relève de l'euphémisme; il en va de même pour son silence de roulement, tout simplement exceptionnel. De plus, il se distingue par son architecture aussi moderne que peu répandue dans le segment des utilitaires. Le RX300 est en effet le premier utilitaire sport à bénéficier d'une motorisation munie d'un système de distribution à calage variable des soupapes.

Autre première, ce moteur est pourvu de supports dits «actifs» qui absorbent les vibrations, particulièrement lorsqu'il tourne au ralenti. Il en résulte un V6 qui, en plus d'étonner par sa discrétion et ses bonnes manières, se défend plutôt bien côté performances.

Qui plus est, les géniteurs du RX300 ont eu la brillante idée d'adapter ce V6 24 soupapes à double arbre à cames en tête aux exigences de ce type de véhicule. À cylindrée égale, il développe 20 chevaux de plus que celui de la berline ES300 ainsi qu'un couple supérieur. Mieux, ledit couple atteint 80 p. 100 de son rendement maximum à un régime aussi bas que 1600 tr/min. Ceux qui désirent tracter peuvent donc dormir tranquilles: la capacité de remorquage du RX300 est de 1587 kg (3500 lb).

Presque la perfection

Ayant reçu le mandat de maximiser le confort et le raffinement, afin de respecter le credo de Lexus, les concepteurs du RX300 l'ont doté d'une suspension à 4 roues indépendantes et d'un système de traction intégrale entièrement automatisé, deux approches qu'on trouve plus fréquemment sur une automobile que sur une camionnette. Le moins qu'on puisse dire, c'est que les ingénieurs concernés sont parvenus à leurs fins: jamais on n'a vu un soi-disant utilitaire offrir une telle douceur de roulement. Mais au fait, est-ce bien un utilitaire? Certains affirment qu'il ressemble davantage à une Volvo AWD ou une Subaru Outback plutôt qu'à un Cherokee.

Le confort qu'il procure se compare avantageusement à celui des berlines portant l'étiquette Lexus, ce qui n'est pas peu dire. De plus, ses réactions sont celles d'une auto. Cela s'applique notamment à la tenue de route, ainsi qu'à la stabilité directionnelle, qui impressionnent

Lexus RX300

Pour

Concept audacieux et original
• Habitacle cossu et spacieux
• Équipement de série pléthorique
• Douceur et silence de roulement
• Mécanique raffinée

Contre

Direction légère • Aptitudes hors route limitées • Pas de boîte manuelle

Caractéristiques

Prix du modèle à l'essai:	RX300 / 46 480 $
Garantie de base:	4 ans / 80 000 km
Typo:	utilitaire sport / traction intégrale
Empattement / Longueur:	262 cm / 457,5 cm
Largeur / Hauteur / Poids:	181,5 cm / 167 cm / 1770 kg
Coffre / Réservoir:	869 ou 1127 litres / 65 litres
Coussins de sécurité:	frontaux et latéraux
Suspension av. / arr.:	indépendante
Freins av. / arr.:	disque ABS
Système antipatinage:	oui
Direction:	à crémaillère, assistance variable
Diamètre de braquage:	12,6 mètres
Pneus av. / arr.:	P225/70R16
Valeur de revente:	excellente

Motorisation et performances

Moteur / Transmission:	V6 3,0 litres / automatique 4 rapports
Puissance / Couple:	220 ch à 5800 tr/min / 222 lb-pi à 4400 tr/min
Autre(s) moteur(s):	aucun
Transmission optionnelle:	aucune
Accélération 0-100 km/h:	9,1 secondes
Vitesse maximale:	180 km/h (limitée)
Freinage 100-0 km/h:	40,0 mètres
Consommation (100 km):	12,7 litres

Modèles concurrents

Infiniti QX4 • Isuzu Trooper • Land Rover Discovery • Mercedes-Benz ML320 • Ford Explorer • GMC Envoy • Jeep Grand Cherokee

Quoi de neuf?

Aucun changement majeur

Verdict

Agrément	⊕ ⊕ ⊕ ◖	Habitabilité ⊕ ⊕ ⊕ ⊕ ⊕
Confort	⊕ ⊕ ⊕ ⊕ ◖	Hiver ⊕ ⊕ ⊕ ⊕
Fiabilité	⊕ ⊕ ⊕ ⊕	Sécurité ⊕ ⊕ ⊕ ⊕ ⊕

---

toutes deux. Même son de cloche pour les mouvements de caisse, dont n'est pas affligée celle du RX300. Absence de roulis à bord d'un 4X4, voilà qui n'est pas monnaie courante. Beau travail.

Seule ombre au tableau, une direction un peu trop assistée, un mal qui afflige l'ensemble de la gamme Lexus. Comme quoi la perfection n'est pas encore de ce monde.

L'exemple à suivre

Si les utilitaires sport, dans leurs versions haut de gamme à tout le moins, nous ont habitués à une certaine opulence, l'habitacle du RX300 égale les standards établis, quand il ne les surpasse pas. La présentation est franchement réussie: la sellerie cuir et les appliques de bois, deux incontournables, contribuent à la beauté des lieux, tout comme l'écran à cristaux liquides qui domine la console centrale. Avec sa teinte bleutée, l'effet est garanti.

La Lexus des 4X4.

Sur une note plus sérieuse, ledit écran affiche une panoplie de renseignements, qui touchent notamment le chauffage ou la climatisation, la température extérieure, la chaîne stéréo et même le régulateur de vitesse. Agréable au coup d'œil, et fonctionnel avec ça. Dans le même ordre d'idées, le levier de vitesses loge lui aussi dans la console centrale, sous l'écran en question. Si cette position peu orthodoxe surprend de prime abord, elle se révèle judicieuse car elle en facilite l'accès et l'utilisation. Cette brillante idée illustre le soin apporté à l'ergonomie, qui ne présente aucune faille. Un exemple à suivre, rien de moins. Il en va de même pour la finition et la qualité d'assemblage, deux aspects qui placent le RX300 une coche au-dessus de ses rivaux. Ce qui inclut Mercedes et — surtout! — Land Rover...

Ça ne s'arrête pas là: ce nouveau joueur dans la catégorie des utilitaires s'impose déjà comme l'un des plus spacieux et des plus confortables. Si l'espace arrière est largement suffisant, il en va tout autrement du coffre à bagages dont le volume est plutôt maigre.

Si on reproche souvent aux constructeurs nippons de manquer d'originalité et d'audace, le RX300 est, sans l'ombre d'un doute, l'exception qui confirme la règle. Aussi agréable à utiliser qu'à regarder, assemblé avec soin et fiable comme une montre suisse, le RX300 doit être salué comme l'une des belles réussites de Lexus.

Philippe Laguë

Lincoln Continental

Mi-figue, mi-raisin

Pour distinguer la «petite» Continental de la grande Town Car, Lincoln a adopté, entre autres, la traction. Mais force est de reconnaître que ce mode de transmission, s'il convient bien aux compactes et aux sous-compactes, perd sa raison d'être lorsque l'économie d'espace n'est pas un critère essentiel. La preuve: la plupart des concurrentes de la Continental sont des propulsions.

Peut-être que Lincoln a voulu faire croire que traction était synonyme de sécurité, mais il suffit de conduire les propulsions que proposent BMW, Mercedes, Lexus et Jaguar pour se rendre compte qu'une grande propulsion bien conçue présente des avantages indéniables en matière d'équilibre général, de confort et, surtout, d'agrément de conduite. D'ailleurs, Lincoln en fera elle-même la preuve avec sa nouvelle LS qui partage sa plate-forme avec la Jaguar Type S.

Le fait de placer le gros V8 et sa boîte de vitesses devant l'essieu avant se solde par la présence d'un museau allongé que les designers essaient d'équilibrer en dessinant un arrière démesuré. Notons que la longueur de la Continental équivaut presque à deux fois son empattement. Quand on sait que l'empattement délimite l'espace réservé aux occupants, on se rend compte que la Continental, tout en étant plus grande, n'offre pas plus de logeabilité qu'une Lexus GS, par exemple.

A+ pour la finition

Trêve de théorie. Revenons à notre essai. Au premier contact, la qualité des cuirs et le sérieux de la finition impressionnent. Les appliques en bois véritable et les garnitures deux tons donnent un

bel effet que rehausse la sobriété du tableau de bord. Les contre-portes avant au dessin agréable reçoivent les commandes des sièges, ce qui est nettement préférable aux commandes invisibles qui se trouvent souvent sur le côté du siège. Le volant gainé de cuir et réglable en hauteur a un diamètre trop grand, mais les commandes qui y sont intégrées (régulateur de vitesse, climatisation et radio) sont particulièrement pratiques et rehaussent la sécurité.

Ce premier contact nous permet aussi de noter que les rétroviseurs extérieurs sont plus petits que d'habitude et que la visibilité vers l'arrière est limitée par la hauteur de la tablette. Les accessoires au tableau de bord sont accessibles et relativement faciles à comprendre et à manier. Une délimitation plus nette entre les commandes de la radio et celles de la climatisation serait cependant souhaitable pour des raisons d'ergonomie. Erreur d'ergonomie aussi pour la commande des phares complètement masquée par le volant. Si certaines commandes sont perfectibles, tant la sonorisation que la climatisation méritent des éloges. Bon point aussi pour avoir placé le changeur de disques compacts dans la console, sous l'accoudoir central, un choix infiniment plus intelligent que dans le coffre.

C'est la faute aux sièges

S'il est un élément qui revêt une importance capitale dans une voiture, et à plus forte raison dans une voiture de luxe, ce sont les sièges. Agrément de conduite, confort et même sécurité sont tributaires de la qualité des sièges. Sans un soutien adéquat en virage, sans appui lombaire bien conçu, sans assise de longueur convenable, le conducteur sera tôt ou tard mal à l'aise. Le confort du siège ne se mesure pas par sa mollesse, bien au contraire, mais par

Lincoln Continental

Pour

Excellent groupe motopropulseur • Bonne chaîne stéréo • Bonne climatisation • Places arrière confortables • Fermeté réglable des suspensions et de la direction

Contre

Sièges avant atroces • Agrément de conduite inexistant • Sous-virage prononcé • Dimensions exagérées Forte dépréciation

Caractéristiques

Prix du modèle à l'essai:	52 895 $
Garantie de base:	4 ans / 80 000 km
Type:	berline / traction
Empattement / Longueur:	277 cm / 530 cm
Largeur / Hauteur / Poids:	187 cm / 142 cm / 1785 kg
Coffre / Réservoir:	521 litres / 75 litres
Coussins de sécurité:	conducteur et passager
Suspension av. / arr.:	indépendante
Freins av. / arr.:	disque ABS
Système antipatinage:	oui
Direction:	à crémaillère, assistance variable
Diamètre de braquage:	12,5 mètres
Pneus av. / arr.:	P225/60R16
Valeur de revente:	faible

Motorisation et performances

Moteur / Transmission:	V6 4,6 litres / automatique 4 rapports
Puissance / Couple:	260 ch à 5500 tr/min / 270 lb-pi à 4500 tr/min
Autre(s) moteur(s):	aucun
Transmission optionnelle:	aucune
Accélération 0-100 km/h:	8,3 secondes
Vitesse maximale:	215 km/h
Freinage 100-0 km/h:	41,5 mètres
Consommation (100 km):	13,9 litres

Modèles concurrents

Acura RL • Buick Park Avenue • Cadillac Seville

Quoi de neuf?

Commande pour ouverture de l'intérieur du coffre

Verdict

Agrément	⊕ ⊕ ⊙	
Confort	⊕ ⊕ ⊕	Habitabilité ⊕ ⊕ ⊕ ⊕
Fiabilité	⊕ ⊕ ⊙	Hiver ⊕ ⊕ ⊕
		Sécurité ⊕ ⊕ ⊕

la façon dont il soutient les diverses parties du corps de l'occupant et lui permet de rester bien calé malgré la force centrifuge qui s'exerce en virage. Conduire une voiture puissante affublée de mauvais sièges équivaut à faire du ballet en bottes de construction!

Tout cela pour vous dire que les sièges avant de la Lincoln ne valent pas grand-chose. Malgré le bel habillage en cuir, malgré les multiples réglages électriques, la tenue en virage est nulle. Il faut s'agripper au volant pour ne pas glisser à droite ou à gauche. Dans de telles conditions, le moindre virage devient un obstacle et seule l'autoroute plate et rectiligne vous offre un répit. N'allez cependant pas croire que Lincoln ne sait pas fabriquer des sièges, car il suffit pour vous détromper de vous asseoir à l'arrière où la banquette offre plus de confort et un meilleur soutien qu'à l'avant!

Une motorisation à la hauteur

Si les sièges avant méritent une critique acerbe, la qualité de la motorisation laisse espérer des jours meilleurs. Tant le V8 de 4,6 litres que la boîte automatique sont un régal. Ils assurent souplesse, puissance, reprises franches, silence d'exécution et même consommation «raisonnable». Il faut dire qu'avec 2000 tr/min au compte-tours à 100 km/h, ce moteur n'a pas besoin de travailler très fort pour déplacer la grande Continental.

Progrès aussi en matière de suspension. Certes, la mollesse est encore au rendez-vous, mais les débattements sont bien contrôlés et il est possible d'opter pour le réglage «ferme» par une simple touche tant pour la suspension que pour la direction, ce qui se traduit par un comportement routier plus digne d'une grande routière. Malheureusement, le sous-virage prononcé qu'imprime la traction, l'effet de couple dans le volant en accélération et les dimensions gargantuesques de la voiture — sans oublier les sièges nuls — vous obligent à adopter une allure plus que raisonnable dès que vous quittez l'autoroute. Adieu, agrément de conduite!

En somme, il suffirait de prendre le moteur et la boîte de la Continental, sa belle garniture en cuir souple et ses placages en érable, de les installer dans un châssis convenable, d'y ajouter les sièges avant d'une Volvo (facile, puisque Volvo appartient à Ford) et le tour serait joué.

Alain Raymond

Lincoln LS

Un changement de personnalité

La LS n'est pas seulement une nouvelle berline pour la division Lincoln de Ford. C'est également la première Lincoln destinée aux marchés internationaux depuis des lunes. Et la transformation de la marque semble encore plus complète quand on apprend que cette intermédiaire compte sur son comportement routier et son agrément de conduite pour intéresser une nouvelle clientèle.

Depuis des décennies, les Lincoln ont toujours été de grosses embarcations routières intéressant les acheteurs qui confondent qualité et dimensions gargantuesques. Voilà que cette division tente de faire volte-face et de s'attaquer aux marchés internationaux. Chez Ford, on sait bien que la clientèle pour les grosses «barges» de jadis diminue chaque année et que Lincoln doit réviser sa gamme de modèles pour survivre.

La LS est également l'objet d'une attention particulière en raison de sa plate-forme et de ses groupes propulseurs qui ont été développés conjointement avec Jaguar, l'une des marques les plus prestigieuses sur le marché. D'ailleurs, plusieurs avaient prédit à l'annonce de ce projet que la Jaguar serait une voiture intéressante pour les amateurs de conduite et que la LS serait une version plus mollasse destinée aux inconditionnels des suspensions guimauves.

Comme ces deux modèles sont maintenant offerts, voilà l'occasion d'analyser ce que nous réserve cette Lincoln qui sort vraiment des sentiers battus.

Le style, une faiblesse

Dans son désir de réaliser une voiture de vocation internationale, Lincoln a confié au styliste allemand Helmuth Schrader la direction de l'équipe devant concevoir la carrosserie de la LS. Sans être dénuée d'intérêt, la silhouette est très sobre et cette américaine aux ambitions internationales ne se démarque pas tellement des autres dans la circulation. Si cette voiture possède une faiblesse, c'est son apparence. Elle n'est pas laide, mais nettement trop discrète. Force est d'admettre que les stylistes ont été obligés d'intégrer à ce design la grille de calandre Lincoln aux barres verticales, ce qui a pour effet de défigurer toute voiture. Ajoutez l'écusson vertical Lincoln et vous aurez plus de respect pour leur travail.

La Jaguar Type S a été critiquée pour son aspect extérieur trop caricatural. C'est peut-être une critique juste. La Jaguar a cependant un impact visuel plus marqué que sa sœur américaine.

L'habitacle de la LS n'est pas plus excitant non plus. Il est bien agencé, la disposition des commandes est bonne et les sièges confortables, c'est tout. On n'y retrouve pas ce cachet spécial tellement apprécié sur des voitures comme l'Audi A6 ou la BMW 540i.

Une mécanique raffinée

Au fil des années, la documentation remise à la presse par Lincoln insistait beaucoup plus sur l'épaisseur des moquettes et l'insonorisation de la cabine que sur les caractéristiques techniques. Avec la LS, c'est tout le contraire alors que le cahier d'information est presque essentiellement consacré au châssis, aux moteurs et à une foule d'éléments techniques.

Chez Ford, on n'a pas lésiné sur les ressources humaines pour développer la plate-forme, la suspension et les composantes mécaniques. Une équipe constituée d'ingénieurs qui ont travaillé en Formule 1 chez Benetton et chez Newman-Haas en CART a élaboré cette suspension à bras asymétriques composée d'éléments en aluminium forgé ou moulé. Cette configuration a été jugée plus sophistiquée que les jambes de force installées sur plusieurs voitures de la catégorie. Détail intéressant, la LS possède des disques ventilés aux 4 roues, une caractéristique rare pour une voiture de cette catégorie.

C'est la première fois depuis 1951 que Lincoln commercialise un modèle équipé d'une boîte manuelle à 5 rapports. Cette transmission, offerte avec le moteur V6 de 3,0 litres développant 210 chevaux, est fabriquée par la compagnie allemande Getrag. Une boîte automatique à 5 rapports peut être couplée au V6 et au V8 de 3,9 litres et de 252 chevaux. Il s'agit d'une version spéciale du V8 de 4,0 litres de la Jaguar Type S.

La boîte de vitesses automatique peut être commandée avec le système optionnel SelectShift qui permet de passer les vitesses manuellement. Il se distingue de la majorité des systèmes similaires par le fait qu'il faut absolument passer les rapports supérieurs manuellement faute de quoi la boîte demeure au même rapport.

La LS peut être commandée avec le groupe d'équipement Sport qui comprend une suspension plus ferme et des pneus de 17 pouces.

Toujours en option, on peut obtenir le système de stabilité latérale AdvanceTrac qui travaille de concert avec l'antipatinage.

Une grande routière

Si l'essai routier des autres modèles Lincoln est généralement d'un ennui mortel, c'est une tout autre chose avec la LS. Non seulement cette berline est agréable à conduire, mais elle nous

Un face à face révélateur

Compte tenu de l'étroite parenté qui existe entre les deux voitures, on peut se demander si la Lincoln LS n'est pas une Jaguar Type S vendue à rabais. Rien de mieux qu'un face à face dans des conditions extrêmes pour répondre à une telle question. La confrontation s'est déroulée sur le circuit routier de Sanair entre une LS et une Type S toutes deux équipées d'un moteur V8.

Encore une fois, le rapprochement a été révélateur puisque les 281 chevaux de la Jaguar se font «manger» par les 240 de la LS. Eh oui, l'auguste britannique cède le pas à la «vulgaire» américaine.

Si l'avantage moteur revient à la Lincoln, c'est que son V8 s'exprime à un régime inférieur et qu'il ne s'éternise pas, comme celui de la Jag, à atteindre son maximum de tr/min. Il est aussi aidé par une transmission automatique à rapports courts dont les changements se font avec une telle rapidité qu'on a l'impression qu'ils ont été réglés par un ingénieur de Formule 1. C'est ce qui permet à la LS de regagner rapidement le tiers de seconde qu'elle concède à la Type S au sprint 0-100 km/h pour franchir le quart de mille en tête.

Dans la vraie vie, cela signifie que le moteur de la LS répond mieux au moment des reprises, un avantage non négligeable. La Type S perd aussi des points avec son levier de vitesses peu commode à déplacer et qui ne donne jamais la sensation qu'il est enclenché. Côté tenue de route et direction, la Jaguar domine nettement sa sœur jumelle avec moins de roulis et un survirage beaucoup moins prononcé en conduite sportive.

La direction est moins empesée, plus précise, mais il est certain qu'il aurait été intéressant de comparer la Type S à une LS

dotée de l'option Sport, ce qui aurait probablement haussé d'un cran son comportement routier.

Au freinage, je dirais que les deux voitures font match nul et qu'elles offrent des performances de premier plan, même en utilisation intensive.

En conclusion, la Jaguar gagne ce petit face à face si l'on s'en tient à l'agrément de conduite mais, à près de 20 000 $ de moins, la LS est loin d'être perdante. Ajoutons l'option Sport, des pneus P Zéro comme ceux de la Jag, cachons son affreux emblème Lincoln, et on ne sera pas loin de la belle anglaise. Mais le cuir anglais a peut-être meilleure odeur...

Jacques Duval

Lincoln LS

Pour

Mécanique sophistiquée • Direction très précise • Freins puissants • Boîte manuelle avec moteur V6 • Tenue de route saine

Contre

• Présentation extérieure terne • Tableau de bord quelconque • Fiabilité inconnue • Absence de boîte manuelle avec le V8 • Préjugés contre la marque

Caractéristiques

Prix du modèle à l'essai:	46 995 $
Garantie de base:	4 ans / 80 000 km
Type:	berline / propulsion
Empattement / Longueur:	290 cm / 492 cm
Largeur / Hauteur / Poids:	186 cm / 145 cm / 1675 kg
Coffre / Réservoir:	431 litres / 68 litres
Coussins de sécurité:	conducteur, passager et latéraux
Suspension av. / arr.:	indépendante
Freins av. / arr.:	disque ABS
Système antipatinage:	oui
Direction:	à crémaillère, assistance variable
Diamètre de braquage:	11,5 mètres
Pneus av. / arr.:	P215/60VR16 (V8) / P235/50VR17 (Groupe Sport)
Valeur de revente:	nouveau modèle

Motorisation et performances

Moteur / Transmission:	V8 3,9 litres / automatique 5 rapports
Puissance / Couple:	252 ch à 6100 tr/min / 267 lb-pi à 4300 tr/min
Autre(s) moteur(s):	V6 3,0 litres 210 ch
Transmission optionnelle:	manuelle 5 rapports (V6 seulement)
Accélération 0-100 km/h:	7,0 secondes; 8,2 secondes
Vitesse maximale:	225 km/h
Freinage 100-0 km/h:	n.d.
Consommation (100 km):	14,7 litres; 12,8 litres

Modèles concurrents

Audi A4 • BMW série 3/série 5 • Mercedes-Benz classe C • Lexus GS300/GS400 • Volvo S70

Quoi de neuf?

Nouveau modèle

Verdict

Agrément	⊕ ⊕ ⊕ ⊕ (	Habitabilité	⊕ ⊕ ⊕ ⊕ (
Confort	⊕ ⊕ ⊕ ⊕ (	Hiver	⊕ ⊕ ⊕ ((
Fiabilité	nouveau modèle	Sécurité	⊕ ⊕ ⊕ ⊕ (

séduit par sa direction précise et son assistance variable bien dosée. La suspension, bien que très efficace, n'est pas trop rigide comme c'est souvent le cas sur les berlines à vocation sportive. Les ingénieurs ont obtenu un bon compromis entre la tenue de route et le confort.

La majorité des acheteurs n'opteront pas pour le moteur V6 et la boîte manuelle, mais cette combinaison plaira à ceux qui apprécient une voiture d'un équilibre presque parfait quant à la répartition des masses. De plus, ce moteur qui ne craint pas les régimes élevés offre des prestations intéressantes. Il atteint même les 7000 tr/min avant que le rupteur entre en fonction.

Quant au V8 de 3,9 litres, il procure plus de douceur et des performances plus affûtées. Compte tenu des goûts de la clientèle nord-américaine, ce moteur sera sans doute le choix de la majorité. Par contre, un modèle équipé du V6, du groupe d'équipement Sport et de la boîte manuelle surprend très favorablement en raison de son équilibre général et d'un agrément de conduite relevé.

L'essai de la LS sur un circuit de course californien a permis de constater que cette Lincoln n'avait aucune difficulté à négocier un parcours très sinueux et très exigeant pour les freins et la stabilité en virage. Mieux encore, plusieurs voitures européennes et japonaises n'ont pas été en mesure de porter ombrage à la LS qui, sans les déclasser, s'en est tirée avec les honneurs de cette comparaison impromptue.

En fait, à l'exception d'une silhouette sans relief et d'un habitacle sans inspiration, il est difficile de trouver à redire. La LS est une voiture aux dimensions sensées, dotée d'une mécanique très moderne et offrant un agrément de conduite inespéré de la part de Lincoln. Il semble donc que le principal obstacle que cette nouvelle venue aura à franchir, ce seront les préjugés des gens envers la marque. Cadillac paie toujours le prix pour ses grosses berlines sans âme des «belles années», et il ne serait pas surprenant que Lincoln doive payer elle aussi pour ses excès. Son étroite filiation avec la Jaguar Type S risque cependant d'être un atout. D'autant plus que cette américaine coûte beaucoup moins cher.

Bravo Lincoln!

Denis Duquet

Lincoln Town Car

Métamorphose

La division de prestige de Ford se devait d'utiliser un remède de cheval pour sortir de sa torpeur. La transformation réussie, il y a deux ans, de son modèle le plus conservateur, l'auguste Town Car, illustre bien le renouveau de cette marque.

Appréciée par les uns, méprisée par les autres, cette limousine aux proportions titanesques souffrait en effet d'un problème d'image. Plusieurs étiquettes lui collaient à la peau, et pas toutes glorieuses: on associait la Town Car aux personnes âgées, ce qui faisait fuir notamment les jeunes retraités quinquagénaires encore fringants; mais aussi aux parvenus à la prospérité clinquante (pour employer un terme poli), ainsi qu'à certains représentants du monde interlope.

Pour d'autres, le destin de la Town Car était de servir de limousine d'aéroport ou de voiture de fonction, avec chauffeur. Et que dire des affreuses limousines allongées, d'un mauvais goût qu'Elvis lui-même n'aurait pas renié? Bref, il fallait modifier son image coûte que coûte, afin de mettre fin à ces railleries et de changer les perceptions. Et, bien sûr, d'attirer de nouveaux acheteurs.

Arrondie, mais pas plus jolie

Non pas qu'il s'agissait d'une mauvaise voiture: dans le genre «gros bateau américain», on a déjà vu pire, et sa fiabilité n'était pas à dédaigner. Il faut dire qu'on jouait en terrain connu, avec une architecture conventionnelle (V8, propulsion) et des organes mécaniques qui l'étaient tout autant. On aura compris que le problème de la Town Car en était un de forme, et non de fond.

La grosse boîte carrée est donc devenue ronde, comme le veut la tendance, sauf que le résultat test, hélas, discutable. Certes, tous les goûts sont dans la nature, mais l'auteur de ces lignes est d'avis que ce n'est pas avec une telle allure que l'image quétaine de la «grosse Lincoln» s'améliorera. Vêtue de blanc, on ne peut l'imaginer ailleurs que devant Graceland ou dans les rues de Las Vegas; tandis que noire, elle évoque une Batmobile en configuration 4 portes, vision apocalyptique s'il en est. Son efficacité aérodynamique est toutefois surprenante: peu importe la vitesse, les bruits éoliens sont réduits au minimum et la tenue de cap demeure imperturbable.

Le comportement routier de la nouvelle Town Car constitue par ailleurs une surprise de taille, et une bonne. De concept abstrait qu'elle était sur le modèle de génération précédente, la tenue de route est devenue une réalité et un petit slalom suffit pour s'en convaincre. Dans les virages serrés comme dans les grandes courbes, la voiture manifeste un aplomb qu'on ne lui connaissait pas, bien servie qu'elle est par une direction en net progrès. Moins de roulis, moins de survirage, une caisse qui reste presque neutre, ma foi, on ne la reconnaît plus! Attention: n'allez pas croire non plus que cette grosse berline s'est métamorphosée en Porsche ou en Ferrari; mais pour un véhicule de ce gabarit, dont la priorité demeure le confort, c'est plutôt réussi.

Le confort, justement, parlons-en. S'il est un domaine où la Town Car a gagné ses lettres de noblesse, c'est bien celui-là, et la dernière génération reste fidèle à la tradition. À l'avant comme à l'arrière, les suspensions ont été retravaillées et malgré une architecture qui paraîtra vétuste à certains — avec notamment la présence d'un essieu rigide à l'arrière —, leur rendement mérite d'être souligné. Attention cependant aux trous et aux bosses: sur un revêtement accidenté, le tangage qui était le propre des générations précédentes refait surface.

Lincoln Town Car

Pour

Confort de limousine • Insonorisation poussée • Direction précise • Comportement routier amélioré • Mécanique éprouvée

Contre

Allure rococo • Tableau de bord rétro • Banquette d'une autre époque • Coffre arrière tarabiscoté • Réactions du train arrière

Caractéristiques

Prix du modèle à l'essai:	Cartier / 54 495 $
Garantie de base:	4 ans / 80 000 km
Type:	berline / propulsion
Empattement / Longueur:	299 cm / 547 cm
Largeur / Hauteur / Poids:	199 cm / 147 cm / 1835 kg
Coffre / Réservoir:	583 litres / 72 litres
Coussins de sécurité:	conducteur, passager et latéraux
Suspension av. / arr.:	indépendante / essieu rigide
Freins av. / arr.:	disque ABS
Système antipatinage:	oui
Direction:	à billes, assistance variable
Diamètre de braquage:	12,9 mètres
Pneus av. / arr.:	P225/60R16
Valeur de revente:	faible

Motorisation et performances

Moteur / Transmission:	V8 4,6 litres / automatique 4 rapports
Puissance / Couple:	220 ch à 4500 tr/min / 290 lb-pi à 3500 tr/min
Autre(s) moteur(s):	aucun
Transmission optionnelle:	aucune
Accélération 0-100 km/h:	9,3 secondes
Vitesse maximale:	172 km/h (limitée électroniquement)
Freinage 100-0 km/h:	39,4 mètres
Consommation (100 km):	14,6 litres

Modèles concurrents

Acura RL • Buick Park Avenue • Cadillac DeVille • Infiniti Q45 • Lexus LS400

Quoi de neuf?

Coussins de sécurité latéraux

Verdict

Agrément	⊕⊕⊕⊖	Habitabilité	⊕⊕⊕⊕⊖
Confort	⊕⊕⊕⊕⊖	Hiver	⊕⊕⊕⊖
Fiabilité	⊕⊕⊕⊕	Sécurité	⊕⊕⊕⊕⊖

Il n'en reste pas moins que jamais, depuis que ce modèle existe, on n'a atteint un tel équilibre entre le confort et le comportement routier. Fini le mal de mer à bord d'une Town Car: désormais, on ne navigue plus, on roule. Et doucement, mais alors là vraiment doucement. Il ne reste plus qu'à se laisser bercer par ce salon roulant, où règne comme il se doit un silence monacal. Qu'aucun bruit de caisse ne viendra perturber, signe d'une qualité d'assemblage irréprochable. De plus, si vous aimez le confort à l'américaine, les fauteuils généreusement rembourrés qui font office de sièges vous enchanteront. À l'avant, on apprécierait cependant un maintien digne de ce nom: il faut surveiller constamment sa posture et éviter de se laisser glisser sur la banquette; sinon, gare aux maux de dos!

Compte tenu des dimensions «pachydermiques» de la Town Car, on ne se surprendra guère de son habitabilité. Il en va de même pour la malle arrière, dont la grande capacité de chargement ne peut cependant être pleinement exploitée: plancher trop bas, seuil trop haut, pneu de secours mal foutu, c'est un peu anarchique, là-dedans.

Les plaisirs démodés.

Laide mais pas chère

À l'image de la carrosserie, le tableau de bord n'est guère inspirant, mais il compense cette lacune par d'autres qualités — d'ordre pratique, cette fois. La disposition des commandes se place à l'abri de toute critique, et on apprécie celles qu'on a doublées en les plaçant également dans le volant, ce qui en facilite la manipulation.

S'il est indécent de parler d'aubaine pour un véhicule dont le prix tourne autour de 50 000 $, il n'en demeure pas moins que, face à ses concurrentes, la Lincoln Town Car représente une sacrée affaire. Beaucoup plus chères, ses rivales importées, les japonaises surtout, ont beaucoup de difficulté à justifier cet écart de prix. Si la fiabilité des Acura, Infiniti et Lexus est exceptionnelle, celle de la Lincoln n'est pas à dédaigner non plus, et elle soutient la comparaison en termes de finition, de confort et de comportement routier. Il ne reste qu'à s'habituer à son allure quelconque, mais disons qu'une différence de prix de 20 ou 30 000 $, ça aide... Chose certaine, cette luxueuse berline américaine ne mérite plus d'être snobée.

Philippe Laguë

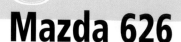

Mazda 626

Mazda 626

Honnête sans être inspirée

Construite au Michigan dans une usine qu'elle partageait avec la Ford Probe, la Mazda 626, née en 1983, en est à sa quatrième génération. Pour 2000, Mazda annonce une mise à jour qui fait suite à la refonte de 1998 et apporte des modifications judicieuses à cette honnête berline compacte dotée d'une fiabilité fort convenable.

Notre Mazda 626 d'essai porte la désignation ES. Il s'agit de la version «toute garnie» de la berline Mazda motorisée par le V6 de 2,5 litres à 4 arbres à cames en tête et 24 soupapes accouplé à la boîte manuelle à 5 rapports. La 626 est aussi livrable en version LX plus économique animée par le 4 cylindres de 2,0 litres et, en option, par le V6 plus performant. La version DX n'est plus au catalogue pour 2000.

Une motorisation sage

Les versions V6 de la plupart des berlines de cette catégorie sont dotées d'une boîte automatique, alors que Mazda vous donne le choix puisque sa 626 à V6 reçoit de série la boîte manuelle. En revanche, les V6 qui animent les Honda Accord et Toyota Camry affichent une cylindrée de 3,0 litres développant près de 200 chevaux, contre 170 pour le V6 Mazda.

Si la boîte manuelle permet de mieux exploiter le couple du moteur, elle pèche cependant par la présence d'un levier de vitesses peu précis et de certains à-coups en circulation lente qui nuisent à la souplesse de conduite. Signalons aussi que pour les reprises vigoureuses, il faut faire grimper l'aiguille du compte-tours près de la ligne rouge, car c'est à 4500 tr/min que le V6 Mazda commence à prendre vie.

En somme, en version V6, la 626 s'accommode mieux de la boîte automatique même si les rétrogradations gagneraient à être plus souples. Quant au moteur 4 cylindres, il conviendra à l'automobiliste qui favorise surtout l'économie d'essence.

Pas de surprise

Sur la route, pas de surprise. La Mazda se comporte comme toute bonne traction. Elle montre une stabilité correcte en ligne droite, alors qu'en virage le caractère peu sportif de la voiture se manifeste par des inclinaisons de la caisse et l'éternel sous-virage. Les suspensions indépendantes aux 4 roues favorisent le confort, mais les déformations importantes de la chaussée se répercutent dans l'habitacle. Chaussées de pneus de 16 pouces en version V6 (15 pouces avec le 4 cylindres) et de roues en alliage, et dotées d'une barre antiroulis arrière, les 626 2000 bénéficient aussi d'une caisse plus rigide et marquent un point au chapitre du comportement routier par rapport à la version antérieure. Les freins s'acquittent honorablement de leur tâche et la voiture conserve bien l'horizontale lors des freinages vigoureux. La 626 ES reçoit l'ABS doublé du système antipatinage et des coussins de sécurité latéraux qui sont proposés en option sur les LX.

Un habitacle accueillant

Si la mécanique s'avère honorable, surtout avec le V6, c'est la conception de l'habitacle qui constitue le point fort de la berline Mazda. Les places avant conviendront pratiquement à toutes les tailles et le réglage en hauteur du siège du conducteur (à commande électrique) est une touche appréciée. Nous aurions cependant souhaité une assise plus longue offrant un plus grand soutien

Mazda 626

Pour
Places arrière généreuses et confortables • Tableau de bord ergonomique • Équipement complet • Finition convenable • Moteurs économiques

Contre
Moteur 4 cylindres peu puissant • Design générique • Agrément de conduite mitigé

Caractéristiques

Prix du modèle à l'essai:	ES / 30 260 $
Garantie de base:	3 ans / 80 000 km
Type:	berline / traction
Empattement / Longueur:	267 cm / 474,5 cm
Largeur / Hauteur / Poids:	176 cm / 140 cm / 1393 kg
Coffre / Réservoir:	402 litres / 64 litres
Coussins de sécurité:	conducteur, passager et latéraux (ES)
Suspension av. / arr.:	indépendante
Freins av. / arr.:	disque / tambour (ABS en option)
Système antipatinage:	oui (ES)
Direction:	à crémaillère, assistance variable
Diamètre de braquage:	11,0 mètres
Pneus av. / arr.:	P205/55R16 (P205/60R15 sur LX)
Valeur de revente:	passable

Motorisation et performances

Moteur / Transmission:	V6 2,5 litres / manuelle 5 rapports
Puissance / Couple:	170 ch à 6000 tr/min / 163 lb-pi à 5000 tr/min
Autre(s) moteur(s):	4L 2,0 litres 130 ch
Transmission optionnelle:	automatique 4 rapports
Accélération 0-100 km/h:	8,5 secondes
Vitesse maximale:	210 km/h
Freinage 100-0 km/h:	42,0 mètres
Consommation (100 km):	11,0 litres

Modèles concurrents

Honda Accord • Chevrolet Malibu • Nissan Altima • Toyota Camry • Chrysler Cirrus • Hyundai Sonata

Quoi de neuf?

Coussins de sécurité latéraux • Calandre et pare-chocs avant • 4 cylindres plus puissant • Caisse plus rigide • Nouvelles couleurs

Verdict

Agrément	⊕⊕⊕◖	
Confort	⊕⊕⊕◖◖	
Fiabilité	⊕⊕⊕⊕◖	
Habitabilité	⊕⊕⊕⊕◖	
Hiver	⊕⊕⊕⊕	
Sécurité	⊕⊕⊕⊕◖	

aux cuisses. Il semble d'ailleurs que plusieurs voitures d'origine japonaise présentent cette lacune qui nuit au confort sur de longs parcours.

Volant réglable gainé de cuir, tableau de bord simple et bien conçu, nouvelle instrumentation lisible, nouvelle console; les ingénieurs ont bien fait leurs devoirs, mais le manque d'originalité nous laisse croire que les designers étaient peut-être en vacances. Un bon point cependant aux rétroviseurs extérieurs chauffants (tous les modèles), aux aérateurs pivotants et à la présence du lecteur de disques compacts au tableau de bord des ES, ainsi qu'à la climatisation et au téléverrouillage des portes. Puisqu'il est question des portes, précisons que nous avons été agréablement surpris par la dimension des portes arrière et par l'ouverture qu'elles dégagent. L'accès aux places arrière s'en trouve facilité, ce qui est d'autant plus agréable que la banquette présente un confort louable rehaussé par un bon dégagement aux jambes et à la tête. L'augmentation de l'empattement lors de la refonte de 1998 semble s'être traduite par un confort plus relevé aux places arrière qui bénéficient en 2000 d'aérateurs de chauffage. Amplement d'espace aussi dans le coffre qui s'ouvre grand au ras du pare-chocs et présente un plancher plat. En outre, les dossiers rabattables de la banquette arrière (avec accoudoir-casier à deux porte-verres) éliminent la nécessité du porte-skis, à condition que vous acceptiez de sacrifier une place arrière.

Comme le démontre sans cesse Toyota, si l'on veut promouvoir les ventes, il faut viser la plus grande moyenne. La Mazda 626 répond à cette description: aucune surprise désagréable, une bonne valeur, une voiture solide et honnête axée sur la sécurité et le confort de quatre occupants et qui ne soulèvera ni controverse ni passion. Dans le passé, ce constructeur nous avait habitués à des créations plus typées. Certains pensent que le feu sacré brûle encore quelque part chez Mazda. La petite Protégé illustre bien cette réalité, démontrant qu'il est possible d'avoir du caractère et de satisfaire les objectifs commerciaux. Une version plus musclée serait la bienvenue dans la gamme 626.

Pas de surprise.

Alain Raymond

Mazda Miata

Mazda Miata

10 chandelles

Elle a exactement 10 ans, cette petite au grand sourire. Elle nous a ramené le plaisir de rouler cheveux au vent et de profiter du parfum des routes de campagne. Grâce à sa simplicité, à sa ligne intemporelle, à sa mécanique increvable et à son parfait équilibre, elle a fait la preuve irréfutable qu'il existait encore un nombre considérable d'amoureux du petit cabriolet sport; un demi-million, pour être plus précis.

C'est en effet en 1999 que la Miata a passé le cap des 500 000 exemplaires, soit plus que n'importe quelle autre voiture sport jamais produite. Un succès si éclatant que, depuis quelques années, plusieurs autres constructeurs se sont lancés dans l'aventure qui consiste à redorer le blason des voitures sport d'antan, celles qui n'ont pas survécu aux exigences du législateur ni à la folle tendance de faire toujours plus gros.

Raisonnable, la Miata

Depuis ses débuts en 1989, la Miata a su rester raisonnable, tant sur le plan des dimensions que sur ceux de la puissance moteur et du prix. Car ses concepteurs, amateurs de voitures sport anglaises des années 60, ont su tirer la leçon de la déchéance de ces sportives et des autres qui ont suivi, assassinées par les primes d'assurance, la réputation de voiture dangereuse et l'escalade des prix.

En 10 ans, la puissance de la Miata est passée de 116 à 140 chevaux, juste assez pour compenser une légère augmentation de poids et procurer des reprises plus franches. Mais l'équilibre général de la voiture est resté intact grâce au maintien de la répartition idéale du poids entre les essieux avant et arrière.

La version 10e anniversaire

La semaine que nous avons passée au volant de ce beau cabriolet nous a permis de constater, sur route et sur piste, certaines des améliorations subtiles, mais néanmoins importantes, dont bénéficie la sportive préférée des baby-boomers grisonnants.

La présence des phares fixes et des ondulations sur les flancs remonte à l'an dernier, tout comme l'amélioration du maniement du levier de vitesses qui était pourtant un exemple du genre. La boîte manuelle devient encore plus souple et elle perd le «clic-clic» mécanique qui plaisait aux purs et durs.

L'habitacle reste tout aussi intime, mais il gagne en raffinement et en petits espaces de rangement. Derrière les sièges se dresse un coupe-vent qui ne réussit que partiellement à réduire les turbulences. D'ailleurs, il existe sur le marché des coupe-vent plus efficaces.

La version 10e anniversaire, construite en 7500 exemplaires numérotés, reçoit en exclusivité, outre le bleu métallique, un beau volant Nardi accompagné du pommeau du levier de vitesses, des sièges garnis de daim, des jantes chromées de 15 pouces, un différentiel autobloquant Torsen et la fameuse boîte à 6 vitesses qui ne semble pas faire l'unanimité.

En effet, même à l'issue d'un essai de plusieurs centaines de kilomètres, le maniement de la boîte reste délicat, notamment le passage de la 6e à la 5e. Peut-être qu'à la longue, on s'y habitue. Quant à son utilité, là aussi les avis sont partagés. En 6e, le régime moteur reste pratiquement le même qu'il était en 5e sur la boîte à 5 vitesses. Donc, pas de gain en ce qui concerne le silence de fonctionnement sur autoroute, mais un léger gain en conduite sportive, car les rapports plus rapprochés permettent de mieux exploiter la puissance du moteur.

Mazda Miata

Pour

Rapport prix/agrément de conduite imbattable • Caisse plus rigide • Fiabilité éprouvée • Valeur de revente exceptionnelle • Capote facile à manier avec lunette en vitre

Contre

Déverrouillage du coffre malaisé • Klaxon ridicule • Important angle mort avec capote fermée • Dégagement limité aux jambes

Caractéristiques

Prix du modèle à l'essai:	26 995 $
Garantie de base:	3 ans / 80 000 km
Type:	roadster / propulsion
Empattement / Longueur:	226,5 cm / 394,5 cm
Largeur / Hauteur / Poids:	167,6 cm / 122,8 cm / 1032 kg
Coffre / Réservoir:	144 litres / 48 litres
Coussins de sécurité:	conducteur et passager
Suspension av. / arr.:	indépendante
Freins av. / arr.:	disque (ABS en option)
Système antipatinage:	non
Direction:	à crémaillère, assistance variable
Diamètre de braquage:	9,2 mètres
Pneus av. / arr.:	P185/60R14
Valeur de revente:	très bonne

Motorisation et performances

Moteur / Transmission:	4L 1,8 litres 16 soupapes / manuelle 5 vitesses
Puissance / Couple:	140 ch à 6500 tr/min / 119 lb-pi à 5000 tr/min
Autre(s) moteur(s):	aucun
Transmission optionnelle:	automatique 4 rapports
Accélération 0-100 km/h:	8,5 secondes
Vitesse maximale:	202 km/h
Freinage 100-0 km/h:	38,3 mètres
Consommation (100 km):	8,8 litres

Modèles concurrents

Ford Mustang • Chevrolet Camaro/Pontiac Firebird

Quoi de neuf?

Nouvelle couleur • Glaces, rétroviseurs et verrouillage électroniques de série

Verdict

Agrément	⊕ ⊕ ⊕ ⊕ (	Habitabilité ⊕ (
Confort	⊕ ⊕ ⊕ ⊕ (	Hiver ⊕ (⊕
Fiabilité	⊕ ⊕ ⊕ ⊕ ⊕	Sécurité ⊕ ⊕ ⊕

Une caisse «plus allemande»

Le progrès le plus notable de la Miata de 2ᵉ génération reste quand même l'amélioration de la rigidité de la caisse qui se rapproche à présent de la «norme allemande». On y gagne donc en tenue de route, en silence de fonctionnement et en confort, et ce malgré la fermeté des sièges en daim et le manque de soutien aux cuisses. D'ailleurs, à ce chapitre, les sièges de série en tissu nous ont semblé mieux adaptés à l'anatomie humaine.

Autre point digne de mention: le coffre, qui est quand même «moins petit» que l'ancien, depuis que le pneu de secours et la batterie ont été logés sous le plancher. Il paraît qu'on peut maintenant y loger les deux irréductibles sacs de golf...

Plaisir abordable

Nous disions que les concepteurs de la Miata avaient réussi, tant avec la 1ʳᵉ génération qu'avec la 2ᵉ, à recréer puis à conserver ce plaisir de conduire qui nous a tant manqué depuis la disparition des petits cabriolets sport. Précisons aussi que Mazda a su résister à la tentation de hausser le prix de sa Miata, malgré son grand succès. L'équipement est resté simple, la motorisation modeste, les dimensions compactes et le prix abordable. Vendue à environ 20 000 $ en 1989, la Miata de base se détaille aujourd'hui à 26 000 $. Compte tenu des raffinements réalisés et du passage d'une décennie, on peut répéter sans se tromper: «raisonnable, la Miata».

Si elle est abordable à l'achat, la Miata l'est moins au rachat. Il s'agit probablement de la voiture qui conserve le mieux son prix. En effet, quand on sait qu'une Miata 1990 en bon état se vend encore 10 000 $ sur le marché de l'occasion, il est difficile de trouver mieux comme valeur de revente.

Mission accomplie à merveille par Mazda qui a réussi à créer un classique. Mais reste quand même une question que se posent les miatistes plus ambitieux: à quand le coupé 180 chevaux? Question de remplir le vide laissé par la RX-7... et les défuntes MGB-GT.

Alain Raymond

Mazda Millenia

Se méfier de l'apparence

L'habit ne fait pas le moine, dit-on... Aussi éculée soit-elle, cette expression ne saurait mieux convenir à la Millenia, le modèle de prestige de la gamme Mazda. Belle comme pas une, cette voiture a malheureusement mal vieilli et arrive difficilement à se faire justice auprès de certaines de ses rivales. Elle n'offre ni le luxe ni le comportement routier que l'on s'attend à trouver dans un modèle de ce genre.

À son volant, il faut ranger la conduite sportive dans le placard tellement la Millenia lui est réfractaire. D'ailleurs, ce fameux volant escamotable qui libère le passage à l'entrée ou à la sortie du véhicule comme dans les anciennes Cadillac un peu pépères est un bon indice de la clientèle que courtise Mazda. Entendons-nous bien: la Millenia est une respectable berline dont la fiabilité est sans doute irréprochable, mais à une époque où les constructeurs automobiles cherchent à donner un peu plus de caractère à leurs voitures, cette grande Mazda fait figure d'exception.

Conçue à l'époque où les constructeurs japonais croyaient avoir les reins assez solides pour faire de sérieuses percées sur le marché des berlines allemandes de grande lignée, la Millenia a été rescapée à la dernière minute lorsque Mazda a décidé de ne pas suivre Acura, Lexus et Infiniti dans cette périlleuse aventure. Plutôt que d'annuler le projet en entier, on a conservé ce modèle en l'insérant au sommet de la gamme Mazda.

Un moteur inédit

Pour lui donner une certaine crédibilité, on a doté cette voiture d'un moteur à cycle Miller, une technologie qui a sans doute une certaine valeur, mais dont les avantages sont loin d'être évidents pour le marché nord-américain. Son principal atout est de produire une puissance impressionnante à partir d'une petite cylindrée. Par exemple, le V6 Miller de la Millenia développe 210 chevaux à partir d'une cylindrée de 2,3 litres seulement. Précisons que le principe de ce moteur est de retarder la fermeture des soupapes lors de la remontée du piston en course de compression pour permettre l'admission d'un plus grand volume d'air pressurisé par un compresseur. Tout cela est très louable, sauf que la consommation n'y gagne nullement: cette Mazda «brûle» autant d'essence que si elle était munie d'un moteur conventionnel de 3,0 litres. À ce propos, elle peut aussi être équipée du V6 de 2,5 litres et 170 chevaux qui est offert dans la Mazda 626. Dans les deux cas toutefois, il faut se contenter de la boîte automatique à 4 rapports.

Introduite en 1994, la plus récente Millenia se reconnaît à son avant redessiné et à des roues de 17 pouces pour la version S mise à l'essai. Je serais étonné que ces changements soient suffisants pour donner un coup de pouce à un modèle qui se bute à un insuccès notoire. On comprend un peu la moue du public quand on prend connaissance du prix, de l'aménagement intérieur pas très haut de gamme et, surtout, quand on conduit la voiture.

D'abord, le moteur n'est pas plus convaincant qu'il faut avec sa consommation de 12 litres aux 100 km et son temps d'accélération de 8,8 secondes entre 0 et 100 km/h. L'automatique fait honnêtement son boulot, mais le bouton «hold» qui permet de bloquer la boîte sur un rapport déterminé n'est pas loin du gadget inutile. S'il n'y avait que cela, on pourrait toujours passer l'éponge, mais le comportement routier de la Millenia a été si «américanisé» qu'il ne se prête à rien d'autre qu'à une conduite calme sur des autoroutes

Mazda Millenia

Pour

Silhouette réussie • Bonne tenue de cap • Équipement relativement complet • Bon confort • Puissance adéquate • Bonne visibilité

Contre

Présentation intérieure fade • Faible espace arrière • Suspension flasque • Direction beaucoup trop lente • Réglage des sièges pénible

Caractéristiques

Prix du modèle à l'essai:	Millenia S / 39 595 $
Garantie de base:	3 ans / 80 000 km
Type:	berline / traction
Empattement / Longueur:	275 cm / 482 cm
Largeur / Hauteur / Poids:	177 cm / 139 cm / 1522 kg
Coffre / Réservoir:	368 litres / 68 litres
Coussins de sécurité:	conducteur et passager
Suspension av. / arr.:	indépendante
Freins av. / arr.:	disque ABS
Système antipatinage:	oui
Direction:	à crémaillère, assistance variable
Diamètre de braquage:	11,4 mètres
Pneus av. / arr.:	P215/50VR15
Valeur de revente:	faible

Motorisation et performances

Moteur / Transmission:	V6 2,3 litres à cycle Miller / automatique 4 rapports
Puissance / Couple:	210 ch à 5300 tr/min / 210 lb-pi à 3500 tr/min
Autre(s) moteur(s):	V6 2,5 litres, 170 ch
Transmission optionnelle:	aucune
Accélération 0-100 km/h:	8,8 secondes
Vitesse maximale:	230 km/h
Freinage 100-0 km/h:	43,0 mètres
Consommation (100 km):	12,0 litres

Modèles concurrents

Acura 3,2 TL • Audi A4 • BMW 325i • Mercedes-Benz C230 Kompressor • Infiniti I30 • Lexus ES300 • Volvo S70 • Volkswagen Passat GLX

Quoi de neuf?

Modification de la direction et des amortisseurs avant • Appuie-tête arrière réglables

Verdict

Agrément	⊕ ⊕ ◖	Habitabilité ⊕ ⊕ ⊕
Confort	⊕ ⊕ ⊕ ◖	Hiver ⊕ ⊕ ⊕
Fiabilité	⊕ ⊕ ⊕ ⊕	Sécurité ⊕ ⊕ ⊕ ◖

rectilignes. La suspension avant en particulier est d'une mollesse qui crée un effet de balancier sur des routes ondulées. Ce trop grand débattement est aussi à l'origine d'un roulis important en virage et d'un talonnement des ressorts sur mauvais revêtements. En toute honnêteté, il faut préciser que notre voiture d'essai était chaussée de pneus d'hiver, ce qui n'est jamais très salutaire à la tenue de route sur pavé sec.

Malgré tout, la tenue de cap n'est pas vilaine et le confort bénéficie de cette suspension tout en douceur. La direction est un autre point faible de la Millenia. Beaucoup trop lente et surmultipliée, elle exige pas moins de 3,5 tours d'une butée à l'autre, transformant le stationnement entre deux voitures en un exercice de patience bourré de frustration. Et pour couronner le tout, la qualité du freinage est quelque peu assombrie par un ABS bruyant.

Dépassée.

Un intérieur ordinaire

L'aménagement intérieur aussi est décevant. Le tableau de bord n'est pas très jojo, pas plus que ce briquet grotesque implanté au beau milieu. Les sièges chauffants souffrent non seulement d'une position de conduite douteuse, mais aussi d'un système de réchauffement qu'il est impossible de bien doser. Leur réglage n'est pas non plus une sinécure en raison du peu d'espace entre la portière et les commandes électriques placées sur le côté du siège. L'ergonomie pèche encore par l'emplacement quasi invisible des commandes à distance pour le clapet du réservoir d'essence et le coffre à bagages.

Malgré son volume peu impressionnant, le coffre arrière demeure assez logeable et se complète d'un espace longitudinal pour le transport des skis. Finalement, la belle courbe du toit vers l'arrière a un côté gênant au moment de l'accès à la voiture comme j'ai pu m'en rendre compte douloureusement en vérifiant le peu d'espace consacré aux passagers arrière.

Voilà un bilan peu flatteur pour une si belle voiture. On a voulu faire de la Millenia une grande dame cossue et élégante, une description qui lui va à ravir. Le revers de la médaille toutefois est qu'elle a rapidement pris de l'âge et que son orientation confort ne cadre pas du tout avec ce que réclame le marché actuel des berlines haut de gamme à éviter.

Jacques Duval

Mazda MPV

Un retour à la modération

Le marché des fourgonnettes ressemble à une course vers des modèles de plus en plus gros et de plus en plus puissants. Les versions à empattement allongé animées par de puissant moteurs V6 sont les maîtres de la catégorie. Leurs succès auprès du public a incité presque tous les décideurs à penser plus gros, plus large, plus énergique et, bien entendu, plus cher.

Notre marché est pauvre en fourgonnettes à empattement régulier prônant la modération et privilégiant l'agrément de conduite. Cette catégorie se limite à une poignée de modèles à la suite de la disparition de la Mercury Villager.

Cette tendance ne semble pas avoir influencé les décideurs de Mazda. D'ailleurs, cette compagnie n'a jamais eu peur de faire bande à part. La MPV de la première génération en donnait un exemple frappant. Tandis que certains manufacturiers se tournaient vers des véhicules purement utilitaires et que d'autres se spécialisaient dans des versions à vocation familiale, Mazda tentait de concilier les deux tendances. On avait doté le premier MPV d'un châssis de camionnette pour assurer plus de robustesse et de portières arrière à battants comme celles d'une automobile. De plus, l'agencement des sièges tenait davantage de l'automobile que de la fourgonnette. Un peu plus tard, avec un rouage d'entraînement à 4 roues motrices, on a tenté de combiner les qualités d'une fourgonnette à celles d'un véhicule utilitaire sport.

Cette approche multidisciplinaire a connu du succès au tout début pour ensuite être progressivement délaissée au fur et à mesure que le segment se raffinait et que celui des utilitaires sport gagnait en popularité.

La nouvelle MPV change complètement de vocation. Comme la majorité de ses concurrentes, elle adopte la traction aux roues avant et les portes coulissantes des deux côtés. Son habitacle offre dorénavant tout le confort d'une automobile. Et Mazda a ajouté une touche qui lui permet de se démarquer. Cette nouvelle venue refuse de prendre de l'embonpoint. Mieux encore, elle compte sur son agilité sur la route, sur une conduite agréable et sur un moteur économique pour gagner les automobilistes à sa cause. Un détail qui risque d'intéresser certains: il s'agit de la seule fourgonnette sur notre marché à être fabriquée au Japon. Toutes les autres sont assemblées aux États-Unis ou au Canada. Mieux encore, un yen assez faible face au dollar américain permet à Mazda d'afficher des prix très compétitifs.

Des dimensions «songées»

Il semble que le réflexe de tout constructeur automobile, lorsqu'une catégorie de véhicule connaît du succès, soit d'augmenter ses dimensions. Mazda refuse de jouer cette carte. Ses ingénieurs ont opté pour une fourgonnette aux mensurations extérieures raisonnables, mais à l'habitacle très spacieux.

La nouvelle MPV annonce une longueur de 9 cm de plus que la première génération. C'est tout de même assez peu si on considère qu'elle concède toujours 20 cm à la Nissan Quest et pas moins de 36 cm à la Honda Odyssey. Il ne faut pas en conclure qu'il s'agit de dimensions trop modestes. Au contraire, bien des gens découragés par la course à l'embonpoint des fourgonnettes actuelles vont apprécier ce format «songé». Après tout, ce n'est pas tous les jours qu'on a besoin de déménager son frigo et la moitié de ses effets personnels.

Malgré tout, un examen sommaire de la cabine permet de découvrir une habitabilité intéressante compte tenu des dimensions extérieures. Le secret de cette nouvelle Mazda réside surtout dans son aménagement intérieur.

L'important, c'est l'habitacle

Les dimensions extérieures ont une incidence sur l'habitabilité d'un véhicule. Toutefois, l'ingéniosité de l'agencement intérieur est souvent ce qui permet à une fourgonnette de passer la rampe ou de rester ignorée. Heureusement pour Mazda, sans être révolutionnaire, la MPV se défend très bien à ce chapitre.

Depuis son entrée en scène l'automne dernier, la Honda Odyssey fait craquer les gens grâce à sa banquette arrière escamotable qui semble disparaître dans le plancher comme par magie. Eh bien! la MPV nous propose le même truc. Comme dans la Honda, il suffit de replier le dossier de la banquette arrière, de tirer sur une sangle en nylon et le tout est avalé par le plancher. On a même pris soin de songer aux appuie-tête qui se placent très facilement dans les interstices du plancher une fois la banquette remisée. De plus, les deux sièges du centre peuvent glisser latéralement pour être utilisés comme sièges individuels ou se resserrer côte à côte pour former une banquette pleine largeur. Si la MPV imite la Honda à ce chapitre, son habitacle s'avère plus accueillant.

En effet, l'Odyssey fait quelque peu tristounet avec ses sièges recouverts d'un tissu à l'air bon marché et son tableau de bord terne. Quant au pneu de secours, il est placé sous le plancher de la cabine et il faut soulever une trappe pour y accéder. Chez Mazda, la solution me semble plus intéressante de prime abord: on place le pneu de rechange sous le véhicule, à la hauteur de la portière latérale arrière droite. En cas de crevaison, il suffit de soulever une petite pièce de tapis, d'insérer une manivelle remisée avec le cric dans un embout métallique de forme octogonale et de tourner. En quelques secondes, le pneu de secours devient accessible. Malheureusement, ni Honda ni Mazda n'ont trouvé de solution pour remiser le pneu crevé. Comme la roue de secours est plus petite qu'une roue régulière, il est impossible de placer le pneu régulier au même endroit. Il est donc recommandé de toujours traîner un sac vert avec les outils du cric pour ne pas souiller l'habitacle en cas de crevaison.

Des fenêtres qui s'ouvrent

Mazda a donc le dessus sur Honda au chapitre de la présentation intérieure. Même si c'est purement affaire de goûts, le tableau de bord de la nouvelle MPV se révèle nettement plus dynamique avec son îlot de commandes de climatisation et du système audio placé sur la partie avancée d'une planche de bord en forme de V peu accentué. De plus, la commande du volume de la radio est constituée par un gros bouton circulaire placé en plein centre de la console. C'est simple et drôlement efficace. Malheureusement, plusieurs des boutons-poussoirs servant de commande à la radio sont obstrués par le levier de vitesses couplé à la colonne de direction. Par ailleurs, ce levier n'offre pratiquement aucune résistance et se manie avec aisance lorsque vient le temps d'enclencher les vitesses.

Cette Mazda se démarque en étant la seule fourgonnette à être munie de fenêtres arrière à ouverture verticale, comme celles d'une automobile. Cette astuce est toutefois atténuée par les glaces de custode arrière qui ne sont pas à ouverture électrique comme le sont celles de la plupart des autres fourgonnettes. Certains vont

Mazda MPV

Pour

Concept ingénieux • Présentation intérieure dynamique • Grande polyvalence • Agrément de conduite • Dimensions raisonnables

Contre

Fiabilité inconnue • Espace limité pour bagages en version 7 places • Porte-verres des sièges arrière peu efficaces

Caractéristiques

Prix du modèle à l'essai:	LX / 28 995 $
Garantie de base:	3 ans / 60 000 km
Type:	fourgonnette empattement court / traction
Empattement / Longueur:	284 cm / 475 cm
Largeur / Hauteur / Poids:	183 cm / 175 cm / 1660 kg
Coffre / Réservoir:	405 litres / 70 litres
Coussins de sécurité:	conducteur, passager (latéraux optionnels)
Suspension av. / arr.:	indépendante / essieu rigide
Freins av. / arr.:	disque / tambour ABS
Système antipatinage:	non
Direction:	à crémaillère, assistance variable
Diamètre de braquage:	11,4 mètres
Pneus av. / arr.:	P215/60R16 (optionnel)
Valeur de revente:	nouveau modèle

Motorisation et performances

Moteur / Transmission:	V6 2,5 litres / automatique 4 rapports
Puissance / Couple:	170 ch à 6250 tr/min / 165 lb-pi à 4250 tr/min
Autre(s) moteur(s):	aucun
Transmission optionnelle:	aucune
Accélération 0-100 km/h:	11,1 secondes
Vitesse maximale:	165 km/h
Freinage 100-0 km/h:	41,8 mètres
Consommation (100 km):	12,7 litres

Modèles concurrents

Dodge Caravan • Nissan Quest • Chevrolet Venture

Quoi de neuf?

Nouveau modèle

Verdict

Agrément	⊕ ⊕ ⊕ ◖	Habitabilité	⊕ ⊕ ⊕ ◖
Confort	⊕ ⊕ ⊕ ⊕	Hiver	⊕ ⊕ ⊕ ◖
Fiabilité	nouveau modèle	Sécurité	⊕ ⊕ ⊕ ◖

déplorer le fait que les portes coulissantes ne soient pas motorisées. Mais je crois que personne ne s'en plaindra vraiment, car ce gadget est souvent plus irritant qu'autre chose en raison de sa lenteur d'opération.

Malgré ces quelques omissions, la nouvelle MPV brille par la polyvalence et le caractère convivial de son habitacle.

Son atout: sa conduite

Cette Mazda montre une fiche technique similaire à celles de la plupart des autres fourgonnettes à traction. Les ingénieurs ont choisi les incontournables jambes de force MacPherson à l'avant et l'essieu semi-rigide à poutre déformante à l'arrière. Ces éléments de suspension ont été calibrés afin de permettre à la MPV de jouer la carte de l'agilité, de la polyvalence et de l'agrément de conduite. J'ai eu l'occasion de conduire cette fourgonnette dans presque toutes les conditions. Sur la grand-route, en ville et même sur certaines routes très secondaires du Parc faunique des Laurentides, elle a toujours tiré son épingle du jeu. En fait, sa maniabilité donne l'impression d'être au volant d'une familiale dotée de sièges surélevés à l'avant. Et il faut souligner que les vents latéraux sont à peine perceptibles lorsqu'on roule sur l'autoroute.

La meilleure nouvelle concernant la MPV est sans doute la disparition du glouton moteur 3,0 litres, remplacé par un autre V6, un 2,5 litres développant 170 chevaux. Ce moteur emprunté à Ford fournit une puissance un peu juste dans certaines circonstances et il doit tourner à haut régime pour permettre à la MPV d'accélérer à fond ou de grimper des côtes escarpées. Malgré tout, il est bien adapté. D'autant plus qu'il est beaucoup moins gourmand en hydrocarbures que l'ancien V6 qui consommait comme un moteur ayant le double de sa cylindrée.

La nouvelle MPV se révèle donc plus agile que sa devancière et surtout très polyvalente tout en privilégiant l'agrément de conduite. En quittant les sentiers battus de la catégorie, Mazda a produit la seule fourgonnette compacte dont le comportement routier se rapproche de celui d'une automobile.

Un juste milieu bien réussi.

Denis Duquet

Mazda Protegé

Mazda Protegé

Un bilan impeccable après 20 000 kilomètres

La Protegé, c'est le pain et le beurre de Mazda. En procédant à la refonte de cette populaire berline, la firme japonaise, qui commence à peine à sortir d'un marasme financier, jouait gros, très gros. Positionnée au bas de l'échelle de la gamme Mazda, la Protegé était condamnée à réussir.

O r, depuis son arrivée, l'an dernier, elle a reçu un accueil des plus chaleureux, du public comme de la presse spécialisée. Histoire de confirmer (ou d'infirmer) ce verdict unanime, nous l'avons soumise à un essai prolongé. Qui fut d'autant plus concluant qu'il s'est étendu sur une année complète, ce qui a permis à cette berline de subir les affres de l'hiver. Quatre saisons et 20 000 km plus tard, force est d'admettre que la Protegé de troisième génération a réussi haut la main son premier test.

Dans un premier temps, il convient de saluer les efforts des stylistes de Mazda qui ont accouché d'une berline fort bien tournée, sobre sans être fade. On reconnaît désormais plus facilement une Protegé, alors que sa devancière se fondait dans le paysage, comme trop de ses consœurs japonaises. Qui plus est, elle ne se contente pas d'être agréable à regarder: elle brille également par ses qualités pratiques.

Fort d'une ergonomie irréprochable et d'une habitabilité étonnante, l'habitacle se place à l'abri de toute critique. Enfin, presque: si la recette est la bonne, elle manque toutefois d'épices. Comprenez par là que la présentation intérieure pourrait être un peu plus olé olé que personne ne s'en plaindrait. Cette sobriété exacerbée peut trouver grâce à nos yeux pour autant qu'il ne manque rien, comme c'était le cas à bord de notre véhicule d'essai, dans la livrée

plus cossue de la Protegé (LX). Mais dans les versions intermédiaires (SE) et de base (DX), on sombre dans un dépouillement qui frise l'ascétisme. Triste.

Par contre, les espaces de rangement sont aussi nombreux que pratiques et bien disposés. Bonne sous tous les angles, la visibilité mérite elle aussi des compliments. Quant à la finition, elle respecte en tout point les standards de qualité auxquels nous ont habitué les constructeurs nippons. Dans le même ordre d'idées, il convient de souligner que tout au long de notre séjour au volant de la Protegé, aucun bruit suspect émanant de la caisse ou de l'habitacle ne s'est manifesté.

Une personnalité équilibrée

À l'origine, la Protegé partageait sa plate-forme avec la petite 323, dont la carrière a pris fin prématurément en 1994. De sorte que le modèle d'entrée de la gamme Mazda ne se décline plus qu'en berline. Bien que la Protegé soit très populaire, cela lui a sans doute valu la désaffection d'une clientèle plus jeune. Mais le vent s'apprête à tourner...

Les ingénieurs de Mazda se sont d'abord appliqués à rendre la caisse plus rigide, de telle sorte que la Protegé de troisième génération atteint des sommets en la matière. Ensuite, on a revu la suspension, afin notamment de réduire la garde au sol. Cela se traduit par un roulis superbement maîtrisé.

On s'en doute, le comportement routier est le grand bénéficiaire de ces modifications. En particulier la tenue de route, qui n'a jamais montré autant de mordant. Dommage que la monte pneumatique de série ne soit pas à la hauteur... Qu'importe, cette petite berline

Mazda Protegé

Pour

Comportement inspirant • Routière confortable • Allure plus distinctive • Habitabilité impressionnante • Construction soignée • Fiabilité sans tache

Contre

Desembuage perfectible • Pneus de série quelconques • Embrayage peu commode • Performances timides (1,6 litre)

Caractéristiques

Prix du modèle à l'essai:	LX / 18 915 $
Garantie de base:	3 ans / 80 000 km
Type:	berline / traction
Empattement / Longueur:	261 cm / 442 cm
Largeur / Hauteur / Poids:	170,5 cm / 141 cm / 1142 kg
Coffre / Réservoir:	364 litres / 50 litres
Coussins de sécurité:	conducteur et passager
Suspension av. / arr.:	indépendante
Freins av. / arr.:	disque / tambour (ABS optionnel)
Système antipatinage:	non
Direction:	à crémaillère, assistance variable
Diamètre de braquage:	10,4 mètres
Pneus av. / arr.:	P185/65R14
Valeur de revente:	passable

Motorisation et performances

Moteur / Transmission:	4L 1,8 litre / manuelle 5 rapports
Puissance / Couple:	122 ch à 6000 tr/min / 120 lb-pi à 4000 tr/min
Autre(s) moteur(s):	4L 1,6 litre 105 ch
Transmission optionnelle:	automatique 4 rapports
Accélération 0-100 km/h:	9,7 secondes; 13,4 secondes (auto.)
Vitesse maximale:	190 km/h
Freinage 100-0 km/h:	43,8 mètres
Consommation (100 km):	8,8 litres; 8,5 litres

Modèles concurrents

Chevrolet Cavalier • Chrysler Neon • Daewoo Nubira • Ford Focus • Honda Civic • Hyundai Elantra • Kia Sephia • Saturn SL • Subaru Impreza • Toyota Corolla

Quoi de neuf?

Compte-tours de série (SE) • Pare-chocs arrière renforcé • Système EBD jumelé à l'ABS

Verdict

Agrément	⊕ ⊕ ⊕ (	Habitabilité	⊕ ⊕ ⊕ ⊕
Confort	⊕ ⊕ ⊕ ⊕	Hiver	⊕ ⊕ ⊕ ⊕
Fiabilité	⊕ ⊕ ⊕ ⊕	Sécurité	⊕ ⊕ ⊕ ⊕

brille par son aplomb: dans les virages serrés comme dans les grandes courbes, elle affiche une neutralité aussi impressionnante que rassurante, tandis que le sous-virage ne commence à poindre qu'à la limite.

Bien que plus sportive, elle n'a cependant rien perdu de ses bonnes manières. Malgré un caractère plus aiguisé, elle demeure une routière tout ce qu'il y a de plus conviviale, qui procure une douceur de roulement appréciable. Comme quoi il est possible de rehausser l'agrément de conduite sans nuire au confort. On appelle ça l'équilibre.

Petits défauts, grosses qualités

Meilleure que jamais.

Nerveuse, agile, bien servie par une direction franchement sportive, la Protegé dévoile un côté ludique qu'on ne lui connaissait pas. C'est particulièrement vrai avec la version LX, qui hérite d'un moteur plus puissant (1,8 litre, 122 chevaux). S'il est bruyant à l'accélération, il s'agit là du seul reproche qu'on peut lui adresser; pour le reste, il affiche les qualités qui ont forgé la réputation des petits moulins japonais: une mécanique raffinée, qui conjugue tempérament et douceur.

Les deux autres versions (DX et SE) reçoivent pour leur part un 4 cylindres de 1,6 litre (105 chevaux), qu'il est préférable de jumeler à une boîte manuelle pour en tirer tout le profit. Mais encore là, ce n'est pas la foudre... Par contre, ces deux motorisations ont en commun frugalité et fiabilité. À vous, donc, d'y aller selon vos priorités.

Le seul véritable irritant concerne l'embrayage, qui manque nettement de progressivité. De telle sorte que conduire en souplesse demande beaucoup d'application. C'est cependant le principal reproche qu'on peut adresser à la Protegé nouvelle cuvée; ses nombreuses qualités font en sorte qu'on lui pardonne facilement ses petits travers, d'autant plus qu'ils sont peu nombreux. Après 20 000 km, son bilan est particulièrement reluisant, en plus d'être vierge de tout bris mécanique ou défaut d'assemblage. Voilà le genre de véhicule dont avait besoin Mazda pour asseoir sa relance.

Philippe Lagué

Mercedes-Benz classe C

La cadette de la famille

**Les voitures de la classe E remportent des succès telle-
ment impressionnants qu'elles relèguent dans l'ombre la
petite berline de la classe C, la plus modeste des Mercedes.
D'ailleurs, même si les ventes de cette Baby Benz sont
honnêtes, elle n'a jamais eu la vie facile. Qu'on se sou-
vienne de la 190E, qui était un échec plus ou moins cin-
glant jusqu'à ce que la compagnie décide de proposer un
groupe d'accessoires aérodynamiques pour la carrosserie.
Ce simple artifice a modifié la perception des gens et les
ventes ont grimpé en flèche. Mais c'était de la petite bière
à côté de la classe E, même à l'époque.**

Il faudra attendre en 1993 pour qu'une seconde génération
prenne la relève et vienne corriger les lacunes les plus évidentes
de la première, à savoir un habitacle exigu et une présentation
plutôt triste. Depuis ce temps, des changements ont été effectués
au fil des années afin de permettre à la petite Mercedes de rester
compétitive. Malgré d'indéniables qualités de solidité et de fiabilité, ainsi qu'un comportement routier très prévisible, cette
classe C ne peut absolument pas lutter avec la BMW de la série 3
plus raffinée, plus agréable à conduire et offrant également une
meilleure diversité tout en étant plus moderne. D'ailleurs, la berline 328i a été dévoilée en 1998 et le coupé 328iC en mars 1999.
Même si elles ont connu plusieurs changements et raffinements,
les C230 et C280 ont débuté leur carrière en 1993. Elles ne rat-
traperont leur retard que l'an prochain alors qu'une nouvelle
génération de modèles de classe C fera son apparition sur le
marché.

Un «Spécial K?»

L'un des défauts les plus flagrants de la C230 était son manque
de puissance. Son 4 cylindres s'avérait plus anémique qu'autre chose
avec ses 148 chevaux et la vocation utilitaire de cette allemande se
révélait de façon on ne peut plus évidente sur ce modèle. L'an dernier,
les ingénieurs de Stuttgart ont eu l'idée de remplacer ce moteur par
le 2,3 litres suralimenté de la SLK, obtenant un gain de 37 chevaux.
Grâce à ses 185 chevaux, cette berline est nettement plus performante qu'auparavant, ce qui permet de tirer un meilleur parti de la
sophistication du châssis. Le prix à payer pour ce surplus de puissance
est la sonorité du moteur 2,3 Kompressor qui ressemble étrangement
à celui de la défunte Pinto de Ford, qui affichait la même cylindrée.

À mon avis, ce modèle, que certains loustics identifient comme
le «Spécial K», constitue une solution plus ou moins heureuse. Il est
vrai qu'il offre de meilleures performances qu'auparavant, mais ce
moteur bruyant s'associe à l'habitacle dépouillé de la cabine pour
nous donner l'impression d'être au volant d'un taxi ou d'un véhicule à vocation utilitaire. De grâce, à moins que vous ne vouliez
faire du taxi avec votre Mercedes, évitez le modèle Classique et ses
sièges en «cuirette». La voiture est solide, efficace et se comporte
bien sur la route, mais pour avoir l'impression d'être au volant
d'une voiture de luxe, on repassera.

Il est vrai que l'acquisition de cette allemande représente une
aubaine si on tient compte de la qualité de la plate-forme, de sa
solidité, de la sécurité passive intégrée et du comportement routier.
Mais on est loin du luxe et du raffinement de plusieurs concurrentes. Cette version s'adresse essentiellement aux gens qui sont
en mesure d'évaluer une voiture pour ses vertus cachées.

Mercedes-Benz classe C

Pour
- Caisse solide • Cabine confortable
- Tenue de route rassurante
- Moteur V6 • Boîte Touch Shift

Contre
- Qualité de la peinture moyenne
- Passage des rapports lent
- Boîte manuelle non disponible
- Visibilité arrière faible
- Insonorisation perfectible

Caractéristiques

Prix du modèle à l'essai:	C280 / 49 950 $
Garantie de base:	4 ans / 80 000 km
Type:	berline / propulsion
Empattement / Longueur:	269 cm / 451 cm
Largeur / Hauteur / Poids:	172 cm / 142 cm / 1474 kg
Coffre / Réservoir:	365 litres / 62 litres
Coussins de sécurité:	conducteur, passager et latéraux
Suspension av. / arr.:	indépendante
Freins av. / arr.:	disque ABS
Système antipatinage:	oui
Direction:	à billes, assistée
Diamètre de braquage:	10,7 mètres
Pneus av. / arr.:	P205/60R15
Valeur de revente:	excellente

Motorisation et performances

Moteur / Transmission:	V6 2,8 litres / automatique 5 rapports
Puissance / Couple:	194 ch à 5800 tr/min / 195 lb-pi à 3300 tr/min
Autre(s) moteur(s):	4L 2,3 litres 185 ch; V8 4,3 litres 302 ch
Transmission optionnelle:	aucune
Accélération 0-100 km/h:	8,0 secondes; 8,4 secondes (4L)
Vitesse maximale:	210 km/h
Freinage 100-0 km/h:	39,3 mètres
Consommation (100 km):	11,2 litres; 10,8 litres (4L)

Modèles concurrents

Audi A4 • BMW série 3 • Lexus ES300 • Cadillac Catera • Saab 9⁵
• Acura TL • Volvo S70

Quoi de neuf?

Transmission Touch Shift • Système de stabilité latérale • Volant réglable de série

Verdict

Agrément	⊕ ⊕ ⊕ ⊖	Habitabilité	⊕ ⊕ ⊕
Confort	⊕ ⊕ ⊕ ⊕	Hiver	⊕ ⊕ ⊕
Fiabilité	⊕ ⊕ ⊕ ⊕	Sécurité	⊕ ⊕ ⊕ ⊕

Les attraits du V6

La classe C comporte deux autres modèles autrement plus intéressants. La C280, avec son moteur V6 2,8 litres de 194 chevaux, assure un bel équilibre entre la puissance, un certain luxe et la solidité traditionnelle des Mercedes. Comme on trouve au début de cet ouvrage une analyse de la C43, avec son moteur V8 4,3 litres de 302 chevaux, concentrons-nous sur la C280.

Ce modèle possède toutes les qualités du C230K mais n'en partage pas les défauts. Une carrosserie tout aussi solide, un habitacle moins austère et une liste d'équipement plus étoffée viennent embellir le portrait. Les origines de cette voiture remontent maintenant à sept ans et son tableau de bord est celui de la vieille école de Mercedes, ce qui surprend quand on la conduit. La présentation est sobre, trop sobre aux goûts de certains. Mais tout est bien pensé, les plastiques sont de meilleure qualité que sur certains modèles plus récents et il s'en dégage une impression de qualité et de solidité, ce qui n'est pas nécessairement le cas sur les modèles nouvellement arrivés.

La vieille école.

Intérieur mesuré

Les dimensions plutôt modestes de la C280 pénalisent l'habitabilité, mais on se reprend en agilité tant en ville qu'à la campagne. Cette berline se stationne aisément et se faufile dans la circulation urbaine. À la campagne, son petit gabarit et son moteur assez nerveux s'associent pour transformer un trajet sur les routes sinueuses en excursion de conduite sportive. Il faut demeurer prudent, toutefois, car la suspension arrière à liens multiples manifeste un certain esprit d'indépendance et la voiture peut devenir instable si on pousse trop fort. C'est pourquoi le système de contrôle de stabilité latérale offert cette année sera le bienvenu.

Parmi les autres nouveautés, il faut souligner l'introduction de la boîte de vitesses Touch Shift, la réplique de Mercedes-Benz aux systèmes Tiptronic de Porsche et Steptronic de BMW. Un ajout sur un modèle qui n'en a plus pour très longtemps dans sa forme actuelle.

Denis Duquet

Mercedes-Benz classe E

Mercedes-Benz E430

Prête pour le millénaire

Quatre ans après son entrée en scène, avant de connaître une autre révision de fond en comble, la classe E se refait une beauté. Lorsque ce modèle avait été revu et corrigé en 1997, on avait pu constater que les stylistes avaient joué d'audace. Les phares ovales et une partie avant inclinée vers l'arrière constituaient des caractéristiques visuelles inédites pour ce manufacturier. Il fallait d'autant plus de cran pour oser de tels changements que la version précédente était à l'époque la plus populaire dans l'histoire de la compagnie.

Cette audace a porté fruit puisque ce modèle s'est vendu encore davantage. À tel point que les ventes ont totalisé plus d'un million d'exemplaires en quatre ans, ce qui est vraiment impressionnant compte tenu qu'il s'agit d'une voiture de luxe. Mais cette classe E est la voiture à tout faire de la marque. Elle est suffisamment grosse pour servir de berline de luxe et assez économique pour connaître une diffusion d'importance. Elle l'emporte aisément sur la BMW série 5 plus sportive, mais plus petite, et sur l'Audi A6 mal soutenue par son constructeur.

Malgré tout, après quatre années de succès, la direction a décidé de modifier la présentation de son best-seller. Les changements sont subtils, mais importants quand même. Ils réussissent à donner un meilleur équilibre visuel à la voiture en harmonisant le lien entre l'avant et l'arrière. Le capot plonge nettement plus vers l'avant, ce qui a pour effet de donner une allure plus dynamique à la voiture. Une calandre plus petite, des phares placés plus bas et davantage inclinés vers l'arrière de même qu'un pare-chocs abaissé

de 2 cm contribuent à alléger l'allure de la classe E. Il est évident que l'influence du coupé CLK se fait sentir sur cette berline. Il faut également souligner que la prise d'air sous la bande de contact du pare-chocs comprend une ouverture médiane ovoïde flanquée de deux autres ouvertures. On y retrouve sous une forme beaucoup plus timide la prise d'air du prototype SLR.

L'arrière a été révisé de façon à se trouver plus en harmonie avec l'avant. Sur le modèle 1999, l'arrière arrondi se relevait d'une curieuse manière et la voiture affichait une allure assez peu élégante vue de profil. Cette fois, c'est mieux réussi. Les feux arrière sont également mieux intégrés. Parmi les autres changements extérieurs, on peut souligner les rétroviseurs extérieurs avec affichage lumineux de direction et une légère bande de chrome sur la partie supérieure du pare-chocs.

L'habitacle a également été modernisé. Le volant est plus plat et les stylistes ont agencé les boutons de commande de chaque côté du moyeu. On retrouve sur la nouvelle planche de bord un écran LCD optionnel placé au centre de la console. Un autre écran afficheur placé directement sous les cadrans indicateurs permet au conducteur de lire différents messages sans problème.

Si l'esthétique a été transformée, la mécanique est demeurée plus ou moins semblable. Le moteur 6 cylindres turbodiesel ne sera pas au rendez-vous cette année. Le capot surbaissé ne peut accommoder ce moteur plus haut que les autres. Il sera cependant possible de commander la transmission Touch Shift, la version créée par Mercedes du Tiptronic de Porsche. Et il est important de souligner que le rouage intégral 4matic, jusque-là réservé à l'E320, est enfin offert sur les modèles E430.

Mercedes classe E

Pour

Voiture compétente • Habitacle confortable • Tenue de route rassurante • Système 4Matic adéquat • Accès aisé aux places arrière

Contre

Essuie-glace problématique • Commandes de climatisation à revoir • Filet de protection difficile à installer et à enlever • Temps de réponse du 4Matic

Caractéristiques

Prix du modèle à l'essai:	E430 / 78 995 $
Garantie de base:	4 ans / 80 000 km
Type:	berline / propulsion
Empattement / Longueur:	283 cm / 481 cm
Largeur / Hauteur / Poids:	180 cm / 144 cm / 1570 kg
Coffre / Réservoir:	434 litres / 80 litres
Coussins de sécurité:	conducteur, passager et latéraux
Suspension av. / arr.:	indépendante
Freins av. / arr.:	disque ABS
Système antipatinage:	oui
Direction:	à crémaillère, assistance variable
Diamètre de braquage:	11,3 mètres
Pneus av. / arr.:	P215/55R16
Valeur de revente:	excellente

Motorisation et performances

Moteur / Transmission:	V8 4,3 litres / automatique 5 rapports
Puissance / Couple:	275 ch à 5750 tr/min / 295 lb-pi à 3000 tr/min
Autre(s) moteur(s):	V6 3,2 litres 221 ch; V8 5,4 litres 349 ch
Transmission optionnelle:	aucune
Accélération 0-100 km/h:	6,6 secondes; 7,7 secondes (V6)
Vitesse maximale:	210 km/h
Freinage 100-0 km/h:	38,7 mètres
Consommation (100 km):	12,5 litres; 11,3 litres (V6)

Modèles concurrents

BMW série 5 • Infiniti Q45 • Lexus GS300 • Acura RL • Cadillac Seville • Lincoln LS • Jaguar Type S

Quoi de neuf?

Partie avant modifiée • Nouveau tableau de bord • Boîte automatique Touch Shift • 4Matic sur E430 • Nouvelles roues

Verdict

Agrément	⊕ ⊕ ⊕ ⊕	Habitabilité	⊕ ⊕ ⊕ ⊕
Confort	⊕ ⊕ ⊕ ⊕	Hiver	⊕ ⊕ ⊕ ⊕
Fiabilité	⊕ ⊕ ⊕ ⊕	Sécurité	⊕ ⊕ ⊕ ⊕

Les hauts et les bas du 4Matic

Puisque les intégrales sont à la mode du jour, Mercedes-Benz a simplifié son système 4Matic il y a quelques années et l'a offert à un prix plus abordable. Il est d'abord apparu sur la familiale E320, puis sur la berline. Cette année, il sera offert sur les modèles à moteur V8. Compte tenu des conditions climatiques qui sévissent en hiver dans l'est du Canada, cette option n'est pas à dédaigner.

L'hiver dernier, un trajet de plusieurs centaines de kilomètres sur une chaussée enneigée et glacée a mis le système à l'épreuve. En général, la répartition de la puissance aux roues qui ont le plus d'adhérence s'effectue de façon progressive et le conducteur profite toujours d'une traction optimale. En revanche, sur une chaussée très glissante, le système donne l'impression aux passagers que le conducteur joue constamment avec l'accélérateur, ce qui devient agaçant à la longue. Il semble que ce soit le temps de réponse du système qui provoque cette hésitation. Par contre, la traction est toujours assurée en continu.

Une mini classe S.

Pendant ce trajet, si la traction intégrale s'est révélée un élément rassurant, l'essuie-glace unique a causé des problèmes. Il est peut-être efficace en été, mais il a souvent de la difficulté avec les projections de gadoue en hiver. Il faut utiliser une quantité impressionnante de lave-glace par mauvais temps. Le système d'entraînement du bras d'essuie-glace est sans doute une pure merveille, mais son efficacité est épisodique.

Après avoir fait l'objet de ces nombreuses modifications esthétiques, le best-seller de la marque à l'étoile d'argent est suffisamment modernisé pour être en mesure de connaître une rassurante popularité pendant quatre années de plus. Jadis reconnue pour son conservatisme et son immobilisme, Mercedes-Benz ne craint plus de prendre les devants et d'effectuer les changements qui s'imposent au fur et à mesure que la situation l'exige. La classe E 2000 en est la preuve.

Denis Duquet

Mercedes-Benz classe M

Pistes tout court ou pistes d'accélération?

Sans même l'aide d'un chien guide de Mira, je pense que je pourrais reconnaître une Mercedes-Benz en la conduisant les yeux fermés. Les divers modèles de la firme allemande offrent une sensation de conduite bien particulière, à l'exception peut-être des modèles de la classe M, le 320 et le 430 qui fait l'objet du présent essai.

J'ignore si c'est parce qu'ils sont construits en Amérique pour une clientèle surtout américaine, mais il y manque ce petit je ne sais quoi qui vous dit qu'une Mercedes est une Mercedes. Ce n'est pas tant une question de qualité que d'ambiance. C'est du moins l'impression que m'a laissée mon essai de 10 jours du récent ML430.

4X4 ou *hot-rod*?

Pour se distinguer du ML320 qui l'a précédé et qui est toujours au catalogue, ce nouveau venu est doté d'un moteur V8 de 4,3 litres développant 53 chevaux de plus que le V6 de 3,2 litres, soit 268 chevaux. C'est une imposante cavalerie pour un utilitaire sport, la haute performance n'étant habituellement pas le lot de ceux-ci. Le V8 modulaire de dernière génération de Mercedes-Benz a un p'tit côté *hot-rod* qui m'avait déjà emballé dans la C43 et qui confère à la ML430 des accélérations impressionnantes. Des chevaux en quantité, du couple à revendre et une sonorité très américanisée sont la norme dans ce V8, pourtant bien germanique.

Cela n'est rien toutefois à côté du ML55, la version superperformante de ce 4X4 qui s'ajoute à la gamme pour l'an 2000. Élaboré par la firme AMG qui, en étroite collaboration avec Mercedes, se spécialise dans la création de versions haute performance des pro-

duits de la firme allemande, le ML55 est doté du même moteur que la berline E55. Présenté au Salon de Detroit l'an dernier sous la forme d'un prototype, le ML55 AMG ne sera construit qu'à 2000 exemplaires.

L'âme de ce SUV *(Sport Utility Vehicle)* est évidemment son gros V8 de 5,5 litres développant 342 chevaux et 376 lb-pi de couple. Alors que le ML430 bondit de 0 à 100 km/h en 7,5 secondes, ce ML55 à la sauce AMG franchit la même distance en moins de 7 secondes, soit presque aussi rapidement qu'une Porsche Boxster. Ce n'est rien de moins que l'utilitaire sport le plus rapide au monde.

Une qualité de construction à la hausse

Mais revenons à notre ML430... Alors que mon premier essai d'un ML, le 320, s'était avéré décevant, celui de ce nouveau modèle m'a laissé de bien meilleures impressions. On devine que la chaîne de montage de l'usine de Tuscaloosa en Alabama est beaucoup mieux rodée et que la qualité de construction a fait des progrès considérables. Comme je l'ai écrit plus haut, on n'a toujours pas l'impression de conduire un produit Mercedes, mais l'assemblage est carrément plus soigné. Seul le plastique semble un peu trop omniprésent dans l'habitacle.

Quand on aligne autour de 60 000 $ pour un ML430, on se soucie assez peu de la consommation d'essence. Qu'importe, il est bon de savoir que comme la grande majorité de ses congénères, cet utilitaire sport avale en moyenne 16,5 litres d'essence aux 100 km. Dans le cas présent, on peut au moins se consoler en sachant que la puissance disponible fait du ML430 le *hot-rod* des

Mercedes classe M

Pour

Performances remarquables (V8)
• Qualité d'assemblage plus soignée
• Faible diamètre de braquage
• Bonne habitabilité
• Excellente transmission

Contre

Américanisation du produit
• Faible autonomie • Pneus
mésadaptés (voir texte)
• Chauffage déficient
• Lave-glace mal conçu

Caractéristiques

Prix du modèle à l'essai:	ML430 / 60 550 $
Garantie de base:	4 ans / 80 000 km
Type:	utilitaire sport / traction intégrale
Empattement / Longueur:	282 cm / 459 cm
Largeur / Hauteur / Poids:	183 cm / 178 cm / 2010 kg
Coffre / Réservoir:	de 1144 à 2492 litres (siège rabattus) / 72 litres
Coussins de sécurité:	frontaux et latéraux avant et arrière
Suspension av. / arr.:	indépendante
Freins av. / arr.:	disque ABS
Système antipatinage:	oui
Direction:	à billes, assistée
Diamètre de braquage:	11,2 mètres
Pneus av. / arr.:	P275/55R17
Valeur de revente:	très bonne

Motorisation et performances

Moteur / Transmission:	V8 4,3 litres / automatique 5 rapports
Puissance / Couple:	268 ch à 5500 tr/min / 288 lb-pi à 3000-4000 tr/min
Autre(s) moteur(s):	V6 3,2 litres 215 ch; V8 5,5 litres 342 ch
Transmission optionnelle:	aucune
Accélération 0-100 km/h:	7,5 secondes; 6,8 secondes (ML55)
Vitesse maximale:	188 km/h (limitée)
Freinage 100-0 km/h:	39,8 mètres
Consommation (100 km):	16,5 litres

Modèles concurrents

Lexus RX300 • Land Rover Discovery • Cadillac Escalade • Lincoln Navigator • Infiniti Q45 • Jeep Grand Cherokee

Quoi de neuf?

Modèle ML55 • Coussins latéraux à l'arrière • Transmission automatique à mode manuel TouchShift

Verdict

Agrément	☺☺☺☺	Habitabilité	☺☺☺☺☺
Confort	☺☺☺☺☺	Hiver	☺☺☺
Fiabilité	☺☺☺☺	Sécurité	☺☺☺☺

4X4. On devra toutefois se méfier de la panne sèche, car le réservoir de 72 litres s'épuise vite en conduite difficile.

À ce propos, l'utilisation d'une gamme de vitesses démultipliées *(low range)* se fait aisément au moyen d'un bouton et s'annule automatiquement à partir d'une certaine vitesse. La transmission automatique à 5 rapports contrôle parfaitement la puissance transmise en permanence aux 4 roues motrices.

Sur des sentiers étroits, le conducteur de ML appréciera aussi le diamètre de braquage assez court. Il sera peut-être moins clément pour les pneus d'origine, des Dunlop P275/55R17, dont les rainures s'emplissent facilement de neige en hiver, rendant la tenue de route en virage et le freinage aléatoires. Un pneu mieux adapté améliorera probablement le comportement du ML430 sur des routes enneigées. Et puisqu'il est question d'hiver, les ingénieurs de Mercedes-Benz devront absolument refaire leurs devoirs en ce qui a trait au chauffage et aux essuie-glaces intermittents. Le chauffage au niveau des pieds se révèle insuffisant et le quadruple balayage des essuie-glaces lorsqu'on sollicite le lave-glace ne fait que barbouiller le pare-brise. Et pendant qu'on y est, serait-il possible de mieux différencier la multitude de petits boutons noirs dont l'uniformité nuit à la bonne ergonomie du véhicule? Ah oui, le porte-verres à la gauche du conducteur n'est pas non plus la plus géniale des idées.

Si je me montre aussi pointilleux à l'égard du nouveau ML430, c'est qu'il arbore l'étoile à trois pointes qui a toujours été un gage de perfection chez Mercedes-Benz. Sous plusieurs aspects, les normes rigoureuses de la marque allemande sont respectées. Les sièges sont d'un confort absolu et les instruments du tableau de bord facilement lisibles. La banquette arrière peut recevoir trois personnes sans mal et la qualité de l'éclairage auxiliaire rend la conduite nocturne très sécuritaire.

Il faut simplement se rappeler que ce 4X4 est un produit conçu pour répondre aux besoins américains. Ce constat revient constamment à l'esprit quand on conduit le ML430, surtout au moment de s'engager dans un stationnement souterrain, probablement le seul endroit où ce Mercedes-Benz est quelquefois incapable de passer.

L'utilitaire sport des gens pressés.

Mercedes-Benz classe S

Mercedes-Benz S430

La nouvelle référence

Même si la prestigieuse étoile à trois pointes qui symbolise les produits Mercedes-Benz se retrouve de nos jours sur le capot de voitures relativement modestes, cet ornement traditionnel est associé avant tout à des berlines chic et chères. Ces quasi-limousines sont les voitures qui ont donné à la firme allemande ses lettres de noblesse. D'où la nécessité de préserver leur statut et leur image en réalisant le nec plus ultra de l'industrie automobile moderne.

Lasse de voir un peu tout le monde galvauder le terme «voiture de luxe», Mercedes-Benz a décidé de remettre les pendules à l'heure avec la génération 2000 de ses modèles de classe S. Pour le prestigieux constructeur allemand, le luxe ne se limite pas à ajouter une ribambelle d'accessoires à une automobile ou à rehausser sa présentation. Une voiture haut de gamme doit concilier tout le savoir-faire de son constructeur sur plusieurs plans (performances, confort, sécurité) et les plus récentes innovations en matière de design et d'assistance à la conduite.

C'est précisément ce que font les versions de l'an 2000 des Mercedes de classe S qu'on a conçues comme le vecteur technologique du groupe Daimler-Chrysler en y intégrant plus de 30 innovations protégées par 340 brevets.

Il serait trop long de décrire ici dans leurs menus détails toutes les caractéristiques d'avant-garde de ces limousines, tellement la liste est exhaustive. Chose certaine, la voiture de grand luxe y retrouve sa respectabilité.

Une diète sévère

Il faut faire un bref retour en arrière pour bien situer ce nouveau modèle. En dépit de toutes ses qualités, la précédente classe S souffrait d'un embonpoint chronique. Or, sa remplaçante a raccourci de 5,5 cm, tout en s'allégeant d'environ 300 kg, grâce entre autres à l'utilisation ciblée de l'aluminium (capot avant) et de matières plastiques. Malgré des dimensions légèrement inférieures, une meilleure gestion de l'espace a permis d'agrandir l'habitacle.

Même la S430 à empattement court propose de spacieuses places arrière. Quand on opte pour la version allongée ou encore pour la S500, l'espace devient si généreux qu'on se croirait dans une limousine du bal des finissants. On ne peut malheureusement en dire autant du coffre à bagages qui, dans les deux versions, a perdu quelques précieux litres et est carrément trop petit pour une voiture de cette envergure.

Beaucoup de lecture

En prenant livraison d'une S500 pour un essai d'une dizaine de jours, je m'attendais à passer de longues heures au volant à apprécier le raffinement de cette voiture. Or, j'ai plutôt passé tout mon temps à fouiller les quelque 527 pages des deux (oui, deux) manuels d'instruction nécessaires à l'apprentissage de la nouvelle série S de Mercedes. La refonte complète dont les S430 et 500 ont fait l'objet et certains accessoires inédits dont elles sont munies exigent une fastidieuse période d'acclimatation. Peut-être qu'un enfant de 10 ans habitué aux ruses d'un ordinateur se sentirait à l'aise au volant d'une classe S, mais, malheureusement pour les vieux ploucs qui peuvent s'offrir ces voitures, la simplicité ne fait pas partie de leurs attributs.

Le système qui, de prime abord, apparaît le plus complexe est le Command Control qui, à lui seul, nécessite 208 pages d'explications. Il permet de régler aussi bien la radio que le système de navigation par satellite ainsi qu'une foule d'autres fonctions. Le bouton principal de cet appareil agit à la manière d'une souris d'ordinateur et même Mercedes conseille de ne l'utiliser qu'à l'arrêt. Les données apparaissent sur un grand écran couleur placé sur la console centrale. Si c'est le système de navigation qui est en marche, une carte routière montrant le trajet à suivre est affiché. Notons que les disques au laser nécessaires à son fonctionnement ne sont pas encore disponibles au Canada et qu'il faudra attendre encore quelques mois avant de pouvoir bénéficier de cette innovation chez nous.

Pour l'instant, si jamais on perd sa route, il sera possible de se rabattre sur le téléphone cellulaire qui est branché sur le même Command Control et qui peut fonctionner par commandes vocales. Je dis bien «peut», car tout au long de mon essai, la voix féminine anglaise synthétisée était totalement incapable de comprendre ma prononciation de certains chiffres. Ou bien je parle très mal l'anglais ou la «madame dans le coffre» avait une dent contre moi. En revanche, le système d'intervention d'urgence et d'assistance routière vous met en contact avec une voix humaine qui, même si elle provient du lointain Texas, parle le français. Il suffit d'appuyer sur le «bouton de panique» rouge logé près du rétroviseur et quelqu'un est prêt à vous ramener sur la bonne route ou à acheminer du secours si jamais l'un des 6 sacs gonflables (dont 2 latéraux et 2 au plafond) se gonfle. Dans ce dernier cas toutefois, leur déclenchement est suffisant pour lancer le message d'urgence.

L'électronique corrige vos erreurs

La sécurité, aussi bien active que passive, est un des arguments majeurs de la nouvelle Mercedes de classe S. C'est notamment la première voiture de série à utiliser des glaces latérales en verre laminé ainsi que des clignotants supplémentaires à diodes électroluminescentes placées derrière les rétroviseurs extérieurs. Cette voiture possède également tous les systèmes d'assistance à la conduite développés par la firme allemande ces dernières années, du contrôle électronique de stabilité qui prévient les dérapages ou les tête-à-queue au freinage d'urgence qui, en détectant une rapide transition de l'accélérateur au frein, applique une force supplémentaire à la pédale. En Europe, ces grandes Mercedes peuvent même être dotées d'un régulateur de distance (Distronic) qui applique les freins lorsque la voiture s'approche trop du véhicule qui la précède.

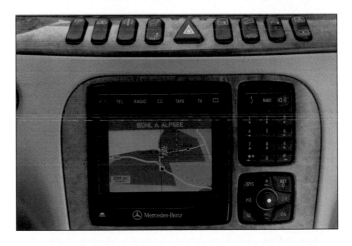

La nouvelle classe S ne donne pas sa place non plus en matière de confort. Les sièges, par exemple, possèdent un réglage qui les ajuste en tenant compte de la position de conduite la plus ergonomique. Ceux qui veulent s'asseoir différemment peuvent toujours, bien sûr, ignorer les diktats de l'électronique. En option, on peut aussi obtenir des sièges ventilés avec une sorte de vibromasseur. Hélas! il faudra attendre la prochaine génération de la classe S pour avoir droit au salon de bronzage au volant.

Des notes quasi parfaites

Ce petit salon sur roues signé Mercedes réussit à se mouvoir avec beaucoup de grâce et à afficher un comportement routier proche de la perfection. L'amortissement adaptatif règle les amortisseurs en fonction de la route et du style de conduite tandis que la suspension pneumatique permet, comme dans les anciennes

Mercedes-Benz classe S

Pour

Moteur superbe • Très bon comportement routier • Sécurité optimale • Confort incomparable • Excellente garantie • Habitabilité exceptionnelle

Contre

Prix élevé • Fiabilité inconnue • Sensibilité au vent latéral • Grande dépendance électronique • Command Control horriblement complexe • Coffre ridiculement petit

Caractéristiques

Prix du modèle à l'essai:	S500 / 112 850 $
Garantie de base:	5 ans / 120 000 km
Type:	berline / propulsion
Empattement / Longueur:	308 cm / 516 cm
Largeur / Hauteur / Poids:	185,5 cm / 144 cm / 1877 kg
Coffre / Réservoir:	500 litres / 88 litres
Coussins de sécurité:	frontaux, latéraux, plafond
Suspension av. / arr.:	indépendante
Freins av. / arr.:	disque ABS
Système antipatinage:	oui
Direction:	à crémaillère, assistance variable
Diamètre de braquage:	11,7 mètres
Pneus av. / arr.:	P225/60R16
Valeur de revente:	nouveau modèle

Motorisation et performances

Moteur / Transmission:	V8 5,0 litres / Sportshift 5 rapports
Puissance / Couple:	302 ch à 5600 tr/min / 339 lb-pi à 2700-4250 tr/min
Autre(s) moteur(s):	V8 4,3 litres 275 chevaux
Transmission optionnelle:	aucune
Accélération 0-100 km/h:	6,8 secondes; 7,4 secondes (S430)
Vitesse maximale:	210 km/h (limitée)
Freinage 100-0 km/h:	39,9 mètres
Consommation (100 km):	13,0 litres; 12,7 litres (S430)

Modèles concurrents

BMW série 7 • Audi A8 • Lexus LS400 • Jaguar XJ8 Vanden Plas

Quoi de neuf?

Nouveau modèle

Verdict

Agrément	⊕ ⊕ ⊕ ⊕	Habitabilité	⊕ ⊕ ⊕ ⊕ ⊖
Confort	⊕ ⊕ ⊕ ⊕ ⊖	Hiver	⊕ ⊕ ⊕ ⊕
Fiabilité	nouveau modèle	Sécurité	⊕ ⊕ ⊕ ⊕ ⊕

Citroën DS, de varier l'assiette de la voiture. Confronté à une route en réfection en très mauvais état, j'ai appuyé sur un bouton au tableau de bord et la S500 s'est élevée de quelques centimètres afin d'améliorer sa garde au sol. La douceur de roulement de la nouvelle Classe S ne cesse d'étonner; d'abord par sa facilité à aplanir toutes les anfractuosités du revêtement et ensuite par sa remarquable tenue en virage. On a beau négocier les virages à des allures insensées, cette grande berline penche très peu et se prête à des glissades parfaitement contrôlées sans perte d'adhérence marquée à l'avant ou à l'arrière.

Des moteurs éloquents

Au rayon des performances, la S500 est gratifiée d'une pure merveille de moteur. Tant par sa sonorité sportive que par son couple et sa puissance, il ne cesse d'étonner en propulsant cette grosse caisse avec une célérité impressionnante. On peut même très bien se contenter du V8 de 275 chevaux de la 430 qui n'ajoute que 6 petits dixièmes de secondes au sprint 0-100 km/h (7,4 contre 6,8 secondes). Et dans les deux cas, on a droit à des reprises vives et quasi instantanées. Mercedes-Benz a aussi succombé à la transmission automatique bimode qui permet de choisir les rapports manuellement. Malgré ses faibles avantages, ce dispositif est désormais la norme, semble-t-il, sur toutes les voitures germaniques.

À part une sensibilité au vent latéral, une direction donnant peu de sensation de l'état de la route, un pilier central qui gêne la visibilité latérale, et, bien sûr, la trop grande complexité de certaines commandes les S430 et S500 m'ont séduit. Cette nouvelle génération de voitures de prestige de Mercedes-Benz semble répondre aux standards de qualité et aux critères d'innovation qui ont fait la réputation de ce constructeur. En proposant le nec plus ultra de la voiture de luxe moderne, Mercedes-Benz reprend sa place au sommet de la hiérarchie.

Jacques Duval

Savez-vous «pitonner»?

Mercedes-Benz CLK Coupé ● Cabriolet

Mercedes-Benz CLK cabriolet

Performance et plein air

La gamme CLK est, pour moi, la plus intéressante à l'heure actuelle au sein de la production de Mercedes-Benz. D'abord, les coupés sont sans aucun doute les plus belles voitures à arborer l'étoile à trois pointes du constructeur germanique et la version 430, apparue l'an dernier, offre un agrément de conduite indéniable. Quant à la 320, elle est moins performante mais ne manque sûrement pas d'attraits une fois décoiffée.

Attardons-nous justement en premier lieu au cabriolet CLK320 avec lequel je me suis livré à un petit essai comparatif. Par rapport au cabriolet E320 qui l'a précédé et que je connais bien, le CLK a un comportement plus sportif grâce en majeure partie à ses plus faibles dimensions et à un poids inférieur qui le rend plus maniable. Son moteur V6 de même cylindrée que l'ancien 6 cylindres en ligne n'a toutefois pas une sonorité aussi sportive et ses 215 chevaux sont à peine plus performants. Les suspensions (double fourche avant et essieu arrière multibras) privilégient la tenue de route mais, sur mauvais revêtement, l'ancien E320 est de loin plus confortable. Dans le CLK, de petites saccades secouent la carrosserie et se répercutent désagréablement dans le volant. De toute évidence, le nouveau cabriolet 4 places de Mercedes a changé de classe et s'apparente moins à la voiture de grand luxe qu'était l'E320.

Un prix moins indigeste...

À un prix diminué de 27 000 $ par rapport à l'ancienne version, on accepte mieux l'absence de ceintures automatisées et la petitesse des places arrière. Le CLK320 se présente comme un cabriolet

4 places, mais disons que vous ne garderez pas vos amis longtemps si vous les faites asseoir à l'arrière. Quant au coffre à bagages, son volume de 273 litres est réduit de 40 p. 100 quand on abaisse la capote. Et si vous trouvez que le cabrio CLK a belle allure dans la salle de montre, assurez-vous de le zyeuter lorsque la capote est en place. L'effet d'écrasement qui en découle risque de ne pas plaire à tout le monde.

À défaut d'être belle, la capote est d'une étanchéité qui a parfaitement résisté à un lavage automatique sans contact avec de puissants jets d'eau. Bien isolé, le toit souple trois épaisseurs bénéficie également d'une excellente insonorisation et d'une vraie lunette arrière dégivrante. Contrairement à certains cabriolets bon marché, le CLK possède une structure renforcée au moyen de poutrelles transversales au plancher et des montants A ainsi qu'un cadre de pare-brise spécialement conçus pour accroître la protection en cas de tonneau. Sans compter que les appuie-tête arrière sont munis d'un système de protection anti-tonneau sous la forme d'arceaux en acier qui se déploient en trois dixièmes de seconde si la voiture se renverse.

... mais des options indigestes

Une touche de luxe qui fait grandement défaut à ce cabriolet et aux coupés de la même famille est l'absence d'un lecteur de disques au laser. Il paraît inadmissible que cet équipement que l'on retrouve dans de petites voitures d'environ 20 000 $ ne soit pas de série dans une Mercedes de près de 70 000 $, ni même dans une classe S de plus de 100 000 $. Pire encore, la qualité de la réception de l'appareil radio du cabriolet CLK mis à l'essai était généralement

Mercedes-Benz CLK

Pour

Cabriolet relativement silencieux
• Bonne tenue de route • Moteur
performant • Sièges confortables
• Finition soignée

Contre

Confort moyen sur mauvaise route
• Mauvaise visibilité • Habitacle
serré • Accélérateur peu progressif
• Ligne discutable avec capote

Caractéristiques

Prix du modèle à l'essai:	CLK 320 cabriolet / 68 500 $
Garantie de base:	4 ans / 80 000 km
Type:	cabriolet / propulsion
Empattement / Longueur:	269 cm / 457 cm
Largeur / Hauteur / Poids:	172 cm / 138 cm / 1655 kg
Coffre / Réservoir:	273 litres (165 toit ouvert) / 62 litres
Coussins de sécurité:	frontaux et latéraux
Suspension av. / arr.:	indépendante
Freins av. / arr.:	disque ABS
Système antipatinage:	oui
Direction:	à billes, assistance variable
Diamètre de braquage:	10,7 mètres
Pneus av. / arr.:	P205/55R16
Valeur de revente:	très bonne

Motorisation et performances

Moteur / Transmission:	V8 3,2 litres / automatique 5 rapports
Puissance / Couple:	215 ch à 5500 tr/min / 229 lb-pi à 3000-4600 tr/min
Autre(s) moteur(s):	V8 4,3 litres 275 ch
Transmission optionnelle:	aucune
Accélération 0-100 km/h:	8,3 secondes (6,4 secondes)
Vitesse maximale:	210 km/h (limitée électroniquement)
Freinage 100-0 km/h:	40,4 mètres
Consommation (100 km):	10,8 litres

Modèles concurrents

Volvo C70 cabriolet • BMW 328Ci • Saab 9³

Quoi de neuf?

Retouches esthétiques • Transmission automatique • Touch Shift à mode manuel

Verdict

Agrément	☺ ☺ ☺ ☺	Habitabilité ☺ ☺
Confort	☺ ☺ ☺	Hiver ☺ ☺ ☺ ☺
Fiabilité	☺ ☺ ☺	Sécurité ☺ ☺ ☺ ☺

mauvaise en raison de cette fameuse antenne intégrée au pare-brise. Qu'on se le dise, personne n'a encore réussi à remplacer les bonnes vieilles antennes d'autrefois fièrement érigées sur l'aile arrière de la voiture. Notre «verdict» radio est d'ailleurs confirmé par le président de Kébec Son, Richard Petit, qui considère que les radios dont sont équipées les voitures allemandes sont, dans l'ensemble, parmi les plus mauvaises sur le marché.

Dans un dernier survol, on peut retenir que le cabriolet CLK offre de très honnêtes performances combinées à une finition tout à fait dans la norme de Mercedes. Malgré tout, on ne peut passer sous silence une ergonomie perfectible (les trop nombreux boutons sur la console prêtent à confusion), la piètre visibilité arrière et des porte-verres qui ont du mal à contenir une bouteille d'un demi-litre. N'empêche qu'il y a des façons beaucoup moins rigolotes de voyager.

De la piste à la route

Si vous n'avez rien à foutre des cabriolets, le même investissement peut vous permettre de conduire le coupé CLK430, la Mercedes de route la plus rapide si l'on fait exception d'une C43 ou d'une E55. Déjà très en forme avec le V6 du coupé 320, ce CLK se transforme en un engin sportif au tonus impressionnant avec les 60 chevaux additionnels du V8 de 4,3 litres. La vitesse de pointe, limitée à 210 km/h, ne change pas, mais le 0-100 km/h s'abaisse de près d'une seconde. Le couple maximal s'étend de 3000 à 4400 tr/min grâce à un système d'admission à double résonance qui permet des reprises quasi instantanées surtout depuis que la transmission automatique 5 rapports est dotée d'un mode manuel.

Pour bien épauler de telles performances, le CLK430 bénéficie d'un ensemble sport élaboré par AMG comprenant des jantes de 17 pouces chaussées de pneus à profil bas ainsi que des jupes latérales combinées à des tabliers avant et arrière qui contribuent à un coefficient de traînée aérodynamique de 0,31. Le programme ESP (stabilité électronique) fait aussi partie de l'équipement de série. Autant de petits détails qui font du coupé CLK430 une voiture grand-tourisme d'un confort soigné jumelée à une sportive qui fait honneur aux prototypes CLK-GTR ou CLK-LM qui participent au championnat FIA GT.

Une belle paire.

Jacques Duval

Mercedes-Benz SLK

Fausse représentation

Après avoir rédigé ses bilans financiers à l'encre rouge pendant un certain temps, la compagnie Mercedes a décidé d'effectuer un grand virage vers le rajeunissement et le renouvellement au début de la décennie. Fini le temps des voitures à l'ennuyeuse efficacité mécanique et au design conservateur. Dorénavant, c'est le temps de la jeunesse, des profits et des voitures à la mode. La qualité des Mercedes n'est plus ce qu'elle était, mais à Stuttgart, on se contente de mentionner que la compagnie ne s'est jamais si bien portée. Et puis, si on veut accuser la corporation de construire des véhicules de qualité ou de fiabilité douteuse, il y a toujours le nouvel associé Chrysler qui constitue un bouc émissaire idéal. Après tout, qu'est-ce que les Américains connaissent dans la qualité d'assemblage et de fabrication ?

La SLK est l'archétype du yin et du yang chez Mercedes. On a exorcisé les démons du passé pour en réveiller d'autres. On a donc enterré les interminables temps de développement, les études techniques à n'en plus finir et une approche très conservatrice à tout point de vue. On les a remplacés par un style plus tape-à-l'œil, une exécution mécanique à la fois brillante et incomplète et surtout un produit mieux ciblé en fonction des besoins immédiats du public.

Le SLK permet de procéder à une analyse intéressante de la situation. Sur le plan esthétique, il est difficile de trouver à redire. La voiture est très courte et très large à la fois, ce qui lui permet d'avoir un important impact visuel. Les stylistes ont également fait

bon usage des éléments propres à la marque. La grille de calandre, les renflements sur le capot, les feux arrière triangulaires, la ligne de toit très épurée, c'est du Mercedes tout craché. Côté mécanique, le toit rigide qui se replie en un rien de temps dans le coffre est un tour de force technique qui mérite notre respect. Malheureusement, une fois rentrée dans sa niche, cette calotte métallique avale plus de la moitié de l'espace disponible en plus de rendre très difficile l'accès aux quelques pièces de bagages qu'on a réussi à placer dans le fond du coffre. Et il faut toujours s'assurer que la toile rétractable qui recouvre ces bagages est en place, faute de quoi la petite merveille refuse de bouger.

Si l'esthétique de la silhouette en fait une voiture d'anthologie, l'habitacle risque de devenir l'exemple de ce qu'il faut éviter. Il est large et confortable, et les sièges sont adéquats à défaut d'offrir un bon support. Enfin, l'insonorisation est supérieure à celle des autres voitures de la catégorie. Malheureusement, la qualité tactile du plastique fait bon marché, les personnes de grande taille ont de la difficulté à consulter le compte-tours et les appliques en imitation de fibre de carbone font songer aux accessoires kitsch achetés au comptoir automobile d'une grande surface. Pire encore, sur notre voiture d'essai, le papier similifibre de carbone décollait du vernis en acrylique !

En plus, notre voiture d'essai affichait une combinaison de couleurs rouge, gris et noir qui semble avoir été choisie pour permettre à certains clients bien nantis d'afficher leur mauvais goût.

La balade des gens heureux

Élégante mais arborant un intérieur quelconque, la SLK n'est pas dépourvue de qualités routières. Cependant, encore là, le para-

Mercedes-Benz SLK

Pour

Silhouette emballante • Prestige de la marque • Toit rigide génial • Habitacle spacieux • Finition soignée

Contre

Boîte manuelle imprécise
• Compte-tours difficile à consulter
• Suspension bourgeoise
• Chargeur de disques CD mal placé
• Moteur indigne de la catégorie

Caractéristiques

Prix du modèle à l'essai:	SLK / 61 225 $
Garantie de base:	4 ans / 80 000 km
Type:	roadster coupé 2 places / propulsion
Empattement / Longueur:	240 cm / 399 cm
Largeur / Hauteur / Poids:	171 cm / 126 cm / 1325 kg
Coffre / Réservoir:	348 litres ou 145 litres (toit ouvert) / 53 litres
Coussins de sécurité:	conducteur, passager et latéraux
Suspension av. / arr.:	indépendante
Freins av. / arr.:	disque ABS
Système antipatinage:	oui
Direction:	à crémaillère, assistance variable
Diamètre de braquage:	10,6 mètres
Pneus av. / arr.:	P205/55R16 / P225/50R16
Valeur de revente:	très bonne

Motorisation et performances

Moteur / Transmission:	4L 2,3 litres / manuelle 5 rapports
Puissance / Couple:	191 ch à 5300 tr/min / 206 lb-pi à 2500 tr/min
Autre(s) moteur(s):	aucun
Transmission optionnelle:	automatique 5 rapports
Accélération 0-100 km/h:	7,4 secondes
Vitesse maximale:	228 km/h
Freinage 100-0 km/h:	38,8 mètres
Consommation (100 km):	8,3 litres; 9,2 litres

Modèles concurrents

Honda S2000 • BMW Z3 2,8 • Porsche Boxster • Audi TT Roadster

Quoi de neuf?

Aucun changement

Verdict

Agrément	⏀ ⏀ ⏀	Habitabilité	⏀ ⏀ ⏁
Confort	⏀ ⏀ ⏀ ⏁	Hiver	
Fiabilité	⏀ ⏀ ⏀	Sécurité	⏀ ⏀ ⏀ ⏀

doxe se poursuit. Si ce roadster réalise des temps intéressants dans un parcours de slalom ou de gymkhana, l'agrément de conduite qu'il offre aux pilotes sportifs demeure plutôt modeste.

Il faut se souvenir que cette Mercedes BCBG est dérivée des berlines de la classe C. On a raccourci cette plate-forme de plusieurs centimètres, ce qui a permis d'obtenir un rapport longueur/largeur assez impressionnant. Ajoutez des pneus larges et une suspension passablement sophistiquée, et vous avez une voiture agile pour négocier les virages. Par contre, pour des raisons d'économie sans doute et certainement pour accélérer le temps de développement, les ingénieurs ont utilisé le 4 cylindres 2,3 litres de la même classe C. Pour le muscler davantage, on a eu recours à la suralimentation. Cette solution permet de compter sur des accélérations potables et sur de bonnes reprises. Mais la sonorité de ce 2,3 litres fait songer à l'ancien moteur des Ford Pinto de triste mémoire. Et la boîte manuelle maintenant disponible sur la SLK semble également avoir été empruntée à cette même petite Ford. Une course du levier imprécise et un passage des rapports loin d'être harmonieux poussent à opter pour l'automatique qui convient d'ailleurs beaucoup mieux à la personnalité de cette Mercedes.

La voiture de ma tante!

En fait, la SLK est tout sauf une sportive. Même si le châssis est bon, l'agrément de conduite se limite à faire le beau cœur ou la ténébreuse inconnue s'abritant derrière ses lunettes de soleil au volant de cette belle allemande après avoir baissé le toit par une belle et chaude journée d'été. Et si jamais la nature ne veut pas collaborer, le toit étanche se remontant en un tournemain vous gardera au sec et au chaud.

Si vous croyez avoir affaire à une sportive, vous serez amèrement déçu. Des quatre roadsters allemands sur le marché parmi lesquels il faut inclure l'Audi TT, la SLK est la plus pantouflarde et la moins intéressante à conduire. En revanche, elle risque de se faire apprécier si vous entreprenez un long trajet à son volant. Mais cela vous obligera probablement à rouler le toit en place, puisque ce sera la seule façon de transporter un minimum de bagages.

Mercury Cougar

Mercury Cougar

La vie après la mort

Retirée du marché il y a trois ans après avoir sombré dans l'anonymat, la Cougar est partie pour mieux revenir. Elle est ressuscitée depuis l'an dernier, sous la forme d'un coupé sport cette fois, renouant ainsi — en partie du moins — avec ses origines. Cette stratégie était visiblement la bonne, car ce retour aux sources lui a fait le plus grand bien.

Apparue en 1967 et essayée dans *Le Guide de l'auto 68*, la Cougar était à l'origine une jumelle de la Ford Mustang, destinée à la division Mercury. Au cours de sa longue carrière, elle a cependant changé de cap plusieurs fois. Son parcours tourmenté n'est pas sans rappeler celui de la Thunderbird.

De sa devancière, la Cougar n'a conservé que le nom. On ne peut donc parler de résurrection; il convient plutôt de dire qu'elle entreprend une deuxième vie. Sous une autre forme, s'entend: les roues motrices sont passées de l'arrière à l'avant, et la grosse bourgeoise est devenue sportive. Ainsi, ses dimensions, et donc son poids, se trouvent désormais en harmonie avec son époque.

Pour transformer ainsi la Cougar, on a utilisé une méthode aussi éprouvée qu'économique, soit l'emploi d'une plate-forme déjà existante. C'est celle de la Mondeo, version européenne de la défunte Contour, qui fut retenue. Les filiales de Ford sur le Vieux Continent ont d'ailleurs été mises à contribution dans le développement de ce coupé sport, afin qu'il soit aussi bien adapté à l'Europe qu'à l'Amérique du Nord.

Un félin qui a de la gueule

Afin qu'elle brille de tous ses feux, on a paré la Cougar d'une tenue pour le moins flamboyante, qui ne laisse personne indifférent.

Si cette silhouette ne fait pas l'unanimité, elle compte cependant plus d'admirateurs que de dénigreurs, pas de doute là-dessus. Très réussie, la présentation intérieure, qui marie modernité et efficacité, témoigne de la même recherche esthétique. L'ergonomie a fait l'objet d'une attention particulière, c'est l'évidence même. Les trois exemplaires que nous avons pu conduire montraient une finition irréprochable.

En s'installant derrière le volant, on constate immédiatement l'excellente position de conduite, mais aussi la relative fermeté des baquets, qui plaira aux uns autant qu'elle déplaira aux autres. Ça se gâte à l'arrière: le dégagement pour la tête est limité au minimum nécessaire, et c'est à peine mieux pour les jambes. La visibilité vers l'arrière se retrouve elle aussi dans la colonne des moins. Certains diront que ces inconvénients sont le propre des coupés sport, et ils n'ont pas tort. Par contre, la Cougar se rachète avec une malle arrière aux dimensions généreuses, probablement ce qui se fait de mieux dans cette catégorie.

Étonnant 4 cylindres

Deux motorisations figurent au menu: le 4 cylindres Zetec (2,0 litres, 125 chevaux) à calage variable des soupapes, une mécanique moderne s'il en est une; et le V6 Duratec (2,5 litres, 170 chevaux), qui s'accompagne de freins à disque à l'arrière (au lieu des tambours de la version 4 cylindres) et de roues en alliage de diamètre supérieur (16 pouces contre 15).

Le premier s'est avéré une agréable surprise, tandis que le deuxième risque de laisser l'amateur de performances sur sa faim. Le Zetec se distingue par sa linéarité, signe d'une judicieuse répartition de sa puissance. Contrairement à ce qui est le cas avec la plupart des 4 cylindres à 16 soupapes, il se passe quelque chose sous

Mercury Cougar

Pour

Look accrocheur • Finition et qualité d'assemblage • 4 cylindres réussi • Mécanique éprouvée • Comportement sportif • Freinage impressionnant

Contre

Piètre visibilité arrière • Places arrière symboliques • Performances moyennes (V6) • Embrayage peu progressif • Boîte manuelle récalcitrante

Caractéristiques

Prix du modèle à l'essai:	V6 / 29 515 $
Garantie de base:	3 ans / 60 000 km
Type:	coupé / traction
Empattement / Longueur:	270 cm / 470 cm
Largeur / Hauteur / Poids:	177 cm / 133 cm / 1419 kg
Coffre / Réservoir:	411 litres / 60 litres
Coussins de sécurité:	conducteur, passager et latéraux
Suspension av. / arr.:	indépendante
Freins av. / arr.:	disque (ABS optionnel)
Système antipatinage:	oui (optionnel)
Direction:	à crémaillère, assistance variable
Diamètre de braquage:	10,9 mètres
Pneus av. / arr.:	P215/50R16
Valeur de revente:	passable

Motorisation et performances

Moteur / Transmission:	V6 2,5 litres / manuelle 5 rapports
Puissance / Couple:	170 ch à 6200 tr/min / 165 lb-pi à 4250 tr/min
Autre(s) moteur(s):	4L 2,0 litres 125 ch
Transmission optionnelle:	automatique 4 rapports (V6 seulement)
Accélération 0-100 km/h:	9,2 secondes; 10,9 secondes
Vitesse maximale:	218 km/h
Freinage 100-0 km/h:	39,7 mètres
Consommation (100 km):	12,0 litres; 9,7 litres

Modèles concurrents

Chrysler Sebring • Honda Prelude • Hyundai Tiburon • Saturn SC • Toyota Celica

Quoi de neuf?

Aucun changement majeur

Verdict

Agrément	⊕ ⊕ ⊕ ⊖	
Confort	⊕ ⊕ ⊕ ⊕	
Fiabilité	⊕ ⊕ ⊕	
Habitabilité	⊕ ⊕ ⊕	
Hiver	⊕ ⊕ ⊕ ⊖	
Sécurité	⊕ ⊕ ⊕ ⊕ ⊖	

la barre des 4000 tr/min, et on ne sent pas de creux. À ce couple appréciable s'ajoute une douceur de roulement digne des petits moulins japonais, ce qui n'est pas peu dire.

Le V6 fournit lui aussi de bonnes accélérations à bas régime, surtout lorsqu'il est jumelé à une boîte manuelle. Mais il s'essouffle vite: une vingtaine de chevaux supplémentaires seraient les bienvenus pour cette motorisation qui se veut fougueuse. Par la même occasion, on pourrait en profiter pour revoir l'embrayage, qui manque nettement de progressivité, ainsi que la boîte manuelle, rétive et imprécise. Il y a pire, certes, mais il y a mieux. Assurément.

Retrouver l'animal en soi

Munies de ressorts et d'amortisseurs plus fermes, ainsi que de barres antiroulis plus larges, les suspensions de la Contour ont fait l'objet de modifications lorsqu'elles ont été prêtées à la Cougar. De plus, le centre de gravité a été abaissé. Tout ça afin de concrétiser les aspirations sportives de ce coupé désireux de retrouver l'animal en lui...

Raison passion.

Il en résulte un sous-virage peu prononcé, à peine perceptible si l'on s'en tient à une conduite normale, et un roulis joliment maîtrisé. La Cougar semble planter ses griffes dans l'asphalte, car pour atteindre la limite d'adhérence, il faut la pousser dans ses derniers retranchements. Toutes ces qualités lui confèrent une tenue de route digne d'un coupé sport, même avec ses kilos en trop.

Malgré sa précision et le dosage de l'assistance, la direction m'a laissé mi-figue, mi-raisin. Dans un premier temps, elle pèche par son trop grand rayon de braquage et dans un second temps, elle m'est apparue lente. Par contre, le freinage se place à l'abri de toute critique: ça freine fort, et vite!

Somme toute, le bilan global de la nouvelle Cougar est positif. Les amateurs de coupés sport cherchent de la performance, de l'agrément de conduite, mais aussi du style; mis à part le premier critère, la Cougar devrait les satisfaire pleinement. D'autant plus qu'elle se démarque par des qualités plus rationnelles, mais non moins importantes, telles que son confort, sa qualité d'assemblage et la fiabilité de ses organes mécaniques. Autrement dit, il y a là un beau mélange de raison et de passion.

Mercury Grand Marquis

Le dernier vestige

Lorsque Ford a annoncé que la Crown Victoria ne serait offerte qu'aux flottes de véhicules spécialisés (limousines, voitures de police...) en 2000, plusieurs ont cru que sa jumelle, la Mercury Grand Marquis, subirait un sort identique, ou bien qu'elle disparaîtrait tout simplement. Or, il n'en est rien: elle poursuit plutôt sa carrière en solo.

Par le fait même, la Grand Marquis devient la seule survivante d'une race qui fit naguère les beaux jours de Detroit, soit les grosses berlines à propulsion motorisées par de non moins gros V8. Bien que dépassée, cette conception de l'automobile conserve tout de même quelques irréductibles partisans, particulièrement chez nos voisins du sud. Ne cherchez d'ailleurs pas plus loin le pourquoi de la reconduction de la Grand Marquis pour l'année-modèle 2000.

Pour ses adeptes — pas toujours très jeunes il est vrai —, elle incarne le gros *char* américain dans toute sa splendeur *(sic)*: puissant, confortable et silencieux. Qu'importe si sa consommation est élevée, ses dimensions, démesurées, et l'espace, mal utilisé; les nostalgiques de l'âge d'or de l'industrie automobile américaine n'ont que faire de ces arguments qu'ils jugent futiles.

À leur décharge, il faut convenir qu'on peut facilement se laisser prendre au jeu, du moins tant que les conditions s'avèrent idéales. Pour un long trajet sur l'autoroute par exemple, il n'est pas désagréable de se laisser bercer par un roulement d'une rare douceur, bien calé dans un siège qui a tout du fauteuil, et coupé du monde extérieur grâce à une insonorisation qui filtre tout bruit inopportun. Comme il y a 20 ou 30 ans... Il ne manque plus que Perry Como ou Engelbert Humperdinck en musique de fond (selon l'âge des passagers).

Anesthésié par cette espèce de bain flottant sur 4 roues, on se surprend alors à dire des énormités du genre: «Ouais, dans le fond, les gros bateaux américains, ils n'étaient pas si pires...» Il suffit cependant d'une courbe un peu serrée ou d'une imperfection plus marquée du revêtement pour nous sortir de notre torpeur; les réactions, disons, nautiques, de la Grand Marquis viennent alors nous rappeler que cette berline, bien que servie par une mécanique moderne — notamment un superbe V8 à double arbre à cames en tête, aussi souple que silencieux —, que cette berline, disais-je, reste malgré tout un vestige d'une autre époque.

Ergonomie? Connais pas...

Il suffit de s'installer à bord pour que débute ce qu'il convient d'appeler un voyage dans le temps. L'immensité des lieux, mais aussi la présence d'une banquette à l'avant (ouache!) et d'un tableau de bord digital (re-ouache!) donnent autant d'indices de ce retour en arrière. Ladite banquette comblera les amateurs de confort «à l'américaine» par son rembourrage plus que généreux, mais pour le support latéral, on repassera... Et si elle peut accueillir 3 personnes, celle qui prend place au centre risque de trouver le temps long. Ce n'est guère mieux derrière, en raison de la présence d'un accoudoir central protubérant. Toujours à l'arrière, l'espace ne manque pas en largeur et en hauteur, mais le dégagement pour les jambes semble un peu juste, du moins pour une voiture de ce format.

L'habitacle de notre véhicule d'essai était garni de cuir, bien que le terme cuirette serait mieux approprié... À 40 000 $ et des poussières l'exemplaire (vous avez bien lu), voilà qui est tout simplement

Mercury Grand Marquis

Pour

Moteur souple et silencieux
• Douceur de roulement
• Insonorisation poussée • Tenue
de route acceptable • Fiabilité
irréprochable

Contre

Habitacle et coffre arrière à revoir
• Piètre utilisation de l'espace
• Dimensions éléphantesques
• Suspension flottante • Concept
périmé

Caractéristiques

Prix du modèle à l'essai:	LS / 40 605 $
Garantie de base:	3 ans / 60 000 km
Type:	berline / propulsion
Empattement / Longueur:	291 cm / 538 cm
Largeur / Hauteur / Poids:	199 cm / 144 cm / 1792 kg
Coffre / Réservoir:	583 litres / 72 litres
Coussins de sécurité:	conducteur et passager
Suspension av. / arr.:	indépendante / essieu rigide
Freins av. / arr.:	disque ABS
Système antipatinage:	oui (optionnel)
Direction:	à billes, assistance variable
Diamètre de braquage:	12,0 mètres
Pneus av. / arr.:	P225/60R16
Valeur de revente:	passable

Motorisation et performances

Moteur / Transmission:	V8 4,6 litres / automatique 4 rapports
Puissance / Couple:	215 ch à 4500 tr/min / 285 lb-pi à 3000 tr/min
Autre(s) moteur(s):	V8 4,6 litres 200 ch
Transmission optionnelle:	aucune
Accélération 0-100 km/h:	9,5 secondes
Vitesse maximale:	166 km/h (limitée électroniquement)
Freinage 100-0 km/h:	39,4 mètres
Consommation (100 km):	13,8 litres

Modèles concurrents

Buick Le Sabre • Buick Park Avenue • Chrysler LHS

Quoi de neuf?

Aucun changement majeur • Retrait de la Ford Crown Victoria au Canada

Verdict

Agrément	⊕ ⊕ ⊕	Habitabilité ⊕ ⊕ ⊕ ⊕ ⟲
Confort	⊕ ⊕ ⊕	Hiver ⊕ ⊕ ⟲
Fiabilité	⊕ ⊕ ⊕	Sécurité ⊕ ⊕ ⊕ ⊕

inacceptable. Par ailleurs, certaines lacunes d'aménagement viennent nous rappeler qu'à une époque pas si lointaine, on ne connaissait même pas la signification du mot ergonomie à Detroit. Que d'espace perdu dans cette voiture! Dans le même ordre d'idées, le manque de rangement est criant, et on se demande bien pourquoi les têtes pensantes de chez Ford n'ont pas eu l'intelligence d'installer une console centrale en lieu et place des deux affreux appuie-bras; ou, à tout le moins, d'incorporer un coffret de rangement dans ces derniers. Pour couronner le tout, on a rarement vu une malle arrière plus mal foutue: ses formes tourmentées ne permettent pas de profiter de ses dimensions exceptionnelles et de sa grande profondeur, tronquée qu'elle est par l'emplacement ésotérique de la roue de secours, notamment. Pour rater quelque chose de la sorte, il faut quasiment faire exprès!

Un voyage dans le temps.

Des réactions trompeuses

Une fois les mauvaises surprises de l'habitacle digérées, on découvre que la Grand Marquis en cache également des bonnes. On vous a parlé de sa grande douceur de roulement, mais elle s'accompagne d'un roulis qui n'annonce rien de bon. Or, cette placide routière tient étonnamment bien la route. Pour un véhicule de ce format, s'entend; on a déjà vu plus agile, c'est évident.

Le manque de fermeté de la suspension est donc trompeur, mais on comprend néanmoins les policiers qui disent s'ennuyer de leurs anciennes Chevrolet Caprice, moins «flottantes» et plus précises en virage, selon eux. C'est un peu la même chose lorsqu'on freine brusquement: la Grand Marquis demeure stable, mais elle plonge. La direction m'est cependant apparue mieux dosée, moins guimauve que lors d'un essai effectué l'année dernière.

Autre argument, et non le moindre, cette grosse boulevardière se classe, année après année, parmi les plus fiables dans la plupart des sondages. Un point de plus en sa faveur, diront ses défenseurs. Du reste, qu'on soit d'accord ou non avec leur perception de l'automobile, il faut néanmoins admettre qu'à leurs yeux, la Grand Marquis livre la marchandise: fiable, confortable et silencieuse, elle «porte bien», comme ils disent.

À ce prix, c'est la moindre des choses!

Nissan Altima

Nissan Altima

35 000 km de quiétude

Devant la concurrence, américaine comme japonaise, qui offre des motorisations à 4 et 6 cylindres dans la catégorie des intermédiaires, Nissan a choisi de se démarquer en proposant plutôt deux véhicules distincts. L'Altima joue la carte du 4 cylindres, tandis que la Maxima, d'un grade plus élevé, bénéficie d'un V6. Mais ces deux sœurs ont un point en commun, qu'elles partagent avec le reste de la famille: leur exceptionnelle fiabilité.

Pour en témoigner, nous avons demandé au père de l'auteur de ces lignes de faire le compte rendu de ses deux années au volant de l'Altima de deuxième génération. Il faut préciser que M. Laguë père en est à sa deuxième Altima, ce qui est déjà un indice de son taux de satisfaction. Il avait acheté sa première quelques mois après sa sortie, en 1993, à la suite de ce qu'il est convenu d'appeler un coup de foudre: il avait vu une photo dans un des dossiers de presse de son fils. L'heureux propriétaire d'une Honda Accord venait de changer de camp...

Lorsque est apparue la génération suivante, le paternel a décidé qu'il était temps de changer. Pour une autre Altima, bien sûr. Parmi les raisons ayant dicté cette continuité, il y avait évidemment la fiabilité, celle de sa première Altima ayant été sans tache. Pas le moindre petit pépin, r-i-e-n, rien. Il faut dire que depuis sa conversion aux automobiles japonaises, il y a une quinzaine d'années, mon père ne sait plus ce que signifie l'expression «bris mécanique.» Et ça continue: après plus de 35 000 km, le dossier de son Altima 1998 demeure toujours vierge.

Mais il y a plus. Cet amateur de camping, qui possède une caravan depuis une vingtaine d'années, affirme n'avoir jamais eu une voiture à 4 cylindres aussi efficace pour tracter. À ces avantages pratico-pratiques s'ajoute un élément moins rationnel, disons: le paternel trouve l'Altima plus belle que l'Accord ou la Camry. Plus pondéré, son fils concède à tout le moins que sa silhouette est plus distincte que celle de ses deux rivales, qui manquent cruellement d'originalité.

Revue et améliorée pour l'an 2000

Même si elle se trouve au beau milieu de son cycle de vie, l'Altima reçoit cette année plusieurs retouches, esthétiques comme mécaniques, histoire de ne pas céder un pouce à la concurrence, très vive dans ce segment. Mais elles affectent davantage la forme que le fond, de sorte que les observations recueillies auprès de notre «essayeur invité» demeurent pertinentes. Parmi la soixantaine de modifications ou d'améliorations, une douzaine touchent la carrosserie dont les parties avant et arrière ont été redessinées. Mais le but premier de l'exercice était d'optimiser le raffinement de cette berline, comme en font foi les autres modifications, qui touchent principalement le confort, l'insonorisation et la réduction des vibrations. Dans le même ordre d'idées, les suspensions ont fait l'objet d'une révision.

Seule motorisation disponible, le 4 cylindres 16 soupapes DACT de 2,4 litres, qui niche sous le capot de l'Altima depuis sa naissance, voit sa puissance grimper de 5 petits chevaux, ce qui lui en fait désormais 155. Ce moteur est le compromis idéal pour ceux qui trouvent les 4 cylindres des Honda, Mazda et Toyota de la même

Nissan Altima

Pour

Qualité d'assemblage exemplaire • Mécanique compétente • Routière confortable • Complémentarité des versions • Fiabilité exceptionnelle

Contre

Radio moyenne • Tableau de bord terne • Boîte manuelle décevante • Direction et suspension guimauves (GXE) • Conduite placide (GXE)

Caractéristiques

Prix du modèle à l'essai:	GXE / 23 498 $
Garantie de base:	3 ans / 80 000 km
Type:	berline / traction
Empattement / Longueur:	262 cm / 466 cm
Largeur / Hauteur / Poids:	175 cm / 142 cm / 1335 kg
Coffre / Réservoir:	390 litres / 60 litres
Coussins de sécurité:	conducteur et passager
Suspension av. / arr.:	indépendante
Freins av. / arr.:	disque / tambour (ABS optionnel)
Système antipatinage:	non
Direction:	à crémaillère, assistance variable
Diamètre de braquage:	11,4 mètres
Pneus av. / arr.:	P195/65R15
Valeur de revente:	bonne

Motorisation et performances

Moteur / Transmission:	4L 2,4 litres / automatique 4 rapports
Puissance / Couple:	155 ch à 5600 tr/min / 156 lb-pi à 4400 tr/min
Autre(s) moteur(s):	aucun
Transmission optionnelle:	manuelle 5 rapports
Accélération 0-100 km/h:	11,3 secondes (150 ch)
Vitesse maximale:	185 km/h (limitée)
Freinage 100-0 km/h:	42,0 mètres
Consommation (100 km):	10,2 litres

Modèles concurrents

Chevrolet Malibu • Honda Accord • Mazda 626 • Toyota Camry • Subaru Legacy • VW Passat

Quoi de neuf?

Parties avant et arrière redessinées • Moteur 155 ch • Roues de 16 po de série (SE et GLE) • Suspensions révisées • Insonorisation accrue • Vibrations réduites

Verdict

Agrément	◐ ◐ ◖	Habitabilité	◐ ◐ ◐ ◐
Confort	◐ ◐ ◐ ◐	Hiver	◐ ◐ ◐
Fiabilité	◐ ◐ ◐ ◐	Sécurité	◐ ◐ ◐

catégorie trop timides, et leurs versions à moteurs V6 trop chères. Ceux qui font beaucoup de kilométrage apprécient également l'économie de carburant d'un 4 cylindres, ce qui est un autre point en faveur de l'Altima.

Par ailleurs, celle-ci se décline toujours en 4 versions: XE, GXE et GLE, en ordre hiérarchique croissant, et la SE, deux lettres qui désignent les livrées sportives chez Nissan. À l'exception de la plus cossue (GLE), elles reçoivent de série une boîte manuelle à 5 rapports, qui cache de plus en plus mal son âge vénérable. La boîte automatique effectue pour sa part du très bon boulot.

Effet thérapeutique

Pour avoir conduit à quelques reprises au cours de la dernière année l'Altima qui a servi de cobaye pour cet essai prolongé, j'ai été en mesure de constater chaque fois la qualité d'exécution qui prévaut à l'usine Nissan de Smyrna, au Tennessee, où est assemblée cette berline. Malgré ses deux années de service et son kilométrage, l'Altima paternelle pourrait très bien passer pour une voiture neuve. Sa conduite est toujours aussi fluide, les principaux organes mécaniques travaillant toujours en parfaite harmonie. Pas de fausses notes dans l'habitacle non plus, aucun cliquetis ou bruit de caisse quelconque ne s'étant manifesté. Et nous avons été pointilleux, puisque nous avons roulé la plupart du temps sans la radio. Ce qui est au demeurant préférable pour ceux qui ont de l'oreille, car la qualité sonore mérite la note de passage, sans plus. Les appareils offerts de série dans les japonaises de cette catégorie n'impressionnent d'ailleurs guère. Rien n'est parfait.

L'Altima ne l'est pas non plus: dans l'ensemble, elle manque un peu d'éclat à l'extérieur, mais surtout à l'intérieur, et son grand confort est inversement proportionnel à son agrément de conduite. Désolé, papa, mais il fallait que ça sorte... Mais pour une direction et une suspension plus fermes, il existe heureusement la SE qui attirera ceux qui désirent plus de sensations — au propre comme au figuré. Mais si vous êtes de ceux qui avez été traumatisés par des ennuis mécaniques à n'en plus finir et un service après-vente indécent, la Nissan Altima m'apparaît comme le remède tout désigné.

Philippe Laguë

397

Nissan Maxima

Nissan Maxima

Un changement profitable

La Maxima avait grand besoin de transformations. Ce n'était pas une mauvaise voiture en soi, mais elle avait de plus en plus de difficultés à suivre la concurrence. N'eût été de son formidable moteur V6, l'un des meilleurs sur le marché, cette berline aurait connu de sérieuses difficultés. D'ailleurs, elle a participé l'an dernier à l'un de nos matchs comparatifs et les résultats ont confirmé qu'elle avait fait son temps. Comme l'a souligné Jacques Duval dans ses commentaires d'alors, il s'agissait «d'une bonne voiture qui avait mal vieilli».

Ce n'est donc pas par caprice que la direction de Nissan a décidé de rajeunir la plus grosse de ses berlines. Elle ne s'est pas contentée non plus de dépoussiérer la carrosserie et d'y ajouter quelques fioritures. Les organes mécaniques sont plus ou moins les mêmes, mais le changement de personnalité est plus important qu'on serait porté à le croire.

Son arrière fait jaser

Selon le coloré Jerry Hirshberg, président de Nissan Design International, ses stylistes ont concentré leurs efforts sur l'arrière car, selon ce dernier, «c'est cette partie que la plupart des gens vont voir. Car ils ne seront pas capables de doubler la Maxima».

Ces remarques sont humoristiques, mais il n'en demeure pas moins que c'est l'arrière-train de la Maxima qui soulève le plus de discussions. Jugeant que la version précédente manquait de piquant et passait pour un «char de mon'oncle», Hirshberg et son équipe ont voulu donner à la Maxima une allure s'harmo-

nisant davantage avec le caractère plus sportif de cette nouvelle version.

Il est d'ailleurs impossible de ne pas trouver que l'arrière possède un p'tit quelque chose de différent. La partie centrale plane est emprisonnée entre un déflecteur intégré dans le couvercle de la malle arrière et le pare-chocs. Elle est délimitée aux extrémités par des phares triangulaires inclinés sur le côté.

Cette présentation est loin de faire l'unanimité. Certains y trouvent une ressemblance avec la nouvelle Chrysler Neon, d'autres considèrent que cette présentation est intéressante tandis que plusieurs ne sont pas convaincus de la pertinence du design.

Les autres éléments de la carrosserie montrent moins d'audace dans le dessin. Les tôles des parois latérales sont plus tendues et la partie avant tout en douceur avec un pare-chocs intégré assure une présentation plus fluide. Des phares antibrouillards incorporés, des blocs optiques aérodynamiques de même que la grille de calandre affleurante permettent aussi de caractériser la nouvelle Maxima.

Sans tout bouleverser sur son passage, cette présentation est certainement plus inspirante que celle qu'offrait le modèle précédent. Toutefois, sans vouloir offenser Hirshberg et son équipe, précisons que cette Maxima du dernier cru n'est pas le pôle d'attraction visuel espéré. Au cours d'un voyage de plus d'une semaine en Californie au volant d'une Maxima, je n'ai vu personne s'intéresser à sa silhouette ou même se retourner sur son passage. Peut-être que les Californiens se contentaient d'admirer son beau derrière!

Le tableau de bord a subi toute une transformation. Jadis terne comme c'est pas possible, la planche de bord voit les surfaces planes et les rondeurs alterner pour créer plus de contrastes. La partie centrale en relief abrite toutes les commandes des systèmes audio et de climatisation. Les gros cadrans indicateurs sont faciles à manipuler. Plusieurs modèles sont équipés de cadrans à chiffres noirs sur fond blanc dont les couleurs s'inversent en conduite de nuit afin de faciliter leur lecture.

Les places arrière généreuses offrent un dégagement pour les jambes excellent, sans doute en raison du fait que l'empattement a été allongé de 5 cm. En fait, cette nouvelle Maxima est plus longue de 2,8 cm, plus large de 1,5 cm et plus haute de 2 cm. L'habitacle est donc de dimensions plus généreuses. Et pour améliorer encore le confort, on a modifié les sièges avant.

L'adoption de tissus, de plastiques et de moquettes de meilleure qualité est à mentionner. L'une des lacunes du modèle précédent était justement la présentation bon marché de l'habitacle qui venait gommer en partie l'impression favorable que procurait la conduite de la Maxima. Cette fois, c'est beaucoup mieux.

Un gain de 32 chevaux

Dans le passé, le point fort de la Maxima était son magnifique moteur V6 de 3,0 litres dont les 190 chevaux ne se faisaient pas prier pour passer à l'action. Les ingénieurs ont trouvé le moyen d'en obtenir 32 de plus. Avec 222 chevaux, il est facile de retrancher 1,5 seconde au temps nécessaire pour boucler le 0-100 km/h. Cette puissance supplémentaire a été obtenue grâce à la combinaison de plusieurs éléments, entre autres de nouveaux collecteurs d'admission d'air, des tuyaux d'échappement de longueur égale et un nouveau pot d'échappement emprunté à la Skyline GT-R, non vendue ici. Ce silencieux est muni d'une soupape utilisant un matériau emprunté à l'aérospatiale. Cette soupape s'ouvre à 3000 tr/min afin de diminuer la pression des gaz. Ce V6 est également pourvu d'une nouvelle boîte d'admission d'air, d'un radiateur plus gros et d'un nouveau ventilateur.

Comme le modèle précédent, la Maxima peut être commandée avec une boîte de vitesses manuelle à 5 rapports ou une boîte automatique à 4 rapports. Les deux ont été modifiées en raison du surplus de puissance et de couple du moteur.

Si la même plate-forme est utilisée, elle a été améliorée de plusieurs façons. Sa rigidité est supérieure et la suspension arrière Multi Link Beam a été remaniée. La poutre rigide est de retour, mais les liens de retenue ont été placés derrière la poutre. Cela diminue la déflexion des roues arrière dans les virages, assurant ainsi une meilleure stabilité. La suspension avant est toujours à jambes de force MacPherson. Toutes les Maxima sont livrées avec des freins à disque aux 4 roues reliés à un système ABS. L'antipatinage est de série avec les modèles équipés d'une boîte automatique.

Elle s'adapte à tout

D'heureuses circonstances m'ont permis de parcourir plus de 2000 km en quelques jours au volant d'une Maxima 2000. Au premier contact, ce millésime semble être une version améliorée de la génération précédente, mais sans plus. La carrosserie a gagné en élégance, le moteur est plus nerveux et le comportement routier sans histoire. Pourtant, au fil des kilomètres, les bonnes manières de cette Nissan et son caractère polyvalent m'ont impressionné.

Le fait qu'il s'agit d'une berline plus sportive qu'auparavant me faisait appréhender une suspension plus ferme et un confort à la baisse. Pourtant, j'ai découvert tout le contraire. Grâce à la révision

de la géométrie de la suspension et à une caisse plus rigide permettant d'assouplir les ressorts des amortisseurs, non seulement le confort mais aussi la tenue de route se sont améliorés. Il n'y a que lorsque la chaussée est en fort mauvais état qu'on détecte la pré-

Infiniti I30, la version grand luxe de la Maxima.

Nissan Maxima

Pour

Moteur V6 performant • Sièges avant confortables • Habitacle spacieux • Faible consommation de carburant • Version SE plus sportive

Contre

Silhouette contestée • Suspension sèche (SE) • Reprises perfectibles à bas régime • Phares de route très moyens • Pneumatiques de la GXE inadéquats

Caractéristiques

Prix du modèle à l'essai:	GXE / 32 650 $
Garantie de base:	3 ans / 60 000 km
Type:	berline / traction
Empattement / Longueur:	275 cm / 484 cm
Largeur / Hauteur / Poids:	179 cm / 143 cm / 1473 kg
Coffre / Réservoir:	428 litres / 70 litres
Coussins de sécurité:	conducteur et passager
Suspension av. / arr.:	indépendante / essieu rigide
Freins av. / arr.:	disque ABS
Système antipatinage:	oui
Direction:	à crémaillère, assistance variable
Diamètre de braquage:	10,8 mètres
Pneus av. / arr.:	P215/55R16
Valeur de revente:	nouveau modèle

Motorisation et performances

Moteur / Transmission:	V6 3,0 litres / automatique 4 rapports
Puissance / Couple:	222 ch à 6400 tr/min / 217 lb-pi à 4000 tr/min
Autre(s) moteur(s):	aucun
Transmission optionnelle:	manuelle 5 rapports
Accélération 0-100 km/h:	7,3 secondes; 8,0 secondes
Vitesse maximale:	195 km/h
Freinage 100-0 km/h:	38,7 mètres
Consommation (100 km):	10,2 litres; 9,7 litres

Modèles concurrents

Toyota Camry • Acura TL • Buick Regal • Ford Taurus • Mazda Millenia • Honda Accord V6 • VW Passat V6

Quoi de neuf?

Nouveau modèle

Verdict

Agrément	⊕ ⊕ ⊕ ◔	Habitabilité	⊕ ⊕ ⊕ ⊕ ⊕
Confort	⊕ ⊕ ⊕ ⊕ ◔	Hiver	⊕ ⊕ ⊕ ⊕
Fiabilité	⊕ ⊕ ⊕ ⊕ ◔	Sécurité	⊕ ⊕ ⊕ ⊕ ⊕

sence de l'essieu arrière rigide. À cette exception près, cette Maxima est plus confortable et plus agréable à conduire que le modèle qu'elle remplace.

Sur la grand-route, elle adopte sans trop rechigner un comportement de petite-bourgeoise sans histoire qui nous amène à bon port sans ennuis. Ses sièges avant soutiennent bien latéralement et s'avèrent même très confortables au fil des kilomètres. L'insonorisation est adéquate et la sonorité du lecteur de disques compacts, très honnête. Bref, le comportement de la Maxima sera apprécié lors des déplacements de plusieurs heures. Elle est également à l'aise dans la circulation.

Elle adopte cependant une tout autre personnalité lorsqu'on la pousse à la limite sur les routes sinueuses ou en piste. Sa tenue de route impressionne et les 222 chevaux du moteur peuvent alors s'exprimer. Sans être ultrasportive, la nouvelle Maxima se montre capable de tenir la dragée haute à bien des concurrentes.

Une évolution bien réussie.

Silhouette contestée

Chez Nissan, on est persuadé que le fait d'adopter une silhouette plus audacieuse permettra aux gens de percevoir la Maxima d'une autre façon. À voir le peu de réactions que cette nouvelle silhouette a provoquées chez les Californiens, il est heureux que cette berline ait également subi d'intéressantes modifications en ce qui concerne la tenue de route, les performances et l'agrément de conduite. Et si les modèles GXE, le plus abordable, et GLE, le plus luxueux, ne vous conviennent pas, le SE pourra être votre choix. Avec sa suspension plus rigide, ses roues de 16 pouces, son aileron arrière et plusieurs autres détails du même acabit, cette berline devrait plaire aux conducteurs plus sportifs.

La nouvelle Maxima pourrait être plus excitante à admirer, son habitacle plus dynamique et son agrément de conduite plus relevé, j'en conviens. Mais elle possède un équilibre intrinsèque qui lui permet de se montrer à la hauteur dans presque toutes les circonstances, ce que peu d'autres berlines de cette catégorie et de ce prix sont en mesure de faire.

Denis Duquet

Nissan Pathfinder • Infiniti QX4

Nissan Pathfinder

Les exigences du succès

Jusqu'à tout récemment, le Pathfinder était le modèle le plus vendu de Nissan Canada. Cette donnée témoigne de la popularité de cet utilitaire sport et de la faiblesse des ventes des autres produits. Dans le cadre d'une réorganisation de sa gamme, la compagnie n'a pas pris le risque de laisser l'un de ses best-sellers sans améliorations alors que cette catégorie est en marche avant accélérée depuis des mois.

Le Pathfinder a donc droit aux honneurs d'une révision essentiellement esthétique même si plusieurs organes mécaniques ont été modifiés par la même occasion. En fait, le changement majeur est la transformation de toute la partie située avant le pilier A. Le capot tout nouveau affiche un renflement plat au centre. Il surplombe une calandre nettement moins rétro que la précédente, qui comprend une ouverture plus grande cerclée de chrome et traversée de part en part par une barre transversale servant d'ancrage en son milieu à l'écusson Nissan. Mais la transformation qui saute le plus aux yeux est la présence d'un pare-chocs beaucoup plus massif qui ressemble d'assez près à celui de l'Infiniti QX4. Ces modifications ne se limitent pas à la partie avant. Le hayon remodelé est encadré par de nouveaux feux arrière. Le pare-chocs est également tout nouveau. À cela s'ajoutent des parois latérales dotées d'une sculpture plus profonde. Les ouvertures de roues sont plus évasées et les phares avant plus aérodynamiques.

Grâce à cette opération de chirurgie esthétique réussie, le Pathfinder aura plus de facilité à masquer son âge en comparaison avec le nouvel Xterra et l'Infiniti QX4. Reste à savoir si les propriétaires de QX4 vont apprécier cette similitude.

Amélioré de partout

Plusieurs améliorations mécaniques accompagnent cette présentation renouvelée. Le moteur 3,3 litres développe maintenant 170 chevaux, soit 2 de plus que précédemment. Par contre, sa consommation se révèle moins importante et ses gaz d'échappement moins polluants. Des roues de 16 pouces équipent tous les modèles tandis que de nouveaux amortisseurs arrière promettent un meilleur confort. L'insonorisation est plus poussée et on a utilisé des matériaux différents pour les sièges. Il faut également souligner une multitude d'améliorations au tableau de bord, qu'il s'agisse de nouveaux cadrans indicateurs ou de commandes plus faciles à opérer.

Tous ces changements ont pour effet de rendre la conduite du Pathfinder 2000 plus agréable. Il est vrai que la présentation extérieure n'y contribue nullement, mais il est certain que la révision de la suspension, l'insonorisation plus poussée et un tas de petits détails s'accumulent pour faire une différence appréciable.

Infiniti QX4: une approche sensée

Depuis l'entrée en scène du QX4 sur notre marché, Infiniti a décidé de jouer la carte du prix attrayant, puisque cet utilitaire sport de luxe se vend toujours des milliers de dollars moins cher que ses concurrents. Pour cette somme, vous obtenez un véhicule complètement équipé doté de sièges en cuir, d'un climatiseur, d'une boîte de vitesses automatique à 4 rapports, d'un tableau de bord avec appliques en bois, d'une boussole électronique, d'un lecteur de disques CD Bose et d'une foule d'autres accessoires généralement associés aux véhicules de grand luxe.

Nissan Pathfinder

Pour

Présentation extérieure plus moderne • Moteur V6 révisé • Habitacle plus cossu • Finition impeccable • Insonorisation améliorée

Contre

Pneumatiques moyens • Système 4X4 à temps partiel • Habitabilité moyenne • Moteur bruyant lorsque sollicité • Banquette arrière moyennement confortable

Caractéristiques

Prix du modèle à l'essai:	LE / 42 395 $
Garantie de base:	3 ans / 60 000 km
Type:	utilitaire sport / 4X4
Empattement / Longueur:	270 cm / 453 cm
Largeur / Hauteur / Poids:	184 cm / 172 cm / 1850 kg
Coffre / Réservoir:	1076 litres / 80 litres
Coussins de sécurité:	conducteur et passager
Suspension av. / arr.:	indépendante / essieu rigide
Freins av. / arr.:	disque / tambour ABS
Système antipatinage:	non
Direction:	à crémaillère, assistée
Diamètre de braquage:	11,4 mètres
Pneus av. / arr.:	P265/70R16
Valeur de revente:	bonne

Motorisation et performances

Moteur / Transmission:	V6 3,3 litres / automatique 4 rapports
Puissance / Couple:	170 ch à 5600 tr/min / 196 lb-pi à 4000 tr/min
Autre(s) moteur(s):	aucun
Transmission optionnelle:	aucune
Accélération 0-100 km/h:	10,8 secondes
Vitesse maximale:	165 km/h
Freinage 100-0 km/h:	44,0 mètres
Consommation (100 km):	14,5 litres

Modèles concurrents

Chevrolet Blazer • Ford Explorer • Jeep Cherokee • Jeep Grand Cherokee • Toyota 4Runner

Quoi de neuf?

Révisions à la carrosserie • Moteur plus puissant • Roues de 16 pouces • Retouches au tableau de bord

Verdict

Agrément	⊕⊕⊕	Habitabilité	⊕⊕⊕⊕
Confort	⊕⊕⊕⊕	Hiver	⊕⊕⊕⊕
Fiabilité	⊕⊕⊕⊕	Sécurité	⊕⊕⊕⊕

En plus, Infiniti propose en exclusivité sur ce tout-terrain un système de traction intégrale à commande électronique qui s'adapte constamment aux conditions de la chaussée. La répartition du couple aux roues avant/arrière est infiniment variable et le temps de réponse pratiquement nul. De plus, le conducteur peut choisir entre plusieurs modes: 2 roues motrices, répartition automatique du couple aux 4 roues ou 50/50 avec différentiel bloqué. Lorsque les conditions de conduite hors route l'exigent, un levier placé sur la console permet de passer en mode «4 LO». Toutes les personnes qui ont conduit un QX4 s'émerveillent de la sophistication et du temps de réaction pratiquement nul de cette intégrale. C'est d'ailleurs l'exclusivité du système All-Mode 4WD qui permet de démarquer le QX4 du Pathfinder à qui il emprunte tous ses autres organes mécaniques. Cette politique d'emprunt permet à cette Infiniti tout-terrain d'afficher un prix aussi compétitif malgré sa longue liste d'équipement régulier et sa présentation intérieure plus luxueuse.

Pas de V8

Ce respect du gros bon sens permet à plusieurs d'acheter un utilitaire sport de la catégorie «Prestige» sans nécessairement épuiser leurs réserves financières. Mais il ne faut pas croire qu'un prix de vente moins élevé soit la seule justification pour choisir le QX4. Son raffinement général de même que son comportement routier rassurant et une qualité d'assemblage impeccable sont autant d'arguments qui militent en sa faveur. Parmi les points négatifs, il faut souligner l'absence d'un moteur V8 sur un véhicule de cette catégorie et un sous-virage assez prononcé sur une route sinueuse abordée à haute vitesse.

Il s'agit toutefois de broutilles pour un véhicule qui mérite d'être connu pour être apprécié à sa juste valeur.

Denis Duquet

Nissan Quest

Nissan Quest

La carte de l'agilité

À quelques exceptions près, les véhicules qui connaissent du succès sont toujours victimes d'embonpoint, de hausse des prix et d'une course aux accessoires de luxe. La première fourgonnette de Chrysler en 1984 avait été conçue comme une option alternative à la familiale. De nos jours, son empattement a été allongé, l'équipement de série a été drôlement étoffé et les prix ont grimpé en flèche.

S i la compagnie Nissan avait été seule dans le projet de développement de la Quest, peut-être ce modèle serait-il devenu lui aussi plus long et plus gros tout en se vendant à un prix beaucoup plus élevé. Mais puisque la Quest est la jumelle de la Mercury Villager, elle a dû se plier à la vocation de cette dernière, une fourgonnette à empattement court, moins longue et moins grosse que la Windstar. Comme la Villager nous a quittés l'an dernier pour se cantonner sur le marché américain, cette Nissan cible les acheteurs à la recherche d'une fourgonnette ayant presque la même agilité qu'une automobile.

L'an dernier, cette américano-japonaise a été transformée tant sur le plan esthétique que mécanique. Plus élégante, plus puissante qu'auparavant, elle est pratiquement le seul modèle compact de la catégorie sur le marché canadien. Malgré tout, elle a pris un peu de coffre dans la transformation. Mais, bonne nouvelle, ses concepteurs ont résisté à la tentation de la grossir démesurément. On a allongé et élargi quelque peu, mais rien pour venir inquiéter une Windstar ou une Odyssey. La caisse est plus longue de 12 cm et plus large de 3 cm par rapport à la première génération. Cela permet d'obtenir un peu plus d'espace pour les occupants et une

soute à bagages légèrement plus spacieuse. Les responsables de l'aménagement intérieur ont également inventé une tablette amovible dans le compartiment arrière qui permet de mieux disposer les bagages. Cet accessoire évite d'avoir à empiler les objets les uns sur les autres avec tous les inconvénients que cela comporte. Il s'agit néanmoins d'un pis-aller qui ne réussit pas à compenser pour une soute à bagages qui devient très modeste lorsque toutes les places sont occupées et la banquette arrière reculée au maximum.

Banquette inédite

D'ailleurs, l'un des éléments les plus intéressants de cette Nissan est la présence de rails insérés dans le plancher qui permettent de régler l'emplacement de la banquette arrière presque à l'infini. En fait, la meilleure utilisation qu'on puisse faire de la Quest est de profiter de cette banquette Quest Trac très facile à régler. Celle-ci s'avère très confortable lorsque les sièges médians sont enlevés et la banquette placée en position limousine. On obtient alors plus d'espace pour les bagages et les passagers arrière profitent de beaucoup de dégagement pour les jambes. Soulignons au passage que l'accès aux places arrière est facilité par la présence de deux portes coulissantes. La Quest a en effet été obligée de suivre la parade en 1999 en se payant une porte coulissante arrière gauche.

On a toujours l'impression d'être à l'étroit dans l'habitacle. Les dimensions plus généreuses de la caisse ont amélioré les choses, mais le résultat est toujours un peu juste. L'un des coupables est le tableau de bord situé trop près du conducteur. Cette année, on l'a reculé de quelques centimètres; on a aussi amélioré sa présenta-

Nissan Quest

Pour

Agréable à conduire • Caisse rigide • Banquette arrière sur rail • Tablette de rangement modulaire • Insonorisation améliorée

Contre

Habitabilité moyenne • Moteur un peu juste • Tableau de bord peu inspirant • Silhouette trop discrète Soute à bagages modeste

Caractéristiques

Prix du modèle à l'essai:	GXE / 33 595 $
Garantie de base:	3 ans / 60 000 km
Type:	fourgonnette / traction
Empattement / Longueur:	285 cm / 495 cm
Largeur / Hauteur / Poids:	190 cm / 170 cm / 2015 kg
Coffre / Réservoir:	de 405 à 3889 litres / 75 litres
Coussins de sécurité:	conducteur et passager
Suspension av. / arr.:	indépendante / essieu rigide
Freins av. / arr.:	disque ABS / tambour ABS
Système antipatinage:	non
Direction:	à crémaillère, assistée
Diamètre de braquage:	11,8 mètres
Pneus av. / arr.:	P225/60R16
Valeur de revente:	moyenne

Motorisation et performances

Moteur / Transmission:	V6 3,3 litres / automatique 4 rapports
Puissance / Couple:	170 ch à 4800 tr/min / 200 lb-pi à 4400 tr/min
Autre(s) moteur(s):	aucun
Transmission optionnelle:	aucune
Accélération 0-100 km/h:	11,2 secondes
Vitesse maximale:	175 km/h
Freinage 100-0 km/h:	40,8 mètres
Consommation (100 km):	13,8 litres

Modèles concurrents

Chevrolet Venture • Pontiac Trans Sport • Oldsmobile Silhouette • Honda Odyssey • Toyota Sienna • Ford Windstar • Mazda MPV • Chrysler Caravan

Quoi de neuf?

Aucun changement majeur

Verdict

Agrément	☺ ☺ ☺		Habitabilité	☺ ☺ ☺ ☺
Confort	☺ ☺ ☺ ☺		Hiver	☺ ☺ ☺ ☺
Fiabilité	☺ ☺ ☺ ☺		Sécurité	☺ ☺ ☺

tion et rendu la plupart des commandes plus accessibles. Malgré tout, ce tableau de bord empiète sur mon espace vital.

Contrairement à la plupart des autres produits Nissan, la Quest ne dégage pas une impression d'assemblage soigné et de qualité des matériaux. Mais peut-être est-ce mon subconscient qui me fait imaginer des choses, compte tenu qu'elle est assemblée par Ford dans une usine de l'Ohio...

Améliorée, mais...

Si ce modèle est manufacturé par Ford, son développement et sa mise au point ont été confiés aux ingénieurs de Nissan établis au Centre de recherche et de développement de Farmington Hills, au Michigan. Le V6 de 3,3 litres développant 170 chevaux est d'ailleurs le même que celui qui ronronne sous le capot des camionnettes Frontier et du tout-terrain Xterra. Curieusement, il semble mieux adapté à ces deux modèles. Dans la fourgonnette, il se montre plus grognon et s'essouffle plus rapidement.

Un juste milieu un peu terne.

Cette mécanique robuste s'associe à une caisse rigide et à une suspension bien calibrée pour offrir un agrément de conduite correct. La suspension avant s'est débarrassée des sautillements sur mauvaise route qui l'affligeaient. La direction plus précise se révèle d'une assistance mieux dosée que jamais. Enfin, conduire la Quest sur une route sinueuse permet de constater que son côté «voiture» s'est amélioré. Et il est certain que ses dimensions compactes sont un atout dans la circulation urbaine.

Plus sophistiquée et plus raffinée depuis l'an dernier, la Nissan Quest ne provoque quand même pas cette petite étincelle qui fait craquer les gens. Elle effectue sans problème tout ce qu'on lui demande, mais son côté un peu trop utilitaire gomme sérieusement l'agrément de conduite.

Elle intègre malgré tout un ensemble de qualités uniques qui devraient lui permettre d'intéresser une clientèle à la recherche d'une fourgonnette qui tente justement de faire oublier qu'elle est une fourgonnette.

Denis Duquet

Nissan Sentra

Nissan Sentra

Les hauts et les bas de l'anonymat

Après avoir connu ses heures de gloire au cours de la décennie précédente, en raison de sa fiabilité exceptionnelle, la Nissan Sentra a vu ses ventes piquer du nez, comme quoi une excellente réputation ne suffit pas. Cette berline compacte est aussi déprimante à conduire qu'à regarder et ce manque de charisme semble avoir atteint son paroxysme depuis la dernière refonte, qui date de 1995. Mais l'arrivée de la SE, l'année dernière, est venue essuyer les plâtres.

En attendant la prochaine génération, dont l'entrée en scène est prévue pour le printemps prochain, Nissan a essayé de redresser la barre en proposant une version plus épicée de la Sentra, réservée jusque-là au seul marché américain. Mue par le même 4 cylindres de 2,0 litres qu'on retrouve sous le capot de l'Infiniti G20, elle porte la désignation SE, comme les livrées sportives de ses grandes sœurs que sont l'Altima et la Maxima.

Extérieurement, elle se distingue par les accessoires inhérents à ce type de voiture, soit les phares antibrouillards, les moulures de bas de caisse et les incontournables déflecteurs. Ils rehaussent de façon significative l'apparence de cette terne berline, comme quoi il suffit de peu de choses, parfois... Le même constat vaut pour la présentation intérieure, à laquelle les cadrans à fond blanc du tableau de bord et une décoration plus sportive donnent fière allure. Rien à voir avec une Sentra de base, dont la tristesse de l'aménagement peut causer le même spleen qu'un dimanche après-midi pluvieux...

À côté de ça, l'habitacle d'une SE fait plutôt joyeux et permet d'apprécier à leur juste valeur l'assemblage rigoureux et les maté-

riaux qui respirent la qualité. Une finition de premier ordre, qui respecte en tout point les standards qui ont forgé la réputation de l'industrie automobile japonaise. Mais il y a des constructeurs qui font du meilleur travail que d'autres, et Nissan est de ceux-là.

À l'avant, les baquets sont aussi enveloppants que confortables, de sorte qu'ils récolteront autant de louanges de la part des conducteurs sportifs que des grands voyageurs. L'habitabilité est un autre point fort de cette berline, qui peut accueillir 5 adultes sans problème. En hauteur comme en largeur, le dégagement ne manque pas, et il y a de l'espace pour les jambes. La banquette arrière offre un confort honnête, mais il ne faut pas s'attendre à être aussi bien installé qu'à l'avant. Par contre, elle peut s'incliner, augmentant ainsi la capacité de chargement d'un coffre arrière déjà généreux.

L'habit fait le moine

Mais c'est sur la route que la Sentra SE réserve ses meilleures surprises. Dans sa tenue sportive, cette berline a de l'aplomb: la tenue de cap et la stabilité directionnelle impressionnent, tout comme son mordant dans les virages. Cette fois, l'habit fait le moine, car son allure plus agressive est le reflet de son tempérament. Seul le freinage ne se montre pas à la hauteur, car il manque à la fois de puissance et d'endurance. En revanche, la voiture garde sa trajectoire lors d'arrêts brusques.

Le rendement de la direction et de la suspension méritent également d'être soulignés. La première brille par sa rapidité et sa précision, tandis que la seconde est un exemple d'équilibre, conférant ainsi à cette berline sport un comportement relevé et un confort

Nissan Sentra 2001

Nissan Sentra

Pour

Assemblage rigoureux • Présentation intérieure (SE) • Sièges confortables • Habitacle spacieux • Comportement relevé (SE)

Contre

Silhouette anonyme • Boîte manuelle désuète • Moteur bruyant • Manque de charisme (XE et GXE) • Modèle en fin de carrière

Caractéristiques

Prix du modèle à l'essai:	SE Limited / 21 998 $
Garantie de base:	3 ans / 80 000 km
Type:	berline / traction
Empattement / Longueur:	253 cm / 434 cm
Largeur / Hauteur / Poids:	169 cm / 138 cm / 1188 kg
Coffre / Réservoir:	303 litres / 50 litres
Coussins de sécurité:	conducteur et passager
Suspension av. / arr.:	indépendante / multibras
Freins av. / arr.:	disque ABS
Système antipatinage:	non
Direction:	à crémaillère, assistance variable
Diamètre de braquage:	10,4 mètres
Pneus av. / arr.:	P195/55R15
Valeur de revente:	passable

Motorisation et performances

Moteur / Transmission:	4L 2,0 litres / manuelle 5 rapports
Puissance / Couple:	140 ch à 6400 tr/min / 132 lb-pi à 4800 tr/min
Autre(s) moteur(s):	4L 1,6 litre 115 ch
Transmission optionnelle:	automatique 4 rapports
Accélération 0-100 km/h:	9,3 secondes; 11,9 secondes (auto.)
Vitesse maximale:	180 km/h (limitée électroniquement)
Freinage 100-0 km/h:	42,2 mètres
Consommation (100 km):	7,8 litres; 7,2 litres

Modèles concurrents

Chrysler Neon • Daewoo Nubira • Ford Focus • Honda Civic • Hyundai Elantra • Mazda Protegé • Saturn SL • Toyota Corolla

Quoi de neuf?

Nouveau modèle au printemps 2000

Verdict

Agrément	◔◔◔◖	
Confort	◔◔◔◖◔	
Fiabilité	◔◔◔◖	
Habitabilité	◔◔◔◔◖	
Hiver	◔◔◔◖	
Sécurité	◔◔◔◖	

appréciable. Ceux qui la trouvent trop ferme n'ont pas tort, mais ils n'ont qu'à se tourner vers l'une ou l'autre des deux versions, qui répondra davantage à leurs attentes. (Si vous savez lire entre les lignes, vous aurez compris que la version SE ne s'adresse pas à l'acheteur traditionnel d'une Sentra...)

Pourquoi payer plus cher?

De la fougue, on en trouve également sous le capot, gracieuseté d'un 4 cylindres 16 soupapes à double arbre à cames en tête, bon pour 140 chevaux. Celui-là même qui était monté dans le défunt coupé 200SX, un laideron dont la disparition est passée complètement inaperçue. Bruyant à haut régime, mou à bas régime, il offre ses meilleures performances lorsqu'on l'accouple à une boîte manuelle, comme c'est souvent le cas avec ces petits engins à haut rendement. Ce n'est pas qu'il manque de puissance, c'est juste qu'il commence à s'exprimer à partir de 4000 tr/min. Heureusement, il fait montre d'une belle élasticité. Sa plainte stridente est directement proportionnelle à ses montées en régime, mais l'illusion est trompeuse, car il est capable d'en prendre.

L'Infiniti du pauvre.

Ce qui vient quelque peu gâter la sauce, c'est le rendement décevant de la boîte manuelle, dont le levier manque de précision. En conduite sportive, cela peut causer les mauvaises surprises qu'on imagine: un surrégime, bien sûr, ou encore une voiture déséquilibrée pendant quelques secondes parce qu'elle s'est retrouvée au neutre, à cause d'un levier rébarbatif. Voilà qui est pour le moins enrageant et, à la rigueur, dangereux. Du reste, cette satanée transmission sévit chez Nissan depuis trop longtemps. Allez, hop, du balai!

Tout n'est pas parfait, mais l'agrément de conduite qu'assure la Sentra SE mérite néanmoins d'être souligné. On m'aurait dit que je pouvais avoir du plaisir à conduire cette fade japonaise que je ne l'aurais jamais cru; après tout, pour bon nombre de chroniqueurs automobiles, le nom Sentra rimait avec fiabilité, certes, mais aussi avec ennui... Or, du plaisir, j'en ai eu. À moteur égal, la Sentra SE m'apparaît même comme un achat plus logique que celui d'une Infiniti G20, plus chère. Le comportement de cette dernière est plus affûté, c'est vrai, mais cela ne suffit pas à justifier l'écart de prix.

Philippe Lagué

Nissan Xterra

Nissan Xterra

En plein dans le mille

Au cours des récents mois, chez Nissan, ce sont surtout les péripéties financières de la compagnie qui ont fait les manchettes. Le deuxième constructeur japonais connaissait des difficultés dans bien des marchés et une dette de plus de 30 milliards de dollars, tel un énorme boulet, l'entraînait inexorablement vers les abysses du désastre financier. L'alliance avec la compagnie Renault a permis de régler le problème en bonne partie et Nissan peut à nouveau se concentrer sur la production de véhicules moteurs.

Pendant que la direction jonglait avec les dettes et entretenait les pourparlers avec les banquiers, stylistes et ingénieurs planchaient très fort pour renouveler une gamme trop conservatrice dans son ensemble et souvent en retrait des goûts du public. Nissan a réussi à prendre les devants et dévoile pour le nouveau millénaire une brochette de modèles tous aussi inédits qu'intéressants.

Le nouvel utilitaire sport Xterra est à mon avis le produit qui reflète le plus cette audace de conception en parfaite harmonie avec les nouvelles tendances du marché. Non seulement cet utilitaire sport compact fait l'unanimité par sa silhouette plaisante, mais ses dimensions et ses caractéristiques techniques ont d'excellentes chances de combler les attentes de bien des clients. Et, contrairement à d'autres modèles fabriqués dans le passé, l'Xterra sera assez économique à produire puisqu'il utilise les éléments mécaniques d'un modèle déjà en production.

Juste ce qu'il faut!

Depuis plusieurs années déjà, les utilitaires sport ont la cote. Cette année, ce segment de l'industrie est celui qui connaît la plus forte croissance. En revanche, tous les analystes sont d'accord: le succès des modèles aux dimensions généreuses, animés par de gloutons moteurs V8, est menacé par la moindre fluctuation du marché de l'essence. Il est aussi permis de croire que trois ans derrière le volant d'un mastodonte devraient suffire pour inciter les gens à se tourner vers des solutions plus raisonnables.

D'ailleurs, plusieurs ont déjà compris, ce qui explique la popularité à la hausse des utilitaires sport compacts tels les Honda CR-V, Subaru Forester et Toyota RAV4. À l'exception des Suzuki Grand Vitara/Vitara et Chevrolet Tracker, tous ces modèles compacts sont des hybrides dérivés d'automobiles ne possédant pas nécessairement la robustesse et la puissance voulues pour rouler hors route. Nissan a donc décidé de proposer la solution du juste milieu: un utilitaire sport compact aux dimensions raisonnables élaboré à partir de la camionnette Frontier. Le châssis autonome assure la robustesse nécessaire tandis que le moteur V6 permet de compter sur une puissance suffisante.

D'ailleurs, à part quelques modifications de détail, la mécanique est entièrement empruntée au Frontier V6. Et puisque ce camion n'est sur le marché que depuis moins de deux ans, Nissan est assuré de pouvoir compter sur un produit moderne dont la fiabilité ne sera pas problématique. Soulignons au passage que le Frontier a obtenu plusieurs prix et certificats de mérite pour sa qualité initiale et sa fiabilité.

L'allure de l'emploi

Dans le passé, la compagnie Nissan a souvent exécuté des idées intéressantes de façon boiteuse. En général, les stylistes se tiraient dans le pied en demeurant trop conservateurs. Cette fois, l'Xterra possède l'allure macho qui sied bien à la catégorie tout en empruntant des allures purement utilitaires qui viennent s'inscrire dans la philosophie de l'école Bauhaus suivant laquelle la forme doit correspondre à la fonction.

Les dirigeants de Nissan voulaient que l'Xterra soit susceptible d'intéresser les jeunes et les gens actifs qui utilisent vraiment leur tout-terrain en hors route et pour pratiquer d'autres activités de plein air. À la surprise des chercheurs qui ont interrogé des gens qui fréquentaient des centres d'utilisation de tout-terrains, ils ont constaté que ces adeptes des sentiers défoncés conduisaient des camionnettes 4X4 ou des utilitaires de type YJ. Ils se refusaient à utiliser des utilitaires sport conventionnels. La raison: ils trouvaient ces véhicules trop luxueux et trop peu pratiques pour des gens actifs.

L'Xterra a donc été conçu pour ceux qui ont vraiment l'intention de rouler hors route et qui vont l'utiliser pour transporter leurs vélos, planche à neige et autres accessoires. Pour ce faire, le luxe a fait place au sens pratique. Le toit est surélevé dans la partie arrière afin d'offrir plus d'espace pour les bagages et un meilleur dégagement pour la tête aux occupants de la banquette arrière. À l'intérieur, les espaces de rangement foisonnent. D'ailleurs, le hayon possède même un renflement permettant de loger une trousse de premiers soins ou tout autre accessoire.

Cette vocation utilitaire se traduit également par le support de toit intégral qui fait partie de l'équipement régulier. Il comprend même un panier amovible avec des trous d'évacuation d'eau. On peut y ranger des vêtements souillés, des combinaisons de plongée sous-marine mouillées ou une foule d'autres objets. Un filet de protection permet aux accessoires qui y sont rangés de demeurer en place. Cet élégant support avec ses tubes en aluminium brossé assure la signature visuelle de ce véhicule. De plus, il permet de masquer la soudaine remontée du toit vers l'arrière. Détail intéressant, cet accessoire prétendument macho a été dessiné par une femme travaillant au département de design de Nissan en Californie. Bien entendu, il peut être équipé de différentes attaches afin de transporter une multitude d'objets allant du kayak aux skis en passant par les vélos.

Malgré sa vocation pratique, l'Xterra affiche une silhouette intéressante. Ses passages de roues élargis, son toit ascendant, son hayon arrière à lunette asymétrique et le renflement de la tôle constituent autant d'éléments visuels qui lui confèrent un caractère à part. Quant à l'habitacle, il est simple, bien ficelé et pratique, avec un tableau de bord semblable à celui du Frontier. Les sièges avant se révèlent confortables et fermes. La dossier arrière se rabat, non sans avoir enlevé le coussin. Cette solution n'est pas tellement ingénieuse. La seule explication peut être le désir de Nissan de réduire les coûts de fabrication. Malgré tout, les places arrière s'avèrent généreuses et confortables.

Une surprenante routière

Même si l'Xterra est censé être capable de tenir tête au légendaire Jeep Cherokee en conduite hors route, il faut souligner que ce Nissan en chaussures de randonnée pédestre se débrouille également fort bien sur la route. De prime abord, on serait porté à croire qu'il s'agit d'une version à cabine du Frontier 4 portes. Ce n'est pas tout à fait cela. En effet, non seulement l'Xterra est plus spacieux, mieux insono-

risé et plus confortable, mais il jouit d'un comportement routier supérieur. On le découvre plus stable dans les virages de même qu'en ligne droite. Et son essieu arrière ne sautille pas sur mauvaise route. Bref, c'est le genre d'utilitaire sport qui s'avère agréable à conduire. La

Nissan Xterra

Pour

Silhouette emballante • Comportement routier intéressant • Moteur bien adapté • Support de toit ingénieux • Espaces de rangement multiples

Contre

Frein d'urgence mal placé • Tableau de bord rétro • Banquette arrière sommaire • Rouage d'entraînement 4X4 à temps partiel • Marchepieds inutiles

Caractéristiques

Prix du modèle à l'essai:	30 995 $
Garantie de base:	3 ans / 60 000 km
Type:	utilitaire sport / 4X4
Empattement / Longueur:	265 cm / 452 cm
Largeur / Hauteur / Poids:	176 cm / 179 cm / 1785 kg
Coffre / Réservoir:	n.d. / 73,4 litres
Coussins de sécurité:	conducteur et passager
Suspension av. / arr.:	indépendante / essieu rigide
Freins av. / arr.:	disque ABS / tambour ABS
Système antipatinage:	non
Direction:	à billes, assistée
Diamètre de braquage:	11,8 mètres
Pneus av. / arr.:	P265/70R15
Valeur de revente:	nouveau modèle

Motorisation et performances

Moteur / Transmission:	V6 3,3 litres / manuelle 5 rapports
Puissance / Couple:	170 ch à 4800 tr/min / 200 lb-pi à 2800 tr/min
Autre(s) moteur(s):	4L 2,4 litres 143 ch
Transmission optionnelle:	automatique 4 rapports
Accélération 0-100 km/h:	10,1 secondes; 13,4 secondes (4L)
Vitesse maximale:	172 km/h
Freinage 100-0 km/h:	47,3 mètres
Consommation (100 km):	12,5 litres

Modèles concurrents

Jeep Cherokee • Suzuki Grand Vitara • Chevrolet Blazer/GMC Jimmy • Ford Explorer

Quoi de neuf?

Nouveau modèle

Verdict

Agrément	⊕ ⊕ ⊕ ⊕	Habitabilité	⊕ ⊕ ⊕ ⊕ ⊕
Confort	⊕ ⊕ ⊕ ⊕	Hiver	⊕ ⊕ ⊕ ⊕ ⊕ ⊄
Fiabilité	⊕ ⊕ ⊕ ⊕	Sécurité	⊕ ⊕ ⊕ ⊄

course du levier de vitesses de la boîte manuelle n'est pas aussi précise et courte que celle d'une voiture de tourisme, mais le résultat est quand même acceptable pour la catégorie.

Certains spécialistes ont critiqué la décision de Nissan de placer le pneu de secours sous le véhicule et d'utiliser des marchepieds en affirmant que l'Xterra sera handicapé par ces éléments en conduite hors route. C'est peut-être vrai si vous voulez vous perdre dans les forêts tropicales, mais dans pratiquement 99 p. 100 des situations, ce Nissan se révèle agile, costaud tout en étant capable de grimper des pentes abruptes. Précisons que des plaques de protection du moteur et du réservoir de carburant font partie de l'équipement de série.

Cette fois, Nissan a visé juste.

Le moteur V6 de 3,3 litres de 170 chevaux, bien adapté, s'avère suffisamment puissant pour affronter la majorité des conditions difficiles hors route. Le rouage d'entraînement 4X4 est de type partiel et les crabots avant à engagement automatique. Dans le cadre de la présentation du modèle, l'Xterra s'est tiré avec honneur des exercices que nous lui avons imposés dans un parc spécialement réservé aux utilitaires sport.

En résumé, Nissan a vraiment eu la main heureuse dans la conception et la réalisation de l'Xterra. Pour une fois, il s'agit d'un utilitaire sport destiné à être utilisé comme tel par des gens actifs et non par des personnes désireuses de se rendre au travail un matin de tempête de neige.

Nissan fait appel à la recette du Jeep Cherokee, lui aussi un véhicule simple, robuste et polyvalent. Toutefois, l'Xterra se révèle plus confortable et plus moderne. De plus, son groupe propulseur est mieux adapté aux besoins actuels et il offre des places arrière plus spacieuses.

L'Xterra devrait permettre au constructeur nippon de devenir un joueur d'importance dans la catégorie des utilitaires sport compacts. Sa personnalité marquée inquiétera sans doute bien des concurrents. Et si jamais le public se lasse des gros véhicules utilitaires sport, ce modèle devrait s'en tirer sans trop de mal. Reste au département de marketing de Nissan à trouver l'approche qui permettra de convaincre le public des qualités de l'Xterra.

Denis Duquet

Oldsmobile Alero

Oldsmobile Alero berline

Jamais deux sans trois

La reconversion d'Oldsmobile à des voitures un peu plus relevées et exclusives que celles des autres divisions de General Motors va bon train. Après l'Aurora de 1995 qui est venue donner le ton à ce vent de renouveau, l'Intrigue s'est inscrite au catalogue il y a maintenant trois ans pour être suivie l'an dernier de l'Alero, une grande compacte proposée aussi en version coupé.

L e point commun entre ces voitures est non seulement d'être issues de la même marque, mais principalement de mettre de l'avant un style plus épuré que ce à quoi GM nous a habitués dans le passé.

On a aussi voulu inculquer à ces voitures un soupçon d'agrément de conduite afin de courtiser la jeune clientèle qui lorgne plus souvent du côté de la production européenne. Ce n'est pas la révolution, mais il faut avouer que l'effort est louable et le résultat plutôt bon. L'Alero 4 portes mise à l'essai n'affichait aucun vice majeur, si ce n'est la dureté du rembourrage des sièges. On a vraiment l'impression d'être assis sur un banc de parc. Curieusement, ce problème n'était pas aussi marqué dans la version coupé.

Les deux modèles sont proposés en trois versions (GL, GLS et GX) avec un choix de deux moteurs: un 4 cylindres en ligne de 2,4 litres et 150 chevaux et le V6 3,4 litres de 170 chevaux qui équipait la GL qui m'a été confiée. Le groupe propulseur est complété par une transmission automatique à 4 rapports, mais avec le moteur 4 cylindres, on peut desormais commander une boîte manuelle à 5 rapports.

Vendue autour de 25 000 $, l'Alero se situe tant au point de vue format que prix dans la même catégorie qu'une Honda Accord ou une Nissan Altima. Elle est aussi proche parente de la Pontiac Grand Am avec laquelle elle partage sa plate-forme et la grande majorité de ses organes mécaniques. Ce modèle récent, dont le patronyme était inconnu il y a un an à peine, est-il suffisamment attrayant pour éclipser ses principaux concurrents?

Au jeu des comparaisons

Même si les goûts restent une affaire personnelle, force est d'admettre que l'Alero est peut-être la plus jolie des trois berlines précitées. Au strict plan des performances, elle possède un rapport poids/puissance quasi identique à celui de ses rivales, ce qui fait pencher la balance en sa faveur si les comparaisons s'arrêtent là. De nombreux autres critères toutefois permettent de départager nos protagonistes. Ainsi, si le moteur V6 de l'Alero se défend bien à l'épreuve du chronomètre et à la pompe à essence, on ne peut s'empêcher de noter un temps de réponse agaçant à l'accélération causé par une pédale dont l'action est un peu floue. Chez General Motors, les transmissions automatiques sont particulièrement bien rodées et celle de notre Oldsmobile ne faisait pas exception à la règle. Le pommeau du levier toutefois était inutilement massif, au point d'être gênant au moment de manipuler les commandes de la climatisation.

En matière de comportement routier, l'Alero se tire merveilleusement bien d'affaire, en partie grâce à ses pneumatiques assez costauds, des Touring TA B.G. Goodrich P215/60R15. La clientèle habituelle de la marque risque d'être incommodée par la suspension relativement ferme qui est pourtant à l'origine d'une tenue de route neutre et très rassurante. Les pneus d'hiver montés sur notre voiture d'essai étaient un peu bruyants dans les virages négociés rapidement sur pavé sec.

Oldsmobile Alero

Pour

Bon moteur • Transmission automatique au point • Comportement routier agréable • Style épuré • Carrosserie solide

Contre

Suspension ferme • Places arrière inconfortables • Sièges avant durs • Coffre étroit

Caractéristiques

Prix du modèle à l'essai:	GL / 25 995 $
Garantie de base:	3 ans / 60 000 km
Type:	berline / traction
Empattement / Longueur:	272 cm / 474 cm
Largeur / Hauteur / Poids:	178 cm / 138 cm / 1406 kg
Coffre / Réservoir:	326 litres / 56 litres
Coussins de sécurité:	conducteur et passager
Suspension av. / arr.:	indépendante
Freins av. / arr.:	disque ABS
Système antipatinage:	oui
Direction:	à crémaillère, assistance variable
Diamètre de braquage:	10,9 mètres
Pneus av. / arr.:	P215/60R15
Valeur de revente:	moyenne

Motorisation et performances

Moteur / Transmission:	V6 3,4 litres / automatique 4 rapports
Puissance / Couple:	170 ch à 4800 tr/min / 200 lb-pi à 4000 tr/min
Autre(s) moteur(s):	4L 2,4 litres 150 ch
Transmission optionnelle:	manuelle 5 rapports (4L)
Accélération 0-100 km/h:	9,2 secondes
Vitesse maximale:	195 km/h
Freinage 100-0 km/h:	41,0 mètres
Consommation (100 km):	11,0 litres

Modèles concurrents

Chrysler Cirrus • Ford Contour • Nissan Altima • Honda Accord

Quoi de neuf?

Boîte manuelle de série (4L) • Ancrage pour siège d'enfant

Verdict

Agrément	⊕ ⊕ ⊕ ⏾	Habitabilité ⊕ ⊕ ⊕ ⏾
Confort	⊕ ⊕	Hiver ⊕ ⊕ ⊕ ⏾
Fiabilité	⊕ ⊕ ⊕	Sécurité ⊕ ⊕ ⊕ ⊕

Sur des routes glissantes, la présence en équipement de série de freins antiblocage et d'un système antipatinage des roues motrices donne de bonnes aptitudes hivernales à l'Alero. Le freinage gagnerait cependant à être un peu plus endurant en utilisation intensive.

Le volant n'est pas indûment secoué par le couple moteur et la direction elle-même donne une bonne sensation de la route tout en réagissant assez rapidement. La rigidité de la caisse, la nouvelle marotte des constructeurs automobiles depuis quelques années, est assez soignée dans l'Alero même si d'occasionnels grincements au tableau de bord assombrissent un peu le bilan global à ce chapitre.

Une question d'espace

Assez agréable à conduire, cette Oldsmobile souffre d'un aménagement intérieur et d'une habitabilité perfectibles. L'inconfort des sièges avant se répète à l'arrière où la banquette très basse vous oblige à vous asseoir avec les genoux au niveau des hanches. Cette astuce avait visiblement pour but de donner un meilleur dégagement pour la tête, mais des passagers de taille moyenne se retrouveront néanmoins le crâne vissé dans la lunette arrière. Et malheur à l'occupant de la place centrale qui aura l'impression d'être assis sur un madrier 2"X 4", tellement le rembourrage y fait défaut.

Pour agrandir un coffre où les passages de roue empiètent passablement sur le volume utile, le dossier de la banquette arrière peut être rabattu en deux sections. Le conducteur est bien servi par les espaces de rangement dans les portières et sur la console centrale. Et la lunette arrière inclinée qui nuit à l'habitabilité a son bon côté sur le plan de la visibilité. Quant au tableau de bord, c'est une affaire de goût. Certains risquent de le trouver tarabiscoté, alors que d'autres lui accorderont une certaine originalité.

Un peu comme la Pontiac Grand Am dont elle est issue, l'Oldsmobile Alero fait tout ce qu'elle doit faire convenablement sans se démarquer dans un domaine ou un autre. Est-ce suffisant pour ravir des acheteurs aux marques concurrentes? Chose certaine, elle s'inscrit parfaitement dans le plan d'Oldsmobile d'offrir des voitures moins généralistes que les autres marques du conglomérat General Motors.

En panne de confort.

Jacques Duval

Oldsmobile Intrigue

Ce que GM fait de mieux

Petit à petit, la décadente société General Motors retrouve son erre d'aller. Si certaines voitures laissent encore à désirer, un nombre grandissant de modèles méritent notre attention. Longtemps laissés pour compte, les produits GM refont surface et, dans certains cas, réussissent à éclipser la concurrence. C'est le cas de l'Oldsmobile Intrigue qui, avec son nouveau moteur V6 de 3,5 litres, se hisse devant ses rivales de chez Ford (Taurus) et Daimler-Chrysler (Intrepid).

L'an dernier, le *Guide de l'auto* avait organisé un match comparatif mettant aux prises les trois intermédiaires de la production nord-américaine. La représentante de Chrysler avait terminé première, mais par une très faible marge devant la Pontiac Grand Prix. Et nous avions conclu en précisant qu'une Oldsmobile Intrigue dotée de son nouveau moteur V6 de 215 chevaux aurait très bien pu inverser les résultats. J'en ai eu la confirmation en faisant l'essai de la toute dernière version de cette berline dans sa tenue GLS, la plus luxueuse.

Cette année, point n'est besoin de commander un modèle précis pour bénéficier du V6 le plus costaud. Le 3,5 litres à double arbre à cames en tête est désormais offert en équipement de série dans toutes les Intrigue, que ce soit la GX, la GL ou la GLS. Il fait campagne avec une transmission automatique électronique à 4 rapports et surmultiplication. L'intérêt de la fiche technique ne s'arrête pas là puisque cette Oldsmobile reçoit également 4 freins à disque, une suspension à 4 roues indépendantes et des pneus P225/60R16 aux dimensions respectables.

Un beau mariage

De toute évidence, c'est le tandem moteur-transmission de l'Intrigue qui retient surtout l'attention par sa grande homogénéité. Les accélérations et les reprises sont brillantes, le niveau sonore nullement gênant, et la transmission s'acquitte de sa tâche sans se faire remarquer. C'est là le propre d'une boîte automatique parfaitement au point. Si le 0-100 km/h impressionne, la vitesse de pointe, quant à elle, est limitée volontairement à 175 km/h en raison de la présence de pneus 4 saisons dont la cote de vitesse est insuffisante. En revanche, on appréciera surtout la brièveté du temps de reprise qui n'est que de 5,5 secondes entre 80 et 120 km/h.

Malgré une puissance assez élevée, la direction souffre beaucoup moins d'effets de couple que l'an dernier. Cependant, on souhaiterait une meilleure sensation de la route en conduite sportive. Comme plusieurs voitures, l'Intrigue s'accommode mal des routes massacrées de la «belle province» qui ont fait dire à un ingénieur allemand de passage que, chez lui, aucune circulation ne serait autorisée sur des routes semblables. Après deux pneus éclatés et deux jantes pliées, on comprend aisément sa frustration. Le pire, c'est que les hôtelleries du Québec commencent à souffrir de la piètre condition du réseau routier. Une compagnie japonaise a même annulé une présentation à la presse nord-américaine de l'un de ses modèles en raison de l'état des routes autour de North Hatley. Mais revenons à l'Oldsmobile Intrigue et à ses démêlés avec le revêtement. La suspension se révèle dure, inconfortable et même bruyante au passage de trous et de bosses particulièrement sévères. Dans de telles conditions, la solidité de la carrosserie est rudement mise à l'épreuve et quelques ferraillements se manifestent à l'occasion. En revanche, la finition est généralement

Oldsmobile Intrigue

Pour

Excellent moteur • Très bon équipement • Tenue de route louable • Sièges confortables • Transmission automatique au point

Contre

ABS bruyant • Suspension trépidante sur mauvaise route • Visibilité arrière perfectible • Seuil du coffre élevé

Caractéristiques

Prix du modèle à l'essai:	GLS / 32 595 $
Garantie de base:	3 ans / 60 000 km
Type:	berline / traction
Empattement / Longueur:	277 cm / 498 cm
Largeur / Hauteur / Poids:	187 cm / 144 cm / 1557 kg
Coffre / Réservoir:	462 litres / 64 litres
Coussins de sécurité:	frontaux
Suspension av. / arr.:	indépendante
Freins av. / arr.:	disque ABS
Système antipatinage:	oui
Direction:	à crémaillère, assistance variable
Diamètre de braquage:	11,2 mètres
Pneus av. / arr.:	P225/60HR16
Valeur de revente:	passable

Motorisation et performances

Moteur / Transmission:	V6 3,5 litres DACT / automatique 4 rapports
Puissance / Couple:	215 ch à 5500 tr/min / 234 lb/pi à 4400 tr/min
Autre(s) moteur(s):	aucun
Transmission optionnelle:	aucune
Accélération 0-100 km/h:	8,0 secondes
Vitesse maximale:	175 km/h (limitée électroniquement)
Freinage 100-0 km/h:	42,6 mètres
Consommation (100 km):	11,5 litres

Modèles concurrents

Ford Taurus • Pontiac Grand Prix • Chrysler Intrepid • Nissan Maxima • Acura TL • Volkswagen Passat

Quoi de neuf?

Roues redessinées GL et GLS • Sièges chauffants optionnels • Nouvelles couleurs • Moteur V6 Twin Cam de série

Verdict

Agrément	⊕ ⊕ ⊕ ☾	Habitabilité	⊕ ⊕ ⊕ ☾
Confort	⊕ ⊕ ⊕	Hiver	⊕ ⊕ ⊕
Fiabilité	⊕ ⊕ ⊕	Sécurité	⊕ ⊕ ⊕ ⊕

correcte et il y aurait simplement lieu de prévoir une garniture autour de l'ouverture du toit ouvrant afin de solidifier le plafond qui a tendance à plier à la moindre pression du doigt.

La qualité du freinage ne peut être mise en doute, mais l'ABS est suffisamment bruyant pour inquiéter certains conducteurs.

À l'exception du coffre

Le reste de la voiture obtient pratiquement un sans faute à l'exception du coffre à bagages. Celui-ci a beaucoup à se faire pardonner, à commencer par un seuil élevé. Et si vous n'avez pas encore conduit votre Intrigue en hiver, attendez-vous à vous salir les mains chaque fois que vous voudrez ouvrir ou fermer le coffre.

Pourtant, la GLS traite son conducteur aux p'tits soins grâce à un équipement particulièrement complet. En plus de l'antipatinage et de l'ABS, chacune des versions est dotée d'une climatisation facilement réglable à l'aide de gros boutons bien visibles, de phares à fonctionnement automatique et d'un volant inclinable. Les GL et GLS reçoivent en plus des antibrouillards et des rétroviseurs chauffants. Cette année, des sièges chauffants sont aussi offerts.

Dans la GLS, des sièges en cuir très confortables sont installés de série tout comme les commandes de la radio au volant. On appréciera en outre la facilité de maniement des diverses commandes, l'exceptionnelle visibilité avant que procure l'immense pare-brise, les bons espaces de rangement (console et bacs de portières). Finalement, cette Oldsmobile Intrigue vient se joindre à la grande majorité des berlines, petites ou grandes, qui ne sont plus que des 4 places de nos jours. La place centrale arrière n'existe vraiment que pour convaincre votre belle-mère de ne plus jamais insister pour se joindre à vous lors de la randonnée du week-end.

Introduite il y a trois ans comme une option alternative à certaines berlines européennes ou japonaises, l'Intrigue ne disposait pas de la motorisation nécessaire pour se faire justice. Son nouveau V6 sert bien sa cause, mais si cette Oldsmobile reste la meilleure des nord-américaines de ce format, elle a encore un bout de chemin à faire avant d'assumer pleinement son mandat.

Un meilleur bulletin.

Jacques Duval

Plymouth Prowler

Le rôdeur vous guette!

To prowl, en anglais, signifie rôder, «errer avec une intention suspecte ou hostile». Et un *prowler,* c'est celui qui s'adonne à cette activité louche, tel un voyou qui rôde dans la rue, en quête d'un quelconque larcin. Quel nom bien choisi pour cette menaçante machine, descendante directe des *hot-rods* des années 50, ces hybrides anticonformistes propulsés par des moteurs fumants et conçus pour attirer les filles et terroriser les braves gens des petites villes tranquilles de l'Amérique profonde.

E t quel coup de marketing génial que de laisser libre cours à l'imagination débordante des designers de Chrysler! Les décideurs de cette compagnie (avant qu'elle devienne la germanique Daimler-Chrysler) voulaient insuffler à la soporifique marque Plymouth une dose de jeunesse et d'adrénaline et démontrer éloquemment au monde trop souvent homogénéisé de l'automobile que Chrysler osait, que Chrysler avait la passion dans ses veines et savait encore faire rêver.

Certes, «l'effet Prowler» s'est quelque peu estompé depuis le dévoilement du concept en 1993, concept devenu réalité en 1997. Si le motif commercial de Chrysler a souvent été médiatisé, ses objectifs techniques le sont moins. En réalité, le mandat de la Prowler était double: d'une part, attirer l'attention sur la marque et, d'autre part, faire étalage de solutions techniques innovatrices. Le fait que Chrysler ait choisi un modèle «à l'ancienne» pour faire cette démonstration technologique souligne une fois de plus le côté osé de cette aventure.

L'aluminium à l'honneur

Si l'objectif marketing a été atteint dès les premiers rugissements publics de la Prowler, l'objectif technique reste encore à exploiter. En effet, le principal attrait technique de la Prowler porte sur l'usage intensif de l'aluminium. Caisse, capot, panneaux latéraux, portes et couvercle du coffre sont en aluminium. Le museau au style rétro et les enveloppes des pare-chocs proéminents sont en uréthanne et les garde-boue avant sont faits de matière plastique. La jonction de ces matériaux disparates s'effectue par soudage, par collage ou encore au moyen de la nouvelle technique du rivetage autoperceur.

L'alliage léger entre aussi dans la fabrication des éléments de suspension, notamment les triangles superposés avant qui actionnent par levier inversé un combiné ressort-amortisseur *inboard,* logé à l'intérieur de la caisse, à la façon des monoplaces de type Indy. À l'arrière, la suspension indépendante à 4 bras et à triangle inférieur en aluminium tient compagnie à la boîte de vitesses semi-automatique AutoStick. L'emplacement de la boîte à l'arrière constitue une solution adoptée il y a fort longtemps par plusieurs constructeurs de voitures sport ou de compétition, notamment Alfa Romeo, Ferrari et, plus récemment, Chevrolet pour sa Corvette. La répartition plus uniforme du poids entre l'avant et l'arrière promet un comportement plus équilibré.

Si le look de la Prowler reste fidèle à l'esprit des *hot-rods* des années 50, sa motorisation présente par contre une lacune importante. Par définition, un *hot-rod* se doit d'être propulsé par un V8 musclé. Pour la Prowler, Chrysler a pigé dans son stock existant de moteurs et a fixé son choix sur le V6 en aluminium de 3,5 litres issu

Plymouth Prowler

Pour

Immense charme visuel • Matériaux d'avenir • Moteur performant • Conception intéressante des suspensions • Valeur de collection

Contre

Coffre inexistant • Manque de rigidité de la caisse • Suspensions dures • Visibilité restreinte • Pas de boîte manuelle

Caractéristiques

Prix du modèle à l'essai:	58 500 $
Garantie de base:	3 ans / 60 000 km
Type:	roadster / propulsion
Empattement / Longueur:	288 cm / 420 cm
Largeur / Hauteur / Poids:	194 cm / 129 cm / 1287 kg
Coffre / Réservoir:	51 litres / 46 litres
Coussins de sécurité:	conducteur et passager
Suspension av. / arr.:	indépendante
Freins av. / arr.:	disque
Système antipatinage:	non
Direction:	à crémaillère assistée
Diamètre de braquage:	11,7 mètres
Pneus av. / arr.:	P225/45HR17 / P295/40VR20
Valeur de revente:	excellente

Motorisation et performances

Moteur / Transmission:	V6 3,5 litres / automatique 4 rapports
Puissance / Couple:	253 ch 6400 tr/min / 255 lb-pi à 3950 tr/min
Autre(s) moteur(s):	aucun
Transmission optionnelle:	aucune
Accélération 0-100 km/h:	7,3 secondes
Vitesse maximale:	195 km/h
Freinage 100-0 km/h:	38,4 mètres
Consommation (100 km):	15 litres

Modèles concurrents

Panoz AIV • Allard JX2

Quoi de neuf?

Couleur gris métallique • Suspension plus souple

Verdict

Agrément	⊕ ⊕ ⊕ ⊕	Habitabilité ⊕
Confort	⊕ ◐	Hiver ⊕
Fiabilité	⊕ ◐ ⊕	Sécurité ⊕ ⊕

de la berline Chrysler 300M. Ce moteur moderne à 2 arbres à cames en tête et 24 soupapes développe 253 chevaux et permet de propulser les 1300 kg de la Prowler de 0 à 100 km/h en 7 secondes, le tout accompagné d'une sonorité intéressante, mais quand même différente de celle d'un V8 «gros cubes» américain.

La gueule de l'emploi

Avec une pareille gueule, vous imaginez bien que la Prowler se fait remarquer. En fait, rien d'autre qu'un OVNI piloté par un petit bonhomme vert ne saurait attirer autant d'attention. Que ce soit pour draguer sur la *Main* ou pour exhiber votre plus récent toupet, il vous faut une Prowler! Ajoutez un rock-n-roll endiablé sur la chaîne haute fidélité, et c'est la conquête à coup sûr.

Mais revenons un instant sur terre pour évaluer les qualités dynamiques de la belle à la robe jaune, mauve, noire ou rouge. Si les accélérations s'avèrent «sportives», la sonorité intéressante et le look exclusif, le comportement routier ne mérite pas de grands éloges. Certes, sur une chaussée lisse comme un billard (n'en cherchez pas au Québec), la Prowler affiche une adhérence supérieure, notamment du côté du train arrière monté sur d'énormes Goodyear de 20 pouces à profil ultrabas, alors qu'à l'avant on trouve des roues de 17 pouces dont l'adhérence moins forte provoque le sous-virage. Mais là où les choses se gâtent, c'est sur une route dégradée où la caisse révèle son manque de rigidité, générateur de secousses et de vibrations dignes d'un roadster à l'ancienne.

En somme, cette étonnante Daimler-Chrysler qui prend naissance dans la même usine de Detroit où l'on construit la fulminante Dodge Viper répond aux attentes mercantiles de ses créateurs (même si les ventes sont décevantes) et leur permet de mettre à l'épreuve avec un certain succès des solutions techniques d'avant-garde. Mais quels que soient les motifs de Chrysler, les très rares Prowler qui rôdent sur nos routes pourraient fort bien devenir des objets de collection et commémorer l'époque ô combien insouciante des années 50.

En perte de vitesse

Alain Raymond

Pontiac Grand Am

Pontiac Grand Am

Si vous aimez les fioritures

Pendant des années, la Pontiac Grand Am est demeurée l'une des voitures les plus populaires de sa catégorie tandis que les Buick Skylark et Oldsmobile Achieva sombraient dans les bas-fonds du classement des ventes. Pourtant, cette Pontiac n'était pas meilleure que les deux autres. C'était tout simplement son allure plus dans le coup qui faisait craquer les acheteurs. Il fallait le faire. L'une des pires voitures sur le marché figurait parmi les best-sellers. Voilà à coup sûr l'archétype de la voiture «coup de foudre».

Ce n'est donc pas par hasard si les Skylark et Achieva ont été tout simplement éradiquées. L'Achieva a connu un échec tellement cuisant qu'on a préféré la remplacer par l'Alero au lieu de tenter de faire revivre un modèle qui avait pratiquement poussé les dirigeants d'Oldsmobile à la dépression. Quant à Buick, elle semble avoir abandonné l'idée d'un retour dans la catégorie.

Forte de ses succès antérieurs, la Grand Am a été revue en 1999. C'est pourquoi elle ne subit pratiquement aucun changement cette année à part la possibilité de commander une boîte manuelle à 5 rapports avec le moteur 4 cylindres et 3 nouvelles couleurs inscrites au catalogue.

Selon les recherches effectuées par la division Pontiac, ce sont les formes tarabiscotées de la carrosserie et le tableau de bord on ne peut plus tourmenté de la Grand Am qui plaisaient aux acheteurs. Ce déluge de fions et de fioritures est la clé de son succès. Chacun ses goûts et la nouvelle génération en possède à satiété.

En fait, la carrosserie extérieure peut se défendre avec son allure en forme de coin, ses parois latérales sculptées et sa calandre tout de même bien équilibrée. Malheureusement, ça se gâte dans l'habitacle: la planche de bord, avec ses multiples buses de ventilation et ses deux cercles en forme de tuyère qui abritent les instruments, étourdit. Il faut toutefois admettre que ces buses permettent de diriger l'air efficacement grâce à cette bulle évidée inspirée des modèles des années 50 et de la Toyota Starlet de triste mémoire.

De bons éléments de base

Pendant des années, la Grand Am et ses sœurs jumelles avaient le douteux honneur de proposer la pire plate-forme parmi les modèles commercialisés par General Motors. Un châssis trop flexible, une suspension avant qui constituait davantage un détecteur d'obstacle qu'autre chose ne venaient rien améliorer à l'arrière qui laissait entendre des grincements inquiétants. La nouvelle génération a été vraiment améliorée sous tous les rapports. Non seulement la caisse est rigide, mais les suspensions avant et arrière se situent au moins dans la bonne moyenne. Leur débattement est généreux et les amortisseurs ne secouent plus la voiture lorsqu'ils arrivent en fin de course. Une direction plus précise et un bon feed-back de la route viennent compléter le portrait. À défaut d'être une voiture excitante à conduire, la Grand Am SE offre un comportement honnête capable de satisfaire bien des gens qui apprécient sa présentation plus relevée.

Le moteur 4 cylindres Twin Cam de 2,4 litres n'est plus aussi rugueux que par le passé et sa fiabilité s'est beaucoup améliorée.

Pontiac Grand Am

Pour

Châssis bien conçu • Tenue de route saine • Finition en progrès • Suspensions plus efficaces • Boîte manuelle disponible avec moteur 4 cylindres

Contre

Tableau de bord trop bigarré • Agrément de conduite moyen • Appellation GT prétentieuse • Sièges avant peu confortables • Choix de certains matériaux

Caractéristiques

Prix du modèle à l'essai:	GT / 26 415 $
Garantie de base:	3 ans / 60 000 km
Type:	coupé sport / traction
Empattement / Longueur:	271 cm / 473 cm
Largeur / Hauteur / Poids:	178 cm / 140 cm / 1383 kg
Coffre / Réservoir:	413 litres / 54,1 litres
Coussins de sécurité:	conducteur et passager
Suspension av. / arr.:	indépendante
Freins av. / arr.:	disque / tambour (disque sur GT) ABS
Système antipatinage:	oui
Direction:	à crémaillère, assistance variable
Diamètre de braquage:	11,0 mètres
Pneus av. / arr.:	P225/50R16
Valeur de revente:	bonne

Motorisation et performances

Moteur / Transmission:	V6 3,4 litres / automatique 4 rapports
Puissance / Couple:	170 ch à 4800 tr/min / 195 lb-pi à 4000 tr/min
Autre(s) moteur(s):	4L 2,4 litres 150 ch
Transmission optionnelle:	manuelle 5 rapports
Accélération 0-100 km/h:	9,1 secondes; 10,4 secondes (4L)
Vitesse maximale:	180 km/h
Freinage 100-0 km/h:	41,6 mètres
Consommation (100 km):	11,2 litres; 10,4 litres (4L)

Modèles concurrents

Oldsmobile Alero • Honda Accord • Nissan Altima • Subaru Legacy • Mazda 626

Quoi de neuf?

Aucun changement majeur

Verdict

Agrément	⊕ ⊕ ⊕	Habitabilité	⊕ ⊕ ⊕ ⊕ ⊝
Confort	⊕ ⊕ ⊕	Hiver	⊕ ⊕ ⊕
Fiabilité	⊕ ⊕ ⊕	Sécurité	⊕ ⊕ ⊕

La possibilité de l'associer à une boîte de vitesses manuelle à 5 rapports permettra d'économiser du carburant et de relever d'un cran l'agrément de conduite.

Et la GT?

Le modèle le plus intéressant dans la famille Grand Am est le GT. Un moteur V6 3,4 litres de 170 chevaux, des roues en alliage de 16 pouces, des freins à disque aux 4 roues, une suspension sport de même qu'un équipement de série plus étoffé laissent envisager une voiture beaucoup plus intéressante que la SE. Soulignons au passage qu'il est possible de commander un coupé ou une berline en version GT.

En théorie, ce modèle est supposé se démarquer carrément de la version moins équipée et moins puissante. Il est vrai que la GT est capable de semer bien des voitures sur une route sinueuse. Son moteur n'est pas nécessairement ultrapuissant, mais ses 170 chevaux font sentir leur présence lors des reprises. Il est cependant quelque peu ironique que le modèle prétendument le plus sportif ne puisse être équipé d'une boîte manuelle. Malgré tout, la GT est une voiture plus puissante, plus performante, plus luxueuse et d'une conduite plus inspirante que celle du modèle SE. Il ne faut pas en conclure pour autant que cette berline sport mérite son titre. Si «GT» veut dire «grand-tourisme», ce nom montre beaucoup de prétention. Une fois de plus, Detroit se leurre en croyant que l'utilisation à gogo de tous ces noms de bolides de course influence les acheteurs.

Malgré les excès commis dans la présentation visuelle et un habitacle qui manque de raffinement en raison de plastiques mal choisis et de tissus bigarrés, la Pontiac Grand Am demeure une voiture saine au chapitre de la conception. Elle offre une plate-forme efficace et des moteurs bien adaptés à défaut d'être les meilleurs de la catégorie. Espérons que GM va enfin trouver le moyen de concocter des intérieurs dont les éléments ne semblent pas avoir été choisis uniquement en raison de leur bas prix.

Imparfaite, cette Pontiac est quand même une voiture qui devrait se faire apprécier au fil des kilomètres.

La poudrée de Lansing.

Denis Duquet

Pontiac Grand Prix

La plus équilibrée de la famille

Il est tout de même curieux que la Grand Prix ait connu un départ en demi-tons à son arrivée sur le marché en 1996 en tant que modèle 1997. Cette nouvelle génération de la Grand Prix remplaçait un modèle qui avait connu beaucoup de succès lors de son lancement pour ensuite perdre quelque peu de son momentum sur le marché. Cette fois, l'évolution semble inverse: la Grand Prix a connu des débuts plutôt lents pour ensuite augmenter ses ventes de façon progressive.

Plusieurs raisons peuvent expliquer cette situation. La première est tout simplement que la compagnie General Motors n'a pas fait un très bon travail de mise en marché. En plus de la Grand Prix, elle a lancé en quelques mois les Buick Century/Regal ainsi que l'Oldsmobile Intrigue, ce qui semble avoir posé des problèmes aux responsables de la mise en marché. En outre, la compagnie procédait à une autre importante restructuration de son organigramme en plus d'instaurer dans toutes les divisions sa nouvelle philosophie de marketing par marque.

Tout indique également que le public a préféré réserver son jugement pendant quelques mois afin d'en apprendre davantage sur la fiabilité et l'agrément de conduite de cette élégante américaine.

Ce qui n'a pas arrangé les choses est le fait que les premiers exemplaires des modèles 1997 étaient d'une qualité d'assemblage à faire peur. Et pour gâcher la sauce encore plus, la suspension avant semblait avoir été pourvue d'amortisseurs remplis de béton, tant son débattement était pratiquement nul.

Au fil des mois, les erreurs de jeunesse ont été corrigées et même pardonnées puisqu'on constate que les ventes de cette intermédiaire progressent sans cesse depuis plusieurs mois. Si tel est le cas, c'est que les gens ont appris à découvrir un modèle qui est sans conteste le plus intéressant de toute la gamme Pontiac. Sa silhouette n'est ni trop caricaturale comme celle de la nouvelle Bonneville ni trop chargée comme celle de la Grand Am. De plus, ses prestations routières peuvent soutenir la comparaison avec la concurrence.

La plus élégante

Lorsqu'on examine de près toute voiture Pontiac, on a l'impression que les stylistes qui ont dessiné ses formes ne connaissent pas les demi-mesures. Presque toutes les Pontiac tentent de nous étourdir avec un déluge de panneaux de caisse ondulés, de prises d'air factices, de renflements de capot et de déflecteurs avant et arrière. La Grand Prix affiche certes un design relevé, mais ne pèche pas par excès de zèle dans la décoration à gogo. Ses concepteurs ont voulu donner à la berline la silhouette d'un coupé et il faut avouer que le dessin est épuré et même dépouillé, du moins pour une Pontiac. En fait, de tous les modèles offerts par cette division, c'est la Grand Prix qui est la plus élégante et la moins kitsch. L'habitacle apparaît toutefois plus tourmenté: le tableau de bord est parsemé d'éléments en relief qui ont pour effet de nous confondre plus qu'autre chose.

La finition de l'habitacle s'améliore, mais les multiples pièces de plastique utilisées pour réaliser ce concept néo-moderne ne sont pas toutes d'un ajustement parfait. Et si les sièges avant s'avèrent

Pontiac Grand Prix

Pour

Finition en progrès • Moteur 3,1 litres plus puissant • Direction précise • Tenue de route efficace • Équipement complet

Contre

Tableau de bord trop chargé • Tarage des amortisseurs toujours problématique • Tissus des sièges à revoir (modèle SE) • Système HUD distrayant

Caractéristiques

Prix du modèle à l'essai:	Coupé GT / 28 050 $
Garantie de base:	3 ans / 60 000 km
Type:	coupé 5 places / traction
Empattement / Longueur:	280 cm / 501 cm
Largeur / Hauteur / Poids:	184 cm / 139 cm / 1555 kg
Coffre / Réservoir:	453 litres / 68 litres
Coussins de sécurité:	conducteur et passager
Suspension av. / arr.:	indépendante
Freins av. / arr.:	disque ABS
Système antipatinage:	oui
Direction:	à crémaillère, assistance variable
Diamètre de braquage:	11,2 mètres
Pneus av. / arr.:	P225/60R16
Valeur de revente:	moyenne

Motorisation et performances

Moteur / Transmission:	V6 3,8 litres / automatique 4 rapports
Puissance / Couple:	200 ch à 5200 tr/min / 225 lb-pi à 4000 tr/min
Autre(s) moteur(s):	V6 3,1 litres 175 ch; V6 3,8 litres 240 ch
Transmission optionnelle:	aucune
Accélération 0-100 km/h:	9,5 secondes; 6,9 secondes (240 ch)
Vitesse maximale:	180 km/h (limitée)
Freinage 100-0 km/h:	42,6 mètres
Consommation (100 km):	12,8 litres; 14,3 litres (240 ch)

Modèles concurrents

Chrysler Intrepid • Ford Taurus • Oldsmobile Intrigue • Chevrolet Impala

Quoi de neuf?

Moteur V6 3,1 litres plus puissant • Changements mineurs • Nouvelles couleurs

Verdict

Agrément	⊕ ⊕ ⊕ (	
Confort	⊕ ⊕ ⊕ ⊕	
Fiabilité	⊕ ⊕ ⊕	
Habitabilité	⊕ ⊕ ⊕ (	
Hiver	⊕ ⊕ ⊕ (	
Sécurité	⊕ ⊕ ⊕ ⊕	

confortables et l'espace pour les coudes généreux pour 2 adultes assez costauds, les places arrière souffrent d'un dégagement plus limité pour la tête.

Agréable, malgré tout

Toute critique esthétique mise à part, l'élément le plus intéressant de ce modèle est son comportement routier. La suspension trop ferme des débuts a été remplacée. Les nouveaux réglages des amortisseurs et des ressorts permettent de concilier confort et tenue de route. Grâce à ces changements, la Grand Prix devient l'une des voitures nord-américaines les plus agréables à conduire sur une route sinueuse. D'ailleurs, dans le cadre du match comparatif des berlines américaines réalisé dans *Le Guide de l'auto 99*, tous les essayeurs avaient apprécié sa tenue de route et la précision de sa direction.

Cette année, l'agrément de conduite est relevé d'un cran avec l'arrivée sous le capot d'un moteur V6 3,1 litres plus puissant. Avec ses 175 chevaux, il permet des reprises et des accélérations plus en harmonie avec la ligne sportive de la voiture. Incidemment, ce moteur compense sa conception mécanique plutôt rétro par une accélération initiale nerveuse. Il est vrai que ce V6 n'a pas tellement bonne presse, mais il a été beaucoup amélioré au fil des années autant en rendement qu'en fiabilité.

Les conducteurs plus pressés peuvent toujours commander le V6 de 3,8 litres d'une puissance de 200 chevaux. Ce moteur qui n'a plus besoin de présentation est devenu d'une fiabilité à toute épreuve à défaut de pouvoir offrir des arbres à cames en tête. Sa version suralimentée de 240 chevaux est offerte de série sur le modèle GTP. Des pneus plus sportifs et la direction Magnasteer permettent de maîtriser plus facilement toute cette cavalerie.

La Pontiac Grand Prix vieillit beaucoup mieux que le modèle qu'elle remplace. Et, bonne nouvelle, les ouvriers de l'usine de Fairfax au Kansas semblent avoir finalement maîtrisé l'art de l'assemblage d'une automobile.

Denis Duquet

La meilleure des Pontiac.

Porsche 911

Porsche 911 GT3

L'une au ciel, l'autre en enfer

En deux ans seulement, la Porsche 911 type 996, introduite à l'automne de 1997, a hérité de trois variantes. Deux autres nouvelles versions verront le jour dans les mois à venir. Après le cabriolet, la Carrera 4 (coupé ou cabriolet) et la GT3 (non vendue ici), la 911 Turbo et un modèle Targa sont sur le point d'être commercialisés. Rapidement et sûrement, la gamme 911 grandit et prend de l'étoffe.

Après deux ans, la dernière 911 entretient toujours la controverse: d'un côté, il y a ceux qui l'admirent et, de l'autre, ceux qui la trouvent moins racée que l'ancienne. Il ne semble pas y avoir ici de juste milieu. On s'entend toutefois sur une chose; ces nouvelles 911 bénéficient d'un moteur remarquablement réussi et d'une tenue de route à laquelle on n'a pas grand-chose à reprocher. À ce chapitre, c'est du grand sport et les principales critiques portent sur l'esthétique, la présentation intérieure et la qualité de construction. Effectivement, on ne remplace pas une voiture vieille de 34 ans et au sommet de son développement sans prendre certains risques en matière de fiabilité.

Au cimetière de l'auto

Mon essai de cette année a porté principalement sur la Carrera 4 que j'ai conduite abondamment aussi bien sur route que sur piste, en version coupé ou cabriolet. Commençons par les mauvaises nouvelles. On sera étonné qu'un «Porschiste» avoué comme moi tienne de tels propos, mais le cabriolet Carrera 4 Tiptronic mériterait d'emblée de se retrouver dans le cimetière de l'auto. Ce n'est pas tant la voiture elle-même qui est en cause, mais son équipement ridicule qui

la rend indésirable. Conduire une telle Porsche est aussi frustrant que d'assister à une dégustation de Château Pétrus quand on fait partie des AA. Bref, elle a tout pour séduire mais est sévèrement handicapée lorsqu'on a la vilaine idée de l'équiper de cette foutue transmission automatique et de pneus de 18 pouces. Passons sur l'automatique dont la présence dans une voiture sport haute performance comme la 911 est aussi bienvenue qu'un témoin de Jéhovah un samedi matin. Ce que j'ai encore moins aimé, ce sont ces satanées roues de 18 pouces qui amplifient les bruits de caisse propres à un cabriolet tout en transformant le confort en une notion très vague du bien-être. Quand on sait qu'il est déjà difficile d'atteindre la limite d'adhérence des pneus de 17 pouces montés de série, on a autant besoin de pneus de 18 pouces que d'un anneau dans le nez, à plus forte raison sur une Porsche Tiptronic. Sur notre réseau routier calamiteux, ces grosses bottines télégraphient la moindre brindille sur le pavé et finissent par taper sur les nerfs à cause de leur dureté.

Quelques accolades

Cette rage passée, la 911 a droit à de nombreuses accolades, autant pour son moteur souple, puissant et disponible à tous les instants que pour son comportement routier. L'appellation Carrera 4 est liée à la transmission intégrale permanente. Celle-ci ajoute à la sécurité active de la voiture comme j'ai pu le constater lors d'essais réalisés sur une piste sèche ou détrempée. Dans sa dernière évolution, le système bénéficie d'une répartition variable du couple sur l'essieu avant au moyen d'un visco-coupleur désormais placé dans le carter du différentiel avant afin d'améliorer la répartition du poids. En temps normal, 95 p. 100 du couple est transmis aux roues

Porsche 911

Pour

Moteur fabuleux • Performances remarquables • Contrôle de stabilité perfectionné • Motricité exemplaire (C4) • Freins superbes

Contre

Transmission Tiptronic exécrable • Pneus 18 pouces superflus • Présentation intérieure décevante • Radio de piètre qualité • Direction instable

Caractéristiques

Prix du modèle à l'essai:	Carrera 4 / 117 700 $
Garantie de base:	4 ans / 80 000 km
Type:	cabriolet / transmission intégrale
Empattement / Longueur:	235 cm / 443 cm
Largeur / Hauteur / Poids:	176,5 cm / 130,5 cm / 1440 kg
Coffre / Réservoir:	130 litres / 64 litres
Coussins de sécurité:	frontaux et latéraux
Suspension av. / arr.:	indépendante
Freins av. / arr.:	disque ABS
Système antipatinage:	oui + système électronique de stabilité
Direction:	à crémaillère, assistée
Diamètre de braquage:	11,0 mètres
Pneus av. / arr.:	P225/40ZR18 / P265/35ZR18
Valeur de revente:	excellente

Motorisation et performances

Moteur / Transmission:	6H, 3,4 litres / Tiptronic 5 vitesses
Puissance / Couple:	296 ch à 6800 tr/min / 258 lb-pi à 4600 tr/min
Autre(s) moteur(s):	6H 3,6 litres; 360 ch (GT3)
Transmission optionnelle:	manuelle 6 rapports
Accélération 0-100 km/h:	6,5 secondes; 4,8 secondes (GT3)
Vitesse maximale:	275 km/h; 302 km/h (GT3)
Freinage 100-0 km/h:	37,0 mètres
Consommation (100 km):	12,0 litres

Modèles concurrents

Acura NSX-T • Jaguar XK8 • Ferrari 360 Modena • Dodge Viper GTS • Mercedes-Benz SL

Quoi de neuf?

Moteur 300 ch • Garnitures intérieures alu • Nouveau système d'échappement

Verdict

Agrément	☺☺☺☺	Habitabilité ☺☺
Confort	☺☺☺	Hiver ☺☺☺
Fiabilité	☺☺☺☺	Sécurité ☺☺☺☺

arrière, le visco-coupleur permettant de renvoyer jusqu'à 40 p. 100 de la puissance à l'avant en cas de perte de motricité à l'arrière.

La Carrera 4 innove encore avec son système PSM *(Porsche Stability Management)*, un régulateur destiné à stabiliser la voiture tant dans le sens longitudinal que dans le sens transversal en intervenant de façon ciblée sur la gestion moteur et sur le système de freinage lorsque la voiture frôle les limites de l'adhérence.

À l'usage, la voiture s'avère pratiquement à l'abri des dérapages et il faudrait être un imbécile fini pour en perdre le contrôle. Poussée au-delà des limites dictées par la physique sur le sec ou le mouillé, la voiture réagit comme si l'ange gardien de Michael Schumacher était au volant. Le freinage automatique de la roue avant à l'extérieur du virage empêche la voiture de survirer, alors qu'une décélération contrôlée de la roue arrière à l'intérieur du virage l'empêche de sous-virer.

En réponse aux irréductibles qui trouveront le moyen de se plaindre qu'un tel système les empêche d'exhiber leur dextérité au volant, Porsche a étudié le système de façon à ne pas réfréner la 911 trop tôt. L'assistance électronique n'intervient donc qu'en tout dernier ressort quand la voiture se dirige tout droit vers une cour de recyclage.

L'athlète de la famille

La famille 911 compte une nouvelle athlète baptisée GT3 qui affiche ses couleurs: c'est la voiture de série la plus rapide au monde, du moins lors d'une boucle du circuit du Nürburgring réalisée en Allemagne aux mains d'un pilote de course. Ce rocket peut compter sur un moteur 3,6 litres de 360 chevaux dérivé de celui de la 911GT1. Un kit carrosserie reprenant les ajouts aérodynamiques de la GT3 est proposé sur la Carrera normale. Son élégance est discutable tout comme son aspect pratique: l'avant de la voiture vient souvent racler le sol lors de changements d'inclinaison et la visibilité arrière est problématique.

Toutes ces nouvelles 911 souffrent d'un intérieur par trop «plastifié», d'une trop grande parenté visuelle avec la Boxster et d'une direction très sensible aux inégalités du revêtement. En revanche, moteur, freins et suspension contribuent à garder le nom de Porsche en première place au palmarès des voitures sport les plus convoitées.

Jacques Duval

Porsche Boxster • Boxster S

Porsche Boxster S

La S prend ses distances

C'était écrit dans le ciel... La Porsche Boxster n'avait pas sitôt fait son apparition sur le marché que l'on parlait de l'arrivée prochaine d'une version plus poussée, plus performante. Pourtant, l'originale était déjà dans une forme splendide. Mais l'amateur de voitures sport est ainsi fait qu'il vise toujours plus haut. Il aura tout de même fallu attendre près de trois ans avant que Porsche croie utile de lancer une Boxster S. C'est maintenant chose faite et j'ai eu le privilège de parcourir environ 500 km au volant de ce nouveau modèle 2000 sur les routes en lacets de la côte Adriatique dans les Marches au pied des Apennins, en Italie.

S i Porsche a mis autant de temps à répondre aux doléances de sa clientèle, c'est en grande partie à cause de l'énorme succès de la Boxster d'origine et, dans une certaine mesure, pour ne pas faire ombrage à la 911.

Visuellement, la S est difficile à différencier d'une Boxster normale, du moins pour le néophyte. Les plus attentifs noteront la présence d'une troisième prise d'air au centre à l'avant (rendue nécessaire par le radiateur supplémentaire que nécessite le moteur), d'étriers de frein peints en rouge (comme sur l'ancienne 911 Turbo), de roues de 17 pouces en équipement de série et d'un échappement central à double sortie. Et, bien sûr, le monogramme Boxster S en titane sur le capot arrière donne l'heure juste aux curieux. Bref, l'apparence extérieure de la Boxster, déjà très réussie, n'a pas fait l'objet de changements majeurs.

Hélas! la présentation intérieure qui, elle, n'était pas très réjouissante conserve à peu de chose près le même look. Les hor-

ribles boutons en plastique verni ont résisté à la critique. La S se distingue néanmoins par son volant à trois branches et par une judicieuse utilisation de l'aluminium (l'influence TT), notamment autour des trois cadrans gris argent composant le bloc d'instruments principal. Ces petits détails, ajoutés à la sellerie de couleur brique de la voiture d'essai, contribuent à égayer un peu l'habitacle de la Boxster.

Une 911 à rabais?

Ces modifications d'ordre esthétique ont été pratiquement passées sous silence par Jürgen-Wohler, le responsable du développement de la voiture, lors du dévoilement de la S dans le petit village italien de Colli del Tronto. Pour les ingénieurs de chez Porsche, ce qui compte avant tout, c'est la performance. À ce propos, soulignons que cette nouvelle venue n'est pas une simple Boxster avec un moteur plus puissant, mais une variante de la version d'origine dont 44 p. 100 des éléments mécaniques sont différents. Le «cœur» de cette Boxster S est évidemment son 6 cylindres à plat de 3,2 litres qui hérite du vilebrequin de la 911 Carrera et de son système d'admission à double volume de résonance pour un meilleur remplissage des cylindres. Cette astuce autorise une meilleure répartition du couple qui, dans le cas présent, s'étend de 3000 à 6300 tr/min. Cela se traduit par de meilleures reprises, comme en témoigne un temps de 10,3 secondes pour passer de 80 à 120 km/h en 6e vitesse, comparativement à 11,4 secondes avec une Boxster normale.

Logé entre le cockpit et l'essieu arrière, le moteur développe 252 chevaux à 6250 tr/min, soit 35 chevaux de plus que le nouveau 2,7 litres de la Boxster de base. Même le bruit de l'échappement a été soigneusement étudié afin de produire cette sonorité bien particulière que l'on associe aux groupes propulseurs estampillés Porsche. Celui-ci s'exprime par l'entremise d'une nouvelle boîte de vitesses manuelle à 6 rapports avec commande par câble provenant de la 911 et voit ses montées en régime réduites à néant par une double paire de freins à disque ajouré, courtoisie encore une fois de la 911 Carrera. (À l'avant, incidemment, le diamètre des disques est passé de 298 à 318 mm).

Même si l'on voit très mal l'acheteur type d'une Boxster S se ruer sur la transmission Tiptronic, celle-ci figure toujours au catalogue des options. Elle peut désormais compter sur une nouvelle caractéristique qui permet une utilisation manuelle momentanée en mode automatique. Même si le levier central n'a pas été déplacé vers la gauche sur le mode manuel, on peut changer les rapports par le biais des touches sur le volant. Le mode manuel reste ainsi activé pendant 8 secondes, ce qui permet de bénéficier du *kick down* en cas d'urgence. La faille majeure de la boîte Tiptronic s'en trouve éliminée, mais je persiste à croire que cette option n'a pas plus sa raison d'être qu'un lecteur de disques compacts sur une Formule 1.

L'heure du verdict

Le résultat de cette myriade de changements est une voiture aux qualités sportives indéniables dotée d'un équilibre quasi parfait. Même le pilote d'usine Walter Röhrl avoue que sur un parcours sinueux, cette Boxster S est plus performante que la légendaire 911. Personnellement, c'est l'une des voitures sport les mieux équilibrées qu'il m'ait été donné de conduire depuis longtemps. J'ai eu beau plonger à des vitesses folles dans des virages en épingle des cols Apennins, jamais cette Boxster S ne m'a montré la moindre trace de sous-virage ou de survirage. Avec son moteur central et sa parfaite répartition des masses, elle reste plantée sur ses quatre grosses galoches en repoussant très loin les limites de l'adhérence.

Ceux qui attendaient la S avec grande impatience voudront surtout entendre parler de son augmentation de puissance et, à ce chapitre, ils ne seront pas déçus. La voiture ne donne toujours pas le même coup de pied au derrière qu'une 911, mais ses chiffres d'accélération demeurent éloquents, quoique difficiles à mesurer soi-même en raison de l'adhérence exceptionnelle des pneus. Tel que promis, le couple est réparti quasi uniformément et le moteur n'a pas constamment besoin de tourner à haut régime pour livrer sa puissance. En revanche, Porsche, c'est certain, est bien consciente que la S ne doit en aucun cas empiéter sur le territoire de la 911. Malgré tout, on n'empêchera personne de faire ses propres calculs et d'en arriver à la conclusion que pour environ 35 000 $ de moins, la Boxster S en offre presque autant qu'une 911 Carrera. Les chiffres suivants sont éloquents: 230 km/h en 5e et plus de 260 en vitesse de pointe. Et juste au cas où un tel détail pourrait vous intéresser, la voiture est une des sportives les plus frugales sur le marché avec une consommation moyenne de 10,7 litres aux 100 km.

Parmi les petits secrets qui sont à l'origine de l'extraordinaire tenue de route de la Boxster S, il y a une voie légèrement élargie, de nouveaux guidages de roues à l'arrière et des amortisseurs plus fermes, optimisés surtout dans leur comportement en début de débattement. La stabilité à haute vitesse, notamment, est tout à fait spectaculaire.

Porsche Boxster

Pour

Tenue de route impressionnante
• Puissance en hausse • Agrément
et facilité de conduite • Freinage
spectaculaire • Deux coffres

Contre

Fiabilité incertaine • Peu de
rangement • Transmission Tiptronic
inintéressante • Présentation
intérieure perfectible

Caractéristiques

Prix du modèle à l'essai:	S / 71 110 $
Garantie de base:	4 ans / 80 000 km
Type:	roadster 2 places / propulsion
Empattement / Longueur:	241,5 cm / 431,5 cm
Largeur / Hauteur / Poids:	178 cm / 129 cm / 1295 kg
Coffre / Réservoir:	260 litres / 64 litres
Coussins de sécurité:	frontaux et latéraux
Suspension av. / arr.:	indépendante
Freins av. / arr.:	disque ventilé ABS
Système antipatinage:	oui
Direction:	à crémaillère, assistée
Diamètre de braquage:	11,0 mètres
Pneus av. / arr.:	P205/50ZR17 / P255/40ZR17
Valeur de revente:	très bonne

Motorisation et performances

Moteur / Transmission:	6H 3,2 litres / manuelle 6 rapports
Puissance / Couple:	252 ch à 6250 tr/min / 225 lb-pi à 4500 tr/min
Autre(s) moteur(s):	6H 2,7 litres 217 chevaux
Transmission optionnelle:	Tiptronic 5 vitesses
Accélération 0-100 km/h:	6,0 secondes; 6,8 secondes (2,7 litres)
Vitesse maximale:	260 km/h; 245 km/h (2,7 litres)
Freinage 100-0 km/h:	36,3 mètres
Consommation (100 km):	10,7 litres

Modèles concurrents

BMW M Roadster • Chevrolet Corvette

Quoi de neuf?

Plus grosse cylindrée du moteur (2,7 litres) et puissance accrue (217 chevaux) pour la Boxster de base

Verdict

Agrément	⊕⊕⊕⊕◖	Habitabilité ⊕⊕◖
Confort	⊕⊕⊕◖	Hiver ⊕⊕⊕⊕
Fiabilité	⊕⊕⊕◖	Sécurité ⊕⊕⊕⊕◖

Le confort ne semble pas avoir souffert du durcissement des suspensions, mais je me réserve un essai sur nos exécrables revêtements avant de confirmer ce jugement. Quant au freinage, il suffit de mentionner qu'il a dû subir le test officiel des essayeurs de Porsche, c'est-à-dire résister à 25 arrêts consécutifs sans augmentation de l'effort à appliquer à la pédale, pour se rendre compte qu'il est difficile de le prendre en défaut.

La vie à bord

Après la victoire de la Porsche Boxster dans notre match comparatif des roadsters (voir première partie), la version S permet au constructeur allemand d'augmenter son avance en tête du peloton. Bien sûr, le prix n'est pas comparable à celui de ses rivales, mais dans une rencontre opposant la Boxster S à la M Roadster, je persiste à croire qu'à prix égal, la Porsche devance la BMW, sinon en vitesse pure, du moins par son comportement routier.

S pour super.

Si la présentation intérieure n'est pas très souriante, la présence d'un certain nombre d'accessoires additionnels par rapport à la Boxster de base s'avère salutaire. Je pense à la capote dont la nouvelle doublure permet de réduire le niveau sonore de 3 dB ou de 8 p. 100 à grande vitesse. Les sièges à commande électrique et le volant à axe réglable contribuent quant à eux à améliorer la position de conduite. La sécurité assurée par les arceaux anti-tonneau est renforcée par de nouveaux coussins gonflables latéraux. Si les espaces de rangement sont toujours une denrée rare dans l'habitacle, les occupants peuvent au moins compter sur deux coffres à bagages (avant et arrière) d'une contenance identique de 130 litres chacun.

Non seulement la nouvelle Boxster S se place hors d'atteinte de la concurrence dans sa catégorie, mais elle semble devenir une rivale de plus en plus menaçante pour l'aînée de la famille, la 911 Carrera. Jusqu'ici toutefois, la Boxster originale n'a pas encore rejoint sa grande sœur au chapitre de la fiabilité. Espérons que cela aussi fait partie des améliorations de la S.

Jacques Duval

Saab 9³

Saab 9³

Marginale

Les Saab, on aime ou on déteste, c'est aussi simple que ça. Chose certaine, ce constructeur ne fait rien comme les autres et il en résulte des automobiles très typées, dotées d'une forte personnalité. Controversées, elles ne manquent cependant pas de caractère. Pour certains, il s'agit là d'une qualité; mais choisir Saab implique un amour inconditionnel, rien de moins.

Ceux qui craignaient que ces excentriques suédoises perdent leur identité avec l'arrivée de General Motors dans le portrait peuvent donc respirer: une Saab est toujours une Saab.

On reconnaît toutefois la fâcheuse habitude de son partenaire américain d'essayer de nous faire prendre des vessies pour des lanternes. Par exemple, en replâtrant un modèle déjà existant pour donner l'illusion d'une nouveauté. C'est exactement ce qu'a fait la marque suédoise l'an dernier en présentant la «toute nouvelle» 9³, qui n'était rien d'autre qu'une 900 revue et corrigée. Or, cette dernière a vu le jour en 1993 (!), alors pour la nouveauté, on repassera... La 900 était par ailleurs la première réalisation concrète issue de cette collaboration entre la firme de Trollhättan et le géant américain; elle partageait sa plate-forme avec l'Opel Vectra, de la branche allemande de GM.

Caractérielle

La 9³ a donc repris, dans la forme comme dans le fond, les grandes lignes de la 900. Elle ressemble comme deux gouttes d'eau à sa supposée devancière; autant qu'une Volvo S70 peut ressembler à une 850, comme quoi il n'y a pas que les Américains qui jouent à ce petit

jeu. Il est vrai que parmi la quarantaine d'améliorations que Saab prétend avoir apportées, beaucoup sont d'ordre mécanique: la suspension et la direction, notamment, ont été revues, tandis qu'un nouveau 4 cylindres à haut rendement de 205 chevaux est venu épauler celui de 185 chevaux, de cylindrée identique (2,0 litres).

Ces deux engins turbocompressés souffrent des mêmes vices: ils sont mous à bas régime et dès que le turbo entre en action, la réponse est brutale. Et pas seulement dans la réaction du moteur. C'est que, voyez-vous, la 9³ est une traction et l'effet de couple, dans les deux cas, est mal maîtrisé. Bref, lorsqu'on enfonce l'accélérateur, la voiture s'emballe comme un cheval fou. Voilà qui est un peu «rock'n roll». Par ailleurs, si vous vous demandez pourquoi ce constructeur se cantonne dans ce type de motorisation alors que la tendance, dans cette catégorie, est aux V6, je vous répondrai laconiquement que Saab, c'est Saab...

Imprécise et bizarrement étagée, avec un premier rapport trop court, la boîte manuelle n'est pas très *user friendly*. Elle vous fera pester en conduite sportive, tout comme le trop grand débattement des amortisseurs, qui aggrave le roulis dont souffre déjà la 9³. Pourtant, elle s'accroche au pavé avec hargne, ce qui lui confère une tenue de route de haut niveau. De plus, elle freine avec autorité. Voilà qui n'est pas sans rappeler le comportement des Volkswagen; ce n'est d'ailleurs pas le seul point en commun entre ces deux marques. Nous y reviendrons.

La cabine a également subi sa part de modifications, mais encore une fois, il faut un œil aiguisé pour constater une différence. Disons seulement que plusieurs commandes ont été relocalisées, ergonomie rimant souvent avec ésotérisme chez ce constructeur. D'ailleurs,

Saab 9³

Pour
Finition soignée • Équipement de série bien garni • Choix de configurations • Tenue de route de haut niveau • Freinage solide

Contre
Moteurs dépassés • Effet de couple mal maîtrisé • Boîte manuelle désagréable • Roulis en virage • Faible valeur de revente

Caractéristiques

Prix du modèle à l'essai:	base / 33 800 $
Garantie de base:	4 ans / 80 000 km
Type:	berline 3 portes / traction
Empattement / Longueur:	260 cm / 463 cm
Largeur / Hauteur / Poids:	171 cm / 143 cm / 1375 kg
Coffre / Réservoir:	614 litres / 68 litres
Coussins de sécurité:	conducteur, passager et latéraux
Suspension av. / arr.:	indépendante
Freins av. / arr.:	disque ABS
Système antipatinage:	non
Direction:	à crémaillère, assistée
Diamètre de braquage:	10,5 mètres
Pneus av. / arr.:	P205/50ZR16
Valeur de revente:	passable

Motorisation et performances

Moteur / Transmission:	4L 2,0 litres turbo / manuelle 5 rapports
Puissance / Couple:	185 ch à 5500 tr/min / 194 lb-pi à 2100 tr/min
Autre(s) moteur(s):	4L 2,0 litres 205 ch; 4L 2,3 litres 230 ch
Transmission optionnelle:	automatique 4 rapports
Accélération 0-100 km/h:	8,2 secondes; 7,8 secondes (SE)
Vitesse maximale:	210 km/h
Freinage 100-0 km/h:	39,4 mètres
Consommation (100 km):	10,0 litres; 12,5 litres (SE)

Modèles concurrents
Acura TL • Audi A4 • BMW série 3 • Mercedes classe C • Volvo S70

Quoi de neuf?
Moteur haut rendement 205 ch (SE) • Version Viggen

Verdict

Agrément	⊤⊤⊤	Habitabilité ⊤⊤⊤⊤
Confort	⊤⊤⊤	Hiver ⊤⊤⊤
Fiabilité	⊤⊤	Sécurité ⊤⊤⊤⊤

certaines traces du passé subsistent, comme l'emplacement de la clé de contact, qui se trouve toujours au plancher. Mais cette facture typiquement Saab a aussi ses bons côtés: l'habitacle est spacieux et laisse voir une finition de premier ordre, rehaussée par l'utilisation de matériaux de qualité. Et il y a les sièges, qui se situent parmi ce qui se fait de mieux dans l'industrie automobile. Agréable à l'œil et de consultation facile, le tableau de bord n'est pas en reste. Qui plus est, les 9³ ne sont pas chiches sur l'équipement de série.

La Viggen: des sommets

Aux deux versions déjà existantes s'ajoute en 2000 la 9³ Viggen, du nom d'un avion de chasse également fabriqué par Saab. Pour faire honneur à ce patronyme, elle dispose, ô surprise, d'un 4 cylindres turbocompressé à haut rendement, dont la cylindrée a été portée à 2,3 litres. Résultat: 230 chevaux et un couple — délirant — de 258 lb-pi à 2500 tr/min. Dans les deux cas, il s'agit d'un sommet dans l'histoire de cette marque; même le V6 turbocompressé de la 9⁵ n'est pas en mesure de rivaliser. J'ose à peine imaginer l'effet de couple... Surtout que l'antipatinage n'est pas offert!

Conçue en collaboration avec TWR (Tom Walkinshaw Racing), de l'écurie de Formule 1 du même nom, la Viggen est munie de freins à disque ventilé, de roues de 17 pouces, ainsi que d'une suspension abaissée et recalibrée. Elle reçoit également une décoration intérieure et extérieure exclusive (tableau de bord, sièges baquets, aileron arrière, déflecteur avant, etc.). La première année, seulement 400 exemplaires seront fabriqués.

Tout ça est bien beau, mais il n'en demeure pas moins que Saab donne l'impression de ne construire des voitures que pour sa base de fidèles, sans faire d'efforts pour séduire de nouveaux acheteurs. Une approche qui n'est pas sans rappeler celle de Volkswagen, un autre constructeur qui semble vivre en vase clos. Mais contrairement à la firme allemande, Saab n'a pas eu l'impertinence de réduire sa garantie de base... Quant à la fiabilité problématique des Saab, disons seulement que ce n'est guère mieux chez bon nombre de constructeurs européens, et non les moindres. Parlez-en à des propriétaires de Volvo, de BMW, de Mercedes, de Volkswagen...

À quand la remise en question?

Philippe Laguë

Saab 9⁵ ● 9⁵ familiale

Saab 9⁵ familiale

À prendre ou à laisser

L'arrivée de la Saab 9⁵ l'an dernier a donné un sérieux coup de pouce à cette compagnie qui ne semblait aller nulle part. Il est possible de contester plusieurs des décisions adoptées lors du développement de cette voiture, mais le fait demeure que son arrivée a été bénéfique si on se fie à l'examen des derniers bilans. Les succès de cette nouvelle venue ont propulsé les ventes vers des niveaux records ou presque. Il ne fallait toutefois pas s'en tenir à un seul modèle, car l'enthousiasme se serait vite estompé. Cela explique l'arrivée de la familiale dans la gamme 9⁵.

Le choix d'un tel modèle peut paraître curieux à première vue alors que la plupart des autres marques concentrent leurs efforts sur les véhicules utilitaires sport et les hybrides. La décision de produire la première familiale Saab en 25 ans est justifiée par le fait que la catégorie des familiales de luxe a progressé de 40 p. 100 depuis 1988. Mieux encore, les analystes du marché prévoient que ce segment va continuer de croître en raison de la désaffection des propriétaires de tout-terrains. Désenchantés de leur expérience, ceux-ci se mettront à la recherche d'un véhicule polyvalent mais agréable à conduire.

C'est pourquoi les concepteurs de cette 9⁵ ont mis l'accent sur les éléments propres à une voiture et résisté à la tentation de réaliser une familiale se comportant comme un camion. La présentation extérieure est sans équivoque. La partie avant est similaire à celle de la berline tandis que le pilier C plus épais constitue la signature visuelle de la voiture. On a rendu cet élément plus imposant afin d'estomper la présence du pilier D dissimulé dans la surface vitrée de la soute à bagages. Cette silhouette pas particulièrement élégante fait trop penser à une berline hâtivement transformée. Chez Saab, on réfute cet argument en soulignant avoir opté pour cette présentation extérieure afin d'accentuer le caractère «auto». Le côté pratique de cette voiture n'est pas négligé pour autant. Dans la soute à bagages, plus généreuse que celles de la concurrence, des rails de retenue ont été intégrés dans le plancher. Grâce à des sangles et à des points mobiles d'ancrage, on arrime facilement des objets de toutes sortes.

Il est également possible de commander en option un plancher arrière mobile pour faciliter le chargement et le déchargement des bagages. À mon avis, cet accessoire est trop coûteux et d'une utilité très relative.

La suspension arrière, la même que celle de la berline, a été adaptée pour pouvoir transporter des charges plus lourdes, c'est tout. Quant à la plate-forme, elle se distingue par une excellente rigidité. Deux moteurs sont au programme: le 4 cylindres de 2,3 litres turbo de 170 chevaux et le V6 de 3,0 litres à turbo asymétrique développant 200 chevaux.

Une bonne routière

Si la 9³ est toujours affligée d'un moteur turbo souffrant d'un temps de réponse marqué, la 9⁵ peut compter sur des groupes propulseurs plus raffinés. Les ingénieurs de la compagnie, ses dirigeants et les puristes de la marque sont des accros du 4 cylindres et de la boîte manuelle. Personnellement, je crois que la combinaison du V6 et de la boîte automatique convient mieux à l'utilisation anticipée de la familiale. De plus, ce V6 se révèle plus doux et son temps de réponse pratiquement inexistant.

Saab 9⁵

Pour

Familiale réussie • Moteur V6 intéressant • Sièges confortables • Tenue de route rassurante • Climatisation efficace

Contre

Silhouette discutable (fam.) • Levier de vitesses mal guidé (man.) • Certaines commandes irritantes • Plancher mobile contestable (fam.) • Diffusion toujours limitée

Caractéristiques

Prix du modèle à l'essai:	familiale / 48 900 $
Garantie de base:	4 ans / 80 000 km
Type:	familiale / traction
Empattement / Longueur:	270 cm / 480 cm
Largeur / Hauteur / Poids:	179 cm / 150 cm / 1730 kg
Coffre / Réservoir:	1047 litres / 75 litres
Coussins de sécurité:	conducteur, passager et latéraux
Suspension av. / arr.:	indépendante
Freins av. / arr.:	disque ABS
Système antipatinage:	oui (V6)
Direction:	à crémaillère, assistance variable
Diamètre de braquage:	10,8 mètres
Pneus av. / arr.:	P215/55R16
Valeur de revente:	faible

Motorisation et performances

Moteur / Transmission:	V6 3,0 litres / manuelle 5 rapports
Puissance / Couple:	200 ch à 5000 tr/min / 229 lb-pi à 2500 tr/min
Autre(s) moteur(s):	4L 2,3 litres turbo 170 chevaux
Transmission optionnelle:	automatique 4 rapports
Accélération 0-100 km/h:	9,0 secondes; 9,5 secondes (4L)
Vitesse maximale:	215 km/h
Freinage 100-0 km/h:	40,6 mètres
Consommation (100 km):	10,8 litres; 9,5 litres (4L)

Modèles concurrents

Volvo V70 • Audi Avant A6 • Mercedes-Benz E320 • BMW Touring Version familiale Modèle Ho

Quoi de neuf?

Nouvelle version familiale • Modèles Alero et Viggen avec un moteur de 230 ch

Verdict

Agrément	⊕ ⊕ ⊕	Habitabilité ⊕ ⊕ ⊕ ⊕ ⊕
Confort	⊕ ⊕ ⊕ ⊕	Hiver ⊕ ⊕ ⊕ ⊕
Fiabilité	⊕ ⊕ ⊕	Sécurité ⊕ ⊕ ⊕ ⊕

Quant à la tenue de route, la familiale est très semblable à la berline. Sa caisse très rigide se montre efficace sur les routes sinueuses alors que le comportement de la voiture est prévisible. Sur mauvais revêtement, cette rigidité travaille pour éliminer les ruades du train arrière et l'apparition de bruits de caisse. La voiture sous-vire un peu lorsqu'elle est poussée à la limite, révélant un comportement routier qui n'a rien de très sportif.

Des irritants

En fait, berline et familiale affichent les mêmes qualités et les mêmes défauts. Parmi les qualités, il faut souligner un habitacle très confortable et généralement bien agencé. En revanche, sur le modèle équipé de la boîte de vitesses manuelle, il est souvent agaçant d'avoir à enclencher la marche arrière pour enlever la clé de contact placée sur le plancher, tout près du levier de vitesses. Non seulement cette disposition est loin de faire l'unanimité, mais la clé est accrochée à une télécommande oblongue qui s'empêtre presque toujours dans le levier du frein d'urgence.

Il est important de souligner la qualité de la peinture de toutes les Saab examinées. Cette suédoise fait la barbe à bien des allemandes plus prestigieuses qui se vendent pratiquement le double de son prix. Les sièges baquets avant figurent parmi les plus confortables de l'industrie et il est même possible de commander un système de ventilation intégré dans le siège. Si cette idée est intéressante en théorie, le fait de sentir un courant d'air frais à la hauteur des reins ne conviendra pas à tous les organismes.

La gamme des modèles 9⁵ s'étoffe petit à petit. Ceux-ci sont assez intéressants pour attirer plus d'acheteurs, mais certains traits de caractère si appréciés par Saab et ses inconditionnels risquent toujours d'en rebuter plusieurs. C'est souvent à prendre ou à laisser. Malgré tout, ce modèle progresse comme en témoignent la version à rendement élevé et son moteur de 225 chevaux. La livrée Viggen permet d'annoncer des caractéristiques encore plus sportives.

Denis Duquet

431

Saturn LS ● LW

Saturn LS

Le second souffle

Depuis environ une dizaine d'années que les voitures Saturn sont sur le marché et ce, pratiquement sans aucun changement. On a beau dorloter les clients, les traiter aux petits soins et faire appel à un esprit de corps unique dans l'industrie automobile, on manque de souffle. Au cours des deux dernières années, les ventes de cette division de General Motors ont commencé à ralentir puis à décliner. La marque Cendrillon était en panne ou presque. Le temps était venu d'insuffler quelques nouveautés. Faute de quoi, la situation serait devenue délicate.

L'arrivée de la berline LS et de la familiale LW tombe vraiment à point. Elle permet à plusieurs propriétaires de «petites» Saturn de demeurer dans la famille en achetant un modèle plus gros et plus luxueux comme c'est souvent le cas lorsqu'on est fidèle à une marque. Cette «grosse» Saturn marque également un point tournant dans la philosophie de la compagnie. Jusqu'à présent, toutes les voitures étaient assemblées dans une seule usine, celle de Spring Hills dans le Tennessee. Construite dans un champ de maïs, elle avait permis à GM d'innover dans le processus d'assemblage et même dans la gestion du personnel. On ne parlait pas d'ouvriers, mais d'associés. De plus, il fallait éviter de souligner à ces travailleurs qu'ils étaient à l'emploi de General Motors. On se faisait rapidement remettre à notre place par un employé nous précisant qu'il travaillait pour Saturn.

Comme l'usine de Spring Hills tournait à pleine capacité depuis son ouverture, il a fallu trouver un autre centre de production pour les modèles plus imposants. À défaut de pouvoir justifier la cons-truction d'une toute nouvelle usine Saturn, les dirigeants ont trans-formé celle de Wilmington au Delaware qui fabriquait les Chevro-let Malibu avant de passer dans le camp Saturn. Apparemment, les employés de cette nouvelle usine d'assemblage ont rapidement adopté la philosophie de travail Saturn qui consiste en un engage-ment personnel très fort, une formation plus poussée que la moyenne et une participation à des séminaires d'amélioration de la productivité et de la qualité de fabrication.

Des origines européennes

Développée à grands frais par GM au milieu des années 80, la première Saturn devait révolutionner la façon dont on allait fabri-quer des sous-compactes. Malgré sa carrosserie en plastique et des procédés de fabrication inusités, les seules choses vraiment hors de l'ordinaire qui en ont résulté ont été le réseau de concessionnaires unique et un service à la clientèle nettement supérieur à la moyenne. Les voitures n'ont pour leur part jamais rien révolu-tionné, à l'exception de leur carrosserie constituée de panneaux en matière plastique.

Pour développer les modèles LS et LW, on n'a pas tenté de réin-venter la roue une seconde fois. On a eu la sagesse de se tourner vers les filiales européennes de GM pour y trouver des éléments mécaniques susceptibles d'accélérer la mise au point de ces com-pactes. Même s'il ne s'agit pas d'une copie conforme, plusieurs des organes mécaniques de ces nouvelles Saturn sont empruntés à l'Opel Vectra. Et pour une fois, on ne se retrouve pas avec une ver-sion tarabiscotée à la sauce américaine perdant presque toutes ses qualités de routière européenne.

Les ingénieurs ont réussi un bel amalgame des éléments positifs des deux continents. Par exemple, la suspension avant de la plupart des américaines a de la difficulté à concilier douceur, tenue de route et capacité à absorber les imperfections de la chaussée. On roule, tout va bien, la voiture commence à nous impressionner et puis, «taklooowww», un trou ou une bosse vient faire talonner la suspension brutalement. Il s'ensuit un choc dans le volant et notre évaluation de la voiture n'est plus la même. La Saturn LS / LW est pourvue d'une suspension avant à jambes de force MacPherson comme la majorité, mais sa géométrie et l'utilisation d'amortisseurs et de ressorts bien calibrés en font un élément efficace.

La suspension arrière à liens multiples se démarque également par l'équilibre entre le confort et la tenue de route qu'elle offre. Le système de freinage et la boîte manuelle à 5 rapports sont également d'origine européenne, tout comme le moteur V6 de 3,0 litres qui est une version modifiée du V6 de la Cadillac Catera. Avec 182 chevaux, il offre 18 chevaux de moins que la Caddy, mais il permet tout de même d'obtenir un excellent rapport poids/puissance.

Mais l'agréable surprise chez ces nouvelles voitures est le moteur 4 cylindres à double arbre à cames en tête. D'une cylindrée de 2,2 litres, ce moteur en aluminium est impressionnant. Non seulement ses 137 chevaux sont livrés à toutes les plages d'utilisation, mais il est silencieux et d'une grande souplesse. La création de ce moteur est une bonne nouvelle pour les autres divisions de GM. Saturn en aura l'exclusivité pour quelques années, puis il sera utilisé par les autres marques en versions 2,2 litres, 2,0 litres et 1,8 litre. Quand on sait comment les Nord-Américains ont de la difficulté à développer des moteurs 4 cylindres adéquats, on apprécie d'autant plus les qualités de ce 2,2 litres.

Il ne faut pas oublier de mentionner que les LS/ LW sont demeurées fidèles à la structure de caisse en acier et à des panneaux extérieurs en polymère.

Un style effacé

Si la mécanique nous surprend par son équilibre et les prestations de ses moteurs, la silhouette ne se montre pas à la hauteur. Au premier coup d'œil, on a l'impression qu'il s'agit d'ébauches qui ont été laissées de côté par les décideurs de Saab. Mais s'il existe une similitude entre les deux, les lignes de la Saturn sont plus réservées, effacées même. Compte tenu des modifications apportées à la carrosserie des modèles SL et SW, toute la famille Saturn aura un air de famille en 2000. Mais il faut avouer que le résultat est plutôt triste. Il semble que les stylistes n'ont pas réussi à se décider entre la nouvelle tendance New Edge, où les rondeurs et les surfaces planes s'affrontent, et les dessins propres aux années 90 alors que les angles obtus dominaient.

L'habitacle est spacieux, confortable, réalisé à partir de matériaux de qualité, mais on le trouve adéquat à défaut d'être inspirant. On a heureusement éliminé la plupart des commandes plus originales que pratiques dont étaient dotées les premières Saturn. Les sièges sont confortables, les places arrière spacieuses et le coussin de la banquette bien rembourré. Il faut également souligner que le dégagement pour la tête est plus que généreux. Bref, une présentation plus originale aurait sans doute permis de mieux apprécier tous ces éléments positifs.

L'équilibre prévaut

Lors du lancement de ces nouvelles voitures, j'ai eu l'occasion de conduire une berline équipée du moteur V6 et une familiale à

Saturn LS

Pour

Moteurs bien adaptés • Tenue de route saine • Habitabilité généreuse • Finition soignée • Boîte manuelle précise

Contre

Silhouette trop sobre • Tableau de bord anonyme • Pneumatiques très moyens • Porte-verres peu efficace • Absence de freins ABS de série

Caractéristiques

Prix du modèle à l'essai:	LS2 / 26 840 $
Garantie de base:	3 ans / 60 000 km
Type:	berline
Empattement / Longueur:	270 cm / 483 cm
Largeur / Hauteur / Poids:	200 cm / 143 cm / 1360 kg
Coffre / Réservoir:	495 litres / 50 litres
Coussins de sécurité:	conducteur et passager
Suspension av. / arr.:	indépendante
Freins av. / arr.:	disque (ABS optionnel)
Système antipatinage:	oui (optionnel)
Direction:	à crémaillère, assistée
Diamètre de braquage:	11,4 mètres
Pneus av. / arr.:	P205/65R15
Valeur de revente:	nouveau modèle

Motorisation et performances

Moteur / Transmission:	V6 3,0 litres / automatique 4 rapports
Puissance / Couple:	182 ch à 5600 tr/min / 190 lb-pi à 3600 tr/min
Autre(s) moteur(s):	4L 2,2 litres 137 chevaux
Transmission optionnelle:	manuelle 5 rapports
Accélération 0-100 km/h:	8,2 secondes; 9,8 secondes
Vitesse maximale:	190 km/h
Freinage 100-0 km/h:	43,0 mètres
Consommation (100 km):	9,4 litres; 8,2 litres

Modèles concurrents

Toyota Camry • Honda Accord • Mazda 626 • Nissan Altima • Chrysler Cirrus

Quoi de neuf?

Nouveau modèle

Verdict

Agrément	◉◉◉◉	Habitabilité	◉◉◉◉
Confort	◉◉◉◉	Hiver	◉◉◉◉
Fiabilité	nouveau modèle	Sécurité	◉◉◉◔

moteur 4 cylindres. Les deux ont affiché un comportement routier sain ainsi qu'une direction précise dont l'assistance était bien dosée. Bien installé au volant, j'ai été en mesure d'apprécier une bonne position de conduite et de consulter des cadrans faciles à lire, à défaut d'afficher une présentation originale. Même sur des routes non pavées, ces deux Saturn ont démontré l'intégrité de leur caisse et l'efficacité de leur suspension. Et, au risque de me répéter, le moteur 4 cylindres m'a impressionné par son rendement, sa sonorité et sa souplesse.

Enfin, un moteur silencieux

Ces nouvelles venues n'ont pas le caractère fruste et les moteurs grognons des modèles SL et SW. Ce sont des voitures raffinées et confortables dont la qualité d'ensemble les place au même niveau que les meilleures japonaises. Et comme ces dernières, leurs personnalités s'effacent devant des qualités fonctionnelles et une belle exécution. Ajoutons que le comportement de la familiale est pratiquement similaire à celui de la berline. Sur les routes sinueuses, elle enchaînait les virages avec aplomb tandis que le train arrière demeurait imperturbable sur les routes non pavées. Comme elle offre un espace de chargement généreux et des places arrière confortables, plusieurs familles vont l'apprécier. Malheureusement, le système destiné à rabattre le dossier arrière n'est pas plus ingénieux qu'il ne faut. Même sur la berline, le dossier n'est jamais complètement à plat lorsqu'il est replié vers l'avant.

Somme toute, ces nouvelles Saturn sont sophistiquées et agréables à conduire. Il s'en dégage une impression de solidité et de qualité que l'on ne retrouve pas sur les cadettes de la famille, les SL et SW. On peut déplorer l'absence de freins ABS en équipement de série, la silhouette trop timide et quelques autres éléments de ce genre, mais les LS et LW sont des voitures bien nées qui devraient permettre à Saturn de prendre un nouvel essor.

Denis Duquet

Un gros pas en avant.

Saturn SC

Saturn SC2

Une 3e porte... et puis après?

Noyée dans un afflux de petits coupés sport sans grand intérêt, la Saturn SC essaie depuis l'an dernier de se démarquer du lot avec une carrosserie inédite qui se distingue par ses 3 portes, 2 du côté gauche et 1 à droite. C'est original, certes, mais outre cette petite astuce, qu'est-ce que le coupé Saturn SC a de plus... ou de moins à offrir que la concurrence?

Il est évidemment beaucoup plus facile d'accéder à la banquette arrière de la voiture grâce à cette 3e porte, mais cela ne signifie pas que l'on y trouve plus d'espace qu'avant, au contraire. Le dégagement pour les épaules et les hanches a légèrement diminué avec l'aménagement de cette porte de secours. Car c'est bel et bien ce que c'est, soit une ouverture ayant pour but de faciliter la tâche à celui qui veut déposer un surcroît de bagages ou quelques sacs d'épicerie sur le siège arrière même si le coffre est déjà assez vaste. En revanche, je ne suis pas sûr que vous conserverez vos amis très longtemps si vous les faites asseoir à l'arrière. Bref, l'ajout de cette 3e porte est d'un intérêt mitigé.

Si l'on fait abstraction de cette nouveauté, le coupé Saturn s'est un peu bonifié depuis mon dernier essai il y a deux ans. À l'époque, la position de conduite et la forme des sièges avant m'avaient tellement déplu que je n'avais pas hésité à écrire qu'il existait bel et bien encore de mauvaises voitures. La dernière version du coupé SC n'est pas parfaite, loin de là, mais on a fait des progrès sur le plan du confort.

Encore perfectible

Le rembourrage des sièges est beaucoup moins agressant, quoique la position de conduite demeure perfectible. À titre d'exemple, la course de l'accélérateur est si longue qu'elle vous oblige à une contorsion fatigante de la cheville. Si l'on ajoute à cela le manque de progressivité de l'embrayage, la conduite en souplesse n'est pas facile avec la boîte de vitesses manuelle à 5 rapports. C'est d'autant plus dommage que celle-ci compte parmi les meilleures boîtes manuelles actuellement offertes dans ce type de voiture grâce à la douceur et à la précision de son levier. Combinée au moteur à 2 arbres à cames en tête de la version SC2, elle permet des accélérations convenables, sinon foudroyantes. On se déplace de 0 à 100 km/h en 9,1 secondes, en route vers une vitesse maximale de 195 km/h.

Si le moteur 1,9 litre de 124 chevaux est raisonnablement performant, il reste encore et toujours assez bruyant à haut régime. Oui, je sais, cette critique commence à ressembler à une litanie, mais c'est vraiment le talon d'Achille des moteurs Saturn, aussi bien dans les berlines que dans les coupés.

Pourtant, on a planché là-dessus encore l'an dernier. Mais les résultats ne sont pas aussi satisfaisants qu'on voudrait bien nous le faire croire.

En conduite enjouée, le coupé Saturn SC2 se montre à la hauteur de son étiquette sportive avec un comportement qui oscille entre le sous-virage et le survirage. L'adhérence est particulièrement spectaculaire mais se fait chèrement payer par le martyre infligé au train avant. Dès que le revêtement est un peu raboteux, la suspension et la direction sont en proie à de désagréables secousses qui donnent carrément l'impression que l'on abuse de cette pauvre Saturn.

Fort heureusement, la carrosserie résiste bien aux anfractuosités de notre réseau routier du tiers-monde. Les bosses et les trous sont

Saturn SC

Pour

Excellente boîte manuelle • Performances adéquates • Tenue de route sportive • Caisse solide • Confort en hausse

Contre

Ergonomie désastreuse • Visibilité médiocre • Faible espace arrière • Moteur toujours bruyant • Embrayage peu progressif

Caractéristiques

Prix du modèle à l'essai:	23 843 $
Garantie de base:	3 ans / 60 000 km
Type:	coupé 3 portes / traction
Empattement / Longueur:	260 cm / 457 cm
Largeur / Hauteur / Poids:	172 cm / 132 cm / 1112 kg
Coffre / Réservoir:	323 litres / 45,8 litres
Coussins de sécurité:	frontaux
Suspension av. / arr.:	indépendante
Freins av. / arr.:	disque / tambour
Système antipatinage:	non
Direction:	à crémaillère, assistance variable
Diamètre de braquage:	11,3 mètres
Pneus av. / arr.:	P195/60R15
Valeur de revente:	bonne

Motorisation et performances

Moteur / Transmission:	4L 1,9 litre / manuelle 5 rapports
Puissance / Couple:	126 ch à 5600 tr/min / 122 lb-pi à 4800 tr/min
Autre(s) moteur(s):	4L 1,9 litre 100 ch
Transmission optionnelle:	automatique 4 rapports
Accélération 0-100 km/h:	9,1 secondes
Vitesse maximale:	195 km/h
Freinage 100-0 km/h:	40,7 mètres
Consommation (100 km):	9,0 litres

Modèles concurrents

Hyundai Tiburon • Mercury Cougar • Honda Civic coupé

Quoi de neuf?

Console et tableau de bord redessinés • Course de l'embrayage plus courte • Nouveau volant

Verdict

Agrément	⊤⊤⊾	
Confort	⊤⊤⊤⊤	
Fiabilité	⊤⊤⊤⊤	
Habitabilité	⊤⊤⊤	
Hiver	⊤⊤⊤⊤	
Sécurité	⊤⊤⊤⊾	

encaissés sans craquements ou grincements, du moins dans la voiture mise à ma disposition. Il en découle un confort très convenable pour une voiture qui ne mise pourtant pas sur une telle qualité.

Une ergonomie à revoir

Si la Saturn se défend plutôt bien au chapitre du comportement routier, son aménagement intérieur apparaît toujours aussi décevant.

À l'heure où l'on peut parler d'ergonomie sans que les gens demandent s'il s'agit d'une nouvelle thérapie de groupe, Saturn manque grossièrement le bateau dans ce domaine.

Le volant en forme d'assiette profonde a pour effet d'éloigner considérablement les leviers pour les phares (à gauche) et les essuie-glaces (à droite) montés sur la colonne de direction. Certains auront sans doute des difficultés à les rejoindre du bout des doigts, un illogisme s'il en est un. Les trois boutons placés à l'horizontale au-dessus de la radio ne sont pas non plus une trouvaille au point de vue ergonomique.

Si une visibilité limitée de trois quarts arrière est le lot de bien des coupés, il faut déplorer la difficulté que l'on éprouve à bien voir les voitures qui nous entourent à une intersection en biais. La présence de la petite porte arrière du côté du conducteur a rendu le pilier central un peu plus large et cela crée un angle mort dangereux quand on veut s'engager sur une artère où l'on n'a pas la priorité.

La SC2 étant le modèle le plus cher des deux coupés Saturn, on pourrait s'attendre à une finition un peu plus relevée, ce qui n'est pas le cas malheureusement.

En bout de ligne, on peut dire que la bonne réputation de la marque Saturn tient surtout à un marketing adroit grâce auquel les ventes des berlines et des familiales vont rondement. Quant au coupé, il est non seulement victime du peu d'intérêt pour ce type de voiture, mais aussi d'une conception qui ne lui permet pas d'inquiéter les valeurs sûres de cette catégorie.

Jacques Duval

Trop peu, trop tard.

Saturn SL • SW

Saturn SL

L'automobile revue et corrigée

On aurait pu s'attendre avec l'arrivée de la nouvelle série L que toutes les ressources du service de recherche et développement de Saturn soient mobilisées pour cette nouvelle aventure. Pourtant, la série S reçoit elle aussi sa part de modifications destinées à effacer quelques fautes de conception.

En effet, à force d'essayer (en vain) de réinventer l'automobile, la Saturn comportait certains éléments à l'efficacité pour le moins douteuse. Les ingénieurs ont écouté les conseils et récriminations de leurs clients et de la presse automobile (disons-le modestement) et sont revenus à des solutions plus classiques et beaucoup plus pratiques.

Des irritants disparus

Lors de mon dernier essai d'une SL2, j'avais noté plusieurs points irritants qui semblaient tenir de la simple volonté de faire différent. Par exemple, le réglage manuel du rétroviseur gauche alors que celui du droit était électrique; le contact pour l'avertisseur situé bizarrement presque dans le boudin du volant; le contrôle de la soufflerie du chauffage qui semblait provenir d'un mauvais séchoir à cheveux «Made in China»; l'espèce de «satellite» près du volant pour ajuster le régulateur de vitesse qui nous ramenait à l'époque des Citroën des années 70, et j'en passe.

Presque tous ces éléments ont été corrigés dans le modèle 2000. Les deux rétroviseurs se règlent électriquement (en option), le contact pour l'avertisseur se retrouve maintenant au milieu du volant, les interrupteurs pour le régulateur de vitesse sont revenus eux aussi dans le volant, mais le contrôle du ventilateur du chauf-

fage semble encore provenir de la Chine, même si de commodes commandes rotatives remplacent les leviers pour le réglage de la température et l'orientation du flot d'air. En fait, on constate que l'ergonomie de la série S profite des études effectuées pour la nouvelle série L et que les résultats se ressemblent sur plus d'un point. Certaines commandes, cependant, comme le levier des clignotants, continuent d'être tellement récalcitrantes qu'elles semblent menacer de se rompre.

Le dessin de la carrosserie s'harmonise dorénavant avec celui des coupés. Ainsi, la partie avant reçoit des phares mieux carénés et des réflecteurs ambres pour les clignotants, et que les feux arrière s'étirent sur toute la largeur de la voiture. Bonne nouvelle, les pare-chocs sont peints de la même teinte que la carrosserie sur tous les modèles sauf les simples SL. La taille des pneus d'origine augmente aussi d'un cran avec des 185/65R14. Enfin, différents panneaux de la carrosserie reçoivent de subtiles modifications discernables seulement par l'œil le plus averti. N'importe qui cependant peut constater les tolérances très lâches entre ces mêmes panneaux. Il semble que le polymère dont ils sont formés se dilate et se contracte de façon importante avec les écarts de température. Heureusement qu'ils ne peuvent être attaqués par la rouille et les chocs légers.

Mécanique reconduite

Les changements mécaniques s'avèrent plus modestes. Croyez-le ou non, les moteurs ont reçu plusieurs petites améliorations sensées réduire les bruits et les vibrations. Cette ritournelle nous revient chaque année, mais les résultats sont toujours aussi peu convaincants et la puissance de ces moteurs demeure inchangée.

Saturn SW

Pour
Mécanique robuste • Concession-naires compétents • Habitacle spacieux • Tenue de route rassurante • Panneaux en polymère résistants

Contre
Moteur de base faiblard • Moteurs encore bruyants • Certains contrôles «récalcitrants» • Espace important entre les panneaux • Boîte manuelle imprécise

Caractéristiques

Prix du modèle à l'essai:	SW2 / 19 800 $
Garantie de base:	3 ans / 60 000 km
Type:	familiale / traction
Empattement / Longueur:	250 cm / 452 cm
Largeur / Hauteur / Poids:	168,5 cm / 141 cm / 1124 kg
Coffre / Réservoir:	704 litres ou 1647 litres / 55,7 litres
Coussins de sécurité:	conducteur et passager
Suspension av. / arr.:	indépendante
Freins av. / arr.:	disque / tambour ABS
Système antipatinage:	oui (optionnel)
Direction:	à crémaillère, assistée
Diamètre de braquage:	11,3 mètres
Pneus av. / arr.:	P185/65R15
Valeur de revente:	excellente

Motorisation et performances

Moteur / Transmission:	4L 1,9 litre / automatique 4 rapports
Puissance / Couple:	124 ch à 5600 tr/min / 122 lb-pi à 4800 tr/min
Autre(s) moteur(s):	4L 1,9 litre 100 ch
Transmission optionnelle:	manuelle 5 rapports
Accélération 0-100 km/h:	11,0 secondes; 12,0 secondes
Vitesse maximale:	175 km/h
Freinage 100-0 km/h:	43,0 mètres
Consommation (100 km):	9,2 litres; 7,9 litres

Modèles concurrents
Chevrolet Cavalier • Chrysler Neon • Ford Focus • Honda Civic • Hyundai Elantra • Mazda Protegé • Nissan Sentra • Toyota Corolla

Quoi de neuf?
Parties avant et arrière retouchées • Modifications au tableau et à la planche de bord • Plusieurs autres détails améliorés (voir texte)

Verdict

Agrément	⊕⊕⊕⊕○	
Confort	⊕⊕⊕⊕○	
Fiabilité	⊕⊕⊕⊕○	
Habitabilité	⊕⊕⊕⊕○	
Hiver	⊕⊕⊕⊕○	
Sécurité	⊕⊕⊕⊕○	

Précisons cependant qu'ils sont devenus beaucoup plus «tolérables» à l'oreille. Le 1,9 litre à 8 soupapes disponible dans les SL, SL1 et SC1 mériterait quant à lui de se retrouver comme engin stationnaire réservé à des applications agricoles. Le 16 soupapes monté dans les SL2, SW2 et SC2 correspond beaucoup mieux à ce qu'on attend d'un moteur moderne.

Bonne tenue de route

Aucune modification aux suspensions qui continuent d'offrir un bon confort au détriment d'un comportement routier plus pointu. Ne vous méprenez pas, cependant. Les Saturn tiennent bien la route, particulièrement les SL2 et SW2 avec leurs pneus plus gros et leurs réglages spécifiques, et répondent amplement aux besoins du conducteur moyen. La boîte de vitesses automatique remplit bien sa tâche et la manuelle de la SL2 mentionnée plus haut se comparait à celle d'une Toyota Corolla âgée d'au moins 10 ans et avec 200 000 km au compteur. Le freinage rassure en toute circonstance, d'autant plus que des correctifs ont été apportés cette année au mécanisme d'autodiagnostic de l'ABS (en option). Le bruit entendu quelques mètres après la mise en marche donnait chaque fois l'impression que le maître cylindre venait de tomber dans le compartiment moteur.

Les habitués de la marque n'éprouveront aucun dépaysement à l'intérieur. Les sièges sont de bonne taille, un peu mous et le support lombaire réglable en option sur les SL2 vous projette vers l'avant. Dans l'ensemble, la qualité des matériaux satisfait pour cette catégorie de voiture. L'espace disponible respecte les grands gabarits américains et la version familiale SW2 (la SW1 disparaît du catalogue) offre un excellent rapport habitabilité/encombrement.

Les concessionnaires de la marque continuent de s'occuper de leurs clients avec respect et compétence, et les Saturn démontrent une belle résistance mécanique. Je recommande volontiers la série S aux gens pour qui une voiture demeure un simple moyen de transport. Ils rouleront longtemps sans problème ni frustration.

Jean-Georges Laliberté

«Ça tourne» plus rond.

Subaru Forester

Subaru Forester

La relance de Subaru

Au cours des quatre dernières années, Subaru a réussi à tripler ses ventes au Canada. Le Forester et l'élargissement de la gamme Subaru y sont pour quelque chose, car ils ont permis aux concessionnaires d'attirer un plus grand nombre d'acheteurs. En outre, la campagne publicitaire bien articulée qui véhicule efficacement les avantages de la transmission intégrale à prise constante commence à porter des fruits.

L'atout majeur de Subaru est sans contredit son système de transmission intégrale à prise constante aux 4 roues. Surnommé «la traction intégrale» par Subaru, ce mécanisme transmet en permanence le mouvement du moteur aux 4 roues, ce qui le distingue des systèmes 4X4 qui nécessitent l'intervention du conducteur pour actionner la grosse boîte de transfert qui engage les 4 roues. Autrement dit, le 4X4 classique à boîte de transfert, c'est excellent pour se sortir de la neige ou de la boue ou pour rouler sur des chemins non asphaltés. Le reste du temps, ces 4X4 ne sont en fait que des propulsions offrant une motricité limitée.

Le couple en évidence

Cette mise au point étant faite, passons au Forester qui constitue l'un des atouts majeurs de Subaru pour lutter contre les tout-terrains compacts comme le Honda CR-V, le Toyota RAV4 et le Suzuki Grand Vitara. Lancé en 1998, le Forester a connu un succès immédiat chez les automobilistes qui souhaitaient un véhicule aux allures de tout-terrain sans avoir à en payer le prix, notamment à la pompe.

Le Forester, livrable en versions L, S et Limited, est motorisé par le traditionnel «boxer» de Subaru qui a été profondément remanié l'an

dernier par l'adoption de culasses à un seul arbre à cames en tête conçues pour favoriser le couple à bas régime. Silencieux, souple et exempt de vibrations au ralenti grâce à sa configuration (cylindres opposés à plat), le 2,5 litres Phase II de Subaru se tire honorablement d'affaire, notamment en reprises. La consommation reste sensiblement la même que celle du millésime précédent, soit 12 litres aux 100 km: mieux que les 4X4, moins bien que des berlines de même cylindrée.

Sur notre Forester Limited d'essai, le boxer remanié était allié à l'excellente boîte automatique (en option) qui se distingue par la souplesse de ses passages et la rapidité des rétrogradations. Cependant, on s'explique mal l'absence du témoin de boîte automatique, ce qui oblige le conducteur à surveiller le sélecteur au plancher. Aussi, le démarrage à partir de l'arrêt a déjà fait l'objet de critiques, car le Forester a tendance à bondir dès qu'on touche à l'accélérateur. Ce n'est pas l'accélérateur qui est en cause, mais le convertisseur de couple de la boîte automatique qui intervient immédiatement, sans doute pour mieux prouver que cette Subaru a du couple.

À noter la transparence totale de la «traction» intégrale et l'efficacité des suspensions indépendantes du Forester en matière d'amortissement des vibrations. Certes, les gros pneus 215/60 de 16 pouces contribuent à atténuer l'effet des généreuses anfractuosités des routes «made in Québec», mais ces mêmes pneus à profil haut nuisent à la précision de la direction et la caisse accuse du roulis en virage. Le profil passablement carré du Forester et sa hauteur donnent aussi prise au vent latéral, mais ils favorisent la visibilité tous azimuts. On apprécie d'ailleurs la présence des gros rétroviseurs chauffants à commande électrique.

Subaru Forester

Pour

Motricité toutes saisons • Bonne boîte automatique • Moteur souple Suspension confortable • Équipement complet (Limited) • Fiabilité éprouvée

Contre

• Freins manquent de mordant • Banquette arrière inconfortable • Consommation assez élevée • Démarrages abrupts • Roulis en virage

Caractéristiques

Prix du modèle à l'essai:	S Limited / 33 395 $
Garantie de base:	3 ans / 60 000 km
Type:	utilitaire sport / transmission intégrale
Empattement / Longueur:	252 cm / 445 cm
Largeur / Hauteur / Poids:	173,5 cm / 159,5 cm / 1425 kg
Coffre / Réservoir:	940 litres / 60 litres
Coussins de sécurité:	conducteur et passager
Suspension av. / arr.:	indépendante
Freins av. / arr.:	disque ABS
Système antipatinage:	non
Direction:	à crémaillère, assistance variable
Diamètre de braquage:	11,7 mètres
Pneus av. / arr.:	P215/60R16
Valeur de revente:	bonne

Motorisation et performances

Moteur / Transmission:	H4 2,5 litres 16 soupapes / automatique 4 rapports
Puissance / Couple:	165 ch à 5600 tr/min / 162 lb-pi à 4000 tr/min
Autre(s) moteur(s):	aucun
Transmission optionnelle:	manuelle 5 vitesses
Accélération 0-100 km/h:	9,5 secondes
Vitesse maximale:	185 km/h
Freinage 100-0 km/h:	40,6 mètres
Consommation (100 km):	12 litres

Modèles concurrents

Honda CR-V • Toyota RAV4 • Suzuki Grand Vitara/Chevrolet Tracker • Jeep Cherokee • Kia Sportage

Quoi de neuf?

Légers changements esthétiques • Différentiel arrière à visco-coupleur

Verdict

Agrément	⏱⏱⏱⏱	Habitabilité ⏱⏱⏱⏱⏱
Confort	⏱⏱⏱⏱⏱	Hiver ⏱⏱⏱⏱⏱
Fiabilité	⏱⏱⏱⏱⏱	Sécurité ⏱⏱⏱⏱⏱

Les freins à disque aux 4 roues de cette version haut de gamme, doublés d'un ABS efficace, bénéficieraient d'un peu plus de mordant. De son côté, la pédale manque de fermeté, caractéristique assez courante chez Subaru.

Cuir et similibois

L'habitacle de notre Forester Limited sent bon le cuir qui habille les sièges chauffants (en option sur la L) dont le confort convenable à l'avant fait contraste avec la fermeté et le manque de galbe de la banquette arrière. Le tableau de bord classique comporte un casier de rangement dans le haut; les commandes sont visibles et bien placées. La console centrale ornée de similibois qui fait plus plastique que bois porte la radiocassette (aux boutons minuscules) et un lecteur de disques compacts, tous deux dotés d'une sonorité agréable. La console se termine par un accoudoir central sous lequel se cachent deux compartiments pratiques. Les contre-portes disposent aussi d'un accoudoir bien placé, d'un petit compartiment fermé et d'un vide-poches. Quant au sempiternel porte-verres avant, son emplacement au-dessus des commandes de chauffage ne pouvait être plus mal choisi, ce qui n'est heureusement pas le cas à l'arrière.

Le hayon s'ouvre facilement au ras du pare-chocs, mais il s'avère plus difficile à fermer. Le coffre convenable, recouvert d'un cache-bagages escamotable, renferme des casiers pratiques sur les côtés et sous le plancher, ainsi qu'une roue de secours standard et, détail apprécié, une prise de courant pour accessoires de pique-nique.

Le tout-terrain des villes

Dans l'esprit de ses concepteurs, le Forester constitue un «tout-terrain des villes». Mais à notre grande surprise et malgré l'absence d'un rapport inférieur comme sur un «vrai» 4X4, le Forester s'est fort bien débrouillé sur les sentiers de montagne lors du match comparatif des tout-terrains que vous trouverez au début de ce *Guide de l'auto*. Gageons cependant que les principaux attraits du Forester auprès du public demeurent sa fiabilité, son look et sa sécurité active sur routes d'hiver.

Alain Raymond

Le gagnant.

Subaru Impreza

L'Audi du pauvre

La berline TS introduite l'an dernier a permis à Subaru d'étoffer sa gamme Impreza qui compte à présent une berline, une familiale ainsi qu'un coupé aux allures sportives (RS) doublé de sa version 4 portes. Outre ses qualités «allemandes», la TS constitue la seule berline à système de transmission intégrale proposée à moins de 25 000 $.

Depuis la création par Audi du système de transmission intégrale Quattro, le public automobiliste a appris à apprécier les qualités indéniables de ce mode de transmission bien mieux adapté à notre réalité nordique que la propulsion ou même la traction. Quatre roues motrices en permanence, pas de supplément de poids ni de garde au sol surélevée (comme c'est le cas pour les 4X4), voilà les principaux avantages que nous offre la transmission intégrale, qu'elle soit signée Audi ou Subaru, des avantages qui pèsent lourd en faveur de la sécurité active.

Si elle est autrement «ordinaire», la Subaru TS est donc dotée de ce mécanisme ingénieux qui la place un bon cran au-dessus de toute la faune automobile. La TS respecte aussi la tradition de la maison qui se voue corps et âme au moteur de type «boxer», c'est-à-dire à cylindres opposés à plat. Compact et moins haut qu'un moteur classique en ligne ou en V, le 4 cylindres «boxer» de la Subaru TS déplace 2,2 litres et développe 137 chevaux.

S'il se distingue par sa souplesse et l'absence de vibrations, notamment à haute vitesse, le «boxer» Subaru est quand même assez bruyant en accélération, qui sont d'ailleurs mal servies par la lenteur de la boîte manuelle dont le levier imprécis se manie mal. Ce levier combiné à l'action de l'embrayage et de l'accélérateur rend difficile la conduite coulée en circulation urbaine, au point où on finit par souhaiter la boîte automatique qui est d'ailleurs exemplaire. C'est dommage que la commande de la boîte manuelle ne soit pas plus réussie, car cette voiture, dotée d'une direction précise, d'un volant agréable au toucher et de suspensions fort efficaces, présente un agrément de conduite qui la distingue de ses concurrentes à traction pratiquement toutes vouées au désagrément du sous-virage.

Certes, la caisse s'incline un peu en virage, mais sur chaussée glissante, et à condition de jouer de l'accélérateur, la Subaru affiche le comportement sportif d'une propulsion tout en s'accrochant à la route avec une ténacité qui semble parfois relever de la magie. Ici, pas besoin de système antidérapage complexe; il suffit de laisser la transmission intégrale répartir le couple du moteur aux 4 roues et le tour est joué. Ajoutez à cela une caisse d'une rigidité exemplaire et la TS, à l'instar de ses sœurs intégrales, rejoint incontestablement le groupe sélect des voitures les mieux adaptées à nos routes.

Certes, tout n'est pas rose avec la TS. Les freins sont mous et la présence de tambours à l'arrière ne fait rien pour leur donner plus de mordant. Quant à l'habitacle, s'il est modeste dans son aménagement, il est néanmoins doté de sièges avant enveloppants et confortables, ce qui n'est pas le cas de la banquette arrière fixe qui manque de dégagement pour les jambes.

Compte tenu du prix de la voiture, l'équipement est correct, mais il faut déplorer l'absence de l'ABS (même en option) qui va à l'encontre de la réputation de sécurité de Subaru. N'aurait-il pas été préférable d'oublier l'inutile et obstruant aileron arrière et de proposer à sa place les freins antiblocage?

Subaru Impreza

Pour	Contre
Motricité remarquable en toutes saisons • Bonne boîte automatique • Agrément de conduite • Caisse rigide • Suspensions réussies • Prix abordable (TS)	Pas d'ABS (TS) • Maniement peu précis de la boîte manuelle • Intérieur dépouillé • Places arrière restreintes • Freinage mou • Aileron superflu

Caractéristiques

Prix du modèle à l'essai:	TS / 21 995 $
Garantie de base:	3 ans / 60 000 km
Type:	berline / transmission intégrale
Empattement / Longueur:	252 cm / 438 cm
Largeur / Hauteur / Poids:	171 cm / 140 cm / 1220 kg
Coffre / Réservoir:	314 litres / 60 litres
Coussins de sécurité:	conducteur et passager
Suspension av. / arr.:	indépendante
Freins av. / arr.:	disque / tambour
Système antipatinage:	non
Direction:	à crémaillère, assistance variable
Diamètre de braquage:	10,2 mètres
Pneus av. / arr.:	P195/60R15
Valeur de revente:	passable

Motorisation et performances

Moteur / Transmission:	H4 2,2 litres 16 soupapes / manuelle 5 vitesses
Puissance / Couple:	137 ch à 5400 tr/min / 140 lb-pi à 4400 tr/min
Autre(s) moteur(s):	H4 2,5 litres 165 ch (RS)
Transmission optionnelle:	automatique 4 rapports
Accélération 0-100 km/h:	9,7 secondes
Vitesse maximale:	190 km/h
Freinage 100-0 km/h:	42 mètres
Consommation (100 km):	10,6 litres

Modèles concurrents

Honda Civic • Ford Focus, Mazda Protegé • Hyundai Elantra • Toyota Corolla • Chrysler Neon • Volkswagen Jetta • Saturn SL

Quoi de neuf?

Différentiel arrière à visco-coupleur sur 2,5RS

Verdict

Agrément	⊕⊕⊕⊙	
Confort	⊕⊕⊕⊕⊙	Habitabilité ⊕⊕⊕⊕⊙
Fiabilité	⊕⊕⊕⊕⊙	Hiver ⊕⊕⊕⊕⊙
		Sécurité ⊕⊕⊕⊕

Sur le plan positif, signalons la présence dans l'équipement de série des glaces, du verrouillage et des rétroviseurs à commande électrique ainsi que de la climatisation, quoique celle-ci soit plutôt anémique par temps chaud. Anémiques aussi les essuie-glaces, qui décollent allègrement du pare-brise à haute vitesse.

Coupé RS: allure plus musclée

Le mot clé ici est «allure», car avec sa grosse prise d'air, son énorme aileron arrière et ses belles jantes dorées, on penserait que la RS cache au moins 200 chevaux sous le capot. Hélas! ces accessoires ne sont là que pour faire semblant, car le 2,5 litres de la RS qui développe 165 chevaux donne au coupé des prestations qui ne sont que légèrement supérieures à celles de la modeste TS. Admettons cependant que le plaisir de conduire répond à l'appel grâce à des freins plus efficaces (avec ABS), à des suspensions calibrées et à une commande plus précise de la boîte manuelle. Il n'en demeure pas moins que les amateurs de conduite sportive resteront sur leur faim, surtout quand ils sauront que nos cousins d'outre-mer se font plaisir avec un turbo de 218 chevaux et un autre de 260 chevaux! «Normes antipollution», prétend Subaru. «Faible excuse!» répondons-nous. D'ailleurs, nous apprenons que Subaru prépare pour le millésime 2002 une nouvelle RS qui sera animée par le moteur turbo adapté aux normes locales.

Nouvelle berline RS

Nouveauté aussi que la berline RS 2000 qui reprend le moteur 165 chevaux du coupé, ses freins ABS et un aménagement intérieur plus relevé. En somme, une gamme de plus en plus étoffée, élaborée sur des plates-formes communes et axée sur le thème central de la transmission intégrale. Il existe certes d'autres voitures qui offrent solidité, agrément de conduite, prix abordable, consommation raisonnable et fiabilité, mais grâce à la motricité remarquable que procure en tout temps le système de transmission intégrale, les Impreza TS et RS affichent un rapport sécurité active/prix tout à fait imbattable. En attendant la motorisation européenne, nous disons quand même: «Chapeau!»

Vivement l'hiver.

Alain Raymond

Subaru Legacy • Outback

Subaru Legacy

Une prudente évolution

La compagnie Subaru était à la dérive il y a quelques années à peine. Ses voitures ne manquaient pas de qualités, mais cette marque n'était qu'un joueur de plus sur un marché encombré. La décision de se concentrer sur des modèles à traction intégrale et de développer l'Outback a eu une heureuse incidence sur la popularité de la compagnie en Amérique. Cette orientation vers l'intégrale est survenue au moment même où les gens s'emballaient pour les véhicules utilitaires sport. La conjoncture étant favorable, les ventes de Subaru ont grimpé en flèche.

D ans le développement des nouveaux modèles Legacy et Outback 2000, les ingénieurs ont adopté une approche plus évolutive. Il aurait été insensé de tout bouleverser au risque de voir le public bouder des modèles trop différents de leurs prédécesseurs.

Les nouvelles Legacy et Outback ont été revues de fond en comble et leurs organes mécaniques sérieusement révisés. Malgré tout, la présentation extérieure et l'habitacle montrent de fortes affinités avec les modèles précédents. Subaru aurait agi de façon contraire qu'on lui aurait reproché de ne pas développer ses produits sur des bases sûres.

Pour ne pas s'y perdre, il est important de souligner que les versions à caractère plus utilitaire sport sont maintenant identifiées comme étant les modèles Outback, qu'il s'agisse de la berline ou de la familiale. Les Legacy berline et familiale servent à désigner les modèles plus axés vers une utilisation sur la route.

Un nouveau moteur

Avant de parler de tout autre changement à propos de ces nouveaux véhicules, il est primordial de souligner que toutes les Legacy et Outback 2000 sont propulsées par un nouveau moteur. De prime abord, la cylindrée est la même et la puissance similaire. On est en droit de se demander s'il s'agit d'un changement majeur. Chez Subaru, on prétend que oui.

Les ingénieurs se sont en effet donné pour objectif d'améliorer le couple à bas et moyen régime. Sur le moteur 2,5 litres utilisé en 1999, le couple à régime intermédiaire faisait sérieusement défaut et il fallait toujours prévoir ses dépassements avec prudence. Pour corriger cette caractéristique pour le moins désagréable, les ingénieurs ont modifié le système d'admission et ainsi permis au moteur de mieux respirer. C'est ce qui explique pourquoi le nouveau 4 cylindres à plat est dorénavant pourvu d'un seul arbre à cames en tête par rangée de cylindres alors qu'il était double précédemment. L'adoption de la culasse à un seul arbre à cames doté de lobes plus hauts a permis de créer des tubulures d'admission plus rectilignes, favorisant ainsi l'arrivée d'un plus grand volume d'air aux chambres de combustion. Il faut également souligner que la prise d'air a été placée au-dessus de la calandre du radiateur afin que l'air admis provienne directement de l'extérieur. Enfin, les culasses ont été pourvues d'orifices d'admission d'air inversés, logés près des soupapes afin de provoquer des tourbillons dans la chambre de combustion et de favoriser ainsi un mélange air-essence plus efficace.

L'autre changement mécanique d'importance sur ces nouvelles venues est l'utilisation d'une suspension arrière toute nouvelle.

Jusqu'à l'an dernier, des jambes de force MacPherson étaient installées à l'avant comme à l'arrière. Cette année, la suspension arrière, de type multibras, comporte des points d'ancrage supérieurs et inférieurs différents, ce qui permet de réduire le roulis en virage et d'augmenter le contrôle de la voiture. Cette suspension est reliée au châssis par un faux cadre flottant afin d'augmenter la rigidité et de filtrer les bruits et les vibrations parasites. Dernier avantage d'une telle suspension, les tours verticales des jambes de force de la suspension MacPherson étant éliminées, on dispose de plus d'espace de chargement. La suspension est à grand débattement en raison du fait que le moteur et la boîte de vitesses sont au centre du véhicule, ce qui permet d'utiliser des arbres de roues assez longs.

Puisque c'est l'adoption de l'intégrale sur tous les modèles qui a permis à Subaru de connaître du succès, il est inévitable que ce système simple et efficace soit de retour. Plusieurs de ses composantes peuvent loger dans le carter de la boîte de vitesses, ce qui minimise l'excédent de poids en plus de simplifier la mécanique.

La famille Outback

Il est tout de même curieux que le simple fait d'avoir pris une familiale à traction intégrale et de l'avoir plus ou moins «déguisée» en véhicule utilitaire sport ait permis à Subaru de se mettre sur la carte, du moins en Amérique du Nord. En Europe, c'est par l'intermédiaire du championnat du monde des rallyes que la compagnie a obtenu le respect. Sur notre continent, compte tenu de l'engouement des gens pour les utilitaires sport de tout acabit, l'idée d'une familiale jouant les utilitaires sport tout en conservant le confort et l'agilité d'une voiture a été fortement appréciée. Du coup, toutes les Subaru sont devenues des voitures *in* et les gens ont appris à en découvrir les qualités.

La première génération de l'Outback n'était rien d'autre qu'une familiale Legacy agencée à la sauce 4X4. Puisque cette voiture possédait d'indéniables qualités en conduite hors route et une structure passablement rigide, les gens l'ont aimée et on connaît la suite de l'histoire. À la demande du public, la berline a également été transformée à la sauce Outback en 1999, histoire de tâter le terrain avant l'arrivée des modèles 2000. Cet essai semble avoir été concluant puisque la berline Outback est de retour.

Cette fois, l'Outback a été développée indépendamment de la Legacy afin de répondre de façon plus efficace aux besoins particuliers de ces véhicules. La garde au sol est dorénavant de 19 cm et la structure plus rigide; les bas de caisse ont été renforcés afin de mieux supporter les rigueurs de la conduite hors route. Les moulures latérales plastifiées ont été solidifiées pour augmenter la protection des bas de caisse contre les éraflures et les autres incidents de parcours pouvant survenir lorsqu'on s'aventure dans les champs et les prés.

Lors du dévoilement de ces véhicules, au Japon en septembre 1998 et dans la région de Seattle à l'été 1999, les responsables de Subaru ont fait passer les deux modèles Outback sur des terrains fort accidentés et des sentiers très sommaires. Chaque fois, ils s'en sont tirés avec honneur. Il faut toutefois souligner que la puissance du moteur demeure toujours juste lorsqu'on circule sur des routes très boueuses ou des pentes raides. De plus, des essais en altitude n'ont pas arrangé les choses. Malgré tout, ces nouvelles versions surpassent de beaucoup les modèles précédents. Et il est important de souligner que la familiale bénéficie cette fois d'une plate-forme à part. De plus, lors du développement de la carrosserie, les ingé-

Subaru Outback

Pour

Présentation plus moderne
• Nouveau moteur • Rendement
hors route en progrès • Finition
soignée • Boîte manuelle plus
précise

Contre

Moteur toujours juste • Freins à
tambour sur Brighton • Certains
modèles onéreux • Berline Outback
anachronique

Caractéristiques

Prix du modèle à l'essai:	Limited / 36 295 $
Garantie de base:	3 ans / 60 000 km
Type:	familiale hybride / intégrale
Empattement / Longueur:	265 cm / 476 cm
Largeur / Hauteur / Poids:	174 cm / 158 cm / 1595 kg
Coffre / Réservoir:	847 litres / 64 litres
Coussins de sécurité:	conducteur, passager et latéraux
Suspension av. / arr.:	indépendante
Freins av. / arr.:	disque ABS
Système antipatinage:	non
Direction:	à crémaillère, assistée
Diamètre de braquage:	10,3 mètres
Pneus av. / arr.:	P225/60R16
Valeur de revente:	très bonne (modèle précédent)

Motorisation et performances

Moteur / Transmission:	4H 2,5 litres / automatique 4 rapports
Puissance / Couple:	165 ch à 5600 tr/min / 166 lb-pi à 4000 tr/min
Autre(s) moteur(s):	aucun
Transmission optionnelle:	manuelle 5 rapports
Accélération 0-100 km/h:	9,6 secondes; 9,2 secondes (manuelle)
Vitesse maximale:	205 km/h
Freinage 100-0 km/h:	40,6 mètres
Consommation (100 km):	11,6 litres; 10,2 litres (manuelle)

Modèles concurrents

Honda Accord • Toyota Camry • Mazda 626 • Chrysler Cirrus • Hyundai
Sonata • Nissan Altima

Quoi de neuf?

Tout nouveau modèle

Verdict

Agrément	⊕⊕⊕⊕	
Confort	⊕⊕⊕⊕	
Fiabilité	⊕⊕⊕⊕	
Habitabilité	⊕⊕⊕⊕	
Hiver	⊕⊕⊕⊕	
Sécurité	⊕⊕⊕⊕	

nieurs en charge ont conçu des arceaux destinés à rehausser la rigidité de la voiture et à améliorer la sécurité en formant une cage de protection. De plus, une lunette arrière en forme de V inversé augmente la visibilité. Le capot plongeant et les ailes plus dégagées permettent de bien évaluer la position de l'avant du véhicule, un élément apprécié en conduite hors route.

Legacy: plusieurs variantes

Si les Outback sont en quelque sorte les modèles de très haut de gamme chez Subaru, la famille Legacy doit composer avec des versions plus économiques tandis que d'autres sont plus sportives ou plus luxueuses. Sans vouloir faire une description détaillée de chacune d'entre elles, il est bon de préciser les grandes différences entre les modèles. Comme sur les Outback, l'habitacle est une évolution des 1999. C'est nouveau, plus élégant et plus pratique à la fois. Malgré tout, la présentation demeure toujours très sage. Et il est également important de souligner que la puissance du moteur 2,5 litres qui équipe toutes les Legacy et Outback pourrait être un peu plus généreuse à régime intermédiaire. Le résultat s'est amélioré, mais demeure perfectible.

De mieux en mieux.

Chez les familiales Legacy, la Brighton est le modèle le plus économique. Son équipement est moins étoffé et les pneus moins larges. Le modèle L roule toujours sur des pneus de 15 pouces, mais ils sont plus larges que ceux de la Brighton et son équipement plus complet. La version GT comprend des roues de 16 pouces, une liste d'équipement très relevée ainsi qu'un différentiel arrière autobloquant.

La berline Legacy la plus économique est le modèle L suivi des versions GT et GT Limited qui possèdent un différentiel autobloquant et un système sophistiqué de freins ABS.

Les Outback et Legacy étaient de très bonnes voitures auparavant; elles ne sont que meilleures maintenant. La seule ombre au tableau demeure ce moteur 2,5 litres dont les performances ne font toujours pas l'unanimité.

Denis Duquet

Suzuki Esteem

Suzuki Esteem

Trop peu, trop tard

Encouragée par la popularité de ses microscopiques Swift et, surtout, de ses petits 4X4, Suzuki a décidé de monter d'un cran avec l'Esteem, une berline compacte qui fut lancée à l'automne 1995. Quatre ans plus tard, le succès se fait toujours attendre, les ventes n'arrivant tout simplement pas à décoller.

O n croyait que l'ajout d'une familiale donnerait un second souffle à cette mal-aimée, mais l'opération n'aura réussi qu'à moitié. Certes, depuis son introduction, cette nouvelle configuration est devenue le meilleur vendeur au sein de la gamme Esteem, mais on ne se bouscule pas pour autant chez les concessionnaires Suzuki. Autrement dit, il y a eu un déplacement latéral: il se vend désormais plus de familiales Esteem que de berlines, mais les ventes globales de ce modèle ne battent toujours pas de records.

Qu'à cela ne tienne, ce petit constructeur japonais a refusé de lâcher le morceau, en y allant de nouvelles modifications l'année dernière. Il s'agissait cette fois de retouches esthétiques, l'Esteem voyant sa partie avant redessinée. Encore une fois, ces changements n'ont pas causé d'émeutes, pas plus que l'arrivée, quelques mois plus tard, d'un moteur de cylindrée supérieure, réservé en exclusivité à la familiale. C'était trop peu, trop tard; espérons seulement que les dirigeants de Suzuki en sont arrivés à la même conclusion et qu'ils sauront mieux outiller la prochaine génération, prévue pour l'an prochain.

Des lacunes mécaniques

Sous le capot de la familiale, l'anémique et très sonore 4 cylindres de 1,6 litre a cédé sa place à un autre 4 cylindres, de 1,8 litre cette fois. Disons-le, cette augmentation de sa masse musculaire lui a fait le plus grand bien. Ses 122 chevaux lui permettent de faire jeu égal avec ses rivales de même catégorie, du moins en termes de puissance et de performances. Mais il demeure plus rugueux et plus bruyant que la moyenne, surtout si on le compare avec les 4 cylindres des autres constructeurs nippons. Les muscles, c'est bien beau, mais n'oublions pas la souplesse!

N'empêche, le progrès est notable. Le pauvre 1,6 litre, quant à lui, continue de sévir dans la berline. Celle-ci ne fait tout simplement pas le poids devant la concurrence, qui propose des moteurs pour la plupart plus raffinés et surtout, plus puissants. Cette dernière lacune serait plus facilement pardonnable si ledit moteur se distinguait d'une autre façon. Or, il n'en est rien: il souffre des mêmes défauts que le 1,8 litre, mais multipliés par deux. Non seulement il manque de ressources, mais il émet un grondement à la limite du supportable et il n'est pas plus souple que son grand frère. En voilà un qui serait plus à sa place dans la petite Swift, qui évolue dans une catégorie inférieure. De toute façon, il doit céder sa place en cours d'année au 1,8 litre. Bon débarras!

Le rendement des transmissions se situe, hélas! dans la même veine. Aussi rétive qu'imprécise, la boîte manuelle m'a arraché quelques jurons bien sentis, et ce plus d'une fois. Dire qu'elle est désagréable serait un euphémisme; ne cherchez pas pire ailleurs, vous ne trouverez pas. C'est un peu mieux — moins pire, disons — avec la boîte automatique, qui effectue un boulot acceptable, sans plus. Mais si vous optez pour cette combinaison, il vous faudra alors remplacer l'indicateur de vitesse par un calendrier.

Suzuki Esteem

Pour
Esthétique réussie (familiale) • Bonne habitabilité • Roulement confortable • Puissance accrue (1,8 litre) • Version familiale pratique

Contre
Mécanique peu raffinée • Boîte manuelle désagréable • Direction légère • Freinage timide • Pneus médiocres

Caractéristiques

Prix du modèle à l'essai:	GLX / 17 895 $
Garantie de base:	3 ans / 60 000 km
Type:	familiale / traction
Empattement / Longueur:	248 cm / 437 cm / 169 cm
Largeur / Hauteur / Poids:	142 cm / 1070 kg
Coffre / Réservoir:	680 litres / 51 litres
Coussins de sécurité:	conducteur et passager
Suspension av. / arr.:	indépendante
Freins av. / arr.:	disque / tambour (ABS optionnel)
Système antipatinage:	non
Direction:	à billes, assistée
Diamètre de braquage:	9,8 mètres
Pneus av. / arr.:	P185/60R14
Valeur de revente:	passable

Motorisation et performances

Moteur / Transmission:	4L 1,8 litre / manuelle 5 rapports
Puissance / Couple:	122 ch à 6300 tr/min / 117 lb-pi à 3500 tr/min
Autre(s) moteur(s):	4L 1,6 litre 95 ch
Transmission optionnelle:	automatique 4 rapports
Accélération 0-100 km/h:	10,7 secondes; 13,8 secondes
Vitesse maximale:	165 km/h
Freinage 100-0 km/h:	45,0 mètres
Consommation (100 km):	8,9 litres

Modèles concurrents
Chevrolet Cavalier • Daewoo Nubira • Honda Civic • Hyundai Elantra • Kia Sephia • Saturn SL

Quoi de neuf?
Aucun changement majeur

Verdict

Agrément	⊕ ⊕	Habitabilité	⊕ ⊕ ⊕ ⊕
Confort	⊕ ⊕ ⊕ ⊖	Hiver	⊕ ⊕ ⊕
Fiabilité	⊕ ⊕ ⊕	Sécurité	⊕ ⊕ ⊕

Le négatif annule le positif

Si l'Esteem parvenait à compenser ce manque de raffinement mécanique par ses aptitudes routières, on pourrait (peut-être) se montrer plus indulgent. Mais le résultat n'est guère meilleur de ce côté. Pourtant, le châssis de cette voiture n'est pas vilain. Mais il est mal servi par une direction légère et hypersensible, de un; et de deux, par une monte pneumatique de piètre qualité. Difficile de s'illustrer avec ça... Et ne parlons pas des freins, qui manquent eux aussi de mordant.

Seule la suspension mérite la note de passage: à défaut d'être sportive, elle confère une douceur de roulement appréciable à l'Esteem. Mais encore une fois, celle-ci semble prendre un malin plaisir à retirer d'une main ce qu'elle donne de l'autre, car la dureté des sièges vient noircir un bilan qui, autrement, serait positif en matière de confort. Dommage!

Une coche en dessous.

Même chose lorsqu'on examine l'habitacle: on dirait qu'il y a toujours un point négatif qui vient atténuer, sinon annihiler, chaque point positif. L'habitabilité est étonnante, mais la tristesse de la présentation intérieure vient gâter la sauce. La rigueur de l'assemblage se trouve ternie par la présence d'un plastique de qualité douteuse recouvrant la planche de bord. Une dernière: les espaces de rangement sont bien disposés, mais les minuscules vide-poches dans les portières sont plus décoratifs que pratiques. Vous en voulez encore? Pas de problème, il en reste. Comme les boutons de la radio, plus faciles à manipuler parce que plus gros; mais pour la qualité sonore, on repassera...

N'en jetons plus, la coupe est pleine.

Pour une japonaise, la Suzuki Esteem déçoit, c'est le moins qu'on puisse dire. Contrairement à ses compatriotes, elle manque cruellement de raffinement et, dans l'ensemble, elle ne respecte pas les standards de qualité qui ont forgé l'excellente réputation des véhicules assemblés au pays du Soleil levant. Il faut bien le dire, l'Esteem a encore des croûtes à manger avant de constituer une menace sérieuse pour ses rivales de chez Toyota, Honda, Mazda, Nissan et Subaru. À tout le moins peut-elle se mesurer aux coréennes, et encore.:.

Philippe Laguë

Suzuki Grand Vitara • Chevrolet Tracker

Suzuki Grand Vitara

Les révélations d'un essai hivernal de 10 000 km

On achète habituellement un véhicule utilitaire sport pour dormir plus tranquille en hiver. Or, quand le beau p'tit 4X4 refuse de démarrer par un matin glacial, on a l'air un peu fou. C'est malheureusement l'expérience qu'ont vécue les premiers acheteurs du dernier-né de chez Suzuki, le Grand Vitara. Et pour ajouter l'injure à l'insulte, plusieurs utilisateurs se sont plaints d'une mauvaise répartition du chauffage. Nous savons ce dont ils parlent puisque, dans un essai sans escale de 10 000 km auquel le *Guide de l'auto* a soumis un Grand Vitara, les mêmes ennuis ont fait surface.

À la décharge de Suzuki, précisons que les responsables de la marque affirment avoir réglé les problèmes de jeunesse de leur petit dernier. Le prochain hiver nous dira si le Grand Vitara fera honneur à sa réputation de véhicule tout temps.

Entre-temps, précisons que ce modèle a été rejoint cette année par deux autres versions à moteur 4 cylindres, le Vitara 4 portes et le Vitara décapotable. Le premier hérite d'un moteur 2,0 litres de 127 chevaux tandis que le second propose un choix entre le même moteur et un 1,6 litre de 97 chevaux, ce qui est bien peu dans un véhicule de 1580 kg. Même le 2,0 litres semble mal à l'aise dans le Vitara 4 portes lorsqu'il fait équipe avec la transmission automatique à 4 rapports. La moindre petite côte le fait rétrograder et il faut près de 14 secondes pour passer de 0 à 100 km/h.

Quant à la version dite décapotable, sa vocation n'est pas très évidente dans un coin de pays comme le nôtre. Avec un strict minimum d'espace pour les bagages, une capote peu aisée à manipuler et un niveau de bruit qui coupe court à tout dialogue, ce petit

engin semble beaucoup plus habile à fréquenter les plages de Malibu que les tréfonds de la forêt québécoise. Comme véhicule inutile, il est difficile de faire mieux.

Allergie au froid

Cela nous amène à l'essentiel de la gamme Suzuki, le Grand Vitara V6 que nous avons expérimenté tout au long d'un essai marathon, au cœur de l'hiver. Bien qu'un test d'une dizaine de milliers de kilomètres soit insuffisant pour attester de la fiabilité d'un véhicule, cet essai a quand même permis d'évaluer cet utilitaire sport compact dans des conditions rigoureuses. Et c'est là que le Grand Vitara s'est fait prendre en défaut en refusant de démarrer après une nuit glaciale de -25 °C. Cette allergie au froid n'était d'ailleurs pas unique à notre modèle d'essai et plusieurs propriétaires de Grand Vitara ont éprouvé des ennuis similaires.

Dans les mêmes conditions, le chauffage a été jugé faible par plusieurs de nos essayeurs, surtout au niveau des pieds du conducteur. Il faut également faire fonctionner le ventilateur au maximum pour arriver à réchauffer la cabine au cours de longs trajets. L'autre point faible des aptitudes hivernales du Grand Vitara est son équipement pneumatique d'origine. Les P235/60R16 tout-terrains sont bien adaptés à des pavés secs et à quelques excursions hors route, mais ils n'offrent pas la motricité voulue dans la neige, même si l'on prend soin d'utiliser le boîtier de transfert pour enclencher les 4 roues motrices. Rien n'est évidemment plus frustrant que de rouler dans un véhicule qui donne l'impression de pouvoir relever tous les défis mais qui, au mieux, se comporte comme la plus ordinaire des voitures. Précisons que cet utilitaire sport est à la base

Suzuki Grand Vitara

Pour

Construction solide • Sièges confortables • Bonnes aptitudes hors route • Bonnes performances • Accès facile • Faible diamètre de braquage

Contre

Difficulté de démarrage par temps froid (voir texte) • Système de chauffage perfectible • Mauvaise visibilité arrière • Bruit de vent • Confort moyen

Caractéristiques

Prix du modèle à l'essai:	22 995 $ (JX); 26 195 $ (JLX)
Garantie de base:	3 ans / 80 000 km
Type:	utilitaire sport / 4X4
Empattement / Longueur:	248 cm / 418 cm
Largeur / Hauteur / Poids:	178 cm / 174 cm / 1580 kg
Coffre / Réservoir:	637 litres / 66 litres
Coussins de sécurité:	conducteur et passager
Suspension av. / arr.:	indépendante / essieu rigide
Freins av. / arr.:	disque ABS / tambour ABS
Système antipatinage:	oui
Direction:	à billes, assistée
Diamètre de braquage:	10,4 mètres
Pneus av. / arr.:	P235/60R16
Valeur de revente:	moyenne

Motorisation et performances

Moteur / Transmission:	V6 2,5 litres / automatique 4 rapports
Puissance / Couple:	155 ch à 6500 tr/min / 160 lb-pi à 4000 tr/min
Autre(s) moteur(s):	4L 2,0 litres 127 ch
Transmission optionnelle:	manuelle 5 rapports
Accélération 0-100 km/h:	9,2 secondes
Vitesse maximale:	170 km/h
Freinage 100-0 km/h:	42,3 mètres
Consommation (100 km):	12,3 litres

Modèles concurrents

Honda CR-V • Jeep Cherokee • Kia Sportage • Subaru Forester • Toyota RAV4

Quoi de neuf?

Édition spéciale en cours d'année

Verdict

Agrément	⊕ ⊕ ◖	Habitabilité	⊕ ⊕ ◖
Confort	⊕ ⊕ ⊕	Hiver	⊕ ⊕ ◖
Fiabilité	⊕ ⊕ ⊕	Sécurité	⊕ ⊕ ⊕

une propulsion à laquelle on a greffé un arbre d'entraînement permettant d'engager les roues avant.

Si certains aspects du Grand Vitara sont perfectibles, le véhicule est néanmoins bien né et étonne par sa robustesse. Ni les trous ni les bosses, pourtant sévères au Québec, n'ont d'influence sur la rigidité de la carrosserie.

Un V6 à la hauteur

Le V6 de 2,5 litres et 155 chevaux exclusif au Grand Vitara s'acquitte fort bien de sa tâche dans la plupart des circonstances. Comme dans tout véhicule de ce gabarit offrant une forte résistance à l'air, le bruit du vent est omniprésent et la consommation moyenne (12 litres aux 100 km) un tantinet élevée par rapport à une automobile de format équivalent. Malgré son essieu arrière rigide, le Grand Vitara offre un confort de roulement acceptable, mais les petites secousses causées par les revêtements dégradés se chargent de nous rappeler que nous avons affaire à un mini-camion plutôt qu'à une automobile.

Avez-vous bien dit Vitara?

La clientèle de Suzuki se recrutant surtout chez les femmes, nous avons demandé l'opinion de deux conductrices. Elles ont beaucoup apprécié l'aspect sécurisant du véhicule, son accès relativement facile malgré sa garde au sol élevée, son faible diamètre de braquage qui le rend facile à garer et la présence de très grands rétroviseurs latéraux. Elles ont moins apprécié, par contre, l'obstruction à la visibilité arrière causée par les appuie-tête et par la partie supérieure de la roue de secours montée sur le battant arrière. L'une d'elles nous a aussi fait part de sa déception en constatant que la porte donnant accès au compartiment à bagages s'ouvre de gauche à droite, ce qui est assez peu commode lorsque le véhicule est garé le long d'un trottoir.

Après cet essai de 10 000 km, on peut dire que le Grand Vitara marque un progrès très net par rapport à l'ancien Sidekick Sport 4 portes. Il est certes plus cher que le Vitara ou son double de chez Chevrolet, le Tracker, mais son moteur V6 et son comportement général valent pleinement le prix d'admission. Si Suzuki a bel et bien réglé les problèmes précités, le Grand Vitara sera en mesure de faire la lutte aux meilleurs de sa catégorie.

Jacques Duval

Toyota 4Runner

Toyota 4Runner

Toujours dans le coup

Sans être aussi populaire que le Ford Explorer ou le Jeep Grand Cherokee, le Toyota 4Runner tire néanmoins son épingle du jeu. Sa dernière refonte, qui remonte au printemps 1996, y est pour beaucoup, car elle a permis de corriger les principales lacunes de cet utilitaire sport, qui n'arrivait plus à soutenir la comparaison avec ses rivaux américains.

Avec ses 150 chevaux, le V6 du 4Runner de la précédente génération faisait pâle figure devant ceux, plus puissants, de la paire Jimmy/Blazer de GM et de l'Explorer. D'autant plus que ce dernier proposait déjà un V8 en option, tout comme le Grand Cherokee. Du côté japonais, la concurrence se limitait alors aux Isuzu Rodeo et Trooper, qui se vendaient au compte-gouttes, et au Nissan Pathfinder. Celui-ci souffrait également de sous-motorisation face aux 4X4 américains, mais il pouvait compter sur son physique agréable pour compenser, en partie du moins. Handicapé par une ligne sans éclat, le 4Runner ne pouvait, lui, jouer la carte de la séduction. Il avait beau miser sur l'excellente réputation des produits Toyota en matière de qualité d'assemblage et de fiabilité, cela n'arrivait pas à faire oublier sa silhouette anonyme et la timidité de ses motorisations. Bref, le charisme lui faisait cruellement défaut.

Il n'en a guère plus aujourd'hui: même si son allure est plus agressive, avec sa devanture massive et ses passages de roues élargis, le 4Runner de troisième génération continue de se fondre dans le paysage. En matière de style, cette firme japonaise souffre d'un sérieux problème: ou bien le résultat est original au point d'en être ésotérique (rappelez-vous de la Previa...), ou bien il est inodore,

incolore et insipide (Corolla, Camry). Mais le véhicule est rarement beau, le RAV4 étant l'exception qui confirme la règle.

Tout en douceur

Qu'importe, diront les plus pragmatiques, puisqu'on a corrigé la lacune la plus criante, soit le manque de puissance. Avec ses 183 chevaux, le V6 de 3,4 litres n'est pas le plus musclé du lot, mais il peut encore tenir son bout, malgré l'arrivée d'une flopée de nouveaux joueurs dans ce créneau depuis deux ans. Et pas les moindres: Mercedes-Benz, BMW, Infiniti, et bientôt Porsche! Mais pour affronter ces utilitaires snobinards, Toyota fait confiance à sa marque de prestige, Lexus, qui compte non pas un, mais deux utilitaires sport dans sa gamme.

Pour être vraiment dans le coup, il faudrait une vingtaine de chevaux supplémentaires au V6. Mais il faut aller au-delà des chiffres pour l'évaluer de façon équitable. Doté d'une architecture moderne (2 arbres à cames en tête et 4 soupapes par cylindre), qu'on retrouve plus souvent dans une automobile que dans un 4X4, ce moteur a de toute évidence été conçu en fonction d'une utilisation quotidienne, ce qui est une approche tout à fait logique quand on sait que la presque totalité des propriétaires de ce type de véhicule ne s'aventurent jamais hors route. À bas régime, il répond à la moindre sollicitation de l'accélérateur, mais son souffle diminue à mesure que le régime augmente. Pour transporter de lourdes charges ou pour tracter, ce n'est ni le moteur ni le véhicule idéal. Mais encore là, qui s'en sert vraiment pour ça?

Du reste, en usage normal, ce moteur brille par sa douceur et son silence de roulement, en plus de faire montre d'une belle sou-

Toyota 4Runner

Pour

V6 bien adapté • Finition exemplaire • Habitacle spacieux et confortable • Insonorisation exceptionnelle • Fiabilité Toyota

Contre

Silhouette sans éclat • Présentation intérieure terne • Confort relatif • Bruits de vent • Direction légère

Caractéristiques

Prix du modèle à l'essai:	Limited / 47 270 $
Garantie de base:	3 ans / 60 000 km
Type:	utilitaire sport / propulsion ou 4X4
Empattement / Longueur:	267 cm / 454 cm
Largeur / Hauteur / Poids:	180 cm / 176 cm / 1803 kg
Coffre / Réservoir:	1262 litres / 70 litres
Coussins de sécurité:	conducteur et passager
Suspension av. / arr.:	indépendante / essieu rigide
Freins av. / arr.:	disque ABS / tambour ABS
Système antipatinage:	non
Direction:	à crémaillère, assistance variable
Diamètre de braquage:	11,4 mètres
Pneus av. / arr.:	P265/70R16
Valeur de revente:	bonne

Motorisation et performances

Moteur / Transmission:	V6 3,4 litres / automatique 4 rapports
Puissance / Couple:	183 ch à 4800 tr/min / 217 lb-pi à 3600 tr/min
Autre(s) moteur(s):	aucun
Transmission optionnelle:	manuelle 5 rapports
Accélération 0-100 km/h:	11,7 secondes
Vitesse maximale:	170 km/h
Freinage 100-0 km/h:	46,3 mètres
Consommation (100 km):	14,9 litres

Modèles concurrents

Chevrolet Blazer • Ford Explorer • Isuzu Rodeo • Jeep Grand Cherokee • Nissan Pathfinder • Mercedes-Benz ML320

Quoi de neuf?

Le 4 cylindres de 2,7 litres n'est plus offert • Lecteur de disques compacts de série sur tous les modèles

Verdict

Agrément	⊕⊕⊕	Habitabilité	⊕⊕⊕⊕⊕
Confort	⊕⊕⊕⊕	Hiver	⊕⊕⊕⊕
Fiabilité	⊕⊕⊕⊕⊕	Sécurité	⊕⊕⊕⊕

plesse. Dans le genre, il ne se fait toujours pas mieux. La boîte automatique, une autre spécialité de la maison, autorise des passages fluides et encore une fois, tout se fait en douceur, conformément à la philosophie Toyota. On aimerait pouvoir en dire autant du roulement, mais les pneus surdimensionnés réagissent à la moindre imperfection du revêtement. On a beau s'appeler Toyota, on ne peut éviter l'inévitable! Pas plus qu'on peut éliminer les bruits éoliens et la sensibilité aux vents latéraux, qui sont le propre de ce type de véhicule. Mais la direction surassistée, elle, porte la signature de ce constructeur, qui a aussi ses petits péchés.

Une tradition respectée

La tradition Toyota est aussi respectée en tout point à l'intérieur. Ce qui signifie que l'habitacle respire la qualité de partout, mais qu'il est totalement dépourvu d'originalité. La finition est soignée; l'assemblage, rigoureux; et l'ergonomie, impeccable. Mais nom de Dieu, engagez un décorateur, ça presse! La personne qui a dessiné le tableau de bord doit avoir un sens pratique très développé, j'en conviens; mais elle avait dû laisser son imagination à la maison, je ne vois pas autre chose...

Si ce n'est pas très jojo là-dedans, c'est à tout le moins fonctionnel, on l'a dit, mais aussi très spacieux et très confortable. Très, j'insiste. À l'avant comme à l'arrière, les occupants ne manquent jamais d'espace et les sièges prédisposent aux longues randonnées. Puis il y a l'insonorisation, qui se situe dans une classe à part. Dommage que la chaîne stéréo ne soit pas à la hauteur, mais cela fait aussi partie de la tradition évoquée ci-dessus, qui n'a pas que des bons côtés. Parmi les moins bons, on pourrait aussi inclure l'addition salée, qui accompagne trop souvent l'achat d'un véhicule portant le nom Toyota. Mais dans le cas du 4Runner, ce n'est ni mieux ni pire que chez la concurrence: les prix délirants sont, eux aussi, le propre des utilitaires, toutes marques confondues. Et ils n'offrent pas tous la fiabilité et la solidité du 4Runner...

Philippe Laguë

Discret mais efficace.

Toyota Avalon

Toyota Avalon

Cette fois, c'est réussi!

On avait voulu faire de la première Avalon une concurrente directe des grosses américaines 6 places telles que les Chevrolet Caprice et Ford Crown Victoria. Dire que Toyota a raté la cible serait un euphémisme, du moins au Canada. Non seulement les ventes ont été pratiquement confidentielles, mais cette voiture était trop petite pour les amateurs de grosses bagnoles à l'américaine tandis que son prix plus élevé avait pour effet de décourager ceux qui s'y seraient intéressés. Malgré de nombreuses qualités et une finition impeccable, l'Avalon n'était rien d'autre qu'une Camry quelque peu raffinée se vendant plusieurs milliers de dollars de plus. Elle avait beau être plus puissante, plus spacieuse et plus agréable à conduire, la différence n'était pas assez marquée pour inciter les gens à payer plus cher pour une voiture semblable. Plusieurs ont dû se dire: «Tant qu'à dépenser de l'argent, aussi bien rouler en Lexus ES300. Elle est plus chère que l'Avalon, mais on obtient au moins le prestige d'une marque de luxe.»

Toyota semble être arrivé aux mêmes conclusions, puisque l'Avalon a été sérieusement modifiée pour 2000. Et, ironie du sort, les deux modèles qu'on voulait concurrencer ne sont plus de la partie. La Caprice a tiré sa révérence il y a quelques années tandis que la Crown Victoria n'est présente sur le marché canadien qu'en tant que voiture de police.

Silence! On roule!

Les ingénieurs de Toyota sont toujours fiers de l'insonorisation des voitures qu'ils conçoivent. En général, le modèle Toyota ou Lexus est toujours mieux insonorisé que la plupart de ses concurrents de la même catégorie. La nouvelle Avalon ne fait pas exception à la règle. Dans un premier temps, on a modifié la carrosserie afin de lui donner une présentation se démarquant davantage de celle de la Camry. Sans être révolutionnaires, les changements apportés s'avèrent bénéfiques. Cette nouvelle génération semble avoir été dessinée afin d'intéresser des acheteurs plus jeunes.

Ces tôles aux nouvelles formes ont également une incidence sur le silence de roulement puisque leurs courbes ont pour effet de réduire le coefficient de traînée, qui passe de 0,31 à 0,28. L'air s'écoule avec moins de turbulence, ce qui réduit les bruits éoliens. De nouveaux caoutchoucs isolants ont été placés sur le pourtour des portes avant afin d'éliminer les turbulences parasites.

Les ingénieurs ont également voulu empêcher l'infiltration de bruits. dans la cabine. Des matériaux isolants ont été ajoutés et d'autres ont été placés dans des endroits stratégiques. Résultat: cette voiture est ultrasilencieuse. On a l'impression de se trouver au volant d'une automobile coûtant au moins le double. Les accros de la téléphonie cellulaire vont apprécier cette insonorisation qui leur permettra de faire la jasette sans que les bruits d'arrière-plan viennent gêner leur conversation.

L'habitacle a été la cible de plusieurs modifications destinées à améliorer le confort. Les sièges ont été revus, la finition est plus cossue et le tableau de bord tout nouveau. Même si celui-ci semble avoir été emprunté à une grosse américaine, sa présentation s'avère attrayante et le centre de messages par affichage se révèle simple et pratique. Non seulement l'Avalon est plus luxueuse qu'auparavant, mais elle se démarque beaucoup plus de la Camry.

Toyota Avalon

Pour

Insonorisation impressionnante • Moteur plus puissant • Tableau de bord pratique • Confort apprécié • Fiabilité rassurante

Contre

Direction engourdie • Prix élevé • Silhouette toujours discrète • Support latéral des sièges déficient

Caractéristiques

Prix du modèle à l'essai:	XLS / 44 295 $
Garantie de base:	3 ans / 60 000 km
Type:	berline / traction
Empattement / Longueur:	272 cm / 487 cm
Largeur / Hauteur / Poids:	182 cm / 146 cm / 1570 kg
Coffre / Réservoir:	450 litres / 84 litres
Coussins de sécurité:	conducteur, passager et latéraux
Suspension av. / arr.:	indépendante
Freins av. / arr.:	disque ABS
Système antipatinage:	oui
Direction:	à crémaillère, assistance variable
Diamètre de braquage:	11,5 mètres
Pneus av. / arr.:	P205/60R16
Valeur de revente:	moyenne

Motorisation et performances

Moteur / Transmission:	V6 3,0 litres / automatique 4 rapports
Puissance / Couple:	210 ch à 5800 tr/min / 220 lb-pi à 4400 tr/min
Autre(s) moteur(s):	aucun
Transmission optionnelle:	aucune
Accélération 0-100 km/h:	7,9 secondes
Vitesse maximale:	210 km/h
Freinage 100-0 km/h:	42,3 mètres
Consommation (100 km):	12,9 litres

Modèles concurrents

Buick Le Sabre • Chrysler Concorde • Mercury Grand Marquis • Nissan Maxima • Mazda Millenia

Quoi de neuf?

Extérieur fortement remanié • Carrosserie plus large • Moteur plus puissant • Nouveau tableau de bord • Insonorisation améliorée

Verdict

Agrément	⊕⊕⊕⊖	
Confort	⊕⊕⊕⊕⊕	
Fiabilité	⊕⊕⊕⊕⊖	
Habitabilité	⊕⊕⊕⊕⊖	
Hiver	⊕⊕⊕⊕⊕	
Sécurité	⊕⊕⊕⊖	

Une mécanique plus relevée

Il serait facile de ne souligner que la puissance accrue du moteur. En effet, le V6 de 3,0 litres affiche dorénavant une puissance de 210 chevaux, soit 16 chevaux de plus que la Camry 2000 et 10 de plus que l'Avalon 1999. Cette puissance supplémentaire s'explique par l'utilisation dans ce moteur du système de calage continuellement variable des soupapes. Et Toyota ajoute le qualificatif «avec intelligence» pour bien souligner que ce mécanisme a pour effet d'optimiser le rendement du moteur en tout temps, en plus de réduire les émissions polluantes. Un autre élément témoigne de la sophistication de cette voiture, c'est la présence de blocs d'ancrage du moteur remplis de liquide et contrôlés par électronique afin de réduire les vibrations.

Second début.

Minilimousine

On a profité de l'occasion pour renforcer la plate-forme et développer des freins plus efficaces associés à un système de contrôle de stabilité latérale qui fait appel à une application sélective des freins pour empêcher la voiture de déraper. Les suspensions avant et arrière sont sensiblement les mêmes. Toutefois, les ingénieurs ont modifié la géométrie et utilisé des points d'ancrage mieux localisés et mieux isolés.

Toutes ces améliorations et retouches ont pour effet de transformer une voiture ennuyeuse et sans caractère particulier en une minilimousine de luxe dont le prix est maintenant plus en harmonie avec son équipement et son comportement d'ensemble. Et comme dans toute Toyota qui se respecte, la finition est impeccable et la fiabilité devrait être excellente.

Il est toujours fascinant de constater à quel point une voiture peut être améliorée considérablement par de multiples retouches qui semblent mineures prises individuellement, mais qui permettent de réaliser un tout vraiment convaincant.

Denis Duquet

Toyota Camry

Toyota Camry

Sage comme une image

Rares sont les chroniqueurs automobiles qui en feraient leur véhicule personnel, tant sa conduite est peu inspirante. Ces mêmes chroniqueurs sont pourtant les premiers à la recommander chaudement, reconnaissant ainsi sa grande compétence. Tel est le paradoxe de la Toyota Camry.

Introduite à l'automne 1996 (sous le millésime 1997), la Camry de quatrième génération continue de porter le flambeau bien haut, en se maintenant année après année parmi les voitures les plus vendues en Amérique du Nord. Comme ses devancières, elle ne révolutionne en rien l'automobile, se contentant de miser sur des aspects aussi rationnels qu'appréciés de ses propriétaires. Un credo qui se résumerait ainsi: confort, sécurité, efficacité et fiabilité. Exactement ce que cherche le type d'acheteur cartésien qui lorgne vers ce type de voiture. Avec une Camry, il est assuré de trouver chaussure à son pied.

Évolution plutôt que révolution

Depuis la naissance de la Camry, chaque nouvelle génération aura été une évolution de la précédente. Ces refontes commandaient un recarrossage en règle, certes, ainsi que de nombreux raffinements, mais jamais de grand bouleversement. Le seul changement majeur fut l'ajout, en 1986, d'un V6, en complément du 4 cylindres de série. Toyota fit d'ailleurs figure de précurseur, les autres manufacturiers japonais emboîtant le pas dans les années qui suivirent.

Le modèle actuel s'inscrit dans la foulée de ses prédécesseurs, dont il conserve les qualités... et les défauts. Certains d'entre eux sont de toute évidence héréditaires, car ils affligent la Camry de génération en génération. Certes, cela n'affecte nullement sa valeur intrinsèque, les irritants en question étant surtout d'ordre esthétique; mais il est désespérant de voir que la situation, plutôt que de s'améliorer, semble aller en empirant. À l'intérieur comme à l'extérieur, cette terne berline confirme le manque d'inspiration des stylistes de CALTY, la branche californienne de Toyota. Regardons les choses en face: malgré un remodelage tout frais des parties avant et arrière, la silhouette de la Camry est d'une consternante banalité et sa décoration intérieure ne plaira qu'aux ascètes. Plus fade que ça, je ne vois que le tofu...

De plus, l'habitacle comporte des lacunes d'ordre ergonomique qui, bien que mineures, n'en méritent pas moins d'être soulignées, d'autant plus que certaines d'entre elles nous ont été rapportées par des propriétaires de Camry. Ceux-ci déplorent notamment l'emplacement et la petitesse des leviers servant à ouvrir le coffre et le clapet du réservoir à essence, ainsi que leur trop grande proximité. Résultat: leur maniement n'a rien d'aisé, tout en portant à confusion. Dans le même ordre d'idées, un de nos interlocuteurs s'est plaint de la disposition du pédalier. Quant à la banquette arrière, on apprécie qu'elle soit rabattable; ce qui est moins apprécié, c'est qu'elle ne se rabatte pas suffisamment, de sorte qu'il est impossible d'obtenir une surface plane. Si, par exemple, vous devez transporter des skis, vous allez maudire ladite banquette. Avec raison.

Outre ces petites fausses notes, force est d'admettre que la finition et la qualité d'assemblage de la Camry se situent dans une classe à part. Sur ce plan, la réputation des produits Toyota est loin d'être surfaite. Ce constructeur ne gâte cependant pas les audio-

Toyota Camry

Pour

Finition exemplaire • Insonorisation exceptionnelle • Confort de première classe • Moteurs remarquables • Fiabilité légendaire

Contre

Banale à l'intérieur et à l'extérieur • Lacunes ergonomiques • Chaîne stéréo décevante • Conduite aseptisée • Prix carabinés

Caractéristiques

Prix du modèle à l'essai:	LE / 28 200 $
Garantie de base:	3 ans / 60 000 km
Type:	berline / traction
Empattement / Longueur:	267 cm / 478,5 cm
Largeur / Hauteur / Poids:	178 cm / 141,5 cm / 1415 kg
Coffre / Réservoir:	399 litres / 70 litres
Coussins de sécurité:	conducteur et passager
Suspension av. / arr.:	indépendante
Freins av. / arr.:	disque ABS / tambour ABS
Système antipatinage:	oui
Direction:	à crémaillère assistance variable
Diamètre de braquage:	11,8 mètres
Pneus av. / arr.:	P195/70R14
Valeur de revente:	excellente

Motorisation et performances

Moteur / Transmission:	4L 2,2 litres / automatique 4 rapports
Puissance / Couple:	138 ch à 5200 tr/min / 147 lb-pi à 4400 tr/min
Autre(s) moteur(s):	V6 3,0 litres 194 ch
Transmission optionnelle:	manuelle 5 rapports (4L seulement)
Accélération 0-100 km/h:	12,0 secondes; 8,8 secondes
Vitesse maximale:	175 km/h
Freinage 100-0 km/h:	40,0 mètres
Consommation (100 km):	9,8 litres; 10,4 litres

Modèles concurrents

Chrysler Cirrus • Chevrolet Malibu • Honda Accord • Mazda 626 • Nissan Altima et Maxima • VW Passat

Quoi de neuf?

Calandre et pare-chocs avant redessinés • 4 phares avant • Partie arrière retouchée • Roues de 16 pouces de série sur XLE V6

Verdict

Agrément	⊕⊕⊕	Habitabilité	⊕⊕⊕⊕
Confort	⊕⊕⊕⊕	Hiver	⊕⊕⊕
Fiabilité	⊕⊕⊕⊕⊕	Sécurité	⊕⊕⊕⊕

philes (sauf à bord de ses chères Lexus). La piètre qualité de la chaîne stéréo est d'autant plus regrettable que l'insonorisation de la cabine est rien de moins qu'exceptionnelle. Pour le confort, attention, la Camry se hisse en tête du peloton, tout en offrant une bonne habitabilité à ses occupants, à l'avant comme à l'arrière.

La compétence incarnée

Sur le plan mécanique, cette berline a depuis longtemps gagné ses lettres de noblesse. Si la douceur et l'onctuosité de son V6 ne sont un secret pour personne, le 4 cylindres de 2,2 litres est cependant loin d'être en reste. Jumelé à une remarquable boîte automatique, qui brille notamment par sa grande fluidité, ce moteur se distingue sur tous les plans: souple, silencieux et économique, il offre en sus des performances et un couple tout à fait acceptables. De plus, il gagne 5 chevaux cette année, ce qui lui en fait 138. Ceux qui désirent plus de puissance seront comblés par le V6 de 3,0 litres, bon pour 194 chevaux.

Trop, c'est mieux que pas assez.

Les conducteurs qui aiment sentir les réactions d'une automobile risquent cependant de trouver le temps long, tant la direction et la suspension ne laissent rien filtrer. La première est floue et plutôt lente; la deuxième comblera les gens qui privilégient le confort, mais elle manque un peu de fermeté, ce qui autorise des mouvements de caisse dans les virages prononcés. Lors d'un essai sur piste, l'année dernière, nous avons pourtant eu droit à une surprise, la Camry ayant montré de surprenantes aptitudes. Roulis ou pas, elle enfilait les courbes avec aplomb et elle aurait été mieux chaussée que le résultat n'en aurait été que meilleur. Étonnant, je vous dis.

Tout ça fait de la Camry l'une des meilleures berlines au monde, rien de moins. Certes, elle manque un peu d'éclat, à l'intérieur comme à l'extérieur, et ses petites lacunes nous rappellent que la perfection n'est pas de ce monde. Mais elle n'en demeure pas moins un achat aussi éclairé que sûr: elle fait ce qu'on lui demande de faire, avec beaucoup de sérieux. Un peu trop, même... Mais cela vaut mieux que le contraire, non?

Philippe Laguë

Toyota Celica GT • GT-S

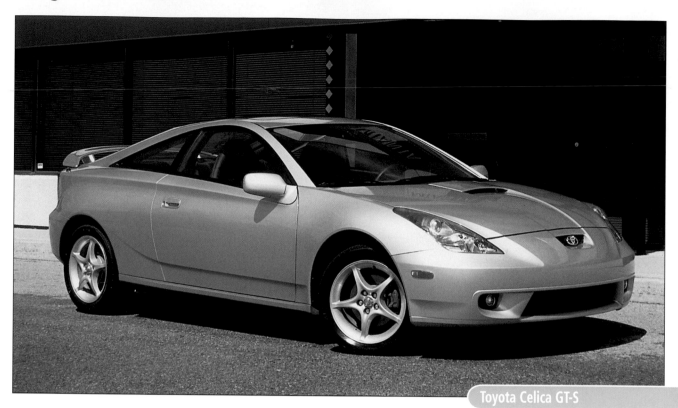

La résurrection

Depuis sa dernière refonte en 1994, la Toyota Celica figurait sur la liste des espèces en voie d'extinction. Ses performances banales et ses lignes couci-couça l'avaient reléguée à un rôle de figuration joué dans l'indifférence totale de la clientèle. Vendu au compte-gouttes, ce coupé sport, jadis au sommet de sa catégorie, semblait se diriger vers la sortie. Pour l'an 2000, le scénario a changé.

Toyota ne pouvait pas laisser mourir une partie de son passé aussi bêtement. Plutôt que de baisser pavillon face aux Honda Prelude, Mazda Miata, Mercury Cougar et à la future 240Z de Nissan, le constructeur japonais a décidé de puiser dans sa filière sportive afin de redonner à la Celica son lustre d'antan.

Toyota tient à faire savoir au monde qu'elle sait construire autre chose que des voitures de grande série fiables mais souvent ennuyeuses. La Celica 2000 se distingue d'abord par sa ligne de type *edge design,* un style caractérisé par des angles vifs dont Ford a été le pionnier avec le récent coupé Mercury Cougar. On aime ou on n'aime pas mais les jeunes, dit-on, ne restent pas insensibles à ces silhouettes tranchées au couteau. Dans sa dernière livrée, le coupé Toyota est plus svelte que l'ancien; il a raccourci de 9 cm et pèse 200 kg de moins qu'une Honda Prelude.

Une combinaison gagnante

Une ligne flatteuse, un châssis bien étudié et un moteur performant sont les principaux ingrédients d'une bonne voiture sport. La Celica respecte parfaitement ces trois préceptes en faisant appel à un moteur à deux stades de mises au point. Dans la GT de base, le

4 cylindres 16 soupapes de 1,8 litre bénéficie d'un système de réglage automatique du calage des soupapes d'admission appelé VVT-i fonctionnant plus ou moins selon le même principe que le VTEC de Honda. Ce moteur à injection séquentielle multipoint développe 140 chevaux à 6400 tr/min. Dans la GT-S mise à l'essai, le moteur a été élaboré avec la collaboration de Yamaha, la firme japonaise qui avait fait fureur avec sa transformation du moteur V6 3,0 litres de la Ford Taurus SHO. Dans le cas présent, le 1,8 litre atteint le rendement magique de 100 chevaux au litre avec une puissance de 180 chevaux obtenus à 7600 tr/min. Un tel régime est rendu possible par une percée technologique qui est une variante du VVT-i et que l'on nomme VVTL-i *(Variable Valve Lift with intelligence).* Avec un couple de 130 lb-pi à 6800 tr/min, ce moteur donne tout de suite l'heure juste sur ses aspirations sportives.

Pas moins de quatre boîtes de vitesses différentes viennent s'ajouter à ces deux versions du moteur des Celica. La GT est proposée avec une transmission automatique à 4 rapports ou une boîte mécanique à 5 rapports tandis que la GT-S reçoit 6 rapports ainsi qu'une automatique à changement de rapport séquentiel. Il s'agit en réalité de petites touches au volant qui permettent de passer les vitesses manuellement comme avec le système Tiptronic de Porsche.

Des freins à disque trônent à l'avant comme à l'arrière, mais l'antiblocage ABS n'est de série que sur la GT-S (il est optionnel sur la GT). Dans une voiture aux prétentions sportives, il me semble qu'un tel équipement devrait être inclus d'office à la place du climatiseur que la GT présente fièrement dans sa liste d'accessoires offerts sans supplément de prix. Le volet sécurité paraît un peu négligé aussi puisque la nouvelle Celica n'est pas dotée de coussins de sécurité latéraux, ni de série ni en option. Parmi les autres changements à la fiche technique des deux modèles, notons que la GT doit se satisfaire de pneus 195/60R15 alors que la GT-S joue les fanfarons avec des pneus et des jantes (superbes, soit dit en passant) de 16 pouces.

Haute voltige

Honda nous pardonnera mais, en conduisant la nouvelle Celica GT-S, on ne peut s'empêcher de penser à la nouvelle S2000. C'est sous le capot que les deux voitures montrent certaines affinités. Leurs deux moteurs obtiennent leur puissance à des régimes élevés et repoussent la zone rouge du compte-tours jusqu'à 8000 dans le cas de la Celica et 9000 tours pour la S2000.

Si le moteur de la Celica est battu en tours/minute et en puissance, il reprend la tête au chapitre de la souplesse et du bruit. Il est nettement mieux adapté aux bas régimes tout en émettant une sonorité plus profonde rappelant la Formule 1.

Les comparaisons s'arrêtent là, toutefois, la Honda étant plutôt un roadster débridé alors que la Celica est un coupé sport tout usage offert à un prix passablement moins élevé.

Mon premier contact avec la nouvelle Celica a été quelque peu assombri non seulement par une pluie battante, mais aussi par une position de conduite qui exige une bonne acclimatation. Entre vous et moi, on est assis beaucoup trop bas et, à moins d'être très grand, on ne se sent pas tout de suite confortable au volant, malgré la présence d'un volant réglable. En plus, il se fait beaucoup mieux comme sièges baquets, surtout en ce qui concerne le support latéral. Le lancement du moteur est aussi assujetti à l'enfoncement de l'embrayage qui exige un petit effort supplémentaire pour arriver en fin de course. Au-delà de ces petits caprices, l'aménagement intérieur est correct, quoique d'une sobriété qui tranche carrément avec l'audace des lignes extérieures. À part le beau volant à trois branches, il n'y a rien de pâmant dans la présentation du tableau de bord. Notons malgré tout le rangement additionnel logé juste au-dessus du coffre à gants et un coffre à bagages raisonnable qui peut envahir les places arrière quand on escamote la banquette. Cet espace pourra aussi être occupé par deux passagers qui auront la souplesse nécessaire pour s'y introduire et la patience d'endurer un espace limité tant pour la tête que pour les genoux. Tout d'un coup, la troisième porte du coupé Saturn SC ne semble plus aussi inutile... Ce qui, en revanche, est inutile sur la Celica, c'est le ridicule aileron arrière qui surplombe le hayon. Il nuit à la visibilité tout en enlevant du sérieux à une voiture qui mérite mieux que cet horrible appendice.

Contact, moteur, action

Toyota Canada ne disposait pas de version GT de la Celica au moment de l'avant-première des nouveaux modèles. Mon essai a été réalisé au volant d'un coupé GT-S à boîte manuelle à 6 rapports. Son moteur est évidemment son argument le plus convaincant avec une courbe de puissance qui explose littéralement vers les 6000 tr/min, gracieuseté de son système VVTL-i. C'est d'ailleurs entre 6000 et 8000 tr/min que l'action se passe; au-dessous de ce régime, le moteur se montre un peu amorphe. Les reprises sont quand même acceptables lorsqu'on conduit paresseusement en 4e ou en 5e, contrairement à ce qui est le cas pour la S2000 de Honda avec laquelle il faut constamment cravacher. Cette Celica devrait

Toyota Celica GT-S

Pour

Moteur sportif (180 ch) • Superbe maniabilité • Bonne tenue de route • Confort adéquat • Boîte de vitesses manuelle agréable

Contre

Position de conduite désagréable • Faible visibilité arrière • Mise en route du moteur pénible • Intérieur terne

Caractéristiques

Prix du modèle à l'essai:	GT-S / 32 545 $
Garantie de base:	3 ans / 60 000 km
Type:	coupé 2+2 / traction avant
Empattement / Longueur:	260 cm / 433 cm
Largeur / Hauteur / Poids:	173,5 cm / 130,5 cm / 1134 kg
Coffre / Réservoir:	n.d. / 55 litres
Coussins de sécurité:	frontaux
Suspension av. / arr.:	indépendante
Freins av. / arr.:	disque ABS
Système antipatinage:	non
Direction:	à crémaillère, assistée
Diamètre de braquage:	10,4 mètres
Pneus av. / arr.:	P205/50R16
Valeur de revente:	nouveau modèle

Motorisation et performances

Moteur / Transmission:	4L 1,8 litre / manuelle 6 rapports
Puissance / Couple:	180 ch à 7600 tr/min / 130 lb-pi à 6800 tr/min
Autre(s) moteur(s):	4L 1,8 litre 140 chevaux (GT)
Transmission optionnelle:	automatique 4 rapports à mode séquentiel
Accélération 0-100 km/h:	7 secondes; 8,5 secondes (GT)
Vitesse maximale:	220 km/h
Freinage 100-0 km/h:	39,3 mètres
Consommation (100 km):	10,5 litres

Modèles concurrents

Acura Integra • Honda Prelude • Hyundai Tiburon FX • Saturn SC • Mercury Cougar

Quoi de neuf?

Nouveau modèle

Verdict

Agrément	⊕⊕⊕⊕	Habitabilité	⊕⊕⊖
Confort	⊕⊕⊕	Hiver	⊕⊕⊖
Fiabilité	nouveau modèle	Sécurité	⊕⊕⊖

pouvoir signer des chronos 0-100 km/h autour de 7 secondes puisque, même sur chaussée glissante, j'ai franchi la distance en 7,5 secondes. Poussé à sa limite, le moteur de la GT-S est stimulant à entendre et la boîte à 6 rapports l'une des plus faciles à apprivoiser qu'il m'ait été donné d'expérimenter. Même dans la Porsche 911, il faut quelquefois prêter attention pour ne pas enclencher le mauvais rapport, une faiblesse que contourne aisément la Celica.

Une maniabilité 5 étoiles

La GT-S et ses pneus Yokohama méritent des éloges pour leur incroyable adhérence sous la pluie. À des vitesses folles sur une aire de dérapage, des virages brusques et suicidaires n'ont fait ressortir qu'un sous-virage plus marqué infiniment rassurant. Sur le sec, le coupé Toyota a brillamment récidivé en se montrant très à l'aise en conduite sportive. Ses dimensions permettent une maniabilité exemplaire et la direction très rapide est fort utile pour bien placer la Celica dans le bon axe en abordant les virages. Le volant exige moins de trois tours d'une butée à l'autre et ne souffre surtout pas d'un effet de couple excessif. La qualité du freinage vient arrondir un bilan routier qui permet à la Celica GT-S de camper le rôle d'un authentique engin sportif. Elle ne sacrifie pas pour autant sa vocation routière en offrant un confort très acceptable.

Quel revirement!

À la lumière de cet essai, si bref soit-il, Toyota semble avoir replacé sa Celica sur les rails. En lieu et place d'un petit coupé tristounet et agonisant, on a concocté une voiture performante et amusante à conduire qui devrait permettre à ce modèle de reprendre le haut de l'affiche.

Jacques Duval

Toyota Corolla

Toyota Corolla

L'employée modèle

Il est de ces véhicules sans histoire, voire anonymes, mais qui, année après année, font le plus grand bonheur de leurs propriétaires. Ceux-ci, en retour, se montrent d'une fidélité exemplaire, en leur renouvelant leur confiance lorsque vient le temps de changer de voiture. La Toyota Corolla est taillée dans ce moule.

Pas très excitante mais d'une efficacité sans faille, elle s'avère une employée modèle. Au fil des ans, cette compacte japonaise s'est taillé une solide réputation, comparable à celle des laveuses Maytag: comme ces dernières, la Corolla semble immunisée contre les bris mécaniques. Si la perfection n'est pas de ce monde, force est d'admettre que la fiabilité quasi légendaire des produits Toyota est ce qui s'en rapproche le plus dans l'industrie automobile.

La carrière de la Corolla est d'ailleurs bien remplie: chez nous, elle fait partie du décor depuis une trentaine d'années. Elle a, on s'en doute, considérablement évolué: à titre d'exemple, la lecture de l'édition 1968 du *Guide de l'auto* révèle que la Corolla de l'époque était une propulsion, ce qui était alors la norme, et qu'elle était motorisée par un minuscule 4 cylindres de 1,1 litre, dont la puissance *(sic)* atteignait 60 chevaux. Soit exactement la moitié de la puissance du modèle actuel, qui a fait l'objet d'une refonte il y a deux ans.

Plus fringante et presque amusante!

Au cours de ce processus de rajeunissement, son moteur s'est enrichi d'une quinzaine de chevaux. Ces chiffres, du reste, ne signifient pas grand-chose. D'abord parce que l'acheteur type d'une Corolla, en règle générale, ne s'en préoccupe guère; et ensuite

parce que la jeune carrière dudit moteur vient tout juste de prendre fin avec l'introduction d'un nouveau système de distribution à calage variable intelligent. Baptisée VVT-i chez Toyota, cette solution s'inspire du système VTEC du rival Honda; mais contrairement à ce dernier, celui de Toyota travaille de façon continue, et non séquentielle. Qui plus est, il se situerait, dit-on, une coche au-dessus en ce qui a trait au contrôle des émissions.

Cette nouvelle technologie est utilisée depuis l'année dernière sur les V6 et V8 des Lexus, la division de prestige de Toyota. C'est maintenant au tour des motorisations à 4 cylindres de la Corolla et de la nouvelle Echo de la recevoir. Sur la première, cela se traduit notamment par une légère augmentation de la puissance, qui grimpe de 5 chevaux, et ce même si la cylindrée reste identique. Pas d'augmentation du couple non plus.

Quant à la boîte manuelle, son étagement irréprochable, ainsi que la précision et la courte course de son levier, rendent son utilisation des plus agréables. Moteur nerveux, boîte exemplaire, il y a des lunes, que dis-je, des siècles qu'on ne s'est pas tant amusé à conduire une Corolla!

Ajoutez à cela un freinage solide et une tenue de route correcte (malgré une suspension calibrée avant tout en fonction du confort) et la Corolla se montrerait diablement agréable à conduire... n'eût été d'une direction floue et surassistée, dont la souplesse exacerbée évoque les grosses «minounes» américaines d'une autre époque. Un irritant d'autant plus déplorable qu'il en est presque dangereux, tant ce pastiche de direction annihile toutes les sensations de la route. Qui plus est, l'assistance est censée varier en fonction de la vitesse, mais ça nage tellement dans la guimauve qu'on ne ressent

Toyota Corolla

Pour

Jumelage moteur et boîte manuelle • Bonne habitabilité • Qualité d'assemblage exceptionnelle • Valeur de revente au-dessus de la moyenne

Contre

Design banal • Présentation intérieure austère • Direction à revoir • Prix corsé

Caractéristiques

Prix du modèle à l'essai:	LE / 20 540 $
Garantie de base:	3 ans / 60 000 km
Type:	berline / traction
Empattement / Longueur:	246,5 cm / 442 cm
Largeur / Hauteur / Poids:	169,5 cm / 138,5 cm / 1145 kg
Coffre / Réservoir:	343 litres / 50 litres
Coussins de sécurité:	conducteur et passager
Suspension av. / arr.:	indépendante
Freins av. / arr.:	disque / tambour (ABS optionnel)
Système antipatinage:	non
Direction:	à crémaillère, assistance variable
Diamètre de braquage:	10,3 mètres
Pneus av. / arr.:	P185/65R14
Valeur de revente:	excellente

Motorisation et performances

Moteur / Transmission:	4L 1,8 litre / automatique 4 rapports
Puissance / Couple:	120 ch à 5600 tr/min / 122 lb-pi à 4400 tr/min
Autre(s) moteur(s):	aucun
Transmission optionnelle:	manuelle 5 rapports
Accélération 0-100 km/h:	11,1 secondes
Vitesse maximale:	180 km/h
Freinage 100-0 km/h:	42,0 mètres
Consommation (100 km):	8,3 litres

Modèles concurrents

Chevrolet Cavalier • Chrysler Neon • Daewoo Nubira • Ford Focus • Honda Civic • Hyundai Elantra • Kia Sephia • Mazda Protegé • Nissan Sentra • VW Jetta

Quoi de neuf?

Système VVT-i (+ 5 ch) • Radio AM-FM avec lecteur CD de série sur tous les modèles • Nouvelles couleurs

Verdict

Agrément	⊕ ⊕ ⊙	
Confort	⊕ ⊕ ⊕ ⊙	
Fiabilité	⊕ ⊕ ⊕ ⊕ ⊕	
Habitabilité	⊕ ⊕ ⊕ ⊙	
Hiver	⊕ ⊕ ⊕ ⊙	
Sécurité	⊕ ⊕ ⊕ ⊕	

rien du tout. Affreux... Comme on dit, «trop, c'est comme pas assez».

Le travail bien fait

Parmi les raisons qui expliquent la constante popularité de la Corolla, la fiabilité vient en tête de liste, certes, mais il faut aussi mentionner la qualité d'assemblage, l'habitabilité et le confort, autant d'éléments primordiaux pour la clientèle visée. Par le passé, la Corolla a toujours livré la marchandise et de toute évidence, la nouvelle génération a ce qu'il faut pour porter le flambeau bien haut. Une fois à bord, il suffit d'un simple coup d'œil pour constater le sérieux de sa construction. Sérieux, et même austérité, parce qu'à bord d'une Corolla, c'est rarement jojo... Surtout pas dans la version de base (VE), dont nous disposions pour l'essai.

Fidèle servante.

Qu'importe puisque, version de base ou non, la finition est soignée tandis que les matériaux employés respirent la qualité. Celle-ci est donc au rendez-vous, tout comme l'habitabilité, le confort et l'ergonomie. Spacieuse, la nouvelle Corolla l'est, 5 passagers pouvant prendre place à bord sans aucun problème. Ensuite, ils n'ont plus qu'à se laisser bercer par une douceur de roulement et une insonorisation toutes deux au-dessus de la moyenne.

L'aspect pratique n'a pas été négligé non plus: on retrouve des espaces de rangement là où il en faut (console, portières), le coffre à gants a pris du volume, tandis que la banquette arrière se rabat, ce qui permet d'augmenter la capacité de chargement, déjà généreuse, de la malle arrière. Bref, ça sent le travail bien fait.

Même si on pouvait difficilement trouver voiture plus ennuyeuse, la Toyota Corolla a toujours été chaudement recommandée, tant par la presse spécialisée que par les associations de consommateurs, à cause de ses qualités intrinsèques. Celles-ci se retrouvent toutes sur la Corolla cuvée 2000, ce qui, au fond, ne surprendra personne: bon sang ne saurait mentir. De telle sorte que les chroniqueurs automobiles pourront continuer de la recommander les yeux fermés... pour autant que l'agrément de conduite ne soit pas votre priorité absolue. Car l'achat d'une Corolla est avant tout un geste pragmatique, sinon cartésien. Mais il n'y a pas que le plaisir dans la vie...

Philippe Lagüé

Toyota Echo

Toyota Echo

La sous-compacte repensée de A à Z

La Tercel nous a quittés et son départ ne fera pleurer personne même si cette sous-compacte était d'une fiabilité à toute épreuve, si sa consommation de carburant aurait fait plaisir à Séraphin Poudrier et si ses modèles les plus économiques affichaient un rapport qualité/prix difficile à battre. Malgré toutes ces vertus, cette petite japonaise se révélait d'un ennui mortel et sa tenue de route était affectée par des pneumatiques dont la qualité essentielle était de protéger les jantes contre les chocs de la route.

S i la Tercel bénéficiait d'une certaine popularité au Canada et au Québec en particulier, les Américains la boudaient depuis plusieurs années. État de fait qui signifie à coup sûr la disparition d'un modèle à brève échéance. C'est maintenant une réalité. Elle ne sera rappelée à notre mémoire que par les aventures de Thérèse sur le siège arrière d'une Tercel dans *La Petite Vie*. Puisque l'Echo qui la remplace est plus spacieuse, on peut se demander ce qui pourra se passer si jamais…

Cette nouvelle Toyota n'est pas une version fardée d'un ancien modèle vivant sous un nom d'emprunt. L'Echo est une toute nouvelle voiture qui ne craint pas d'innover tant sur le plan de la mécanique que de la conception générale. De plus, elle est destinée à des acheteurs plus jeunes, même si ses caractéristiques et sa silhouette ne correspondent pas aux attributs traditionnels des modèles conçus pour cette clientèle.

Cette voiture, si elle réussit à s'imposer, a de fortes chances de devenir une référence lorsque viendra le temps de concevoir les nouveaux modèles susceptibles d'intéresser un groupe de consom-

mateurs dont l'âge moyen se situerait sous la barre des 30 ans. Jusqu'à nos jours, cette clientèle était ciblée par le biais de voitures à la silhouette dynamique équipées de sièges sport, de roues en alliage et autres accessoires du genre.

Une vraie 4 places

Il faut croire que la nouvelle génération entretient des goûts plus pratiques. En effet, l'Echo se démarque par une silhouette plus verticale que les autres. Ce style semble se révéler la voie de l'avenir pour plusieurs manufacturiers. La Focus de Ford affiche le même genre de silhouette et il y a bien sûr la P/T Cruiser de Chrysler, sans aucun doute la championne de la verticalité. On a d'abord tendance à dénigrer cette approche. Mais sur le plan pratique, cela permet de bénéficier d'un dégagement pour la tête plus que généreux. D'ailleurs, bien que cette Toyota appartienne à la catégorie des sous-compactes, 4 adultes de grande taille peuvent y cohabiter sans problème. En fait, les places arrière sont surprenantes. Même lorsque les sièges avant sont reculés au maximum, il est possible d'y prendre ses aises. Et il faut souligner que l'accès à l'habitacle est très facile pour une voiture de cette catégorie puisque l'assise des sièges est élevée et le seuil des portes bas. Le coffre est également très spacieux et le transport d'objets encombrants est facilité par la présence d'un dossier arrière 60/40 pouvant se rabattre en tout ou en partie.

Comme c'est le cas de toute Toyota qui se respecte, la qualité de la finition et de l'assemblage est supérieure à la moyenne. Des tissus de sièges moins tristes que ceux de la défunte Tercel viennent égayer l'habitacle. L'élément le plus excentrique dans cette voiture? Son tableau de bord. La nacelle abritant les cadrans et l'indicateur de vitesse est placée en plein centre de la partie supérieure. La première pensée qui nous anime est que cette disposition n'est pas tellement logique et qu'il faudra quitter la route des yeux pour lire les divers cadrans. Pourtant, à l'usage, j'ai réalisé que leur consultation s'avérait plus facile que lorsqu'on doit baisser les yeux devant soi et tenter de lire les cadrans entre les branches du volant. Selon Toyota, la vision doit être déviée de 22 degrés pour consulter les cadrans conventionnels et de seulement 17 degrés dans le cas de l'Echo et de son module central. Il est pourtant certain que plusieurs seront rebutés par cette originalité. Il faut également souligner la présence de deux espaces de rangement placés de chaque côté des commandes de la radio et de la climatisation. Profonds et de bonnes dimensions, il sont en mesure d'accepter des objets de toutes sortes. Dans le cas des automobilistes un peu brouillons, ces réceptacles risquent de devenir de véritables bacs à ordures.

Un moteur raffiné

Trop souvent, dans le passé, le groupe propulseur d'une voiture à vocation économique se caractérisait par une conception technique élémentaire. Les ingénieurs se contentaient de moderniser tant bien que mal un vieux 4 cylindres utilisé depuis des lunes. La venue de nouvelles normes environnementales concernant la pollution atmosphérique causée par les gaz d'échappement et le désir constant de réduire la consommation de carburant ont changé cette tradition. De nos jours, plusieurs nouveaux moteurs conçus pour répondre aux besoins du nouveau millénaire sont mis en service. La plupart d'entre eux possèdent des caractéristiques techniques que l'on retrouvait uniquement sur les voitures de luxe il n'y a pas si longtemps.

Non seulement le moteur de 1,5 litre de l'Echo est constitué d'un bloc et d'une culasse en aluminium, mais son collecteur d'admission d'air est fabriqué de matière composite afin de réduire le plus possible le poids de la voiture. Incidemment, l'Echo fait osciller la balance près des 1000 kg, un fait à souligner. Ce même moteur emprunte également la technologie du calage continuellement variable des soupapes aux modèles Lexus les plus huppés. Cette technique permet de modifier continuellement le calage des soupapes afin d'assurer un rendement optimal quel que soit le régime du moteur. Détail technique à souligner, l'axe du vilebrequin est légèrement déporté par rapport au centre des pistons afin d'obtenir un déplacement plus droit du même piston. Cela a pour effet d'augmenter l'efficacité du moteur et de réduire la friction. D'ailleurs, une foule de petites astuces techniques ont permis de diminuer la friction interne de ce moteur de plus de 25 p. 100. Et il ne faut pas oublier de mentionner que ce groupe propulseur permet à l'Echo d'être classée véhicule à faible émission.

Pour transférer les 108 chevaux de ce 4 cylindres aux roues avant, une boîte manuelle à 5 rapports est livrée en équipement de série. Puisque cette sous-compacte est appelée à jouer les citadines la plupart du temps, nombreux seront les modèles équipés de la boîte automatique à 4 rapports. En effet, ceux qui circulent presque toujours dans la circulation dense préfèrent l'automatique, un choix beaucoup moins contraignant lorsqu'on roule à pas de tortue dans les embouteillages. Cette boîte est équipée d'un dispositif de logique de pente qui empêche théoriquement la boîte de chasser continuellement dans les côtes. Lors de notre essai, la voiture qui nous a été confiée était un prototype, ce qui explique sans doute pourquoi ce système de logique de pente ne répondait pas nécessairement à nos attentes et rétrogradait trop facilement.

La suspension avant est à jambes de force, comme il faut s'y attendre sur une voiture de ce prix et de cette catégorie. On a planifié une course des amortisseurs plus longue que la moyenne afin d'augmenter le confort de la suspension. À l'arrière, c'est une poutre déformante qui a pour mission de maintenir les pneus sur la route. Cette configuration a été choisie en raison de ses faibles coûts de production et parce qu'elle permet une intrusion minimale des éléments de la suspension dans l'habitacle et le coffre à bagages.

Le modèle le plus économique roule sur des pneus de 13 pouces tandis que deux groupes d'options proposent des roues de 14 pouces.

Toyota Echo

Pour
Mécanique sophistiquée • Habitabilité surprenante • Coffre caverneux • Consommation exemplaire • Fiabilité assurée

Contre
Pneumatiques 13 pouces • Silhouette intrigante • Localisation controversée des instruments • Sautillement du train avant sur mauvaise route • Freins ABS non disponibles

Caractéristiques

Prix du modèle à l'essai:	14 785 $
Garantie de base:	3 ans / 60 000 km
Type:	berline / traction
Empattement / Longueur:	237 cm / 414 cm
Largeur / Hauteur / Poids:	166 cm / 150 cm / 1320 kg
Coffre / Réservoir:	n.d. / 45 litres
Coussins de sécurité:	conducteur et passager
Suspension av. / arr.:	indépendante / semi-indépendante
Freins av. / arr.:	disque / tambour
Système antipatinage:	non
Direction:	à crémaillère, assistée
Diamètre de braquage:	n.d.
Pneus av. / arr.:	P175/65R14 (avec groupe style)
Valeur de revente:	nouveau modèle

Motorisation et performances

Moteur / Transmission:	4L 1,5 litre / manuelle 5 rapports
Puissance / Couple:	108 ch à 6000 tr/min / 105 lb-pi à 4000 tr/min
Autre(s) moteur(s):	aucun
Transmission optionnelle:	automatique 4 rapports
Accélération 0-100 km/h:	11,6 secondes; 12,2 secondes (automatique)
Vitesse maximale:	175 km/h
Freinage 100-0 km/h:	42,3 mètres
Consommation (100 km):	6,8 litres

Modèles concurrents

Hyundai Accent • Daewoo Lanos • Chevrolet Metro/Pontiac Firefly • Suzuki Swift

Quoi de neuf?

Nouveau modèle

Verdict

Agrément	⊙ ⊙ ⊙	Habitabilité	⊙ ⊙ ⊙ ⊙
Confort	⊙ ⊙ ⊙ ⊙	Hiver	⊙ ⊙ ⊙
Fiabilité	nouveau modèle	Sécurité	⊙ ⊙ ⊙

Les acheteurs feraient mieux d'opter pour ces roues plus grandes afin d'optimiser la tenue de route.

Citadine dans l'âme

En général, les sous-compactes sont appréciées pour leur prix abordable, leur économie de carburant et leur faible encombrement, qui leur permet de se faufiler partout. Trop souvent, leur moteur est anémique et il faut travailler très fort pour suivre le flot de la circulation, tout particulièrement avec les modèles équipés d'une boîte automatique. Sans être celles d'un bolide de course, les accélérations et les reprises de l'Echo s'avèrent très bien dosées afin de rouler avec aisance dans la circulation. La courbe de puissance du moteur intervient de façon plus marquée entre 30 km/h et 90 km/h. C'est justement ce qu'il faut pour accélérer franchement dans les entrées d'autoroute, pour changer de voie en toute sécurité et pour doubler un retardataire. Et même sur la grand-route, ce moteur tire bien son épingle du jeu. De plus, sa consommation ne viendra pas déstabiliser votre budget puisque la moyenne devrait être aux alentours de 6,0 litres aux 100 km.

L'Echo n'est pas parfaite pour autant. La longue course des amortisseurs avant est parfois mal contrôlée au passage de trous et de bosses, et il s'ensuit un certain flottement du train avant. Comme c'est le cas pour presque toutes les voitures de cette catégorie, les pneumatiques pourraient être améliorés. Les pneus de 13 pouces du modèle de base ne devraient d'ailleurs pas remporter beaucoup de succès. Enfin, la boîte automatique a tendance à chasser dans les côtes même si elle est censée être équipée d'un système de logique de pente. La hauteur de la caisse explique sans doute le roulis plus prononcé que la moyenne en virage. Quant au modèle 2 portes, on peut toujours s'interroger sur sa pertinence puisqu'il est en tout point identique à la berline, l'accès aisé aux places arrière en moins.

Une fois ces quelques réserves exprimées, rappelons que l'Echo est une sous-compacte de conception et de présentation très moderne, une voiture aux caractéristiques très bien adaptées à l'an 2000.

Bye bye Tercel.

Denis Duquet

Toyota RAV4

Toyota RAV4

Attachant mais perfectible

La course se poursuit dans le petit monde des utilitaires sport compacts. Certains se renouvellent, d'autres maintiennent leurs positions. C'est le cas du Toyota RAV4. S'il continue de plaire aux fervents des «petits Jeep», le RAV4 commence cependant à perdre des plumes face à des rivaux plus dynamiques. Une relève s'impose. D'ailleurs, le résultat de notre match comparatif l'a prouvé amplement.

L es stylistes de Toyota ont la réputation de manquer d'imagination devant leurs grandes feuilles blanches. Ils réussissent parfois à nous surprendre; le RAV4 continue d'attirer le regard des amateurs de ces «tout-terrains des villes». Ligne équilibrée, angles arrondis, capot plongeant et avant séduisant procurent au petit RAV4 un air photogénique. Et pour bien des automobilistes, il n'en faut pas plus pour craquer, surtout que l'on sait que la légendaire fiabilité Toyota sera au rendez-vous. Toutefois, l'habit ne fait pas nécessairement le moine.

Ergonomique mais vieillot

Sièges, volant et tableau de bord sont les premiers éléments que l'on remarque lorsqu'on monte à bord d'une voiture. Bien joué: volant réglable en hauteur qui tombe bien en main, siège offrant une assise ferme mais confortable, commandes facilement accessibles et instruments lisibles. Bon point aussi pour le contact d'allumage logé au tableau de bord. Seule exception à ce palmarès: la taille lilliputienne des boutons de la radio.

La position de conduite élevée, la bonne dimension des rétroviseurs extérieurs à commande électrique et le capot plongeant procurent une bonne visibilité vers l'avant et sur les côtés. Vers l'arrière, l'emplacement judicieux de la roue de secours extérieure et l'adoption d'appuie-tête arrière ajourés favorisent la visibilité, ce qui n'est pas toujours le cas dans ce type de véhicule.

Toyota porte aussi un soin évident au caractère utilitaire de son RAV4 en le dotant d'espaces de rangement pratiques, d'un porteverres ingénieux, d'un cache-bagages et de casiers de rangement dans le coffre. La porte arrière s'ouvre au niveau du pare-chocs mais dans le mauvais sens, c'est-à-dire de gauche à droite. Enfin, malgré la belle ergonomie du tableau de bord, on ne peut que regretter son air vieillot et sa finition plutôt légère, chose rare pour une Toyota.

Les bémols

Si la première prise de contact s'avère favorable, à l'usage, le RAV4 démontre ses faiblesses. Commençons par les sièges avant. Sur route, on constate rapidement leurs dimensions réduites. Les petits de taille n'y verront pas d'objection, mais les tailles plus fortes souhaiteront un peu plus d'ampleur. À l'arrière, l'accès à bord se révèle difficile à cause de l'étroitesse des portes et le dégagement aux jambes est nettement restreint. En somme, l'arrière conviendra mieux aux enfants et aux (petits) adolescents. Notons aussi la présence d'une bosse désagréable au plancher, devant le siège du passager avant, cette excroissance étant nécessaire pour augmenter la garde au sol et ménager une place au catalyseur suspendu sous la voiture.

Sur route, la direction agréablement assistée offre une belle maniabilité à basse vitesse. À plus grande allure, la direction s'avère précise, mais la souplesse de la suspension ne parvient pas à limiter l'inclinaison de la caisse en virage alors que les grands

Toyota RAV4

Pour

Sécurité active du système de transmission intégrale • Ergonomie du tableau de bord • Allure attachante• Fiabilité prouvée • Consommation raisonnable

Contre

Moteur anémique • Sièges arrière restreints et inconfortables • Tableau de bord vieillot • Versions à traction peu intéressantes • Sensibilité au vent latéral

Caractéristiques

Prix du modèle à l'essai:	25 555 $
Garantie de base:	3 ans / 60 000 km
Type:	utilitaire sport compact / transmission intégrale
Empattement / Longueur:	241 cm / 416 cm
Largeur / Hauteur / Poids:	169,5 cm / 166 cm / 1790 kg
Coffre / Réservoir:	410 litres / 58 litres
Coussins de sécurité:	conducteur et passager
Suspension av. / arr.:	indépendante
Freins av. / arr.:	disque / tambour
Système antipatinage:	non
Direction:	à crémaillère assistée
Diamètre de braquage:	10,6 mètres
Pneus av. / arr.:	P215/70R16
Valeur de revente:	bonne

Motorisation et performances

Moteur / Transmission:	4L 2,0 litres / automatique 4 rapports
Puissance / Couple:	127 ch à 5400 tr/min / 132 lb-pi à 4600 tr/min
Autre(s) moteur(s):	aucun
Transmission optionnelle:	manuelle 5 rapports
Accélération 0-100 km/h:	12,8 secondes
Vitesse maximale:	160 km/h
Freinage 100-0 km/h:	40,0 mètres
Consommation (100 km):	10,8 litres

Modèles concurrents

Honda CR-V • Subaru Forester • Kia Sportage • Jeep Cherokee • Suzuki Grand Vitara

Quoi de neuf?

Aucun changement majeur

Verdict

Agrément	☺☺☺☺	Habitabilité	☺☺☺ ◔
Confort	☺☺☺☺	Hiver	☺☺☺☺
Fiabilité	☺☺☺☺ ◔	Sécurité	☺☺☺☺☺

pneus mous ne favorisent pas l'adhérence sur chaussée sèche. Ces mêmes caractéristiques servent par contre à atténuer les vibrations causées par l'état désastreux des chaussées du Québec.

Autre effet de la caisse surélevée du RAV4: la sensibilité au vent latéral. Heureusement que la direction précise facilite le rétablissement du cap. Quant aux freins, s'ils sont convenables en situation normale, ils souffrent aussi de la mollesse des suspensions lors des manœuvres plus brutales.

Vive l'intégrale!

Et que dire du «4» dans RAV4? Oui, cette Toyota est une 4 roues motrices, mais contrairement aux véritables 4X4 comme le Suzuki Grand Vitara, le RAV4 est doté d'un système de transmission intégrale, c'est-à-dire 4 roues motrices en permanence. Le système intégral du RAV4 est parfaitement convivial, car il agit automatiquement. Par contre, l'absence de la boîte de transfert qui permet d'augmenter la démultiplication sur un 4X4 classique empêche le RAV4 de s'engager sur les pentes abruptes.

RAVissant!

Même s'il possède une garde au sol respectable et une suspension à grand débattement permettant d'affronter les sentiers hors route, le RAV4 ne peut pas égaler un véritable 4X4 lorsqu'il s'agit de suivre les chèvres de montagne. Mais est-ce vraiment important quand on sait que la très grande majorité des 4X4 ne quittent jamais le bitume? À ce compte, la transmission intégrale présente bien plus de valeur que le fait de pouvoir pratiquer l'alpinisme sur 4 roues.

Dernier point qu'on pourrait améliorer: le moteur. Avec 127 chevaux et un couple timide, le 4 cylindres Toyota fait pâle figure devant les concurrents mieux armés. Les reprises et le niveau sonore s'en ressentent, mais la consommation, elle, reste raisonnable.

Le RAV4 à 4 roues motrices qui a fait l'objet de cet essai est accompagné de deux petits frères à traction, un 2 portes et un cabriolet. Contentons-nous de dire que si on élimine le système de transmission intégrale, principal atout du RAV4, on réduit l'attrait de ce modèle (le RAV2?) qui devient alors un jouet étriqué affublé d'une stabilité médiocre.

Alain Raymond

Toyota Sienna

Toyota Sienna

La Camry des fourgonnettes

Parce qu'elle propose un judicieux compromis entre une automobile et une camionnette, la Toyota Sienna possède les qualités requises pour convertir ceux qui sont allergiques aux fourgonnettes. Un tour de force s'il en est un...

Une recette simple, disions-nous. Depuis son lancement, il y a deux ans, on a dit et redit de la Sienna qu'il s'agissait d'une Camry déguisée en fourgonnette. Et pour cause: c'est la plate-forme de cette populaire berline qui fut retenue lorsque vint le temps de concevoir la remplaçante de l'infortunée Previa. Fini les excentricités: après deux tentatives infructueuses, on a opté pour la prudence chez Toyota.

Il est vrai que l'utilisation du châssis et des principaux organes mécaniques de la Camry ne comportait que des avantages. L'excellente réputation de ce modèle n'est plus à faire: qui dit Camry dit confort et douceur de roulement, mais aussi fiabilité exceptionnelle. Comme valeur sûre, il aurait été difficile de trouver mieux.

Paradoxale

Compte tenu de ses racines, on ne se surprend guère du niveau de confort qu'offre la Sienna. Une qualité, du reste, qui est le propre de la plupart des fourgonnettes, en raison d'un empattement plus long. Mais le roulement feutré qui est l'apanage des produits Toyota, conjugué à une insonorisation poussée, confère à la Sienna ce petit zeste qui lui permet de se démarquer de la concurrence. À titre de comparaison, je dirais qu'on a l'impression de rouler sur un parquet ciré.

Le rendement du tandem V6/boîte automatique, emprunté lui aussi à la Camry, se situe dans la même veine. Encore une fois, tout se passe

en douceur: le son du moteur est à peine perceptible, et sa discrétion n'a d'égale que son onctuosité qui, chaque fois, impressionne l'auteur de ces lignes. Avec ses passages fluides et son étagement irréprochable, la boîte automatique à 4 rapports se montre d'une belle compatibilité, contribuant à ce qu'on pourrait qualifier d'harmonie mécanique.

Dans ce concert d'éloges, il convient cependant d'insérer quelques bémols. Dire qu'il s'agit de fausses notes serait un peu fort, mais il n'en demeure pas moins que la Sienna, si elle possède les qualités de sa génitrice, est aussi affligée de ses défauts. Des irritants que l'on retrouve par ailleurs sur plus d'une Toyota, soit une direction floue et surassistée, qui ne transmet aucune sensation du revêtement. Comme dirait l'autre, «trop, c'est comme pas assez». Une expression qui s'applique également au train avant, où persiste une mollesse, voire un flottement, pas toujours rassurant. Et qui occasionne un roulis en virage qui ne l'est guère plus. Encore une fois, chez Toyota, on est allé un peu fort sur la guimauve... Américanisation, quand tu nous tiens!

Remarquez que pour bon nombre de conducteurs nord-américains, cette aseptisation est plus une qualité qu'un défaut; tout dépend donc de quel côté de la clôture on se place. Mais si vous êtes de ceux qui privilégient l'agrément de conduite, ce manque de sensations de la route vous chagrinera d'autant plus que le comportement de la Sienna est pour le moins paradoxal: c'est aussi l'une des plus agiles et des plus maniables de sa catégorie. Il y a là un potentiel qui ne demande qu'à être exploité.

Qualité variable

Qui dit Toyota, dit également construction soignée. En règle générale, du moins; mais ce constructeur, aussi réputé soit-il, n'est

Toyota Sienna

Pour

V6 impeccable • Roulement feutré • Confort de premier ordre • Habitacle fonctionnel • Fiabilité exemplaire

Contre

Conduite aseptisée • Qualité variable • Présentation intérieure sans éclat • Addition salée

Caractéristiques

Prix du modèle à l'essai:	LE / 31 035 $
Garantie de base:	3 ans / 60 000 km
Type:	fourgonnette / traction
Empattement / Longueur:	290 cm / 491,5 cm
Largeur / Hauteur / Poids:	186,5 cm / 171 cm / 1765 kg
Coffre / Réservoir:	507 litres / 79 litres
Coussins de sécurité:	conducteur et passager
Suspension av. / arr.:	indépendante / essieu rigide
Freins av. / arr.:	disque ABS / tambour ABS
Système antipatinage:	non
Direction:	à crémaillère, assistance variable
Diamètre de braquage:	12,2 mètres
Pneus av. / arr.:	P205/70R15
Valeur de revente:	bonne

Motorisation et performances

Moteur / Transmission:	V6 3,0 litres / automatique 4 rapports
Puissance / Couple:	194 ch à 5200 tr/min / 209 lb-pi à 4400 tr/min
Autre(s) moteur(s):	aucun
Transmission optionnelle:	aucune
Accélération 0-100 km/h:	10,7 secondes
Vitesse maximale:	180 km/h
Freinage 100-0 km/h:	42,4 mètres
Consommation (100 km):	13,9 litres

Modèles concurrents

Chevrolet Venture • Dodge Caravan • Ford Windstar • Honda Odyssey • Mazda MPV • Nissan Quest

Quoi de neuf?

Aucun changement majeur • Radiocassette AM/FM avec lecteur DC de série sur tous les modèles • Nouvelles couleurs

Verdict

Agrément	⊕ ⊕ ⊕	Habitabilité	⊕ ⊕ ⊕ ⊕ ⊕
Confort	⊕ ⊕ ⊕ ⊕	Hiver	⊕ ⊕ ⊕
Fiabilité	⊕ ⊕ ⊕ ⊕ ⊕	Sécurité	⊕ ⊕ ⊕ ⊕

pas infaillible. Depuis le lancement de la Sienna, à l'automne 1997, votre serviteur a pu en conduire trois exemplaires. Or, deux d'entre eux étaient affligés de craquements venant, on s'en doute, des portes coulissantes. Dans un des cas, c'en était même insupportable. Par contre, le dernier exemplaire essayé, l'été dernier, était vierge de tout bruit suspect, en plus de briller par sa finition et son assemblage rigoureux. Qui plus est, c'était celui qui affichait le plus de kilomètres au compteur. Aussi ne généralisons pas; parlons plutôt de qualité, disons, inégale.

On pourrait en dire autant de la présentation intérieure, qui varie considérablement d'une version à l'autre. Dans sa livrée de base, la Sienna se montre sous son jour le plus austère. Et chiche avec ça: le tachymètre brille par son absence! Compte tenu du prix demandé, voilà qui frise la mesquinerie. Ça s'améliore dans les versions plus cossues, mais, encore une fois, ce n'est que la moindre des choses.

Rationnelle comme ses usagers.

Pratique, pratique

Dans la plus pure tradition japonaise, l'ergonomie fait figure d'exemple à suivre. Elle mériterait une note parfaite si ce n'était de la disposition des leviers de transmission et d'essuie-glaces: d'abord parce qu'il arrive fréquemment que l'on s'accroche dans le deuxième; et ensuite parce que leur trop grande proximité peut porter à confusion.

L'habitabilité est ce qu'on attend d'une fourgonnette; idem pour l'aspect pratique, qui est l'une des forces de ce type de véhicule. Qu'il s'agisse de la banquette ou des baquets, les sièges obtiennent eux aussi de bonnes notes. Ont également été appréciés les nombreux espaces de rangement, les gros miroirs extérieurs, ainsi que les nombreux dispositifs de sécurité dont est pourvue la Sienna.

Du reste, ce sont ces qualités toutes rationnelles qu'apprécient les propriétaires de fourgonnettes et les propriétaires de Toyota, en bons acheteurs pragmatiques qu'ils sont. Nul doute que la Sienna répondra à leurs attentes; beaucoup plus, en tout cas, que la Previa et autres créations un peu trop martiennes pour ce créneau. L'idée était pourtant simple: il suffisait de déguiser une Camry en fourgonnette. Justement, c'était trop simple.

Toyota Solara

Toyota Solara

Coupé sport ou Camry 2 portes?

Lentement mais sûrement, nous assistons à un retour en force des coupés sur nos routes. Toyota démontre son intérêt envers ce marché avec la Solara. L'opération a pu être réalisée sans nécessiter de lourds investissements. Il a suffi en effet de recycler certaines pièces de la Camry, elle-même la plus populaire dans son créneau. Mais en fait, la Solara ne serait-elle qu'une Camry à 2 portières?

On répond en partie à cette question chez Toyota puisque la dénomination officielle de la voiture est: Toyota Camry Solara. Si on soulève la robe du coupé, on retrouve en effet le châssis de la berline légèrement rigidifié, avec des attaches de suspension renforcées. Les ressorts et les amortisseurs sont raffermis et la direction plus directe, moins «aseptisée». Cependant, aucune pièce de la carrosserie ne vient directement de la Camry: les stylistes californiens devaient donner à la Solara une allure originale et dynamique. Certains apprécient son style, mais personnellement je le trouve un peu terne. Sa ligne est «propre» à défaut d'être «brillante», un peu comme une bonne poêle recouverte de teflon. Seules les jantes en alliage semblent avoir fait l'objet d'une certaine recherche.

La présentation intérieure s'avère mieux réussie. Les fauteuils de très grande taille à l'avant se révèlent confortables, même s'ils n'offrent pas un très bon support latéral. Dans la SLE, ils sont tendus d'un cuir qui semble un peu artificiel mais quand même durable et odorant. La jolie planche de bord renferme de gros compteurs à la lecture éminemment facile. On retrouve dans l'ensemble des matériaux de bonne qualité assemblés impeccablement, comme c'est d'ailleurs le cas dans la plupart des réalisations de

Toyota. Une bonne leçon pour les trois grands américains puisqu'elle est construite à Cambridge en Ontario.

L'espace disponible à l'avant, et surtout à l'arrière, sort de l'ordinaire pour un simple coupé. On y accède par deux très longues et lourdes portières, mais c'est le prix à payer pour éviter une disgracieuse gymnastique à vos passagers. Vous pouvez y installer deux de vos amis (adultes) sans craindre de représailles de leur part. Un troisième invité croirait cependant faire les frais d'une mauvaise blague. Autre bonne surprise: le coffre se révèle d'une capacité remarquable, qui devient encore plus considérable lorsqu'on rabat le dossier fractionnable 60/40.

Un 4 essoufflé, un 6 qui respire la santé

La Solara est offerte en deux versions: la SE et la SE V6. La première présente un équipement assez complet incluant le climatiseur, l'antiblocage, les glaces électriques, la condamnation centrale des portières, les rétroviseurs chauffants et de nombreux autres accessoires. Son groupe motopropulseur se compose obligatoirement du petit 4 cylindres de la Camry accouplé à la boîte automatique. Il est plus discret que certains multicylindres offerts par la concurrence, mais n'offre malheureusement qu'une modeste puissance pour déplacer le gabarit imposant du coupé. Les accélérations n'impressionnent guère et vous devrez anticiper soigneusement vos dépassements. Impossible de le recommander aux amateurs de performances.

Ouvrez un peu plus grand votre portefeuille et vous aurez droit à la SE V6 propulsée par un magnifique engin de 3,0 litres, toujours un peu plus propre, un peu plus sobre et un peu plus léger. Certains vous diront qu'il manque de caractère, qu'il est trop parfait, mais ne vous laissez pas

Toyota Solara

Pour
Équipement complet • V6 enivrant • Confort invitant • Habitabilité intéressante • Mécanique solide

Contre
Ligne banale • Moteur 4 cylindres déficient • Comportement routier un peu paresseux • Portières encombrantes • Masse importante

Caractéristiques

Prix du modèle à l'essai:	SLE / 33 800 $
Garantie de base:	3 ans / 60 000 km
Type:	coupé / traction
Empattement / Longueur:	267 cm / 482,5 cm
Largeur / Hauteur / Poids:	180,5 cm / 140 cm / 1480 kg
Coffre / Réservoir:	391 litres / 70 litres
Coussins de sécurité:	conducteur et passager
Suspension av. / arr.:	indépendante
Freins av. / arr.:	disque ABS
Système antipatinage:	oui (optionnel)
Direction:	à crémaillère, assistée
Diamètre de braquage:	11,6 mètres
Pneus av. / arr.:	P205/60R16
Valeur de revente:	excellente

Motorisation et performances

Moteur / Transmission:	V6, 3,0 litres / automatique 4 rapports
Puissance / Couple:	200 ch à 5200 tr/min / 214 lb-pi à 4400 tr/min
Autre(s) moteur(s):	4L 2,2 litres 135 ch
Transmission optionnelle:	manuelle 5 rapports
Accélération 0-100 km/h:	10,2 secondes; 14,0 secondes
Vitesse maximale:	210 km/h; 180 km/h
Freinage 100-0 km/h:	40,0 mètres
Consommation (100 km):	10,8 litres; 8,5 litres

Modèles concurrents
Acura CL • Chrysler Sebring • Honda Accord Coupé • Saab 9³

Quoi de neuf?
Radio avec lecteur de disques compacts de série • Antidémarreur de série • Version décapotable probablement en mars 2000

Verdict

Agrément	⊕ ⊕ ⊕ ⊕	Habitabilité ⊕ ⊕ ⊕ ⊕ (
Confort	⊕ ⊕ ⊕ ⊕	Hiver ⊕ ⊕ ⊕ ⊕ ⊕
Fiabilité	⊕ ⊕ ⊕ ⊕	Sécurité ⊕ ⊕ ⊕ ⊕ ⊕

influencer. Il est difficile de trouver aussi solide et performant pour ce prix. À croire que ses concepteurs maîtrisent parfaitement les secrets de la fabrication d'un moteur ultramoderne, mais qu'ils ignorent tout des subtilités des lignes d'une belle carrosserie. Vous aurez aussi droit entre autres à des disques aux 4 roues, à un aileron arrière parfaitement inutile, à des jantes de 16 pouces en alliage, à un toit ouvrant électrique et à un lecteur de disques compacts. Vous aurez encore le choix entre une boîte automatique qui est un modèle du genre et une manuelle assez banale. À ce stade, vous pouvez aussi retenir le groupe SLE avec la transmission automatique. Vous pourrez alors faire l'envie de vos passagers avec les garnitures de cuir, le contrôle automatique de la température, le régulateur de traction, un système de sonorisation JBL très performant, et d'autres accessoires qui rendent la vie si agréable au volant. Un groupe d'équipement presque aussi complet peut être retenu avec la SE manuelle.

Sur la route, la Solara se comporte comme une Camry à laquelle on aurait insufflé des réflexes un peu plus vifs. Toyota mise encore et toujours sur le confort même si les suspensions laissent percevoir davantage les défauts de la route. Les yeux fermés, vous aurez l'impression d'être au volant d'une Lexus tant le silence de fonctionnement impressionne. Ne soyez pas tenté cependant de défier le conducteur d'une BMW série 3. Vous crânerez pendant un certain temps à l'accélération mais craquerez rapidement lorsque le parcours deviendra plus sinueux. On ressent l'importance de la masse et les pneus vous lâcheront assez tôt. Sur l'autoroute cependant, elle garde son cap imperturbablement. Le freinage surprend par son mordant un peu atypique de Toyota, et les distances d'arrêt sont très brèves.

Il vous reste à résoudre l'équation suivante: deux portières supplémentaires et un peu plus d'espace pour vos passagers valent-ils une ligne un peu plus sportive et des performances légèrement supérieures? Question de style, plutôt que de substance. Une version décapotable présentée il y a déjà plusieurs mois et prévue finalement pour mars prochain simplifiera cependant vraiment votre tâche avec son allure distinctive.

Jean-Georges Laliberté

Volkswagen EuroVan • Winnebago Camper

Volkswagen Eurovan

Confinée à la spécialisation

La compagnie Volkswagen est reconnue depuis quelques années pour ses conceptions mécaniques audacieuses et pour ses plates-formes partagées par plusieurs modèles. Un vent d'ingéniosité semble souffler aussi bien sur cette marque que sur sa filiale Audi. Il est donc permis de croire que la fourgonnette EuroVan est l'exception qui confirme la règle. Non seulement on s'est contenté d'apporter des solutions à court terme sur ce mastodonte afin de corriger ses lacunes, mais on a procédé avec une lenteur désespérante.

E n fait, rarement un produit a-t-il été aussi mal adapté à notre marché. Cette grosse fourgonnette fait figure d'égarée sur notre continent et ne convient pas aux attentes du public. En Europe, ce véhicule est surtout utilisé par des plombiers, des menuisiers et des électriciens qui en font leur atelier mobile. La robustesse de la caisse, son volume intérieur et les versions concoctées par de multiples compagnies de transformation en font la favorite de ces gens devant la Ford Transit.

Il faut également ajouter que la fourgonnette Volkswagen qui est la préférée des familles en Europe n'est pas l'EuroVan, ou Caravelle de son vrai nom, mais la Sharan. L'EuroVan/Caravelle est carrément considérée là-bas comme un véhicule commercial. Le plus curieux dans toute l'affaire, c'est que chaque fois qu'on mentionne la possibilité d'importer la Sharan en Amérique, les représentants de la compagnie se lancent dans un long palabre pour nous expliquer, à nous, pauvres journalistes, que cette fourgonnette ne se vendra pas sur notre marché. Pourtant, il serait difficile de faire pire que l'EuroVan dont les ventes

restent pratiquement confidentielles. Heureusement que le modèle Camper fabriqué par Winnebago est populaire, sans quoi la présence de l'EuroVan en Amérique du Nord serait bien ridicule.

Il ne faut pas pour autant passer sous silence les indéniables qualités qui permettent à ceux qui ont besoin d'une fourgonnette si volumineuse de l'apprécier.

En mal de puissance

Pendant des années, le manque de puissance du moteur 5 cylindres de 109 chevaux de ce modèle était décrié par tout le monde. Et si on s'arrête à y songer un seul instant, c'est incroyable qu'on ait pu se contenter d'un moteur si anémique dans un véhicule capable de transporter autant de passagers et de bagages. Après une éternité passée à tergiverser, la direction de Wolfsburg a finalement écouté les cris de désespoir en provenance de l'Amérique et offert le moteur VR6 sur ses modèles 1999.

Et encore, ce moteur qui développe 174 chevaux sur la Jetta n'en offre plus que 140 sur l'EuroVan après qu'on l'a adapté pour les travaux lourds. Malgré tout, la fiche technique indique une capacité de remorquage de 1996 kg pour une roulotte munie de freins ou une charge de 454 kg. À titre de comparaison, la Honda Odyssey lancée l'an dernier est animée par un moteur V6 de 3,5 litres de 225 chevaux tandis que la Ford Windstar peut être commandée par un V6 de 200 chevaux. D'ailleurs, la Volkswagen Sharan vendue en Europe peut bénéficier du VR6 de 174 chevaux. Vous avouerez que c'est le monde à l'envers.

Jusqu'à l'an dernier, la rigidité de la caisse de l'EuroVan laissait à désirer et de nombreux bruits de caisse accompagnaient tous

Volkswagen EuroVan

Pour

Habitabilité fort généreuse • Couple élevé à bas régime • Version Camper • Suspension arrière indépendante • Finition soignée

Contre

Prix faramineux • Pneumatiques très peu performants • Distance de freinage aléatoire • Dimensions encombrantes • Diffusion très limitée

Caractéristiques

Prix du modèle à l'essai:	GLS / 46 995 $
Garantie de base:	2 ans / 40 000 km
Type:	fourgonnette / camper / traction
Empattement / Longueur:	292 cm / 478 cm
Largeur / Hauteur / Poids:	184 cm / 194 cm / 1890 kg
Coffre / Réservoir:	495 litres / 80 litres
Coussins de sécurité:	conducteur et passager
Suspension av. / arr.:	indépendante
Freins av. / arr.:	disque ABS
Système antipatinage:	oui
Direction:	à crémaillère, assistée
Diamètre de braquage:	11,7 mètres
Pneus av. / arr.:	P205/65R15
Valeur de revente:	très bonne

Motorisation et performances

Moteur / Transmission:	V6 2,8 litres / automatique 4 rapports
Puissance / Couple:	140 ch à 4500 tr/min / 177 lb-pi à 3200 tr/min
Autre(s) moteur(s):	aucun
Transmission optionnelle:	aucune
Accélération 0-100 km/h:	13,6 secondes
Vitesse maximale:	168 km/h
Freinage 100-0 km/h:	47,4 mètres
Consommation (100 km):	13,7 litres

Modèles concurrents

Chevrolet Astro • Ford Econoline • GMC Savana

Quoi de neuf?

Abandon du Winnebago Camper • Révision de la partie avant

Verdict

Agrément	⊕ ⊕	Habitabilité ⊕ ⊕ ⊕ ⊕ ⊕
Confort	⊕ ⊕ ⊕	Hiver ⊕ ⊕ ⊕
Fiabilité	⊕ ⊕ ⊕	Sécurité ⊕ ⊕ ⊕

les déplacements. La situation a été corrigée par l'utilisation de panneaux de plancher renforcés et de montants B et C plus robustes. Cette révision et la présence d'une suspension indépendante aux 4 roues assurent un confort relevé pour un véhicule aux origines commerciales.

Un petit chalet

Pour compenser, il est possible d'adapter cette fourgonnette à nos besoins précis par l'entremise d'un catalogue d'options passablement étoffé. En plus des modèles réguliers, les Weekender et Camper sont au catalogue. Le premier allie les caractéristiques de la version régulière avec plusieurs des éléments du Camper, soit un toit pouvant se déployer, une banquette se transformant en lit double, des sièges capitaines entièrement pivotants, un réfrigérateur placé sous un siège et de nombreuses autres commodités. Nous avons parcouru des centaines de kilomètres au volant d'un Weekender qui s'est révélé confortable pour de longs trajets. Le moteur VR6 était généralement à la hauteur. En revanche, il faut toujours prévoir ses dépassements avec soin. Dans la circulation urbaine, il est facile de rouler sans ennui avec le flot des véhicules, le couple élevé à bas régime assurant de bonnes accélérations. Malheureusement, il faut pratiquement se stationner au terminus d'autobus compte tenu des dimensions de l'EuroVan. Et si des passagers prennent place à l'arrière, il faut parler à tue-tête pour tenir une conversation tant ils se trouvent loin des places avant.

En fait, le caractère très particulier de l'EuroVan le limite pratiquement à être utilisé comme Camper. Il donne alors toute sa mesure. Ce qui explique pourquoi ses propriétaires sont tellement fidèles et pourquoi le club Westphalia du Québec compte plusieurs milliers de membres. Une fois encore, le géant allemand fait la sourde oreille et offre un produit très mal adapté dans l'un des secteurs les plus importants de notre marché.

Denis Duquet

Mauvais continent.

Volkswagen Golf

Volkswagen Golf GTI VR6

Ce que Jacques Villeneuve a omis de vous dire

Le plaisir que semble éprouver Jacques Villeneuve à piloter la récente Volkswagen Golf GTI VR6 est légitime. Cette petite voiture est une bombe d'énergie qu'on ne se lasse pas de conduire sportivement. Ce que l'ex-champion du monde de Formule 1 ne vous dit pas toutefois, c'est que cette charmante caisse à roulettes coûte ce que la jeune clientèle visée par ce modèle considère comme une petite fortune: 30 345 $, une somme qui n'est certes pas à la portée du premier débutant venu.

C'est bien dommage, car cette Golf à la vitamine VR6 est bel et bien envoûtante dans sa tenue GTI, enrobée de luxe et de haute performance. Nul doute toutefois que les fanatiques de la Golf se contenteraient du châssis et du moteur de la VR6 et seraient prêts à sacrifier sa panoplie d'accessoires de limousine si cela devait réduire la facture d'environ 5000 $.

Car ce conducteur, que VW semble avoir mal ciblé, n'a que faire d'un climatiseur thermostatique, de sièges chauffants en cuir, d'un capteur de pluie, d'un ordinateur de bord et que sais-je encore. Il ne demande rien de plus qu'un moteur en verve et un châssis peaufiné. Or, dans sa livrée actuelle, la VR6 GTI est une sorte de mixture entre une auto sport, une sous-compacte économique et une voiture de luxe. La même combinaison est parfaitement justifiée sur une Jetta, sauf qu'avec cette dernière, on peut obtenir le moteur VR6 sans avoir à acheter du même coup la livrée de grand luxe comme c'est le cas avec la Golf. Ça frise le non-sens comme démarche de mise en marché...

Parlons suspension

Tout cela étant dit, Jacques Villeneuve adore certainement les accélérations de la GTI, mais je ne suis pas sûr qu'il s'élancerait sur une piste sans revoir un peu la suspension de la voiture. Un peu moins de mollesse lui ferait grand bien et il suffit de conduire la Golf la nuit pour visualiser le tangage de la suspension qui, à chaque petit trou ou dénivellation, fait danser l'éclairage des phares sur la ligne d'horizon. Et j'ouvre ici une parenthèse pour souligner que les phares, dont on vante pourtant les mérites dans la pochette de presse, ne font pas leur travail en position de croisement. Les pleins phares sont corrects, mais la portée des codes est insuffisante à mon avis.

Pour revenir à la suspension, elle est à la hauteur d'une conduite enjouée dans les longues courbes mais affiche plus facilement ses limites dans des virages plus serrés. Blâmons aussi les pneus dont l'adhérence très moyenne est à l'origine d'un sous-virage excessif suivi d'un décrochement brutal du train arrière. Ce n'est jamais dramatique et on s'amuse à contrôler ces glissades, mais l'amateur de conduite plus sérieuse en demandera davantage. Surtout que le moteur permet toutes les fantaisies.

Un moteur primé

D'une douceur rigoureuse et d'une discrétion absolue, ce VR6 mérite pleinement d'avoir été sélectionné parmi les 10 meilleurs moteurs. Pour bien exploiter ses remarquables possibilités, on souhaiterait un levier de vitesses à la course un peu moins longue. Pour sa part, la direction permet de placer la voiture au centimètre près à l'entrée d'un virage. Les 4 freins à disque ont une endurance et une puissance parfaitement adaptées aux 220 km/h que la voiture est pleinement

Volkswagen Golf

Pour

Superbe moteur • Freinage sûr • Direction précise • Équipement relevé • Agrément de conduite assuré • Confort soigné

Contre

Suspension un peu flasque • Longue course du levier de vitesses • Imprimante à contraventions • Prix prohibitif • Radio médiocre • Fiabilité incertaine

Caractéristiques

Prix du modèle à l'essai:	GLX / 30 225 $
Garantie de base:	2 ans / 40 000 km
Type:	berline à hayon / traction
Empattement / Longueur:	251 cm / 415 cm
Largeur / Hauteur / Poids:	173,5 cm / 144 cm / 1260 kg
Coffre / Réservoir:	330 litres / 55 litres
Coussins de sécurité:	frontaux et latéraux
Suspension av. / arr.:	indépendante / semi-indépendante
Freins av. / arr.:	disque ABS
Système antipatinage:	oui
Direction:	à crémaillère, assistée
Diamètre de braquage:	10,9 mètres
Pneus av. / arr.:	P205/55R16
Valeur de revente:	excellente

Motorisation et performances

Moteur / Transmission:	V6 2,8 litres / manuelle 5 rapports
Puissance / Couple:	174 ch à 5200 tr/min / 181 lb-pi à 3200 tr/min
Autre(s) moteur(s):	4L 2,0 litres 115 ch; 4L 1,9 litre TDI 90 ch
Transmission optionnelle:	automatique 4 rapports
Accélération 0-100 km/h:	7,5 secondes; 12,5 secondes (TDI)
Vitesse maximale:	220 km/h; 180 km/h (TDI)
Freinage 100-0 km/h:	34,5 mètres
Consommation (100 km):	9,0 litres; 6,8 litres (TDI)

Modèles concurrents

Honda Civic • Ford Focus • Chrysler Neon • Chevrolet Cavalier • Toyota Corolla • Mazda Protegé • Nissan Sentra • Subaru Impreza

Quoi de neuf?

Antipatinage de série (VR6) • Moteur 1,8 Turbo en cours d'année • Radio 8 haut-parleurs • Indicateur d'usure de freins

Verdict

Agrément	☺ ☺ ☺ ☺ ☺	Habitabilité	☺ ☺ ☺ ☺ ☺
Confort	☺ ☺ ☺ ☺ ☺	Hiver	☺ ☺ ☺ ☺ ☺
Fiabilité	☺ ☺ ☺	Sécurité	☺ ☺ ☺ ☺ ☺

capable de soutenir sur des routes sans limite de vitesse. Ajoutez à cela un 0-100 km/h en 7,5 secondes et vous voyez tout de suite que cette Golf n'a rien à voir avec une GL ou une TDI et qu'elle peut facilement devenir une imprimante à contraventions si on se laisse emporter par sa fougue. En réalité, elle peut atteindre en 4e les 210 km/h, une vitesse inaccessible à n'importe quelle autre Golf. Voilà qui n'est pas peu dire!

«Made in Germany»

Si la suspension un peu trop souple talonne quelquefois au passage de vilains trous et est à l'origine d'un roulis important, elle a au moins le mérite d'offrir à la GTI une bonne note en matière de confort. À part un bruit occasionnel du côté droit du hayon arrière, notre Golf «made in Germany» témoignait d'un assemblage soigné et d'une bonne qualité de construction.

Le plaisir croît avec le prix.

L'aménagement intérieur, rappelons-le, est celui d'une voiture de grand luxe avec des sièges chauffants très confortables, une sellerie en cuir, un climatiseur thermostatique, des coussins gonflables latéraux, un toit ouvrant, etc. Par ailleurs, cette VW ne renie pas ses origines allemandes en proposant une radio d'une qualité sonore assez médiocre, des porte-verres peu commodes à utiliser et un agencement de couleurs (gris-beige) sans doute choisi par un daltonien.

Certaines des caractéristiques les plus plaisantes de la GTI VR6 existent aussi dans les versions à prix plus abordables que sont la GL et la GLS. Elles n'offrent sûrement pas le même agrément de conduite, mais le modèle TDI plaira à ceux qui roulent beaucoup avec son moteur diesel à turbocompresseur et injection directe. Un parcours de 5000 km effectué l'automne dernier en France m'a permis de réaliser de remarquables économies de carburant grâce à une moyenne de 6,8 litres aux 100 km. La Golf dite normale avec son 2,0 litres de 115 chevaux est peut-être la moins intéressante des trois malgré l'habitacle plus spacieux des dernières versions et de généreux espaces de rangement. Seul le cabriolet, le meilleur de sa catégorie, se défend honorablement avec une telle mécanique.

Bref, c'est Jacques Villeneuve qui s'amuse le plus dans tout ça: il conduit la GTI VR6 et il est payé pour le faire.

Jacques Duval

477

Volkswagen Jetta GLX

Trois versions, trois personnalités

Parmi les produits Volkswagen récemment apparus sur le marché, c'est sans contredit la nouvelle Jetta qui était attendue avec le plus d'impatience. Pourtant, ce n'est pas elle qui a causé la meilleure surprise mais plutôt sa compagne, la Golf. Celle qui, au départ, était essentiellement une version berline du populaire *hatchback* de VW s'éloigne graduellement de sa génitrice. La Jetta voit le jour à Puebla sous le soleil du Mexique alors que la Golf est redevenue une Allemande pure laine. C'est une différence qui ne passe pas inaperçue malgré la similarité des composantes.

Sur le plan esthétique, la Jetta a pris ses distances par rapport à la Golf pour se rapprocher de la Passat. Sous le capot, les trois moteurs génériques de Volkswagen sont au rendez-vous: l'éternel 4 cylindres de 2,0 litres et 115 chevaux, le réputé VR6 2,8 litres de 174 chevaux et le frugal turbodiesel 1,9 litre (TDI) de 90 chevaux.

Le premier, le plus répandu, a bénéficié de quelques modifications de manière à abaisser le régime du couple maximal et à élargir la plage d'utilisation du moteur.

Les améliorations les plus notables se trouvent du côté de la suspension et de l'équipement, qu'il soit de série ou optionnel. Les amortisseurs et les ressorts hélicoïdaux ont été repositionnés pour qu'ils ne fassent plus intrusion dans le coffre arrière et pour diminuer la transmission du bruit et des vibrations dans l'habitacle. Les résultats sont là puisque sur la route, la voiture est particulièrement bien insonorisée.

Berline sport ou de luxe

Pour sa part, l'équipement de série a été substantiellement bonifié. La Jetta reçoit entre autres 4 freins à disque et des accessoires ou de l'équipement optionnels lui permettant de se transformer en minivoiture de luxe ou en berline sportive. Son comportement routier peut compter sur un châssis dont les éléments soudés au laser assurent une rigidité de 47 Hz, la meilleure de toutes les voitures de sa classe. Dans la pratique, cela se traduit par une diminution marquée des bruits de caisse même après un kilométrage important et par une tenue de route étonnante pour une traction. À certains égards, la Jetta dotée du moteur VR6 et de l'ensemble sport optionnel (avec jantes de 16 pouces au lieu de 15) peut facilement se comparer à une BMW série 3.

Bien que la garantie normale reste toujours de 2 ans ou 40 000 km, la Jetta offre une protection de 12 ans contre la corrosion grâce à ses panneaux de caisse en acier galvanisé. Tout comme la Golf, la Jetta se distingue par de nouveaux phares rectangulaires multifonctions. Ceux-ci réunissent, sous une lentille claire, les lampes halogènes, les antibrouillards, les clignotants et les feux latéraux. On leur prête une luminosité très supérieure à la moyenne, mais la réalité est tout autre. Tout comme une Golf de nouvelle génération mise à l'essai en Europe, la Jetta souffre d'une piètre qualité d'éclairage en conduite nocturne. Compte tenu des performances offertes (surtout en version VR6), les phares sont d'une puissance nettement insuffisante.

L'équipement de série est généreux et justifie dans une certaine mesure le prix élevé des dernières Jetta. Il comprend des coussins gonflables latéraux, un volant réglable en hauteur et en profondeur, des rétroviseurs chauffants et, dans la GLX, la climatisation automatique, des garnitures en bois, une sellerie en cuir et même un détecteur de pluie (logé derrière le rétroviseur intérieur) qui enclenche automatiquement les essuie-glaces et règle leur vitesse selon l'intensité de l'averse. Entre vous et moi, cela tient plutôt du gadget et le système ne fait qu'accélérer le balayage intermittent par grande pluie.

Les conducteurs moins soucieux de confort que de performances se tourneront vers le moteur VR6 optionnel ou encore les sièges sport assortis de jantes de 16 pouces.

Le plaisir croît avec la puissance

Après avoir essayé successivement la Jetta TDI, la GLS 115 chevaux et la GLX VR6, il convient de souligner que les trois voitures ont des personnalités bien distinctes. Certes, la carrosserie est la même dans toutes les versions et plusieurs éléments se ressemblent. Je pense notamment au confort des sièges ainsi qu'à la facilité avec laquelle on trouve une bonne position de conduite. La visibilité et les espaces de rangement méritent aussi de fort belles notes. En revanche, on déplore des places arrière un peu restreintes ainsi qu'un porte-verres qui gêne la manipulation des commandes de la climatisation et de la radio. Et que dire de l'obligation agaçante de déverrouiller les portes arrière à partir de la commande centrale chaque fois que l'on a besoin de les ouvrir?

Ces similarités mises à part, il y a néanmoins une différence marquée dans le comportement routier de chacun des modèles.

La TDI accuse une certaine mollesse tant côté moteur que suspension et il est clair que le turbodiesel s'adresse avant tout à ceux qui privilégient l'économie plutôt que l'agrément de conduite. Avec une consommation moyenne de 6 litres aux 100 km, cette Jetta est particulièrement bien adaptée aux «gros rouleurs» qui y trouveront un réel confort et de bonnes aptitudes routières.

La GLS se trouve un cran au-dessus, même si son moteur de série s'agite un peu trop à haut régime. On peut cependant lui substituer le VR6 offert en option. Que ce soit dans la GLS ou la GLX, ce moteur plein de couple permet d'avaler le 0-100 km/h en 7,9 secondes, même avec la transmission automatique. L'ordinateur de bord lui crédite une consommation moyenne de 11,8 litres aux 100 km, ce qui prouve qu'il y a un prix à payer pour de bonnes performances.

Avec l'option Sport de la GLX, chaque manœuvre semble un peu plus précise et cette Jetta atteint les 225 km/h tout en conservant une étonnante stabilité. Le seul inconvénient, du moins dans la voiture mise à l'essai, est que la porte avant droite commençait à s'entrebâiller à grande vitesse, causant un bruit d'air agaçant. La suspension est agréablement ferme, la direction très vive et le freinage parfaitement équilibré. Le bon équipement pneumatique (Michelin Pilot) procure une adhérence tenace en virage en dépit d'un roulis important. Bref, cette Jetta V6 est une vraie berline sport avec des réactions neutres en virage et un superbe équilibre général. Et ce qui ne gâte rien, son confort est au-dessus de tout reproche.

Quelques bavures

Comme elle est agréable à regarder et à conduire, on souhaiterait que la Jetta soit parfaite, ce qui n'est malheureusement pas le cas. Le cockpit est invitant avec son magnifique volant à trois

Plastique fragile. Le bouton servant au réglage des rétroviseurs s'est brisé en cours d'essai...

Volkswagen Jetta

Pour

Excellent moteur (VR6) • Faible consommation (TDI) • Caisse solide • Confort appréciable • Comportement routier agréable

Contre

Construite au Mexique • Éclairage insuffisant • Verrouillage automatique bruyant • Prix trop élevé • Places arrière étriquées

Caractéristiques

Prix du modèle à l'essai:	GLX / 32 725 $
Garantie de base:	2 ans / 40 000 km
Type:	berline / traction
Empattement / Longueur:	251 cm / 438 cm
Largeur / Hauteur / Poids:	173,5 cm / 145 cm / 1393 kg
Coffre / Réservoir:	455 litres / 55 litres
Coussins de sécurité:	frontaux et latéraux
Suspension av. / arr.:	indépendante / semi-indépendant
Freins av. / arr.:	disque ABS
Système antipatinage:	oui
Direction:	à crémaillère, assistée
Diamètre de braquage:	10,9 mètres
Pneus av. / arr.:	P195/65R15
Valeur de revente:	très bonne

Motorisation et performances

Moteur / Transmission:	V6 2,8 litres / automatique 4 rapports
Puissance / Couple:	174 ch à 5800 tr/min / 181 lb-pi à 3200 tr/min
Autre(s) moteur(s):	4L TDI 1,9 litre 90 ch; 4L 2,0 litres 115 ch
Transmission optionnelle:	manuelle 5 rapports
Accélération 0-100 km/h:	7,9 secondes; 11 secondes (2,0 litres)
Vitesse maximale:	225 km/h; 190 km/h (2,0 litres)
Freinage 100-0 km/h:	36,7 mètres
Consommation (100 km):	8,5 litres

Modèles concurrents

Ford Focus • BMW 318ti • Toyota Corolla • Infiniti G20 • Saab 9³

Quoi de neuf?

Indicateur d'usure de frein • Antivol amélioré • Moteur 1,8 T en cours d'année

Verdict

Agrément	🛞🛞🛞◖	Habitabilité	🛞🛞🛞🛞
Confort	🛞🛞🛞◖	Hiver	🛞🛞🛞🛞◖
Fiabilité	🛞🛞🛞	Sécurité	🛞🛞🛞🛞

branches, son levier de vitesses en bois se déplaçant dans une grille chromée, ses nombreux rangements et ses sièges confortables, mais ma fille a été prompte à me faire remarquer qu'il est difficile de boucler sa ceinture de sécurité à cause du manque d'espace entre l'accoudoir central et le siège. En plus, les boutons de la radio et de la climatisation sont trop bas pour qu'on puisse les manipuler sans quitter la route des yeux. Et si l'on utilise le porte-verres au-dessus, ces mêmes commandes deviennent presque hors d'atteinte. Il n'est pas facile non plus de rabattre le pare-soleil côté conducteur avec la main gauche. Finalement, on ne peut s'empêcher de sursauter lorsque les quatre portières se verrouillent automatiquement dans un clac trop sonore lorsqu'on prend la route. En revanche, les instruments rétroéclairés à luminosité bleue et indicateurs rouges sont un pur ravissement même si nos collègues américains trop conservateurs n'apprécient pas cette touche d'originalité. C'est sans doute ce qui explique que dans toute l'Amérique, c'est au Québec que Volkswagen possède sa plus importante part de marché.

Le prix fait réfléchir.

Pour cette raison, la firme allemande devrait peut-être essayer de modifier le couvercle du coffre à bagages afin d'éviter que la neige ne s'y engouffre lorsqu'on l'ouvre en hiver. Ce coffre, grâce à son volume exceptionnel, est l'un des atouts de la Jetta.

Pour ce qui est de la qualité de construction, la Jetta GLX «made in Puebla» que j'ai essayée était raisonnablement bien assemblée, mais il convient tout de même de signaler que le petit bouton servant à régler les rétroviseurs extérieurs m'est resté dans les mains. Si l'on ajoute à cela la porte avant droite mal ajustée, on peut se poser des questions sur la différence de qualité entre une Volkswagen produite en Allemagne et une autre construite au Mexique.

D'autant plus que certains vendeurs semblent utiliser cet argument pour amener la clientèle vers la Golf.

Il semble que la Jetta ait malgré tout un pouvoir de séduction irrésistible puisqu'elle connaît un excellent début de carrière dans sa dernière livrée.

Jacques Duval

Volkswagen Lupo 3L

Volkswagen Lupo 3L

100 milles au gallon... qui dit mieux?

J'ai conduit la voiture la plus économique au monde et ce n'était ni un hybride ni un véhicule électrique. L'objet de cet exploit est une Volkswagen dont la mise au point a exigé neuf ans de travail, selon le Dr Ferdinand Piëch, ce visionnaire qui préside aux destinées de la marque allemande. En 1991, celui-ci avait annoncé officiellement le lancement avant l'an 2000 d'une voiture qui consommerait moins de 3 litres aux 100 km, un défi de taille. Or, cette supermini qui consomme de l'essence à la petite cuillère vient de faire son entrée sur le marché européen sous le nom de Lupo 3 litres et la technologie qui lui permet de réaliser une telle «performance» pourrait être appliquée à des modèles vendus ici.

L'appellation n'a rien à voir avec la cylindrée du moteur, puisque cette championne de la modération est propulsée par un 3 cylindres turbodiesel (TDI) à injection directe de 1,2 litre dont les particularités sont nombreuses.

En plus d'un bloc en aluminium, il est doté d'une turbine à géométrie variable, d'un refroidisseur d'air d'admission et d'injecteurs reliés à une pompe individuelle logés dans la culasse et entraînés par l'arbre à cames. Il s'agit là d'une nouvelle technologie qui permet d'injecter le carburant à une pression excédant 2000 bars.

Chut... le moteur

Ce qui frappe davantage l'imagination toutefois, c'est le mode «arrêt-départ» du moteur qui, dès que la voiture est immobilisée pendant plus de 4 secondes, s'arrête tout seul lorsqu'on appuie sur le frein. Il suffit de relâcher la pédale pour que le petit 3 cylindres

de la Lupo se remette en marche. En plus, en phase de décélération, l'embrayage se désengage de lui-même, permettant à la voiture de circuler en roue libre. L'autre caractéristique unique de la Lupo 3L est sa boîte de vitesses séquentielle à 5 rapports. C'est en réalité une boîte manuelle sans embrayage dont les rapports sont passés automatiquement au régime le plus favorable à l'économie de carburant.

Si 60 p. 100 de la frugalité de la Lupo 3L est attribuable au moteur, la carrosserie joue aussi un rôle important dans cette course à l'économie grâce à une sérieuse diminution du poids. À cette fin, tous les accessoires motorisés ont été mis de côté et on a fait appel à des matériaux ultralégers tels que l'aluminium et le magnésium qui entrent dans la composition du volant et du hayon arrière. On s'est également beaucoup attardé à l'abaissement de la résistance de roulement en ayant recours à des pneus à faible friction. Résultat: la Lupo 3L ne pèse que 830 kg.

J'ai eu l'occasion d'essayer la Lupo 3 litres sur un trajet de 236 km qui s'est transformé en un véritable concours d'économie entre les journalistes invités au lancement. Et dois-je ajouter que votre serviteur et son copilote Tony Whitney, de Vancouver, ont «humilié» le contingent américain avec l'incroyable moyenne de 2,79 litres aux 100 km, l'équivalent de 101,25 milles au gallon. Et cela sans chercher l'économie à tout prix en roulant à une allure de tortue. La randonnée incluait la traversée de plusieurs villages de l'ancienne Allemagne de l'Est, entre Braunschweig et Berlin.

La motorisation impose naturellement certains petits sacrifices et le passage électronique des vitesses, entre autres, crée une espèce de «trou» à l'accélération qui donne l'impression que la voi-

Volkswagen Lupo 3L

Pour

Consommation infime • Faible taux de pollution • Confort étonnant • Transmission à trois modes • Beau tableau de bord

Contre

Piètre accélération en mode ECO • Vibrations du moteur à bas régime • Coffre de faible volume • Non vendue en Amérique

Caractéristiques

Prix du modèle à l'essai:	non importée (voir texte)
Garantie de base:	non importée
Type:	berline 3 portes à hayon / traction
Empattement / Longueur:	232 cm / 353 cm
Largeur / Hauteur / Poids:	162 cm / 145 cm / 830 kg
Coffre / Réservoir:	130 litres / 34 litres
Coussins de sécurité:	frontaux
Suspension av. / arr.:	indépendante
Freins av. / arr.:	disque / tambour
Système antipatinage:	non
Direction:	à crémaillère, non assistée
Diamètre de braquage:	n.d.
Pneus av. / arr.:	P155/65R14
Valeur de revente:	non importée

Motorisation et performances

Moteur / Transmission:	3L turbodiesel 1,2 litre / automatique 5 rapports
Puissance / Couple:	61 ch à 4000 tr/min / 140 Nm de 1800-2400 tr/min
Autre(s) moteur(s):	aucun
Transmission optionnelle:	aucune
Accélération 0-100 km/h:	14,5 secondes
Vitesse maximale:	165 km/h
Freinage 100-0 km/h:	n.d.
Consommation (100 km):	2,79 litres (voir texte)

Modèles concurrents

Aucun

Quoi de neuf?

Nouveau modèle

Verdict

Agrément	⚙ ⚙ ⚙	Habitabilité	⚙ ⚙ ⚙
Confort	⚙ ⚙ ⚙	Hiver	⚙ ⚙
Fiabilité	nouveau modèle	Sécurité	aucune donnée

ture est conduite par un débutant. C'est en mode ECO que ce léger désagrément se manifeste; il suffit de mettre le levier de vitesses en position Tiptronic pour accélérer le passage des rapports. On y perdra en économie, mais pas pour la peine, comme nous avons pu le constater par la «prouesse» du collègue Tony Swan qui a choisi de rouler à fond tout au long de l'essai. Il a terminé dernier la course à l'économie, mais n'a tout de même pas excédé 4,64 litres aux 100 km, ce qui est assez significatif. Bref, l'écart entre une conduite superéconomique et une conduite sans aucune modération est remarquablement mince. En revanche, le principe «arrêt départ» n'est pas incommodant et même plutôt relaxant lorsque le moteur se tait, éliminant toute source de bruit. Sa relance, instantanée dès qu'on relâche le frein, ne pose absolument aucun problème.

Un pied de nez aux hybrides.

Ce qui m'a surtout étonné toutefois, c'est la très faible résistance de roulement de la voiture. Lorsqu'on relâche l'accélérateur, ne serait-ce qu'à 70 km/h, la petite Lupo 3L continue à rouler sur son élan pendant une quasi-éternité, au point où il faut constamment utiliser les freins pour ne pas heurter les voitures qui ralentissent devant vous.

Exempte de taxe

Après avoir expérimenté cette Volkswagen Lupo 3L, on s'interroge sur la pertinence des voitures électriques ou hybrides avec toutes leurs contraintes. Sa consommation de 3 litres aux 100 km, avec un taux de pollution moins élevé que celui de n'importe quelle voiture à essence actuellement sur le marché, remet en question la nécessité d'une Toyota Prius hybride, par exemple. Pour récompenser les qualités environnementales de la Lupo 3L, c'est-à-dire sa faible consommation et la propreté de son diesel, le gouvernement allemand a d'ailleurs exempté la voiture de toute taxation pendant six ans et huit mois, une économie d'environ 1500 $ pour le consommateur.

Et il ne faut surtout pas perdre de vue que la nouvelle technologie mise au point par le constructeur allemand est applicable sur n'importe quel format de voiture, petite ou grande. Les écologistes ne verraient sûrement pas d'un mauvais œil une Passat peu polluante et consommant moins de 5 litres aux 100 km. À suivre avec grand intérêt...

Jacques Duval

Volkswagen New Beetle • Turbo

Volkswagen New Beetle Turbo

Sportive en plus

Un peu plus d'un an après sa fracassante entrée en scène, la Volkswagen New Beetle n'a pas encore perdu son pouvoir d'attraction. On se retourne toujours sur son passage même si sa bouille sympathique fait de plus en plus partie du paysage automobile québécois. Boudée en Europe, elle a vu l'Amérique lui ouvrir grand les bras et cela malgré son aspect pratique limité. Depuis quelques mois, elle a aussi gagné du galon en adoptant un moteur à turbocompresseur qui lui permet d'ajouter la performance à son répertoire de qualités.

À la fin d'août 1999, le bureau de direction de VW, sous la férule du Dr Ferdinand Piëch, n'avait pas encore donné le feu vert à la version cabriolet qui semble attendue avec impatience. Le hic, selon l'état-major du constructeur allemand, c'est qu'une telle version commanderait un prix passablement élevé que le marché n'est peut-être pas prêt à accepter.

Quant à un modèle de série dérivé de la voiture-concept New Beetle RSI (4 roues motrices, 6 rapports, moteur VR6 turbo de 250 chevaux) dévoilée au Salon de Detroit, il sera construit un jour, mais seulement à quelques centaines d'exemplaires pour le marché européen.

En attendant, un seul type de carrosserie et trois motorisations sont au programme: un *hatchback* 3 portes avec, au choix, un 4 cylindres de 2,0 litres assez vétuste développant 115 chevaux, un 4 cylindres turbodiesel de 1,9 litre produisant 90 chevaux et, la cerise sur le gâteau, le 4 cylindres 1,8 litre turbo de 150 chevaux qui anime déjà la Passat et l'Audi A4.

Mignonne et musclée

Jusqu'à maintenant, la Coccinelle réinventée était une voiture mignonne qui devait son succès d'abord et avant tout à l'originalité de son design rétro-moderne. On avait beau aimer son look, il ne fallait pas compter sur elle pour s'amuser au volant.

La version 1,8T vient changer du tout au tout la personnalité de la voiture... en lui donnant des ailes.

Il suffira de lire le compte rendu de notre essai comparatif opposant la New Beetle 1,8T au coupé Audi TT pour réaliser que la Coccinelle des années 2000 n'a pas à rougir devant un modèle aussi plébiscité. La petite Volks lui a même montré ses fesses sur la distance du quart de mille tout en la battant de 0,4 seconde lors du sprint 0-100 km/h. De plus, la 1,8T cache bien son jeu et, à part le minuscule aileron qui se déploie à haute vitesse au-dessus de la lunette arrière, aucun élément visuel ne permet de différencier ce modèle des autres.

Ce qu'on reproche surtout aux New Beetle, c'est leur prix. La 1,8T n'échappe pas à la règle avec une facture qui frise les 30 000 $. Quand on sait qu'elle est construite au Mexique, où les employés de la chaîne d'assemblage de VW gagnent en moyenne 100 $ par semaine, on est convaincu qu'il y a quelqu'un qui se fait avoir quelque part. Cette politique de prix explique sans doute la flopée de New Beetle qui traînent dans la cour des concessionnaires de la marque depuis quelques mois. Pour 2000, les changements sont mineurs, se limitant à un indicateur d'usure de freins et à un système antivol amélioré dans tous les modèles. La 1,8T hérite pour sa part d'un antipatinage de série.

Volkswagen New Beetle

Pour

Performances stimulantes (1,8T)
• Bon comportement routier
• Ligne inédite • Moteur TDI
frugal • Sécurité passive poussée

Contre

Version 115 ch inintéressante
• Chauffage médiocre (TDI)
• Aspect pratique limité
• Prix substantiel • Garantie
2 ans seulement

Caractéristiques

Prix du modèle à l'essai:	1,8T / 29 050 $
Garantie de base:	2 ans / 40 000 km
Type:	*hatchback* / traction
Empattement / Longueur:	251 cm / 409 cm
Largeur / Hauteur / Poids:	172 cm / 151 cm / 1312 kg
Coffre / Réservoir:	200 litres / 55 litres
Coussins de sécurité:	frontaux et latéraux
Suspension av. / arr.:	indépendante
Freins av. / arr.:	disque (ventilé à l'avant) ABS
Système antipatinage:	oui
Direction:	à crémaillère, assistée
Diamètre de braquage:	10,0 mètres
Pneus av. / arr.:	P205/55R16
Valeur de revente:	très bonne

Motorisation et performances

Moteur / Transmission:	4L 1,8 litre turbo / manuelle 5 rapports
Puissance / Couple:	150 ch à 5800 tr/min / 156 lb-pi 2200-4200 tr/min
Autre(s) moteur(s):	4L 2,0 litres 115 ch; 4L 1,9 litre TDI 90 ch
Transmission optionnelle:	automatique 4 rapports
Accélération 0-100 km/h:	7,8 secondes; 11,2 secondes (2,0 litres)
Vitesse maximale:	200 km/h; 180 km/h (2,0 litres)
Freinage 100-0 km/h:	32,5 mètres (pavé abrasif)
Consommation (100 km):	10,8 litres; 6,7 litres (TDI)

Modèles concurrents

Chrysler Pronto Cruiser • Honda Civic Si • Volkswagen Golf VR6

Quoi de neuf?

Indicateur d'usure de freins • Antipatinage de série sur 1,8T
• Antivol amélioré

Verdict

Agrément	⊕ ⊕ ⊕ ⊕ (	Habitabilité	⊕ ⊕
Confort	⊕ ⊕ ⊕ (	Hiver	⊕ ⊕
Fiabilité	⊕ ⊕ ⊕	Sécurité	⊕ ⊕ ⊕ ⊕

Un moteur inventé pour elle

Si l'on parvient à oublier son prix prohibitif, la 1,8T saura se faire apprécier par un moteur souple, silencieux et vif comme l'éclair qu'on croirait avoir été inventé pour elle. Même en 4e, la voiture atteint les 180 km/h et elle peut exploiter au moins 200 des 260 km/h affichés par l'indicateur de vitesse. En conduite sportive, le levier de vitesses est trop rapproché de la console centrale pour que l'on ne s'y frotte pas les mains à l'occasion. Autrement, il se manie aisément et les fortes accélérations n'entraînent aucun effet de couple dans la direction.

Remarquable dans les longues courbes négociées à vive allure, la tenue de route se détériore un peu en virage serré avec un amortissement axé davantage sur le confort que sur l'adhérence absolue. La caisse n'émettait pas de bruits insolites sur des revêtements cabossés, mais compte tenu que la voiture mise à l'essai était neuve, il est difficile d'attester de sa solidité à long terme.

Une année décisive.

L'aménagement intérieur de la 1,8T GLX se démarque par une sellerie cuir et divers accessoires de luxe mais, dans l'ensemble, la voiture est identique aux autres New Beetle. Le tableau de bord, toujours aussi omniprésent, exige une période d'adaptation.

Les sièges sont agréables mais mal conçus pour la conduite sportive en raison d'un manque d'appui latéral. En revanche, le volant, réglable sur deux plans, permet d'adopter une position de conduite agréable bonifiée par une exceptionnelle visibilité, surtout vers l'avant. On peut simplement regretter que le compte-tours soit aussi petit, ce qui le rend peu lisible dans son logement enfoui à droite sous l'indicateur de vitesse. À part de bons espaces de rangement, l'aspect pratique des New Beetle est quasi nul en raison de places arrière où l'on ne sait plus où donner de la tête et d'un coffre lilliputien.

Certains propriétaires nous ont aussi fait remarquer que les versions TDI à moteur turbodiesel se prennent pour des Coccinelle de première génération avec un système de chauffage déficient.

La New Beetle est sur le point d'entrer dans sa troisième année, un tournant marquant de sa jeune carrière qui devrait nous dire si elle sera capable d'atteindre l'âge adulte ou si elle ne sera qu'un enfant prodige sans lendemain.

Jacques Duval

Volkswagen Passat

Volkswagen Passat

Quel passé?

Il n'y a pas si longtemps encore, plusieurs considéraient la Volkswagen Passat comme étant la Edsel allemande. Cette voiture, bien que remplie de promesses et fort agréable à conduire, s'était plantée sur le marché nord-américain à la fin des années 80 en raison d'une fragilité presque sans équivalent et d'une boîte automatique pas adaptée du tout aux conducteurs nord-américains. La deuxième génération s'était rachetée en partie, mais il aura fallu l'arrivée d'une toute nouvelle Passat en 1998 pour que l'on assiste à une véritable révolution.

Cette fois, c'était la bonne. Spacieuse, élégante, agréable à conduire, pouvant être commandée avec un moteur V6, cette allemande a également montré une fiabilité au-dessus de la moyenne. Tant et si bien que plusieurs personnes qui n'auraient jamais considéré se procurer une Passat auparavant se sont laissé tenter. Son passé lourdement chargé d'échecs et de demi-mesures s'est estompé comme par magie.

Ces succès, Volkswagen les doit en grande partie à sa filiale Audi puisque la Passat emprunte la majorité de ses éléments mécaniques à l'Audi A4, notamment la plate-forme, la suspension avant et les deux moteurs au programme. Elle se démarque de cette dernière en utilisant une suspension indépendante arrière avec essieu à poutre de torsion, plus économique à fabriquer et convenant davantage à la section arrière plus volumineuse de la Passat.

Le moteur de série est le 4 cylindres 1,8 litre turbo à 5 soupapes par cylindre développant 150 chevaux. Plusieurs le considèrent comme le meilleur 4 cylindres sur le marché. Sa puissance n'est peut-être pas aussi élevée que celle de certains autres, mais elle est livrée juste à point. De plus, au fil des années, il a démontré une fiabilité sans tache. Une fois la version avec le moteur 1,8 turbo bien en place sur le marché, Volkswagen a amené le V6 2,8 litres, une autre recrue en provenance de chez Audi. Ce moteur fait également appel à la technologie de 5 soupapes par cylindre et il développe 193 chevaux. Comme celle du 1,8 litre, sa fiabilité est rassurante. Ce V6 peut être associé à une boîte manuelle à 5 rapports ou à une automatique à 5 rapports de type Tiptronic permettant le passage des vitesses en mode manuel. Soulignons que cette boîte automatique a été l'objet de plaintes de la part de quelques propriétaires qui perçoivent un certain glissement entre le 2e et le 3e rapport. Malgré ce hic, la boîte continue de fonctionner et la situation demeure stationnaire. Il faut le souhaiter puisque les concessionnaires ne semblent pas en mesure de régler le problème. Cette hésitation serait de nature électronique et non mécanique.

Des cadrans sexy

Même si vous n'êtes pas de ceux qui vont craquer pour cet habitacle spacieux, bien disposé et possédant un tableau de bord aussi élégant qu'efficace, je suis prêt à parier que vous allez vous pâmer vous aussi pour ces cadrans indicateurs éclairés en bleu et en rouge. Il y a quelques années que Volkswagen nous offre cet éclairage sexy et je craque toujours. C'est non seulement d'une élégance rare, mais aussi très fonctionnel puisque cet éclairage rend la consultation des cadrans plus facile la nuit.

Volkswagen Passat

Pour

Comportement routier impressionnant • Habitabilité assurée • Finition sérieuse • Tableau de bord pratique • Moteur V6 sophistiqué

Contre

Couple du moteur V6 mal réparti • Boîte Tiptronic peu utile • Prix corsé • Pneumatiques moyens • Traction intégrale toujours absente

Caractéristiques

Prix du modèle à l'essai:	GLS / 32 595 $
Garantie de base:	2 ans / 40 000 km
Type:	berline / traction
Empattement / Longueur:	270 cm / 467 cm
Largeur / Hauteur / Poids:	174 cm / 146 cm / 1355 kg
Coffre / Réservoir:	475 litres / 62 litres
Coussins de sécurité:	conducteur, passager et latéraux
Suspension av. / arr.:	indépendante
Freins av. / arr.:	disque ABS
Système antipatinage:	oui
Direction:	à crémaillère, assistée
Diamètre de braquage:	10,0 mètres
Pneus av. / arr.:	P195/65R15
Valeur de revente:	bonne

Motorisation et performances

Moteur / Transmission:	4L 1,8 litre turbo / manuelle 5 rapports
Puissance / Couple:	150 ch à 5700 tr/min / 155 lb-pi 1750-4600 tr/min
Autre(s) moteur(s):	V6 2,8 litres 193 chevaux
Transmission optionnelle:	automatique 5 rapports
Accélération 0-100 km/h:	9,1 secondes; 8,6 secondes (V6)
Vitesse maximale:	220 km/h
Freinage 100-0 km/h:	42,0 mètres
Consommation (100 km):	9,5 litres; 11,0 litres (V6)

Modèles concurrents

Honda Accord • Toyota Camry • Nissan Altima • Mazda 626 • Oldsmobile Intrigue • Subaru Legacy • Hyundai Sonata

Quoi de neuf?

Familiale à moteur V6 • Système 4Motion en cours d'année

Verdict

Agrément	⊕⊕⊕⊕	Habitabilité ⊕⊕⊕⊕◖
Confort	⊕⊕⊕⊕◖	Hiver ⊕⊕⊕◖
Fiabilité	⊕⊕⊕⊕	Sécurité ⊕⊕⊕◖

Il y a plus que cela. La finition est de qualité et on croit être à bord d'une voiture de prix beaucoup plus élevé. En comparaison avec l'Audi A4 dont elle est dérivée, cette Volkswagen propose des places arrière beaucoup plus généreuses. Et si les sièges sont fermes, ils se révèlent confortables au cours d'un trajet de plusieurs heures.

Un bel équilibre

Cette berline à la silhouette épurée et à l'habitacle sobre semble de prime abord être une autre de ces voitures dépourvues de tout agrément de conduite. Pourtant, à l'usage, elle nous gagne rapidement à sa cause. Le moteur V6 manque toujours d'enthousiasme à bas régime pour ensuite s'animer au-delà des 3000 tr/min pour offrir de très bonnes performances. Quant au 4 cylindres, il surprend par sa verve et ses reprises. En fait, c'est l'équilibre général de cette voiture qui explique le plaisir qu'elle procure. Bénéficiant d'une très bonne position de conduite, les mains bien agrippées à un volant aussi stylisé qu'élégant, on fait corps avec la machine. La direction pourrait cependant être plus précise, juste un peu plus. Dans les virages, la caisse demeure imperturbable et il est facile de garder le plein contrôle sur cette voiture aux réactions très prévisibles.

Un rare bémol: j'attends toujours d'être impressionné par la boîte Tiptronic qui est plus futile qu'autre chose. De plus, le temps de réaction de la commande de passage des rapports en mode manuel est assez lent.

Toujours pas de diesel

Si Volkswagen a nettoyé son jardin et nous propose dorénavant une Passat impeccable ou presque, cette compagnie continue d'en faire à sa tête. Le moteur diesel promis se fait toujours attendre et les tractions intégrales 4Motion ne seront pas sur le marché avant des lunes. À moins que... Avec Volkswagen, on ne sait jamais. On n'est pas à une surprise près.

Denis Duquet

487

Volvo C70 Coupé ● Cabriolet

Volvo C70 cabriolet

Priorité plaisir

Le coupé Volvo C70 n'a peut-être pas toutes les qualités, mais il en possède au moins une qui a rudement impressionné un policier de la petite municipalité de Knowlton dans les Cantons de l'Est l'automne dernier. C'est sa résistance aux impacts et particulièrement à un chevreuil assez costaud qui s'est dressé sur notre route.

On connaît toute l'importance que Volvo attache à la sécurité passive de ses véhicules. Pionnier de la ceinture il y a maintenant 40 ans, le constructeur suédois se pique de fabriquer des voitures répondant à des normes aussi sévères que sophistiquées en matière de résistance aux chocs. C'est ainsi que le pare-chocs avant est conçu pour empêcher le déploiement des coussins gonflables si les capteurs détectent que l'obstacle n'est pas un objet solide... les pattes d'un animal, par exemple. Le chevreuil frappé repose désormais en paix tandis que la Volvo ne s'en est pas trop mal tirée aux dires du policier venu faire enquête. Selon lui, les dommages à la carrosserie sont habituellement beaucoup plus sévères que ceux relevés sur le coupé C70 et cela même à des vitesses de 60 ou 70 km/h.

Un départ lent

Le coupé de Volvo et le cabriolet de même souche lancés ces deux dernières années avec beaucoup de flaflas devaient redessiner l'image du constructeur suédois et le débarrasser de sa réputation de concepteur de voitures sérieuses taillées au couteau. L'opération, bien qu'attrayante, n'a pas tout à fait atteint la cible. Un prix prohibitif et des lignes impersonnelles n'ont pas permis à ce duo de voitures plaisir de faire une percée au cœur de la clientèle visée, soit celle des modèles équivalents chez BMW ou Mercedes-Benz.

Avec un équipement de luxe relevé, une motorisation explosive et une habitabilité exceptionnelle pour un coupé, le C70 possède pourtant de solides arguments pour s'opposer à son rival numéro un, le CLK de Mercedes-Benz. Son moteur 5 cylindres turbo de 236 chevaux est plus en verve que le V6 allemand et il faudrait se tourner vers le V8 nouvellement offert dans la CLK 430 pour donner la réplique au C70. Une telle option entraîne cependant un déboursé de près de 70 000 $, soit considérablement plus que les quelque 55 000 $ que coûte la Volvo. Celle-ci n'est pas avare de performances et atteint sans broncher les 250 km/h en vitesse de pointe. Même avec la transmission automatique, les reprises sont vives et stimulantes tandis que le temps de réponse du turbo est moins prononcé qu'avec la boîte manuelle.

L'impeccable tenue de route a toutefois un revers et le confort de roulement du coupé C70 est fortement perturbé par la présence de pneus à taille basse démesurément durs pour ce qui est surtout une voiture grand-tourisme. Il vaut mieux s'en tenir à la suspension normale et aux pneus d'origine pour éviter les secousses brutales sur mauvaise route et les petits bruits de caisse. Autrement, ce coupé C70 est fort attrayant avec ses places arrière comparables à celles de nombreuses berlines et la meilleure chaîne audio qu'il m'ait été donné d'expérimenter dans une voiture. Le Dolby Surround Sound n'est pas de la frime et transforme l'habitacle en véritable salle de concert.

La version plein ciel

Dérivé du coupé, le cabriolet C70 est évidemment plus joli sans sa capote un peu écrasante, mais sa qualité première, héritée du modèle

Volvo C70

Pour
Équipement soigné • Excellentes performances • Vrai 4 places • Sièges orthopédiques • Grand coffre (coupé)

Contre
Suspension raide • Effet de couple • Accès arrière pénible • Visibilité arrière limitée • Coffre étroit (cabriolet) • Freins moyens

Caractéristiques

Prix du modèle à l'essai:	C70 coupé / 54 695 $
Garantie de base:	4 ans / 80 000 km
Type:	coupé / traction
Empattement / Longueur:	266 cm / 472 cm
Largeur / Hauteur / Poids:	182 cm / 141 cm / 1570 kg
Coffre / Réservoir:	370 litres / 70 litres
Coussins de sécurité:	frontaux et latéraux
Suspension av. / arr.:	indépendante / semi-indépendante
Freins av. / arr.:	disque (ventilé à l'avant) ABS
Système antipatinage:	oui
Direction:	à crémaillère, assistée
Diamètre de braquage:	11,7 mètres
Pneus av. / arr.:	P225/45ZR17
Valeur de revente:	bonne

Motorisation et performances

Moteur / Transmission:	5L 2,3 litres, turbo / automatique 4 rapports
Puissance / Couple:	236 ch à 5400 tr/min / 244 lb-pi à 2400 tr/min
Autre(s) moteur(s):	5L 2,5 litres 190 ch
Transmission optionnelle:	aucune
Accélération 0-100 km/h:	7,2 secondes
Vitesse maximale:	250 km/h
Freinage 100-0 km/h:	39,6 mètres
Consommation (100 km):	11,5 litres

Modèles concurrents
BMW 328Ci • Mercedes-Benz CLK • Saab Viggen

Quoi de neuf?
Moteur turbo haute pression (236 ch) offert sur le cabriolet

Verdict
Agrément	⊕⊕⊕	
Confort	⊕⊕⊕⊕	
Fiabilité	⊕⊕⊕⊕	
Habitabilité	⊕⊕⊕	
Hiver	⊕⊕⊕	
Sécurité	⊕⊕⊕⊕	

dont il s'inspire, est d'offrir des places arrière pouvant être occupées par des adultes. Il faudra toutefois s'armer de patience puisque le mécanisme électrique qui fait avancer les sièges avant pour en faciliter l'accès opère à la vitesse d'une tortue. Comme sur les versions découvrables de la CLK et de la BMW série 3, un filet antiturbulences permet de rouler sans gâcher la coûteuse mise en plis de madame. Cette Volvo plein ciel imite aussi ses rivales en adoptant des arceaux de sécurité qui se déploient derrière les appuie-tête arrière en cas de retournement. Et, bien sûr, la capote est entièrement automatique et parfaitement escamotable en une trentaine de secondes, au détriment du volume du coffre qui se voit alors sérieusement amputé. Une fois la capote en place, on constate que la lunette arrière est plutôt étroite, ce qui n'est pas sans causer un sérieux angle mort à la visibilité de trois quarts arrière.

Entre raison et passion.

Moins de puissance, plus d'agrément

En début de carrière, seul le 5 cylindres à turbo basse pression de 2,5 litres et 190 chevaux était offert dans le cabriolet C70. On peut désormais opter pour le moteur de 2,3 litres du coupé dont le turbocompresseur haute pression permet de tirer 236 chevaux. Une telle puissance paraît mal à l'aise, que ce soit sous le capot du coupé ou sous celui du cabriolet. Surtout lorsque le revêtement se dégrade, la direction s'agite, en proie à un gros effet de couple qui entraîne la mise en service trop fréquente de l'antipatinage. Les performances y sont, mais il faut en payer le prix du côté de l'agrément de conduite. En somme, le coupé et le cabriolet sont beaucoup mieux servis par le moteur turbo basse pression de 190 chevaux dont les accélérations et les reprises se révèlent amplement suffisantes pour ce genre de voiture.

Contrairement à ce qui est habituellement le cas, c'est dans leurs versions plus économiques et moins puissantes que les coupés et cabriolets Volvo C70 s'avèrent les plus agréables à utiliser.

Ces modèles récents n'ont pas tout à fait atteint la cible visée par la marque suédoise et, surtout, les quotas de vente anticipés, mais ils auront tout de même réussi dans une certaine mesure à rajeunir l'image à sens unique de leur constructeur.

Jacques Duval

489

Volvo S40 • V40

Volvo S40

Bientôt chez un concessionnaire près de chez vous

En général, Volvo privilégie le Canada lorsque vient le temps de lancer un nouveau produit. Par le passé, de nombreux modèles sont parvenus à nos concessionnaires plusieurs mois avant d'être distribués chez nos voisins du sud. Cette fois, même si le tandem S40/V40 est théoriquement mieux adapté au marché canadien, c'est au sud de notre frontière qu'il sera distribué en premier. Les raisons invoquées sont plus ou moins obscures, mais il semble que les lois canadiennes concernant les pare-chocs soient juste assez différentes de celles des États-Unis pour inciter le manufacturier suédois à jouer de prudence. Il est certain que la petitesse de notre marché ne justifie pas la modification de ce modèle pour l'an 2000. On préfère attendre à l'automne 2000 pour nous offrir une version 2001 comprenant plusieurs autres modifications qui seront apportées à la voiture entre-temps.

Voilà une bien longue introduction pour ces deux modèles. Mais il est important de le souligner puisque l'arrivée de la plus petite des Volvo sur notre continent ne sera pas sans causer des remous sur le marché. À titre d'exemple, la nouvelle S80 a été tellement bien accueillie qu'elle surpasse en chiffres de ventes au Canada les Mercedes de classe E et les BMW de la série 5. Il est certain que la S40/V40 va être accueillie avec le même enthousiasme. La raison? Cette petite suédoise aux allures sympathiques offre beaucoup en fait d'agrément de conduite, de confort et de sécurité. Et si tout se déroule comme prévu, elle sera vendue à un prix vraiment très intéressant.

Déjà connue en Europe

Lorsque les nouveaux modèles 850 et S80 ont été lancés, ils ont été expédiés sur nos rives quelques semaines après avoir été distribués en Europe et leur fiabilité s'est révélée exemplaire. Un résultat que même plusieurs compagnies allemandes bien cotées n'ont pas toujours été en mesure d'obtenir. Ces deux nouvelles venues ont quelques années d'expérience à leur fiche puisqu'elles sont commercialisées sur le Vieux Continent depuis 1996. Soulignons au passage que ce duo a été développé en collaboration avec la compagnie Mitsubishi qui commercialise une berline, la Carisma. Ces deux voitures sont assemblées en Hollande par la compagnie Nec-car, née de la collaboration entre ces deux manufacturiers.

D'ailleurs, la S40/V40 jouit d'une bonne popularité en Europe où ses qualités générales sont appréciées. Et, partenaire japonais ou pas, c'est en tout point une Volvo, tant en fait de design que de qualité des matériaux et d'assemblage.

Les voitures exportées vers l'Amérique possèdent toutes la même fiche technique. Un seul moteur est offert. Il s'agit d'un 4 cylindres de 1,9 litre avec turbo à basse pression d'une puissance de 160 chevaux. Ce moteur très compact offre des performances dans la bonne moyenne puisqu'il est possible de boucler le 0-100 km/h en moins de 9 secondes. Sa fiabilité ne devrait pas s'avérer problématique puisqu'il s'agit d'un moteur modulaire dérivé des 5 et 6 cylindres utilisés sur les autres Volvo et que ceux-ci ont toujours été réputés pour leur fiabilité. Incidemment, ce 4 cylindres très compact est associé à une boîte automatique à 4 rapports permettant de choisir entre les modes sport, économie et hiver. Comme sur toute voiture de cette catégorie, la suspension arrière indépen-

Volvo S40

Pour

Silhouette élégante • Sièges confortables • Tenue de route saine • Sécurité passive sophistiquée • Moteur bien adapté

Contre

Arrivée tardive au Canada • Prix de vente incertain • Porte-verres peu efficace • Roulis en virage • Fiabilité à déterminer

Caractéristiques

Prix du modèle à l'essai:	29 995 $
Garantie de base:	3 ans / 60 000 km
Type:	berline / traction
Empattement / Longueur:	255 cm / 448 cm
Largeur / Hauteur / Poids:	172 cm / 141 cm / 1360 kg
Coffre / Réservoir:	415 litres / 60 litres
Coussins de sécurité:	conducteur, passager et latéraux
Suspension av. / arr.:	indépendante
Freins av. / arr.:	disque ABS
Système antipatinage:	oui
Direction:	à crémaillère, assistance variable
Diamètre de braquage:	10,6 mètres
Pneus av. / arr.:	P195/60VR15
Valeur de revente:	nouveau modèle

Motorisation et performances

Moteur / Transmission:	4L 1,9 litre turbo / automatique 4 rapports
Puissance / Couple:	160 ch à 5200 tr/min / 170 lb-pi à 1800 tr/min
Autre(s) moteur(s):	aucun
Transmission optionnelle:	aucune
Accélération 0-100 km/h:	8,9 secondes
Vitesse maximale:	202 km/h
Freinage 100-0 km/h:	39,8 mètres
Consommation (100 km):	9,6 litres

Modèles concurrents

Volkswagen Jetta • BMW série 3 • Lexus ES300 • Infiniti G20

Quoi de neuf?

nouveau modèle

Verdict

Agrément	⏀⏀⏀⏁	Habitabilité ⏀⏀⏀⏁
Confort	⏀⏀⏀⏀	Hiver ⏀⏀⏀⏀
Fiabilité	nouveau modèle	Sécurité ⏀⏀⏀⏀⏁

dante est à liens multiples et sa géométrie est particulièrement étudiée pour limiter les déviations latérales des roues en virage.

Confort et agrément de conduite

Il est facile de prévoir que cette nouvelle Volvo sera appréciée du public nord-américain. Non seulement en raison de son prix qui devrait se situer tout juste sous la barre de 30 000 $, mais également en fonction du confort, de la tenue de route et de l'agrément de conduite. Et je passe sous silence les éléments de sécurité passive qui sont en tout point identiques à ceux des grosses Volvo.

Comme il se doit sur toute voiture de cette marque, les sièges avant sont très confortables tout en offrant un bon support latéral. En plus de six heures de conduite lors de son lancement dans le parc du Mont Rainier dans l'État de Washington, j'ai toujours été confortablement assis. Il faut également ajouter que le tableau de bord est sobre, bien disposé et de consultation facile. Détail digne de mention, la climatisation à contrôle électronique est efficace et ses commandes simples à opérer.

Patience, patience.

Même si la berline n'affiche pas des dimensions très généreuses, 2 adultes de grande taille peuvent facilement prendre place à l'avant sans se sentir à l'étroit. Même les places arrière peuvent accueillir 2 adultes à leur aise. À la condition, bien entendu, que les sièges avant ne soient pas reculés à la limite. Quant à la familiale, il s'agit davantage d'un *hatchback* avec une partie arrière plus allongée ou d'un «break sport», comme les Européens se plaisent à l'appeler.

Sur la route, cette petite suédoise se comporte comme une voiture de plus gros gabarit tant en raison de son silence de roulement et du confort qu'elle offre sur mauvaise route que de son assurance dans les courbes à long rayon. Le roulis de caisse se révèle passablement important, conséquence sans doute du réglage assez souple des amortisseurs.

Malgré tout, la S40/V40 est une voiture d'un bel équilibre qui attirera chez Volvo une nouvelle clientèle.

Denis Duquet

Volvo S70 • V70 • XC/R

Volvo V70

En fin de carrière

À part quelques détails, la série 70 de Volvo demeure pratiquement inchangée en 2000. On remarque bien certaines améliorations par-ci, par-là, mais ces voitures reviennent en piste sans transformations radicales. Et la raison de ce *statu quo* est bien simple: la gamme sera modifiée l'an prochain. En fait, dans quelques mois, ce manufacturier suédois transformera son best-seller de façon substantielle.

Si Volvo a décidé de modifier ses modèles 70, c'est d'abord pour améliorer la plate-forme. Ils sont toujours dans le coup, mais la venue de la S80 a permis de constater qu'on pouvait faire mieux à Gotebörg. De plus, leur silhouette n'est plus en harmonie avec les nouveaux venus dans la famille. Les formes carrées de la S70/V70 respectent la tradition Volvo et elles sont acceptées par une clientèle qui apprécie la conception vieillotte de ces voitures et leur comportement routier honorable. Cependant, lorsque les nouvelles S80 et C70 sont entrées en scène, les épaules carrées des S70 sont devenues de plus en plus protubérantes et l'arrivée d'une relève harmonisée avec les autres modèles est devenue nécessaire.

Bref, dès le printemps 2000, les intermédiaires seront renouvelées du tout au tout chez Volvo. Ce qui ne signifie pas pour autant qu'il faille ignorer le présent millésime qui comprend une multitude de modèles et de variantes capables de satisfaire les besoins de la majorité. Si leurs moteurs et leur carrosserie diffèrent, ces modèles partagent plusieurs points communs.

Leur tableau de bord est un exemple d'ergonomie et de disposition logique. Non seulement les commandes se trouvent toutes à la portée de la main, mais leurs qualités tactiles sont excellentes. On trouve immédiatement, sans tâtonner. Une exception cependant: la télécommande d'ouverture de la trappe à essence et du coffre, logée dans la porte du conducteur, exige des contorsions assez peu intéressantes. Les porte-verres ne font pas honneur à l'ingénierie suédoise non plus. Non seulement ils n'acceptent pas les tasses plus grosses que la moyenne, mais il est facile de les accrocher avec son coude. Enfin, le vide-poches de la console centrale est relativement petit.

Depuis des années, les sièges de toutes les Volvo sont reconnus pour leur confort et ceux de la famille 70 ne font pas exception à la règle. Même les places arrière sont confortables. Dans les familiales, il est possible de rabattre le dossier arrière sans avoir à enlever les appuie-tête, un détail fort apprécié.

La magie du turbo

La compagnie Saab a joué un rôle important dans la démocratisation de la turbocompression dans les voitures de tourisme, mais Volvo s'est reprise de fort belle façon depuis. En fait, tous les moteurs de la gamme 70, sauf un, sont des turbos. Avec ses 168 chevaux, le 2,5 litres atmosphérique est un moteur honnête capable d'accélérations et de performances dans la bonne moyenne. Malgré tout, il faut parfois être patient avant d'effectuer un dépassement.

De l'avis général, c'est le 5 cylindres 2,5 litres avec son turbo basse pression qui est le plus homogène de toute la famille. Avec 190 chevaux, sa puissance est adéquate et le couple bien réparti. Il n'y a pas de temps mort dans les accélérations, et les reprises ne

Volvo V70

Pour
Mécanique fiable • Grand choix de modèles • Traction intégrale sophistiquée • Sièges confortables • Familiale très polyvalente

Contre
• Formes trop carrées (berline) • Temps de réponse du turbo (moteur 2,3 litres) • En fin de carrière • Châssis de la familiale trop souple • Moteur atmosphérique plutôt juste

Caractéristiques

Prix du modèle à l'essai:	GLT / 45 495 $
Garantie de base:	4 ans / 80 000 km
Type:	berline / traction
Empattement / Longueur:	266 cm / 466 cm
Largeur / Hauteur / Poids:	176 cm / 141 cm / 1434 kg
Coffre / Réservoir:	410 litres / 73 litres
Coussins de sécurité:	conducteur, passager et latéraux
Suspension av. / arr.:	indépendante
Freins av. / arr.:	disque ABS
Système antipatinage:	oui
Direction:	à crémaillère, assistance variable
Diamètre de braquage:	10,2 mètres
Pneus av. / arr.:	P205/55R15
Valeur de revente:	excellente

Motorisation et performances

Moteur / Transmission:	5L 2,5 litres TBP / automatique 4 rapports
Puissance / Couple:	190 ch à 5600 tr/min / 191 lb-pi à 1800 tr/min
Autre(s) moteur(s):	5L 2,5 litres 168 ch; 5L 2,3 litres THP 136 ch
Transmission optionnelle:	manuelle 5 rapports
Accélération 0-100 km/h:	7,8 litres 10,0 secondes (168 ch)
Vitesse maximale:	220 km/h
Freinage 100-0 km/h:	43,0 mètres
Consommation (100 km):	11,2 litres; 10,8 litres (168 ch)

Modèles concurrents

Audi A6 • Acura TL • BMW série 5 • Nissan Maxima • Lexus ES300

Quoi de neuf?

Aucun changement majeur • Nouveaux modèles au printemps 2000

Verdict

Agrément	⊕⊕⊕	Habitabilité ⊕⊕⊕⊕
Confort	⊕⊕⊕⊕	Hiver ⊕⊕⊕⊕
Fiabilité	⊕⊕⊕⊕	Sécurité ⊕⊕⊕⊕⊕

se font pas attendre. Il est vrai que le 5 cylindres 2,3 litres développe 240 chevaux, mais le turbo à haute pression est pénalisé par un temps de réponse plutôt long, ce qui atténue l'agrément de conduite. Ce trio de moteurs est associé à une boîte automatique à 4 rapports difficile à critiquer.

Une intégrale sophistiquée

Depuis l'an dernier, il est possible de commander une Volvo à traction intégrale aussi bien en version berline que familiale. La V70 avait été la première équipée de ce système de traction aux 4 roues dont la versatilité fait l'unanimité. La berline en bénéficie depuis 1999.

La plupart du temps, on conduit une traction avant alors qu'environ 5 p. 100 du couple du moteur est dirigé vers l'arrière. Puis, au fur et à mesure que les roues avant perdent de l'adhérence, le couple est transféré aux roues arrière. En fait, le système intégral de Volvo est l'un des rares à pouvoir transférer pratiquement toute la puissance à l'une ou l'autre extrémité. Cette caractéristique est fort appréciée lorsque vient le temps de tracter une remorque.

L'embarras du choix.

Le compromis de la X-Country

La V70 X-Country est un modèle à la popularité en hausse marquée. Ce compromis entre une familiale normale et un véhicule utilitaire sport conventionnel semble être la solution pour bien des gens. En plus de pouvoir compter sur une traction intégrale sophistiquée et sur une voiture confortable, les acheteurs semblent apprécier la présentation extérieure qui est suffisamment modifiée pour se démarquer des autres modèles.

Les amateurs de performances et de modèles plus personnalisés pourront toujours s'intéresser aux S70/V70 «R» dont la suspension, les roues et la présentation générale sont sélectionnées en fonction du caractère sportif de la voiture. Il est donc difficile de ne pas trouver un modèle à son goût parmi la gamme de la série 70, l'une des plus étoffées de la catégorie.

Denis Duquet

Volvo S80

Volvo S80 T6

Le missile anti-germanique

Elle est rapide, frénétiquement rapide, d'un confort irré- prochable, somptueusement équipée et pas inintéres- sante à conduire. Cette brève description pourrait s'appli- quer à bien des berlines allemandes haut de gamme, que ce soit une BMW, une Audi ou une Mercedes-Benz. Or, elle s'applique ici à une récente Volvo, la S80 T6. Compte tenu que c'était exactement le but visé par le constructeur sué- dois, on peut tout de suite conclure que la cible a été tou- chée dans le mitan.

Peu porté sur les Volvo, j'avoue avoir été séduit par la haute per- formance qu'offre la nouvelle S80 et par cette débauche de luxe dont elle s'entoure. Ne parlons pas de sécurité, une chose qui n'est pas un luxe selon moi, mais de ces multiples accessoires et astuces qui facilitent la vie à bord de cette grande berline. À titre d'exemple, citons l'ordinateur de bord, le rétroviseur central sensible à la lumière, des appuie-tête arrière escamotables grâce à une commande à distance, un siège conducteur dont la position peut être mise en mémoire, un casier pour le téléphone cellulaire au tableau de bord et, surtout, un coffre à bagages qui est incontestablement le plus beau de l'industrie. Quant à la sécurité, elle est garantie par une pléthore de coussins gonflables, six en tout, servant de protection dans l'éventua- lité d'une collision frontale ou latérale ou encore d'un tonneau.

Un moteur souple et performant

En dépit de cette avalanche de luxe, la voiture n'est pas dépour- vue d'agrément de conduite et les performances de la version T6 à moteur 6 cylindres biturbo jouent un rôle de premier plan dans son

évaluation globale. Contrairement au moteur 5 cylindres utilisé dans d'autres modèles Volvo, le 6 en ligne de la S80 est d'une dou- ceur et d'une discrétion qui lui vaudraient une place sous le capot d'une BMW. Gorgé d'un couple disponible à tous les régimes et sans le moindre temps de réponse, le moteur procure à la S80 T6 des accélérations et des reprises dignes des GT les plus rapides.

La S80 normale (201 chevaux) est moins ambitieuse, mais elle conserve néanmoins plusieurs des attributs du modèle haut de gamme.

Contrairement aux transmissions automatiques de Mercedes- Benz et de BMW à 5 rapports, celle de la Volvo n'en a que 4 mais s'en accommode fort bien. Toutefois, la boîte de vitesses n'échappe pas à cette mode strictement inutile d'offrir la possibilité de sélec- tionner les rapports manuellement. Quelle que soit la façon dont on manie le levier, les temps d'accélération demeurent rigoureuse- ment les mêmes, ce qui me laisse perplexe sur la nécessité de ces transmissions bimodes.

S'il est un domaine où la S80 n'est pas au coude à coude avec ses rivales, c'est du côté de la direction qui a tendance à s'alourdir dans les manœuvres de stationnement et dont le diamètre de bra- quage est vraiment trop grand. Pourtant, la fiche technique fait état de 10,9 mètres, un chiffre qui m'apparaît douteux. Il faut aussi mettre un bémol du côté de l'antipatinage dont l'efficacité ne peut être mise en doute, mais qui fait entendre un bruit de castagnettes dont on se passerait volontiers dans une voiture de ce prix.

Le freinage, quant à lui, est tout à fait dans le ton et donne à la S80 de bonnes notes en matière de sécurité active. Il en est ainsi de la tenue de route qui épate pour une berline d'un tel gabarit. On a

Volvo S80

Pour

Confort princier • Moteur fabuleux • Maniabilité étonnante • Caisse solide • Équipement ultracomplet

Contre

Trop grand diamètre de braquage • ABS bruyant • Mauvaise visibilité latérale • Système audio inutilement complexe • Fiabilité incertaine

Caractéristiques

Prix du modèle à l'essai:	S80 T6 / 56 490 $
Garantie de base:	4 ans / 80 000 km
Type:	berline / traction
Empattement / Longueur:	279 cm / 482 cm
Largeur / Hauteur / Poids:	183 cm / 145 cm / 1489 kg
Coffre / Réservoir:	440 litres / 80 litres
Coussins de sécurité:	frontaux, latéraux et plafond
Suspension av. / arr.:	indépendante
Freins av. / arr.:	disques ventilés (avant)
Système antipatinage:	oui
Direction:	à crémaillère, assistée
Diamètre de braquage:	10,9 mètres
Pneus av. / arr.:	P225/45R17
Valeur de revente:	très bonne

Motorisation et performances

Moteur / Transmission:	6 L 2,8 litres biturbo / automatique 4 rapports
Puissance / Couple:	268 ch à 5400 tr/min / 280 lb-pi à 2000 tr/min
Autre(s) moteur(s):	6 L 2,9 litres 201 ch
Transmission optionnelle:	aucune
Accélération 0-100 km/h:	6,5 secondes
Vitesse maximale:	250 km/h
Freinage 100-0 km/h:	38,7 mètres
Consommation (100 km):	12,2 litres

Modèles concurrents

Mercedes-Benz E320 • BMW 540i • Audi A6 2,7 T • Saab 9⁵ • Lexus GS400

Quoi de neuf?

Aucun changement majeur

Verdict

Agrément	⊕⊕⊕⊕	
Confort	⊕⊕⊕⊕	
Fiabilité	⊕⊕⊕⊕	
Habitabilité	⊕⊕⊕⊕	
Hiver	⊕⊕⊕⊕	
Sécurité	⊕⊕⊕⊕⊕	

beau la «brasser» comme une voiture de rallye en virage, cette Volvo n'apparaît jamais trop lourde ou trop encombrante. Sur une route sinueuse, on pourrait presque parler d'un comportement sportif, ce qui est d'autant plus surprenant que la T6 mise à l'essai chaussait de grosses bottes d'hiver sous la forme de Continental Winter Contact P245/45R17. Or, malgré leur taille, ces pneus télégraphiaient très peu l'effet de couple de la traction avant dans le volant.

Des sièges à citer en exemple

Chaque fois que je conduis une Volvo ou une Mercedes, je me demande pourquoi les sièges d'automobiles ne sont pas uniformisés. Pourquoi chaque manufacturier doit-il, souvent sans succès, tenter de réinventer le siège lorsqu'il en existe déjà un qui assure le confort de la majorité? Tout cela pour dire que l'on est merveilleusement bien assis dans une Volvo, dans des fauteuils tendus de cuir du plus grand chic, et que plusieurs constructeurs devraient prendre exemple sur la petite marque suédoise. Même la banquette arrière est accueillante et la place centrale fait de la S80 une vraie 5 places. Les bagages sont aussi traités aux petits soins dans un coffre qui tranche carrément avec ces malheureux trous noirs qui sont le lot de la plupart des voitures. Chez Volvo, les sacs de golf prennent place sur un très beau tapis et de solides poignées aménagées dans les dossiers de la banquette arrière permettent de les dégager le plus simplement du monde.

En plus, un bouton spécial permet de verrouiller le coffre à bagages lorsqu'on abandonne la voiture aux préposés d'un stationnement. À propos de verrouillage justement, la commande à distance n'est pas facile à utiliser et refuse souvent d'ouvrir les portes arrière. Et si la chaîne audio mérite de bonnes notes pour sa qualité sonore, il est dommage que le système de mise en mémoire des fréquences soit conçu de façon contraire à la pratique courante.

Ce sont là cependant de tout petits irritants dans une voiture qui permet enfin à Volvo de lutter à armes quasi égales avec ses concurrents dans le marché des berlines de luxe à caractère sportif. Finalement, la S80 a peut-être joué un rôle plus important qu'on le croit dans la récente acquisition de Volvo par Ford.

Une Volvo pas comme les autres.

Jacques Duval

Ce livre a été produit grâce au système d'imagerie au laser
des Éditions de l'Homme, lequel comprend:

•Un digitaliseur Scitex Smart TM 720

•Le processeur d'images RIP 50 PL2 combiné avec
la nouvelle technologie Lino Dot® et Lino Pipeline® de Linotype-Hell®.

Lithographié sur papier Jenson
et achevé d'imprimer au Canada
sur les presses de l'imprimerie Interglobe.